Brasil: *uma História*

Brasil:

ea editora ática

Eduardo Bueno

uma História

Diretor Editorial Adjunto
Fernando Paixão

Coordenadora Editorial
Maria Dolores Prades

Editor Assistente
Túlio Kawata

Preparação dos Originais
Fábio Gonçalves

Revisão
Ivany Picasso Batista (coord.)
Agnaldo dos Santos Holanda Lopes

Edição de Arte
Suzana Laub

Editor de Arte Assistente
Antonio Paulos

Design
Victor Burton

Assistentes de Design
Ana Paula Brandão
Angelo Bottino
Miriam Lerner

Mapas
Ana Adams

Editoração Eletrônica
Moacir K. Matsusaki
Eduardo Rodrigues

Pesquisa Iconográfica
Raquel Hoshino
Angelita Cardoso
Lia Mara Milanelli

Edição Eletrônica de Imagens
Cesar Wolf

"*Brasil: uma História* é uma reedição, ampliada, revista e parcialmente reescrita, do trabalho
originalmente publicado em fascículos pelos jornais *Folha de S.Paulo* e *Zero Hora* de Porto
Alegre em 1996, conforme projeto concebido por Eduardo Bueno e produzido por Ana Adams".

1ª edição
1ª impressão

ISBN 85 08 08213 4
2002
Todos os direitos reservados pela
Editora Ática
Rua Barão de Iguape, 110, Liberdade
CEP 01507-900 – São Paulo SP
Tel: 11 3346 3000 FAX: 11 3277 4146
Caixa Postal 2937 – CEP 01065-970 – São Paulo SP
http://www.atica.com.br
editorial@atica.com.br

Impressão Marprint
Acabamento Aquarius

Uma história para ler

Consagrado jornalista e exímio contador de histórias, Eduardo Bueno demonstra, em mais esta obra, seu profundo interesse pela História do Brasil. Amplo painel de 500 anos de fatos políticos e econômicos entremeados de personagens que lhe deram vida, seu livro condensa, numa trama simples e objetiva, inúmeras informações, ao mesmo tempo, saborosas e preciosas sobre nosso passado.

Independente das abordagens teóricas consagradas pelas academias, destacado da pesquisa histórica que se faz nas universidades, o autor identifica-se ao espírito de abertura e descoberta que domina nossa época. Exemplo de coerência intelectual, ele lê o Brasil numa chave jornalística onde fatos e personagens sublinham o peso do passado sobre condutas e decisões coletivas, assim como a permanência das decisões individuais sobre o curso da história. Menos preocupado em interpretar a significação das estruturas, ele extrai habilmente lições de fatos históricos. Em sua pena, a virtuosidade do vulgarizador, o charme do contador e a elegância do estilista combinam-se para oferecer ao leitor uma narrativa pouco convencional e repleta de biografias pitorescas, além de observações nada canônicas. Seu estilo original é responsável pelo aparecimento de uma literatura histórica que congrega e absorve um número cada vez maior de leitores.

À luz de inúmeros conhecimentos e informações, Eduardo Bueno sabe, como poucos, colocar-se ao alcance do público, abandonando as praias do texto esotérico tantas vezes concebido por especialistas. Seu trabalho – o de oferecer uma narrativa de fácil compreensão ao maior número de interessados – ajuda a renovar o gosto pela História do Brasil.

Mary Del Priore
Historiadora, professora de História do Brasil
na USP e PUC/RJ, autora de vários livros,
atualmente é Coordenadora-Geral do Arquivo Nacional.

TERRA BRASILIS

Sumário

CAPÍTULO 1   # Antes do Brasil

No Brasil, como no restante do Novo Mundo, o que separa a história da pré-história é mais do que um mero prefixo. Existe, entre ambas, um abismo de desconhecimento e incompreensão. Embora o trabalho dos arqueólogos literalmente se aprofunde cada vez mais, restam ainda imensas lacunas à respeito dos povos que ocuparam o território que viria a ser o Brasil. O que já se sabe, porém, permite afirmar que a herança "pré-histórica" — ou seja, o legado dos povos que por pelo menos dez milênios aqui viveram — é bem mais sólida e está muito mais presente do que em geral se supõe.

É preciso não esquecer, afinal, que, por pelo menos cem séculos, esses povos ancestrais – cuja própria origem ainda não pôde ser inteiramente esclarecida – testaram um repertório de alternativas e um leque de possibilidades alimentares, ecológicas e logísticas que os conquistadores europeus, sob risco de colocarem em perigo a própria sobrevivência, não puderam descartar desde o instante em que desembarcaram no então "novo" e desconhecido território, oficialmente em abril de 1500.

Pode-se afirmar, na verdade, que as trilhas e caminhos pelos quais o país se ex-

pandiu, os sítios onde se erguem suas grandes cidades, inúmeros produtos agrícolas que hoje saciam a fome da nação, bem como vários de seus hábitos e costumes, são fruto direto de um conhecimento milenar — que, embora esteja dessa forma preservado, na essência se perdeu. É preciso ter em mente, portanto, que uma compreensão mais plena do Brasil impõe um mergulho no passado — e que esse passado é muito mais remoto do que apenas os últimos cinco séculos.

O conhecimento da pré-história, de certos condicionalismos geológicos bem como de imposições geográficas se apresenta, assim, como uma ferramenta-chave para uma interpretação mais coerente do "processo civilizatório" do país na medida em que ajuda a dissipar as sombras que obs-

curecem um dos pilares a partir dos quais portugueses em particular e europeus em geral ergueram a "civilização brasileira". E embora, por um lado, o legado indígena tenha tornado menos árduo o processo de adaptação desses "povos transplantados" ao Novo Mundo, por outro ele próprio também deixa claro que continuamos sendo, como disse o historiador Sérgio Buarque de Holanda, uns "desterrados em nossa própria terra".

A Pedra Furada: ao pé deste deslumbrante bloco arenítico, que se ergue em meio à vastidão desolada da caatinga, no Piauí, foram encontrados os vestígios arqueológicos mais polêmicos da pré-história brasileira.

O Palco Geológico

☐ Área invadida pelo mar
▨ Futura Cordilheira dos Andes

O Mar Ancestral

Os mais dramáticos e surpreendentes episódios da história geológica do Brasil — embora permaneçam desconhecidos pela absoluta maioria dos brasileiros — foram as chamadas "transgressões marítimas", denominação dada aos períodos nos quais o mar "invadiu" boa parte do território que hoje constitui o país. Tais acontecimentos se desenrolaram em escala geológica, o que os torna extremamente complexos e cambiantes. Mas, em linhas gerais, pode-se resumir a ação "transgressora" do oceano em dois momentos-chave. O primeiro ocorreu no período Siluriano (entre 443 e 417 milhões de anos atrás), muito antes do surgimento da cordilheira dos Andes, quando virtualmente toda a porção oeste da América do Sul foi ocupada por um "mar siluriano", que se expandia por toda a bacia amazônica, através da qual "desaguava" no oceano Atlântico. Maior e ainda mais espantosa é a ação do chamado "mar devoniano" que, entre 417 e 354 milhões de anos atrás, inundou boa parte do território brasileiro, ocupando as atuais bacias do Paraná e do Maranhão, unidas pela chamada "passagem marinha Araguaia-Tocantins" (um braço marítimo que se localizava no local hoje ocupado por aqueles dois rios). Um terço da superfície do Brasil esteve recoberto pelas águas rasas e fervilhantes de vida desse mar ancestral.

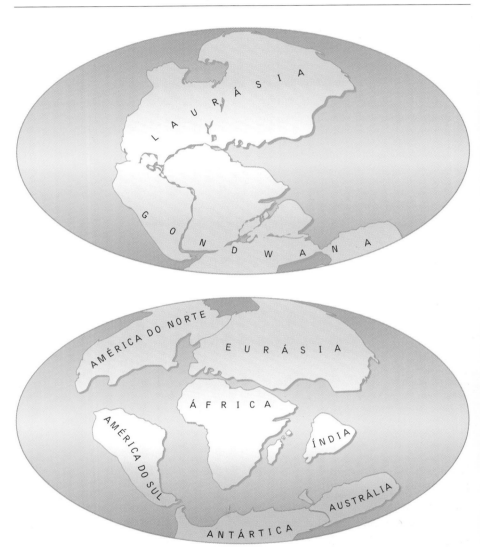

O palco geológico no qual se desenrola a história do Brasil é constituído por um extenso mosaico no qual se alternam terrenos de origem antiqüíssima — remanescentes da Pangéia, o supercontinente ancestral — com amplas bacias sedimentares cuja origem é muito mais recente. Quando a Pangéia começou a se partir, há cerca de 180 milhões de anos, a massa terrestre se dividiu em duas grandes porções continentais: a Laurásia (englobando os atuais territórios da América do Norte, da Europa e da Ásia) e a Gondwana (que reunia a América do Sul, a África, a Índia, a Austrália e a Antártida). É curioso perceber que, em tempos históricos, os navegadores portugueses restabeleceriam, por mar, a conexão que, em eras remotas, unira o Brasil à África e à Índia.

Cerca de 36% do território brasileiro (algo em torno de três milhões de quilômetros quadrados) é constituído por maciços antigos que fizeram parte da Gondwana. Eles formam a ossatura rochosa do país. São antiqüíssimos escudos (ou planaltos) cristalinos, de

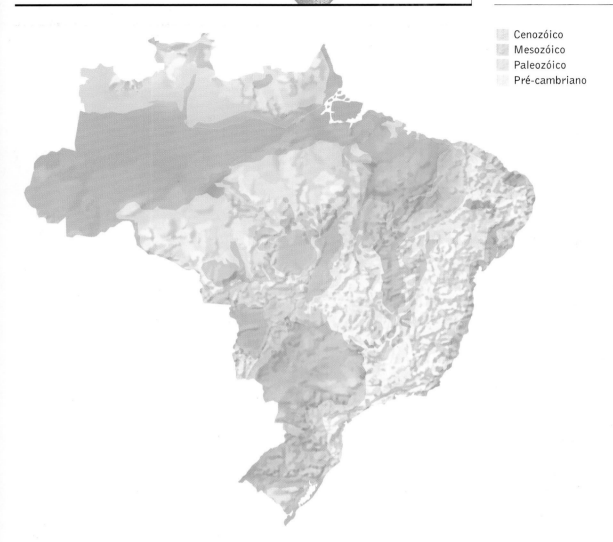

base granítica, remanescentes da Era Pré-Cambriana. Sua idade varia entre um e três bilhões de anos (*área cinza*). O escudo das Guianas, localizado em Roraima, no extremo norte do país, por exemplo, formou-se há cerca de 2,5 bilhões de anos.

Os outros 64% do território brasileiro (cerca de seis milhões de quilômetros quadrados) estão recobertos pelos sedimentos e detritos resultantes da ação erosiva das águas e dos ventos sobre as antigas e suntuosas montanhas graníticas da Gondwana: vento rápido e água mole se chocando sem cessar contra pedra dura, ao longo de dois bilhões de anos. Nessas áreas sedimentares surgiram as chapadas e chapadões tipicamente brasileiros. Boa parte dessas formações está recoberta pela lava resultante dos estupendos derrames basálticos ocorridos no Período Triássico, há cerca de 220 milhões de anos (*área marrom*), quando o Brasil foi palco de grandes atividades vulcânicas. Já os terrenos formados durante a Era Cenozóica, iniciada há 66 milhões de anos (*área roxa*), são de pequena espessura, mas possuem ampla distribuição horizontal. São áreas que estiveram anteriormente cobertas pelo mar (*em verde – leia o box à esquerda*) e se concentraram basicamente na região amazônica e no Pantanal.

Por fim, o mais recente capítulo da história geológica brasileira desenrolou-se há cerca de um milhão de anos, no Período Quaternário, durante o qual se formaram as planícies costeiras, constituídas pelo lento depósito da areia jogada pelo oceano Atlântico sobre a grande massa granítica que forma a plataforma continental brasileira, ao longo de todo o litoral.

A dança continental: os mapas (*página à esquerda*) mostram a ruptura do supercontinente ancestral, batizado de Pangea, e sua subdivisão em dois enormes blocos, Gondwana e Laurásia. O diagrama revela como, em tempos remotos, América do Sul, África e Índia estiveram unidas.

O Senhor das Ossadas

Foi um encontro fortuito e desconcertante, mas, acima de tudo, foi uma coincidência decisiva. Em outubro de 1834, Peter Lund, naturalista dinamarquês — homem refinado, culto e rico, amigo pessoal do filósofo Sören Kierkegaard —, cavalgava pelo mar de morros areentos e chapadões requentados do cerrado de Minas Gerais. No vilarejo de Curvelo, parou para descansar numa taberna imunda à beira da estrada. Lá, acabou deparando com o também dinamarquês Peter Claussen, um sujeito em tudo diferente dele: brutal, ganancioso e rústico. Ainda assim, aquele seria um momento fundamental não só para o próprio Lund mas para a história da ciência. Foi Claussen quem conduziu Lund às grutas repletas de ossadas de animais "antediluvianos" dispersas por todo o vale do Rio das Velhas. Aqueles eram os primeiros fósseis encontrados no trópico, e a eles Peter Lund dedicaria o resto de sua vida. Durante meio século, passado nas mais árduas condições, Lund se entregou às páginas de pedra do grande livro que, ao longo dos milênios, a natureza havia composto nas reentrâncias encantadas das grutas calcárias de Minas Gerais. Penetrou em mais de duzentas cavernas e identificou as ossadas de 115 mamíferos pré-históricos. Em 1843, depois de descobrir fósseis como os do megatério e de visitar inúmeras vezes a soberba gruta de

A Pré-História

Continua sendo difícil estabelecer um quadro global e coerente da pré-história brasileira. O desafio tem-se revelado frustrante para os pesquisadores porque, além de compreender um período de tempo que, talvez, seja de cerca de quinhentos séculos (ou 50 mil anos), a área de pesquisa — estendendo-se da Amazônia ao Pampa e do Nordeste ao Pantanal — possui vastidão continental. Como se não bastasse a amplitude do tempo e do espaço — e as enormes modificações climáticas ocorridas na região ao longo de milênios —, pouquíssimas pesquisas foram realizadas no Brasil antes de 1965. E, nessa época, como continua acontecendo ainda hoje, milhares de sítios arqueológicos já haviam sido destruídos.

Não se sabe com certeza desde quando o homem está na América, embora a estimativa e a via de penetração oficialmente aceitas — doze mil anos atrás, através de migrações via estreito de Behring (a ponte de gelo que, em épocas glaciais, unia a Ásia ao Alasca) — estejam sob o ataque constante de novas datações e novas teorias. Há indícios (ainda não inteiramente comprovados) de que os primeiros paleoíndios possam ter chegado ao Brasil há pelo menos 50 mil anos e que talvez tenham vindo por via marítima, depois de cruzar o Pacífico. Seja como for, é certo que por volta de doze mil A.P. (ou Antes do Presente, que, por convenção, significa "antes de 1950") — como dizem os arqueólogos —, durante a transição entre os períodos Pleistoceno e Holoceno, boa parte do território hoje brasileiro já estava ocupado por grupos de caçadores e coletores pré-históricos.

Tais grupos são divididos pelos arqueólogos em *tradições*, estabelecidas de acordo com os resquícios de sua cultura material — essencialmente instrumentos de pedra e pinturas rupestres. Grande parte das atuais regiões Nordeste e Centro-Oeste do Brasil, por exemplo, era ocupada por membros da chamada tradição *Nordeste*, que possuía indústria lítica refinada e fazia belas pinturas rupestres. Ao redor de sete mil anos atrás, esse grupo foi substituído pelas tribos da tradição *Agreste*, que não dominava as artes, exceto a da guerra. No

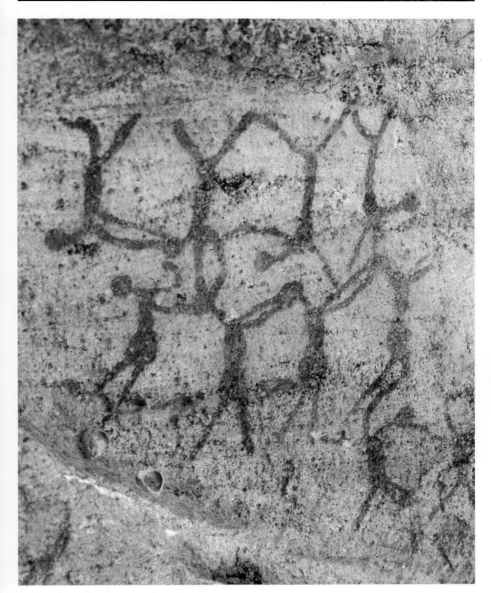

Maquiné, Lund fez a mais espantosa de suas descobertas: os ossos do Homem de Lagoa Santa — os mais antigos vestígios humanos até então encontrados no Novo Mundo. Apesar de nunca mais ter saído de Minas Gerais, Lund — cujo trabalho era financiado pela Sociedade de Ciências de Copenhague — tornou-se famoso na Europa, sendo citado por Charles Darwin (de quem discordava), no clássico A origem das espécies. Lund escreveu mais de 40 livros sobre a fauna e a flora pré-históricas do Brasil, a maior parte deles ainda inédita em português. Morreu em maio de 1880 e está enterrado na sua amada Lagoa Santa.

Uma arte milenar: pinturas, inscrições rupestres e objetos decorativos, como os que ilustram essas duas páginas, fazem um registro da vida cotidiana e do universo mental e espiritual dos grupos humanos que ocuparam o Brasil pelo menos dez séculos antes da chegada dos europeus.

Sul, a tradição mais antiga é a *Ibicuí*, estabelecida na bacia do rio Uruguai há cerca de treze mil anos. Eram caçadores que enfrentavam os animais da megafauna, como o preguiça gigante megatério. Entre 6.500 e 2.000 A.P. surgiu, da região que agora é o Estado de São Paulo para o Sul, a tradição *Humaitá*. A agricultura desenvolveu-se a partir de 3.500 A.P. e a cerâmica, pouco depois. Não é nada fácil estabelecer um vínculo preciso entre os grupos pré-históricos e as tribos indígenas que seriam encontradas pelos portugueses a partir de abril de 1500. Na verdade, muitos dos primeiros habitantes do Brasil se extinguiram, ou foram massacrados ou absorvidos por grupos indígenas que chegaram ao território brasileiro muitos séculos depois daqueles pioneiros.

De todo modo, o certo é que, quanto mais se iluminarem as trevas do passado, mas o Brasil conhecerá seu próprio futuro.

A Toca do Boqueirão

Trata-se do sítio arqueológico mais polêmico do mundo — e um dos mais agrestes e deslumbrantes também. A Pedra Furada é um bloco rochoso avermelhado de 150 metros de altura que se ergue em meio à vastidão desolada da caatinga, no município de São Raimundo Nonato, sudoeste do Piauí. Foi ao pé desse paredão arenítico, numa gruta adornada por centenas de pinturas rupestres chamada de Toca do Boqueirão, que Niéde Guidon encontrou os vestígios arqueológicos mais controversos do final do século XX. São apenas pedaços de carvão, como tantos outros achados em cavernas pré-históricas. A diferença é que as cinzas desenterradas da Toca do Boqueirão podem pertencer a fogueiras acesas há mais de 50 mil anos.

Boa parte da comunidade científica internacional não aceita as datações obtidas por Guidon. Quem lidera a oposição é Betty Meggers, do Smithsonian Institute, de Washington, uma das arqueólogas mais respeitadas do mundo. A datação dos pedaços de carvão recolhidos na Toca do Boqueirão foi feita na França por meio da técnica do carbono 14, em 1981. Ninguém duvida que os carvões encontrados por Niéde Guidon tenham, de fato, 48 mil anos; a questão é que, segundo Meggers e seus aliados, eles são fruto de queimadas naturais, e não de fogueiras feitas por caçadores primitivos.

De todo modo, para além de qualquer polêmica, a Pedra Furada, a Toca do Boqueirão e a região adjacente formam um deslumbrante conjunto natural. Toda a área faz parte do Parque Nacional da Serra da Capivara, criado em junho de 1995 e desde 1996 tombado como Patrimônio Cultural da Humanidade pela Unesco. No parque, há quatrocentos sítios arqueológicos, dos quais 260 com pinturas rupestres. Só na Pedra

Os Primeiros Brasileiros

Quem foram os primeiros — os autênticos — descobridores do Brasil? Que visão tiveram do território — em que época e a partir de que região? As respostas ainda não são conclusivas. Uma coisa, porém, é certa: quanto mais sabem, mais os arqueólogos descobrem quanto ainda falta saber. De qualquer forma, novos achados e novas hipóteses têm ajudado a modificar velhas teorias que, embora jamais tivessem adquirido a consistência dos fatos, estavam a ponto de se solidificar.

A complexa e fascinante questão sobre quem foram os "primeiros brasileiros" passa, evidentemente, pela indagação primordial: quem foram os primeiros seres humanos a colonizar a América? Sabendo-se que jamais existiram, no continente, grandes primatas que pudessem evoluir para a forma humana, arqueólogos e antropólogos cedo partiram da premissa de que os homens haviam chegado ao Novo Mundo vindos de outro (ou outros) continentes. Mas de onde e quando?

A primeira e mais óbvia resposta apontava para uma migração através do estreito de Behring — transformado sazonalmente numa ponte de gelo que, durante os períodos glaciais, unia o extremo leste da atual Sibéria, na Ásia, ao extremo oeste do Alasca, na América. Os arqueólogos norte-americanos, baseados numa série de estudos e evidências, consideram o período entre 11 mil e 11.500 anos A.P. o mais propício para aquela dificílima travessia. E o fato de os mais antigos vestígios arqueológicos encontrados na América do Norte terem justamente essa datação — 11.500 anos A.P. — levou a absoluta maioria da comunidade acadêmica a decretar que a chamada "cultura Clóvis" (assim batizada devido a um sítio encontrado na localidade de Clóvis, no Novo México) fora a pioneira na ocupação da América.

A partir da década de 1980, no entanto, outras evidências começaram a abalar a solidez que a "hipótese Clóvis" vinha gradativamente obtendo. E, surpreendentemente, foram descobertas realizadas na América do Sul aquelas que com mais intensidade abalaram a teoria de acordo com a qual o continente teria sido ocupado ao redor do ano 11.500 A.P., após um único fluxo migratório (realizado por populações de origem mongol — portanto, asiáticas).

Além do controverso sítio da Toca do Boqueirão, no Piauí (*leia box ao lado*), onde a arqueóloga Niéde Guidon julga ter encontrado antiqüíssimos vestígios de ocupação humana, o sítio de Monte Verde, no sul do Chile, revelou instrumentos de pedra cuja datação — 12.500 anos A.P. — vem sendo aceita, depois de anos de polêmica, por grande parte da comunidade científica internacional.

Mas foi no Brasil que surgiu um dos mais intrigantes achados da pré-história americana. Em 1974, no sítio da Lapa Vermelha, município de Pedro Leopoldo (MG), a equipe da arqueóloga Annette Laming-Emperaire encontrou o crânio de uma mulher — mais tarde batizado de "Luzia". Luzia teria morrido há cerca de onze mil anos. A surpresa do achado não está relacionada, portanto, com sua antigüidade (uma vez que ela se enquadra dentro da "hipótese Clóvis"). A questão realmente inovadora é que, tão logo o dr. Richard Neave, da Universidade de Manchester, na Inglaterra, realizou a reconstituição facial do crânio de Luzia, seus traços negróides ficaram evidentes.

Graças a tal constatação, os arqueólogos passaram a trabalhar, a partir de 1996, com o chamado "modelo das Quatro Migrações". De acordo com essa nova hipótese — que tem ganhado cada vez mais força entre os especialistas —, a América teria sido colonizada a partir de quatro fluxos migratórios. Os três últimos foram, todos eles, empreendidos

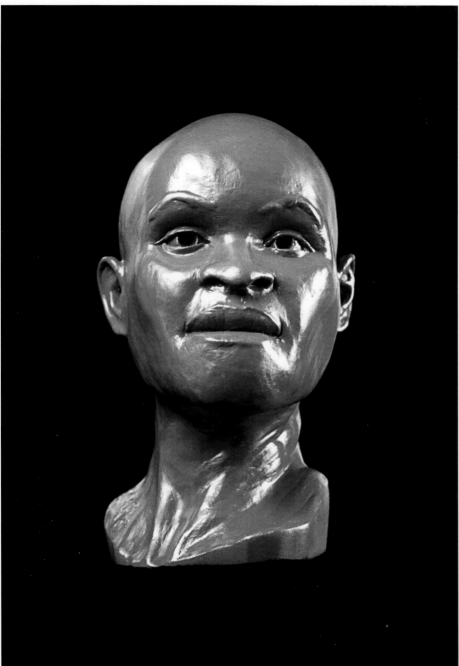

*Furada, são mais de mil. Elas
registram, com requinte visual e vigor
narrativo, o cotidiano, o mundo
natural e o universo espiritual do povo
que as concebeu e realizou. Tais
pinturas, porém, foram feitas há cerca
de onze mil anos — quase 40 mil anos
depois de terem ardido as fogueiras da
discórdia.*

Um olhar do passado confronta o futuro: o
crânio reconstituído de Luzia, um dos mais
antigos registros da presença humana no
Brasil, encara os pesquisadores trazendo
perguntas que ainda não podem ser
respondidas.

por populações mongóis (cujo DNA é o mesmo das populações indígenas atuais).
Anteriormente aos três fluxos dos mongóis, no entanto, teria havido um ciclo migratório
de povos não mongóis, cujos traços eram muito similares aos dos atuais africanos e aborí-
genes australianos. Esse grupo ancestral — que também povoara a Ásia em tempos remotos — teria sido assimilado, ou substituído, pelas levas mongóis.

O crânio de Luzia contempla os estudiosos, materializando a pergunta que não quer
calar. E os mistérios inerentes ao primeiro — e autêntico — descobrimento do Brasil
permanecem uma questão em aberto. O que, aliás, apenas a torna ainda mais fascinante.

CAPÍTULO 2   O Brasil Indígena

Quem são, de onde vieram, para onde vão? Cinco séculos depois do primeiro encontro, os indígenas do Brasil permanecem um mistério para o homem branco. Não se pode afirmar com certeza de onde vieram, embora a teoria da migração via estreito de Behring continue sendo a mais provável — mesmo tendo perdido a exclusividade. Quando teriam chegado à América também é assunto ainda polêmico: 12 mil, 38 mil ou 53 mil anos atrás? Ninguém sabe ao certo. Sabe-se apenas que aqui estavam.

De qualquer modo, sua simples presença já era um enigma. Quem seriam aqueles homens "nus, pardos, de bons narizes e bons corpos", que negros não eram, nem mouros, nem hindus? Descenderiam de qual das dez tribos de Israel? Ou de qual dos três filhos de Noé? Teriam alma? Em caso afirmativo, como poderiam ter vivido tanto tempo "à margem de Deus"?

Cristóvão Colombo, achando que chegara ao Oriente, decidira chamá-los de índios — mas índios os portugueses sabiam que não eram. O que seriam então esses "negros da terra"? Bons selvagens, como sugeriu Pero Vaz de Caminha (e os filósofos Rosseau, Montaigne e Diderot ecoaram), ou antropófagos bestiais, como insinuaram outros cronistas? Defini-los de que forma, se alguns eram brutais e intratáveis, como os Aimoré — que comiam carne humana "por mantimento e não por vingança ou pela antigüidade de seus ódios" —, e outros tão mansos e pacíficos, como os Carijó, "o melhor gentio da costa"?

Passados 500 anos de convivência sempre conflituada, os indígenas continuam

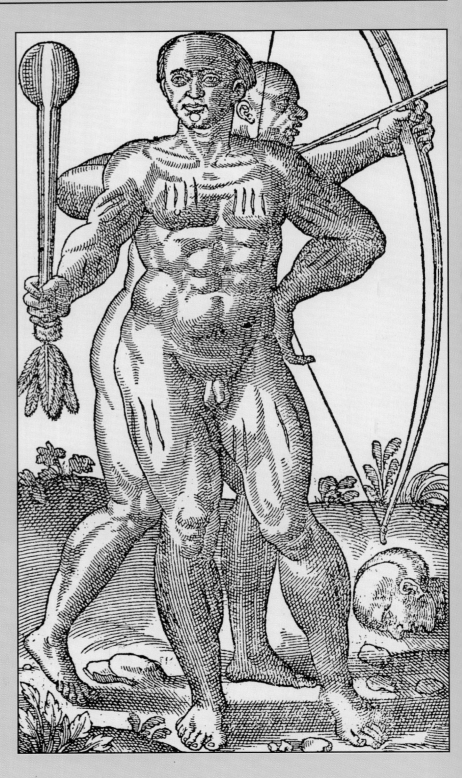

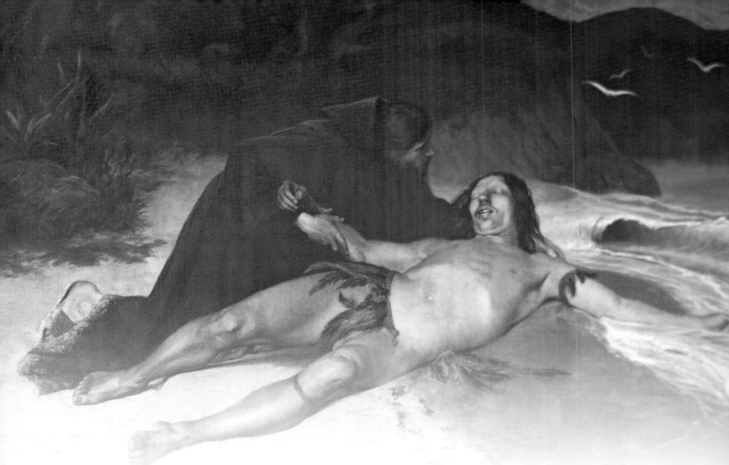

sendo pouco mais do que um mito brasileiro. Afinal, são defensores da ecologia, como o internacionalmente premiado Kayapó Paulinho Paiakan, ou apenas selvagens e estupradores como o réu... Paulinho Paiakan? São pessimistas incuráveis, que se suicidam por puro desespero, como os Guarani-Kayowá, ou empresários bem-sucedidos, como os Kayapó? Podem ser apenas três, como os Xetá, ou 23 mil, como os Ticuna. Para onde vão? A resposta não depende deles.

A história brasileira não celebra um único herói indígena — nem aqueles que ajudaram os portugueses a conquistar a terra, como o Tupiniquim Tibiriçá, que salvou São Paulo em 1562; o Temiminó Araribóia, que venceu os franceses em 1567; ou o Potiguar Felipe Camarão, que derrotou os holandeses em 1649. Houve um político indígena, o Xavante Mário Juruna — mas ele foi abandonado por outras tribos, em Brasília. O "cacique" Kayapó Raoni é um herói — mas não no Brasil. É um herói para alguns europeus de boas intenções e má consciência. Raoni parece ter-se tornado apenas uma

imagem. Uma imagem tão incongruente quanto a do quadro O Último Tamoio, de Rodolfo Amoedo, reproduzido acima. Na história real, nenhum jesuíta jamais chorou a morte do último Tamoio — que eram aliados dos franceses e foram abandonados pelos padres. Haverá alguém para chorar pelo último Ianomâmi?

O último suspiro: pintado no final do século XIX, o quadro de Rodolfo Amoedo (acima) se enquadra na escola indigenista romântica e não reflete fatos históricos. As duas outras imagens dessas páginas, Tupinambás guerreiros (à esquerda) e Dança de Tupinambás (abaixo), foram produzidas a partir do relato do pastor Jean de Léry e publicadas na Europa em 1578.

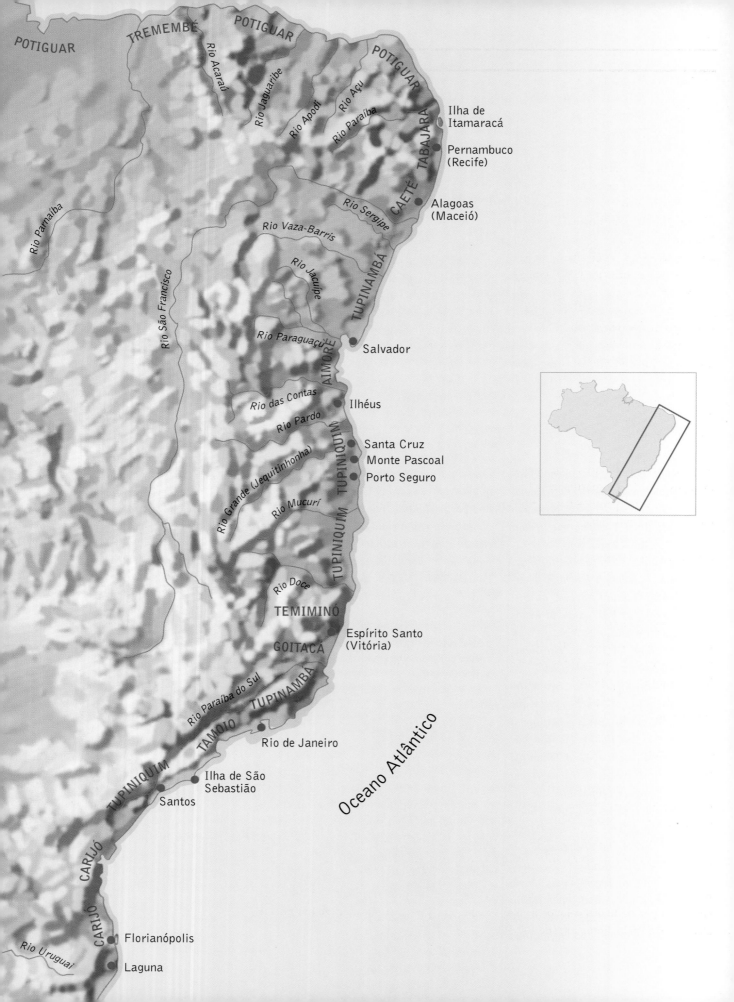

POTIGUAR

TREMEMBÉ

POTIGUAR

POTIGUAR

Rio Acaraú

Rio Jaguaribe

Rio Apodi

Rio Açu

Rio Paraíba

CAETÉ TABAJARA

Ilha de
Itamaracá

Pernambuco
(Recife)

Rio Parnaíba

Rio Sergipe

Alagoas
(Maceió)

Rio Vaza-Barris

TUPINAMBA

Rio Jacuípe

Rio São Francisco

Rio Paraguaçu

AIMORE

Salvador

Rio das Contas

Ilhéus

Rio Pardo

Rio Grande (Jequitinhonha)

TUPINIQUIM

Santa Cruz

Monte Pascoal

Porto Seguro

TUPINIQUIM

Rio Mucurí

Rio Doce

TEMIMINÓ

Espírito Santo
(Vitória)

GOITACÁ

Rio Paraíba do Sul

TUPINAMBA

Oceano Atlântico

TAMOIO

Rio de Janeiro

TUPINIQUIM

Ilha de São
Sebastião

Santos

CARIJÓ

CARIJÓ

Rio Uruguai

Florianópolis

Laguna

Os Senhores do Litoral

Dos baixios lamacentos do que é o atual Estado do Maranhão às longas extensões arenosas da costa do sul do Brasil, praticamente todo o litoral brasileiro estava ocupado por tribos do grupo Tupi-Guarani quando, em abril de 1500, Pedro Álvares Cabral desembarcou nas areias faiscantes de Porto Seguro. Havia cerca de 500 anos, Tupinambá e Tupiniquim tinham assegurado a posse dessa longa e recortada costa, expulsando, para os rigores do agreste, as tribos "bárbaras", que eles chamavam de "Tapui".

O que os conduzira até lá não fora apenas um impulso nômade: partindo dos vales dos rios Madeira e Xingu (afluentes da margem direita do Amazonas), os Tupi-Guarani deram início, no começo da Era Cristã, a uma ampla migração de fundo religioso, em busca de uma suposta "Terra Sem Males". Em vez do paraíso, depararam, quinze séculos depois, com estranhos homens barbudos e pálidos, vindos do Leste. A história desse encontro é a história de um genocídio. As seguintes tribos ocupavam as praias brasileiras, de norte a sul:

Potiguar: Senhoreavam a costa em dois territórios distintos: desde os arredores da atual cidade de São Luís, no Maranhão, até as margens do rio Parnaíba; e das margens do rio Acaraú, no Ceará, até as proximidades da atual cidade de João Pessoa, na Paraíba. Exímios canoeiros, eram inimigos dos portugueses. Seriam uns 90 mil.

Tremembé: Grupo não-tupi, que vivia do sul do Maranhão ao norte do Ceará, entre os dois territórios potiguares. Grandes nadadores e mergulhadores, foram, alternadamente, inimigos e aliados dos portugueses. Eram cerca de 20 mil.

Tabajara: Viviam entre a foz do rio Paraíba e a ilha de Itamaracá. Aliaram-se aos portugueses. Eram aproximadamente 40 mil.

Kaeté: Os deglutidores do bispo Sardinha viviam desde a ilha de Itamaracá até as margens do rio São Francisco. Depois de comerem o bispo, foram considerados "inimigos da civilização". Em 1562, Mem de Sá determinou que fossem "escravizados todos, sem exceção". Assim se fez. Seriam 75 mil.

Tupinambá: veja texto no box ao lado.

Aimoré: Grupo não-tupi, também chamado de Botocudo, vivia do sul da Bahia ao norte do Espírito Santo. Grandes corredores e guerreiros temíveis, foram os responsáveis pelo fracasso das capitanias de Ilhéus, Porto Seguro e Espírito Santo. Só foram vencidos no início do século XX. Eram apenas 30 mil.

Tupiniquim: Foram os indígenas vistos pela expedição de Cabral. Viviam em dois territórios: no sul da Bahia e em São Paulo, entre Santos e Bertioga. Eram 85 mil.

Temiminó: Ocupavam a ilha do Governador, na baía de Guanabara, e o sul do Espírito Santo. Inimigos dos Tamoio, aliaram-se aos portugueses. Sob a liderança de Araribóia, foram decisivos na conquista do Rio. Eram 8 mil na ilha e 10 mil no Espírito Santo.

Goitacá: Ocupavam a foz do rio Paraíba do Sul. Tidos como os nativos mais selvagens e cruéis do Brasil, encheram os portugueses de terror. Grandes canibais e intrépidos pescadores de tubarão. Eram cerca de 12 mil e não pertenciam ao grupo Tupi.

Tamoio: Os verdadeiros senhores da baía de Guanabara, aliados dos franceses e liderados por Cunhambebe e Aimberê, lutaram até o último homem. Eram 70 mil.

Carijó: Seu território ia de Cananéia (SP) até a Lagoa dos Patos (RS). Considerados "o melhor gentio da costa", foram receptivos à catequese. Isso não impediu sua escravização em massa por parte dos colonos de São Vicente. Em 1564, participaram de um grande ataque a São Paulo. Eram cerca de 100 mil.

Os Tupinambá

Os Tupinambá constituíam o povo tupi por excelência — o pai de todos, por assim dizer. As demais tribos Tupi eram, de certa forma, suas descendentes, embora o que de fato as unisse fosse a teia de uma inimizade crônica. Os Tupinambá propriamente ditos ocupavam da margem direita do rio São Francisco até o Recôncavo Baiano. Seriam mais de 100 mil. De todos os povos indígenas litorâneos, é o mais conhecido. A gravura acima mostra um dos seis nativos que, em 1612, capuchinhos franceses levaram do Maranhão para Paris; abaixo, um dos guerreiros Tupinambá ("muito belicosos, amigos de novidades e demasiadamente luxuriosos").

Antes e depois: um líder Tupinambá em 1557 (*ao lado*) e um Tupinambá (*acima*) levado para a França em 1614 e batizado como Louis Henri.

O Banquete Antropofágico

De todos os "costumes bárbaros" que professavam os índios brasileiros quando da chegada dos colonizadores ao Novo Mundo, nenhum se revelou mais espantoso aos olhares europeus do que a antropofagia. Ainda que o canibalismo não fosse prerrogativa dos indígenas e já houvesse, em plena Europa, o registro de casos ocorridos em épocas de crise e fome, nada conhecido até então se comparava aos requintes tétricos do banquete antropofágico tal como realizado por quase todos os Tupi e Tapuia.

A morte ritualizada e a deglutição eucarística dos cativos representava o ponto culminante de uma cerimônia cujo sacramento maior, e o objetivo quase único, era a vingança. O festim canibal foi minuciosamente descrito por cronistas coloniais, entre os quais o pastor calvinista Jean de Léry, o franciscano André Thevet e o capuchinho Claude Abbeville — os três, franceses. A narrativa mais impressionante, porém, foi feita pelo mercenário alemão Hans Staden, prisioneiro dos Tupinambá entre 1554 e 1557. Graças a eles — e aos estudos realizados nas primeiras décadas do século XX pelo antropólogo francês Alfred Métraux —, é possível reconstituir, passo a passo, as etapas do banquete.

A vítima era capturada no campo de batalha e pertencia àquele que primeiro a houvesse tocado. Triunfalmente conduzido à aldeia do inimigo, o prisioneiro era insultado e maltratado por mulheres e crianças. Tinha de gritar: "Eu, vossa comida, cheguei". Após essas agressões, porém, era bem tratado, recebia como companheira uma irmã ou filha de seu captor e podia andar livremente — fugir era uma ignomínia impensável. O cativo passava a usar uma corda presa ao pescoço: era o calendário que indicava o dia de sua execução — o qual podia prolongar-se por muitas luas (e até por vários anos). Quando a data fatídica se aproximava, os guerreiros preparavam ritualmente a clava com a qual a vítima seria abatida. A seguir, começava o ritual, que se prolongava por quase uma semana e do qual participava toda a tribo, das mulheres aos guerreiros, dos mais velhos aos recém-nascidos.

Na véspera da execução, ao amanhecer, o prisioneiro era banhado e depilado. Depois, deixavam-no "fugir", apenas para recapturá-lo em seguida. Mais tarde, o corpo da vítima era pintado de preto, untado de mel e recoberto por plumas e cascas de ovos. Ao pôr-do-sol iniciava-se uma grande beberagem de cauim — um fermentado, ou "vinho", de mandioca.

No dia seguinte, pela manhã, o carrasco avançava pelo pátio, dançando e revirando os olhos. Parava em frente ao prisioneiro e perguntava: "Não pertences à nação... (*tal ou qual*), nossa inimiga? Não mataste e devoraste, tu mesmo, nossos parentes?". Altiva, a vítima respondia: "Sim, sou muito valente, matei e devorei muitos...". Replicava então o executor: "Agora estás em nosso poder; logo serás morto por mim e devorado por todos". Para a vítima, aquele era um momento glorioso, já que os índios brasileiros consideravam o estômago do inimigo a sepultura ideal. O carrasco desferia então um golpe de tacape na nuca da vítima. Velhas recolhiam, numa cuia, o sangue e os miolos: o sangue devia ser bebido ainda quente. A seguir, o cadáver era assado e escaldado, para permitir a raspagem da pele. Introduzia-se um bastão no ânus, para impedir a excreção. Os membros eram esquartejados e, depois de feita uma incisão na barriga do cadáver, as crianças eram convidadas a devorar os intestinos. A seguir, retalhava-se o tronco, pelo dorso. Língua e miolos eram destinados aos jovens. Os adultos ficavam com a pele do crânio e as mulheres com os órgãos sexuais. As mães embebiam o bico dos seios em sangue e amamentavam os bebês. As crianças eram encorajadas a besuntar as mãos no sangue vertente e celebrar a consumação da vingança. Os ossos do morto eram preservados: o crânio, fincado numa estaca, ficava exposto em frente à casa do vencedor; os dentes eram usados como colar e as tíbias transformavam-se em flautas e apitos.

O prato principal: a vingança era o objetivo primordial do ritual antropofágico praticado pelos grupos Tupi que habitavam o litoral do Brasil. O costume causou espanto e horror entre os exploradores e colonizadores europeus.

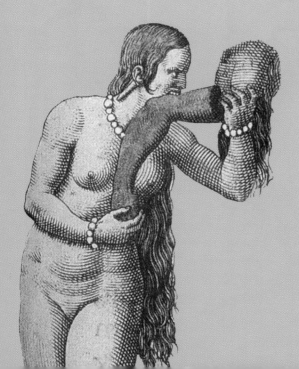

A deglutição eucarística: os requintes tétricos do banquete antropofágico se revelaram um prato cheio para os ilustradores europeus do século XVI. A gravura acima foi feita por de Bry com base nos desenhos do livro de Hans Staden, que esteve no Brasil em 1550.

Uma Festa Brasileira na França

Ao som das maracas: três Tupinambá do Maranhão, levados para a França em 1613, foram batizados e apresentados à Corte, onde exibiram seus dotes musicais. Durante mais de um século, centenas de nativos do Brasil estiveram em Paris, Rouen e Dieppe.

O profundo impacto que os indígenas brasileiros provocaram nos viajantes europeus, ao serem vistos — desnudos, pintados, dançando (e eventualmente devorando uns aos outros) — nas praias do Novo Mundo, seria largamente amplificado assim que alguns deles foram levados para a Europa e exibidos nas cortes. O primeiro teria embarcado já na caravela que Cabral fez retornar a Portugal com a notícia da descoberta — pelo menos de acordo com o relato que o padre Simão de Vasconcelos escreveu em 1658 (mais de 150 anos depois daqueles acontecimentos, portanto): "E foi recebido com alegria do Rei e do Reino. Não se fartavam os grandes e pequenos de ver e ouvir o gesto, a falla, os meneios daquele novo indivíduo da geração humana. Huns o vinhão a ter por um Semicapro, outros por um Fauno, ou por alguns daqueles monstros antiguos, entre poetas celebrados".

A surpresa não foi exclusividade portuguesa: já em 1504, o francês Paulmier de Goneville levou para a França o filho de um líder Carijó, chamado Essomeriq. Ele seria apenas o primeiro de uma longa série de nativos conduzidos a Paris, Rouen e Dieppe durante as seis décadas em que os franceses freqüentaram as costas brasileiras, traficando pau-brasil e permanentemente dispostos a estabelecer uma colônia em pleno coração do território português, fosse no Rio, fosse no Maranhão.

Mas nenhuma iniciativa dos franceses envolvendo os nativos do Brasil pode ser comparada, em assombro e magnificência, à chamada "Festa Brasileira em Rouen". Dispostos a impressionar o rei Henrique II e a rainha Catarina de Médici — e convencê-los a investir mais nas expedições ao Brasil —, os armadores e comerciantes de Rouen prepararam uma impressionante celebração quando da visita real à cidade, no dia 1º de outubro de 1550. Em

uma área, às margens do rio Sena, montaram uma autêntica maquete das terras brasileiras: as árvores foram enfeitadas com flores e frutos trazidos do Brasil, o cenário ficou repleto de micos, sagüis e papagaios. Entre as malocas indígenas, desnudos e bronzeados, andavam trezentos homens e mulheres. Pelo menos cinqüenta eram Tupinambá genuínos, trazidos da Bahia ou do Maranhão especialmente para a comemoração. Os demais eram marinheiros normandos que conheciam bem o Brasil, fluentes em tupi e habituados no trato com os índios. As mulheres foram recrutadas entre as prostitutas locais.

Era mais do que uma exibição: era um quadro vivo. E, desde o início, havia ação: indígenas e figurantes caçavam, pescavam, namoravam nas redes, colhiam frutas e carregavam o pau-brasil. E então, subitamente, no clímax do espetáculo, a aldeia tupinambá foi assaltada por um bando de Tabajara — índios que, no Brasil, eram aliados dos portugueses. Ocas foram incendiadas, canoas viradas, árvores derrubadas. Houve um combate simulado, ainda que feroz, ao fim do qual os Tabajara haviam sido amplamente derrotados. Na platéia, além do rei e da rainha franceses, estavam também a rainha Mary Stuart, da Escócia, duques, condes e barões, os embaixadores da Espanha, da Alemanha, de Portugal e da Inglaterra, bispos, prelados, cardeais e inúmeros príncipes, além de Nicolas Villegaignon, futuro líder da chamada "França Antártica" — todos assombrados com aquela espetacular representação da vida nos trópicos: o primeiro *show* brasileiro na Europa.

Durante décadas os indígenas brasileiros continuariam causando sensação na França. Em 1613, três deles tocaram maracas na composição que Gautier, um músico da corte, fez para homenagear os Tupinambá (*gravura na página ao lado*). Mais tarde, inspirando um outro tipo de homenagem — desta vez, filosófica.

Um show "brasileiro" na França: a iluminura acima, feita por autor anônimo em 1551, mostra (*no canto à esquerda, entre as árvores*) a apresentação dos indígenas brasileiros realizada para homenagear o rei Henrique II, em 1550, em Rouen, na Normandia.

O Mito do Bom Selvagem

O principal legado da atribulada relação entre Brasil e França durante o período colonial não foi político nem econômico: deu-se no campo das idéias. É provável que tenha sido a freqüente presença de nativos brasileiros em cidades portuárias francesas, como Dieppe, Rouen e Saint-Malo, a principal responsável pelo surgimento do mito do bom selvagem — tese que, dois séculos depois de seu aparecimento, adquiriria contornos revolucionários e se transformaria num dos motores da Revolução Francesa. Pelo menos essa é a instigante idéia defendida pelo escritor Afonso Arinos de Mello Franco no saboroso ensaio *O índio brasileiro e a Revolução Francesa*.

Tudo começou com Michel de Montaigne (1533-1592), que não apenas tinha um criado que convivera com os nativos do Brasil, durante a malfadada experiência da França Antártica entre 1556 e 1558, no Rio, como manteve contato pessoal com três Tupinambá, na França, em 1562. A partir desses dois episódios, e da leitura atenta que fez dos livros de André Thevet e Jean de Léry, Montaigne compôs seu clássico ensaio *Dos canibais*, texto que está na origem do mito do bom selvagem e cujos efeitos seriam duradouros.

Com o fulgor e radicalismo típicos, Montaigne traçou um painel idílico e vigoroso da vida selvagem, da qual se serve, como num espelho convexo, para atacar os "malefícios da civilização". Ainda assim, ao final do texto, não esquece de ironizar os índios que idealizou: "Está tudo muito bem, mas, bom Deus, eles não usam calças!".

Dos canibais teria profunda e duradoura influência, tanto entre filósofos do século XVII, como Locke e Espinosa, como, mais especialmente, entre os humanistas do século XVIII. Em *O espírito das leis*, que redigiu em 1748, Montesquieu louva o amor à liberdade e o igualitarismo entre os índios. No verbete "Selvagens" de sua monumental *Enciclopédia*, publicada em 1751, Diderot também apresenta uma versão idealista e altamente elogiosa dos povos indígenas. Porém, nada se compara, é claro, ao clamor revolucionário e à paixão incandescente com a qual Jean-Jacques Rousseau escreveu, entre 1753 e 1760, o *Discurso sobre a origem da desigualdade entre os homens* e *O contrato social*.

Ambos os textos foram meditados em seus devaneios de caminhante solitário pela floresta, em Montmorency. Ambos defendem a idéia da bondade natural do homem e de sua corrupção pela civilização. Ambos serviram para estimular os revoltosos de julho de 1789.

Voltaire, uma espécie de versão bizarra de Rousseau, também abordaria o tema. Como lhe convinha, porém, o fez com escárnio e escracho no romance *Cândido*, de 1759. Além do ataque frontal aos jesuítas, Cândido, o herói "otimista" de Voltaire, viaja, em companhia de sua amante, pelo Paraguai, Brasil e Guianas, deplorando os costumes canibais. Nesse sentido, Voltaire ecoa o ceticismo cínico de Shakespeare que, dois séculos antes, zombara do idealismo de Montaigne ao criar, na peça *A tempestade*, o personagem Caliban — um selvagem rude e cruel. Ainda assim, foram as idéias defendidas por Montaigne em *Dos canibais* aquelas que prevaleceram. E até hoje são elas que parecem pautar — para o bem e para o mal — a visão dos europeus sobre os nativos americanos.

Os bons filósofos: Montaigne, Voltaire e Rousseau (*de cima para baixo*) foram os três pensadores que forjaram, em épocas diferentes, o mito do "bom selvagem".

O Futuro dos Índios no Brasil

Como na história bíblica de Ló — o sobrinho de Abraão que sobreviveu à destruição de Sodoma e Gomorra e teve de praticar o incesto com as duas filhas para evitar o fim da própria tribo —, apenas uma relação incestuosa poderá salvar os índios Avá-Canoeiro da extinção. Outrora temidos e numerosos — eram mais de três mil em 1750 —, os Avá-Canoeiro não são, na aurora do Terceiro Milênio, mais do que dez. Entre essa única e última dezena de sobreviventes, apenas o garoto Trumack (nascido em 1987) e a menina Potdjawa (de 1989) podem ter filhos. Só que Potdjawa e Trumack (na foto, banhando-se no rio Tocantins) são irmãos. Como entre muitos outros povos do mundo, entre os Avá-Canoeiro a pena para o incesto é a morte. O dilema dessa tribo é exemplar: haverá para os índios do Brasil futuro que não seja perverso?

Mais desesperador do que o caso dos Avá-Canoeiro é o dos Xetá, do Paraná, tribo da qual só restam três membros. Do descobrimento até hoje, mais de mil grupos étnicos já foram extintos no Brasil. Sobram 200 tribos e pouco mais de 300 mil índios. Suas reservas ocupam 850 mil quilômetros quadrados, ou cerca de 10% do território nacional — área sob constante ameaça de invasores e posseiros. Em pleno século XXI, o Brasil ainda trata seus nativos como mero entrave ao avanço da civilização. Dessa forma, infelizmente, não é possível dizer se ainda haverá salvação para os habitantes originais de Pindorama, a Terra das Palmeiras.

De todos os dramas vividos pelas tribos brasileiras, o mais rumoroso tem sido o do suicídio coletivo dos Guarani-Kayowá, de Mato Grosso do Sul. Agrupados em reservas improdutivas, submetidos a um regime de trabalho semi-escravo e despojados de suas tradições, 236 Kayowá se mataram em menos de uma década. Só em 1995, foram 54 os que cometeram o *deduí*, o suicídio ritual — ou rito de "apagar o sol", como os próprios índios, trágica e poeticamente, o denominam.

Em dezembro de 1995, o então ministro da Justiça Nélson Jobim foi a Mato Grosso do Sul e aumentou a área de uma das menores reservas dos Kayowá. No mesmo dia, porém, o jovem Odair Lescano, de 17 anos, enforcou-se no abacateiro em frente a sua choupana. Poucas semanas antes da morte de Lescano, antropólogos da Funai haviam contatado, em Rondônia, um casal de índios de um grupo desconhecido até então. De acordo com os dois sobreviventes, o restante da tribo já havia sido exterminado por fazendeiros. No Brasil, a Idade da Pedra ainda não acabou.

A População Nativa

Jamais se saberá com certeza, mas quando os portugueses chegaram à Bahia os índios brasileiros somavam mais de dois milhões — quase três, segundo alguns autores. Mas, no alvorecer do Terceiro Milênio da Era Cristã, não passam de 325.652 — menos do que dois estádios do Maracanã lotados. Foram dizimados por gripes, sarampo e varíola; escravizados aos milhares e exterminados pelo avanço da civilização e pelas guerras intertribais, em geral estimuladas pelos colonizadores europeus. Ainda assim, os povos remanescentes constituem 215 nações e falam 170 línguas diferentes. De acordo com dados do ano 2000, obtidos junto à Fundação Nacional do Índio (Funai), as tribos mais ameaçadas de extinção são os Xetá, do Paraná (restam apenas três indivíduos), os Juma, do Amazonas (sete) e os Avá-Canoeiro (dez, dos quais só seis contatados). As tribos mais numerosas são os Ticuna (23 mil índios), os Xavante e os Kayapó.

A idade média dos índios brasileiros é 17,5 anos, porque mais da metade da população tem menos de 15 anos.

A expectativa de vida é de 45,6 anos e a mortalidade infantil é de 150 para cada mil nascidos.

Existem pelo menos 50 grupos que jamais mantiveram contato com o homem branco, 41 dos quais sequer se sabe onde vivem — embora seu destino já pareça traçado: a extinção os persegue e ameaça.

Futuro perverso: Trumack e Potdjawa, banhando-se no rio Tocantins, são a única esperança de sobrevivência para a outrora poderosa tribo dos Avá-Canoeiro. Para impedir a extinção do grupo, eles precisam se casar e ter filhos. O problema é que os dois são irmãos.

O Brasil
dos Portugueses

C A P Í T U L O 3

a terça-feira à tarde, foram os grandes emaranhados de "ervas compridas a que os mareantes dão o nome de rabo-de-asno". Surgiram flutuando sobre as águas, ao lado das naus, e sumiram no horizonte. Na quarta-feira pela manhã, o vôo dos fura-buchos, uma espécie de gaivota, rompeu o silêncio dos mares e dos céus, reafirmando a certeza de que a terra se encontrava próxima. Ao entardecer, silhuetados contra o fulgor do crepúsculo, delinearam-se os contornos arredondados de "um grande monte", cercado por terras planas, vestidas de um arvoredo denso e majestoso.

Era 22 de abril de 1500. Depois de 44 dias de viagem, a frota de Pedro Álvares Cabral vislumbrava terra — mais com alívio e prazer do que com surpresa ou

espanto. Nos nove dias seguintes, nas enseadas generosas do sul da Bahia, os treze navios da maior armada já enviada à Índia pela rota descoberta por Vasco da Gama permaneceriam reconhecendo a nova terra e seus habitantes.

O primeiro contato, amistoso como os demais, deu-se já no dia seguinte, quinta-feira, 23 de abril. O capitão Nicolau Coelho, veterano da Índia e companheiro de Gama, foi a terra, em um batel, e deparou com dezoito homens "pardos, nus, com arcos e setas nas mãos". Coelho deu-lhes um gorro vermelho, uma carapuça de linho e um sombreiro preto. Em troca, recebeu um cocar de plumas e um colar de contas brancas. O Brasil, batizado Ilha de Vera Cruz, misturava, naquele instante, sua história ao curso da história da expansão européia.

A chegada dos portugueses está registrada com requinte e minúcia. Poucas são as nações que possuem uma "certidão de nascimento" tão precisa e fluente quanto a carta que Pero Vaz de Caminha enviou ao rei de Portugal, dom Manuel, relatando o "achamento" da nova terra. Ainda assim, uma dúvida paira sobre o amplo desvio de rota que conduziu a armada de Cabral muito mais para Oeste do que o necessário para chegar à Índia. Terá sido a chegada ao Brasil um mero acaso?

É provável que a questão jamais venha a ser plenamente esclarecida. No entanto, a assinatura do Tratado de Tordesilhas que, seis anos antes, dera a Portugal a posse das terras que ficassem a 370 léguas (em torno de dois mil quilômetros) a oeste de Cabo Verde, a naturalidade com que a nova terra foi avistada, o conhecimento preciso das correntes e das rotas, as boas condições climáticas durante a viagem e a alta probabilidade de que aquele território já tivesse sido avistado anteriormente parecem ser a garantia de que o desembarque, naquela manhã de abril de 1500, foi mera formalidade: Cabral poderia estar apenas tomando posse de uma terra que os portugueses já conheciam, embora superficialmente. Uma terra pela qual, de qualquer forma, ainda demorariam cerca de meio século para se interessarem de fato.

O primeiro encontro: o desembarque oficial dos portugueses no Brasil, em abril de 1500, foi retratado, quatro séculos depois, e de forma um tanto romantizada, pelo pintor e historiador Benedito Calixto em imagem que se tornou clássica.

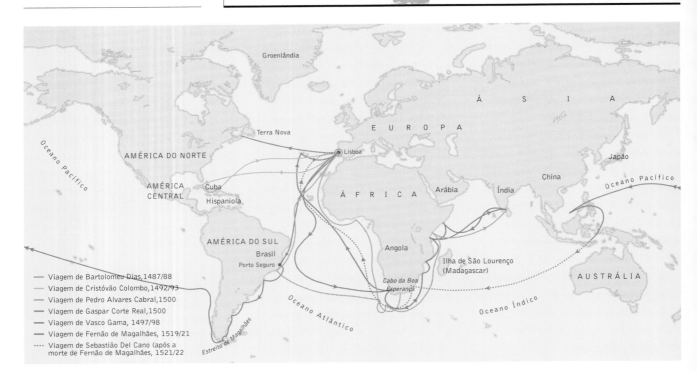

Legenda do mapa:

— Viagem de Bartolomeu Dias,1487/88
— Viagem de Cristóvão Colombo,1492/93
— Viagem de Pedro Alvares Cabral,1500
— Viagem de Gaspar Corte Real,1500
— Viagem de Vasco Gama, 1497/98
— Viagem de Fernão de Magalhães, 1519/21
···· Viagem de Sebastião Del Cano (após a morte de Fernão de Magalhães, 1521/22

Os Tupiniquim

Ao longo dos dez dias que passou no Brasil, a armada de Cabral tomou contato com cerca de quinhentos nativos. Eram, se saberia depois, Tupiniquim — uma das tribos do grupo Tupi-Guarani que, no início do século XVI, ocupava quase todo o litoral do Brasil. Os Tupi-Guarani tinham chegado à região numa série de migrações de fundo religioso (em busca da "Terra sem Males"), no começo da Era Cristã. Os Tupiniquim viviam no sul da Bahia e nas cercanias de Santos e Bertioga, em São Paulo. Eram cerca de 85 mil. Por volta de 1530, uniram-se aos portugueses na guerra contra os Tupinambá-Tamoio, aliados dos franceses. A aliança durou menos de meio século: em 1570, os Tupiniquim já estavam praticamente extintos, massacrados por Mem de Sá, terceiro governador-geral do Brasil.

A capital do mundo: Lisboa (*à direita, em gravura do século XVI*) se tornou um dos portos mais movimentados do planeta tão logo os lusos descobriram a rota marítima que unia a Europa à Índia — com o Brasil no meio do caminho.

Um Império Ultramarino

O grande impulso que conduziu a frota de Pedro Álvares Cabral de Lisboa a Calicute, na Índia — e o levou a topar com o Brasil no meio do caminho —, foi apenas um pequeno, ainda que reluzente, movimento na grande sinfonia que configura o processo de expansão ultramarina dos portugueses ao redor do planeta. Para muitos historiadores, é justamente a "abertura" do mundo desencadeada pelos navegadores de Portugal que estabelece, mais que o advento da imprensa ou a queda de Constantinopla, o legítimo início da Era Moderna. Ao se aventurarem "por mares nunca dantes navegados",

os portugueses derrubaram os mitos da geografia arcaica e provaram, com adorável arrogância, que o ciclo do saber não estava fechado a sete selos. Sua aventura marítima foi o primeiro processo humano de dimensões planetárias.

Simples pescadores até o crepúsculo do século XIII, os portugueses começaram a constituir sua marinha no alvorecer do século XIV, tendo por mestres os genoveses. Em 1415, sob o comando de D. João I, a frota portuguesa alçou-se em sua primeira investida militarista e conquistou Ceuta, no Marrocos. Seria o marco inicial de uma aventura expansionista que, pelos dois séculos seguintes, estendeu o domínio português pelos sete mares e por cinco continentes. A obra de D. João I teve continuidade com seu filho, o infante D. Henrique, que vislumbrou nos oceanos o futuro de Portugal.

Em 1420, navegadores formados na escola de D. Henrique (re)descobriram a ilha da Madeira. Em 1434, Gil Eanes venceu o cabo Bojador, no Saara espanhol. Em 1455, chegou-se ao Cabo Verde e, em 1487, Bartolomeu Dias atingiu o limite da África, dobrando o cabo das Tormentas, rebatizado de cabo da Boa Esperança. Em 1498, Vasco da Gama, enfim, desvendou a rota da Índia. Mais tarde os portugueses chegariam à China e ao Japão. Lisboa se tornou, então, uma cidade cosmopolita, cujos estaleiros viviam em febril atividade e as ruas eram percorridas por astrônomos judeus, banqueiros genoveses, cartógrafos catalães, marinheiros italianos e mercadores holandeses. A capital de Portugal se tornava também uma das capitais do mundo.

A Viagem de Cabral

Era domingo, e Lisboa, capital ultramarina da Europa, estava em festa. Os treze navios da frota mais poderosa já armada por Portugal balouçavam nas águas reluzentes do Tejo. "E muitos batéis rodeavam as naus e ferviam todos com suas librés de cores diversas, que não parecia mar, mas um campo de flores e o que mais elevava o espírito eram as trombetas, atabaques, tambores e gaitas", registrou o cronista João de Barros, testemunha ocular do dia memorável. Oito meses antes, chegara àquele mesmo porto a diminuta frota de Vasco da Gama. Trazia a notícia que durante quase um século fora a obsessão portuguesa: desvendara, enfim, a rota marítima que conduzia à Índia. Agora, o rei D. Manuel queria que todos, especialmente os espiões espanhóis, italianos e franceses, vislumbrassem a gloriosa partida de sua nova missão (comercial e guerreira) ao reino das especiarias.

Celebrava-se a missa. No altar estava D. Diogo Ortiz, um dos três homens que, uma década antes, vetara financiamento português ao projeto de Colombo de chegar à Índia pelo rumo do Oeste. Junto a ele, Pedro Álvares Cabral, filho, neto e bisneto de conquistadores, mais um militar do que propriamente um navegador, rezava, silente. Aos 32 anos, estava pronto para sua primeira missão em além-mar.

Os navios partiram na segunda-feira, 9 de março de 1500. Cabral e Gama haviam conversado longamente. Dois anos antes, ao fazer um grande arco no rumo do Oeste, para aproveitar melhor as correntes do Atlântico, Gama passara tão perto do Brasil que talvez tenha mesmo pressentido a presença de terra. Cabral se aventurou ainda mais em direção ao poente (tanto que, segundo seus cálculos, julgava estar no local onde hoje é Brasília). Chegou à Terra dos Papagaios — a escala ideal para as Índias.

Dez dias depois, ao zarpar de Porto Seguro, Cabral parece ter deixado ali, além de dois degredados e cinco grumetes desertores, a porção que lhe restava de sorte. Na terceira se-

O Príncipe das Marés

Apesar de os historiadores terem cada vez mais dúvidas sobre a real existência da Escola de Sagres — que o infante D. Henrique (1394-1460) teria fundado no promontório mais ocidental da Europa —, é inegável o fato de que o príncipe, filho de D. João I e membro da Ordem de Cristo, foi o maior responsável pelo avanço dos lusitanos em direção ao oceano Atlântico, o Mar Tenebroso cujo horizonte sombrio a obra de seus nautas ousou desvendar. De certo modo, o infante é o patrono do Novo Mundo.

O Poeta dos Descobrimentos

A odisséia dos navegadores portugueses pelos mares da Terra encontrou seu Homero na figura de um marujo caolho e temperamental de nome Luís Vaz de Camões — o maior poeta da língua portuguesa de todos os tempos. Em 1569, depois de viajar pela Índia e pela China, Camões chegou a Lisboa trazendo a versão original de Os Lusíadas, o grande poema épico que concedeu aos descobrimentos portugueses a imortalidade só referendada pelas obras-primas.

Diário de Bordo

Data de partida: 9 de março de 1500

Local: do porto no rio Tejo, na praia do Restelo, em Lisboa

Número de embarcações: dez naus (cerca de 180 toneladas cada) e três caravelas

Tripulação: aproximadamente 1.500 homens, entre os quais 1.200 homens de armas, pilotos portugueses, árabes e indianos, intérpretes, degredados, marujos, grumetes, além de oito frades e oito clérigos franciscanos

Tripulantes mais conhecidos: Bartolomeu Dias (o primeiro navegador a dobrar o cabo das Tormentas), seu irmão Diogo (escrivão da armada de Vasco da Gama), Nicolau Coelho (um dos pilotos de Gama e personagem de Os Lusíadas)

Itinerário de ida: Lisboa – ilhas Canárias (14.3.1500) – Cabo Verde (22.3) – Porto Seguro (22.4) – cabo das Tormentas (24.5) – Sofala, em Moçambique (16.6) – Melinde, no Quênia (6.7) – Goa, Índia (22.8) – Calicute, Índia (13.9)

Itinerário de volta: Cananor, Índia (16.1.1501) – Moçambique (12.2) – cabo das Tormentas (19.4) – Cabo Verde (15.7)

Data de regresso: 23 de julho de 1501, novamente na praia do Restelo, em Lisboa

Duração da viagem: 500 dias

Navios restantes: seis

Sobreviventes: em torno de quinhentos homens

Herói sem rosto: a iluminura do século XIX (*abaixo*) mostra as feições de Cabral — mas não se pode afirmar que revele sua verdadeira face. Na página ao lado, a frota de Cabral aparece como revelada pelo *Livro das Armadas*, publicado no início do século XVI.

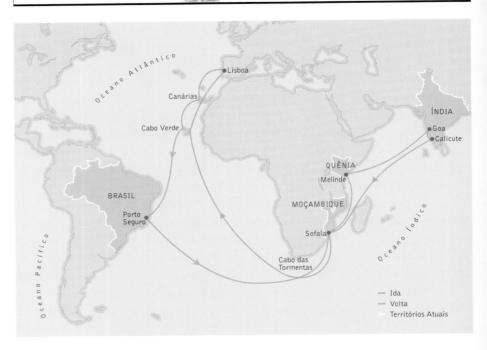

— Ida
— Volta
— Territórios Atuais

mana de maio, nas proximidades do cabo das Tormentas, depois de um cometa ter luzido no céu por dez noites, uma gigantesca tempestade se abateu sobre a frota. Quatro naus, entre as quais a de Bartolomeu Dias, foram tragadas pelo mar. Não houve sobreviventes. Reduzida a sete embarcações (uma havia naufragado logo após a partida e o navio de mantimentos seguira de volta a Portugal com a notícia da descoberta), a armada chegou à Índia em fins de agosto. Cabral obteve permissão para fundar uma feitoria, mas, em 16 de dezembro, o estabelecimento foi atacado. O comandante reagiu e bombardeou Calicute por dois dias, provocando grandes estragos e mortes. Com seis navios repletos de especiarias, iniciou a viagem de volta. Foi bem recebido pelo rei. A seguir, porém, após desentendimentos com o monarca, caiu em desgraça na Corte e nunca mais voltou a navegar. Retirou-se para Santarém. Lá morreu em 1520, quase na obscuridade — virtualmente sem saber que revelara à Europa um território de dimensões continentais.

A Semana de Vera Cruz

As ordens eram claras: a portentosa esquadra de Pedro Álvares Cabral estava em missão rumo à Índia. Deveria seguir pela rota descoberta por Vasco da Gama, estabelecer relações comerciais e diplomáticas com o samorim de Calicute e, de imediato, fundar uma feitoria em pleno coração do reino das especiarias. Por isso, apesar da exuberância da paisagem, da complacência dos nativos e das benesses do clima, os portugueses permaneceram apenas dez dias nas paragens paradisíacas da Ilha de Vera Cruz.

No dia 2 de maio de 1500, onze navios partiram rumo à pimenta, à canela e ao gengibre. O décimo segundo, sob comando de Gaspar de Lemos, zarpou na direção oposta, levando ao reino as cartas que anunciavam o achamento da nova terra. Quantas foram as missivas que a nau dos mantimentos conduziu em seu bojo é questão que jamais se elucidará. O certo é que tanto Cabral como os demais capitães enviaram relatos ao rei. Ainda assim, apenas três cartas sobreviveram. De longe, a melhor e mais detalhista é a redigida pelo escrivão Pero Vaz de

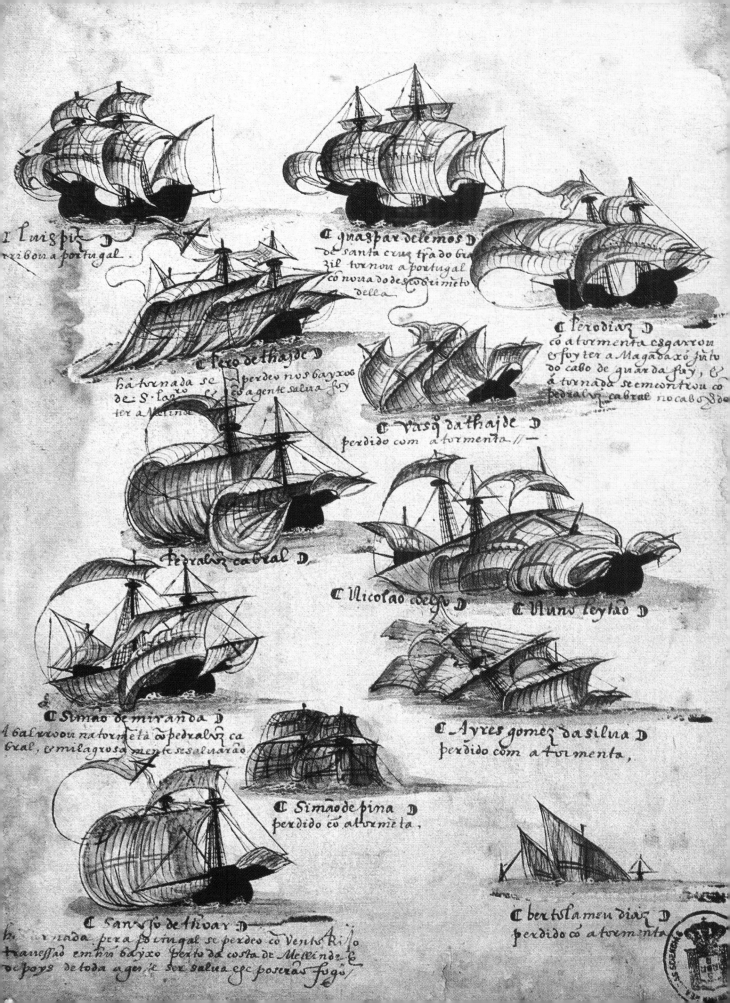

Ɛ Luis piz Ɔ
ribou a portugal.

Ɛ guaspar delemos Ɔ
de santa cruz trado bra
zil tornou a portugal
cõ nova do descobrimẽto
della

Ɛ Pero diaz Ɔ
cõ a tormenta esgarrou
e foy ter a Magadaxó jũto
do cabo de guarda fuy, &
á tornada se emcõtrou cõ
pedraluz cabral no cabo de

Ɛ Pero de thajde Ɔ
há tornada se perdeo nos bayxos
de S. lazo e a gente salua foy
ter a Melinde

Ɛ Vasq da thajde Ɔ
perdido com a tormenta

Ɛ Pedraluz cabral Ɔ

Ɛ Nicolao coelho Ɔ

Ɛ Nuno leytão Ɔ

Ɛ Simão de miranda Ɔ
A balroou na tormẽta cõ pedraluz ca
bral, & milagrosa mente se saluarão

Ɛ Ayres gomez da silua Ɔ
perdido cõm a tormenta,

Ɛ Simão de pina Ɔ
perdido cõ a tormẽta,

Ɛ Sancho de thuar Ɔ
há tornada pera portugal se perdeo cõ vento Rijo
trauessão em hũ bayxo perto da costa de Melinde e
depois de toda a gẽte se salua se poserão fugo

Ɛ bertolameu diaz Ɔ
perdido cõ a tormenta

A primeira missa e a primeira cruz: quadros pintados no século XIX ajudaram a criar uma visão romantizada dos dias inaugurais dos portugueses no Brasil — registrando a chegada da cruz, mas não a da espada ou a dos vírus.

Caminha. Graças a ela, é possível reconstituir, passados cinco séculos, o período que alguns historiadores chamam de "Semana de Vera Cruz". Assim foram os dias inaugurais do Brasil:

Quarta-feira, 22 de abril de 1500 — No fim da tarde, a frota de Cabral avistou o cume do monte Pascoal. Ao crepúsculo, a 24 quilômetros da praia e a uma profundidade de 34 metros, os navios lançaram âncoras.

Quinta-feira, 23 de abril — Às dez horas da manhã, os navios ancoraram defronte à foz de um rio (provavelmente o atual Caí). Nicolau Coelho, veterano das Índias, foi até a praia, num bote, e lá fez o primeiro contato com dezoito nativos.

Sexta-feira, 24 de abril — Por conselho dos pilotos, a armada levantou âncora e partiu em busca de melhor porto. Encontraram-no, seguro, 70 quilômetros mais ao norte. Ali, dois nativos subiram a bordo. Pouco falaram e logo dormiram no tombadilho da nave de Cabral.

Sábado, 25 de abril — Bartolomeu Dias, Nicolau Coelho e Pero Vaz de Caminha foram à praia e encontraram cerca de duzentos indígenas. Houve troca de presentes de pouco valor.

Domingo, 26 de abril — Frei Henrique, franciscano que depois seria inquisidor, rezou a primeira missa em solo brasileiro, na Coroa Vermelha. Houve grande confraternização entre nativos e estrangeiros ao longo de todo o domingo.

Segunda-feira, 27 de abril — Diogo Dias e dois degredados visitaram a aldeia dos Tupiniquim, erguida a uns dez quilômetros da praia. Não lhes foi permitido dormir lá.

Terça-feira, 28 de abril — Os portugueses recolheram lenha, lavaram roupa e prepararam uma grande cruz.

Quarta-feira, 29 de abril — Ao longo de todo o dia, o navio dos mantimentos, que seria enviado de volta a Portugal, foi esvaziado de sua carga.

Quinta-feira, 30 de abril — Cabral e os capitães desembarcaram. Na praia, havia uns quatrocentos nativos, com os quais eles passaram o dia dançando e cantando.

Sexta-feira, 1º de maio — A tripulação deixou os navios e seguiu em procissão para o erguimento da cruz.

Sábado, 2 de maio — A esquadra partiu para Calicute, o navio dos mantimentos foi para Portugal. Dois grumetes desertaram da nau capitânia. Na praia, aos prantos, foram deixados dois degredados.

A Carta de Batismo

Por mais de três séculos, o principal e mais esplendoroso documento relativo à chegada dos portugueses ao Brasil permaneceu desconhecido — "praticamente seqüestrado", de acordo com o historiador português Jaime Cortesão — no Arquivo da Torre do Tombo, em Lisboa. Foi redescoberto em fevereiro de 1773 pelo guarda-mor do arquivo, José Seabra da Silva. Ainda assim, quase meio século se passaria antes de a carta de Pero Vaz de Caminha ser publicada pela primeira vez, pelo padre Manuel Aires do Casal, em sua *Corografia Brasílica*, editada em 1817. O padre, porém, cortou vários trechos que considerou "indecorosos".

Ainda assim, somente em 1900 — quando da comemoração do quarto centenário do descobrimento do Brasil —, a carta voltaria a receber a atenção dos eruditos. Oito anos mais tarde, Capistrano de Abreu lançou seu extraordinário estudo *Vaz de Caminha e sua carta*. Só então se revelou plenamente a agudeza das observações, a fragrância dos retratos, a vivacidade descritiva, a precisão etnológica e a acuidade histórica daquela que pode ser considerada a autêntica certidão de nascimento do Brasil.

No instante em que Caminha escrevia a sua carta em Porto Seguro, havia mais de meio século que os escrivães portugueses exercitavam e afinavam a arte de registrar os fatos de maior relevo ocorridos em suas viagens marítimas. Praticamente nenhum desses relatos, no entanto, fora redigido por escrivães de ofício. Caminha seguia na frota de Cabral com a missão de tornar-se o escrivão da futura feitoria de Calicute. Mas era mais do que isso: era um escritor feito, homem de letras, requintado e perspicaz, em pleno domínio de sua arte.

O texto que Caminha legou à posteridade não apenas captura, com minúcia e fluência, o alvorecer de uma nação, como se constitui em sua primeira obra-prima.

Ainda assim, a *Carta do Mestre João* — físico-mor da armada de Cabral — e a chamada *Relação do piloto anônimo* (publicada já em 1507) ficaram, de início, muito mais famosas que o relato de Caminha. Todos os documentos relativos à primeira viagem ao Brasil submergiram, porém, no mesmo ostracismo ao qual Cabral foi relegado, após se recusar a assumir a subchefia de uma nova esquadra que seria enviada para a Índia. Depois de seu desempenho na viagem de 1500, ele se julgava em condições de ser comandante de qualquer missão.

O terremoto que em 1755 abalou Lisboa também colaborou para o sumiço da documentação. Por caminhos ainda misteriosos, a carta de Pero Vaz chegaria até o Arquivo da Real Marinha do Rio de Janeiro, provavelmente quando da vinda da família real para o Brasil, em 1808. Nove anos mais tarde, seria enfim publicada pelo padre Aires do Casal.

Pero Vaz de Caminha nasceu na cidade do Porto, na quinta década do século XV. Filho de família relativamente nobre, fora cavaleiro das casas de D. Afonso V, de D. João II e de D. Manuel. Deveria ter cerca de 50 anos quando se juntou à frota de Cabral. A carta que o imortalizou viria a ser um de seus últimos atos: quando a feitoria lusitana em Calicute foi atacada, em 16 de dezembro de 1500, entre os mortos em combate estava o profético cronista do nascimento do Brasil.

O Dono da Colônia

Durante dez anos o Brasil teve um dono. Ao fechar um contrato de exclusividade para a exploração do pau-brasil, em 1502, o cristão-novo Fernão de Noronha arrendou a Colônia por três anos, à frente de um consórcio de judeus conversos. O acordo teria sido renovado em três ocasiões. As obrigações do cartel eram: explorar o pau-brasil, defender a terra contra a cobiça de espanhóis e franceses, estabelecer uma feitoria, explorar 900 léguas (5,9 mil quilômetros) de litoral e pagar um quinto dos lucros à Coroa.

Em 1503, Noronha armou sua primeira expedição, descobriu a ilha que hoje tem seu nome e iniciou a exploração do pau-de-tinta. Noronha, ou Loronha, agente dos judeus alemães Függer, era um rico armador nascido em Astúrias, na Espanha, que enviava frotas à Índia e possuía uma rede de negócios, com sede em Londres.

Paus e Juros

O pau-brasil foi o primeiro monopólio estatal do Brasil: só a Metrópole podia explorá-lo. Seria, também, o mais duradouro dos cartéis: a exploração só foi aberta à iniciativa privada em 1872, quando as reservas já haviam escasseado brutalmente. Exploração não é o termo: o que houve foi uma devastação, com a derrubada de sete milhões de árvores. Como que confirmando a vocação simbólica, o pau-brasil seria usado, em setembro de 1826, para o pagamento dos juros do primeiro empréstimo externo do Brasil. Ao deparar com o Tesouro Nacional desprovido, D. Pedro I enviou à Inglaterra 50 quintais (três toneladas) de pau-brasil. A esperança do imperador de saldar a dívida com o "pau-de-tinta" esbarrou numa inovação tecnológica: o advento da indústria de anilinas reduzira em muito o valor da árvore-símbolo do Brasil. Os juros foram pagos com atraso. Em dinheiro, não em paus.

O Reino do Pau-Brasil

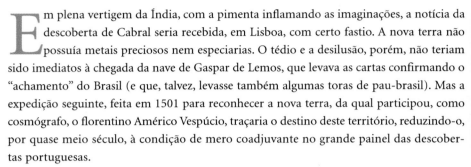

Em plena vertigem da Índia, com a pimenta inflamando as imaginações, a notícia da descoberta de Cabral seria recebida, em Lisboa, com certo fastio. A nova terra não possuía metais preciosos nem especiarias. O tédio e a desilusão, porém, não teriam sido imediatos à chegada da nave de Gaspar de Lemos, que levava as cartas confirmando o "achamento" do Brasil (e que, talvez, levasse também algumas toras de pau-brasil). Mas a expedição seguinte, feita em 1501 para reconhecer a nova terra, da qual participou, como cosmógrafo, o florentino Américo Vespúcio, traçaria o destino deste território, reduzindo-o, por quase meio século, à condição de mero coadjuvante no grande painel das descobertas portuguesas.

"(...) nessa costa não vimos coisa de proveito, exceto uma infinidade de árvores de pau-brasil (...) e já tendo estado na viagem bem dez meses, e visto que nessa terra não encontrávamos coisa de minério algum, acordamos nos despedirmos dela", escreveu Vespúcio, em setembro de 1504, ao magistrado de Florença, Piero Soderini, repetindo o que já dissera ao rei de Portugal, D. Manuel.

Durante as duas primeiras décadas, desinteressada em colonizar a terra à qual Cabral chegara, a Coroa portuguesa acabou por transformá-la numa imensa fazenda de pau-brasil, logo arrendada à iniciativa privada. Dessa forma, a árvore que ajudou a dar nome ao país começaria a se tornar também a mais perfeita metáfora vegetal do Brasil — mais do que a borracha, o açúcar ou o café.

O pau-brasil (*Caesalpinia echinata*) tingia linhos, sedas e algodões, concedendo-lhes um "suntuoso tom carmesim ou purpúreo": a cor dos reis e dos nobres. Uma espécie semelhante, a *Caesalpinia sappan*, nativa de Sumatra, já era conhecida na Europa desde os primórdios da Idade Média. A partir do século XVII, porém, praticamente todos os tecidos produzidos em Flandres e na Inglaterra passaram a ser coloridos pelo "pau-de-tinta" brasileiro.

Nessa época, a indústria têxtil já começara a se tornar o motor da economia européia. Depois de anos de contrição ou andrajos, as mulheres do continente descobriam, enfim, os requintes da moda. Abria-se, assim, enorme mercado para as roupas realçadas pela polpa da árvore, extraída aos milhões do litoral da Bahia e de Pernambuco. A operação era realizada por centenas de traficantes espanhóis, ingleses e, sobretudo, franceses. Eles foram os primeiros "brasileiros" — e os únicos de fato merecedores desse nome.

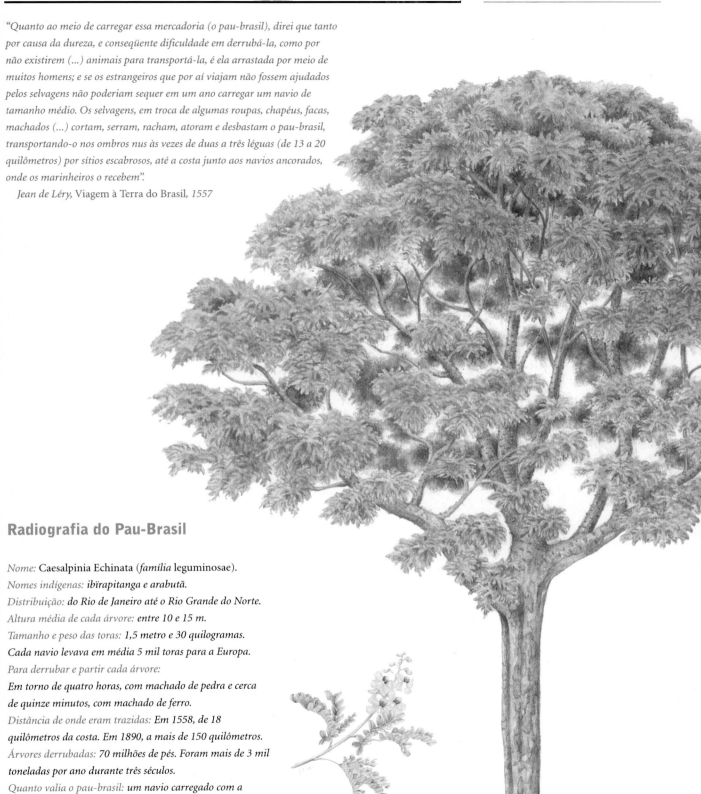

"Quanto ao meio de carregar essa mercadoria (o pau-brasil), direi que tanto por causa da dureza, e conseqüente dificuldade em derrubá-la, como por não existirem (...) animais para transportá-la, é ela arrastada por meio de muitos homens; e se os estrangeiros que por aí viajam não fossem ajudados pelos selvagens não poderiam sequer em um ano carregar um navio de tamanho médio. Os selvagens, em troca de algumas roupas, chapéus, facas, machados (...) cortam, serram, racham, atoram e desbastam o pau-brasil, transportando-o nos ombros nus às vezes de duas a três léguas (de 13 a 20 quilômetros) por sítios escabrosos, até a costa junto aos navios ancorados, onde os marinheiros o recebem".

Jean de Léry, Viagem à Terra do Brasil, *1557*

Radiografia do Pau-Brasil

Nome: Caesalpinia Echinata (*família* leguminosae).
Nomes indígenas: ibïrapitanga e arabutã.
Distribuição: do Rio de Janeiro até o Rio Grande do Norte.
Altura média de cada árvore: entre 10 e 15 m.
Tamanho e peso das toras: 1,5 metro e 30 quilogramas.
Cada navio levava em média 5 mil toras para a Europa.
Para derrubar e partir cada árvore:
Em torno de quatro horas, com machado de pedra e cerca de quinze minutos, com machado de ferro.
Distância de onde eram trazidas: Em 1558, de 18 quilômetros da costa. Em 1890, a mais de 150 quilômetros.
Árvores derrubadas: 70 milhões de pés. Foram mais de 3 mil toneladas por ano durante três séculos.
Quanto valia o pau-brasil: um navio carregado com a madeira valia sete vezes menos do que um navio cheio de especiarias. Ainda assim, dava um lucro de 300%.

Terra Brasilis: o belíssimo mapa que aparece no chamado Atlas Miller (*página ao lado, detalhe à direita*) foi feito entre 1515 e 1519 pelos cartógrafos Lopo Homem e Pedro e Jorge Reinel.

A Terra da Bem-Aventurança

O Brasil se chama assim por causa do pau-brasil, certo? Em parte. Apesar de os livros didáticos e o senso comum estabelecerem uma relação direta entre o nome do país e o da árvore, abundante no território descoberto por Cabral, a origem etimológica da palavra brasil é misteriosa e repleta de ressonâncias. Há mais de vinte interpretações sobre a origem do étimo e as discussões parecem longe do fim. O certo é que a palavra é muito mais antiga do que o costume de se utilizar o "pau-de-tinta" para colorir os tecidos. Mais certo ainda é que a lenda e a cartografia antigas assinalavam, em meio às névoas do Mar Tenebroso (o Atlântico), a existência de uma ilha mítica chamada Hy Brazil.

Por um lado, "*brasil*" vem do francês "*brésil*" que, por sua vez, é originário do toscano "*verzino*", como era denominada, na Itália, a madeira usada na tinturaria. Por outro, também é correto afirmar que "*brasil*" advém do celta "*bress*", origem do inglês "*to bless*" (abençoar), expressão que batizou a Ilha da Bem-Aventurança, Hy Brazil.

Foi a incrível coincidência entre o vocábulo "*bresail*" (terra abençoada) e a palavra "brasil" que fez com que surgisse a confusão da qual resultou a certeza de que do nome da madeira nascera o nome do país. Segundo *O Brasil na lenda e na cartografia antigas*, estudo de Gustavo Barroso, lançado em 1941, os homens letrados do século XVI não duvidavam de que o nome Brasil provinha da ilha lendária. "Prevaleceu, porém, a opinião do vulgo, já que eram simples marinheiros aqueles que traficavam a madeira rubra."

O pau-brasil pode não ter dado seu nome ao país. Mas foi com certeza ele que batizou seu povo: eram chamados de "brasileiros" aqueles que traficavam o "pau-de-tinta". Se prevalecessem as regras gramaticais, os nativos do Brasil deveriam se chamar brasilienses.

CAPÍTULO 4

O Início da Colonização

Em 2 de junho de 1501, durante sua viagem de retorno da Índia, duas naus da frota de Cabral — velas rotas, madeirame desgastado — chegaram ao porto de Bezeguiche (hoje Dacar) na costa ocidental da África. Ali, depararam com três navios da expedição de Gonçalo Coelho, que partira de Lisboa havia duas semanas para explorar a terra que, um ano antes, as mesmas naus de Cabral tinham descoberto. Foi um encontro histórico: naquele dia, depois de uma longa troca de informações, os portugueses concluíram que as terras recém-achadas não eram uma ilha, mas parte de um novo continente. A bordo de um dos navios da frota de Coelho estava o florentino Américo Vespúcio, um dos personagens mais controversos da história dos descobrimentos — e que acabaria se tornando padrinho daquele Novo Mundo.

É provável que Vespúcio já tivesse cruzado o Atlântico anteriormente, em companhia de Alonso de Hojeda, em 1499, embora ele próprio tenha afirmado, mais tarde, que havia participado também de uma viagem ao Caribe em 1497, com o capitão Juan Díaz de Solis. Foi justamente essa viagem — jamais confirmada — que fez Vespúcio adquirir a fama de mentiroso e charlatão. Nascido em berço de ouro em Florença, em 1454, numa família bem-relacionada com os poderosos Médici, Vespúcio mudou-se para a Espanha em 1491. Chegou a ajudar nos preparativos da terceira viagem de Colombo, em 1498, antes de ele próprio partir para o mar. Só que, ao contrário de Colombo, teve certeza de que não estava na Índia mas em um novo mundo.

A descrição detalhista que Vespúcio fez de sua viagem ao Brasil em 1501, na carta chamada Mundus Novus, virou um dos maiores best-sellers de sua época. Teve mais de quarenta edições em seis línguas (todas ilustradas — veja as gravuras nesta página) e transformou o autor num homem famoso nos círculos cultos da Europa. Em 1507, quando revia as obras de Ptolomeu e produzia um novo mapa-múndi, o geógrafo Martin Waldssemüller decidiu, conforme suas próprias palavras, "batizar a quarta parte do mundo com o nome de seu descobridor, Américo". Apesar do equívoco, o nome pegou.

Em 1513, pressionado por espanhóis, o alemão Waldssemüller retirou a proposta. Mas era tarde: a descrição que Vespúcio deixou da terra, dos animais, das plantas e dos índios do Brasil caiu tanto no gosto do público que, apesar dos méritos de Colombo, o Novo Mundo passou a ser definitivamente chamado de América.

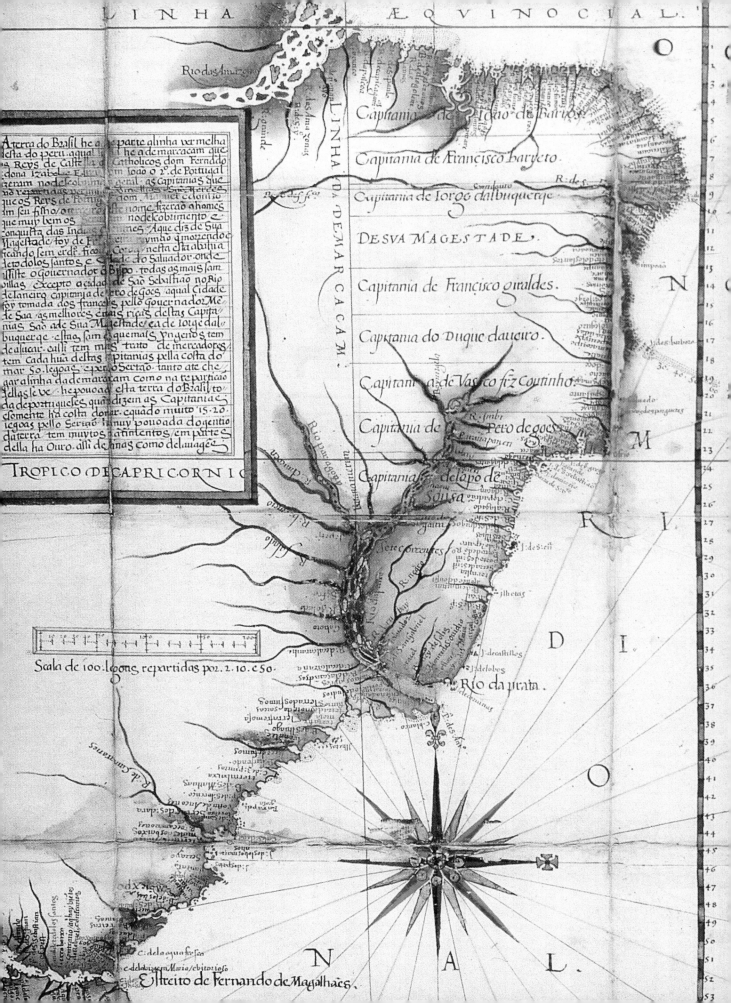

Ilha de Marajó

Ponta Mucuripe (Fortaleza)

Cabo São Roque (RN)

Cabo Santo Agostinho (PE)

Salvador (BA)

Porto Seguro (BA)

Cabo Frio (RJ)

São Vicente (SP)

Cananéia (SP)

Chuí (RS)

ROTAS DAS PRIMEIRAS EXPEDIÇÕES AO BRASIL

- Vincente Yáñez Pinzón
  Janeiro de 1500
- Pedro Álvarez Cabral
  Abril de 1500
- Gonçalo Coelho e Américo Vespúcio
  Agosto de 1501
- Gonçalo Coelho e Américo Vespúcio
  Novembro de 1503
- Martin Afonso de Souza
  Janeiro de 1531

Capitães do Brasil: o mapa da página anterior, feito em 1595 e atualmente arquivado na Biblioteca da Ajuda, em Portugal, mostra a distribuição das capitanias hereditárias.

O Reconhecimento da Nova Terra

As duas viagens ao Brasil realizadas por Américo Vespúcio, ambas provavelmente comandadas por Gonçalo Coelho (a primeira, de 10 de maio de 1501 a 7 de setembro de 1502; e a segunda, de 10 de maio de 1503 a 28 de junho de 1504), foram também as duas primeiras grandes missões de reconhecimento à terra oficialmente descoberta por Cabral. E, por meio século, traçaram-lhe um destino inglório: não havia ouro à flor da terra, nem impérios a serem conquistados na região. A Coroa portuguesa desinteressou-se de colonizar o Brasil, embora não deixasse de enviar freqüentes expedições à nova colônia — especialmente porque, já em 1504, os franceses chegavam à ilha de Santa Catarina, logo seguidos pelos espanhóis.

Durante a primeira década pós-desembarque de Cabral, o Brasil praticamente pertenceu ao consórcio formado para explorar o monopólio do pau-brasil, que a cada ano enviava pelo menos três expedições à colônia. Sabe-se muito sobre essas viagens graças ao diário de bordo de uma delas, a nau *Bretoa*, que esteve no Brasil de 6 de abril a 27 de julho de 1511 e retornou a Portugal com 5.008 toras de pau-brasil, 3 mil peles de onça, seiscentas araras e 35 escravos a bordo.

Na segunda década do século XVI, os franceses também passaram a explorar o pau-brasil em grande escala ao longo da costa brasileira. Para vigiá-los e puni-los foram enviadas três grandes expedições guarda-costas, todas chefiadas pelo inclemente Cristóvão Jaques (em 1516, 1521 e 1527). Na primeira delas, Jaques provocou um grande incidente diplomático entre Portugal e França ao enterrar vivos vinte traficantes franceses. Ao final dessas expedições, o Brasil não ficou livre dos franceses, mas seu extenso e esplêndido litoral estava inteiramente cartografado e reconhecido.

A Expedição de Martim Afonso

O sucesso das cartas de Vespúcio foi instantâneo e duradouro. Uma década depois, elas inspiraram o inglês Thomas Morus (abaixo), a escrever o clássico A Utopia. *Lançado em 1516, o livro se baseava em episódios narrados na carta em que Vespúcio descreve sua segunda viagem ao Brasil, em 1503, quando deixou 24 homens numa feitoria em Cabo Frio. Morus transportou a ação para uma ilha (talvez Fernando de Noronha) e imaginou que os exilados dariam início a uma sociedade perfeita. Na vida real, os homens de Vespúcio foram trucidados pelos índios.*

No instante em que a cobiça dos navegadores e traficantes franceses pelo território brasileiro tornou-se ostensiva, e seu conhecimento do litoral e a aliança com várias tribos indígenas evidente, a Coroa portuguesa abandonou a inércia e decidiu enviar ao Brasil uma poderosa expedição — desta vez, não apenas uma missão militar, mas também colonizadora. Para comandá-la foi escolhido o fidalgo Martim Afonso de Souza, de 30 anos, um amigo de infância do rei D. João III que, além de ser guerreiro, era também homem de letras e da ciência.

A frota com cinco embarcações — um galeão, duas naus e duas caravelas — partiu de Lisboa a 3 de dezembro de 1530 levando mais de quatrocentas pessoas a bordo. Além do combate aos navios franceses — dos quais encontrou e capturou três já nos seus primeiros dias em águas brasileiras —, Martim Afonso vinha também com a missão de explorar o fabuloso rio da Prata, e esse provavelmente era o seu maior e mais importante objetivo. Descoberto pelos próprios portugueses cerca de quinze anos antes, o grande rio seria a porta de entrada para um reino indígena extraordinariamente rico — ainda que, naquela época, os europeus não pudessem supor que se tratasse do Peru.

A expedição de Martim Afonso trouxe a lei e a ordem para o amplo território brasileiro, onde apenas um punhado de portugueses — degredados, náufragos ou desertores — vivia de acordo com "a lei natural, contentando-se com quatro mancebas e os mantimentos da terra". Martim Afonso chegou com plenos poderes, inclusive sobre a vida e a morte daqueles que o acompanhavam e dos que viesse a encontrar, com exceção dos fidalgos. Poderia também distribuir terras em sesmarias, criar e nomear tabeliões e demais oficiais de justiça.

Com o irmão, Pero Lopes, Martim Afonso seguiu navegando até Punta del Este, no Uruguai, onde naufragou. Seu irmão prosseguiu até o rio Paraná, o principal afluente do Prata, mas lá as medições astronômicas revelaram tratar-se de território espanhol. Durante a viagem de regresso, Martim Afonso fundou São Vicente (*abaixo*), em janeiro de 1532, o primeiro núcleo efetivo dos portugueses no Brasil. Partiu de volta para Lisboa e daí para a Índia. Jamais retornou ao Brasil. Nas memórias que redigiu para a rainha Catarina, pedindo melhor recompensa por seus serviços, citou o nome do Brasil uma única vez — e apenas para dizer que, aqui, gastara "perto de três anos, passando muitos trabalhos, muitas fomes e muitas tormentas".

A primeira vila do Brasil: a fundação de São Vicente, no litoral de São Paulo, por Martim Afonso de Souza, em janeiro de 1532, marcou o início efetivo da ocupação portuguesa do Brasil. O quadro abaixo foi pintado por Benedito Calixto.

As Capitanias Hereditárias

Foi em março de 1532, quando Martim Afonso de Souza ainda estava em São Vicente, que o rei D. João III decidiu empregar no Brasil o mesmo sistema de colonização que já havia dado certo nos Açores e na ilha da Madeira. A sugestão lhe foi dada por Diogo de Gouveia, humanista português, residente em Paris, onde dirigia o respeitado colégio Santa Bárbara. Apesar da experiência bem-sucedida nas ilhas, o império ultramarino português estava mais preparado e interessado em descobrir, conquistar, comercializar e, eventualmente, em pilhar, do que em colonizar. Mas a ameaça francesa persistia e D. João III compreendeu que a única maneira de preservar o Brasil era dando início a sua efetiva povoação. Como a Coroa já despendera fortunas na conquista da Índia, o rei optou por dividir as terras brasileiras em 14 capitanias hereditárias, totalizando 15 lotes. Eles foram doados a figuras importantes da Corte — que, de imediato, tornavam-se responsáveis pela sua colonização.

Pela absoluta falta de interesse da alta nobreza lusitana, as capitanias brasileiras acabaram sendo concedidas a membros da burocracia estatal e a militares e navegadores ligados à conquista da Índia. Além das vastas porções de terra (cada lote tinha, em média, 250 quilômetros de largura, estendendo-se até o limite ainda indemarcado de Tordesilhas, em algum lugar no interior do continente misterioso), os donatários receberam também poderes verdadeiramente majestáticos. Podiam legislar e controlar tudo em suas terras — menos a arrecadação de impostos reais. Em compensação, deveriam arcar com todas as despesas da colonização. Os lotes foram repartidos aleatoriamente, levando em conta apenas acidentes geográficos da costa, mas ignorando por completo a divisão territorial estabelecida há séculos pelas tribos indígenas — e, acima de tudo, ignorando também se eram tribos aliadas ou hostis aos portugueses. Tamanho descuido custaria caro aos portugueses.

Dos 12 donatários, quatro jamais estiveram no Brasil. Dos oito que vieram, três morreram em circunstâncias dramáticas; um outro (Pero de Campos Tourinho) foi acusado de heresia, preso e enviado para os tribunais da Inquisição em Portugal; três pouco se interessaram por suas propriedades e apenas Duarte Coelho — que fora o primeiro navegador europeu a chegar na Tailândia — realizou uma administração brilhante, em Pernambuco. Dos 15 lotes, quatro nunca foram ocupados (Rio de Janeiro, Ceará, Ilhéus e Santana); em quatro, as tentativas de colonização falharam (Rio Grande, São Tomé e as duas do Maranhão); em cinco, a precariedade dos estabelecimentos facilitou sua destruição por nativos hostis (Bahia, Porto Seguro, Itamaracá, Santo Amaro e Santana); e em apenas dois, São Vicente e Pernambuco, a colonização vingou desde os primeiros anos.

Apesar do balanço desfavorável — e de todos os vícios que legaram à estrutura fundiária do Brasil —, as capitanias representam a primeira e decisiva incursão dos portugueses no trópico e definem o embrião da futura ocupação do Brasil. Ainda assim, numa perspectiva eminentemente pessoal, a saga dos donatários lhes foi terrivelmente pesada. Tanto é que Duarte Coelho, o mais bem-sucedido dos colonizadores, escreveu para o rei: "Somos obrigados a conquistar por polegadas as terras que Vossa Majestade nos fez mercê por léguas". Aparentemente, porém, os problemas esmagadores enfrentados pelos donatários não comoveram os burocratas da Corte, a ponto de um deles ter, em 1544, anotado secamente em um relatório destinado ao rei: "O Brasil não somente não rendeu nada de vinte anos até agora o que soía, mas tem custado a defender e povoar mais de 80.000 cruzados". (*À esquerda e à direita, brasões dos donatários.*)

Os Donatários

Do atual Maranhão às proximidades de Laguna (SC), o litoral brasileiro foi repartido em 14 capitanias, perfazendo 15 lotes, distribuídos a 12 donatários. Do norte para o sul, eram as seguintes as capitanias, seus donatários, seus limites e sua breve história:

1) *Primeira Capitania do Maranhão:* foi doada ao historiador e burocrata João de Barros e ao navegador e cavaleiro-fidalgo Aires da Cunha. Tinha 50 léguas (ou 300 quilômetros) de extensão, desde a Abra de Diogo Leite (nas alturas do rio Gurupi, atual fronteira do Pará e Maranhão) até o cabo de Todos os Santos (hoje Baía de Cumã, MA).

2) *Segunda Capitania do Maranhão:* pertencia ao tesoureiro-mor do Reino, Fernando Álvares de Andrade, com 75 léguas, desde o cabo até a foz do rio Paraíba. João de Barros (um gênio da língua, autor do clássico *Décadas da Ásia*), o rico Álvares de Andrade e o intrépido Aires da Cunha juntaram suas fortunas e esforços enviando uma frota de dez navios com 900 pessoas e 100 cavalos para colonizar o Maranhão, em 1535. A aventura terminou em desgraça: Aires da Cunha morreu num naufrágio e, depois de três anos de lutas contra os nativos, apenas 200 sobreviventes retornaram a Portugal.

3) *Ceará:* doada ao cavaleiro-fidalgo Antônio Cardoso de Barros. Tinha 40 léguas, da foz do Paraíba à ponta do Mucuripe (hoje, parte de Fortaleza). Não houve ali tentativa de ocupação.

4) *Rio Grande:* sua extensão era de 100 léguas, desde Mucuripe até a baía da Traição, na Paraíba (cerca de 50 quilômetros ao norte de João Pessoa). Era o segundo lote de João de Barros e de Aires da Cunha e, após o fracasso no Maranhão, permaneceu inteiramente despovoado.

5) *Itamaracá:* com 30 léguas de costa, ia desde a baía da Traição até a foz do rio Igaraçu, na ponta sul da ilha de Itamaracá. Era o terceiro lote de Pero Lopes de Souza, dado a ele pelo rei D. João III como prêmio por sua luta contra os franceses. Como nas suas duas capitanias no sul, também em Itamacará Pero Lopes pouco fez. Chegou a haver ocupação na ilha, mas os nativos destruíram tudo.

6) *Pernambuco* ou *Nova Lusitânia:* a mais bem-sucedida das capitanias tinha 60 léguas de extensão, desde o rio Igaraçu (ao lado da ilha de Itamaracá) até a foz do São Francisco. Pertencia ao navegador e soldado na Ásia Duarte Coelho. Filho do navegador Gonçalo Coelho, Duarte realizou uma obra brilhante e eficiente em Pernambuco por mais de uma década.

7) *Bahia de Todos os Santos:* com 50 léguas de litoral, ia da foz do São Francisco à foz do Jaguaripe, na ponta sul da ilha de Itaparica. Pertencia a Francisco Pereira Coutinho, que após lutar na Índia vendeu o que tinha em Portugal e perdeu tudo no Brasil — inclusive a vida: depois de um naufrágio, na ilha de Itaparica, o donatário foi morto ritualmente pelos Tupinambá. A tradição assegura que quem lhe desferiu o golpe fatal foi um menino de apenas 5 anos, cujo irmão Pereira havia mandado matar.

8) *Ilhéus:* doada ao escrivão da Fazenda Jorge de Figueiredo Correia, tinha 50 léguas, desde o rio Jaguaripe (no Recôncavo Baiano) até a foz do rio Coxim (hoje Poxim), 20 quilômetros ao sul da ilha de Comandatuba. O milionário Correia nunca veio ao Brasil, mas sua capitania foi devastada pelos Aimoré, inimigos dos portugueses.

9) *Porto Seguro:* estabelecida onde o Brasil fora descoberto, a capitania do latifundiário e navegador Pedro do Campo Tourinho tinha 50 léguas, desde a foz do Poxim até a foz do Mucuri, na fronteira com o Espírito Santo. Foi também destruída pelos Aimoré, e Tourinho preso por seus próprios colonos e enviado para a Inquisição.

10) *Espírito Santo:* ia da foz do Mucuri à foz do Itapemirim, com 50 léguas de litoral. Pertencia ao militar Vasco Fernandes Coutinho. Foi destruída pelos temíveis Goitacá.

Genros da Terra

O Caramuru

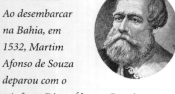

Ao desembarcar na Bahia, em 1532, Martim Afonso de Souza deparou com o náufrago Diogo Álvares Correia, o Caramuru, vivendo há 22 anos entre os índios. Historiadores debatem sua origem, o significado de seu nome e a data do naufrágio do Caramuru.

Diogo Álvares era natural de Viana, no norte de Portugal, e deve ter naufragado na Bahia por volta de 1509, aos 17 anos de idade. Em Tupi, seu nome significa moréia, pois, como o peixe, foi achado entre as pedras. A lenda diz que era chamado de "Homem do Trovão" porque, ao ser visto pelos nativos, teria disparado o mosquete. Casou-se com Paraguaçu, filha de um chefe tupinambá. Responsável indireto pela fundação de Salvador, ajudou ao donatário Francisco Pereira e ao governador Tomé de Souza.

João Ramalho

Semanas após o encontro com Caramuru, Martim Afonso chegou ao que viria a ser São Vicente e deparou com outro náufrago (ou desertor, ou degredado), chamado João Ramalho.

Como no caso do Caramuru, este também estava casado com a filha de um líder nativo (Bartira, filha de Tibiriçá), e de seu passado quase nada se sabe. Nascido em Vouzela, no norte de Portugal, teria naufragado em 1508. Ao retornar do Prata, Martim Afonso parece ter fundado sua vila em São Vicente e não em Cananéia justamente por causa da presença de João Ramalho, que vivia em Piratininga, no planalto, traficando escravos para o litoral. Ramalho morreu poderoso e nonagenário em 1581.

11) *São Tomé:* ia do Itapemirim à foz do Macaé, no atual Estado do Rio de Janeiro. Tinha 30 léguas e pertencia a Pero de Góis, que acompanhara Martim Afonso na expedição de 1530. Devastada pelos Goitacá.

12) *Rio de Janeiro:* o segundo lote de Martim Afonso de Souza tinha 55 léguas e ia da foz do Macaé até a foz do rio Juqueriquerê, que nasce na serra de mesmo nome e deságua na baía de Caraguatatuba (SP). Ficou abandonada, praticamente entregue aos franceses, que a ocuparam de 1555 a 1565.

13) *Santo Amaro:* o primeiro lote de Pero Lopes de Souza tinha 55 léguas e ia do Juqueriquerê até Bertioga. Apesar da proximidade de São Vicente, Pero Lopes fez muito pouco para sua colonização.

14) *São Vicente:* o primeiro lote de Martim Afonso tinha 45 léguas de costa, desde Bertioga até a ilha do Mel (PR). Foi o primeiro núcleo efetivo e oficial da colonização portuguesa no Brasil. Apesar do donatário jamais ter retornado a suas terras, a capitania floresceu e expandiu-se, determinando, nos dois séculos seguintes, a conquista de todo o sul do Brasil, rompendo a barreira de Tordesilhas.

15) *Santana:* o segundo lote de Pero Lopes ia da ilha do Mel até Laguna (SC), com 40 léguas de litoral. Permaneceu abandonado até o século XVII. Sua posse retornou à Coroa.

O Açúcar

O longo e rendoso reinado do açúcar em terras brasileiras — iniciado em 1532 e ainda sem data para acabar — trouxe também conseqüências amargas para o país. Plantada com avidez e impaciência no luxuriante solo de aluvião do litoral nordestino, a cana-de-açúcar deu luz ao Brasil, colocando-o no mapa do comércio planetário. Tornou-se "o principal nervo e substância da riqueza da terra", segundo um antigo cronista. Com os dividendos — de qualquer forma logo emigrados para Portugal e, dali, para a Holanda —, veio a devastação das matas, a escravização indígena em larga escala, os desatinos do monopólio e da monocultura, a infâmia inominável do tráfico negreiro, a vertigem do lucro fácil, o latifúndio, a pirâmide social exclusivista, a ganância desenfreada — vícios que o Brasil, em vez de sanar, incorporou.

Introduzido na Europa por árabes e cruzados, o açúcar — originário da Ásia — fora, de início, um artigo caríssimo, usado para presentear reis e registrado em testamentos monárquicos. Na Idade Média, era vendido apenas em farmácias, como artigo medicinal. E, literalmente, a peso de ouro: em 1440, uma arroba (15 quilos) de açúcar valia 18,3 gramas do metal. Embora em 1501 esse preço tivesse despencado para dois gramas de ouro por arroba, o plantio e especialmente o comércio do açúcar eram ótimos negócios. Negócios que, desde a descoberta dos Açores e da Madeira, no século XV, passaram a interessar os portugueses, principalmente depois que o infante D. Henrique importou as primeiras mudas da Sicília e mandou plantá-las nas ilhas.

No Brasil, a cana-de-açúcar foi introduzida por Martim Afonso de Souza, também dono do primeiro engenho erguido no país, em associação com o holandês Johann Van Hielst (chamado de João Vaniste), representante dos Schetz, ricos armadores, comerciantes e banqueiros de Amsterdã.

A partir da chegada dos donatários, a cultura açucareira adquiriu estupendo impulso no Brasil. Impossibilitados por lei de explorar o pau-brasil (um monopólio da Coroa), os donatários — Duarte Coelho à frente — trouxeram consigo colonos da ilha da Madeira,

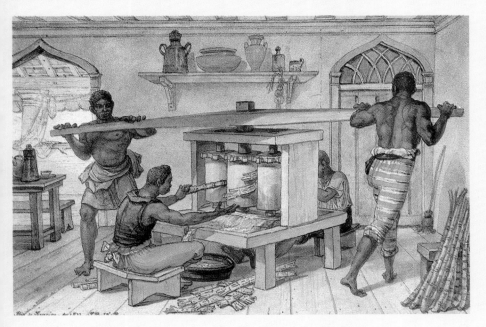

deram início à derrubada das matas litorâneas e instalaram seus primeiros engenhos. O aumento da população na Europa, a relativa queda do preço do produto, a fertilidade do massapé nordestino — tudo contribuiu para tornar o açúcar um produto cada vez mais consumido nas cidades e disputado no mercado.

Em 1628, havia já em torno de 235 engenhos instalados no Nordeste brasileiro — "antes mais do que menos", segundo o frei Luís de Sousa. Em 1637, época do Brasil holandês, a produção de Pernambuco, Itamaracá, Paraíba e Rio Grande do Norte ultrapassou 1 milhão de arrobas anuais.

Mas a pujança e grande lucratividade da lavoura de cana parecem ter cruzado apenas de passagem pela casa-grande que abrigava os senhores de engenho. O verdadeiro lucro ia para os que embarcavam o açúcar para a Europa. Lucros estes que eram utilizados para fazer novos empréstimos aos senhores de engenho, que viviam assim "em perpétua dívida, da qual periodicamente clamavam por perdão". De qualquer maneira, após uma ou duas boas colheitas, vários proprietários vendiam tudo o que tinham e regressavam a Portugal.

Para os que ficavam, o quadro no Brasil seguia igual, e muito similar ao descrito pelo padre Antônio Vieira: "Quem vir na escuridão da noite aquelas fornalhas tremendas perpetuamente ardentes (...) o ruído das rodas, das cadeias, da gente toda de cor da mesma noite, e gemendo tudo, sem trégua nem descanso; quem vir enfim toda a máquina e aparato confuso e estrondoso daquela Babilônia, não poderá duvidar, ainda que tenha visto Etnas e Vesúvios, que é uma semelhança do inferno".

O Governo de Tomé de Souza

Em 12 de maio de 1548, o colono Luís de Góis, irmão do donatário de São Tomé, Pero de Góis, escreveu, de Santos, uma carta desesperada ao rei D. João III. Nela, dizia: "(...) se com tempo e brevidade Vossa Alteza não socorre a estas capitanias e costa do Brasil, ainda que nós percamos as vidas e fazendas, Vossa Alteza perderá a terra (...) porque não está em mais de serem os franceses senhores dela".

O açúcar e o governador: ao alto, um engenho de açúcar, pintado por Debret em 1822. Acima, desembarque de Tomé de Souza, em gravura de autor anônimo.

Staden e os Canibais

O arcabuzeiro alemão Hans Staden é um dos personagens mais cativantes do Brasil colonial. Disposto a conhecer os mistérios de além-mar, partiu de Hesse, na Alemanha, para Portugal, com intenção de visitar a Índia. Uma vez em Lisboa, acabou por engajar-se, como artilheiro, num navio com destino a Pernambuco. Lá chegou em 1547, logo se envolvendo na luta contra os indígenas. Em 1548, de volta à Europa, alistou-se numa expedição espanhola ao rio da Prata. Depois de várias peripécias e naufrágios, foi parar em Bertioga na mesma época em que lá estava Tomé de Souza. Empregou-se como arcabuzeiro na fortaleza que o governador mandara erguer na ilha de Santo Amaro. Em janeiro de 1554, Staden caiu prisioneiro dos Tupinambá e foi levado para Ubatuba. Lá, viveu como cativo por nove meses e meio. Escapou de ser devorado porque, além de se fazer passar por francês (aliados dos Tupinambá), chorava e gemia cada vez que se via ameaçado. Os nativos o consideraram indigno de ser abatido. Em 1555, de volta à Europa, decidiu narrar suas aventuras em um livro. Intitulado Descrição verdadeira de um país de selvagens nus, ferozes e canibais, situado no Novo Mundo América, desconhecido na Terra de Hessen, antes e depois do nascimento de Cristo até que, há dois anos, Hans Staden de Homberg, em Hessen, por sua própria experiência, o conheceu, *o livro tornou-se um best-seller desde sua primeira edição, em Marburg, em 1557. Em 1925, foi traduzido para o português por Monteiro Lobato.*

A mensagem parece ter sido entendida já que, em 7 de janeiro de 1549, o fidalgo Tomé de Souza, veterano da África e da Índia, foi nomeado governador-geral do Brasil. Menos de um mês depois, em 1º de fevereiro, uma poderosa frota, com três naus, duas caravelas e um bergatim, transportando mais de quinhentos passageiros (cerca de 120 burocratas e funcionários públicos, 200 soldados, colonos e cerca de 100 degredados) partia de Lisboa rumo ao Brasil, sob o comando do austero governador.

Com Tomé de Souza vinha também um consistente corpo administrativo (um provedor-mor, um ouvidor-geral, um capitão-mor e muitos funcionários do segundo escalão) para estabelecer a lei e a ordem na colônia. A esquadra chegou à Bahia em 29 de março de 1549. Foi recebida pelo Caramuru e pelos nativos que ele arregimentara. Já a partir de 1º de maio, Tomé de Souza deu início à construção da vila que seria o embrião de Salvador — e, de acordo com a tradição (um tanto improvável), com ele próprio metendo a mão na massa e na cal. Em meados de dezembro, a primeira capital do Brasil se erguia numa colina à beira-mar, em frente à Bahia de Todos os Santos.

A missão que Tomé de Souza vinha cumprir no Brasil fora detalhadamente definida pelos 41 artigos do Regimento Real assinado em 17 de dezembro de 1548 — espécie de "carta magna" do Estado brasileiro. Além de centralizar o poder, construir uma fortaleza, visitar e proteger as demais capitanias, redistribuir terras, regulamentar a relação entre colonos e nativos e incentivar incursões ao interior, Tomé de Souza deveria também atacar e punir indígenas hostis — especialmente os Tupinambá de Ilhéus, que haviam matado o ex-donatário da Bahia, Francisco Pereira. Depois de destruir o maior número possível de aldeias tupinambás, o governador-geral poderia, de acordo com o Regimento, conceder perdão aos índios que concordassem em se sujeitar ao domínio português, não sem antes "aprisionar alguns caciques e enforcá-los diante dos habitantes de suas aldeias".

Com Tomé de Souza vieram os primeiros jesuítas a desembarcar no Brasil, entre eles o padre Manoel da Nóbrega. O governador trouxe também as primeiras cabeças de gado, direto de Cabo Verde. No ano seguinte, chegavam as primeiras mulheres "de boa qualidade" a colocar os pés no Brasil — eram órfãs recolhidas pela rainha D. Catarina, que deveriam casar com os colonos, resolvendo o mais grave problema da cidade-capital: o concubinato entre portugueses e nativas.

Em julho de 1553, desiludido com o comportamento dos degredados e depois de dois anos pedindo ao rei para retornar à pátria, Tomé de Souza enfim foi substituído por Duarte da Costa. Ao exportar para os trópicos as instituições da Corte, Portugal lançara as bases da América lusitana.

O Governo de Mem de Sá

Em 1568, aos quase 70 anos de idade e há mais de uma década como governador-geral do Brasil, Mem de Sá escreveu para o rei de Portugal, Dom Sebastião (segundo monarca ao qual servia, sem contar dois regentes). Na carta, ele disse: "Peço a Vossa Alteza que em paga de meus serviços me mande ir para o reino, e mande vir outro governador, porque afianço a Vossa Alteza que não sou para esta terra. Eu nela gasto muito mais do que tenho de ordenado, e não me parece justo que, por servir bem, a paga seja terem me degredado em terra de que tão pouco fundamento fazem. Quanto tenho feito em todo o tempo que estou no Brasil desfaz um filho da terra em uma hora".

Em dez anos, Mem de Sá fizera muito pelo Brasil — e também tirara muito dele. Cuidadosamente escolhido pelo rei D. João III, de quem era amigo — para substituir o desastrado Duarte da Costa —, o fidalgo, membro do Conselho Real, desembargador e poeta diletante Mem de Sá desembarcara em 28 de dezembro de 1557 numa colônia conflagrada, à beira da guerra civil e da invasão. Experimentado nas artes da guerra e da paz, letrado, corajoso e cruel, Mem de Sá aplicou de imediato uma política de ferro e fogo, exterminando milhares de indígenas, dizimando centenas de aldeias, combatendo os franceses onde quer que os encontrasse e submetendo os colonos portugueses aos rigores da lei e da ordem. Jurista calejado, solucionou inúmeras pendengas entre colonos, proibiu o jogo, a vadiagem e a embriaguez, instalou vários engenhos e botou outros para funcionar. Criou uma legislação protetora dos índios cristianizados e estimulou o ínicio do tráfico de escravos africanos.

Ao mesmo tempo, amealhou a maior fortuna pessoal do Brasil, em razão do próprio tráfico de escravos, de suas fazendas de gado, de seus engenhos de açúcar e da exportação de pau-brasil. Mem de Sá ganhou muito, mas por um preço terrivelmente alto. Numa expedição enviada ao Espírito Santo, em abril de 1558, para combater os Aimoré, foi morto seu filho Fernão. Nove anos mais tarde, também vítima de uma flecha, morreria o sobrinho Estácio de Sá, na luta contra franceses e Tamoio pela conquista do Rio de Janeiro. A filha de 12 anos, Beatriz, e a mulher, Guiomar, estavam mortas. É compreensível, portanto, que, em 1569, após redigir seu testamento, Mem de Sá enviasse nova carta ao rei se lamuriando: "Sou um homem só".

Em 6 de fevereiro de 1570, o jovem rei D. Sebastião enfim nomeou um novo governador-geral para o Brasil. Mas a frota que trazia D. Luís Fernandes de Vasconcelos foi atacada e destruída pelos franceses. Assim, Mem de Sá viu-se forçado a permanecer no cargo e no Brasil — onde temia acabar enterrado. Seu pior pesadelo se concretizou: em 2 de março de 1572, num domingo, às 10 horas da manhã, Mem de Sá, há quinze anos o homem-forte do Brasil, morria em Salvador, fatigado e esquecido pela Corte. Sua vida inspiraria o poema épico de dois mil versos escrito por José de Anchieta, no qual o jesuíta achou louvável cantar "os gestos heróicos do Chefe/ à frente dos soldados, na imensa mata/ cento e sessenta as aldeias incendiadas/ mil casas arruinadas pela chama devoradora/ assolados os campos/ passado tudo a fio de espada".

O Triste Fim de Sardinha

Entre os dois governos rígidos e austeros impostos por Tomé de Souza e Mem de Sá, o Brasil esteve entregue à incompetência, à anarquia e aos desmandos de Duarte da Costa, o segundo governador-geral. Principal figura do senado de Lisboa, D. Duarte chegou ao Brasil em maio de 1553 para substituir Tomé de Souza. Veio com seu filho, D. Álvaro, e mais 260 pessoas — entre os quais o noviço José de Anchieta. Um conflito entre D. Álvaro e o primeiro bispo do Brasil, D. Pero Fernandes Sardinha, está na origem de toda a desordem que pelos cinco anos seguintes marcou o governo de D. Duarte. Disposto a apresentar suas queixas ao rei, o bispo Sardinha partiu para Portugal em maio de 1556. O navio em que viajava naufragou em Alagoas e o bispo, mais 91 náufragos, foram devorados pelos Kaeté (gravura à esquerda). A tribo seria, mais tarde, literalmente exterminada por Mem de Sá.

O conflito entre D. Duarte e os jesuítas remanescentes era provocado pela oposição dos padres à escravização indiscriminada dos índios — especialmente dos cristianizados. A uma administração nefasta e corrupta, veio somar-se o dilema originado pela chegada de Nicolas Durand Villegaignon e oitenta franceses ao Rio de Janeiro. Duarte da Costa preferiu a omissão ao confronto. Em 1556, em carta enviada ao rei, a Câmara da Bahia implorava por sua substituição. Ela não tardou. De volta ao reino, D. Duarte não foi punido nem sequer criticado.

Depois dos três primeiros governos-gerais, a Corte concluiu que a tarefa de comandar o Brasil era pesada demais para um homem só e dividiu a colônia em duas. Com sede no Rio de Janeiro, o governo do Sul administraria o território abaixo de Porto Seguro. O governo do Norte continuou com sede em Salvador. Em 1578 o governo foi novamente unificado e assim continuou até 1719.

CAPÍTULO 5

O Brasil dos Jesuítas

Despojados ou argentários? Escravocratas ou liberais? Libertinos ou libertários? Santos ou santarrões? Passados cinco séculos, o papel desempenhado pelos jesuítas no Brasil colônia permanece imerso em controvérsias. De 1549, quando desembarcaram na Bahia, até 1759, quando, pelas artimanhas do marquês de Pombal, foram expulsos de Portugal e de suas colônias, os jesuítas se revelaram uma das forças mais ativas na conquista e colonização do Brasil. Sem eles, a empresa colonial teria outros rumos e outros destinos — quais, é difícil supor. Julgar o conjunto da obra jesuítica à luz de conceitos atuais, porém, é incorrer num erro tão gritante quanto o dos próprios padres quinhentistas em sua pretensão de avaliar a mentalidade e os costumes indígenas de acordo com as crenças e os dogmas da Europa de fins do século XVI — uma época marcada pela intolerância religiosa, pelo etnocentrismo e, acima de tudo, pela Contra-Reforma.

Desde o início, a polêmica esteve no âmago da ação jesuítica, já que, embora antagônicos em tese, catequese e colonialismo andaram sempre juntos. Os jesuítas lutaram contra a escravização dos indígenas, mas o plano de catequização que puseram em prática — e a conseqüente concentração dos índios em aldeamentos ou "missões" — não apenas resultou em tragédia, em razão dos graves surtos de doenças infecciosas, como facilitou a ação dos escravagistas. Os próprios jesuítas, o padre Nóbrega à frente, tinham escravos e acreditavam na doutrina aristotélica da servidão natural de povos "inferiores". Para defender os nativos, estimularam o tráfico de

africanos. Mas quando a paz que tinham firmado com os Tamoio foi rompida pelos portugueses, os padres nada fizeram.

Os jesuítas se empenharam em submeter os indígenas aos rigores do trabalho metódico, aos horários rígidos, ao latim e à monogamia. Combateram o canibalismo, a poligamia e o nomadismo — e, assim, acabaram sendo responsáveis pela desestruturação cultural que empurrou para a extinção inúmeras tribos. Por outro lado, foi graças à ação evangélica que a língua e a gramática tupi acabaram sendo registradas e preservadas.

Nada reflete melhor a dubiedade que marcou a obra dos jesuítas no Brasil do que a fundação de São Paulo (gravura acima). Disposto a catequisar os Guarani do Paraguai, o padre Nóbrega autorizou o estabelecimento de um posto avançado no planalto de Piratininga. Mas São Paulo acabaria se transformando em um pólo escravista e dali os jesuítas logo foram expulsos. Nóbrega jamais recebeu autorização para enviar uma missão ao Paraguai, onde a obra de catequese seria concretiza-

da pelos jesuítas espanhóis — e, a seguir, destroçada pelos bandeirantes paulistas, instalados justamente na cidade que Nóbrega e Anchieta haviam fundado.

De todo modo, não restam dúvidas de que, ao fim e ao cabo, o papel desempenhado pelos jesuítas no Brasil foi tremendamente conservador. Criada como uma espécie de "exército de Cristo", a Companhia de Jesus tornou-se o principal organismo da Contra-Reforma, sendo favorável à Inquisição e às normas restritivas ditadas pelo Concílio de Trento, lutando contra os avanços do humanismo renascentista, contra reflexões filosóficas e debates intelectuais — e contra os livros. No entanto, se não fossem as cartas e relatórios minuciosos daqueles padres — os jesuítas praticamente não davam um passo sem registrá-lo —, seria praticamente impossível reconstituir a história do Brasil colônia.

Entre a cruz e a espada: a opção preferencial dos jesuítas pela catequese indígena os botou em rota de colisão com os colonos portugueses no Brasil, desde a fundação de São Paulo em 1554 (*acima*) até a época do padre Antônio Vieira (*gravura ao lado*).

Inácio de Loyola

Soldado por herança e vocação, o espanhol Inácio de Loyola, nascido em 1491, na Espanha, abandonou a carreira das armas quando, convalescendo de um ferimento recebido na guerra entre Espanha e França, leu uma Vida de Cristo. *Apesar de manco, tornou-se um peregrino incansável. Em 1539, depois de ter ido à Terra Santa e de ser duas vezes preso pela Inquisição, decidiu fundar a Companhia de Jesus. Estabeleceu um modelo militarizado para a ordem, que imaginou como um grupo de combate à Reforma Luterana. O Brasil tornou-se a primeira província além-mar da Companhia. Morto em 1557, Loyola foi canonizado em 1622.*

Os rigores canônicos: o Concílio de Trento (*abaixo*) marcou o início da reação da Igreja católica contra a revolução desencadeada por Lutero.

A Semente Amarga da Contra-Reforma

No momento em que os primeiros jesuítas colocavam seus pés na Bahia, tanto Portugal como Espanha — e a Europa católica em geral — estavam vivendo um período de "fechamentos" políticos e ideológicos. Essa revolução "conservadora", em andamento desde 1545, tem sido chamada por alguns historiadores portugueses de "grande viragem". Ela se constitui basicamente no processo de gestação e implantação da Contra-Reforma na Península Ibérica — e marca, de fato, uma guinada nos rumos da cultura e da educação não só em Portugal e na Espanha, mas em suas colônias do Novo Mundo.

Quase 30 anos se haviam passado desde que Martinho Lutero pregara suas *97 Teses* na porta da igreja de Wittenberg, em outubro de 1517. Três décadas de perplexidade e inquietude haviam abalado a Igreja Católica Apostólica Romana. A reação se iniciou no inverno de 1545, com a instalação do Concílio de Trento e o recrudescimento da Inquisição. E tão logo a "ortodoxia" do catolicismo se acentuou, qualquer atividade intelectual que buscasse novos ares e maiores liberdades individuais poderia ser vista (ou deliberadamente confundida) com a "heterodoxia" luterana — e duramente reprimida.

Poucos anos antes, no entanto, Portugal havia vivido uma espécie de "primavera renascentista". De fato, entre 1530 e 1536, a tolerância cultural e religiosa proposta pelo filósofo Erasmo de Rotterdam encontrara eco no reino e dom João III tinha mesmo aventado a possibilidade de levar o próprio Erasmo para lecionar na recém-fundada Universidade de Coimbra. A partir de 1545, porém, essa liberdade de pensamento começou a ser substituída pelo seu exato oposto: o fortalecimento da Inquisição, entre cujos objetivos estava reprimir os avanços e conquistas do humanismo renascentista.

Entre os vários grupos que deflagraram esse processo de "fechamento" cultural, estava a Companhia de Jesus — que então começava a se tornar cada vez mais influente nos destinos de Portugal. Graças à "grande viragem" e ao banimento de outras alternativas culturais, os jesuítas se transformariam, a partir de 1546, numa das forças "políticas" mais atuantes no reino.

Depois de delatarem à Inquisição virtualmente todos os humanistas ligados a Erasmo, os jesuítas passaram a controlar não apenas as universidades portuguesas mas também foram autorizados pelo rei (de quem eram os confessores) a estabelecer sua própria rede de escolas no reino. Mas os chamados Colégios de Jesus estavam presos a conceitos pedagógicos medievalis-

tas e professavam a escolástica — uma doutrina retrógada e conservadora. Seu currículo era rigidamente ortodoxo e, embora a escolástica fosse de base aristotélica, grego e hebreu eram vistos como línguas "suspeitas" e os alunos se dedicavam quase exclusivamente ao latim.

Em breve todos os aspectos "culturais" da empresa colonial lusitana foram entregues aos jesuítas, encarregados também da conversão dos "gentios" na Índia (e em toda a Ásia) e no Brasil. As colônias — especialmente o Brasil — se desenvolveriam sem livros, sem universidades, sem imprensa, sem debates e inquietações culturais: em uma palavra, sem o frescor do humanismo renascentista. "A inteligência brasileira viria a constituir-se submetida à direção exclusiva da Companhia de Jesus, sob a égide da Contra-Reforma e do Concílio de Trento", como diagnosticou Wilson Martins. "Esse desejo de perpetuar a ignorância (...) condicionaria as perspectivas mentais do Brasil por três séculos."

Nóbrega e Anchieta

Menos de uma década depois da fundação da Companhia de Jesus, em Roma, e meio século após a carta de Pero Vaz de Caminha ao rei D. Manoel, na qual o cronista ressaltava que o melhor fruto que dessa terra se poderia tirar era "a salvação dos índios", os seis primeiros jesuítas desembarcavam no Brasil, junto com o governador-geral Tomé de Souza e liderados pelo padre Manoel da Nóbrega. Praticamente desde o primeiro dia, 29 de março de 1549, padres e colonos entraram em choque, como pastores lutando por uma manada arredia. Para os colonos, os nativos eram mão-de-obra indispensável, barata e servil — mero gado humano. Para os jesuítas, eram um rebanho desgarrado que precisava ser conduzido ao seio da cristandade. Tanto jesuítas como colonos, porém, exigiam dos indígenas o cumprimento da mesma tarefa: o cultivo da terra. Os colonos o faziam de forma brutal, imediatista e escravista. Os jesuítas, em troca do catequismo, esperavam trabalho organizado e metódico em suas plantações. O excedente da produção agrícola seria fornecido aos colonos no regime de escambo, supervisionado pelos próprios padres.

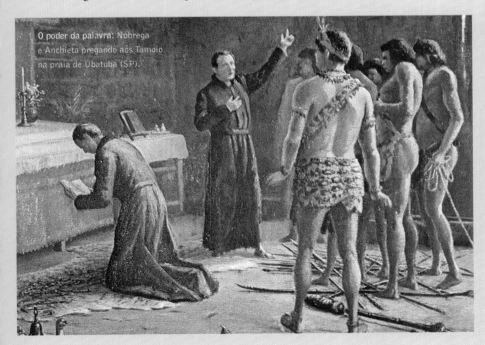

O poder da palavra: Nóbrega e Anchieta pregando aos Tamoio na praia de Ubatuba (SP).

O Poema na Areia

Embora seu legado não possa ser comparado em ressonância e estilo ao do padre Antônio Vieira, a obra de José de Anchieta (1534-1597) marca o início da criação literária no Brasil. Ao longo de quase meio século, Anchieta escreveu e versejou em latim, português, espanhol e tupi. Fez canções, hinos, monólogos, diálogos, sermões, poemas épicos e religiosos, autos e peças teatrais. Nascido nas Canárias, filho de pai basco, teria aprendido o Tupi rapidamente pela semelhança entre a sintaxe das duas línguas. Escreveu uma Gramática Tupi, *utilizada anos a fio. Anchieta não usou apenas vários idiomas: usou duas linguagens. Ao fazer das letras um instrumento de catequese, submeteu seu estilo aos desígnios religiosos — rígidos, autoritários e didáticos. Ainda assim, eventualmente, deixou-se levar pelo discurso subjetivo e místico, cujo valor literário começa a ser redescoberto. Desses poemas religiosos, o mais famoso é* De Beata Virgine Dei Matre Maria *(Poema da Bem-Aventurada Virgem Mãe de Deus Maria), de 5.786 versos, que Anchieta escreveu na areia da praia de Ubatuba, quando era refém dos Tamoio e que "fez voto de consagrar à Virgem se conseguisse suplantar incólume as tentações da carne". A lenda, preservada pelo padre Simão de Vasconcelos — biógrafo que mitificou episódios da vida de Anchieta —, diz que o jesuíta "saía-se à praia do mar, e ali, junto ao brando murmurar das águas, passeando com os olhos no céu, compunha os versos, e logo, virando-se à praia, fazia dela branco papel em que os escrevia com uma vara, para melhor metê-los na memória, pois que não tinha nem papel, nem tinta, nem pena". Manoel da Nóbrega, por seu turno, foi mais um político do que um literato, embora tenha escrito muitas cartas, além de um ríspido* Diálogo sobre a conversão do gentio.

Os Apóstolos do Brasil

*"Deus me preparou para carregar fardos",
escreveu Anchieta ao chegar ao Brasil em
1553. Não era figura de imagem: ele era
corcunda. O fato de ter as costas
"desencadernadas" não o impediu de
manter um ritmo incansável por mais de
40 anos. Falava Tupi com fluência e,
embora tido por santo, dos índios disse:
"Para esse gênero de gente não há melhor
pregação do que espada e vara de ferro".*

*Um desgosto levou Manoel da Nóbrega
(1517-1570) a se filiar à Companhia de
Jesus. Filho da pequena nobreza e
bacharel em Direito Canônico pela
Universidade de Coimbra, não foi aceito
no corpo docente por ser gago. "Vendo que
o mundo o desprezava, fez propósito de o
desprezar a ele", disse um contemporâneo.
Diplomático e comedido, embora também
"trôpego e rude", Nóbrega foi o grande
líder dos jesuítas no Brasil.*

Entre 1557 e 1561, no governo de Mem de Sá, os jesuítas agruparam 34 mil índios em onze aldeamentos ao redor de Salvador. Mas, em 1562, quando Mem de Sá decretou "guerra justa" aos Kaeté — que, pouco antes, haviam devorado D. Pero Fernandes Sardinha, o primeiro bispo do Brasil —, os colonos, sob pretexto de capturarem Kaeté catequizados, atacaram os aldeamentos e escravizaram quinze mil índios. O pior estava por vir: em fins de 1562 iniciou-se uma epidemia de varíola que matou outros quinze mil aldeados. Muitos dos quatro mil índios restantes entregaram-se deliberadamente como escravos aos colonos para não morrer de fome. Foi o fracasso definitivo das "missões" em terras brasileiras. A experiência se repetiria, anos depois, no Paraguai, no Tape, no Itatim, e no Guairá, trazendo conseqüências ainda mais funestas.

A tragédia da Bahia não impediu que Nóbrega continuasse mantendo excelentes relações com o desembargador Mem de Sá — e nem que seu fiel companheiro, Anchieta, dedicasse um longo poema épico ao governador. Embora praticamente autônomos, já que precisavam se reportar apenas a Roma, os jesuítas procuravam proximidade com o poder colonial — especialmente porque, no Brasil, a ordem era sustentada com fundos enviados pelo rei de Portugal.

Quando os colonos descobriram que os jesuítas eram financiados pelos impostos que eles pagavam — e que, além de possuir escravos e vastas extensões de terra, a Companhia de Jesus ainda especulava no mercado de açúcar —, a revolta contra os padres explodiu de vez. De todo modo, a obra dos jesuítas — seus colégios e missões — abriria novos territórios para a colonização. Além disso, não fosse a atuação dos padres — em especial Nóbrega e Anchieta — no episódio conhecido como Confederação dos Tamoios, a civilização portuguesa talvez tivesse sido varrida de vez do sul do Brasil, abrindo as portas para uma França Antártica (*leia o capítulo 7, "O Brasil Francês"*).

Esplendor e Queda das Missões

Eram cerca de sessenta povoados, alguns com mais de cinco mil habitantes, dispersos numa área de 450 mil km², cercados por ervais frondosos e imensos rebanhos. Atacados implacavelmente por mais de uma década, de 1628 a 1641, renasceram das cinzas com viço e vigor redobrados. Por volta de 1700, restavam apenas os Trinta Povos Guaranis, mas lá viviam cerca de 150 mil almas. No auge de seu poderio urbano, econômico e artístico, porém, as fabulosas reduções voltaram a ser arrasadas — e então, para sempre.

Passados dois séculos e meio, a experiência que, durante 150 anos, os jesuítas realizaram com os Guarani, no Paraguai, Paraná, Mato Grosso, norte da Argentina e oeste do Rio Grande do Sul ainda desperta assombro e inflama a polêmica. Foi assim desde o início: os filósofos Voltaire, Diderot, Montesquieu e Bacon deram opiniões sobre o projeto missioneiro. Reis, papas e generais o discutiram. Por fim, dois impérios se uniram para derrotá-lo.

Qual, afinal, o significado das Missões Jesuíticas do Paraguai? Foram de fato um projeto comunista? Sua criação baseou-se em *A utopia* de Thomas Morus? Ou o modelo literário que inspirou os jesuítas teria sido A *República*, de Platão, ou A *Cidade do Sol*, de Campanella? Até que ponto a obra dos padres foi humanitária? Não teria sido antes o caminho mais curto para o genocídio guarani?

Milhares de páginas já foram escritas, mas as missões se mantêm um enigma — senão histórico, pelo menos ideológico. Com lajes escarlates e muros hirtos, suas ruínas — carcomidas pelo tempo e pelos cipós —, ainda hoje visitadas por sobreviventes Guarani, apenas acentuam os tons do mistério.

As primeiras reduções — São Loreto e São Inácio, ambas às margens do rio Parana-panema, no atual estado do Paraná — foram fundadas em 1609. Marcam o início da primeira fase das missões guaraníticas, que se estenderia até 1641, quando os indígenas foram autorizados pelos padres a enfrentar os bandeirantes paulistas, vencendo-os na bata-lha de M'bororé. Ao longo destas cinco primeiras décadas, os jesuítas fundaram mais de cinqüenta reduções, no Guairá (entre os rios Paranapanema e Iguaçu, no Paraná), no Itatim (à margem esquerda do rio Paraguai, no atual Mato Grosso do Sul), no Tape (oeste do Rio Grande do Sul) e entre os rios Uruguai e Paraná (no Rio Grande do Sul e na Argentina).

Das reduções criadas no alvorecer do século XVII não restam vestígios — elas eram como a de San Francisco Xavier, que o padre alemão Paucke descreveu em 1650: "As cabanas de palha dos índios, de dois metros e meio de altura, são separadas por um trilho de lama fedorenta. A igreja e as habitações dos padres são de couro e parecem tendas de ciganos. A igre-ja tem teto de palha, o sino é preso num poste e o altar é de tijolos de barro cozidos ao sol".

Essa fase inicial das missões encontrou na figura dos padres Roque González e Ruiz de Mon-toya seus dois heróis épicos. Gonzalez, desbravador do Tape, "pajé branco", agricultor, arquiteto, polemista e orador, foi morto numa conspiração urdida pelo pajé destronado Nessu. Ruiz de Montoya, o apóstolo por excelência, realizador incansável, foi o articulador do grande êxodo de 1630, quando conduziu dez mil índios em 700 barcos e balsas por 300 quilômetros, rio e selva abaixo, para além das cataratas do Iguaçu e para longe da ameaça dos "terríveis paulistas".

A marcha épica de dez mil indígenas pelas florestas e corredeiras selvagens dos rios Paraná e Iguaçu — que cobraram pelo menos duas mil vidas, além dos quatro mil fugitivos que preferiram se embrenhar na mata do que continuar naquela jornada desesperada — não foi o único preço que os jesuítas tiveram de pagar por um século de paz. Haveria ainda um outro custo, embora este viesse a ter o doce sabor da vingança. Em 11 de março de 1641, no arroio M'bororé, um afluente da margem direita do Uruguai (hoje em território argentino, mas nunca plenamente identificado), os Guarani depararam com mais uma bandeira de paulistas. Desta vez, porém, armados com canhões de bambu e com o apoio dos padres, venceram o confronto, matando mais de 200 mamelucos (*leia no capítulo 6, "Os Bandeirantes"*). Aquele viria a ser o último ataque dos temíveis caçadores de homens.

Reagrupados na mesopotâmia dos rios Paraná e Uruguai, os jesuítas, então, deram iní-cio ao restabelecimento das missões. Em onze décadas de paz, o projeto atingiria seu ápice e amplas cidadelas de basalto e madeira nobre, basicamente araucária, foram erguidas na verdejante planície sulista. Em cada um dos chamados Trinta Povos Guaranis vivi-am de 1.500 a doze mil índios. Havia apenas dois jesuítas em cada redução: o cura e seu vigário: eles atuavam como "pajés" brancos.

Sombras e pó: depois de sua destruição em 1755, os Trinta Povos Guaranis (*ao lado, São Miguel, RS*) foram abandonados.

O Barroco Guarani

Além da aptidão musical, cujo legado virtualmente se perdeu, os Guarani das missões revelaram, em mais de duas mil obras, um evidente talento para a escultura. Embora a maior parte das peças, talhadas em cedro, tenha sido destruída, roubada ou perdida, as três centenas de estátuas restantes são o  *testemunho eloqüente do estilo que tem sido chamado de "barroco-jesuítico-guarani", desenvolvido pelos índios missioneiros sob a rígida batuta dos jesuítas.*

Zona de influência dos 30 povos
Localização dos 30 povos
Estâncias
Limites atuais do Brasil

Domínios de Portugal segundo o Tratado de Madri (1750)

Laguna
Guarda São Martim
Rio Pardo
Santa Tecla
Porto Alegre
São José do Norte
São Gonçalo
Rio Grande
São Miguel
Colônia
Sta. Teresa
Chuy
Montevideo
Maldonado

Ocupação Portuguesa
Cenário das guerras (1761-77)
Portugal
Espanha
Praças disputadas
Caminho da praia

Portugal, segundo o Tratado de 1777
Zonas não demarcadas
Zona de influência

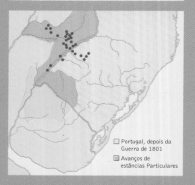

Portugal, depois da Guerra de 1801
Avanços de estâncias Particulares

Ainda assim, ali, a vida cotidiana se assemelhava à de um quartel: o sino tocava antes do sol raiar e a missa era celebrada para todos. Depois da distribuição de papa de milho, as crianças a partir de sete anos iam para a escola. Ao redor do colégio se erguiam as oficinas dos artesãos. Os trabalhos começavam por volta das sete horas — mesmo horário no qual, cantando e portando piedosos estandartes, os lavradores partiam para a faina nos campos comunais, os Tupa'mbê (ou terras de Deus). Por volta das onze horas, descanso para o almoço. As tardes, em geral, eram dedicadas ao cultivo na terra da família, às aulas de música e latim e, é claro, à catequese. Ao pôr-do-sol, todos se recolhiam.

O projeto arquitetônico refletia claramente este ambiente monástico e militante: eram duas centenas de alojamentos dispostos num plano rigidamente geométrico ao redor de uma igreja imponente. Mas os alojamentos não eram coletivos: dentro deles, cada família tinha sua cela individual, já que uma das principais lutas dos padres era contra a poligamia. O campanário, o cemitério e roças completavam o quadro ("Quem viu uma, viu todas", diria um visitante, em 1789). O projeto era uma reinvenção autoritária da paisagem e do espaço. Na própria escolha do nome que batizou a empresa, o plano dos jesuítas se esclarecia: em latim e em espanhol, "redução" significa reagrupar o que se encontra disperso. A idéia, portanto, era "reduzir (ou reunir) os Guarani à vida cívica e à Igreja".

A experiência não foi pioneira: além da desastrada tentativa de Nóbrega e Anchieta na Bahia, os jesuítas espanhóis já haviam "reduzido" os Mojos e Chiquitos do Peru (para alguns autores, o "comunismo" agrário e teocrático das Missões se baseou no modelo inca). A questão que mais diferenciou os Trinta Povos Guaranis — acentuando suas contradições e precipitando seu trágico desfecho — foi o fato de eles se localizarem na fronteira entre dois impérios em expansão. Eram quase um Estado-tampão.

Sua história está resumida nos mapas à direita: em 1750, época da expansão máxima do espaço missioneiro (*mapa 1, área roxa*), Portugal e Espanha assinaram um acordo trocando a Colônia de Sacramento pelos Sete Povos que ficavam na margem esquerda do rio Uruguai (*mapa 2*). Padres e indígenas receberam um ultimato: deveriam cruzar o rio e abandonar suas terras em seis meses. Como houve resistência, logo estourou a Guerra Guaranítica. Em 2 de fevereiro de 1756, os exércitos de Portugal (comandados por Gomes Freire de Andrada) e Espanha, unidos e com cerca de três mil homens, massacraram 1.511 Guarani mal-armados, na coxilha de Caiboaté (RS). Três dias antes fora morto, numa emboscada, Sepé Tiaraju, líder e mártir guarani.

Os Sete Povos foram abandonados, mas os imigrantes açorianos trazidos para ocupá-los não puderam fazê-lo, já que em 1761 e 1777 haveria mais guerras e novos tratados (*mapas 3 e 4*). Depois da guerra de 1801, os limites ficaram próximos dos atuais (*mapa 5*). Mas os jesuítas já tinham sido expulsos da América e dos Trinta Povos só restavam escombros chamuscados.

Vieira e o Poder dos Sermões

De todas as vozes que se ergueram não apenas em defesa dos índios do Brasil mas também contra os desatinos da política colonial, nenhuma foi mais fluente, majestosa e exata do que a do padre Antônio Vieira. Embora tenha sido o maior orador da língua portuguesa e dedicasse boa parte de sua vida à obra missionária, Vieira foi muito além da retórica e da mera caridade. Foi pastor, foi político, foi diplomata. Pregou nas lonjuras do sertão, pregou no requinte dos salões. Pregou no Vaticano, pregou no deserto. Foi afrontado pelos colonos do Maranhão, foi vítima dos juízes corruptos da Inquisição. Safou-se redigindo primorosa autodefesa. Foi missionário nas selvas amazônicas, foi ministro d'el rei em Paris, Haia e Roma. Compôs catecismo em línguas indígenas e sermões reais de admirável formosura. "Como pregoeiro da palavra divina, anunciador do futuro, conselheiro dos negócios humanos, missionário dos gentios bárbaros, consolador dos negros cativos, defensor dos judeus oprimidos", Vieira foi louvado e desprezado, desdenhado e aplaudido. Sua voz e seus conselhos encheram o Reino e Vieira se tornou uma das principais figuras da política portuguesa, que ajudou a formular e a executar. Depois do golpe palaciano que derrubou seu protetor, D. João IV, de quem fora conselheiro, Vieira caiu em desgraça na Corte, foi preso pela Inquisição (1665-1668) e, depois de seis anos em Roma, retornou ao Brasil, praticamente exilado. Foi na Bahia que viveu os 16 anos finais de sua vida e onde deu o passo que lhe asseguraria a imortalidade: tratou de editar seus 207 sermões — um dos tesouros da língua portuguesa.

Nascido em Lisboa, em 1608, Vieira veio com a família para o Brasil aos seis anos, em 1614. Aos 15, entrou para a Companhia de Jesus. Fez sua estréia na vida pública em 1626, aos 18 anos, redigindo uma carta ânua na qual criticava frontalmente a ingenuidade (comprometida e comprometedora) dos jesuítas ante a voracidade da empresa colonial. Em 1641, já ordenado sacerdote, viajou a Lisboa para prestar fidelidade ao rei D. João IV. Iniciou-se aí uma longa e frutuosa relação. Vieira logo entrou em choque com os dominicanos que dirigiam a Inquisição, atacando "a cegueira de delírio e o desatino intolerável" de seu Tribunal. Saiu em defesa dos judeus, propondo que Portugal atraísse para o Reino os que estavam dispersos pela Europa. Era a favor da liberdade de comércio e contra o protecionismo. Louvava as virtudes do trabalho e atacava o pecado da ociosidade. Quis ser o profeta do mercantilismo luso, e criou uma Companhia das Índias Ocidentais, assentada em capitais judaicos e com o mesmo perfil de sua similar holandesa. Mas a sociedade ibérica não estava preparada para a hegemonia do pensamento burguês, e Vieira pregava em clima hostil ou suspeitoso. Seus projetos políticos também falharam: ele não conseguiu uma aliança militar com a França, não conseguiu comprar Pernambuco dos invasores holandeses, nem um acordo com o invasor. Por fim, não conseguiu casar a única filha do rei de Castela com o príncipe-herdeiro do trono de Portugal, um plano ambicioso que uniria de novo as duas Coroas. O reino de Vieira não era o deste mundo. Mas o malogro de seus projetos proféticos abriu caminho para o pleno florescimento do homem de letras.

As Outras Ordens

A pesar de terem sido os missionários mais ativos e influentes da história do Brasil, os jesuítas não foram os primeiros nem os únicos a atuarem na colônia. Na frota de Cabral vinham oito franciscanos, entre os quais frei D. Henrique, que rezou a primeira missa em terras brasileiras. Ao longo dos primeiros séculos, os franciscanos continuaram sua obra no Brasil. Mas, como sempre se mantiveram ao lado do poder colonial, não se envolveram em polêmicas como os jesuítas. Benzendo engenhos e senzalas, perdoando, justificando e até promovendo a escravidão e o ataque aos índios "hostis", fornecendo capelães que acompanhavam os bandeirantes ao sertão, os franciscanos acabaram por constituir a ordem religiosa mais afinada com os desígnios do colonialismo.

Não se pode dizer o mesmo dos capuchinhos — a dissidência radical dos franciscanos que estabeleceu sua própria ordem em 1584. Os dois capuchinhos mais conhecidos na

Palavras em Ação

Em 1681, ao retornar para a Bahia, depois do apogeu e da queda de sua carreira em Portugal, Antônio Vieira descobriu que estava ficando cego. Parecia a derrota final: conselheiro do rei, confessor de rainhas, preceptor de príncipes, agora se via alijado dos jogos políticos do reino, esquecido e desprezado. Seus projetos haviam todos fracassado e a volta ao Brasil podia ser entendida como um melancólico auto-exílio. No entanto, embora a cegueira continuasse avançando até se tornar total, Vieira — austero e longevo — ainda teria dezesseis anos de vida pela frente. E esse período ele usou para dar forma final e editar os quinze volumes com seus 207 sermões. O projeto iria lhe assegurar imortalidade literária e fama internacional ainda em vida. Mesmo que relutasse em separar palavra e ação, vida e obra, a verdade é que Vieira era, acima de tudo, um homem de letras.

Os dois primeiros volumes dos Sermões de Vieira foram publicados em Madri, em 1644. Mas era uma edição tão mutilada e cheia de erros que o autor a renegou. "Não são meus", disse ele, "senão de quem os quis imprimir debaixo do meu nome, para me afrontar ou para ganhar dinheiro". O primeiro volume sob sua supervisão foi lançado em Lisboa, em 1679. Todos os demais foram preparados no Brasil. Traduzidos para o holandês, italiano e francês, tornaram Vieira um autor mundialmente famoso. Nada mais justo: repletos de neologismos, impecáveis na forma e no conteúdo, ressoantes de citações das Escrituras e com abrangência prodigiosa no tema e no estilo, seus sermões configuram o apogeu da língua portuguesa. Vieira morreu em 18 de julho de 1697. Com os "óculos do espírito", sabia "como o mundo e sua glória é uma farsa de comédia, que passa; um entremez, que se acaba com o riso; uma sombra, que desaparece; um vapor, que se desfaz; uma flor, que se murchou; um sonho, que não tem verdade".

Marquês de Pombal

No dia 26 de fevereiro de 1759, um panfleto chamado Notícias interessantes, *publicado em Lisboa, anunciava: "Os jesuítas estão prestes a ser todos expulsos deste reino. As outras potências poderiam bem imitar Portugal. Esses senhores levaram muito longe sua ambição e seu espírito subversivo. Eles pretendiam dominar todas as consciências, e invadir o Império do Universo". Seis meses mais tarde, a "profecia" se realizava: 432 jesuítas eram deportados para Roma, onde foram relutantemente acolhidos pelo papa Clemente XIII.*

O fato de Notícias interessantes *ter antecipado a informação não causou surpresa: a população sabia que, embora redigidos por um abade que abandonara a batina, os libelos eram obra de Sebastião José de Carvalho e Melo. E ninguém desconhecia que, além de ser a figura mais influente do reino, o futuro marquês de Pombal era também o mais ferrenho inimigo dos jesuítas. Filho da pequena nobreza, Pombal subira na vida depois de raptar e se casar com uma viúva rica. Em 1750, após anos como diplomata em Londres, virou ministro do rei D. José I. Embora despótico e cruel, logo assumiu o controle da nação e, mesmo empregando parentes e distribuindo propinas, foi um administrador ativo e eficiente.*

história colonial do Brasil foram os franceses Claude D'Abbeville e Yves Evreaux. Ambos chegaram ao Brasil em 1612, na trilha aberta por André Thevet, o franciscano que acompanhou Villegaignon ao Brasil, em 1555, e celebrou a primeira missa no Rio de Janeiro. No Maranhão, meio século mais tarde, Abbeville desempenhou o mesmo papel de Thevet: foi o cronista de uma ousadia fracassada, a fundação da França Equinocial.

Além de jesuítas e franciscanos, as duas outras ordens religiosas clássicas também atuaram no Brasil: os carmelitas e os beneditinos. Vieram a pedido dos próprios colonos, que traziam de Portugal as devoções predominantes em suas regiões de origem.

Os carmelitas se estabeleceram oficialmente no Brasil em 1580: chegaram acompanhando a expedição de Frutuoso Barbosa, que conquistou a Paraíba. Os beneditinos vieram no ano seguinte e fundaram uma abadia na Bahia, em 1584. Porém, a ordem nunca se interessou pela obra missionária e seus integrantes em geral se dedicavam à vida contemplativa, vivendo em mosteiros opulentos. Um levantamento feito em 1871 mostrou que, além de muitos prédios urbanos e imensas fazendas, os beneditinos possuíam também quatro mil escravos. Não eram os únicos: a prática fora inaugurada pelos próprios jesuítas já em 1549.

Não é nenhuma surpresa, portanto, que em 1883, em seu livro clássico *O abolicionismo*, Joaquim Nabuco tenha escrito: "Grande número de padres possuem escravos sem que o celibato clerical o proíba. Esse contato, ou antes contágio, de escravidão deu à religião, entre nós, o caráter materialista que ela possui, destruiu-lhe a face ideal e tirou-lhe toda a possibilidade de desempenhar na vida social do país o papel de uma força consciente. Nenhum padre nunca tentou impedir um leilão de escravos nem condenou o regime religioso das senzalas".

Perseguidores e Perseguidos — O Santo Ofício no Brasil

Embora para algumas almas mais crédulas os trópicos estivessem de tal forma impregnados pelo mal que "por obra do próprio demônio o nome de 'Santa Cruz' foi substituído pela voz bárbara de 'Brasil'", a maioria dos degredados e colonos comungava da crença segundo a qual "não existia pecado ao sul do Equador" — era a doutrina do "*Ultra equinoxialem non peccatur*". De acordo com o relato estupefato do padre Nóbrega, feito dez anos depois de sua chegada à Bahia, "se contarem todas as casas desta terra, todas acharão cheias de pecados mortais, adultérios, fornicações, incestos e abominações (...) não há obediências, nem se guarda um só mandamento de Deus e muito menos os da Igreja".

Esse estado de coisas sofreria um duro golpe em junho de 1591. Foi quando chegou à Bahia o desembargador Heitor Furtado Mendonça, o primeiro visitador do Santo Ofício.

Uma das mais famigeradas instituições da humanidade, a Inquisição se instalara em Portugal em 1536 — por exigência pessoal do rei D. João III. O primeiro auto-de-fé e o primeiro herege queimado em praça pública vieram em seguida. Em breve, a paranóia, as delações e as torturas seriam exportadas para as colônias portuguesas de além-mar. De início, especialmente na vizinha Castela, a Inquisição estivera diretamente ligada aos dominicanos. Mas, apesar de muitos historiadores ligados à Ordem terem se esforçado para negá-lo, não restam dúvidas de que a Companhia de Jesus também foi francamente favorável à instalação dos tribunais do Santo Ofício — e usufruiu bastante da situação de terror provo-

O Inimigo dos Jesuítas

Em Portugal, o Marquês de Pombal incentivou a agricultura e a viticultura, endureceu a política fiscal, criou monopólios, combateu os nobres, favoreceu os comerciantes e pôs no poder tecnocratas "estrangeirados". Reconstruiu Lisboa após o terremoto de 1755 — com o ouro brasileiro.

No Brasil, estabeleceu limites, emancipou os indígenas (para afastá-los do controle dos jesuítas) e criou companhias de comércio. Acima de tudo, porém, manteve seu "propósito obsessor": destruir a Companhia de Jesus. Dois foram os pretextos encontrados por Pombal para concretizar suas intenções: primeiro, o suposto estímulo dos jesuítas à resistência dos Guarani no episódio dos Sete Povos das Missões. Depois, um atentado ao rei D. José, no qual Pombal vislumbrou a influência dos jesuítas. No dia 16 de setembro de 1759, os inacianos foram expulsos de Portugal. A 14 de março de 1760, os primeiros 119 dos 550 padres que estavam no Brasil também eram deportados. Uma vez em Lisboa, foram jogados nos calabouços mais insalubres, juntando-se aos ex-confessores da família real e aos padres que tinham ocupado cargos públicos — presos sem julgamento nem acusação formal.

Em 1767 os jesuítas seriam expulsos também da França e da Espanha e, em julho de 1773, o papa Clemente XIV extinguiria a Companhia de Jesus. Era a vitória definitiva de Pombal. Mas ele teria apenas quatro anos para festejá-la: em 1777, com a morte de D. José I, subiu ao trono D. Maria I, a rainha louca. Pombal caiu em desgraça. Morto em 1782, só foi enterrado em Lisboa em 1836: seu corpo ficou mais de meio século abandonado na cripta da quinta onde vivera seu exílio. Em 1814, a Companhia de Jesus renasceria.

cada por ele, fortalecendo, dessa forma, seu poder entre as massas, não apenas em Portugal mas em suas colônias.

Ainda assim, embora o Brasil tenha assistido a várias manifestações de histeria — como a do jesuíta Luís da Grã que, em 1591, denunciou um certo Fernão Rodrigues por ter, numa procissão, dado "consolações e cousas doces" aos figurantes que representavam os fariseus "e nada ao que representava o Cristo" —, o Santo Ofício agiu com brandura na América Portuguesa. Ao contrário do que houve no Peru, o tribunal nunca chegou a ser instalado no Brasil, onde houve só "visitações".

Em sua permanência de quatro anos no país, o "visitador" Heitor Furtado percorreu as capitanias da Bahia, Pernambuco, Itamaracá e Paraíba. Tão logo colocava os pés em terra, ele instaurava o "Édito da Graça": um período de trinta dias durante o qual os fiéis podiam confessar espontaneamente suas culpas, escapando dos castigos corporais ou do confisco de bens. A seguir, se iniciavam as "denunciações". Na Bahia, em dois anos, houve 133 "culpas, confessadas ou denunciadas". Entre elas, 29 blasfêmias, 19 sodomias, quatro "pactos com o diabo", uma "defesa pública da fornicação" e um "fornecimento de armas a índios" e "pecados contra a fé".

A frouxidão que caracterizou a ação do Santo Ofício no Brasil, muito mais do que à "benevolência" da instituição, pode ser atribuída às circunstâncias com as quais o tribunal deparou: a terra era vasta e inculta; o povo, analfabeto e mestiço. As sutilezas teológicas criadas pelo Concílio de Trento eram ignoradas no trópico.

Na verdade, o principal motivo para o desembarque dos horrores persecutórios da Inquisição num lugar onde "não existia pecado" esteve diretamente ligado ao aumento da população de cristãos-novos (judeus recém-convertidos ao cristianismo) na colônia. A maioria deles mantinha relações comerciais com a Holanda — em guerra contra a Espanha, cuja Coroa havia absorvido a de Portugal. Por isso, em 1592, o maior crime que se podia cometer no Brasil seria praticado por aquele que, aos sábados, ousasse trajar "o melhor vestido que tinha".

Exército da intolerância: os inquisidores espalharam a paranóia e a delação por toda a Europa católica.

C A P Í T U L O   6

Os Bandeirantes

les eram os piratas do sertão. Perambulavam pelos atalhos, pelos planaltos e pelas planícies armados até os dentes, com seus sons de guerra e suas bandeiras desfraldadas. Eram grupos paramilitares rasgando a mata e caçando homens — para além da lei e das fronteiras; para aquém da ética. À sua passagem, restava apenas um rastro de aldeias e vilas devastadas; velhos, mulheres e crianças passadas a fio de espada; altares profanados, sangue, lágrimas e chamas. Incendiados pela ganância e em nome do avanço da civilização, escravizaram indígenas aos milhares. Alguns historiadores paulistas os definiram como uma "raça de gigantes" — e não restam dúvidas de que eles foram sujeitos intrépidos e indomáveis. São tidos como os principais responsáveis pela expansão territorial do Brasil — e com certeza o foram. Embora tenham sido heróis brasileiros, tornaram-se também os maiores criminosos de seu tempo.

Em apenas três décadas — as primeiras do século XVII — os bandeirantes e seus mamelucos mataram ou escravizaram cerca de 500 mil índios, destruindo mais de cinqüenta reduções jesuíticas nas regiões do Guairá, do Itatim e do Tape. Desafiaram as leis e os reis de Portugal e da Espanha. Blasfemaram contra Roma, foram excomungados pelo papa. Ainda assim, ignoraram as ameaças e só foram contidos pela força das armas. Transformaram sua capital, São Paulo, num dos maiores centros do escravismo indígena de todo o continente. Mais: fizeram dela uma cidade sem lei — reino de terror, ganância e miséria. E também o pólo a partir do qual todo o sul do Brasil pôde, enfim, crescer, desenvolver-se e se endinheirar.

Por que justamente São Paulo? Porque a cidade fundada pelos jesuítas estava no centro das rotas para o sertão, porque os Carijó do litoral e os Guarani do Paraguai estavam próximos e eram presa fácil e, acima de tudo, porque São Paulo nascera pobre. "Buscar o remédio para sua pobreza" — assim os paulistas explicavam o motivo que os impelia aos rigores do sertão em busca de "peças".

Nos anos 1920, dois devotados historiadores, Afonso Taunay e Alfredo Ellis Jr., deram início à fabricação do mito bandeirante. Os documentos que acharam e publicaram revelam uma saga de horrores. Ainda assim, Taunay e Ellis Jr. preferiram forjar a imagem do bandeirante altivo e galhardo, como se esses caçadores de homens fossem os "Três Mosqueteiros". Mas ambos sabiam que muitos dos bandeirantes andavam descalços, mal falavam português e estavam treinados para escravizar e matar.

No topo do planalto: mapa de 1631 revela a localização de São Paulo, na "boca do sertão". Ao lado, gravura de Debret mostra os caçadores de homens em ação, preando índios.

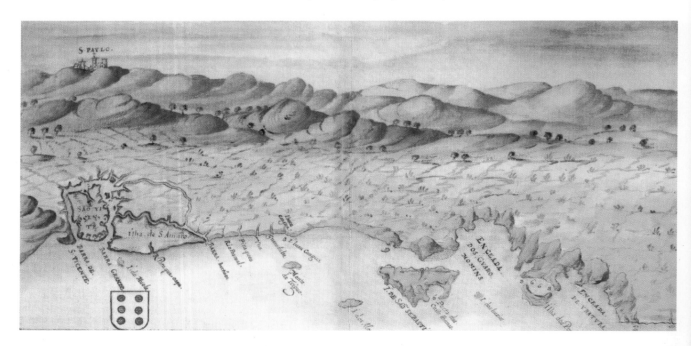

As Bandeiras

O nome: Segundo o historiador Capistrano de Abreu, teria nascido do costume Tupiniquim de levantar uma bandeira em sinal de guerra.

Formação: Um capitão-mor, com poder de vida e morte sobre os comandados, duas a seis dezenas de brancos, duas a quatro centenas de mamelucos e alguns milhares de indígenas — por vezes até cinco mil —, entre domésticos e escravos.

Armas: Indígenas e mamelucos usavam apenas arco e flecha. Os brancos, mosquetes, pistolas e facas.

Roupas: Nativos e mamelucos marchavam nus ou de tanga. Os brancos iam descalços, de chapéu, calças largas e "coira de anta", um colete acolchoado.

Ritmo da marcha: de dez a doze quilômetros por dia. As jornadas podiam durar de seis meses a três anos.

Alimentação: farinha, mel, palmito, caça e pesca.

Entradas: eram expedições oficiais de exploração do sertão.

Armações: eram as bandeiras financiadas por um investidor, o armador, que não ia ao sertão.

Nativos escravizados: 356.720 "peças" em 150 anos, segundo cálculos de Alfredo Ellis Jr.

Valor das "peças": em 1628, 20 mil-réis, ou 1/5 de um africano.

Os Caçadores de Homens

Embora o auge das bandeiras tenha coincidido com o alvorecer do século XVII e se prolongado por todo ele, o apresamento de indígenas sempre fez parte da história de São Paulo — na verdade, constituía sua própria essência. Antes de Martim Afonso fundar São Vicente, em 1532, o lugar já era conhecido como "Porto dos Escravos", graças ao tráfico promovido por João Ramalho e pelo misterioso Bacharel de Cananéia — um degredado que teria sido o primeiro português a viver no Sul do Brasil.

A captura de índios do sertão, porém, só se tornou negócio em alta escala — o maior e quase único a sustentar as famílias de Piratininga — a partir de 1571, graças às iniciativas do capitão-mor de São Vicente, Jerônimo Leitão. Com algum cinismo, ou deliberada ingenuidade, certos estudiosos chamam esse período inicial de "bandeirismo defensivo", já que foi quando os paulistas despovoaram os vales do Tietê e do Paraíba para "garantir a segurança da cidade". Em 1591, com a chegada do sétimo governador-geral do Brasil, Francisco de Sousa, inicia-se o ciclo chamado de "bandeirismo ofensivo".

Sousa militarizou as incursões ao sertão, dando-lhes roteiros fixos, hierarquia rígida e até escrivães e capelães. Ao partir, em 1602, o governador tinha ajudado a criar milícias para-militares que em breve desafiariam o poder colonial. Pouco depois, quando os jesuítas espanhóis fundaram as reduções do Guairá, no oeste do atual estado do Paraná, os paulistas viram nelas o alvo ideal para seus "saltos". Afinal, como colocou o historiador Capistrano de Abreu, "por que aventurar-se entre gente boçal e rara, falando línguas travadas e incompreensíveis, se perto demoravam aldeamentos numerosos, iniciados na arte da paz, afeitos ao jugo da autoridade?".

A escravização dos índios "reduzidos" era rigorosamente ilegal. Mas, vivendo no topo do planalto, longe do Brasil litorâneo e das capitanias bem-sucedidas de Pernambuco e da Bahia, os paulistas logo adquiriram uma mentalidade independente e rebelde. Julgando-se abandonados pela metrópole e se sentindo o refugo da colônia, criaram uma civilização própria, fundamentada em temeridade e cobiça vertiginosas. São Paulo forjou sua própria lei e transformou as demais em letra morta.

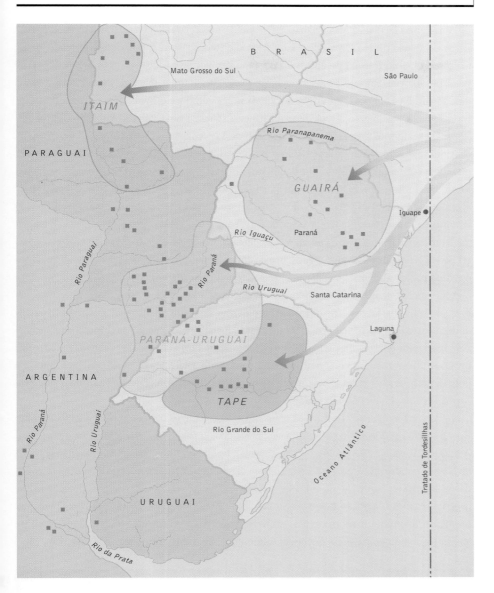

Reduções Destroçadas

Entre 1610 e 1750, jesuítas — em sua absoluta maioria espanhóis — estabeleceram uma vasta rede de reduções na região entre os rios Paraná, Uruguai, Iguaçu e Paranapanema. Elas acabariam se tornando uma espécie de curral escravista para as bandeiras paulistas. O mapa ao lado identifica a localização dos 64 aldeamentos originais.

Guairá (área cinza): A "florida cristandade", formada por treze reduções, criadas por Ruiz de Montoya a partir de 1610. Ficavam no atual estado do Paraná, sendo facilmente alcançáveis a partir de São Paulo (40 a 60 dias de marcha). A destruição começou em 1628 e continuou com as expedições de 1629, 30, 31 e 32. Mais de cem mil índios foram escravizados.

Tape (área roxa): A maioria das dezoito reduções foi obra do jesuíta Roque González. Erguidas no atual Rio Grande do Sul, foram destruídas a partir de 1636, por iniciativa de Raposo Tavares e Fernão Dias. Cerca de 60 mil Guarani foram levados para São Paulo.

Itatim (área azul): as treze reduções, localizadas na margem esquerda do Paraguai, no Mato Grosso do Sul, foram erguidas em 1631. Atacadas no início de 1633, "con impiedad y crueldad nunca oída", cinco reduções foram destruídas e as demais, abandonadas. O ataque rendeu aos bandeirantes 15 mil novos escravos.

Paraná-Uruguai (área amarela): as reduções por excelência, também chamadas de Trinta Povos Guaranis. Erguidas vários anos após a devastação do Guairá, na mesopotâmia dos rios Uruguai e Paraná, floresceram em paz, a partir de 1670, até serem bruscamente abandonadas com a expulsão dos jesuítas, em 1759. Enquanto das primeiras reduções nada sobrou, dos Trinta Povos restam hoje ruínas monumentais.

Por mais de um século, a maioria da população de São Paulo (cerca de seis mil brancos em 1700) dedicou-se à captura de indígenas. O bandeirismo tornou-se um negócio cuja técnica era passada de pai para filho — inúmeros jovens iam para o sertão e muitas bandeiras eram empresas familiares unindo pais, filhos, tios, cunhados e genros. Embora promovidas por brancos, as bandeiras não teriam sobrevivido no sertão não fossem as técnicas indígenas. Na verdade, mais pareciam tropa Tupiniquim do que patrulha européia: avançavam em fila indiana, utilizavam canoas de tronco (as "ubás"), sobreviviam à base de pinhões, mel e palmito (quase extinguindo colméias e palmiteiros ao longo das trilhas percorridas com mais freqüência). O grosso da tropa era constituído de indígenas, escravos ou não.

As bandeiras se constituíram, assim, uma cruel perversão dos costumes guerreiros dos Tupi-Guarani, cujos conflitos constantes não tinham por objetivo mais do que a captura de algumas vítimas para a consumação do rito antropofágico. Outro aspecto psicológico perturbador das bandeiras se refere aos mamelucos (nome vindo dos soldados de uma milícia turco-egípcia formada por escravos): filhos de pais brancos e de mães indígenas, eles atacavam os índios com ódio redobrado.

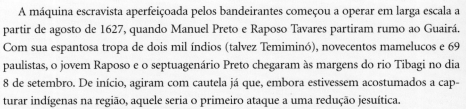

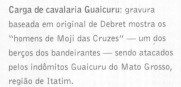

Carga de cavalaria Guaicuru: gravura baseada em original de Debret mostra os "homens de Moji das Cruzes" — um dos berços dos bandeirantes — sendo atacados pelos indômitos Guaicuru do Mato Grosso, região de Itatim.

A máquina escravista aperfeiçoada pelos bandeirantes começou a operar em larga escala a partir de agosto de 1627, quando Manuel Preto e Raposo Tavares partiram rumo ao Guairá. Com sua espantosa tropa de dois mil índios (talvez Temiminó), novecentos mamelucos e 69 paulistas, o jovem Raposo e o septuagenário Preto chegaram às margens do rio Tibagi no dia 8 de setembro. De início, agiram com cautela já que, embora estivessem acostumados a capturar indígenas na região, aquele seria o primeiro ataque a uma redução jesuítica.

Um pretexto fútil foi a senha para a invasão de San Antonio, em 30 de janeiro de 1629. Ali, dois mil índios foram escravizados. Em março, caíram San Miguel e Jesús Maria. Em maio, quando a bandeira retornou a São Paulo, nove outras reduções jaziam em cinzas. Os ataques foram em tudo similares à invasão de San Francisco Xavier, no Tape, em 1637. Lá, depois de atearem fogo à igreja, os bandeirantes aguardaram do lado de fora e, enquanto os indígenas tentavam escapar por uma fenda "a modo de rebanho de ovelhas que sai do curral", os paulistas "com espadas, machetes e alfanjes lhes derribavam as cabeças, truncavam braços, desjarretavam pernas, atravessavam corpos. Provavam os aços de seus alfanjes em rachar os meninos em duas partes, abrir-lhes as cabeças e despedaçar-lhes os membros".

A longa caminhada até São Paulo incluía horrores adicionais, como "matar enfermos, velhos, aleijados e crianças que impediam os parentes de seguirem viagem". E com tanta crueldade que não pareciam "cristãos, matando crianças e velhos, dando-os de comer a seus cachorros", revelaram dois jesuítas espanhóis que acompanharam a jornada. Os cativos marchavam presos a grossas correntes de quatro metros, com trinta colares cada. Junto com o chumbo e a pólvora, esse era o artigo mais caro despendido pela bandeira. Em geral, eram pagos pelo "armador" que financiava a expedição.

Na chegada a São Paulo, os índios eram repartidos entre os bandeirantes e seus financistas. Ao contrário do que afirma a história oficial, poucos cativos eram enviados para o Nordeste. A maioria ficava em São Paulo — Preto chegou a ter mil escravos em sua fazenda na Freguesia de Nossa Senhora do Ó. No que eram usados esses homens? No transporte de "harinas y comidas al puerto de Santos y asi con este trabajo en que se sirven dellos como de caballos, se mueren infinitos". A ração dos escravos consistia numa espiga de milho por dia. Quanto às mulheres "de bueno parecer, casadas, solteras o gentiles, el dueño las encerra consigo en un aposento, con quien passa las noches al modo que un cabron en un curral de cabras".

Este estado de coisas se reverteu parcialmente quando os jesuítas espanhóis foram autorizados a armar os índios das reduções. Em 1638, a bandeira de Leite Pais seria derrotada em Caazapa-Guaçu. A grande vitória, porém, viria três anos mais tarde, no dia 11 de março de 1641, quando, às margens do M'bororé, afluente do rio Uruguai, três mil Guarani, chefiados pelo cacique Ignacio Abiaru, sob a orientação dos padres Pedro Romero e Pedro de Mola e com a ajuda de canhões feitos de bambu, desbarataram a bandeira de Jerônimo de Barros, formada por 130 canoas com trezentos paulistas e seiscentos Tupi. Ao cabo de mais de dez horas de feroz batalha aquática e terrestre, boa parte dos invasores — que por três vezes pediram trégua — estava morta. Os sobreviventes embrenharam-se na mata, onde a fome e as doenças acabariam por dizimá-los. Apenas vinte retornaram a São Paulo.

O "desastre" de M'bororé marcou o fim de uma época. O ciclo da caça ao índio seria gradualmente substituído pelo ciclo da caça ao ouro. A aventura tinha acrescentado vários milhares de quilômetros quadrados ao Brasil. Seu preço pode ser avaliado em meio milhão de vidas.

O Conquistador Abandonado

Do alquebrado retorno a São Paulo, em 1651, à morte solitária em 1658, o nome de Raposo Tavares virtualmente sumiu dos registros oficiais da vila de São Paulo — indicação clara de que o antigo "cabeça das bandeiras" se tornara carta fora do baralho. O obscurecimento foi secular: até as primeiras décadas do século XX, praticamente nada se falou sobre o mais temerário dos sertanistas. Somente com os trabalhos de Basílio da Gama, em 1917, e de Afonso Taunay, em 1926, é que os feitos de Raposo Tavares entraram para os livros de história. Da grande jornada de 1648, porém, ainda se sabe pouco. Embora tenha sido descrita em uma carta do jesuíta Antônio Vieira, seu roteiro ainda é confuso. Raposo Tavares (à esquerda num quadro que representa o momento em que partia para sua longa marcha e, acima, numa visão hipotética de seu rosto) apropriadamente não virou nome de rua: batizou uma estrada.

Volteios e Vertigens de Raposo Tavares

Antônio Raposo Tavares foi o bandeirante por excelência. Em torno dele se revolve o mar de celeuma e controvérsia que sempre caracterizou a vida e a obra dos sertanistas de São Paulo. Apesar de ocupar os mais altos cargos públicos de sua capitania, Raposo Tavares passou boa parte da vida fora da lei, driblando mandados de prisão. Dizia-se cristão, mas foi excomungado. Desprezava os indígenas, embora a eles devesse seus conhecimentos do sertão. Foi o maior caçador de escravos de seu tempo, mas não teve mais que 117 cativos — enquanto outros bandeirantes reuniam mais de mil. Tido como o mais audaz dos combatentes, fracassou na única guerra convencional da qual participou: a luta contra os holandeses, no Nordeste. Ampliou os limites territoriais do Brasil e serviu devotadamente à Coroa, mas morreu virtualmente abandonado, talvez até pobre, em seu sítio perto de São Paulo. Ao longo de 60 anos, Raposo Tavares viveu tudo o que se pode esperar de um bandeirante.

Nascido no Alentejo, em Portugal, em 1598, chegou ao Brasil aos 20 anos, em companhia do pai, Fernão Vieira, que, embora suspeito de ter "fugido do reino com dinheiro de Vossa Majestade", assumiu o governo da capitania de São Vicente, em nome do donatário, conde de Monsanto. Por toda a vida Raposo também seria vassalo fiel de Monsanto. Alguns historiadores chegam a afirmar que ele destruiu as reduções do Guairá e do Tape por julgar que estariam dentro da área que pertenceria ao donatário.

Em 1627, Raposo Tavares organizou a primeira bandeira contra o Guairá. Aos jesuítas espanhóis, disse que agia assim pois tinha que expulsá-los "duma terra que é nossa (*de Portugal*), não de Castela". Na volta a São Paulo, Monsanto o nomeou juiz ordinário da vila de São Paulo e ouvidor da capitania de São Vicente.

Em 1633, porém, Raposo abusou de seus poderes e, ao invadir a fazenda dos jesuítas portugueses em Barueri, nos arredores de São Paulo, teve o mandato cassado. Em 1635, um recurso lhe restituiu o cargo, mas o acusado não se interessou: estava preparando a lucrativa invasão ao Tape, no Rio Grande do Sul. Em 1639, quando o governo ofereceu perdão aos bandeirantes que lutassem contra holandeses, Raposo se alistou e partiu para o Nordeste. Lá, teria participado da derrota imposta pelos batavos à esquadra do conde da Torre, governador-geral do Brasil. Com mais de mil homens, Raposo tomou parte, então, na grande marcha dos derrotados, ao pé do cabo São Roque, no Rio Grande do Norte, até a Bahia: 2.700 quilômetros em quatro meses.

Nada que se possa comparar à derradeira e monumental aventura do maior dos bandeirantes: em fins de 1648, com 1.142 homens — brancos, mamelucos e índios —, Raposo Tavares partiu de São Paulo para atacar o Itatim. Embora duas reduções tenham sido destruídas, a empresa fracassou. E, em abril de 1649, porém, em vez de ordenar o retorno, Raposo marchou rumo ao desconhecido. Em fevereiro de 1651, 58 homens que, de acordo com uma carta escrita pelo padre Antônio Vieira, "pareciam mais desenterrados do que vivos" chegaram ao forte de Gurupá, próximo a Belém, no Pará. Por dois anos, tinham feito um "grande rodeio" por terras jamais percorridas: do Itatim (sul do Mato Grosso), a tropa chegara às cercanias dos Andes, na Bolívia. E então, descendo os rios Guaporé, Madeira e Mamoré, seguiram o Amazonas até Belém. Ao chegar em São Paulo, em fins do mesmo ano, Raposo Tavares estava tão desfigurado que nem mesmo parentes e amigos puderam reconhecê-lo.

O Governador das Esmeraldas

Embora tenha sido tema de uma peça de teatro e de um famoso poema de Olavo Bilac, o nome de Fernão Dias, assim como o de seu companheiro Raposo Tavares, permaneceu no obscurantismo por quase dois séculos após a morte inglória no sertão. Embora Pedro Taques, o primeiro historiador de São Paulo, fosse seu sobrinho-neto, da biografia de Fernão Dias restaram muitas lacunas. Sequer se sabe com certeza onde e quando ele nasceu (embora São Paulo e o ano de 1608 sejam a data e o local mais prováveis). As circunstâncias de sua morte, porém, são bem conhecidas. Vitimado pela malária, seu corpo foi "embalsamado" à moda bandeirante: sobre a sepultura de dois palmos da terra, acenderam-se fogueiras que arderam por vinte dias. Então, os ossos de Fernão Dias foram trazidos pelo filho para São Paulo — não sem antes terem afundado num naufrágio no rio das Velhas. Enterrados no mosteiro de São Bento, foram redescobertos e exumados em 1922.

O velho homem do sertão: Fernão Dias em retrato supositício (*acima*). Não existem imagens autênticas dos bandeirantes paulistas.

Fernão Dias e a Miragem Fatal

A trágica jornada de Fernão Dias rumo à miragem de Sabarabuçu reprisou, em terras brasileiras, as vertiginosas viagens dos espanhóis em busca do Eldorado. Ao longo dos sete anos em que permaneceu no sertão à cata de esmeraldas que não estavam lá, a expedição se defrontou com todas as turbulências: fome, peste, traição, assassinato, delações, miséria e filicídio. A única concessão de um destino de resto inclemente foi permitir que, ao morrer, num delírio febril, Fernão Dias tivesse certeza de que eram esmeraldas as turmalinas que arrancara da terra.

Em 1672, quando o rei de Portugal o conclamou para ajudar na caça às pedras verdes, Fernão Dias Pais era um dos mais experientes e bem-sucedidos sertanistas de São Paulo

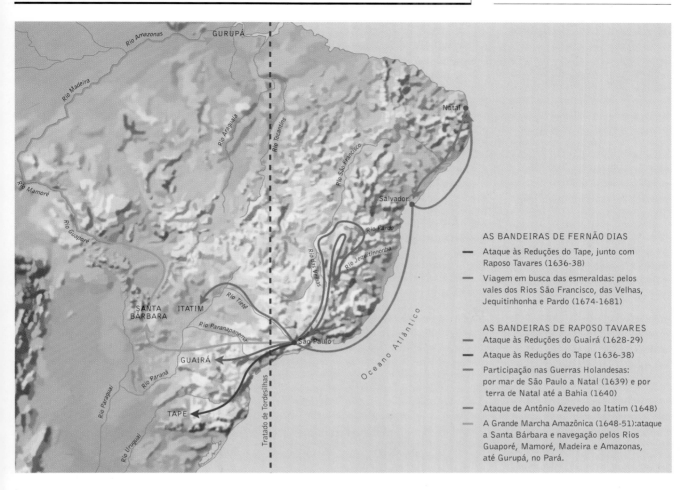

AS BANDEIRAS DE FERNÃO DIAS

━ Ataque às Reduções do Tape, junto com
Raposo Tavares (1636-38)

━ Viagem em busca das esmeraldas: pelos
vales dos Rios São Francisco, das Velhas,
Jequitinhonha e Pardo (1674-1681)

AS BANDEIRAS DE RAPOSO TAVARES
━ Ataque às Reduções do Guairá (1628-29)

━ Ataque às Reduções do Tape (1636-38)

━ Participação nas Guerras Holandesas:
por mar de São Paulo a Natal (1639) e por
terra de Natal até a Bahia (1640)

━ Ataque de Antônio Azevedo ao Itatim (1648)

━ A Grande Marcha Amazônica (1648-51):ataque
a Santa Bárbara e navegação pelos Rios
Guaporé, Mamoré, Madeira e Amazonas,
até Gurupá, no Pará.

— e um dos mais idosos. Aos 64 anos, já participara dos "saltos" às reduções do Tape (RS), já investira contra o Itatim (MS) e caçara indígenas por todos os arredores de São Paulo. De uma só vez trouxe, de Apucarana (PR), cinco mil Guayaná cativos. Possuía duas enormes fazendas, uma em Parnaíba (SP), outra em Pinheiros (hoje bairro da cidade de São Paulo), nas quais seus escravos plantavam o trigo que o governo comprava para alimentar as tropas em luta contra os holandeses no Nordeste. Nascido dos "mais velhos clãs vicentinos", filho e neto de pioneiros ilustres, Fernão Dias Pais Leme era um dos homens mais ricos e famosos da São Paulo seiscentista. E um dos mais "piedosos" também: os padres não cansavam de elogiá-lo por ter erguido, à própria custa, o mosteiro de São Bento.

Em 1674, porém, Fernão Dias largou tudo — a mulher enferma, as seis filhas, as fazendas —, vendeu sua prata, seu ouro e seu gado e partiu em busca das "recônditas pedras verdes". Tinha 66 anos.

A lenda indígena de Sabarabuçu, a serra resplandescente, há muitos anos fazia parte da geografia fantástica que, desde sempre, assombrara os colonos portugueses no Brasil e fizera brotar uma coletânea de notícias fabulosas sobre tesouros opulentos escondidos no sertão. Foi em demanda dela que, orientado "pellas informaçõens dos antigos", o velho Fernão Dias deixou São Paulo, a 21 de julho de 1674. Partiu com quarenta paulistas e duzentos nativos. Foi uma viagem de danação.

O último suspiro: óleo pintado nas primeiras décadas do século XX recria a morte inglória de Fernão Dias no sertão remoto.

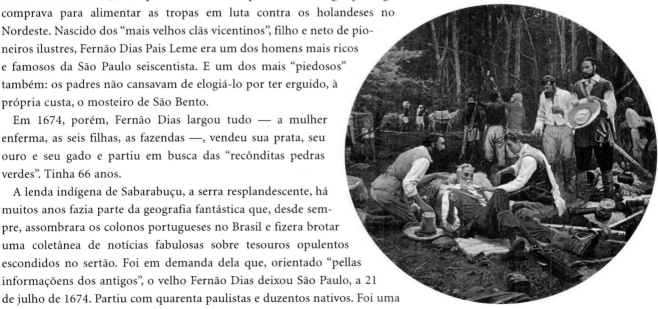

A Guerra dos Bárbaros

Em novembro de 1688, quando seu exército já estava próximo dos Palmares — depois de tenebrosa marcha de dois mil quilômetros, que matou 196 pessoas de fome —, Domingos Jorge Velho recebeu ordens do governador-geral Matias da Cunha para "torcer o caminho". Deveria se dirigir a toda a pressa ao Rio Grande do Norte para combater a rebelião da tribo Janduí. Em luta contra a expansão das fazendas, os Janduí tinham trucidado mais de cem colonos e cerca de 30 mil cabeças de gado. Era o início da Guerra dos Bárbaros ou Confederação dos Cariri (já que a ela se juntaram os Payaku, os Caripu, os Ikó, os Karatiú e os Kariri) — um dos mais terríveis conflitos da história do Brasil e um dos menos estudados. Velho, que já exterminara os Xucuru, os Calabaça, os Pimenteiras e os Korema, foi à luta. E não fez prisioneiros: em 1688, Matias da Cunha lhe concedia "todas as glórias de degolar os bárbaros". Ainda assim, ele não conseguiu terminar com o conflito, que durou até 1713. É que Jorge Velho tinha outra missão: matar o Zumbi. E essa ele cumpriu (leia na página 69).

Por sete longos anos, a bandeira vagou pelos ermos do rio Jequitinhonha e do rio das Velhas. Os meses passavam, as pedras não apareciam, o descontentamento crescia. Endividado com os comerciantes de São Paulo e Parnaíba, Fernão Dias não hesitou em deixar a família na miséria — e mandou vender até "as jóias do adorno de suas próprias filhas". Quando as deserções começaram, o velho bandeirante reuniu os remanescentes da tropa e anunciou que iria "prosseguir a jornada até morrer e que em seu testamento havia de deixar ordem ao filho que, sob pena de sua maldição, prosseguisse a busca, ainda que fosse só com os seus índios e que nem trouxessem nem mandassem seus ossos a enterrar a povoado, sem que primeiro se descobrissem as esmeraldas". Quando um motim estourou e Fernão Dias soube que ele era liderado por José Dias Pais, seu filho bastardo, não hesitou em mandar enforcar o jovem mameluco, para espanto e terror do arraial.

Em abril de 1681, pedras verdes surgem da lagoa de Vupabuçu. Aos 73 anos, o velho sertanista se sente aliviado. Envia 147 pedras para serem examinadas em São Paulo. Em maio, devastado pela malária, Fernão Dias morre no sertão do rio das Velhas sem saber que só achara turmalinas.

O Crime sem Castigo de Borba Gato

O caso de Manuel Borba Gato, genro de Fernão Dias e "tenente general do matto", é exemplar da ambígua relação legal entre o governo colonial e os bandeirantes paulistas. Em 1681, logo após a morte inglória do sogro, Borba Gato permaneceu na região do rio das Velhas, no sudeste de Minas Gerais, disposto a continuar a busca por esmeraldas e ouro. Foi então que, atraído pelo boato das pretensas descobertas de Fernão Dias, chegou àquela região ninguém menos do que dom Rodrigo Castelo Branco, nobre de origem espanhola que recém havia assumido o cargo de administrador-geral das minas (embora, àquela altura, mina alguma houvesse sido descoberta).

Defendendo os interesses da família, Borba Gato de imediato estabeleceu uma relação tensa com Castelo Branco. Quando o confronto entre ambos enfim explodiu, no dia 28 de agosto de 1682, o bandeirante, "arrebatado de furor", teria dado "um violento empuxão" no fiscal do rei, jogando-o do alto de um buraco "ao fundo do qual caiu morto" — de acordo com o relato do historiador paulista Pedro Taques (redigido em 1713, portanto, cerca de 30 anos após aqueles acontecimentos). Escrevendo muito mais tarde, em 1834, o historiador baiano Baltazar da Silva Lisboa tratou de amenizar a versão de Taques, afirmando que dom Rodrigo fora morto "pelos criados de um Manuel da Borba Gato, morador do rio das Velhas".

De qualquer modo, não restam dúvidas do envolvimento do genro de Fernão Dias naquele crime de lesa-majestade. Não há de ter sido outro o motivo que o levou a se refugiar nos inexplorados sertões do rio Doce, no sudeste de Minas, e lá viver homiziado por quase duas décadas. De fato, de acordo com o relato registrado por um certo Bento Furtado, Borba Gato retirou-se para o coração do misterioso "Reino dos Mapaxó" e lá, por cerca de quinze anos, "viveu barbaramente, sem concurso de sacramento algum, nem comunicação com mais criaturas desse mundo", além do grupo de indígenas "que domesticou à sua obediência, vivendo entre eles, respeitado como um cacique". Pesquisas mais atualizadas sugerem que "Mapaxó" eram os nativos hoje conhecidos como Botocudo (cujo território tribal de fato se espraiava pelas cercanias do rio Doce), mas que Borba Gato não teria permanecido tanto tempo sem contato com a civilização, uma vez que, já

em 1689, teria sido o principal responsável pela descoberta de ouro e pela fundação do arraial de Barra das Velhas, às margens do rio São Francisco.

De qualquer forma, foi apenas no verão de 1697 (portanto, quinze anos após a morte de Rodrigo Castelo Branco) que Borba Gato ousou retornar para São Paulo, sua cidade natal. Foi se encontrar com o governador Arthur de Sá e Meneses, disposto a revelar a localização das minas de ouro que descobrira nos arredores da atual cidade de Sabará (Minas Gerais). Em troca daquele segredo, o governador não apenas decidiu perdoá-lo como, por provisão assinada no dia 6 de março de 1700, o promoveu a guarda-mor da região das minas.

Dois anos mais tarde, a 9 de julho de 1702, Borba Gato tornou-se superintendente-geral das minas do rio das Velhas (ironicamente, cargo similar ao ocupado por Castelo Branco). À Coroa portuguesa, o governador Sá e Meneses — tido como um dos mais corruptos de seu tempo — justificou o perdão e as promoções ao suposto criminoso afirmando que dom Rodrigo Castelo Branco não havia sido morto por Borba Gato, mas sucumbido "em uma emboscada, recebendo três tiros disparados por desconhecidos" (*mais detalhes do encontro entre Borba Gato e Arthur de Sá na página 106*).

Por volta do século XVIII, certos historiadores deram início à construção de uma imagem intrépida em torno de Borba Gato que, mais do que qualquer outro bandeirante, simbolizaria a audácia, o atrevimento e a independência dos paulistas. Poucos dados concretos podem justificar essa tese. De todo modo, a partir de 1962, Borba Gato começaria a se tornar um dos bandeirantes mais conhecidos do grande público, graças principalmente a uma polêmica estátua, revestida por ladrilhos, erguida numa das principais avenidas de São Paulo. Concebida pelo escultor Júlio Guerra, a obra, "enorme e grotesca", é tida por certos analistas como um "monstrumento ao *kitsch*".

O "monstrumento": a polêmica estátua de ladrilhos de Borba Gato (*abaixo*) e a vila de Sabará, MG (*acima*), que ele ajudou a fundar em suas andanças e descobertas.

O diabo velho: Anhangüera em meio à *performance* da "água ardente", em pintura de Teodoro Braga feita no início do século XX.

O Anhangüera, o diabo velho

Trata-se de uma das cenas mais mitológicas da história do bandeirismo paulista, só comparada com a volta de Raposo Tavares para São Paulo, quando ninguém teria sido capaz de reconhecê-lo, ou com o delírio febril que antecedeu a morte de Fernão Dias. O episódio se desenrolou em 1682, em Goiás, e, diz a lenda, teria sido assim: Bartolomeu Bueno da Silva, sertanista de terceira geração, havia partido do vilarejo paulista de Santana de Parnaíba (São Paulo) à caça de indígenas nos remotos sertões do Araguaia. Nas proximidades do Rio Vermelho (no atual Mato Grosso), chegou a uma aldeia da tribo dos Goiás — tidos como um dos grupos mais pacíficos daquela região. Ao reparar que algumas mulheres se ornavam com peças de ouro, quis saber de onde provinha o minério. Como o segredo não lhe foi revelado, o bandeirante teria então ateado fogo na aguardente que depositara numa cabaça — e, em seguida, ameaçado fazer o mesmo com todos os rios e lagoas da região. Apavorados, os Goiás o apelidaram de Anhangüera — o Diabo Velho (ou Espírito do Mal, segundo outros autores).

A lenda jamais foi plenamente comprovada, e há estudiosos que preferem atribuir a origem do apelido à tribo dos Inhangüera, nativos do Tocantins que teriam sido escraviza-

dos por Bartolomeu Bueno. De todo modo, mesmo que o golpe de "pôr fogo na água" não tenha sido aplicado por Bueno, parece não haver dúvida de que, anos antes, o truque de fato foi utilizado, em Minas, por um certo Bento Pires, um dos primeiros descobridores do ouro das Gerais e uma das primeiras vítimas da Guerra dos Emboabas.

Embora o caso da aguardente tenha tornado Anhangüera um dos bandeirantes mais famosos, seu filho homônimo, conhecido como o segundo Anhangüera, foi personagem muito mais decisivo e atuante na história das bandeiras. Aos 15 anos, ele já estava no sertão em companhia do pai — e, se o teatro da água incendiada de fato ocorreu, o jovem "Diabo Velho" o teria presenciado. Naquela expedição, porém, os Bueno, mais do que minérios, estavam interessados no "ouro vermelho" ("seu real propósito era capturar índios e sugar de suas veias o ouro vermelho que sempre foi a verdadeira mina daquelas províncias", escrevera o padre Antônio Vieira em 1656, referindo-se às bandeiras).

Nos anos seguintes, após a morte do pai, por volta de 1716, o segundo Anhangüera voltou ao sertão em busca de ouro e se tornou o primeiro descobridor e minerador de Goiás — tendo fundado a cidade de mesmo nome. Embora tenha achado minério e requerido "direito de passagem" sobre todos os rios que conduziam à região, o segundo Anhangüera não só morreu na miséria como jamais encontrou a fabulosa serra dos Martírios, "pedernais de cristal que, por obra da natureza, tinham umas semelhanças da coroa, lança e cravos da paixão de Cristo" — uma miragem que o jovem Anhangüera jurava ter visto durante as andanças com o pai e que, como Sabarabuçu, se tornou uma das vertigens cuja busca arruinou muitas vidas e fortunas.

O Bárbaro
Domingos Jorge Velho

oi um encontro breve, mas suficiente para que o bispo de Pernambuco, Francisco de Lima, concluísse: "Trata-se de um dos maiores selvagens com quem tenho topado", disse ele. Estava se referindo ao sertanista Domingos Jorge Velho — um dos mais famosos bandeirantes de seu tempo. O diálogo entre ambos, travado em março de 1687, foi acompanhado por um intérprete: Domingos Jorge Velho praticamente não falava português; era fluente apenas em Tupi, a "língua geral".

E aquela era uma das raras ocasiões nas quais Velho travava contato com a civilização: acostumado às lonjuras do sertão, estava na cidade para tratar de negócios. Contratado pelo governo para destruir o quilombo dos Palmares, foi combinar qual seria sua parte no butim. Um contrato foi assinado em 3 de março de 1687, ratificado em 3 de dezembro de 1691 e confirmado por carta régia de 7 de abril de 1693. A campanha só começou no início de 1694, e a luta contra os negros levou quase um ano exato. Foi "a mais trabalhosa, faminta, sequiosa e desamparada que até hoje houve no dito sertão, ou quiçá haverá", conforme diria o próprio Jorge Velho. Embora o quilombo tenha sido devastado, e a cabeça de Zumbi, cortada, o Conselho Ultramarino diria que "os paulistas são piores que os mesmos negros dos Palmares". O governador Melo e Castro concordou: "É gente bárbara, que vive do que rouba".

Não se pode dizer que Melo e Castro exagerasse. Nascido em São Paulo em 1644, Jorge Velho era senhor de enormes latifúndios nos sertões do Piauí e do São Francisco, tomados à força. O bandeirante possuía um temível exército particular: mais de mil índios Oruaze, Tabajara e Copinharaém armados de arco e flecha, e outros duzentos com espingardas. Com eles, não apenas conquistou toda a região e venceu a resistência dos Palmares como teria participação decisiva na terrível Guerra dos Bárbaros *(leia no quadro da pág. 66)*.

Não se sabe como eram as feições de Domingos Jorge Velho, assim como não se conhece o rosto de Raposo Tavares, de Fernão Dias nem do Anhangüera. Pintado por Benedito Calixto, o óleo que ilustra essa página é exemplar: feito nos anos 30 do século XX, fez parte da série de quadros que Afonso Taunay, diretor do Museu Paulista, encomendou para assegurar a "ornamentação" da casa. Tais quadros constituíram o braço pictórico da fabricação do mito bandeirante. Na vida real, os piratas do sertão não se pareciam nem um pouco com heróis de Alexandre Dumas. Ainda assim, basta uma visita ao próprio Museu Paulista para que fique claro o papel desses homens na expansão territorial do Brasil: na "escadaria monumental", no hall de entrada do museu, seis estátuas representam seis bandeirantes e as seis "unidades da Federação" que eles conquistaram: Minas Gerais, Mato Grosso, Goiás, Santa Catarina, Paraná e Rio Grande do Sul.

O caçador de gente: Domingos Jorge Velho, em retrato suposto, pintado por Benedito Calixto para decorar o Museu Paulista.

As Monções

A estrada fluvial: o mapa ao lado revela a rota seguida pelas canoas monçoneiras, de São Paulo a Cuiabá.

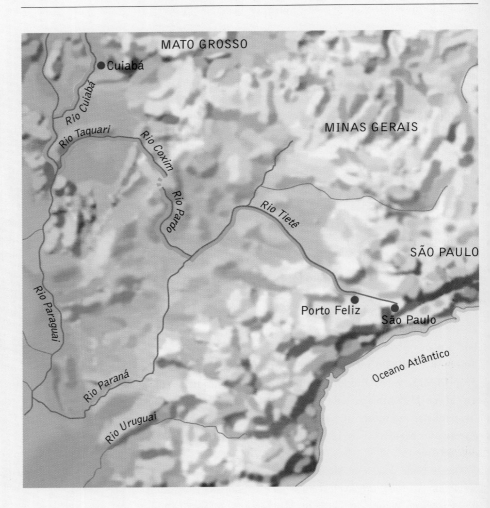

M ais do que uma mera versão fluvial das marchas sertanistas, as monções foram um desdobramento — de certa forma uma evolução — da expansão bandeirante. Suas principais características e peculiaridades mais intrigantes estão resumidas a seguir:

O que eram: As monções eram grandes caravanas fluviais que partiam do vilarejo de Araritaguaba — hoje chamado Porto Feliz —, na margem esquerda do rio Tietê, a 155 quilômetros de São Paulo e, por uma estrada aquática "de mais de mil léguas de comprido", seguiam até Cuiabá (MT).

O nome: Palavra originária do árabe *mauasin* ("época do ano em que se dá determinado fato"). Entre os marinheiros de Portugal, passou a designar as estações com ventos propícios para as grandes viagens marítimas.

Roteiro: De início, as monções se faziam sem roteiro fixo e sem época determinada. A partir de 1720, as canoas seguiam o Tietê até a foz, desciam o Paraná até a embocadura do Pardo, subiam o Pardo até o rio Anhanduí, que as levava até o rio Miranda, afluente do Paraguai. O Paraguai conduzia o comboio até as minas de Cuiabá, através dos afluentes São Lourenço e Cuiabá. A partir de 1725, os irmãos Lourenço e João Leme desco-

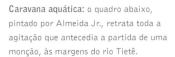

briram que era melhor continuar subindo o Pardo e, nas alturas do ribeirão San-guessuga, levar as canoas e cargas por terra, por uma distância de quinze quilômetros, e seguir pelos rios Coxim e Taquari. Neste varadouro se fundou um pouso, Camapuã, no qual os viajantes descansavam e as canoas eram reabastecidas, antes de percorrer mais mil quilômetros. O percurso total era de 3.664 quilômetros.

Origem do movimento: A descoberta do ouro em Bom Jesus do Cuiabá (MT), em ou-tubro de 1722, pelo sertanista Miguel Sutil, provocou uma louca corrida às novas minas. Dizia-se que, ali, o ouro estava à flor da terra — o que, aliás, era fato.

Duração do percurso: Na ida, com canoas carregadas e correntes contrárias, a jornada durava 5 meses — o mesmo que de Lisboa à Índia. Na volta, cerca de 2 meses — o mesmo que de Salvador, na Bahia, a Portugal.

Época da partida: Entre março e abril, quando os rios estavam cheios.

Tamanho dos comboios: Cada expedição tinha entre trezentas e quatrocentas canoas. Em geral, partia um só comboio por ano, com até 3 mil pessoas.

As canoas: Chamadas "ubás", eram feitas à moda indígena, escavadas num tronco de árvore (peroba ou timbaúva). Tinham em média de 12 a 13 metros de comprimento e 1,5 m de largura, embora tenha havido uma com 17,5 e 2,8 metros de largura. Levavam até 4 toneladas de carga e 30 pessoas. Cargas cobertas por lona e as pessoas com mosquiteiro.

Tripulação: Seis remeiros (sempre em pé), um piloto e um proeiro. O proeiro era a fi-gura mais importante; tinha a chave do caixão de carnes salgadas e determinava o ritmo das remadas.

Alimentação durante a jornada: Um quilo de farinha, meio de feijão e cem gramas de toucinho por dia por pessoa.

Principais dificuldades: Além das 113 cachoeiras, saltos ou corredeiras, as expedições tinham de enfrentar os Kayapó das margens do Paraná, os Guaicuru, que eram audazes cavaleiros, e os terríveis Paiaguá, grandes canoeiros que ficaram conhecidos como "os piratas do rio Paraguai".

Perigos lendários: Iaras, pitões e as canoas-fantasmas dos monçoneiros mortos.

Conseqüências: A povoação de Mato Grosso e a extração de 75 toneladas de ouro. A última monção partiu em 1838.

Caravana aquática: o quadro abaixo, pintado por Almeida Jr., retrata toda a agitação que antecedia a partida de uma monção, às margens do rio Tietê.

CAPÍTULO 7 O Brasil Francês

Certa ocasião, em tenso diálogo com um diplomata espanhol, o rei da França, Francisco I, proferiu a frase que a história se encarregaria de imortalizar: *"Gostaria de ver a cláusula do testamento de Adão que me afastou da partilha do mundo..."*. O monarca francês evidentemente se referia ao Tratado de Tordesilhas — o acordo planetário que Portugal e Espanha tinham assinado em 1494, dividindo o mundo entre si, com bênção papal.

De acordo com aquelas estipulações, os dois reinos ibéricos asseguravam não apenas a soberania sobre as "terras descobertas ou por descobrir" tanto no Ocidente como no Oriente: obtinham também, e acima de tudo, a exclusividade da navegação no oceano Atlântico. Era justamente contra a doutrina do "mare clausum" (mar fechado) que Francisco I erguia sua voz, já que os franceses — logo imitados por ingleses e holandeses — defendiam a tese do "mare liberum" (mar aberto à navegação para todas as nações).

De qualquer forma, a Corte francesa foi logo atropelando polêmicas legais e sutilezas jurídicas, disposta a transformar as capitulações de Tordesilhas em letra morta. E, por uma série de circunstâncias — geográficas, náuticas, econômicas e até políticas —, o principal objetivo das incursões dos piratas e corsários franceses tornar-se-ia o desguarnecido litoral do Brasil. Assim, durante as cinco décadas que se seguiram ao desembarque de Cabral, traficantes de pau-brasil — em geral vindos da Normandia e da Bretanha — iriam desempenhar um papel-chave na história da colonização e ocupação do Brasil, simplesmente porque quase tudo que os portugueses fizeram na colônia não foi muito mais do que uma mera reação ao assédio progressivamente arrojado dos "entrelopos" (como eram chamados os contrabandistas do "pau-de-tinta").

Em pelo menos duas ocasiões — em 1530 e 1548 — a América portuguesa esteve em vias de se tornar, mesmo que momentaneamente, um território francês. Muito menos estudado do que as duas invasões "oficiais" — os episódios conhecidos como "França Antártica" e "França Equinocial" —, o período relativamente nebuloso que se estende de 1504 a 1548 foi, na verdade, uma época de atividade febril ao longo da costa brasileira, percorrida por normandos e bretões com igual desenvoltura e mais freqüência do que pelos próprios portugueses.

Os laços entre os navegantes franceses e o litoral sul-americano tinham começado a se estreitar apenas quatro anos depois da descoberta oficial do Brasil. Em fins de 1503, o comerciante e navegador Binot Paulmier de Gonneville armou um navio com o objetivo de chegar à Índia. Como os pilotos portugueses que ele secretamente contratara em Lisboa perderam-se em alto-mar, a expedição acabou aportando no litoral do atual estado de Santa Catarina — provavelmente na ilha hoje chamada São Francisco do Sul.

Ali, a partir de janeiro de 1504, Paulmier e seus homens conviveram com os Carijó ao longo de seis meses. Ao partirem de volta para a França, levaram consigo o jovem "príncipe" Essomeriq (talvez Içá-Mirim), filho do "cacique" Arosca.

Paulmier deveria trazer Essomeriq outra vez para o Brasil no prazo de "vinte luas" — tão logo o guerreiro tivesse aprendido a "fazer canhões" com os franceses. Como naufragou no litoral da Normandia, Binot Paulmier de Gonneville jamais retornou à América. Essomeriq casou-se com a filha de seu "raptor" e viveu por mais de meio século na França. Morreu sem rever a terra natal, em 1583 — alegadamente com 94 anos de idade.

Embora a viagem de Gonneville tenha redundado em sua própria falência, ela abriu novos e estimulantes horizontes comerciais para os navegadores bretões e normandos. Quando se soube que o território que ele visitara era repleto de pau-brasil, uma explosiva equação articulou-se nos portos de Rouen, Dieppe e Saint-Malo, misturando uma longa tradição de pirataria com a crescente demanda por corantes naturais provocada pela indústria têxtil da França — cujo centro era justamente naquelas cidades portuárias.

A partir de então, armadores e comerciantes franceses — contando com o apoio formal ou com a dissimulada omissão de seu rei, Francisco I — passaram a enviar um fluxo constante de expedições "ilegais" ao Brasil. Como não vinham com disposição de instalar-se permanentemente na nova terra, nem com planos de colonizá-la, os "entrelopos" logo puderam estabelecer uma aliança altamente vantajosa com nações indígenas que ocupavam a costa do Brasil — em especial com os Kaeté, os Potiguar e os Tamoio. Várias zonas do litoral brasileiro — principalmente a Paraíba, o Rio Grande do Norte, o Ceará,

partes de Pernambuco e, mais tarde, o Rio de Janeiro — tornaram-se regiões sob controle quase absoluto dos franceses, nas quais os navios portugueses raramente podiam se arriscar.

Em 1530, um dos principais motivos que levou o rei D. João III a enviar a expedição comandada por Martim Afonso de Sousa foi justamente a repressão aos traficantes franceses de pau-brasil — que haviam tomado e se instalado em uma feitoria portuguesa localizada na ilha de Itamaracá (Pernambuco). Em 1548, outra vez a ameaça

francesa (que se estendia então ao Rio de Janeiro, ameaçando a própria sobrevivência da capitania de São Vicente) serviu como estímulo para D. João estabelecer um Governo-Geral no Brasil, tornando a colonização da América Portuguesa enfim responsabilidade oficial da Coroa.

Ainda assim, o novo regime só se solidificaria depois que o terceiro governador-geral, o desembargador Mem de Sá, se revelasse capaz de expulsar os franceses que, em 1555, haviam se instalado no Rio de Janeiro.

Em permanente conflito: por mais de um século, portugueses e franceses travaram uma luta constante pela posse do Brasil. Na gravura acima, feita a partir do relato do alemão Hans Staden, lusos e francos combatem no litoral de Pernambuco.

A França Antártica

Na metade do século XVI, depois de cinqüenta anos percorrendo o litoral brasileiro, os franceses concluíram que era chegada a hora de armar uma expedição colonizadora para lançar as bases de um futuro império ultramarino. Durante cinco décadas, normandos e bretões haviam reconhecido e cartografado a maior parte do litoral do Brasil, e estabelecido com os indígenas um relacionamento mais rentável e, talvez, mais equilibrado que os portugueses — já que a escravização dos nativos nunca estivera entre seus principais objetivos. Para se alçarem em uma aventura colonialista, faltava-lhes apenas o homem certo. Quem poderia supor que Nicolas Durand de Villegaignon era o homem errado?

Cavaleiro da Ordem de Malta, universitário de formação e militar por temperamento, soldado, navegador, diplomata, historiador, erudito e até filólogo — tido como um "homem de toga e espada" —, Villegaignon tivera, até então, uma carreira brilhante. Nascido em 1510, fora colega de Calvino, formara-se em Direito, participara da tomada de Argel, na África, combatendo ao lado do imperador Carlos V e, acima de tudo, havia ludibriado brilhantemente os ingleses ao conduzir, por mar, a rainha Mary Stuart da Escócia à França, para casar-se com o herdeiro do trono francês, Francisco II, filho do rei Henrique II. Nomeado vice-almirante da Bretanha, Villegaignon indispôs-se com o governador local no início de 1555 e, magoado com o apoio dado pelo monarca a seu desafeto, decidiu provar mais uma vez seu valor, fundando uma colônia francesa no Rio de Janeiro.

Para concretizar seu projeto, buscou o apoio de importantes personalidades como o Cardeal de Lorena, a mais influente autoridade católica da França, e o almirante Gaspard de Coligny, líder dos huguenotes — calvinistas franceses que já então começavam a ser perseguidos. A ambos prometeu liberdade religiosa total na nova colônia e, com isso, conseguiu que o rei liberasse mais de 10 mil francos e armasse dois navios de guerra e um de carga para a expedição. Como tripulantes e soldados foram contratados cerca de seiscentos homens, mas nenhuma mulher — o que viria a se tornar um dos maiores problemas para Villegaignon na tentativa de concretizar seu projeto de ocupação e colonização do Rio de Janeiro.

Desde o início tudo saiu errado. A expedição, que partira de Havre em 12 de julho de 1555, foi logo colhida por terrível tempestade e obrigada a ancorar em Dieppe, onde quase todos os tripulantes desertaram, apavorados com o "aviso dos céus". A Villegaignon restaram apenas algumas dezenas de degredados, ao passo que os outros oitenta homens que ele con-

O Almirante Coligny

Gaspard Comte de Coligny, nascido em 1519, era cavaleiro da Ordem do Rei, almirante da marinha francesa e já havia sido governador de Paris quando decidiu pedir ao seu amigo pessoal, o rei Henrique II, apoio para o projeto colonizador de Villegaignon. Convertido ao calvinismo e líder dos huguenotes — como eram chamados os protestantes franceses —, investiu boa parte de sua fortuna na expedição de fundação da França Antártica. Morreu em 24 de agosto de 1572, no chamado massacre da Noite de São Bartolomeu, planejado pela rainha Catarina de Médicis, esposa de Henrique II.

A primeira missa: à frente de Villegaignon, o padre franciscano André Thevet celebra aquela que teria sido a primeira missa rezada no Rio, nesse quadro pintado no século XX.

O Brasil dos franceses: mapa do litoral oriental da América do Sul feito por Theodore de Bry no século XVI revela o conhecimento que os franceses tinham da costa.

seguiu arregimentar pelas ruas de Dieppe foram recrutados entre "desclassificados, vagabundos e mercenários". Finalmente, no dia 10 de novembro, após uma travessia repleta de contratempos, os navios franceses, com cerca de 130 homens a bordo, entraram na baía de Guanabara. Villegaignon instalou seu acampamento numa ilhota de 1,5 quilômetro de circunferência, chamada Serigipe pelos indígenas. Localizada próxima ao continente, em frente ao atual aeroporto Santos Dumont, no centro do Rio, a ilha hoje abriga a Escola Naval.

Ali, Villegaignon mandou construir um baluarte de madeira, que chamou de forte Coligny em homenagem ao principal patrocinador do projeto de ocupação do Rio. Em seguida, começou a planejar a construção de Henriville, vilarejo que pretendia erguer no continente, nas cercanias do atual morro da Glória, quase defronte à ilha. Mas os problemas logo recomeçaram. A escassez de víveres obrigou os homens a se alimentarem com raízes em vez de pão, e a beber água em lugar de vinho. As obras de aterro e de construção das paliçadas eram extenuantes e os soldos, baixíssimos. Villegaignon estabeleu um regime de rígida disciplina e a falta de mulheres recrudesceu a violência e o mau humor dos "soldados", a maior parte deles sem senso moral nem instrução militar adequada. O comandante reagiu com despotismo e severidade à cizânia instaurada na ilha — e com isso precipitou o trágico desfecho da desventura chamada França Antártica.

A Derrocada da França nos Trópicos

A grande batalha: a luta entre franceses e portugueses pela posse da ilha de Villegaignon foi registrada por André Thevet na gravura acima. Abaixo, uma reconstituição romanceada do conflito.

Apesar dos conflitos gerados por brigas religiosas e pelos desmandos de Villegaignon, os franceses conseguiram solidificar suas posições no Rio de Janeiro. De fato, ao longo dos cinco primeiros anos de ocupação, de 1555 a 1560, os "invasores" receberam reforços da França, conseguiram estreitar sua aliança com os Tamoio (os verdadeiros senhores da baía de Guanabara até então) e transformaram o Forte Coligny em "uma das mais fortes fortalezas da cristandade, insuperável às forças humanas" — de acordo com o relato de Mem de Sá, terceiro governador-geral do Brasil.

Apesar da aparente solidez da fortificação, a colônia francesa estava minada por graves problemas internos. Os desentendimentos vinham se alastrando desde fevereiro de 1556, quando Villegaignon exigira que um marinheiro gaulês (que já estava instalado no Rio de Janeiro *antes* da chegada dos novos colonizadores) casasse ou se separasse da nativa com a qual vivia há pelo menos sete anos. Indignado, esse marujo armou uma conspiração para matar o líder da França Antártica. Mas o plano acabou sendo descoberto pelos temíveis guarda-costas escoceses de Villegaignon e cinco dos 26 conspiradores foram presos e executados.

Depois desse episódio, Villegaignon tornou-se progressivamente despótico e desconfiado, transformando a rotina da fortaleza numa sucessão de deserções, conspirações, torturas e prisões. Ainda assim, em março de 1557, o projeto colonial francês iria ganhar um novo alento: foi quando Bois Le-Comte, sobrinho de Villegaignon, chegou ao Rio de Janeiro, com três navios e 290 homens. Mas o que era para ser um auxílio inestimável acabou se revelando mais um foco de tensão: como Le-Comte trouxera consigo 14 pastores calvinistas (escolhidos pelo próprio Calvino; e entre eles o cronista Jean de Léry), o confronto entre protestantes e católicos recrudesceu dentro da colônia, tornando insustentável a já delicada posição de Villegaignon. Finalmente, em outubro de 1558, o auto-intitulado "Rei do Brasil" voltou as costas para seu tão acalentado projeto de estabelecer uma "nova França" nos trópicos e decidiu se retirar para a Europa.

A desmoralização e o desânimo das tropas francesas persistia quando, à frente de uma frota portuguesa, o governador-geral Mem de Sá adentrou a baía de Guanabara, em 21 de fevereiro de 1560, encarregado da missão de expulsar os invasores. Na manhã de 15 de março, depois de manter a fortaleza da ilha de Serigipe sitiada por três semanas, Mem de Sá exigiu que os inimigos se rendessem, mas Bois-le-Comte se recusou a ceder.

Embora contassem com o apoio de cerca mil guerreiros Tamoio, os franceses que ainda permaneciam no interior do Forte Coligny eram apenas 74 — os demais tinham desertado para viver entre os nativos, ou haviam retornado para a Europa. Então, no dia 18 de março, cerca de 120 portugueses e seus 140 aliados nativos (em sua maioria Temiminó e Tupiniquim — inimigos ancestrais dos Tamoio), deflagraram sua ofensiva final. A rendição dos franceses se deu 48 horas mais tarde, no dia 20 de março de 1560, depois que um marujo português conseguiu nadar até a ilha e explodir o paiol de munições, encerrando os combates num momento em que o próprio Mem de Sá já pensava em desistir da luta. Vencidos os inimigos, tanto o governador-geral como o jesuíta Manoel da Nóbrega e outros cronistas daquela batalha decisiva atribuíram a vitória ao "poder divino", que "não quis que nessa terra [*o Brasil*] se plantasse gente de tão maus pensamentos [*os protestantes*]".

O projeto ultramarino de Villegaignon havia ruído. Mas os franceses sobreviventes, aliados aos Tamoio, ainda iriam resistir por sete longos anos. O Rio de Janeiro somente seria conquistado pelos portugueses em 1567.

Com a ajuda dos céus: uma pintura feita no século XX mostra a suposta aparição de São Sebastião na batalha travada entre portugueses e Temiminó contra franceses e Tamoio, na baía de Guanabara, em 1566. Acima, indígenas do Brasil vistos por Debret.

Os Portugueses Conquistam o Rio

Ao retornar à Bahia, no fim de março de 1560, depois de arrasar completamente o Forte Coligny, o governador-geral Mem de Sá não pôde estabelecer nenhuma base portuguesa na Baía de Guanabara: faltavam-lhe tropas e equipamentos. Embora não se possa acusar o governador de omissão ou desleixo, o fato é que tal descuido teria terríveis conseqüências para os portugueses.

Afinal, cinco anos mais tarde, quando Estácio de Sá, sobrinho e braço direito de Mem de Sá, retornou ao Rio, em 9 de fevereiro de 1565, comandando nove navios e 220 homens, encontrou os sobreviventes franceses e seus aliados Tamoio entrincheirados por detrás de três fortes paliçadas — e preparados para um novo confronto. No dia 1º de março, Estácio se estabeleceu em um arraial no sopé do Pão de Açúcar (núcleo original da cidade do Rio de Janeiro) e ali ficou por dois anos, combatendo o inimigo esporadicamente enquanto aguardava a chegada de reforços.

Durante todo o ano de 1566, sempre auxiliados pelos dissidentes franceses, os Tamoio deram muito trabalho aos portugueses, organizando inúmeras ciladas, travando uma

O "Cacique" Cobra Feroz

O apoio dado por Araribóia ("Cobra Feroz", em tupi) foi decisivo para os portugueses na luta para expulsar os franceses do Rio de Janeiro. Antigo senhor da ilha de Paranapuã (atual ilha do Governador), o chefe dos Temiminó era inimigo ancestral dos Tamoio — que senhoreavam o restante da baía de Guanabara. Em 1555, os Temiminó, que haviam sido expulsos de sua ilha pelos Tamoio, transferiram-se para o Espírito Santo, para viver em um território ocupado pelos seus aliados portugueses. Tão fiel aos lusos tornou-se Araribóia, que decidiu batizar-se com o nome de Martim Afonso de Souza. Após a vitória contra os Tamoio e os franceses — que jamais teria ocorrido sem o desempenho dos guerreiros Temiminó —, Araribóia foi feito cavaleiro da Ordem de Cristo e ganhou uma vasta sesmaria no Morro de São Lourenço, origem da cidade de Niterói. Entretanto, repreendido pelo governador Antônio Salema em 1574, por haver cruzado as pernas na presença dele, Araribóia se ofendeu, recolheu-se em Niterói e de lá não mais saiu até a sua morte, em 1589, em decorrência de uma grande epidemia (provavelmente de varíola) que devastou a aldeia de São Lourenço.

A Vez dos Corsários

O Rio de Janeiro parecia ser uma obsessão francesa. Quase um século e meio depois do malogro da França Antártica (e cerca de cem anos após a fracassada tentativa de colonizar o Maranhão), o corsário Jean-François Duclerc protagonizou nova investida contra o Brasil — e no mesmo local de onde seus compatriotas haviam sido expulsos em 1566. Contando com o apoio do rei Luís XIV, Duclerc chegou ao Rio com cinco navios e mil homens, no dia 6 de agosto de 1710. Depois de várias escaramuças com os portugueses, desembarcou nas cercanias de Guaratiba, praia próxima da Barra da Tijuca e, entrando pela zona rural, atacou a cidade pela retaguarda na madrugada do dia 11. No entanto, auxiliado por voluntários e estudantes, o governador Castro Morais resistiu. Mais de 300 franceses foram mortos e os demais, presos, inclusive Duclerc e 41 de seus oficiais. Confinado numa das melhores casas da cidade, Duclerc acabou sendo assassinado em abril de 1711, "por dois homens embuçados" (mascarados), supostamente parentes e a mando do governador Castro Morais.

guerra de guerrilhas e tentando constantemente atraí-los para combates no mar. Em julho daquele ano, travou-se a célebre batalha que passou à história com o nome de "combate das canoas". Com um contingente de cerca de 180 grandes canoas, nas quais se amontoavam talvez mais de 2 mil guerreiros, os Tamoio atraíram os portugueses para uma emboscada em uma das tantas reentrâncias da baía de Guanabara. Quando a derrota dos lusos parecia certa, um tiro disparado por uma pequena peça de artilharia atingiu um depósito de pólvora localizado no interior de uma canoa, provocando grande incêndio e profundo temor entre os indígenas. Em meio à fumaça, alguns portugueses julgaram ter visto a figura de São Sebastião, combatendo ao lado deles contra "hereges e pagãos".

No dia 18 de janeiro de 1567, Mem de Sá enfim retornou ao Rio de Janeiro, com novas tropas: mais de duzentos homens, distribuídos em seis caravelas e três galeões. Dois dias mais tarde — 20 de janeiro, por uma extraordinária coincidência dia de São Sebastião —, os portugueses atacaram as posições inimigas em Uruçumirim (atual Morro da Glória), com o apoio dos Temiminó, chefiados por Araribóia. Após uma batalha feroz que durou o dia todo, seiscentos Tamoio e cinco franceses morreram, e muitos foram feitos prisioneiros. No dia seguinte, dez franceses foram executados na forca enquanto os portugueses atacavam a paliçada da ilha de Paranapuã (hoje ilha do Governador), escravizando os quase mil Tamoio que se renderam incondicionalmente. Apesar de a luta ter sido terrível, apenas um português morreu naquele combate.

A vitória, porém, não pôde ser comemorada com grande estardalhaço: ferido por uma seta envenenada, durante o combate de Uruçumirim, Estácio de Sá morreria um mês depois, após longa agonia.

De todo modo, o Rio de Janeiro finalmente era português. Embora sangrentos e decisivos, os combates que resultaram no malogro da França Antártica e na conquista lusitana do Rio mobilizaram menos de meio milhar de europeus: o grosso das tropas que se defrontaram à sombra do Pão de Açúcar era constituído por indígenas. Foram menos de trinta os europeus que sucumbiram naquelas batalhas, ao passo que, entre os nativos, o número de mortos foi superior a mil combatentes.

A França Equinocial

Embora seja episódio menos difundido, menos estudado e, portanto, bem menos conhecido do que o da França Antártica, uma outra invasão francesa ao Brasil provocou riscos muito maiores à soberania lusa na América Portuguesa, ameaçando gravemente a unidade territorial da colônia por mais de uma década. Foi a ousada aventura colonizadora da chamada "França Equinocial" — como ficou conhecida a ocupação francesa do Maranhão, da qual resultou a fundação da cidade de São Luís em 1612 (ainda hoje, capital daquele estado brasileiro).

Ao contrário da França Antártica — enclave erguido em um território bastante conhecido e já razoavelmente colonizado pelos portugueses —, a ação francesa no norte do Brasil desenrolou-se em uma porção do litoral não só praticamente desconhecida como também nunca dantes ocupada pelos lusos. Os franceses, por outro lado, já navegavam havia quase três décadas pelas perigosas águas maranhenses, tendo não apenas estabelecido sólida aliança com as tribos locais como descoberto também a melhor rota entre correntes marítimas tremendamente traiçoeiras.

O pioneiro dessas investidas foi o corsário, aventureiro e traficante de pau-brasil Jacques Riffault, que desde pelo menos 1590 ancorava sua nau nas reentrâncias do rio Potengi, nos arredores da atual cidade de Natal (RN), e, a partir dali, estendia seu domínio por toda a costa até o Maranhão. Em 1593, retornando à França depois de ter inspecionado a então denominada ilha do Maranhão, Riffault conseguiu convencer um rico cavaleiro francês, Charles des Vaux, a investir seu dinheiro numa expedição colonizadora. Em 15 de março de 1594, Riffault e Des Vaux partiram para o Maranhão, com cerca de 150 colonos e soldados a bordo de três navios. Um naufrágio e uma série de outras dificuldades fizeram fracassar a empresa.

Em 1604, porém, Charles des Vaux retornou à França para informar às autoridades que os Tupinambá do Maranhão queriam se converter ao catolicismo e fazer uma aliança contra os portugueses. E assim, depois de demorados preparativos e várias viagens de inspeção, em março de 1612 enfim partiram da França com destino ao Maranhão três navios e quinhentos homens, comandados por Daniel de la Touche de la Ravardière. Em 26 de julho, a frota chegou à baía do Maranhão, no dia 12 de agosto foi celebrada a primeira missa e no dia 8 de setembro iniciada a construção da fortaleza que daria origem à cidade de São Luís, assim batizada em homenagem ao rei-menino Luís XIII.

Quando a notícia da invasão se propagou, o rei Felipe II — que mantinha Portugal e Espanha unidos sob a Coroa de Castela — determinou o ataque às tropas de La Ravardière. Em novembro de 1614, o exército luso-brasileiro comandado pelo mameluco Jerônimo de Albuquerque venceu os franceses, que capitularam. Mas Felipe II exigiu uma rendição incondicional, e, em novembro de 1615, de La Touche entregou São Luís e partiu para Lisboa a ferros e sem direito a indenização. Por três anos, permaneceria encarcerado na Torre de Belém, triste desenlace de mais uma malfadada tentativa francesa de estabelecer uma colônia no Brasil.

A Vingança de Duguay-Trouin

Seis meses após a misteriosa morte de Duclerc, e com o suposto propósito de vingá-lo, outro corsário francês atacou o Rio de Janeiro. Foi René Duguay-Trouin que, no dia 20 de setembro de 1711, à frente de uma frota com 18 navios, 5.764 homens, 740 peças de artilharia e 10 morteiros, não teve dificuldades para tomar a cidade, evacuada pelo governador Castro Morais. Trouin exigiu 600 mil cruzados, 100 caixas de açúcar e 200 bois para não destruir o Rio. O governador pagou o resgate — mas perdeu o cargo e ganhou um apelido depreciativo: "Vaca". Trouin, entretanto, pouco desfrutou do milionário butim: na viagem de retorno, sua frota foi atingida por uma tormenta e dois dos melhores navios afundaram, com 1.200 homens e muito dinheiro a bordo. Ainda assim, a expedição foi lucrativa e Duguay-Trouin foi promovido a chefe de esquadra pelo rei Luís XIV.

CAPÍTULO 8 O Brasil Espanhol

O poderoso Filipe II ainda estava em Badajoz, na Espanha, aguardando a completa ocupação de Portugal por suas tropas, comandadas pelo duque de Alba — capítulo final das ações que o levaram a se apoderar do trono luso e uni-lo ao da Espanha —, quando, em 25 de setembro de 1580, alguém lhe sugeriu que seria prudente enviar um emissário ao Brasil para saber a posição da colônia ante a iminente vitória castelhana.

Por séculos, Portugal não fora mais do que uma extensão do reino de Castela. Em 1385, porém, D. João I, fundador da dinastia de Avis, deu início ao combate contra os castelhanos e em 1411 obteve a independência portuguesa. Ao longo dos dois séculos seguintes, a dinastia de Avis tornaria Portugal o maior império do mundo e o primeiro a se expandir ao redor de todo o globo. Uma batalha fracassada, porém, travada em 1578 e na qual morreu o rei D. Sebastião, faria sucumbir, em poucas horas, esforços de 200 anos (veja o texto na página ao lado). Após a morte de D. Sebastião, o cardeal D. Henrique assumiu o trono. Mas 17 meses depois, quando ele morreu sem herdeiros, a luta pelo poder tornou-se feroz. Havia cinco candidatos ao trono. O ambicioso Filipe II (à direita) era o mais armado e o mais eficaz e logo suplantou seus adversários.

A notícia levou quase um ano para chegar à Bahia, mas o Brasil, como Portugal, acabou se sujeitando em relativa paz ao regime de Filipe II. Foi uma decisão acertada: durante os 60 anos da União Ibérica, o Brasil teria suas vantagens.

O Trágico Destino de D. Sebastião

O desastre se deu no dia 4 de agosto de 1578 — no mesmo deserto, no mesmo reino e a poucos quilômetros do local onde, 163 anos antes, Portugal dera início à sua expansão planetária. Em 1415, depois de garantir a independência de seu país, D. João I ordenara a conquista de Ceuta, no Marrocos. A vitória marcaria o começo glorioso do império luso. Quase dois séculos depois, o rei D. Sebastião (à direita, abaixo), contrariando todos os conselhos que recebera na Corte, armou uma esquadra com oitocentas embarcações e partiu para aquela que seria a última aventura cruzadista da Europa na África. Seria também uma das derrotas mais trágicas da cristandade: naquele dia de agosto, nas planícies arenosas de Alcácer-Quibir, o exército de D. Sebastião foi destroçado pela cavalaria muçulmana.

O rei morreu na linha de frente, depois de perder o cavalo. Seu corpo jamais foi encontrado. Com D. Sebastião sucumbiu a fina flor da nobreza portuguesa, incluindo os filhos de Martim Afonso de Sousa, de Duarte Coelho e de Duarte da Costa. O império português iria desmoronar em menos de dois anos. O cardeal D. Henrique, tio de D. Sebastião, tinha 66 anos e governou apenas dezessete meses. Morreu sem que Roma o liberasse do celibato. Com ele acabou-se a dinastia de Avis e se iniciou a dominação espanhola. O sumiço do corpo do jovem rei daria início também ao culto chamado de sebastianismo — crença messiânica no retorno do rei cujos reflexos se prolongariam até os trágicos episódios de Canudos, na Bahia, em 1896 e do Contestado, no Paraná, em 1912-14.

O Brasil Foi Oferecido de Presente à França?

O principal rival de Filipe II na luta pelo trono de Portugal era D. Antônio, prior do Crato, neto bastardo do rei D. Manuel. Em novembro de 1580, quando se tornou clara a vitória militar e política do rei da Espanha (que comprara a peso de ouro o apoio de boa parte da nobreza lusa), o prior do Crato (à esquerda) teve de se refugiar no interior do país. Em julho de 1581, conseguiu exilar-se na Inglaterra e, pouco depois, chegou à França, em busca do apoio da rainha Catarina de Médici, inimiga de Filipe II. Bem recebido pela rainha-mãe, o prior do Crato iniciou seu contra-ataque. Como os Açores eram a única possessão que ainda não abraçara a realeza de Filipe, as ilhas estavam cercadas. Para lá, o prior conseguiu enviar, junto com poucos navios da Marinha portuguesa que ainda se mantinham fiéis a ele, uma frota armada por Catarina.

Documentos publicados em 1608 revelam que, para obter o apoio da ardilosa rainha, o prior do Crato teria oferecido o Brasil de presente a Catarina. Embora para alguns historiadores os documentos pareçam ser insuficientes para comprovar que D. Antônio tivesse plena consciência das intenções da rainha, o fato é que, depois de vencer a frota espanhola, a armada francesa, chefiada pelo almirante Philippe Strozzi, deveria seguir para o Brasil e tomar posse da colônia. Em 25 de julho de 1582, porém, Strozzi foi vencido nos Açores, e a França perdeu, outra vez, a chance de conquistar o Brasil. Em 1595, só e derrotado, D. Antônio morreu na França.

A União Ibérica

Filipe II, filho da infanta portuguesa D. Isabel (por sua vez, filha do rei D. Manuel) e do altivo Carlos V, líder da casa dos Habsburgo, foi um dos mais ambiciosos imperadores da Espanha. Ainda assim, depois de conquistar Portugal, preferiu adotar uma política generosa e conciliatória: em vez de dominar o reino, manteve sua autonomia, suas leis, sua língua e sua estrutura administrativa. Assegurou grandes vantagens à alta nobreza lusitana, que o apoiara desde o início: deu-lhes o "assiento" (o direito de transportar os escravos da África para a América) e continuou comprando-lhes os navios que, já antes da "conquista", haviam feito a grandeza da armada espanhola.

Sob Filipe II — e, depois, no reinado de seu sucessor Filipe III (*à esquerda*) —, o Brasil pôde sair de uma posição "regional", a de mero coadjuvante no jogo das trocas comerciais, para adquirir um novo e mais honroso papel geopolítico, integrando-se à trama do império "atlântico" concebido por Filipe II. De 1580 a 1615, o Brasil também se expandiria internamente: a Paraíba e o Maranhão foram definitivamente conquistados, fundaram-se duas dezenas de povoados, abriram-se novas linhas de comércio, criaram-se novos cargos públicos, estabeleceu-se definitivamente a ligação entre o Sul do Brasil e a região do Prata. Além disso, o foco da atividade econômica desviou-se da agricultura e do extrativismo vegetal para voltar-se à busca de riquezas minerais — e isso provocaria uma profunda guinada nos rumos e nos destinos da futura nação.

Foi também durante a época dos Filipes que os bandeirantes paulistas agiram com desenvoltura dificilmente concebível fora de um período no qual os limites das possessões da Espanha e de Portugal não estivessem tão "misturados". Quando a União Ibérica se encerrou, com o frágil reinado de Filipe IV e a restauração portuguesa, o imenso território tomado (e devastado) pelos bandeirantes passou a pertencer ao Brasil. Embora fundamental na história do país, o período dos Filipes continua sendo um dos menos estudados no Brasil. Volumosa documentação inédita segue esquecida no Arquivo Geral de Simancas, na Espanha.

A Restauração Portuguesa

Rei morto, rei posto, viva o rei. Assim reagiram as autoridades coloniais do Brasil no instante em que souberam que o duque de Bragança, descendente dos antigos reis portugueses, reconquistara a independência de Portugal, comandando a revolução de 1º de dezembro de 1640 e logo sendo aclamado como D. João IV, fundador da casa de Bragança. Bancarrota financeira, equívocos políticos e a Guerra dos 30 Anos (travada contra França e Suécia) haviam enfraquecido o grande império espanhol, debilmente conduzido por Filipe IV (acima). As circunstâncias se revelaram favoráveis e a revolução desencadeada por D. João IV foi rápida e incruenta. A notícia da restauração portuguesa chegou ao Brasil dois meses e meio depois, em 15 de fevereiro de 1641. O vice-rei do Brasil era o marquês de Montalvão — herói lusitano das guerras contra a Holanda, que, no entanto, havia sido escolhido para o cargo e nele empossado por Filipe IV.

Quando comunicaram a Montalvão as transformações políticas na Corte, ele se reuniu com seus vereadores e, depois de uma breve votação, D. João IV foi aclamado também no Brasil. As autoridades castelhanas (algumas vivendo há mais de 30 anos no Brasil)

A Colônia do Sacramento

Em nenhum outro lugar de seus imensos impérios mundiais Portugal e Espanha travaram tão longos e sangrentos combates por questões de limites quanto na pequena Colônia do Sacramento, plantada às margens do Rio da Prata, bem defronte de Buenos Aires. Descoberto pelo português João de Lisboa em 1514, mas conquistado por Juan Díaz de Solis em 1516, o Rio da Prata sempre foi tido como a porta de entrada para as riquezas do Peru — e, por isso mesmo, visto como o ponto mais importante da costa meridional da América do Sul. Embora, de acordo com o Tratado de Tordesilhas, a região ficasse dentro de território espanhol, os diplomatas lusos lutavam para impor, em cortes internacionais, a teoria da "ilha Brasil": a possessão portuguesa na América deveria ser delimitada, ao norte, pela foz do Amazonas e, ao sul, pela do Prata (rios que, segundo a geografia mitológica da época, teriam sua nascente comum num lago localizado algures, no interior do continente). Durante os anos da União Ibérica, intensas ligações e fortes interesses comerciais haviam aproximado o Sul do Brasil da região do Prata.

foram, de imediato, encarceradas. No Rio, vivia aquele que talvez fosse o homem mais importante do país: o governador Salvador Correia de Sá e Benevides. Filho de mãe espanhola e, ele próprio, casado com uma castelhana, Sá também acabaria aderindo ao novo regime, após alguma hesitação. Mas as maiores complexidades ocorreram em São Paulo: como na cidade viviam muitos espanhóis, parte da população decidiu rebelar-se contra o novo governo português e proclamou a soberania da capitania de São Paulo, aclamando como seu líder o paulista Amador Bueno, que passaria à história como o homem que não quis ser rei. Bueno jurou fidelidade a D. João IV e mandou prender os conspiradores.

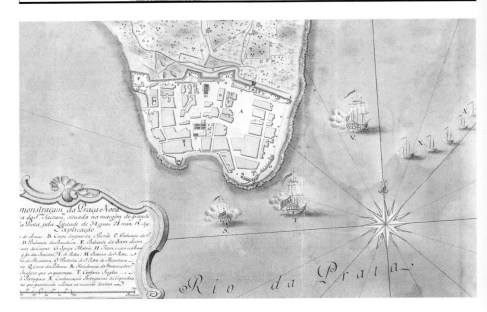

A Capital do Mercosul

Com seus azulejos portugueses, suas silenciosas ruas de pedra, suas torres, suas igrejas e suas palmeiras, a diminuta Colônia do Sacramento é hoje uma sonolenta cidadezinha histórica erguida entre as muralhas que presenciaram inúmeras batalhas. Sitiada em 1704-5, em 1735-37, em 1763, em 1772-76, só passou definitivamente à Espanha depois do Tratado de Santo Ildefonso, de 1777 — trocada pelos Sete Povos Orientais (as missões da margem esquerda do rio Uruguai). Ligada às histórias da Argentina, do Uruguai, do Paraguai e do Sul do Brasil, a Colônia do Sacramento é a capital histórica do Mercosul.

Quando Portugal recuperou a independência, os paulistas e demais habitantes das "capitanias de baixo" do Brasil não se sentiram dispostos a abrir mão de suas lucrativas conexões platinas: o contrabando de couro trocado pelo contrabando de prata. A cena conflitante estava armada. Em 1679, partiu de Santos uma expedição comandada por Manuel Lobo com ordens para fundar um povoamento português às margens do grande rio. No dia 20 de janeiro de 1680, numa pequena ilhota chamada São Gabriel, surgia a pequena colônia batizada do Sacramento. Os espanhóis não precisaram mais que sete meses para obter permissão judicial para atacar o estabelecimento. Em 8 de agosto, depois de um terrível combate, conhecido como Noite Trágica, um exército hispano-guarani tomou de assalto a praça, prendeu ou matou cerca de oitenta portugueses e devastou a nascente povoação. Mas esse seria apenas o primeiro dos sangrentos episódios que marcariam a história da Colônia: por cerca de cem anos, espanhóis e lusos lutariam — nos tribunais e no campo de batalha — pela posse da primeira "zona franca" da América do Sul.

Piratas e Corsários Ingleses

Por mais de duas décadas, a apavorante bandeira negra com o crânio e as duas tíbias tremulou, pressaga e amedrontadoramente, diante de várias cidades da costa brasileira. Embora a presença do sinistro pavilhão do "Rei Morte" — "the King Death Banner", como seus sórdidos súditos o chamavam — jamais viesse a ser tão freqüente e devastadora no Brasil quanto no Caribe, a pirataria inglesa provocou prejuízo, devastação e morte na Bahia, no Recife, no Rio e em São Paulo.

O ataque mais famoso foi o de Thomas Cavendish a Santos, no dia de Natal de 1591. Os trezentos moradores da vila estavam na igreja no instante em que três dos cinco navios de Cavendish abriram fogo. Pouco depois, entre gritos e tiros, os piratas tomaram o lugarejo, no qual permaneceram por dois meses — até não haver mais o que saquear. Cavendish, marinheiro ousado, o terceiro a circunavegar o globo, não era exatamente um pirata, mas um corsário agindo sob as ordens da rainha Elizabeth. Depois de uma dramática viagem até o estreito de Magalhães, ele voltou ao Brasil e atacou o Espírito Santo. Foi vencido, oitenta ingleses morreram no combate e a vila que o bateu passou a se chamar Vitória.

O primeiro corsário a navegar em águas brasileiras foi William Hawkins, notório traficante de escravos, membro do Parlamento e amigo do rei Henrique VIII. Entre 1530 e 1532, ele fez três lucrativas viagens ao Brasil, levando numa delas, para Londres, um cacique — "um autêntico rei brasileiro". Seu filho, John Hawkins, e seu neto, Richard, seguiram a tradição e também fizeram vantajosas incursões nos mercados negreiros da Guiné e do Brasil.

O primeiro ataque pirata ao litoral brasileiro foi comandado pelos flibusteiros Robert Withrington e Christopher Lister. Por seis semanas, de abril a junho de 1587, eles assolaram o Recôncavo Baiano. Só foram rechaçados porque o governador Cristóvão de Barros teve ajuda de "índios flecheiros". Em 29 de março de 1595, James Lancaster tomou o porto do Recife e lá permaneceu por 31 dias, carregando seus três navios — e outros doze que "alugou" de franceses e holandeses que ali encontrou — com tudo o que pôde saquear. Foi a mais lucrativa das pilhagens ao Brasil, superando até o butim que o infame capitão Bartholomew Roberts colheu em 1711 do galeão português que zarpara da Bahia abarrotado de jóias, ouro e açúcar.

BRASIL · SELDER · OPPER · RE · VAN · BRASIL · GE · VAN

CAPÍTULO 9 O Brasil Holandês

N uma certa noite de março de 1644, o conde Johann Mauritius van Nassau (ou João Maurício de Nassau) — governador e mecenas do Brasil holandês — conclamou o povo de Recife a assistir a uma grande festa durante a qual, garantiu ele, um boi iria voar. Houve quem logo duvidasse, é claro. Até os mais céticos, porém, devem ter pensado duas vezes antes de rir na cara do conde. Afinal, não estavam eles na cidade mais cosmopolita e avançada da América? Um jardim não floria onde antes fora charco? O porto não fervilhava repleto de navios e de mercadorias de todo o mundo? Não produziam a pleno os engenhos? Oficiais ingleses e investidores judeus, aventureiros suecos, mascates escoceses, negociantes alemães e franceses às centenas não percorriam ruas impecavelmente pavimentadas? Além disso, naquela mesma tarde não fora inaugurada a maior ponte da América, um prodígio arquitetônico de 318 metros de comprimento? Desde que assumira como "governador, capitão e almirante-general das terras conquistadas ou por conquistar pela companhia das Índias Ocidentais no Brasil", Nassau tinha tirado a colônia do chão. No dia da inauguração da ponte e da festa do boi voador, porém, ao "príncipe" só restavam dois meses de Brasil. Mesmo que um boi voasse, a obra de Nassau logo iria por água abaixo.

Por 24 anos, os holandeses foram senhores de sete das dezenove capitanias em que se dividia o Brasil do século XVII. Velhos parceiros comerciais de Portugal, atacaram a maior das colônias lusas, entre outras razões, porque travavam com a Espanha a guerra por sua independência. Invadir o Brasil era unir o útil do lucro açucareiro ao agradável da vingança contra um inimigo ancestral. A tomada da zona produtora de açúcar do Brasil foi plano minuciosamente articulado pela Companhia das Índias Ocidentais — empresa de capital privado que obteve do governo holandês o monopólio do comércio com a América e a África. A invasão de Salvador, em 1624, durou apenas um ano e deu prejuízo à companhia. Mas, em março de 1630, os holandeses tomaram a cidade do Recife — e lá ficaram até a sua expulsão, em janeiro de 1654. Ao longo desse quarto de século, os sete anos conhecidos como o "tempo de Nassau" (1637 a 1644) marcaram o apogeu do domínio holandês no Brasil, originando a tradição segundo a qual o destino desse país seria mais nobre caso o projeto colonial da Companhia das Índias Ocidentais tivesse sido mantido. Mas o fato é que, como o próprio Nassau previra, menos de um ano depois de sua partida — antes da qual o conde fez voar "um couro de boi cheio de palha preso por fios que a noite escondia" —, azedou-se de vez o doce Brasil holandês.

O príncipe e a mameluca: Maurício de Nassau (*acima, em quadro do século XVII*) trouxe para o Brasil o pintor Albert Eckhout, autor do óleo abaixo. À direita, Recife vista por Gillis Peeters.

Companhia das Índias Ocidentais

A invasão do Brasil foi um plano articulado pela Companhia das Índias Ocidentais (WIC, West Indische Compagnie), fundada em junho de 1621 nos moldes de sua congênere, a Companhia das Índias Orientais (criada em 1602). Com capital inicial de sete milhões de florins, a WIC era uma sociedade de capital aberto que obteve o monopólio, por 24 anos, da exploração da América e da África. A maior parte dos acionistas eram pequenos investidores — calvinistas convictos fugidos do sul dos Países Baixos para Amsterdã. O conselho administrativo da WIC era composto por dezenove diretores: dezoito escolhidos por conselhos regionais e um pelo governo central. Ao contrário de sua antecessora, a WIC deu poucos lucros: só em 1628, com a captura da frota anual da prata da Espanha pelo corsário Pieter Heyn, a Companhia pôde pagar dividendos aos acionistas. Foi esse o capital que permitiu a invasão de Pernambuco, depois que os holandeses foram expulsos da Bahia. Embora tenha conquistado em Angola os portos de onde vinham os escravos e levado o açúcar para as Antilhas, a WIC foi deficitária. Tanto que, em 1674, decidiu vender para os ingleses uma ilha chamada Manhattan.

A Invasão da Bahia

No instante em que as primeiras velas holandesas apontaram em frente de Salvador, na manhã de 8 de maio de 1624, o que estava a ponto de se consumar era uma invasão anunciada. Meses antes, espiões a serviço da Espanha sabiam que os holandeses estavam armando uma esquadra para atacar a Bahia. Ainda assim, o governador-geral Diogo de Mendonça Furtado não pôde convencer o rei a fortificar a cidade. O bispo D. Marcos Teixeira persuadira o rei a investir na construção da Sé, e não na de um forte. Salvador, "tesouro rico porém mal seguro", continuou "uma cidade aberta, defendida por oitenta soldados pagos". Não foi, portanto, nada difícil para a esquadra de 26 navios, 3.300 homens e 450 bocas-de-fogo, chefiada por Jacob Willekens, tomar Salvador (*a invasão está representada na gravura acima*).

Na verdade, bastaram 24 horas: o bombardeio iniciou na manhã de 9 de maio. Na noite do mesmo dia, o povo abandonava a cidade às pressas. Na manhã do dia 10, ao entrarem na praça deserta, os holandeses depararam apenas com o governador, "disposto a morrer de espada em punho". Mendonça Furtado foi preso e enviado para a Holanda, junto com o butim da vitória: 3.900 caixas de açúcar e muito pau-brasil. E mais: a pilhagem foi tal que um oficial holandês afirmou que os soldados "mediam prata e ouro nos chapéus cheios e apostavam 400 florins num lance de dados". A orgia da soldadesca durou dois dias. O domínio holandês, apenas um ano.

Ao invadir a Bahia, os holandeses estavam concretizando o plano minuciosamente estabelecido por um documento chamado *Motivos por que a Companhia das Índias Ocidentais deve tentar tirar ao rei da Espanha a terra do Brasil e a lista do que o Brasil pode produzir.* Estavam também atacando velhos parceiros comerciais.

Antes da União Ibérica, Portugal e Holanda mantinham intenso comércio. Em Lisboa, os batavos adquiriam vinho, drogas do Oriente e principalmente o sal de Setúbal, fundamental para sua florescente indústria pesqueira. Em troca, deixavam trigo, peixe, queijo, aparelhos náuticos, metais e tecidos. Com o início da lavoura de açúcar no Brasil, esses laços comerciais se estreitaram ainda mais: todo, ou quase, o açúcar produzido no Brasil era refinado na Holanda e dali distribuído para o resto da Europa. O primeiro engenho do Brasil fora de um banqueiro holandês — e a maioria dos que vieram a seguir, financiada por eles. Por volta de 1621, só em Amsterdã havia 25 refinarias de açúcar.

Mas desde 1568 a Holanda estava em guerra com a Espanha — e obteve a independência nas sete colônias do Norte em 1579, um ano antes de Portugal ser absorvido pelos espanhóis (a independência total só viria em 1648). Ao capturar muitos navios holandeses em Lisboa, Filipe II acabou com as trocas entre lusos e batavos. Em 1609, espanhóis e holandeses firmaram uma trégua de doze anos. Graças a essa circunstância, apenas nesse período, 50 mil caixas de açúcar saíram do Brasil para a Holanda — cada caixa continha 525 quilos. Finda a trégua em 1621, os holandeses se recusaram a abrir mão daquela extraordinária fonte de renda. O ataque ao Brasil foi, então, proposto pela recém-fundada Companhia das Índias Ocidentais. Mas o tiro saiu pela culatra.

Embora Salvador fosse tomada em 24 horas, os holandeses não puderam conquistar o interior da Bahia. A resistência de lusos e brasileiros — liderada por Matias de Albuquerque — foi feroz na zona rural e se baseou nas táticas da *guerra brasílica*, ou guerra de guerrilhas. Em 22 de março de 1625, os espanhóis enviaram a Salvador a maior frota que já cruzara o Equador (52 navios com doze mil homens). Encurralados, os holandeses capitularam no dia 1º de maio. Mas eles logo retornariam.

O Tempo de Nassau

A invasão da Bahia só trouxe prejuízos para a nascente Companhia das Índias Ocidentais. Em 1628, porém, a companhia capturou, ao largo de Cuba, a frota anual da prata espanhola e obteve um butim de 14 milhões de florins (o dobro de seu capital inicial). Enriquecida, a WIC planejou nova invasão ao Brasil. O alvo escolhido desta vez foi a maior e mais rica região produtora de açúcar do mundo. Além de possuir 130 engenhos (responsáveis por mil toneladas de açúcar/ano), Pernambuco era uma capitania particular, e não real, sendo, portanto, mal-aparelhada na sua defesa. No dia 15 de fevereiro de 1630, uma armada com 77 navios, sete mil homens e 170 peças de artilharia surgiu diante de Marim — também chamada de Olinda. Embora a resistência do governador Matias de Albuquerque (neto do velho donatário Duarte Coelho) fosse, mais uma vez, heróica — e, antes de partir, ele ainda conseguisse incendiar 24 navios fundeados no porto —, Recife foi rapidamente tomada. Desta vez, a ocupação iria durar mais de vinte anos.

O domínio holandês em Pernambuco (de onde se estendeu para sete das então dezenove capitanias que constituíam o Brasil) divide-se em três fases. A primeira, de 1630 a 1637,

O Palácio das Torres

Foi nas terras baixas localizadas na confluência dos rios Capibaribe e Beberibe (zona alagadiça que lembrava a Holanda) que Nassau ergueu a Cidade Maurícia, símbolo de sua administração. Ali, na ilha de Antônio Vaz (hoje bairro de Santo Antônio), construiu, à própria custa, o Vrijburg, sua residência oficial, também chamada Palácio Friburgo ou das Torres. "No meio daquele areal infrutuoso, plantou um jardim e todas as castas de árvores de fruto que dão no Brasil", escreveu frei Manuel Calado, padre português que conheceu o lugar. Entre milhares de flores e frutos, Nassau plantou também dois mil coqueiros. Fez um zoológico com todos os tipos de animais encontráveis no país. O conde adorava "que todos fossem ver suas curiosidades". Nassau não agiu apenas em benefício próprio. Deu ao povo pão e circo: contrário à monocultura, obrigou senhores de engenho a plantar mandioca, "o pão do Brasil". Por decreto, proibiu a derrubada dos cajueiros, já quase em extinção. Ladeou as ruas com mamoeiros, jenipapeiros e mangueiras. Proibiu, por edital, "o lançamento do bagaço de cana nos rios e açudes", evitando mortandade de peixes que alimentavam os pobres. Promoveu cavalhadas, peças de teatro e a famosa farsa do boi voador. Convocou a primeira assembléia legislativa democrática do continente. Permitiu a construção de sinagogas, aproximou calvinistas e católicos (só não fez concessões aos jesuítas). O povo o comparava a Santo Antônio, "a quem ninguém recorria sem se ver atendido".

Frans Post

Primeiro europeu a retratar a esplendorosa natureza tropical, Frans Post (1608-1669) foi um paisagista brilhante, cuja obra, requintada e minuciosa, Nassau doou ao rei Luis XIV, da França, em 1678. Apenas dezoito quadros de Post foram pintados in loco, a partir da observação direta da paisagem brasileira. Desses, onze estão desaparecidos. Mas a obra de Post, que permaneceu no Brasil de 1637 a 1644, soma duas centenas de quadros: são paisagens "imaginárias" feitas na Holanda a partir do que ele vislumbrara no Brasil.

seria marcada pela valorosa resistência dos luso-brasileiros no interior. De 1637 a 1644, o Brasil holandês floresce em relativa paz: é o chamado "período nassoviano". De 1645 a 1654, trava-se a guerra que resultaria na expulsão dos invasores. Três séculos e meio depois, a experiência holandesa no Brasil continua associada ao tempo de Nassau.

Johann Mauritius van Nassau-Siegen nasceu em 17 de agosto de 1604, em Dillenburg, na Alemanha. Era neto do conde João VI, por sua vez irmão do príncipe Guilherme de Orange, fundador dos Países Baixos. Pelo lado da mãe, seu bisavô foi Cristiano III, rei da Dinamarca. Embora ingressasse aos 14 anos na carreira militar, Nassau teve formação humanista: na Universidade da Basiléia, estudou teologia, filosofia, matemática, música, ciências de guerra, boas maneiras, esgrima e equitação. Tornou-se coronel aos 25 anos, lutou contra a Espanha, encomendou quadros de Rembrandt e iniciou a construção de uma mansão em Haia. Em agosto de 1636, foi convidado pela WIC para ser governador-geral do Brasil holandês. Como o salário de 1.500 florins mensais (mais um adiantamento de 15 mil florins e 2% sobre o total das presas de guerra) fosse atraente — e os gastos com sua nova casa, grandes —, Nassau aceitou. Em 23 de janeiro de 1637, chegou a Recife, com três mil soldados, oitocentos marinheiros e seiscentos indígenas e negros.

Tolerante, competente, dedicado e ágil, Nassau fez um governo brilhante. Primeiro, tomou Porto Calvo, último foco da resistência aos invasores. Depois, atraiu os plantadores luso-brasileiros concedendo-lhes empréstimos para reerguer seus engenhos — e os defendeu da agiotagem dos negociantes holandeses e judeus, limitando os juros a 18% ao ano. Deu liberdade de culto, tratou bem os nativos, aumentou a produção de açúcar, urbanizou o Recife, protegeu os artistas, apaziguou a colônia. Foi um príncipe.

Um Tesouro Humanista

Beleza rara: frontispício da obra
Historia Naturalis Brasiliae, feita por
Piso e Marcgraf em 1648.

s evidências de que o conde João Maurício de Nassau foi uma espécie de príncipe renascentista que se materializou nos trópicos estão preservadas no amplo legado artístico e cultural produzido ao longo de sua permanência de sete anos no Brasil. Ao desembarcar no Recife, Nassau trouxe em sua comitiva 46 artistas, cientistas, artífices e sábios. Deslumbrado com o viço e o vigor da natureza tropical, encarregou seus protegidos de catalogar, pintar, estudar e preservar plantas e animais do Novo Mundo. Transformou o abacaxi e o caju em símbolos deste "belo país do Brasil, que não tem igual sob o céu". Tanto quanto a obra artística feita sob seu mecenato, destaca-se também o trabalho científico realizado em menos de uma década. Entre os letrados ilustres da Corte tropical de Nassau incluíam-se Johann Benning, professor de ética e física da Universidade de Leiden; Elias Heckman, botânico; Constantim l`Empereur, especialista no Talmud; e o médico Servaes Carpentier. Nassau queria fundar em Recife uma universidade aberta. Partiu antes de concretizar seu sonho.

Ainda assim, a obra de dois cientistas trazidos por Nassau se impõe, ainda hoje, como uma das mais notáveis nos anais da erudição brasileira. Em 1648, Georg Marcgraf e Willem Piso publicaram, em Leiden, na Alemanha, sua soberba *Historia Naturalis Brasiliae*. Piso, médico particular de Nassau, realizou estudos sobre doenças tropicais e ervas medicinais brasileiras. Marcgraf, nascido em Liebstad, na Alemanha, em 1610, e morto em Angola em 1644, estudou o clima e classificou centenas de espécies da fauna e da flora brasileiras. Naturalista, astrônomo, matemático, agrimensor e cartógrafo, Marcgraf foi surpreendido pela morte aos 34 anos de idade, deixando inúmeros trabalhos inacabados. Analistas modernos acreditam que, se tivesse vivido mais tempo, teria sido um dos maiores naturalistas de todos os tempos — talvez o maior desde Aristóteles. Na casa em que morou em Recife, de 1637 a 1642, Marcgraf dispunha de um observatório astronômico que o próprio Nassau mandou vir da Holanda. Ao ver a obra de Marcgraf, o padre Antônio Vieira observou que ela certamente despertaria cobiça internacional sobre "as terras que tão pouco sabemos estimar".

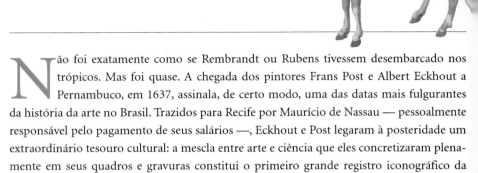

Os Pintores de Nassau

Homens e bestas: os óleos de Eckhout
(*acima,* Mestiço, e *abaixo,* Negro)
retrataram tipos brasileiros com rigor
antropológico. Já Zacharias Wagener fez
o registro da fauna em seu Thierbuck
(*à direita, abaixo, aquarela* Tamanduá-açu).

N ão foi exatamente como se Rembrandt ou Rubens tivessem desembarcado nos trópicos. Mas foi quase. A chegada dos pintores Frans Post e Albert Eckhout a Pernambuco, em 1637, assinala, de certo modo, uma das datas mais fulgurantes da história da arte no Brasil. Trazidos para Recife por Maurício de Nassau — pessoalmente responsável pelo pagamento de seus salários —, Eckhout e Post legaram à posteridade um extraordinário tesouro cultural: a mescla entre arte e ciência que eles concretizaram plenamente em seus quadros e gravuras constitui o primeiro grande registro iconográfico da paisagem, das plantas, dos animais e dos indígenas do Brasil. Quase quatro séculos depois, seus trabalhos preservam o mesmo frescor e a mesma qualidade.

Post e Eckhout eram os mais brilhantes, mas não os únicos pintores integrantes da comitiva que Nassau fez desembarcar no Recife. Outros seis artistas os acompanhavam. Todos tinham casa e comida, salário fixo e muito trabalho pela frente: seriam os primeiros europeus a registrar, *in loco,* a exuberante natureza do Novo Mundo em possessões que, até então, haviam estado sob domínio português.

Albert Eckhout (nascido em Groningen, na Holanda, em 1612) viveu no Brasil durante sete anos, de 1637 a 1644 — dos 25 aos 33 anos de idade, portanto. Sentava-se à mesa do jovem conde (que havia desembarcado no Recife com 33 anos incompletos), geralmente em companhia de Frans Post, que também chegara aos trópicos no fulgor de seus 25 anos. Eckhout foi um pintor naturalista com excepcional domínio do desenho de modelos vivos, dono de um estilo altamente individual e detalhista, disposto a documentar tipos humanos, plantas e animais que os europeus jamais haviam retratado.

Eckhout era fascinado pelo exótico. Seus retratos em tamanho natural de indígenas, mestiços e negros lhes concedem, além de rigor antropológico e etnográfico, uma grande dose de altivez e dignidade: Eckhout pintou indivíduos, não meros exotismos tropicais. Sua obra foi magnificamente complementada pela de seu colega Frans Jansz Post, cultor das paisagens brasileiras que se deixou fascinar pela luminosidade e pelo viço do Novo Mundo — elementos que tão bem soube capturar em suas telas. Ao retornar para a Europa, Nassau doou os quadros de Post ao rei Luís XIV, da França, e os de Eckhout para Frederico III, da Dinamarca.

Outro artista cuja obra celebra o chamado "período nassoviano" é Zacharias Wagener. Mero soldado raso a serviço da Companhia das Índias Ocidentais, seu nome não constava da lista original de artistas trazidos para o Brasil. Mas, desde sua chegada ao Recife, em 1634, esse alemão de Dresden demonstrou muita habilidade e um interesse permanente pela natureza tropical. Promovido a "dispenseiro-escrevente" e a escrivão particular de Nassau, Wagener, simples "pintor de domingo", acabou produzindo centenas de aquarelas e litogravuras dos animais brasileiros. Ao retornar para a Europa, em 1643, levava consigo os originais do *Thierbuch*, ou *Livro dos Animais*, uma espécie de versão popular da *Historia Naturalis Brasiliae*, de Marcgraf. Mais do que isso: a obra de Wagener teve grande influência sobre Albert Eckhout. E, junto com Frans Post, Eckhout foi, definitivamente, um gênio da arte vivendo no Brasil.

O exército holandês que lutou no Brasil era formado por muitos mercenários escoceses, napolitanos e alemães (*acima, um soldado holandês*). Abaixo, esboços de Victor Meirelles para o quadro *Batalha dos Guararapes*.

A Expulsão dos Holandeses

Em 6 de maio de 1644, depois de vários meses em choque com os dirigentes da Companhia das Índias Ocidentais, João Maurício de Nassau renunciou ao governo do Brasil holandês. Sua decisão causou comoção no Recife e demais zonas sob o domínio batavo (na época, cerca de mil quilômetros de costa, desde São Luís do Maranhão até Sergipe). Numa última tentativa conciliatória, alguns dos mais proeminentes luso-brasileiros do Recife — entre os quais João Fernandes Vieira, o mais rico de todos e, mais tarde, um dos grandes líderes da chamada "Insurreição de 1645" — enviaram uma carta profética à Companhia das Índias Ocidentais na qual disseram: "Se ele [Nassau] se ausenta deste Estado, muito em breve se há de tornar a aniquilar tudo o que com sua presença floresceu e se alcançou". Pois foi justamente o que aconteceu. Antes do fim de maio, pranteado por indígenas, negros e europeus de várias nações, Nassau partiu. Em menos de um ano, a guerra rebentou.

Desde junho de 1641, Portugal e Holanda desfrutavam de uma aliança, resultante do armistício assinado entre as duas nações logo depois de os portugueses terem recuperado sua independência, separando-se da Espanha (em dezembro de 1640). Ainda assim, sem a presença conciliatória de Nassau, os grandes senhores de engenho luso-brasileiros decidiram rebelar-se contra o "invasor" holandês: a maioria deles estava atolada em dívidas com a Companhia das Índias Ocidentais. Libertar o Brasil implicava libertar-se também das dívidas. As últimas safras haviam sido ruins (houve inundações, secas, incêndios e epidemias entre 1641 e 1644), o preço internacional do açúcar desabara, a tolerância religiosa dos tempos de Nassau havia acabado.

Esse conjunto de causas levou à eclosão do primeiro combate: no dia 3 de agosto de 1645 foi travada a batalha de Tabocas, início da insurreição. Embora no exército luso-brasileiro muitos lutassem armados apenas de foices e paus, os holandeses foram batidos. Em breve, estariam completamente encurralados em Recife. Ainda assim, a guerra entrou num grande impasse: os luso-brasileiros dominavam o interior, mas Recife permanecia inexpugnável. A situação se manteve assim por três anos, até que, no dia 19 de abril de 1648, os dois exércitos rivais se defrontaram nos montes Guararapes, nos arredores de Recife.

E então, mais de 4.500 holandeses, distribuídos em sete regimentos, comandados pelo tenente-general alemão Siegmundt von Schokoppe, foram vencidos por cerca de 2.500 luso-brasileiros, chefiados por Fernandes Vieira, Vidal de Negreiros, Felipe Camarão e Henrique Dias. O combate, conhecido como primeira batalha dos Guararapes, aumentou

A Guerra Brasílica

A maior contribuição do Brasil à história militar mundial foi dada nos quase 30 anos durante os quais os exércitos luso-brasileiros combateram o invasor holandês: nas colinas e alagadiços, nas matas e nos areais de Pernambuco, os brasileiros podem ter inventado a guerra de guerrilhas. Conhecedores profundos do terreno e bem adaptados à natureza tropical, portugueses como Matias de Albuquerque, indígenas como Felipe Camarão e negros como Henrique Dias idealizaram uma tática de luta que, segundo o historiador Gonsalves de Mello, foi "uma antecipação do estilo brasileiro de jogar futebol". Para Gilberto Freyre, a "guerra brasílica" era "um conjunto de qualidades de surpresa, de manha, de astúcia, de ligeireza e ao mesmo tempo de brilho e de espontaneidade individual... alguma coisa de dança e de capoeira". Os adversários, mesmo derrotados, souberam reconhecer a excelência das táticas nativas. Testemunha ocular da segunda batalha dos Guararapes, o holandês Michiel von Goch escreveu que as tropas brasileiras eram "ligeiras e ágeis por natureza, de modo que cruzam matos e brejos, sobem morros aqui tão numerosos e descem-nos tudo com rapidez e agilidade notáveis".

Sangue nas campinas: quadro de autor anônimo retratando a Batalha de Guararapes, pintado no século XVII, em homenagem a Nossa Senhora dos Prazeres do Monte dos Guararapes.

muito o moral dos insurretos. Quase um ano depois, e no mesmo lugar, ambos exércitos voltaram a se enfrentar. Chefiados por Johann van den Brincken, os holandeses perderam mil homens. Entre os brasileiros, morreram 47 brancos e sessenta indígenas e negros, entre os quais Henrique Dias.

O alemão Johann Nieuhoff, que trabalhava para a WIC e se tornou o principal cronista da guerra, anotou: "O dia 19 de fevereiro de 1649 foi o pior de quantos no Brasil experimentamos em muitos anos, pois, apesar da bravura com que o nosso exército atacou..., o adversário, animado pelo último sucesso e confiante na sua superioridade numérica, conseguiu... [fazer] o exército holandês bater em retirada". Os comandantes holandeses foram todos mortos. A segunda Batalha dos Guararapes (*acima*) foi um confronto decisivo. Mesmo assim, a capitulação dos holandeses ainda iria levar cinco anos.

Sitiados no Recife, os invasores resistiram com bravura até 26 de janeiro de 1654. Mas, então, em guerra com a Inglaterra, em permanente conflito interno com a província da Zelândia e precisando do sal de Portugal para preservar seus peixes, a Holanda desistiu da guerra do açúcar, abrindo mão do Brasil. Em 1661, depois de receber uma compensação de quatro milhões de cruzados, a Holanda abdicou oficialmente de suas pretensões no Nordeste. A essa altura, os palácios e jardins de Nassau já haviam sido "consumidos na voragem de fogo e sangue dos anos de guerra". E o conde era governador da província de Kleve, na Alemanha, onde morreu, em 1679, aos 75 anos de idade, amargurado e empobrecido — e com sua monumental "Brasiliana" dispersa por vários palácios da Europa.

Personagens da Guerra Brasílica

Embora articulada e em parte conduzida por membros da alta burguesia luso-brasileira, a guerra contra os holandeses passou à História como o confronto que lançou as bases do nacionalismo brasileiro. Isso porque o exército que enfrentou o invasor ficou conhecido como "o amálgama das três raças". A expressão faz algum sentido uma vez que, além dos pelotões chefiados pelos luso-brasileiros Fernandes Vieira e Vidal de Negreiros, a vitória só se tornou possível graças ao batalhão de indígenas comandado pelo potiguar Felipe Camarão e ao batalhão de negros chefiado por Henrique Dias. Os holandeses também contaram com aliados nativos: indígenas das tribos Poti, Paraupaba e Janduí, além do mulato trânsfuga Domingos Calabar. A seguir, a biografia sucinta de algumas figuras da guerra do açúcar:

João Fernandes Vieira: Natural da ilha da Madeira, mas vivendo no Brasil desde os dez anos de idade, lutara bravamente contra os holandeses até ser preso por eles em 1635. Então, aliou-se ao invasor e, tornando-se negociante e senhor de engenho, adquiriu "a maior fortuna da terra". Em dívida com a WIC, liderou a revolta após a saída de Nassau.

André Vidal de Negreiros: Mais um rico senhor de engenho que virou chefe das guerrilhas. Tomou Recife em 1654, tornando-se governador de Pernambuco e de Angola até 1666.

Felipe Camarão: Potiguar nascido em 1591, Antônio Poti ("camarão" em tupi) se converteu ao cristianismo, virou um dos mais fiéis aliados dos portugueses e o indígena mais respeitado do Brasil. Chefe de um batalhão com apenas 170 índios, obteve grandes vitórias. Em 1633, o rei Filipe III lhe deu brasão de armas e pensão de 40 mil-réis. Antônio Poti tornou-se então dom Felipe Camarão. Em 1635 ganhou comenda da Ordem de Cristo. Em geral, combatia ao lado da mulher, Clara. Depois da primeira batalha dos Guararapes, Camarão adoeceu, morrendo em agosto de 1648.

Henrique Dias: Filho de negros libertos, se apresentou a Matias de Albuquerque à frente de um batalhão de negros "de quatro nações: Minas, Ardas, Angolas e Crioulos". Ferido na batalha de Camandituba, teve amputada metade do braço. Depois da expulsão dos holandeses, foi nomeado "Governador dos Crioulos, Negros e Mulatos".

Domingos Calabar: Guerrilheiro mulato, lutou ao lado de Matias de Albuquerque, mas passou para o lado dos holandeses em abril de 1632. Deu muito trabalho aos brasileiros. Capturado em julho de 1634, foi torturado, enforcado e esquartejado. Destino similar ao dos caciques janduí, poti e paraupaba, que haviam ajudado os invasores.

À direita, estão os retratos de Fernandes Vieira, Felipe Camarão e Vidal de Negreiros.

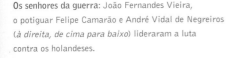

Os senhores da guerra: João Fernandes Vieira, o potiguar Felipe Camarão e André Vidal de Negreiros *(à direita, de cima para baixo)* lideraram a luta contra os holandeses.

O peso colonialista: os holandeses se instalaram em Java, rebatizada por eles de Batávia (*abaixo*) tratando com rudeza o povo local (*ao lado, Carregadores javaneses, em gravura do século XIX*).

Brasil Holandês:
Futuro do Pretérito

S empre tão pródigo e eficiente na autodepreciação — cujo reflexo mais perverso e ambíguo talvez se manifeste numa auto-indulgência tão nefasta quanto o desprezo que devota à própria imagem —, o Brasil enraizou em seu imaginário historiográfico a idéia de que poderia ter-se transformado num paraíso eficiente e produtivo, luzindo ao sol do trópico, caso tivesse permanecido sob o domínio holandês, livrando-se da herança lusitana. Além do quadro psicológico tão revelador, que verdades históricas poderiam se esconder por trás

Os dois aspectos mais conflitantes entre os modelos colonialistas estabelecidos por Holanda e Portugal já foram longamente estudados no Brasil. Já em 1907, Capistrano de Abreu observava que o fato de os holandeses dominarem facilmente as cidades do Nordeste e nunca terem conquistado o interior — e a ação inversa posterior: os lusos reconquistavam as zonas rurais, mas eram incapazes de tomar as cidades — revelava que os primeiros eram homens urbanos, ao passo que os portugueses tinham vocação rural. Natural, portanto, que, ao longo do período holandês, estourasse um conflito entre os senhores de engenho luso-brasileiros e os comerciantes holandeses.
Na colônia portuguesa, predominavam os interesses dos plantadores; na holandesa, os dos negociantes.

desse anseio tão freqüentemente apresentado como fato? Um suposto Brasil holandês seria realmente uma alternativa melhor do que o real Brasil português? Nada permite supor que sim — pelo contrário.

Em 1971, o historiador Mário Neme debruçou-se sobre a questão e, no seu bem documentado *Fórmulas políticas do Brasil holandês*, concluiu que a tese de que os holandeses estavam dispostos a fazer do Brasil uma nação democrática, igualitária e eficiente nasceu nos textos do frei português Manuel Calado, cronista do Brasil holandês que foi "comensal confesso do conde de Nassau".

Em sua monumental *História do Brasil*, lançada em 1854, Francisco Varnhagem ecoou a tese de Calado. Mas, conforme Neme, Varnhagem escreveu numa época em que "a inteligência nacional está por inteiro predisposta contra Portugal... momento em que a reação da antiga colônia — tomando consciência plena das oportunidades perdidas —, entra na fase emocional da racionalização de todos os ressentimentos, insuflados pelas lutas da independência, da abolição e da república". Nada permite supor, segundo Neme, que um Brasil holandês seria melhor que o Brasil lusitano.

Não se trata de opinião solitária. "A idéia de que a colonização holandesa teria sido superior à portuguesa, pelo senso de organização, nível cultural e grau de liberdade, se baseia num preconceito, numa ilusão de ótica e num erro de informação", escreveram os historiadores Arno e Maria José Wehling em *Formação do Brasil Colonial*. "A ilusão de ótica... é admitir a existência de colonizações 'melhores' ou 'piores', quando a natureza da instituição colonial faz com que ela seja *objeto* — de lucro, em geral, mas também de populações excedentes — e não *sujeito* da relação".

O mito de um esplêndido Brasil holandês surgiu graças ao governo de Nassau, muito superior à rudeza portuguesa de até então. Porém, como notou o historiador Bóris Fausto, "Nassau representava apenas uma tendência e a Companhia das Índias Ocidentais, outra, mais próxima do estilo do empreendimento colonial luso". Na verdade, basta analisar o que se passou nas demais colônias holandesas — no Caribe, nas Guianas e na Ásia (*como em Java, mostrada na gravura à esquerda, no tempo do domínio batavo*) — para concluir que, sem Nassau, o Brasil holandês dificilmente teria um destino fulgurante. Além do mais, como observou o professor Gonsalves de Mello, "os holandeses não se tinham apoderado do Brasil com a intenção de o colonizar (...) de para aqui se transferir com as famílias e estabelecer um renovo da pátria: movia-os sobretudo o interesse mercantil". Quando os grandes lucros prometidos pelo açúcar minguaram, os holandeses preferiram abrir mão de suas conquistas. Ao fazê-lo, abandonaram inapelavelmente os Tapuia e os Potiguar, seus aliados indígenas de mais de vinte anos — e jamais moveram uma palha para defendê-los da terrível vingança luso-brasileira.

Selvageria em Java: acima, holandeses submetem rebeldes javaneses à tortura. Abaixo, residentes ocidentais à mesa, na Batávia (Java), no início do século XIX.

CAPÍTULO 10

A Corrida do Ouro

 mbora não tenha havido um Jack London para eternizá-la em meia dúzia de obras-primas da literatura, nem uma indústria como a de Hollywood para transformá-la num mito universal, o fato é que o Brasil não apenas teve a sua corrida do ouro como ela foi, no mínimo, tão dramática, vertiginosa e rentável quanto aquela que, em 1848, determinou a ocupação da Califórnia e a que, meio século depois, exportou para os confins gelados do Alasca todos os horrores da civilização. Como em suas equivalentes norte-americanas, a febre do ouro que tomou conta do Brasil, no crepúsculo do século XVII, revolucionou a colônia de todas as formas concebíveis: provocou um imenso e desordenado êxodo populacional que esvaziou as cidades (gravura abaixo); causou um considerável aumento no preço dos escravos, dos rebanhos e dos víveres; forçou reformas políticas de vulto; levou milhares de indígenas à extinção e abriu novos caminhos de penetração, incorporando regiões até então ermas e inexploradas. Fez mais: ajudou a enfraquecer o ciclo do açúcar, deixando plantações entregues às ervas daninhas.

Embora sua ressonância internacional seja, hoje, virtualmente nula, em seu auge a corrida do ouro brasileira revolucionou o mundo. Quase todo o metal arrancado das entranhas das Minas Gerais cruzou Lisboa apenas de passagem: as artimanhas do Tratado de Methuen, assinado em 1703, fizeram com que o minério brasileiro fosse parar na Inglaterra — e lá ajudasse a financiar a Revolução Indus-

trial da mesma forma como, um século antes, o ouro e a prata saqueados dos astecas e incas ajudaram a incrementar a revolução mercantilista.

É impossível quantificar os números da corrida do ouro de Minas Gerais, uma vez que, desde o início, o contrabando revelou-se mais constante e eficiente do que as normas para impedi-lo. Ainda assim, sabe-se com certeza que as descobertas de 1693-1694 de imediato tornaram o Brasil o maior produtor mundial de ouro da época. As estatísticas são muito variáveis, mas calcula-se que cerca de 840 toneladas do metal foram extraídas — sem auxílio mecânico — entre 1700 e 1799 (foram 270 toneladas entre 1752 e 1787; para fins comparativos: na década de 1980, Serra Pelada produziu 350 toneladas).

Auri sacra fames: a febre do ouro que incendiou o Brasil no início do século XVII foi retratada, no século XX, pelo pintor Benedito Calixto, no quadro *Entrada para as Minas*.

A massa humana que se dirigiu às minas entre 1700 e 1720 foi superior a 150 mil pessoas, das quais mais de cem mil eram escravos. Ao longo do século XVIII, cerca de 430 mil paulistas, cariocas, baianos, portugueses, indígenas e negros da Guiné ou de Angola percorreram as trilhas escabrosas que separavam o litoral do Sudeste do Brasil das serras da fortuna e da danação. "Todos os vícios tiveram morada na região das minas. Todas as paixões desencadearam-se ali; ali se cometeram todos os crimes", escreveu, um século mais tarde, o viajante francês Auguste de Saint-Hilaire, para quem aqueles que tinham tomado parte na corrida ao ouro eram "a escória do Brasil e de Portugal". Nas minas, matava-se por tudo e por nada. Nas minas, travou-se a terrível Guerra dos Emboabas. Nas minas, mais tarde, quando o ouro ainda reinava, foram descobertos diamantes — e o ciclo se reiniciou, tão alucinado e voraz quanto antes. Nas minas, nasceu um gênio cuja arte eternizou — em altares, estátuas e capitéis — o esplendor de uma época de excessos e esperança. A obra do Aleijadinho é um dos parcos legados dos áureos dias do Brasil.

O Mapa da Mina

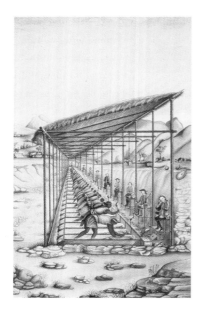

O dia-a-dia dos diamantes: embora o ciclo do ouro no Brasil tenha deixado poucos registros iconográficos, a descoberta dos diamantes atraiu à região o pintor e militar italiano Carlos Julião (1740-1811), que servia ao exército português e realizou belíssimas aquarelas, capturando o árduo trabalho dos escravos nas minas do Arraial do Tijuco, hoje Diamantina (MG).

P or 200 anos, mais do que uma obsessão, o ouro — ou a ausência dele — fora uma maldição para os portugueses que viviam no Brasil. Ao contrário do que acontecia nos territórios conquistados pela Espanha, não parecia haver, na terra do pau-brasil, "coisa de metal algum" como diagnosticara, já em 1502, o florentino Américo Vespúcio. O padrinho do Novo Mundo fora mais cético do que o primeiro cronista do Brasil. Em abril de 1500, ao redigir sua carta para o rei D. Manuel, Pero Vaz de Caminha revelava toda a esperança dos descobridores em achar o "fulvo metal" na terra nova: o simples fato de um indígena ter olhado para o colar de ouro que ornamentava o peito de Cabral e, em seguida, apontar para as montanhas, foi tomado como sinal inequívoco de que, naquelas serranias, deveria haver ouro, muito ouro. A ilusão perduraria por dois séculos — e reclamaria muitas vidas antes de se tornar uma espantosa realidade.

Embora algumas pepitas tenham sido encontradas no sopé do pico do Jaraguá, em São Paulo, em 1590, e certos ribeiros do litoral do Paraná revelassem areia aurífera, o fato é que, até 1693, no Brasil quase nada que refulgia era ouro — com exceção, é claro, da pedra conhecida como "ouro dos tolos", a pirita. No entardecer do século XVII, porém, Portugal e Brasil se encontravam numa crise financeira tão profunda que, em 1674, o próprio regente Pedro II (coroado rei em 1683) escrevera aos "homens bons" da vila de São Paulo encorajando-os a partir para o sertão em busca de metais. Não dissera, em 1519, o capitão Hernán Cortez ao líder asteca Montezuma que os espanhóis sofriam de uma "doença do coração que só o ouro pode curar"? Um século e meio mais tarde, Portugal e Brasil estavam de tal forma enfermos que só um Eldorado poderia salvá-los. Pois ele existia e logo seria encontrado — embora trouxesse consigo outras moléstias.

Alguns historiadores acham que "os efeitos psicológicos" que as missivas reais de Pedro II teriam exercido sobre os onze sertanistas que as receberam não devem ser desconsiderados. Mas o fato é que aos bandeirantes de São Paulo não restava outra forma de manter suas vidas nômades senão caçando ouro: seus "currais" indígenas estavam esgotados. Ao rei também não sobrava outra opção: anos antes, enquanto perdurava a União Ibérica, foram enviados da Corte especialistas em minas para estudar as potencialidades minerais do Brasil. O único deles que resistiu às agruras do sertão — o espanhol Rodrigo Castelo Branco — foi assassinado por Borba Gato, genro de Fernão Dias, assim que chegou à mina que o "caçador de esmeraldas" acabara de descobrir. Depois desse crime sem castigo, quem não fosse bandeirante e paulista não se arriscaria a percorrer os ermos do Brasil. Aos paulistas caberia a façanha de encontrar a maior jazida de ouro já descoberta no mundo. Mas não seriam eles que lucrariam com ela.

A discussão acadêmica sobre qual o primeiro ouro descoberto nas Gerais é tamanha que não restam dúvidas de que os achados foram simultâneos, o que indica também que havia várias expedições percorrendo a serra da Mantiqueira e os vales dos rios da Velha e das Mortes em busca do metal. Borba Gato teria sido o primeiro a achar ouro, mas, após o crime de lesa-majestade que cometera, fora obrigado a se esconder em matos remotos. Em 1693, por sua vez, chegava ao Espírito Santo o paulista Antônio Ruiz de Arzão "com cinqüenta e tantas pessoas, entre brancos e Carijó domésticos de sua administração, todos nus e esfarrapados, sem pólvora ou chumbo": vinham do sertão de Minas, onde, durante a caça aos escravos, haviam sido duramente atacados por ferozes Cataguás.

A expedição porém, fora vitoriosa: entre os trapos que o cobriam, Arzão trazia dez gramas de ouro. Impossibilitado de voltar ao sertão, deu o mapa da mina para o cunhado, Bartolomeu Bueno de Siqueira (que, pouco antes, perdera toda sua herança no jogo). Siqueira partiu no rumo indicado e em janeiro de 1695 se viu obrigado a informar ao governador do Rio, Castro e Caldas, que o ouro não era mais uma miragem: a "grandeza das lavras" e a "fertilidade das minas" eram evidentes. Em fins de 1696, já se contavam aos milhares os paulistas que saíam de Taubaté (ponto de partida de Arzão e Siqueira) rumo ao "sertão dos Cataguases", do outro lado da Mantiqueira.

A jornada até as minas durava cerca de dois meses e meio e o roteiro conduzia de Taubaté a Lorena (via Guaratinguetá). Do vale do rio Paraíba, cruzava-se a serra da Mantiqueira pela garganta do Embaú atingindo-se, então, os três principais pólos mineradores: nas nascentes do rio das Mortes, tendo por centro São João del Rei; na região de Ouro Preto e Mariana, na serra do Tripuí; e no Sabará e sua vizinha Caetê. Em 1699, Garcia Rodrigues Pais (filho de Fernão Dias) abriu um caminho bem mais curto (hoje transformado em rodovia), por meio do qual o percurso entre o Rio de Janeiro e as minas podia ser vencido em apenas quatorze dias.

Naquela época, a região já estava povoada por toda espécie de aventureiros: levas de peregrinos que partiam de todos os cantos do Brasil, "os mais pobres deles só com

Ouro branco! Ouro preto! Ouro pobre! De cada ribeirão trepidante e de cada recosto da montanha, o metal rolou na cascalhada para fausto d'El-Rei, para a glória do imposto.

Manoel Bandeira

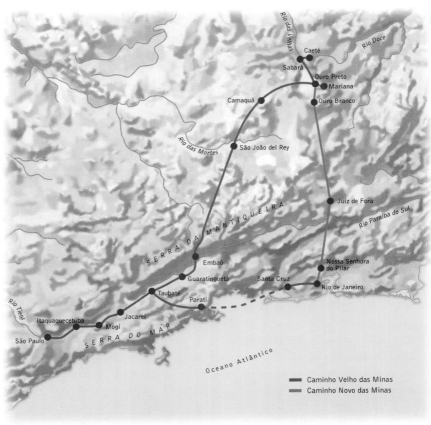

Caminho Velho das Minas
Caminho Novo das Minas

suas pessoas e o seu limitado trem às costas". De acordo com um cronista, eram "indivíduos tão alucinados que, vindos de distância de 30 ou 40 dias de jornada, partiam sem privilégio algum — assim, pelo caminho, muitos acabaram de irremediável inanição e houve quem matasse o companheiro para lhe tomar uma pipoca de milho". Um grande surto de fome assolou as minas em 1697-1698. Muitos mineiros, com os alforjes cheios de ouro, morreram sem encontrar um pedaço de mandioca, pelo qual dariam uma pepita. Mas os horrores da fome seriam apenas os primeiros a acometer o efervescente sertão dos Cataguás e as fulgurantes "minas de Taubaté". Novas desgraças estavam sendo fermentadas.

A Guerra dos Emboabas

As bestas de carga: as mulas, em geral vindas do Rio Grande do Sul e trazidas por tropeiros, só começaram a chegar à região das minas mais de uma década após o começo da corrida do ouro. No início, tudo era transportado nas costas e ombros dos mineiros e de seus escravos.

A pesar da fome que assolou as Minas em 1696-1698 ter sido terrível, uma crise de desabastecimento ainda mais devastadora se abateria sobre a região em 1700. Três anos depois da descoberta das primeiras jazidas, cerca de 6 mil pessoas tinham chegado às minas. Na virada do século XVIII, esse número quintuplicara: 30 mil mineiros perambulavam pela área. Simplesmente não havia o que comer: qualquer animal ou vegetal que pudesse ser consumido já o fora. "Chegou a necessidade a tal extremo que se aproveitavam dos imundos animais, e, faltando-lhes esses para poderem alimentar a vida, largaram as minas e fugiram para os matos para comerem cascas e raízes", relatou o governador Artur de Sá à Corte, em 1701. Foram devorados sapos, içás, cobras e "bichos mui alvos criados em paus pobres", cuja ingestão às vezes era fatal aos famintos. Formigas tostadas viraram uma iguaria comparada à "melhor manteiga de Flandres". Os preços de qualquer comestível que chegava à região se tornaram exorbitantes: quando os baianos abriram o caminho que, pelas margens do São

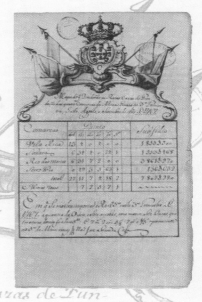

Francisco, conduzia ao pólo minerador, um boi, que em Salvador valia 4 mil-réis, era reven-
dido nas Minas por 96 mil-réis. No Caetê, uma galinha valia 14 gramas de ouro.

O pior estava por vir. "Morreu muita gente naquele tempo, de doença e necessidades e
outros que os matavam para os roubar, na volta, que levavam ouro (...) matavam uns aos
outros pela ambição de ficarem com ele, como aconteceu em muitos casos", anotou uma
testemunha ocular. Em 1707, o previsível aconteceu: rebentou a guerra nas Minas Gerais.
De um lado, os paulistas; de outro, os "forasteiros", chamados de emboabas.

A Guerra dos Emboabas prolongou-se por quase três anos e deixou duas centenas de mortos. Seus episódios são confusos e contraditórios e os relatos da época foram redigidos por
partidários de uma facção ou de outra. A seguir, o resumo do conflito e seus desdobramentos:

O que foi: A Guerra dos Emboabas foi o confronto entre os paulistas — descobridores
das minas e dos caminhos que levavam até elas — e os "forasteiros" (especialmente portugueses), que chegaram depois e se apoderaram (pela força das armas ou do dinheiro) de
algumas das melhores lavras. Os paulistas queriam exclusividade na mineração.

Quanto durou: O primeiro confronto deu-se em maio de 1707, quando um paulista matou
o português dono de uma estalagem em Ponta do Morro (vilarejo próximo a São João del Rei).
O último combate ocorreu a 22 de novembro de 1709, quando, depois de oito dias de luta, os
paulistas desistiram de tentar tomar o arraial onde os emboabas estavam entrincheirados.

Como começou: Depois do incidente em Ponta do Morro, três episódios semelhantes
ocorreram em menos de um semestre. Em todos eles, um paulista matara um emboaba por
motivo fútil. Sob a liderança de Manoel Nunes Viana — um influente comerciante e minerador, que viera da Bahia —, os emboabas reagiram, incendiando Sabará e expulsando boa
parte dos paulistas da zona das minas. Então, em 1708, o próprio Nunes Viana se tornou
"governador" da região das minas, assumindo o posto antes ocupado pelo paulista Borba
Gato. Diz a lenda que, ao chegarem em casa derrotados, os paulistas foram forçados por
suas mulheres a retornar ao campo de batalha. Apesar de terem matado oitenta emboabas
durante o sítio ao Arraial Novo, não conseguiram a vitória.

A palavra emboaba: Existem dezenas de explicações etimológicas, mas o mais provável é
que seja um termo vindo do tupi *amô-abá*, cujo significado é "estrangeiro".

Conseqüências: Na prática, os paulistas perderam o controle das minas, mas, em 1710,
São Paulo acabaria se tornando uma capitania independente.

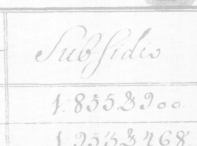

A Febre do Ouro

Ainda que a literatura e o cinema pouco tenham utilizado a corrida do ouro de Minas Gerais como matéria-prima para romances ou filmes, a *auri sacra fames* (ou
"febre do ouro") que inflamou os espíritos foi admiravelmente descrita pelo
jesuíta italiano Antônio Andreoni em seu clássico *Cultura e opulência do Brasil por suas
drogas e minas*, escrito sob o pseudônimo André João Antonil. Embora não tratasse apenas das minas (que só ocupam um quarto do livro e nas quais Antonil jamais esteve),
o livro faz a mais vívida descrição delas. Publicado em 6 de março de 1711, foi proibido
dez dias depois de seu lançamento e teve sua primeira edição destruída. O livro só voltou
a ser relançado em 1898, depois de Capistrano de Abreu ter descoberto que Antonil e
Andreoni (nascido em Luca a 1649 e morto em 1716) eram a mesma pessoa. Quando *Cultura
e opulência do Brasil* foi originalmente publicado, as autoridades perceberam que o texto iria
aumentar o já incontrolável fluxo de migrantes. Pelo que escreveu, Andreoni sabia disso:

O Ouro na Balança

Total de ouro extraído de Minas: 874 toneladas em 80 anos (1700 a 1780).
Outras descobertas: Em Goiás, em 1727, pelo Anhangüera (essas minas renderam 160 toneladas) e em Mato Grosso, por Moreira Cabral, em 1729 (renderam 60 toneladas).
Conseqüências no Brasil: A mudança da capital de Salvador para o Rio de Janeiro, a ocupação de Minas Gerais, Goiás e Mato Grosso e a fomentação da independência.
Conseqüências em Portugal: A Coroa deixou de depender dos favores da Corte, aumentando seu poder e independência internas. Externamente, após o Tratado de Methuen (1703), Portugal se tornou totalmente dependente da Inglaterra. Proibido de ter indústrias, o país cederia todo seu ouro em troca de bens manufaturados.
Quem mais lucrou no Brasil: O padre Guilherme Pompeu, "que às minas jamais foi ter", virou magnata ao se tornar fornecedor e banqueiro dos bandeirantes.
Quem mais lucrou em Portugal: Embora a riqueza das minas fizesse com que D. João V fosse chamado de Rei-Sol português, foi depois da morte dele, em 1750, e a conseqüente ascensão de D. José I, que chegou ao poder o homem que, politicamente, mais se beneficiou com o ouro brasileiro: o todo-poderoso Marquês de Pombal.

"A sede insaciável do ouro estimulou a tantos a deixarem suas terras e meterem-se por caminhos tão ásperos, como são os das minas, que dificultosamente se poderá dar conta do mínimo das pessoas que atualmente lá estão. (...) Dizem que mais de 30 mil almas se ocupam, umas em catar, outras em mandar catar nos ribeiros do ouro; outras em negociar, vendendo e comprando o que se há mister não só para a vida, mas para regalo, mais que nos portos de mar. Cada ano vêm nas frotas quantidades de portugueses e estrangeiros. Das cidades, vilas, recôncavos e sertões do Brasil vão brancos, pardos e pretos, e muitos índios de que os paulistas se servem. A mistura é toda a condição de pessoas: homens e mulheres, moços e velhos, pobres e ricos, nobres e plebeus, padres e clérigos."

Graças ao relato de Andreoni/Antonil, sabe-se também como eram exploradas e distribuídas as minas. O ouro descoberto estava, de fato, quase que à flor da terra — em sua maior parte, foi explorado em aluviões, nas areias e cascalhos dos rios "numa autêntica catagem, que só necessitava braço humano, sem jeito especial ou inteligência amestrada". A legislação real estabelecia que aos descobridores de cada jazida cabiam duas datas (pequenas extensões de terras auríferas na beira dos rios) de 900 braças (4.356 metros quadrados). Uma data do mesmo tamanho seria reservada à Coroa. As demais datas (de igual dimensão) seriam repartidas entre os mineradores que possuíssem pelo menos doze escravos. Aos mineiros com menor número de escravos seriam entregues datas de 25 braças por escravo.

Dispositivos legais posteriores dispunham sobre o direito dos mineradores ao corte de madeira e à repartição das águas. Quando a exploração se iniciava, os cursos dos rios eram desviados, separando-se trechos de seus leitos por uma ensecadeira (*veja a gravura na página ao lado*). Cavadeira e almocafre eram os utensílios mais utilizados no desprendimento do cascalho, mas eram as batéias, as gamelas e os pratos os instrumentos finais para a "apuração" do ouro. De início, o grosso dos escravos levados às minas era de índios "domésticos" capturados pelos paulistas. Eles logo se finaram. Em março de 1709, D. João V assinou um alvará "franqueando" o tráfico de africanos aos paulistas (até então limitado a duzentos por ano). Em 1738, já 101.477 escravos labutavam nas minas. "O trabalho da batéia e do carumbé, do almocafre e da pá foram operações que converteram o Brasil das minas em um superinferno de negros, perto do qual o dos engenhos e fornalhas de açúcar, por Antonil apontado, não passou de indulgente purgatório", escreveu o historiador Afonso Taunay.

Cobiça e Contrabando

Como aconteceria um século mais tarde na Califórnia e, em seguida, no Alasca e na África do Sul, a região das Minas Gerais, logo após a descoberta do ouro, "constituía uma república onde o atrevimento imperava armado e o direito vivia inerme". A lei e a ordem levaram seis anos para se estabelecer no reino da cobiça. Nesse período — de 1694 a 1700 —, as fronteiras da civilização no Brasil eram percorridas "por homens de toda a casta e de todas as partes, gente de cabedais e aventureiros sem vintém, em número enorme: os primeiros, arrogantes e prepotentes, acompanhados por espingardeiros, violentos, vingativos, jogadores e devassos; os demais, em geral, vadios e ladrões inveterados, traidores e assassinos".

Quando o poder constituído enfim se estabeleceu nas "minas de Taubaté", a figura escolhida para representá-lo não poderia ser mais dúbia. Arthur de Sá e Meneses, ex-capitão-general do Maranhão, fora empossado como governador do Rio em abril de 1697. Em outubro do mesmo ano, foi a São Paulo (inflamada por uma guerra civil entre dois clãs rivais). Lá, além de perdoar Manoel Borba Gato do assassinato de Rodrigo Castelo Branco, nomeou-o guarda-mor dos sertões mineiros (a nomeação só se tornou oficial três anos depois) e instigou os demais habitantes da cidade a "dar todo o calor à laboração das minas".

Entusiasmado pelo ouro que teria recebido de Borba Gato, Arthur de Sá decidiu partir ele próprio para Minas em agosto de 1700, permanecendo lá até junho do ano seguinte. Em setembro de 1701, resolveu passar mais dez meses na região. Quando retornou ao Rio, em 12 de junho de 1702, trazia consigo 40 arrobas de ouro (cerca de 580 quilogramas) "oferecidas" pelos mineradores. Ao embarcar para Portugal, em 1705, "arqui-satisfeito com o resultado das jornadas a que se abalançara", o ex-capitão de infantaria tinha se tornado "um dos sujeitos mais opulentos da monarquia". As duas jornadas às minas, porém, haviam lhe debilitado de tal modo a saúde que, quatro anos mais tarde, Arthur de Sá — chorado publicamente como uma "indeslembrável figura" — morria em Lisboa, sem deixar herdeiros.

A herança de Arthur de Sá e Meneses fora a primeira legislação mineira aplicada aos fabulosos achados auríferos das Minas Gerais. Antes da descoberta, a disposição legal sobre a tributação do ouro se resumia às Ordenações Manuelinas, de 1521, estipulando que um quinto do minério extraído pertencia à Coroa. Com a riqueza aflorando da terra e a dívida externa de Portugal sendo duas vezes superior a sua renda, as Minas seriam vitimadas por uma das mais rigorosas taxas de tributação criadas até então. Aos mineradores não eram cobrados apenas os quintos, mas também "direitos de entradas" (sobre todos os produtos vindos de fora, em alguns casos até 75% do valor da mesma mercadoria no porto do Rio), "direitos de passagem" (espécie de pedágio cobrado nos rios), dízimos para a Igreja e o "subsídio voluntário" (criado pelo Marquês de Pombal para ajudar na reconstrução de Lisboa depois do terremoto de 1755). Dos dízimos pagos pelos mineiros ao receberem suas datas provinham os ordenados dos superintendentes, guardas-mores, guardas-menores, oficiais e policiais que patrulhavam furiosamente a região das Minas. Todas as estradas, rios e passagens possuíam casas de registro e o ouro só podia circular em barras ou com um guia.

Ainda assim, calcula-se que pelo menos 35% do metal (cerca de 300 toneladas) extraído da terra foi contrabandeado. A legislação mudou inúmeras vezes (em 1701, 1713, 1715, 1718, 1719, 1725, 1730 e 1750). Em 1713, os mineradores ofereceram, em troca da suspensão do quinto, uma "finta" de 30 arrobas anuais à Coroa (baixada para 25 arrobas em 1718 e aumentada para 37 arrobas anuais em 1719). Mas, em 1735, quando o governador Gomes de Freire quis estabelecer um imposto de 17 gramas por ano por escravo, os mineradores ofereceram uma finta de cem arrobas anuais à Coroa. Mais do que o esgotamento dos veios, foi a tributação abusiva que provocou a decadência das minas, não sem antes ter feito eclodir, em Vila Rica, a Conjuração Mineira.

O inferno das minas: embora tenha chegado a Vila Rica mais de um século depois da descoberta do ouro, o ilustrador alemão Johann Rugendas (1802-1858) registrou o ciclo da mineração com talento e minúcia. A gravura abaixo, pintada em 1822, se chama *Lavagem de ouro perto de Itacolomi.*

Aleijadinho e o Esplendor do Barroco

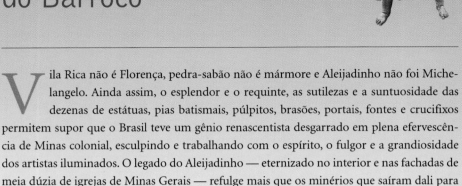

O Artista Sem Rosto

Não se conhecem as feições verdadeiras do homem que criou os mais expressivos rostos da estatuária brasileira. Apesar de uma absurda lei municipal ter decretado, em julho de 1971, que o quadro acima é o "retrato oficial" do Aleijadinho, não existem provas concretas de que a obra seja autêntica. Achado em 1916, o retrato não condiz com descrições feitas muito anteriormente.

A Bíblia em pedra-sabão: os 12 apóstolos e as 66 estátuas esculpidas em cedro, que o Aleijadinho produziu para decorar a igreja de Bom Jesus de Matosinhos, em Congonhas do Campo (MG), estão entre as maiores obras de arte da história do Brasil.

V ila Rica não é Florença, pedra-sabão não é mármore e Aleijadinho não foi Michelangelo. Ainda assim, o esplendor e o requinte, as sutilezas e a suntuosidade das dezenas de estátuas, pias batismais, púlpitos, brasões, portais, fontes e crucifixos permitem supor que o Brasil teve um gênio renascentista desgarrado em plena efervescência de Minas colonial, esculpindo e trabalhando com o espírito, o fulgor e a grandiosidade dos artistas iluminados. O legado do Aleijadinho — eternizado no interior e nas fachadas de meia dúzia de igrejas de Minas Gerais — refulge mais que os minérios que saíram dali para fazer o fausto de nações além-mar. Na prática, foram elas — estátuas, lavabos e esculturas — a herança que restou para recordar o Brasil de seus tempos áureos. A obra monumental do Aleijadinho é um patrimônio superior a qualquer luxo que o ouro possa comprar.

Embora tenha sido um dos maiores artistas do Brasil, da vida do Aleijadinho restam apenas fragmentos biográficos dispersos, a maioria deles envolta na sombra mitificadora das lendas baratas. Sabe-se que se chamava Antônio Francisco Lisboa e era filho bastardo do "juiz do ofício de carpinteiro" Manuel Francisco Lisboa com a escrava de nome Isabel (embora documento algum comprove). Quando nasceu? Em 1738, talvez, embora a "data oficial" seja 29 de agosto de 1730. Quem foram seus mestres? O pai e o tio, Antônio Francisco Pombal, embora alguns prefiram filiá-lo à escola do desenhista João Gomes Batista e à do entalhador José Coelho de Noronha, portugueses com "oficinas" em Vila Rica. Quais suas fontes de inspiração? Os livros da biblioteca do poeta Cláudio Manuel da Costa e "gravuras bíblicas góticas e bizantinas" da *Biblía Pauperum*.

As dúvidas são muitas porque quase tudo que se sabe sobre o Aleijadinho provém dos *Traços biográficos relativos ao finado Antônio Francisco de Lisboa*, publicados por Rodrigo Bretas em 1858. Escritos 44 anos depois da morte do artista, os esboços de Bretas estão

repletos de impropriedades. Apesar da bibliografia referente ao Aleijadinho superar, atualmente, mil títulos (entre livros e artigos), o estofo da lenda nasceu dos mitos forjados por Rodrigo Bretas. De qualquer forma, parece certo que, antes da misteriosa doença que o acometeu, em 1777, Antônio Francisco, além de artista maduro — cujo primeiro projeto fora a igreja da Ordem Terceira de São Francisco —, era também "grandemente dado aos vinhos, às mulheres e aos folguedos".

Seu biógrafo sugere que a enfermidade surgiu dos "excessos venéreos". Em fins de 1777, o escultor já perdera os dedos dos pés, "do que resultou não poder andar senão de joelhos", e os dedos das mãos se atrofiaram de tal forma que o artista teria decidido "cortá-los, servindo-se do formão com que trabalhava". Não foi só: Aleijadinho "perdeu quase todos os dentes e a boca entortou-se como sucede ao estuporado; o queixo e o lábio inferior abateram-se e o olhar do infeliz adquiriu a expressão sinistra de ferocidade (...) que o deixou de um aspecto assqueroso e medonho".

Aleijadinho passou a evitar o contato público: ia para o trabalho de madrugada e só voltava para casa com a noite alta. "Ia sempre a cavalo, embuçado em ampla capa, chapéu desabatado, fugindo a encontros e saudações", escreveu Manuel Bandeira. "No próprio sítio da obra, ficava a coberto de uma espécie de tenda, e não gostava de mirones".

Grandes artistas brasileiros escreveram sobre o maior dos escultores do país. O poeta Mário de Andrade, por exemplo, observou que a "doença dividiu em duas fases nítidas a obra do Aleijadinho. A fase sã, de Ouro Preto, se caracteriza pela serenidade equilibrada e pela clareza magistral. Na fase do enfermo, desaparece aquele sentimento renascente da fase sã, surge um sentimento muito mais gótico e expressionista". De fato, foi em Congonhas, no santuário de Bom Jesus de Matosinhos, já doente e a partir de 1796, que o Aleijadinho iria consagrar dez anos àquela que seria a maior obra de sua vida: os Passos da Paixão (66 monumentais estátuas de cedro representando a paixão de Cristo) e os doze profetas, que "monumentalizam a paisagem" e são uma "Bíblia de pedra-sabão, banhada no ouro das Minas", conforme anotou o colega de Mário, Oswald de Andrade.

Essas inigualáveis obras-primas do barroco teriam sido esculpidas com os formões atados às mãos sem dedos do Aleijadinho, com a ajuda de seus auxiliares e de seus três escravos (os fiéis Maurício, Januário e Agostinho, os quais, em crises de dor e fúria, o artista espancava freqüentemente). Embora seus clientes fossem ricos, o Aleijadinho nunca ganhou muito: seu salário era de 1,2 gramas de ouro por dia e ele o dividia com sua equipe, além de ser pródigo em esmolas. Sua revolta contra os poderosos — a obra de Congonhas foi iniciada quatro anos após o martírio de Tiradentes — parece evidente. As razões dela, porém, não eram apenas pessoais. "No Aleijadinho, o ressentimento tomou a expressão de revolta social, de vingança de sub-raça oprimida", escreveu, em 1936, o sociólogo Gilberto Freyre. "Em sua escultura, a figura de 'brancos', 'senhores' e 'capitães romanos' aparecem deformadas, menos por devoção a Jesus Cristo e sua raiva de ser mulato e doente do que por sua revolta contra os dominadores da colônia".

Já houve quem diagnosticasse no orgulho despertado pela suntuosidade das obras do Aleijadinho as raízes da revolta da colônia contra a exploração exercida pela metrópole. O gênio cuja obra ainda inspira tantas interpretações, porém, nunca veria um Brasil independente. Depois de dois anos rolando, aos gritos, sobre um estrado de madeira, com um dos lados do corpo "horrivelmente chagado", o Aleijadinho foi, enfim, poupado da agonia no dia 18 de novembro de 1814.

Uma Morte Misteriosa

Passados quase 200 anos da morte do Aleijadinho, pesquisadores ainda discutem para saber qual a doença que acabou com a saúde e o humor do maior dos escultores brasileiros. Nenhum, porém, teve iniciativa, disposição ou verba para empreender a investigação que incluísse a única possibilidade de esclarecimento definitivo: a exumação do cadáver do Aleijadinho. Por enquanto, existem apenas hipóteses sobre a terrível enfermidade deformante que, a partir de 1777, foi carcomendo pés e mãos do gênio do barroco brasileiro. Em 1929, o médico Rene Laclette optou por "lepra nervosa" como diagnóstico "menos improvável", visto que no quadro clínico de Antônio Francisco se encontravam vários sintomas do mal de Hansen (atrofia dos músculos das mãos, nevralgias, atrofia do orbicular das pálpebras, paralisia facial, queda dos dentes). Outra hipótese citada com freqüência é a da zamparina (doença advinda de um surto gripal que irrompeu no Rio em 1780, responsável por alterações no sistema nervoso). As demais especulações, citadas em mais de trinta estudos, incluem escorbuto, encefalite e sífilis. O fato é que, além da dor, a doença tornou o Aleijadinho quase um monstro.

Xica dos Diamantes

De todos os incríveis personagens forjados pela opulência diamantina, talvez nenhum tenha sido mais extraordinário do que a ex-escrava Xica da Silva, também conhecida como "Xica que manda". Amante do desembargador João Fernandes de Oliveira, sexto contratador dos diamantes — homem "rico como um nababo, poderoso como um príncipe e soberano do Tijuco"—, Francisca da Silva era filha de um português com uma africana e fora escrava de José Silva Oliveira (pai do inconfidente José Oliveira Rolim). Assim que foi libertada e se tornou amante do desembargador, Xica da Silva virou a pessoa mais influente do Arraial do Tijuco. O marido mandava na cidade — e ela, pelo menos segundo a lenda, mandava no marido.

Xica da Silva ia à missa coberta de diamantes, acompanhada por doze mulatas esplendidamente trajadas.

O Distrito Diamantino

Como se todo o fausto e os favores que o ouro trouxera para a Metrópole não fossem o bastante, em 1727 chegava a Portugal a notícia de que, nas fraldas do Serro Frio, num lugarejo conhecido por Arraial do Tijuco (hoje Diamantina), surgira uma grande lavra com os mais reluzentes diamantes. D. João V exultou. Pelo reino todo se celebraram "festas esplêndidas, e *te-déuns* e procissões inumeráveis que extasiaram o povo português, por quadrarem à sua religiosidade. Para Roma remeteu o governo as primeiras amostras. Ações de graça solenes se deram ao Todo-Poderoso na capital do mundo católico. O Santo Papa, os cardeais e todos os monarcas da Europa felicitaram D. João V. Não se ocuparam os povos da terra com outro objeto e notícia. Dir-se-ia que se descobrira coisa que devia regenerar e felicitar o universo", escreveu, com algum exagero, o historiador Joaquim Felício dos Santos.

No Tijuco, porém, a alegria iria durar pouco. A política que Portugal instaurou no Distrito Diamantino para controlar a exploração e a saída das pedras preciosas seria das mais repressivas e opressoras da colonização européia na América.

A notícia oficial da descoberta dos diamantes somente foi feita uns dez anos após os primeiros achados. O português Bernardo da Fonseca Lobo, que achou uma "faisqueira" em

1723, é tido como o primeiro descobridor, mas desde 1714 havia notícias do surgimento de diamantes e topázios. Assim que a riqueza do veio se tornou evidente, Lisboa anulou todas as cartas de datas concedidas na região e declarou a extração de diamantes total monopólio da Coroa, constituindo o Distrito Diamantino, com sede no Tijuco.

Por quase cem anos, a Coroa manteve a zona diamantina na mais absoluta clausura, proibindo a presença de "negros e pardos livres, de desocupados ou pedintes". Vendas e tabernas foram fechadas, comerciantes expulsos. Um estado policial se instalou na região. A situação permaneceu a mesma depois de 1740, quando a Coroa decidiu "vender" o direito de exploração a um contratante privado. O novo sistema perdurou por trinta anos e revelou-se mais eficiente: extraíram-se, então, 1.666.569 quilates das minas.

O Brasil jogou tantos diamantes no mercado europeu que o preço do quilate caiu 75%. Dos seis contratantes que detiveram o poder de explorar os diamantes, quatro caíram em desgraça depois que o Marquês de Pombal assumiu o comando da Corte em Lisboa. Ao longo de sete décadas (de 1740 a 1810), o Brasil produziu cerca de três milhões de quilates. Mais de dez mil escravos trabalharam nas minas — muitos deles, bem como vários "vadios" capturados na região, foram torturados até a morte sob a acusação (às vezes irreal) de roubo de diamantes.

Apesar da clausura medieval imposta às minas, em 1809, o viajante inglês John Mawe — geólogo diletante mas extremamente competente — obteve permissão para visitar o Arraial do Tijuco. Fez um relato detalhista e fluente. Assim como o clássico *Memórias do Distrito Diamantino*, escrito em 1868 por Joaquim Felício dos Santos, a *Viagem ao interior do Brasil*, de Mawe, permanece como a fonte fundamental para o estudo do reluzente e trágico período dos diamantes.

"O lugar mais distinto do templo era-lhe reservado", conta Joaquim Felício dos Santos, segundo o qual Xica era "alta, corpulenta, de feições grosseiras e cabeça raspada; não possuía graças, não possuía beleza, não possuía espírito". Mas o historiador não a conheceu pessoalmente: ele nasceu doze anos depois da morte de Xica (ocorrida em 1796). Deve-se a Felício a descrição do "magnífico edifício em forma de castelo, com teatro particular, delicioso jardim de plantas exóticas, cascatas artificiais e um vasto tanque, com um navio em miniatura para oito ou dez pessoas" que João Fernandes — logo derrubado por Pombal — mandara construir para satisfazer a amada.

A maldição dos diamantes: escravos manejam peneiras e bateias na litogravura *Extração de diamantes em Curralinho, MG*, feita para ilustrar o livro de viagens de Spix e Martius, que visitaram as Minas em 1818.

O Brasil
dos Escravos

Terá sido o pior lugar do mundo, o ventre da besta e o bojo da fera, embora para aqueles que eram responsáveis por ele, e não estavam lá, fosse o mais lucrativo dos depósitos e o mais vendável dos estoques. No porão dos navios negreiros que por mais de trezentos anos cruzaram o Atlântico, desde a costa oeste da África até a costa nordeste do Brasil, mais de três milhões de africanos fizeram uma viagem sem volta, cujos horrores geraram fortunas fabulosas, ergueram impérios familiares e construíram uma nação. O bojo dos navios da danação e da morte era o ventre da besta mercantilista: uma máquina de moer carne humana, funcionando incessantemente para alimentar as plantações e os engenhos, as minas e as mesas, a casa e a cama dos senhores — e, mais do que tudo, os cofres dos traficantes de homens.

A cena foi minuciosamente descrita por centenas de observadores. Quanto mais são os depoimentos cotejados, mais difícil é crer que tamanhos horrores possam ter se prolongado por três séculos — e que tantos sobrenomes famosos tenham seu fausto e suas glórias vinculados a tantas desgraças. Mas assim foi, e assim teria sido por mais tempo se, por circunstâncias meramente econômicas, a escravidão não deixasse de ser um negócio tão lucrativo.

Castro Alves compôs versos repletos de fulgor e fúria. Rugendas usou tons sombrios e um ângulo surpreendente para criar um retrato alegórico. Ainda assim, ambos, poeta e ilustrador, talvez tenham transmitido uma versão branda do espetáculo hediondo que de fato se desenrolava no porão dos navios negreiros — apropriada-

mente chamados de "tumbeiros". Os registros escritos por observadores — a maioria deles britânicos — revelam um quadro ainda mais assustador do que aquele que as rimas e as tintas puderam pintar.

Um único exemplo. Em 1841, a belonave inglesa Fawn capturou, na costa brasileira, o navio Dois de Fevereiro. Desde 7 de novembro de 1831, o tráfico era ilegal no Brasil e navios de guerra britânicos patrulhavam o litoral. Após a apreensão do "tumbeiro", o capitão do Fawn anotou, no diário de bordo, a cena com a qual se deparou nos porões da embarcação: "Os vivos, os moribundos e os mortos amontoados numa única massa. Alguns desafortunados no mais lamentável estado de varíola, doentes com oftalmia, alguns completamente cegos; outros, esqueletos vivos, arrastando-se com dificuldade, incapazes de suportarem o peso de seus corpos miseráveis. Mães com crianças pequenas penduradas em seus peitos, incapazes de darem a elas uma gota de alimento. Como os tinham trazido até aquele ponto era surpreendente: todos

estavam completamente nus. Seus membros tinham escoriações por terem estado deitados sobre o assoalho durante tanto tempo. No compartimento inferior o mau cheiro era insuportável. Parecia inacreditável que seres humanos sobrevivessem naquela atmosfera".

Na verdade, um em cada cinco escravos embarcados na África não sobrevivia à viagem ao Brasil — constituíam mercadoria literalmente "perecível". Os demais não viviam mais do que sete anos, em média. Mas eram baratos e substituíveis: havia muitos outros no lugar de onde tinham vindo aqueles.

Esta é uma nação erguida por seis milhões de braços escravos — e sobre três milhões de cadáveres.

O navio negreiro: Rugendas criou um retrato alegórico, "suavizando as cores e a expressão", de acordo com sua própria declaração. Ainda assim, trata-se do registro mais impactante do interior dos barcos chamados de "tumbeiros".

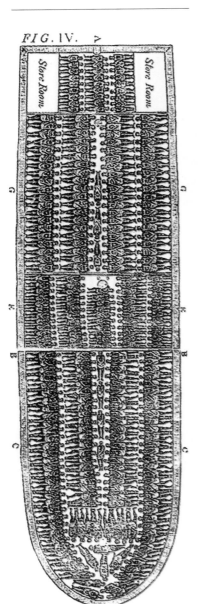

FIG. IV.

O Tráfico Negreiro

Embora a escravidão seja quase tão velha quanto a própria humanidade, jamais o tráfico de escravos fora um negócio tão organizado, permanente e vultoso quanto se tornou depois que os portugueses estabeleceram, em meados do século XVI, uma vasta rota triangular que uniu a Europa, a África e a América e transformou milhões de africanos em lucrativa moeda de troca. Manufaturas européias eram levadas para a Guiné e cambiadas por escravos em entrepostos costeiros. Os mesmos navios partiam em seguida conduzindo em seus porões aldeias inteiras para trabalhar até a morte nas plantações do Brasil. Uma vez no Novo Mundo, esses escravos em geral não eram vendidos mas trocados por açúcar — revendidos, a seguir, com grande lucro na Europa. A fórmula logo pôde incluir a Ásia, já que os panos coloridos feitos em Goa, na Índia, passaram a ser a mercadoria oferecida nas feitorias da Guiné. Mas o pioneirismo lusitano foi logo ameaçado pela concorrência dos holandeses, ingleses e espanhóis. No século XVII, se já não eram os maiores traficantes de escravos do planeta, britânicos e holandeses eram os que mais lucravam com eles.

No século seguinte, porém, brasileiros e portugueses radicados no Brasil se tornariam os maiores e mais eficientes traficantes de escravos da história. Utilizando-se da cachaça e do tabaco de terceira — baratos e abundantes no Brasil e apreciadíssimos na África —, criaram um circuito comercial espantosamente eficiente e rendoso. Embora capturados cada vez mais no interior do continente africano, os escravos iam ficando cada vez mais baratos, à medida que aumentava o interesse pelo fumo e pela aguardente. Os postos de captura e troca de escravos logo se espalhavam por quase toda a África negra, incluindo Moçambique e outros portos do Índico. O mercado de carne humana floresceu plenamente até 1815, quando, sentindo-se prejudicada pelo tráfico, a Inglaterra decidiu proibi-lo.

A quem se deve o pioneirismo do tráfico na Europa do início da Era Moderna? Os historiadores ainda discutem o tema, embora muitos deles atribuam ao longo período de dominação moura na Península Ibérica o hábito de escravizar outros povos e raças, logo adotado por portugueses e castelhanos. Os primeiros escravos negros parecem ter chegado a Portugal em 1441, a bordo da nau com a qual Antão Gonçalves retornou da Guiné. De início, houve restrição real à escravização de africanos — utilizados apenas em serviços domésticos e com certa moderação. Com o início da lavoura canavieira nos Açores e em Cabo Verde, a escravidão, mais que tolerada, passou a ser incentivada. E não apenas além-mar: "Os escravos pululam por toda parte", escreveu o cronista flamengo Nicolau Clenardo, em 1535. "Tanto que, quero crer, são, em Lisboa, em maior número que os portugueses de condição livre."

A mais antiga referência à importação de africanos para o Brasil é encontrada num documento escrito em São Vicente, em 3 de março de 1533, no qual Pero de Góis pede ao rei "dezessete peças de escravos, forros (*livres*) de todos os direitos e frete que soem (*costumam*) pagar". Em 1539, Duarte Coelho, donatário de Pernambuco, repete o pedido, insistindo também na isenção de impostos. Pelo alvará de 29 de março de 1559, o rei D. Sebastião decidiu, enfim, "fazer mercê àqueles que tinham construído engenhos no Brasil", permitindo-lhes "mandar resgatar ao rio e resgates do Congo e trazer de lá para cada um dos ditos engenhos até 120 peças de escravos resgatadas à sua custa".

Estava iniciado o tráfico em grande escala. Em breve se encerraria o chamado ciclo da Guiné, iniciando-se o de Angola. Em 1585, segundo uma informação do padre José de Anchieta, tida como um tanto exagerada, já eram 120 mil os escravos africanos vivendo — e cedo morrendo — em Pernambuco. De qualquer modo, esse era apenas o início.

BENGUELA

Preocupados com os indígenas, que morriam como moscas não apenas por sua absoluta impossibilidade de adaptação ao regime de trabalho forçado como também pelos surtos epidêmicos que grassavam nos aldeamentos, nas senzalas ou nos engenhos, os jesuítas foram os primeiros a incentivar o tráfico de africanos para o Brasil. Mais bem adaptados à produção agrícola e ao trabalho organizado, os negros de fato se revelaram uma opção mais rentável para os senhores de engenho. O negócio, porém, cedo se mostrou muito melhor para os traficantes: trocados por fumo e cachaça, os escravos eram baratos na África. Como o açúcar feito no Nordeste do Brasil era levado para a Europa nos mesmos navios que traziam os escravos da África, os negreiros forçavam os engenhos a adquirir novos escravos sob pena de não comprarem seu açúcar. Assim, os senhores de engenho logo se endividaram.

De qualquer forma, um escravo se "pagava" em cinco anos. Melhor para seus senhores: devido aos maus-tratos freqüentes, a jornada de trabalho nunca inferior a dezoito horas diárias, às péssimas condições de alojamento e às rações criminosamente exíguas, os escravos, em média, não sobreviviam mais do que sete anos no Brasil. Mas, como uma "peça da África" custava cerca de cinqüenta mil-réis, mesmo portugueses relativamente pobres — e até escravos alforriados — podiam ter pelo menos uma. E de fato tinham: não possuir escravos no Brasil era considerado algo tão humilhante que dentre os "reinóis" que não conseguiam adquirir o seu, muitos preferiam voltar para Portugal.

CONGO

O preço baixo e a facilidade de substituir as "peças" explicam por que, entre as duas opções que dividiam os senhores de escravos — "deve-se criá-los ou comprá-los?" —, os brasileiros sempre optaram pela segunda. A mortalidade infantil também era assustadoramente alta entre os escravos — isso quando eles conseguiam "reproduzir em cativeiro", já que o número de mulheres trazidas da África foi cinco vezes menor do que o dos homens. A máquina escravagista que se estabeleceu primeiro nos engenhos (que "gastavam" cerca de duzentos escravos por ano, cada) e depois nas minas das Gerais, associada ao costume de substituir o escravo morto pelo moribundo seguinte, transformou o Brasil na maior nação escravista do Novo Mundo — e aquela que mais dependia de escravos. As conseqüências econômicas, políticas, morais e sociais foram enormes.

Na África, lavradores e aldeões eram capturados aos milhares por outros africanos caçadores de homens que, em geral, utilizavam os mesmos métodos empregados pelos traficantes berberes. Os cativos eram então conduzidos às feitorias à beira-mar e, a seguir, embarcados para o Novo Mundo. No século XVII, encerrado o ciclo da Guiné, começa o ciclo de Angola, durante o qual cerca de seiscentos mil escravos foram trazidos para o Brasil. Eram, quase todos, do grupo Banto: congos (ou cabindas), benguelas e ovambo e foram introduzidos em Pernambuco e no Rio de Janeiro, de onde partiriam para Minas Gerais e São Paulo.

No alvorecer do século XVIII, inicia-se o ciclo da Costa da Mina (hoje Benin e Daomé), durante o qual cerca de 1,3 milhão de escravos foram trazidos para o Brasil. Nesse período, os povos escravizados eram sudaneses: iorubás (ou nagôs), jejes (ou daomeanos), minas,

ANGOLA

A Imagem do Medo

Esta figura de bronze do Benin (África Ocidental), mostra como os artistas nativos temiam os soldados portugueses: o arcabuz e a armadura aparecem com todos os detalhes; o rosto se resume a uma máscara. Os edos, povo do Benin, tinham um reino poderoso no delta do Níger quando foram descobertos pelos traficantes de escravos, por volta de 1600. No início do século XVIII, do império dos edos restavam apenas seus bronzes soberbos.

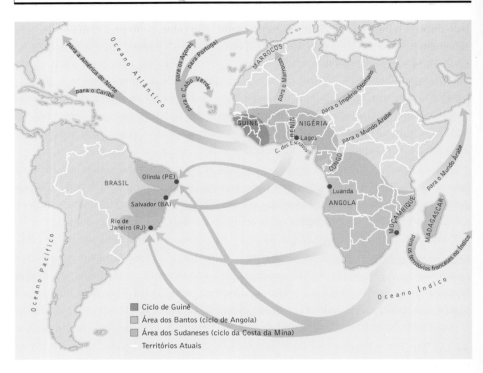

Ciclo de Guiné
Área dos Bantos (ciclo de Angola)
Área dos Sudaneses (ciclo da Costa da Mina)
Territórios Atuais

hauçás, tapas e bornus. Nessa época, os traficantes lusos, holandeses, espanhóis e ingleses já haviam sido amplamente superados pelos brasileiros. O ciclo da Costa da Mina perdurou até 1815, quando o tráfico de escravos no Atlântico passou a ser duramente reprimido pela Inglaterra. De 1815 até 1851, mesmo ilegal, o tráfico persistiu e, de acordo com alguns estudiosos, em quantidades e condições ainda mais amedrontadoras que antes (*veja capítulo 20*).

Na terceira e quarta fases do tráfico, era o Rio de Janeiro e não mais Salvador o grande centro escravista brasileiro. Os escravos eram desembarcados no porto, pagavam impostos como qualquer mercadoria (cerca de três mil-réis, ou 5% de seu valor) e eram postos a venda nos mercados na rua do Valongo (hoje Camerino, no centro da cidade). Lá permaneciam "nus, cabelos raspados, parecendo objetos medonhos (...) marcados com ferro quente no peito (...) cobertos de feridas extensas e corrosivas (...) com fisionomias estúpidas e pasmas", esperando comprador. Até mulheres "iam às compras". "Vão enfeitadas", escreveu o inglês Robert Walsh, em 1828, "sentam-se, manipulam e examinam suas compras, e levam-nas embora com a mais perfeita indiferença, como se estivessem comprando um cão ou uma mula". A preferência recaía nos negros "minas": os bantos eram considerados mais fracos e suscetíveis a doenças. "Fortes" ou "fracos", quase nenhum deles completaria uma década trabalhando no Brasil.

Os Requintes da Crueldade

Como em todas as sociedades escravistas, também no Brasil a variedade de suplícios e castigos estipulados pelos senhores para punir seus escravos foi ampla, geral e irrestrita. A punição mais comum era o açoite em praça pública, regulada pelo Código Penal. Num de seus desenhos mais conhecidos, o francês Jean-Baptiste Debret, que esteve no Brasil de 1816 a 1831, retratou esse suplício e escreveu sobre ele: "O povo admira a habilidade do carrasco que, ao levantar o braço para aplicar o golpe, arranha de leve a epiderme, deixando-a em carne viva depois da terceira chicotada. Conserva ele o braço levan-

tado durante o intervalo de alguns segundos entre cada golpe, tanto para contá-los em voz alta como para economizar forças até o final da execução. O chicote, que ele mesmo fabrica, tem sete ou oito tiras de couro bastante espessas e bem retorcidas. Esse instrumento contundente nunca deixa de produzir efeito quando bem seco, mas, ao amolecer, pelo sangue, precisa o carrasco trocá-lo, mantendo para isso cinco ou seis a seu lado, no chão (...)".

"Embora fortemente amarrado ao 'pau da paciência', como se chama o pelourinho, a dor dá-lhe tanta energia que a vítima encontra forças para se erguer nas pontas dos pés a cada chicotada, movimento convulsivo tantas vezes repetido que o suor da fricção do ventre e das coxas da vítima acaba polindo o pelourinho. Essa marca sinistra se encontra em todos os pelourinhos das praças públicas. Entretanto, alguns condenados (e esses são temíveis) demonstram grande força de caráter, sofrendo em silêncio até a última chicotada. De volta à prisão, a vítima é submetida a uma segunda prova, não menos dolorosa: a lavagem das chagas com vinagre e pimenta e grande quantidade de sal. Essas penas, de cinqüenta a duzentas chibatadas, são rigorosas, mas há outras bárbaras, como a que condena à morte o chefe de quilombo: são trezentas chibatadas ao longo de vários dias. No primeiro ele recebe cem, à razão de trinta por vez. A última execução abre chagas já profundas e ataca as veias mais importantes, provocando uma tal hemorragia que o negro sucumbe."

Faltas "menos graves" eram punidas com a palmatória (*acima, à direita*), cujas pancadas podiam chegar a duzentas; com o tronco (*ao centro*) que, segundo Debret, provocava "mais tédio do que dor"; ou com a gargalheira (*ao lado, abaixo*), colar de ferro com vários ganchos que facilitava a captura de escravos fujões. A primeira fuga era punida com a marcação, por ferro em brasa, de um F no rosto ou no ombro do escravo. Na segunda tentativa, o fugitivo tinha uma orelha cortada e, na terceira, era chicoteado até a morte. Outras

"faltas graves", além da fuga, podiam ser punidas com a castração, a quebra dos dentes a martelo, a amputação dos seios, o vazamento dos olhos ou a queimadura com lacre ardente. Houve casos de escravos lançados vivos nas caldeiras ou passados nas moendas, além daqueles que, besuntados de mel, foram atirados em grandes formigueiros. Os estudos mais aprofundados sobre a questão dos castigos revelam que eles não eram aplicados para "corrigir" o escravo punido (mesmo porque, muitas vezes, não se sobrevivia a eles), mas para semear o terror entre os que eram forçados a assistir aos suplícios. As punições eram, em geral, aplicadas por outros escravos – atrás deles, porém, ficava o feitor, sempre pronto a punir qualquer brandura ou esmorecimento por parte do carrasco.

Durante trezentos anos, o castigo foi uma peça básica para o pleno funcionamento e a manutenção da engrenagem escravista no Brasil. Existiam leis feitas para "impor limites ao arbítrio e à cólera dos senhores" mas, segundo vários depoimentos, como o de Rugendas, tais leis "não têm força e são desconhecidas tanto pelos escravos quanto pelos senhores".

O Trabalho e os Dias

E les eram plantadores e moedores de cana, derrubadores de mata e semeadores de mudas; eram vaqueiros, remeiros, pescadores, mineiros e lavradores; eram artífices, caldeireiros, marceneiros, ferreiros, pedreiros e oleiros; eram domésticos e pajens, guarda-costas, capangas e capitães-do-mato; feitores, capatazes e até carrascos de outros negros. Estavam em todos os lugares: nas cidades, nas lavouras, nas vilas, na mata, nas senzalas, nos portos, nos mercados, nos palácios. Carregavam baús, caixas, cestas, caixotes, lenha, cana, quitutes, ouro e pedras, terra e dejetos. Também transportavam cadeirinhas, redes e liteiras onde, sentados ou deitados, seus senhores passeavam (ou até viajavam). Eles eram, de acordo com o jesuíta Antonil, "as mãos e os pés dos senhores de engenho".

Mas, no Brasil, os escravos foram ainda mais do que isso: foram os olhos e os braços dos donos de minas; foram os pastores dos rebanhos e as bestas de carga; foram os ombros, as

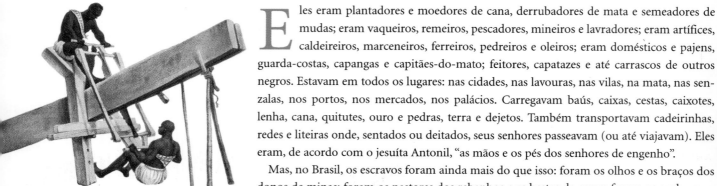

costas e as pernas que fizeram andar a Colônia e, mais tarde, o Império. Foram o ventre que gerou imensa população mestiça e o seio que amamentou os filhos dos senhores. Deixaram uma herança profunda: em 500 anos de história, o Brasil teve três séculos e meio de regime escravocrata contra apenas um de trabalho livre.

Que conseqüências teve esse legado? Onde começa e para onde conduz? Quais suas origens? Já houve quem arriscasse uma explicação: "Se há um povo dado à preguiça, sem ser o português, então não sei eu onde ele exista (...) Esta gente tudo prefere suportar a aprender uma profissão qualquer", escreveu o humanista flamengo Nicolau Clenardo ao visitar Portugal em 1535. É elucidativo que, em Portugal, o verbo "mourejar" tivesse se tornado sinônimo de "trabalhar". Se no Reino era assim, pior ficou no trópico.

Em 1808, ao visitar o Brasil, John Luccock, um inglês, comentou que os brancos se sentiam "fidalgos demais para trabalhar em público". Meio século depois, Thomas Ewbank, também britânico, dizia que, no Brasil, "um jovem preferiria morrer de fome a abraçar uma profissão manual". Segundo ele, a escravidão tornara "o trabalho desonroso — resultado superlativamente mau, pois inverte a ordem natural e destrói a harmonia da civilização". As críticas não eram arrogância britânica: para Luís Vilhena, mestre português que ensinava grego na Bahia, o Brasil era o "berço da preguiça".

Mama África

U m dos maiores países mestiços do mundo, o Brasil foi gerado também em ventre escravo. Raras seriam as sociedades coloniais nas quais houve tamanho intercurso sexual entre senhores e suas escravas como nos trópicos brasileiros. A partir do instante em que o número de "fêmeas" vindas da África aumentou, e o trabalho forçado adquiriu feições também domésticas, muitas escravas foram transferidas da senzala para o seio da casa-grande. Eram amas-de-leite e mucamas, "escolhidas dentre as mais limpas, as mais bonitas, as mais fortes", como observou Gilberto Freyre em *Casa grande & senzala*, clássico da historiografia brasileira quase inteiramente dedicado ao assunto.

No Brasil, como em Portugal, mãe que se prezasse jamais amamentava seu bebê. Por isso, inúmeros foram os filhos de senhores criados por mães pretas. O próprio Freyre, no

O Brasil Negro

Capoeira, samba, feijoada, candomblé, vatapá. Que país seria o Brasil sem o legado da cultura africana? Certamente não o mesmo que hoje é — e dificilmente mais colorido, dinâmico, múltiplo e ruidoso. Falar na "influência cultural" que os negros tiveram no Brasil é quase uma piada: o que parece ter havido, pelo menos em certas áreas do país, é quase tão-somente uma adaptação dos padrões de comportamento dos escravos às novas condições de vida a que foram submetidos. E, tão logo eles se estabeleceram, os demais povos é que se viram na contigência de absorver e adotar inúmeras tradições africanas.

O Brasil não comeria o que come, não rezaria como reza, não dançaria e cantaria como hoje canta, dança, reza e come não fosse a riquíssima herança cultural trazida pelos 4,5 milhões de escravos vindos da África sob as mais árduas condições e, por mais de três séculos, jogados nas praias, florestas, morros e cidades do Novo Mundo. Embora o Nordeste tenha sido a área que recebeu maior influência dos povos africanos, não há um só lugar do Brasil — nem mesmo os predominantemente europeus estados de Santa Catarina e Rio Grande do Sul — que não tenha sido transformado pelo legado da cultura negra.

O regime alimentar brasileiro africanizou-se desde cedo, com a introdução do azeite-de-dendê, da pimenta malagueta, do quiabo e de pratos como o angu, caruru, acarajé, efó, vatapá, xinxim, quibebe, o tutu de feijão "à mineira", no uso mais freqüente da abóbora jerimum e da melancia.

mesmo livro, atribui à amamentação em seio negro a paixão sexual desenvolvida pelos herdeiros da casa-grande por "mulheres de cor". Não parece ser apenas esse aspecto psicológico o que explicaria o assédio às fêmeas da senzala. Afinal, como comentava o mesmo Freyre, "não existe escravidão sem depravação sexual. Em primeiro lugar, o próprio interesse econômico a favorece, criando nos proprietários imoderado desejo de possuir o maior número possível de crias (....). Joaquim Nabuco colheu em um manifesto escravocrata de fazendeiros as seguintes palavras, tão ricas de significação: 'a parte mais produtiva da propriedade escrava ainda é o ventre gerador'".

Não era apenas o desejo, consciente ou não, de fazer a escrava reproduzir um novo servo o que empurrava muitos senhores aos relacionamentos com as mulheres da senzala. A perversão pura e simples foi um componente constante nessa relação. O que mais poderia explicar, por exemplo, o fato de ter surgido no Brasil a crença de que "para o sifilítico não há melhor depurativo do que uma negrinha virgem", defendida, ainda em 1869, por um certo Dr. João de Azevedo Macedo Jr.? Ou a confissão que um "sacerdote de missa" fez ao visitador inquisitorial, na Bahia, em 1591, revelando que, certa noite, levara para sua casa "uma negra, que seria da idade de seis ou sete anos", e "a penetrou pelo vaso traseiro"? O que mais explicaria ainda que algumas senhoras, ciumentas com a relação, real ou suposta, de seus maridos com certas mucamas, tenham mandado arrancar os olhos de tais moças "e trazê-los à presença do marido, à hora da sobremesa, boiando dentro de uma compoteira"? Ou o fato de que qualquer escravo que porventura caísse no erro de se deixar seduzir por sua senhora estivesse condenado a ser "castrado com uma faca mal-afiada, ter a ferida salgada e, aí, ser enterrado vivo"?

Desnecessário prolongar a lista. O panorama de desregramento sexual no Brasil Colônia parece ter sido tal que, na aurora do século XVIII, o bispo do Pará se via compelido a escrever: "A miséria dos costumes neste país me faz lembrar o fim das cinco cidades por me parecer que moro nos subúrbios de Gomorra, mui próximo, e na vizinhança de Sodoma". O pecado enfim chegara ao sul do Equador.

De todo modo, a miscigenação entre brancos e negros no Brasil se desenrolou em um plano meramente material e sexual, não implicando jamais a ausência ou a diminuição do preconceito — mesmo porque, como bem observou o sociólogo Florestan Fernandes, sempre houve "uma relação direta entre preconceito de cor e preservação da ordem senhorial", simplesmente porque o próprio preconceito servia (e ainda serve) para perpetuar a segregação social.

A Luta dos Escravos

A historiografia brasileira, até cerca de 25 anos atrás, preferiu adotar a tese segundo a qual os escravos "se adaptaram bem" ao regime tirânico que lhes foi imposto no Brasil — onde a escravidão teria sido relativamente branda. O mito do "bom senhor" quase adquiriu força de lei depois do lançamento, em 1933, de *Casa grande & senzala*, de Gilberto Freyre. No início dos anos 1960, surgiram os textos revisionistas da chamada "Escola Paulista" — liderada por Florestan Fernandes, Octávio Ianni e Fernando Henrique Cardoso. Embora avessos à tese de Freyre, esses estudiosos — de formação marxista — preferiram analisar a questão pelo lado da "coisificação" do escravo, quase ignorando as rebeliões da senzala. O próprio Cardoso chegou a escrever que os escravos foram "testemunhos mudos de uma história para a qual não existem a não ser como (...) instrumento passivo".

Sabe-se atualmente que a resistência dos escravos foi feroz e constante: milhares de negros lutaram de todas as formas contra os horrores que o destino lhes reservara. A fuga, solitária ou coletiva, não era a única forma de rebelião: houve incontáveis casos de escravos que quebraram ferramentas, incendiaram senzalas, dispersaram os rebanhos ou atacaram seus feitores. Muitos outros optaram pelo suicídio (em geral pela ingestão de terra), ou então se deixaram acometer pelo "banzo", o torpor mortal que levava à morte por inanição. O certo é que, onde houve escravidão, houve resistência.

Evidentemente, a forma mais comum de protesto contra a escravidão era a fuga. Apesar do rigor das punições (que incluíam a marcação com ferro em brasa, o açoitamento e até o corte do tendão-de-aquiles), milhares de negros tentaram escapar da senzala — e muitos conseguiram. Embora grande parte fosse recapturada pelos capitães-do-mato, terríveis caçadores de homens quase infalíveis (negros na maioria), sempre houve aqueles que, "estimando mais a liberdade entre as feras do que a sujeição entre os homens", lograram se meter na mata e lá fundar seus "mocambos" e "quilombos" (respectivamente "esconderijo" e "povoação", em banto).

Quantos foram os quilombos e quantos negros neles viveram é algo impossível de calcular. Em 1930, o *Guia Postal do Brasil* registrava, segundo um pesquisador, 168 agências cujo nome derivava das palavras quilombo ou mocambo. Eles se espalhavam da Amazônia ao Rio Grande do Sul, e alguns chegaram a ter cerca de dez mil habitantes, como o quilombo do Ambrósio, em Minas Gerais. Nessas povoações, não viviam apenas negros de todos os grupos étnicos, falando várias línguas diferentes: nos quilombos também se podia encontrar indígenas e brancos desajustados ou fora-da-lei. Embora as autoridades e os senhores de escravos constantemente se unissem para articular expedições repressivas, enviadas a todo e qualquer quilombo, onde quer que eles se encontrassem, muitos desses núcleos resistiram por anos a fio. O maior e mais importante deles — Palmares, o berço de Zumbi — foi capaz de sobreviver por quase um século.

Olinda
Recife

Amaro

Arotirene
Tabocas
Serinharém

Dambranga
Zumbi
Aqualtene

Macaco
Porto Calvo

Andalaquituche

Oceano Atlântico

Alagoas do Sul   Maceió

● Mocambos da
  Serra da Barriga
● Cidades Atuais

Na serra da Barriga: localizadas 90 km de
Maceió, em Alagoas, montanhas de difícil
acesso, recobertas de palmeiras, se tornaram
um local ideal para abrigar vários quilombos.

O Quilombo dos Palmares

Palmares foi o mais significativo e o mais simbólico dos quilombos não apenas do Brasil mas das Américas. Em nenhum outro lugar a resistência dos escravos fugidos foi tão longa, bem-sucedida e organizada como nos doze mocambos erguidos na serra da Barriga, no sertão das Alagoas, a 90 quilômetros de Maceió. Ainda assim, sua história permanece envolta em penumbra e mitificações e repleta de lacunas. Seu próprio líder, Zumbi, virou figura mais mitológica do que histórica.

Desde 1991, porém, um programa de escavações arqueológicas — financiado por entidades internacionais, entre as quais a americana National Geographic — está sendo desenvolvido no mocambo do Macaco, a capital dos Palmares, e poderá elucidar muito de um episódio que já foi interpretado por várias óticas. Ironicamente, Palmares entrou para a história pelas mãos de um rico senhor de engenho, Sebastião da Rocha Pita que, em 1724, em sua *História da América portuguesa*, celebrou "o fim tão útil como glorioso (*da*) guerra que fizemos aos negros dos Palmares". As poucas fontes originais relatando a resistência épica e a trágica derrocada do quilombo foram redigidas pelas mesmas mãos que o destruíram.

A partir da década de 1950, a história dos Palmares seria lida por uma ótica "de esquerda". Embora historiadores como Edison Carneiro e Décio Freitas tenham publicado documentos inéditos, o velho quilombo de Zumbi continuou sendo utilizado como símbolo e metáfora. A realidade — menos emblemática e glamourosa, mais efetiva e complexa — começa agora a emergir das covas abertas na terra. Três séculos após sua destruição, Palmares pode estar renascendo.

O quê: Palmares não era apenas um, mas doze quilombos, unidos por uma rede de trilhas na mata. No quilombo do Macaco, de dois mil habitantes, viveram o "rei" Ganga Zumba e seu sobrinho Zumbi. Palmares pode ter tido vinte mil habitantes e seis mil casas.

Quando: o quilombo começou a ser erguido em 1602 por quarenta escravos fugidos de engenhos em Pernambuco. Como só foi destruído em fevereiro de 1694, sua existência prolongou-se por quase um século.

Onde: a serra da Barriga fica a cerca de noventa quilômetros a noroeste de Maceió, mas a área de influência do quilombo era muito maior: cerca de 200 km², em Pernambuco e Alagoas.

Quem viveu lá: negros de todos os grupos étnicos, e também indígenas e até brancos fora-da-lei. Não se sabe a língua falada no quilombo. De 1656 a 1678, o líder do quilombo foi Ganga Zumba (ou "Grande Senhor"). Em novembro de 1678, Zumba foi a Recife e firmou tratado de paz com o governador Souza Castro: seriam livres os negros nascidos em Palmares, ao passo que os outros habitantes do quilombo deveriam ser entregues às autoridades. Zumbi discordou do acordo, destituiu Ganga Zumba e assumiu o movimento de resistência dos Palmares.

Como o quilombo foi destruído: ao longo de sua luta quase secular, Palmares foi atacado 25 vezes. As primeiras expedições foram enviadas pelos holandeses em 1644 e 1645. Em 1692, Domingos Jorge Velho, bandeirante paulista, foi contratado para atacar o quilombo. Palmares caiu em 6 de fevereiro de 1694, mas Zumbi escapou. Foi morto por André Furtado Mendonça quase dois anos depois. Sua cabeça foi exposta em praça pública "para satisfazer os ofendidos e justamente queixosos e aterrorizar os negros, que o julgavam imortal".

O Guerrilheiro Ne

Zumbi, cujo nome quer dizer
Guerra", era sobrinho-neto de
Aqualtune. Envenenou seu ti
Zumba, "rei" de Palmares, e
poder. Zumbi era casado com
branca. Ele preferiu o suicídio
rendição: jogou-se dum penh
não ser capturado pelos que
seu quilombo. Zumbi era hor
Todas as afirmativas acima e
erradas ou são improváveis.
sabe sobre o guerreiro dos Pal
Documentos comprovam que
1695, de fato existiu um "gen
de nome Zumbi. Ele era baix
valente: "negro de singular va
ânimo e constância rara; aos
serve de embaraço, aos seus
exemplo", disse um cronista.
à paz firmada por Ganga Zu
Zumbi liderou a resistência fr
Palmares. Delatado, foi morte
novembro de 1695. Sua cabeç
exposta na praça central de R
se decompor por completo.

Zumbi dos Palmares: não exister
autênticas do grande líder da ins
dos escravos. Os dois retratos des
são supostos: à esquerda, óleo de
Parreiras e, acima, retrato de M

A Conjuração Mineira

ncarcerado havia três anos, o prisioneiro caminhava com dificuldade e mal conseguia abrir os olhos. A alva (o tosco stido pelos condenados) roçava-ozelos. O baraço (a grossa corda rodeava-lhe o pescoço e se estira-nãos do carrasco que o conduzia. as, nas portas, nos beirais, pelas povo acompanhava cada gesto nte. À frente ia a cavalaria, com rras. Depois, o clero, os francis-a Irmandade da Misericórdia, salmos. A seguir, acorrentado e ndo com o crucifixo que trazia dos olhos, seguia o condenado.

Às vezes a procissão parava. O escrivão, então, lia o mandado em voz alta: "Justiça que a rainha manda fazer a este infame, réu Joaquim José da Silva Xavier, pelo horroroso crime de rebelião e alta traição de que se constituiu chefe e cabeça na capitania de Minas Gerais...". Às onze da manhã, sob um sol abrasador, o séquito chegou ao campo de São Domingos, centro no Rio de Janeiro. Ali se erguia o patíbulo.

Três horas antes, o grupo partira do presídio. Lá, quando o carrasco, o negro Capitania, se aproximara, com o baraço e a alva, o condenado adiantou-se e beijou-lhe as mãos e os pés. A seguir, quando lhe ordenaram que se despisse para vestir a

alva, ele tirou a camisa e disse: "Meu salvador morreu também assim, nu, por meus pecados". Agora a vítima subia os degraus do patíbulo. Era sábado, 21 de abril de 1792.

O édito da rainha conclamara o povo do Rio a assistir à execução, e a praça estava repleta. À sombra da forca, o prisioneiro pediu ao carrasco para que "acabasse logo com aquilo". Mas faltavam os sermões. O frade Raimundo de Penaforte citou o Eclesiastes: "Nem por pensamento detraias do teu rei, porque as mesmas aves levarão a tua voz e manifestarão teus juízos". Em seguida, quando o povo e o padecente rezavam o credo, de súbito, em meio a uma

frase, houve um baque surdo e o corpo da vítima balançava no ar. Para apressar a morte, o carrasco pulou sobre os ombros do enforcado. Ambos dançaram um bailado tétrico. Morria o Tiradentes.

Mas a condenação ainda não estava completa: a sentença determinava que o corpo fosse "espostejado", e o esquartejamento começou em seguida. Dividido em quatro pedaços, bem salgados e postos dentro de grandes sacos de couro, o corpo de Tiradentes partiu para sua última viagem. O quarto superior esquerdo foi pendurado num poste em Paraíba do Sul (Rio de Janeiro). O quarto superior direito foi amarrado numa encruzilhada na saída de Barbacena, em Minas Gerais. O quarto inferior direito ficou na frente da estalagem de Varginha (Minas Gerais); o último foi espetado perto de Vila Rica, cidade à qual a cabeça de Tiradentes chegou em 20 de maio de 1792. Ficou enfiada num poste, defronte da sede do governo. Tiradentes saía da vida para entrar na história.

A sentença e os sentenciados: a condenação aos implicados no levante de Vila Rica (*acima*) foi assinada pela rainha D. Maria. Abaixo, os réus partem de Minas para o Rio de Janeiro.

A Rainha Louca

A terrível sentença contra o alferes Joaquim José da Silva Xavier que incluía ainda a difamação de seus descendentes até a terceira geração, a destruição de sua casa, em Vila Rica, o salgamento do chão e o erguimento de um marco no local, para "preservar a memória infame do abominável réu" — foi proferida às 2 horas da manhã de 19 de abril de 1792. Conhecido por Tiradentes — em razão da profissão que eventualmente exercia —, o alferes fora considerado líder da Inconfidência (ou Conjuração, como preferem alguns historiadores) Mineira e o único dos implicados condenado à morte. A sentença foi pronunciada em nome da princesa de Portugal, D. Maria I. Mas ela, com certeza, nada soube do caso: estava louca desde o início de 1792.

D. Maria era casada com seu tio, o rei-consorte D. Pedro III. Em 1786, o rei morreu, vítima de embolia cerebral.

A Vila Rica dos Poetas

Em 1780, um século após a descoberta das minas, Vila Rica já havia muito deixara de ser um acampamento mineiro embarrado e sem atrativos. Situada no sopé do grandioso penedo do Itacolomi, no sul de Minas, a cidade se constituía de uma teia de ruas pavimentadas percorrendo ladeiras íngremes, ladeadas por graciosas construções de dois pisos, muitas das quais possuíam terraços ajardinados e floridos. No topo das colinas, ou em frente à praças amplas a arejadas, havia inúmeras igrejas barrocas, com altares reluzindo em ouro e paredes repletas de ornamentações suntuosas. Não era uma cidade: era uma obra de arte urbana. Vila Rica, disse um poeta, era "a pérola preciosa do Brasil".

Mas a riqueza da cidade — seu ouro preto, seus diamantes reluzentes, suas minas opulentas — era também a fonte de suas desgraças. Submetida a uma sangria feroz, que se manifestava na forma de impostos de entrada e impostos de saída (qualquer produto levado às minas era duramente taxado; cada grama de ouro que saía pagava um tributo oneroso), Vila Rica via sua fortuna se esvair. Levado para além-mar, o ouro de Minas permitia a D. João V reinar numa luxuosa ostentação a ponto de se tornar conhecido como o *Roi-Soleil* português. O mais perturbador é que o "fulvo metal" nem sequer servia para enriquecer a Metrópole: era apenas o ouro "que Portugal distribuía tão liberalmente para a Europa", como observou o viajante inglês Henry Fielding. Nada mais natural, portanto, que a jovem sociedade mineira — tão diferenciada da elite rural e latifundiária do Nordeste — alimentasse um profundo estado de indignação e revolta. E essa revolta não demoraria muito para eclodir.

Pelo menos algumas vantagens Vila Rica (*abaixo, desenhada por Rugendas*) conseguia auferir de sua opulência. Além de constituir uma sociedade essencialmente urbana, possuía uma estrutura bem mais complexa do que aquela que se reduzia a senhores e escravos. Havia uma "classe média": comerciantes, mercadores, ourives, artistas e, é claro, poetas. Outra possibilidade aberta pelo ouro foi a chance concedida a alguns filhos da elite local de realizarem seus estudos na Europa. De fato, muitos herdeiros de mineradores bem-sucedidos foram enviados para a universidade de Coimbra, em Portugal. Lá, vários deles tomaram contato com idéias liberais e republicanas, acompanhando o furor provocado pela revolução francesa e pela independência dos Estados Unidos. Um desses estudantes, José da Maia e Barbalho, chegou a entrar em contato com Thomas Jefferson, então embaixador dos EUA na França, sondando-o sobre um possível apoio norte-americano à independência do Brasil.

Enquanto isso, em Vila Rica, mudanças políticas tornaram insustentável o que já era ruim. Em outubro de 1783, o governador Rodrigo José de Meneses, homem de grande cultura, amigo do poeta Cláudio Manuel da Costa e liberal com os contrabandistas, foi substituído por Luiz da Cunha Meneses, um sujeito em tudo diferente dele. Para atacar a elite descontente, Cunha fez uma aliança populista com as classes menos favorecidas de Vila Rica. Mas era um corrupto que saqueava os cofres públicos e desfilava ostensivamente pelas ruas de Vila Rica com suas muitas concubinas. Foi satirizado pelas *Cartas chilenas*, livro provavelmente escrito por Tomás Antônio Gonzaga, no qual era chamado de "Fanfarrão Minésio".

O Romance da Conjuração

Publicadas entre julho de 1788 e fevereiro de 1789, as *Cartas chilenas* marcaram o início da luta dos poetas de Vila Rica contra os desmandos da Metrópole. Agrupados pela crítica literária sob a denominação geral de Escola Mineira, os principais poetas conjurados eram três — todos membros da elite local e homens que tinham lucrado muito com o ouro e a ordem estabelecida, a qual só passaram a contestar a partir do instante em que deixaram de ser favorecidos por ela. Além dos três poetas que mais tarde seriam presos, também faziam parte da Escola Mineira Silva Alvarenga (autor de *Glaura*, de 1799), Basílio da Gama (autor do poema épico *O Uraguai*, de 1769) e Santa Rita Durão (autor de *Caramuru*, de 1781).

Dentre os poetas conjurados propriamente ditos, o menos fulgurante foi o coronel Inácio José de Alvarenga Peixoto. Nascido no Rio, em 1744, Alvarenga Peixoto era um advogado que virou minerador. Foi autor de apenas trinta poemas e não deixou livro publicado. Partiu dele a sugestão de incluir na bandeira da Conjuração um trecho de uma écloga de Virgílio: *Libertas quae sera tamen* ("Liberdade ainda que tardia"). Os dois outros poetas inconfidentes eram homens de gênio, autores de obras profícuas e densas.

Como Silva Alvarenga, Cláudio Manuel da Costa e Tomás Antônio Gonzaga faziam uma poesia influenciada pelo bucolismo: uma exaltação da vida campesina simples, com sua paisagem, seus pastores e seus rebanhos, de acordo com as normas ditadas pelos modelos greco-romanos. Nos melhores momentos de sua obra — e eles são muitos — Tomás Antônio Gonzaga e Cláudio Manuel da Costa, mesmo sem ousar romper com os modelos neoclássicos, revelaram um estilo luminoso e o domínio pleno do soneto camoniano. Ambos podem ter sido revolucionários fracassados, mas com certeza foram poetas maiores.

Cláudio Manuel da Costa nasceu em Mariana em 1729. Estudou no colégio dos jesuítas, no Rio, e se formou em Direito, em Coimbra. Advogado, minerador e fazendeiro de gado bovino e suíno, senhor de muitos escravos, logo se tornou um dos homens mais ricos de Minas. Membro da Ordem de Cristo, seu prestígio era tal que foi secretário do governo entre 1762 e 1765, sendo depois reeleito para o período de 1769 a 1773. Rico, influente, solteiro, dono de uma bela mansão, era figura respeitada e popular, que costumava reunir amigos e intelectuais em movimentados saraus.

Dois anos depois, a varíola levou-lhe o filho mais velho, José. Passado outro ano, estourou a Revolução Francesa. Esse parece ter sido o golpe fatal para D. Maria: ela passou a ter certeza de que seria decapitada e, depois de morta, iria para o inferno. Alguns historiadores acham que foi o bispo José Maria de Melo, seu confessor, quem lhe despertou a paranóia e a carolice ensandecida. Em 1792, seu filho, o príncipe D. João, tornou-se regente e em 1799 os médicos consideraram a rainha incurável. D. Maria vivia trancada no palácio, gritando e quebrando o que visse pela frente. Morreu em 1816, no Brasil, para onde viera em 1808.

Enfim serás cantada, Vila Rica,
Teu nome impresso nas memórias fica;
Terás a glória de ter dado o berço
A quem te faz girar pelo universo.

Cláudio Manuel da Costa

Liberdade, essa palavra que o sonho humano alimenta que não há ninguém que explique e ninguém que não entenda.

Cecília Meireles

Marília de Dirceu

Escrito por Tomás Antônio Gonzaga durante sua prisão no Rio, em 1789, Marília de Dirceu é um dos mais belos poemas de amor da língua portuguesa. Foi dedicado à jovem Maria Dorotéia de Seixas Brandão, de 16 anos (acima um retrato supositício de Guinard), por quem o poeta, de 43 anos, se apaixonou e com quem iria casar se não tivesse sido preso. Enviado para dez anos de degredo na África, em 1792, Tomás Antônio Gonzaga nunca mais veria sua amada. Mas parece não ter sofrido muito com a ausência dela: casou-se com Juliana de Souza Mascarenhas, mulher "de muitas posses e poucas letras", da família mais opulenta de Moçambique, enriquecida pelo tráfico de escravos, ao qual o poeta passou a se dedicar, integrando-se à "melhor sociedade" local. Rico e ocioso, Tomás Antônio Gonzaga ficou em Moçambique até morrer, em 1810. Marília de Dirceu foi publicado em Lisboa, com grande sucesso, em 1799.

Tomás Antônio Gonzaga, ou "Dirceu", nasceu no Porto, em 1744, mas veio com os pais para o Brasil aos 8 anos de idade. Estudou no colégio dos jesuítas, na Bahia. Aos 16 anos, voltou para Portugal, onde, em 1768, se formou em Direito na universidade de Coimbra. Ao retornar para o Brasil, foi nomeado ouvidor de Vila Rica — e, como Cláudio Manuel da Costa, lucrou bastante graças à política de vistas grossas do governador Rodrigo José de Meneses com o contrabando de ouro e diamantes.

Tomás Antônio Gonzaga era discípulo de Cláudio Manuel da Costa e ambos eram centro de um grupo que reunia também o intendente de Vila Rica, Francisco Pires Bandeira, o contratante João Rodrigues de Macedo, o ex-ouvidor de São João del Rei, Alvarenga Peixoto, o comandante militar da capitania, Francisco Freire de Andrade, o cônego Luiz Vieira da Silva, dono de uma das mais notáveis bibliotecas da colônia (repleta de livros considerados "subversivos") e os clérigos radicais Carlos Correia de Toledo, José da Silva e Oliveira Rolim. Foram esses advogados, juízes, magistrados, comerciantes, fazendeiros, emprestadores de dinheiro, padres, cônegos e membros de sociedades secretas e irmandades leigas que decidiram desafiar o poder colonial.

O Fim da Conjuração

Em 1788, sempre zelosa de sua mais opulenta capitania, a Coroa substituiu o corrupto governador Luís da Cunha Meneses por Luís Antônio Furtado de Mendonça, visconde de Barbacena e sobrinho do vice-rei Luís de Vasconcelos e Sousa. O visconde chegou a Vila Rica com ordens expressas para aplicar o alvará de dezembro de 1750, de acordo com o qual Minas precisava pagar 100 arrobas (ou 1.500 quilogramas) de ouro por ano para a Coroa. Caso a arrecadação não atingisse essa cota, seria, então, cobrada a derrama — o imposto extra tirado de toda a população até completar as cem arrobas. O visconde anunciou: a derrama, por mais odiada e temida que fosse, seria cobrada em fevereiro de 1789.

No dia 26 de dezembro de 1788, na casa do tenente-coronel Francisco de Paula Freire de Andrade, chefe do Regimento dos Dragões, alguns dos personagens mais importantes de Minas se encontraram para uma reunião conspiratória. Três tipos de homens estavam na reunião: intelectuais, como o filho do capitão-mor de Vila Rica, José Álvares Maciel; entusiastas, como o alferes Joaquim José da Silva Xavier (que fora atraído pelas idéias emancipacionistas de Maciel); e, em maior número e muito mais voz de comando, mineradores e magnatas endividados, como Alvarenga Peixoto e o padre Oliveira Rolim, notório traficante de diamantes e de escravos. Mais tarde, na segunda reunião, no mesmo local, se juntaria ao grupo o negociante Joaquim Silvério dos Reis, talvez o homem mais endividado da capitania, com um passivo oito vezes superior aos ativos. Todos decidiram se rebelar contra a Coroa.

Ficou decidido que, no dia em que fosse decretada a derrama, uma revolução eclodiria. Os planos para o golpe eram tão vagos quanto os projetos do futuro governo. Em tese, a revolta levaria à fundação, em Minas, de uma república independente, cuja capital seria São João del Rei. O Distrito Diamantino seria liberado, assim como a exploração do ferro e a industrialização. Seriam construídos hospitais, criada uma universidade e abolida a escravidão. O governo seria entregue a Tomás Antônio Gonzaga, por 3 anos — a seguir, seriam convocadas eleições livres. Em suma, Minas se tornaria o paraíso na Terra.

Embora a historiografia oficial considere a Conjuração Mineira uma grande luta pela liberdade no Brasil, para o historiador americano Kenneth Maxwell, autor de *A devassa da devassa*, o melhor livro sobre o tema, "a conspiração dos mineiros era, basicamente, um movimento de oligarcas, no interesse da oligarquia, sendo o nome do povo invocado apenas como justificativa. (...) A derrama proporcionava aos magnatas locais um subterfúgio pré-fabricado para alcançarem seus objetivos egoístas sob o disfarce de um levante popular". Mas o plano gorou: em fevereiro de 1789, Barbacena suspendeu a derrama. Os inconfidentes se desarticularam. Ainda de acordo com Maxwell, só *depois* da suspensão da derrama foi que Joaquim Silvério dos Reis denunciou a trama — com o objetivo de obter o perdão de suas dívidas. Em maio, os acusados, um a um, começaram a ser presos. Em seguida, foram enviados para julgamento no Rio (*gravura nas páginas 124-125*). Na capital, ficaram três anos aguardando as sentenças, acusando-se mutuamente e clamando por perdão.

O Patrono: por lei de dezembro de 1965, aprovada durante o governo militar, o alferes Joaquim José da Silva Xavier (*abaixo, envergando uniforme de sua patente, no quadro feito pelo pintor positivista José Wasth Rodrigues, em 1940*) foi convertido em Patrono Cívico da Nação Brasileira, título que manteve após a redemocratização do país.

O Destino dos Conspiradores

A cena foi meticulosamente preparada, de modo a ter o mais teatral dos efeitos. A leitura da sentença, iniciada no dia 18 de abril de 1792, na sala do tribunal do Rio, teve a espantosa duração de 18 horas, prolongando-se das 8 da manhã às 2 da madrugada seguinte. E ocorreu em meio a grande confusão, na presença dos dezoito acusados — deitados em estrados de madeira, já que o peso de seus colares de ferro não permitia que permanecessem de pé —, todos acompanhados pelos dezoito padres que os assistiam, além de nove juízes, dezenas de guardas com suas armas carregadas e o próprio vice-rei. Pela cidade, todos os prédios públicos estavam guarnecidos. Depois de muita tensão, com os réus tresnoitados, em ferros e ansiosos, o escrivão passou a ler as sentenças: sete inconfidentes foram condenados ao degredo e onze condenados à morte.

Vestidos em panos de algodão ordinários, barbudos, grisalhos, esmaecidos, com os olhos sensíveis à luz após 36 meses no cárcere, os condenados passaram a blasfemar uns contra os outros ("Depois de três anos incomunicáveis, era neles mais violento o desejo de falar (...) e eles acusavam-se mutuamente", anotou frei Raimundo de Penaforte, presente ao julgamento). Apenas Tiradentes mantinha-se sereno e silente. Então, dramaticamente como planejado, iniciou-se a leitura da carta de clemência enviada, vários dias antes, pela rainha D. Maria I. A partir daquele instante, "houve um alvoroço indizível, com os presos levantando-se, erguendo os braços, desafogando seus corações, gritando, entoando terços, cânticos de louvor" e urras à

Um Símbolo Brasileiro

Não se sabe como eram as verdadeiras feições de Joaquim José da Silva Xavier. Todos os retratos são fictícios — embora nenhum tenha seguido duas informações vindas de fonte segura. Durante o julgamento dos inconfidentes, Alvarenga Peixoto descrevera Tiradentes como "feio e espantado". O depoimento de frei Penaforte indicava também que, ao ser conduzido ao patíbulo, o réu estava "com a barba e a cabeça raspadas". Mas tais fatos eram adversos ao processo de mitificação do Tiradentes — foram, portanto, solenemente ignorados. Na mais brilhante análise da

rainha, que daquele dia em diante passou a ser chamada de "clementíssima".

Alvarenga Peixoto, José Álvares Maciel, Luís Vaz de Toledo Pisa, Francisco Antônio de Oliveira Lopes, Francisco de Paula Freire de Andrade e Domingos de Abreu Vieira partiram para o exílio em Angola, no dia 5 de maio de 1792. No dia 23, zarpou o navio que levou para Moçambique Tomás Antônio Gonzaga, Vicente Vieira da Mota, José Aires Gomes, João da Costa Rodrigues, Vitoriano Gonçalves e Salvador de Amaral Gurgel. Os padres implicados foram julgados secretamente em Lisboa. Cláudio Manuel da Costa fora encontrado morto na Casa de Contos, em Vila Rica, no dia 4 de julho de 1789. A informação oficial foi de que ele se suicidara, mas muitos historiadores acham que, na verdade, o poeta foi morto — numa seção de tortura ou, então, pelos próprios inconfidentes.

De todas as sentenças originais, apenas uma foi mantida: aquela que condenava à morte e à infâmia o alferes Joaquim José da Silva Xavier. Tiradentes, órfão de pai e mãe desde os 10 anos, fracassara em tudo na vida: fora tropeiro, minerador e dentista. Em dezembro de 1755, alistara-se na Companhia dos Dragões e passou a patrulhar as estradas de Minas. Em quatorze anos de carreira, recebeu apenas uma promoção, tendo estacionado no posto de alferes (equivalente, hoje, ao de tenente). Em 1787, desgostoso com sua situação, pediu licença da tropa e mudou-se para o Rio, onde voltou a trabalhar como dentista e conheceu José Álvares Maciel, que o influenciou com idéias republicanas e separatistas.

De volta a Minas, Tiradentes tornou-se o mais entusiástico e temerário propagandista do golpe. Mas não há dúvida de que seu papel na trama foi, e sempre seria, menor. Ainda assim, e por isso mesmo, era o bode expiatório ideal — e a Coroa o escolheu para servir de exemplo. Tiradentes cumpriu o papel com altivez espantosa. Desde a prisão no Rio, em maio de 1789 (*gravura na página 128*) até o momento em que ouviu a leitura da sentença, Tiradentes não vacilou, blasfemou ou traiu.

E era uma sentença terrível:

"Pelo abominável intento de conduzir os povos da capitânia de Minas a uma rebelião, os juízes deste tribunal condenam ao citado réu a que, com baraço e pregão, seja conduzido pelas ruas públicas ao lugar da forca e nela morra a morte natural para sempre, e que depois de morto lhe seja cortada a cabeça e levada a Vila Rica, onde em o lugar mais público dela será pregada, em poste alto até que o tempo a consuma; e o seu corpo será dividido em quatro quartos, e pregado em postes, pelo caminho de Minas, onde o réu teve suas infames práticas, até que o tempo também os consuma; e declaram o réu infame, e seus filhos e netos, e os seus bens aplicam para o Fisco, e a casa em que vivia em Vila Rica será arrasada e salgada, para que nunca mais no chão se edifique, e no mesmo chão se erguerá um padrão, pelo qual se conserve a memória desse abominável réu".

E assim se fez. O Brasil ganhou seu Cristo cívico. E um Judas: o traidor Silvério dos Reis, desprezado e escorraçado pelo resto de sua vida.

O Mito do Tiradentes

Tiradentes pode ter sido mero bode expiatório no trágico desfecho da Conjuração Mineira. Mas a decência com a qual se comportou ao longo do lento e tortuoso processo judicial e, acima de tudo, a altivez com que enfrentou a morte, o tornaram, no ato, não apenas a maior figura do movimento, mas também um dos grandes heróis da história do Brasil. Enquanto a maioria dos conjurados chorava, balbuciava e se maldizia — trocando acusações e blasfêmias diante dos jurados —, Tiradentes manteve a dignidade, o senso de camaradagem e uma tranqüilidade despojada que, da mera leitura dos atos, sua presença refulge imponente e quase majestosa. Embora, de início, tenha tentado negar a existência da conspiração, tão logo as acusações se tornaram evidentes, Tiradentes tratou de atrair toda a culpa sobre si, praticamente se apresentando para o martírio ao proclamar responsabilidade exclusiva pelo movimento. Ao saber que, além dele, outros conjurados tinham sido condenados à morte, Tiradentes declarou: "Se dez vidas eu tivesse, dez vidas daria para salvá-los".

Não houve, por parte dos acusados, qualquer espécie de retribuição. Com toda a confusão de seus depoimentos, nenhum negara a participação de Tiradentes nem seu entusiasmo fanático e às vezes imprudente pela revolução. Para a Coroa, o alferes também despontava como a vítima ideal: primeiro, era alguém com todos os ressentimentos de um típico "revolucionário francês". Depois, não era ninguém: "Quem é ele?", perguntara uma carta régia enviada de Lisboa ao desembargador Torres, juiz do processo. "Não é pessoa que tenha figura, nem valimento, nem riqueza", foi a resposta. Além do mais, quem levaria a sério um movimento chefiado por um simples Tiradentes? Enforcá-lo, portanto, teria o efeito máximo como advertência e o mínimo como repercussão.

Mas os caminhos da história escolheram outras vias e, um século depois, Tiradentes seria transformado no grande símbolo da república — independentemente do papel que tivesse desempenhado na Conjuração. Por anos a fio, a história da revolta subsistira apenas na memória popular. A partir de 1873, e até 1893, a literatura e a historiografia começaram a transformar Tiradentes numa espécie de Cristo cívico. Ele renascera um pouco antes — no livro *Brasil pitoresco*, escrito em 1859 pelo francês Charles Ribeyrolles, na figura de um herói republicano "que se sacrificara por uma idéia". Em 1873, porém, o historiador Joaquim Norberto de Souza lançou sua *História da Conjuração Mineira*. Descobridor dos *Autos da Devassa*, ele foi o primeiro a consultá-los. Após treze anos de pesquisa, concluiu que o papel do Tiradentes fora secundário e que, por causa da "lavagem cerebral" a que o teriam submetido na prisão os frades franciscanos, substituíra o ardor patriótico pelo fervor religioso. "Prenderam um patriota, executaram um frade". Os republicanos, já tentando alçar Tiradentes ao papel de símbolo do regime que estava para nascer, protestaram. Negavam ter Tiradentes beijado as mãos e os pés do carrasco; não aceitavam a versão de que ele se dirigira à forca com um crucifixo; não acreditavam que tivesse dito que, como Cristo, também morreria nu. Mas o fato é que as semelhanças entre a paixão de Cristo e o martírio de Tiradentes eram tão evidentes (não faltavam nem Judas nem Pedros — e, agora, nem a ressurreição) que, depois de estabelecida a República, até mesmo os pintores ligados ou contratados por ela passaram a representar Tiradentes como se fosse Jesus no patíbulo. Com a passagem dos anos, a memória e as imagens de Tiradentes continuariam sendo esquartejadas.

fabricação do mito de Tiradentes, feita por José Murilo de Carvalho no livro A formação das almas — O imaginário da República no Brasil *(no qual se baseiam as idéias apresentadas nesta página), são analisadas todas as imagens de Tiradentes e de seu martírio (em especial os quadros* Tiradentes esquartejado, *feito em 1893 por Pedro Américo, e* Martírio de Tiradentes, *de Aurélio de Figueiredo, reproduzido acima). Neles, como em quase todos os demais, Tiradentes surge como "o mártir ideal e imaculado na brancura de sua túnica de condenado". Foi assim que ele se tornou aceito como símbolo nacional tanto por monarquistas e abolicionistas como pelos republicanos. O fenômeno se repetiria nos anos 60 do século XX, quando tanto os militares como grupos revolucionários de esquerda — e até mesmo o dinâmico e rebelde Teatro de Arena — usaram-no como símbolo de liberdade e de luta. Após dois séculos, Tiradentes vive.*

O "Cristo brasileiro": a imagem de Tiradentes no cadafalso (*página anterior*) e a de seu corpo já esquartejado fazem parte do imaginário brasileiro e ajudaram a construir um mito historiográfico.

As Revoltas Econômicas

O Bequimão: o senhor de engenho Manuel Beckman refugiou-se na mata (*acima*) depois de deflagrar a revolta que levou seu nome e foi debelada pelas tropas enviadas de Belém.

Várias insurreições ocorreram contra a dominação portuguesa durante o período colonial brasileiro. Embora algumas delas tenham se tornando também lutas pela autonomia e independência, os reais motivos de sua eclosão foram os desmandos do sistema colonial — pesadas tributações, impostos e monopólios estatais. Com freqüência, essas revoltas tomavam ares nacionalistas, voltando-se contra os "marinheiros", como os portugueses eram ironicamente chamados pelos brasileiros.

A Revolta de Beckman, ocorrida em 1684 no Maranhão, foi o primeiro protesto armado significativo contra as regras econômicas impostas pela Metrópole. Começou quando, aproveitando-se da ausência do governador da província, um senhor de engenho, Manuel Beckman — chamado de Bequimão — lançou um manifesto no qual deixava clara a revolta existente contra a Companhia de Comércio do Maranhão, que detinha os direitos de importação e exportação na região. No documento, o líder do movimento afirmava que "a duas coisas devemos pôr termo — aos jesuítas e ao monopólio — a fim de que tenhamos as mãos livres quanto ao comércio e quanto aos índios".

Além de deter o monopólio comercial, a Companhia — fundada em 1682 — estava obrigada a introduzir quinhentos escravos negros por ano na província, já que os jesuítas haviam conseguido proibir a escravização dos indígenas. A insurreição dos comerciantes e senhores de engenho eclodiu quando a Companhia não somente aumentou os preços de artigos importados considerados básicos — azeite, trigo, vinho e bacalhau — como deixou de fornecer a mão-de-obra africana. Em fevereiro de 1684, o grupo liderado por Beckmann formou um governo provisório, expulsou os padres jesuítas, fechou a Companhia de Comércio do Maranhão e passou a escravizar nativos em massa. Somente um ano depois, em 15 de maio de 1685, o governador Gomes Freire de Andrade, aproveitando-se das dissidências internas entre os rebeldes, conseguiu organizar o contra-ataque e retomar São Luís, até então sob o controle dos "revolucionários". Mesmo tendo se refugiado na floresta, Beckmann foi preso e enforcado. Mas, ao fim e ao cabo, seus objetivos foram alcançados: a Companhia de Comércio do Maranhão foi extinta um ano depois e, em 1759, a própria Companhia de Jesus acabou expulsa do Brasil. Aos indígenas restou a escravização e a extinção.

Outro conflito econômico dos tempos do Brasil Colônia foi a chamada Revolta de Vila Rica, ocorrida em Minas Gerais no ano de 1720. Na noite de 27 de junho, sete homens saíram às ruas da cidade acompanhados por escravos armados, conclamando a população a insurgir-se contra os absurdos cometidos pela Coroa Portuguesa. Protestavam contra a criação das Casas de Fundição (que facilitavam a cobrança do "quinto" real sobre a exploração do ouro), a proibição da circulação do ouro em pó e os desmandos do ouvidor Martinho Vieira e do governador, Conde de Assumar.

A revolta chegou a explodir, porém era desorganizada demais para sobreviver. O Conde de Assumar, astuciosamente, recebeu os rebeldes e até assinou um documento concordando com suas dezoito reivindicações, mas, assim que conseguiu reunir tropas suficientes, prendeu os revoltosos. No final, apenas Felipe dos Santos — foragido da justiça portuguesa por "abandono de lar" e figura de pouca importância no contexto da revolta — foi condenado em julgamento sumário e executado com requintes de crueldade. Apesar disso, a Revolta de Vila Rica não foi de todo inútil. No fim daquele mesmo ano, Minas se tornaria uma capitania independente de São Paulo.

A Guerra dos Mascates

No início do século XVII, Olinda era uma cidade de origem portuguesa, encarapitada no topo de uma colina defronte ao mar de Pernambuco, ocupada por mansões da aristocracia rural. Ao seu lado, nos baixios da colina, Recife havia sido construída pelos holandeses e sua população era formada principalmente por comerciantes e membros da pequena burguesia luso-brasileira. Estes eram chamados pejorativamente de "mascates" pelos olindenses, que consideravam Recife um simples bairro comercial de sua cidade. Foi nesse cenário que eclodiu, em 1710, um dos mais violentos conflitos internos do Brasil: a Guerra dos Mascates.

Após a Insurreição Pernambucana, em 1645, Recife tornou-se mais ativa, com seu porto registrando grande movimentação comercial e seus habitantes alimentando a idéia de ver o "bairro" elevado à condição de vila. Os aristocratas de Olinda — em sua maior parte senhores de engenho endividados pela crescente crise nas exportações de açúcar — lutavam pela manutenção de seus privilégios, cargos civis e eclesiásticos, e não abriam mão da supremacia sobre Recife. No dia 19 de novembro de 1709, o governador Sebastião de Castro e Caldas decidiu apoiar as reivindicações dos "mascates" e concedeu a Recife o *status* de vila. Na noite de 14 de fevereiro de 1710, ergueu o pelourinho na praça central da nova cidade.

A situação parecia ter sido aceita — embora a contragosto — pelos olindenses, quando, oito meses depois, um episódio ocorrido com Castro e Caldas desencadeou a violência entre as duas cidades rivais. Baleado por um grupo de encapuçados enquanto caminhava pela rua das Águas Verdes, o governador ordenou a prisão de vários senhores de engenho e do próprio ouvidor de Olinda, embora seus agressores nunca tenham sido identificados. Indignada, a elite olindense se revoltou e atacou Recife com homens vestidos de penas e plumas, fingindo um "ataque de índios". Eles destruíram o pelourinho e rasgaram o documento de criação da vila.

O governador fugiu, mas os recifenses reagiram e os combates se prolongaram por três meses. Na tentativa de solucionar o problema, o rei de Portugal, D. João V, nomeou um novo governador para Pernambuco, Félix José Machado, em outubro de 1711. A "nobreza de Pernambuco" — como se autodenominavam os olindenses — e os "mascates" de Recife depuseram as armas. Pouco depois, o novo governador revelou-se partidário da causa de Recife. Alegando nova conspiração dos olindenses, prendeu 150 supostos implicados, entre eles Bernardo Vieira de Mello, ex-governador do Rio Grande do Norte, favorável à independência de Pernambuco e à proclamação da República. Vários nobres fugiram para o sertão e muitos foram executados em Lisboa. Em 7 de abril de 1714, D. João V assinou ato régio anistiando os envolvidos, e a partir de então Olinda e Recife passaram a dividir o privilégio de sediar a casa do governador de Pernambuco.

O rei e o Recife: foi durante o reinado de D. João V (*acima*) que a Guerra dos Mascates eclodiu em Pernambuco, incendiando as ruas da cidade do Recife (*vista abaixo em gravura assinada pelo alemão Emil Bauch*).

CAPÍTULO 13

O Brasil da Família Real

O dia nasceu radiante. Desde a madrugada, a multidão se aglomerava no cais do largo do Paço, fitando a esquadra fundeada na baía de Guanabara. O desembarque, porém, só começou por volta das onze horas da manhã. Descontando-se os 45 dias passados na Bahia, a armada real estava em alto-mar havia dois meses. Ao longo dos 64 dias durante os quais aquelas oito naus, cinco fragatas, três brigues e trinta navios mercantes cruzaram o Atlântico, se uma tormenta por ventura afundasse a frota, faria submergir não apenas toda a dinastia de Bragança, mas boa parte da nobreza, do clero e da corte de um reino que partira para o exílio. Mas, singrando a mesma rota que Cabral seguira 300 anos antes — e sob a escolta de quatro navios de guerra britânicos —, aquele pedaço flutuante de Portugal desfrutou de uma viagem relativamente tranqüila.

Agora, na luminosa manhã de 8 de março de 1808, mais de dez mil nobres exilados se preparavam para pôr novamente os pés em terra e iniciar não só um novo período para a história de Portugal, mas, principalmente, uma nova era para o Brasil. Pelos treze anos que se seguiram, D. João VI e sua corte viveram no Rio de Janeiro: de início, fugindo do avanço incontido de Napoleão; depois, tentando se esquivar do jugo britânico. Dias antes do desembarque no Rio, o Brasil já começara a se livrar dos grilhões coloniais. Em breve, seria um reino unido a Portugal. A seguir, um país independente.

O júbilo com que o povo do Rio se preparava para receber a família real não era, portanto, apenas fruto de uma suposta devoção monárquica, mas uma antecipação

genuína pelas benesses que estavam por vir. E assim, no instante em que o futuro rei, sua mulher Carlota Joaquina, príncipes, nobres, cortesãos e até a rainha louca, D. Maria, pisaram em solo carioca, o som dos clarins, o espocar dos rojões, o alarido do povaréu, o troar dos aplausos e dos urras e o clamor dos sinos ecoaram pela baía de Guanabara.

A procissão real seguiu por ruas cobertas de areia branca, juncadas de folhas de mangueira e de canela, por entre as filas da soldadesca perfilada, com uniformes de gala refulgindo ao sol, diante das casas enfestoadas com panos multicoloridos. A marcha a conduziu da rua Direita à do Ouvidor e dali à remodelada igreja do Rosário, onde se rezou a missa para dar graças pela chegada à nova sede do reino de Portugal. Embora satisfeita com o desembarque, a família real não pôde deixar de notar que, além de despojada, a cidade do Rio exalava "os odores mais pútridos". A população, apesar de extasiada com a visão de tanto fausto, também não foi capaz

de ignorar a feiúra gritante de D. João VI e D. Carlota, nem os gritos alucinados de D. Maria I e as cabeças raspadas das cortesãs (por causa da epidemia de piolhos ocorrida a bordo). Em poucos anos, o Brasil e a realeza iriam se acostumar com os próprios defeitos — embora só a nação de fato se modificasse.

Beija-mão e rapa-pés: ao alto, cortesãos beijam a mão de D. João VI, que, ao desembarcar no Brasil, encontra as ruas (*acima*) cobertas de folhas e areia alvas.

A Fuga de Portugal

O Rei do Mundo

Napoleão Bonaparte (1769-1821) foi um dos maiores generais da história. Assumiu o poder na França depois de liderar uma brilhante campanha militar no Egito. Seu regime autocrático foi bem aceito após o caos provocado pela Revolução Francesa.

Em 1804, Napoleão proclamou-se imperador — e ele próprio se coroou. Entre 1805 e 1810, conquistou praticamente toda a Europa: só não venceu a Inglaterra, a qual bloqueou por mar. Em 1807, enviou a D. João VI um ultimato, forçando-o a declarar guerra aos britânicos. Ainda que por vias indiretas, o Brasil iria lucrar duplamente com Napoleão: além da vinda da família real, deve a ele o envio da missão artística francesa, em 1816.

O grande imperador: no quadro acima, Napoleão aparece representado pelo pintor David, primo e um dos principais mestres de Debret, que teve que vir para o Brasil justamente por ser simpatizante de Napoleão. A gravura abaixo mostra a atribulada fuga de Lisboa empreendida pela família real.

O dia nasceu chuvoso e frio. Desde a madrugada, a multidão se aglomerava no porto do Tejo, fitando a frota que balouçava nas águas barrentas do rio e as enormes pilhas de baús amontoados no cais. A chuva caía sobre móveis rebuscados e objetos de arte, sobre mais de 60 mil livros e manuscritos de bibliotecas reais, sobre quadros, pratarias e arquivos. A mesma chuva transformara as ruas estreitas que serpenteavam das sete colinas de Lisboa até o porto em riachos ou atoleiros. Por elas, engarrafavam-se mais de setecentas carruagens e carroças.

Quando os pertences da família real começaram a ser embarcados, um engalfinhamento enlouquecido de cortesãos dispostos a obter permissão para subir a bordo varreu o cais. Calado e ressentido, o povo lisboeta percebia que estava prestes a ser abandonado pela monarquia. Era 27 de novembro de 1807.

Por meses a fio, por meio de um intrincado jogo diplomático e à custa de muitas humilhações, D. João VI havia conseguido manter uma aparente neutralidade na luta travada por Napoleão para submeter a Inglaterra à sua coroa imperial. No dia 12 de agosto de 1807, a França e sua aliada, a Espanha, deram um ultimato a Portugal: se até o dia 1º de setembro D. João não fechasse seus portos a navios ingleses, confiscasse propriedades e prendesse todos os súditos britânicos residentes no país, a aliança franco-espanhola declararia guerra a Portugal.

Encurralado entre duas hipóteses desastrosas (romper com a Inglaterra, um antigo e poderoso aliado, ou desafiar seus aguerridos vizinhos), D. João VI, com o auxílio e simulação dos ingleses, postergou a decisão até 20 de outubro, quando fingiu ter bloqueado seus portos aos britânicos. Não foi o bastante: em novembro, o general Junot deu início à invasão de Portugal.

Andoche Junot era um velho conhecido de D. João VI: pouco antes, fora embaixador da França em Lisboa. Agora, porém, à frente de um exército de 23 mil soldados, ele marchava para tomar a capital. Embora mal-armada, mal-treinada, faminta e fatigada, a tropa de Junot era identificada com a máquina de guerra que esmagara os exércitos da Áustria e da Rússia. Por isso, os franceses entraram em Portugal sem encontrar resistência e, em 25 de novembro, as tropas invasoras já estavam nos arredores de Lisboa.

Desde o dia 20, chovia sem parar e, desde a tarde do dia 27, a família real já estava embarcada. Só no dia 29, porém, o tempo mudou. Depois de mais uma manhã chuvosa, o dia rompeu radioso, e o vento soprou do nordeste. Foi o chamado "vento espanhol" que empurrou a esquadra real para a segurança do Brasil, no exato instante em que Junot tomava Lisboa e, do alto da Torre de Belém, bombardeava os navios em fuga, atingindo apenas um e caindo em desgraça com Napoleão.

O Rio Remodelado

Embora desde o dia de sua descoberta o cenário geográfico monumental que envolve a baía de Guanabara tenha encantado a navegadores, viajantes e poetas, o fato é que, em 1808, a cidade do Rio de Janeiro era precária, malcheirosa, provinciana, suja e descuidada. Os membros da corte e da família real não precisaram mais do que dez minutos para percebê-lo. "Que horror. Antes Luanda, Moçambique ou Timor", teria dito a princesa Carlota Joaquina. A viagem fora incômoda: na pressa, os pertences de cada grupo foram postos em navios diferentes. Velas foram cortadas para se transformar em camisas; a comida não era suficiente, a água era pouca e ruim. Nos primeiros dias no Rio, porém, a situação não melhorou muito.

A família real e seus 350 lacaios ficaram, de início, instalados no Paço do Vice-Rei, "moradia miserável para a realeza", apenas "dignificada com o nome de palácio". Para alojar milhares de nobres e cortesãos, cerca de duas mil casas foram requisitadas — e seus moradores simplesmente desalojados. De início, muitos cariocas ficaram felizes em ceder seus lares, mas, ao perceber que a espoliação era feita sem rodeios e parecia ser permanente, muitos se revoltaram. Casas confiscadas eram marcadas com as letras P. R. (de "Príncipe Regente"). O povo logo passou a traduzi-las por "Ponha-se na rua" ou "Propriedade roubada". Ainda assim, a cidade ganharia, em breve, tantos melhoramentos que poucos foram aqueles que realmente saíram perdendo.

Aceitando a oferta de Elias Antônio Lopes, um rico traficante de escravos, D. João VI se mudou para a Quinta da Boa Vista. A seguir, determinou o início das obras de remodelamento do Rio: charcos foram drenados, ruas ampliadas e calçadas construídas, novos e suntuosos bairros, como Glória, Flamengo e Botafogo, praticamente criados, e a rua Direita (*acima*), toda modernizada. Antes disso, horrorizado com o aspecto "bárbaro" conferido à cidade pelos muxarabis — grades de madeira ripada que cobriam as janelas —, D. João baixou um decreto, em junho de 1809, obrigando todos os moradores a retirá-los. Em menos de cinco anos, o Rio já estava bastante modificado. Com a chegada da missão francesa, em 1816, a cidade iria lentamente adquirir ares imperiais.

O Velho Liberal

Seis dias depois de desembarcar na Bahia, em 28 de janeiro de 1808, D. João VI assinou um decreto abrindo os portos do Brasil "a todas as nações amigas". O decreto foi uma sugestão de José da Silva Lisboa, visconde de Cairu, discípulo baiano das idéias de Adam Smith, que "adaptara" o liberalismo econômico aos moldes de uma sociedade escravista, substituindo "liberdade de mercado" por "liberdade de câmbio". Autor de mais de 70 livros, Cairu defendia o liberalismo econômico, mas não o político. "Opinião pública? Não conheço essa senhora", disse ele, ao saber que era criticado.

Apesar da sugestão de Cairu, já ficara decidido, três meses antes, durante uma convenção anglo-portuguesa, realizada em outubro de 1807, que, caso os portos de Portugal fossem fechados aos britânicos, os portugueses lhes facultariam algum outro porto na costa brasileira — possivelmente em Santa Catarina.

O apologista do liberalismo: o visconde de Cairu, em óleo de Vieira da Cunha. Na gravura no alto, à esquerda, uma visão da Rua Direita, a principal via do Rio de Janeiro ao tempo do desembarque da família real.

A Missão Francesa

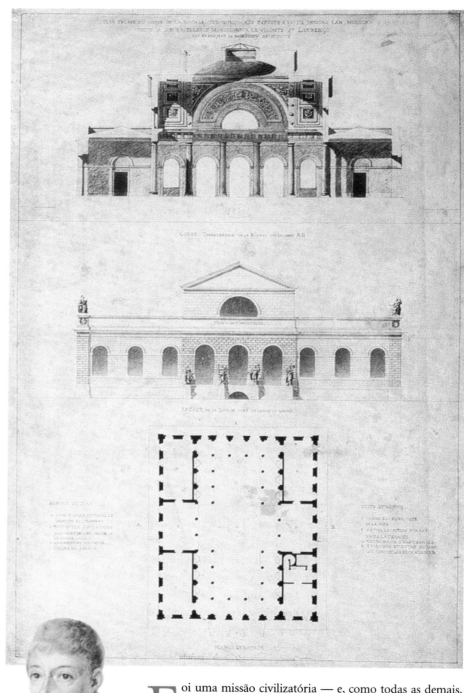

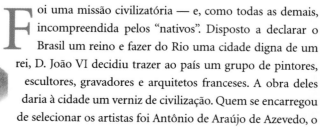

Foi uma missão civilizatória — e, como todas as demais, incompreendida pelos "nativos". Disposto a declarar o Brasil um reino e fazer do Rio uma cidade digna de um rei, D. João VI decidiu trazer ao país um grupo de pintores, escultores, gravadores e arquitetos franceses. A obra deles daria à cidade um verniz de civilização. Quem se encarregou de selecionar os artistas foi Antônio de Araújo de Azevedo, o conde da Barca, intelectual francófilo. Quem contratou a missão foi o marquês de Marialva, embaixador de Portugal em Paris. Marialva e Barca não tiveram dificuldades em encontrar mestres dispostos a trocar Paris pelo Rio: a missão francesa seria formada por artistas que apoiaram Napoleão e que, com a derrota do autoproclamado imperador, tinham caído em desgraça na França. Era um time de primeira, indicado pelo barão de Humboldt:

Joachin Lebreton (1760-1820) era o chefe da missão. Fora um dos organizadores do Louvre e, ao se recusar a devolver obras pilhadas durante as campanhas de Napoleão, caiu em desgraça na Europa. Trouxe para o Brasil 54 telas do Louvre. Elas apodreceram.

Nicolas-Antoine Taunay (1755-1830), pintor de motivos históricos e subchefe da missão, veio ao Brasil com os quatro filhos, entre os quais os pintores Félix-Émile e Aimé Adrien, mais o irmão:

Auguste-Marie Taunay (1768-1824), escultor que fez vários bustos de bronze e lecionou escultura na Academia de Belas-Artes.

Grandjean de Montigny (1766-1850), arquiteto de renome, foi escolhido para fazer o prédio que abrigaria a Escola de Belas-Artes. Poucos de seus projetos saíram do papel. Os que tiveram tal sorte foram derrubados mais tarde.

Charles Pradier (1768-1848), pintor, fez um dos melhores retratos oficiais de D. João VI.

Marc e Zéphyrin Ferrez, irmãos escultores, gravaram a primeira moeda brasileira.

O grande mestre: auto-retrato de Nicolas-Antoine Taunay, subchefe e um dos nomes mais destacados da Missão Francesa no Brasil.

Ao todo, eram 46 pessoas (algumas vieram com família e criados), entre os quais se incluíam artífices, como o serralheiro Nicolas Enout, o carpinteiro Louis Roy, os curtidores de peles Fabre e Pilite, o ferreiro Level e o maior de todos, o pintor Jean-Baptiste Debret. Apesar dos problemas que enfrentaram, estes homens conseguiram mudar a face do Rio.

O projeto inicial do Marquês de Marialva propunha a instalação no Brasil de uma Escola de Ciências, Artes e Ofícios, na qual "as artes liberais e de luxo deviam ceder o passo às úteis e necessárias". Mas, ao embarcar na fragata *Calpe*, em 22 de fevereiro de 1816, Lebreton já se decidira a criar uma Academia de Belas-Artes. A chegada ao Rio se deu em 26 de março. De início, o conde da Barca conseguiu contornar o conflito entre os políticos favoráveis às "artes úteis" e os defensores das "artes liberais". Mas o protetor da missão morreu no início de 1817. Então, vitimada por campanhas difamatórias, inveja de artistas luso-brasileiros e brigas internas, a missão quase gorou. Além do mais, vários artistas já chegaram ao Brasil brigados entre si. No Rio, foram duramente atacados pelo cônsul francês Maler, que os considerava "subversivos". Depois, revoltaram-se os artistas locais que, com "empeçonhada rivalidade contra os que julgavam intrusos protegidos por injustos e inadmissíveis privilégios", desferiram uma série de ataques à missão.

Quando, amargurado e desgostoso, Joachin Lebreton morreu, em 1820, o mundo ruiu para os artistas franceses. Embora continuassem a receber seu salário de 800 mil-réis anuais, além das refeições, depois que o português Henrique José da Silva assumiu o comando da Escola Real de Ciências, Artes e Ofícios, os integrantes originais da Missão passaram a comer o pão que o diabo amassou. Pintor medíocre, pai de doze filhos que mal podia sustentar, mas com amizades sólidas entre os políticos, Silva armou todos os entraves burocráticos para obstaculizar o trabalho dos franceses. Determinou que, antes de qualquer outro curso, todos os alunos da Escola Real deveriam fazer, ao longo de três anos, a cadeira de Desenho. Quem era o professor de Desenho? Ele próprio. Impedidos de lecionar na Escola fundada por eles mesmos, alguns missionários retornaram à França. Outros alugaram casas nos arredores da cidade e passaram a viver de aulas particulares. Ainda assim — e embora até hoje sejam acusados de ter destroçado o barroco brasileiro e retardado a chegada do modernismo ao Brasil —, o legado da missão francesa se impôs em inúmeras obras e quadros e permanece mais do que vivo nos traços de Jean-Baptiste Debret.

Jean-Baptiste Debret (aqui em retrato feito por Manuel de Araújo Porto Alegre, seu principal discípulo) *tornou-se o maior cronista visual do Brasil do século XIX. Sua obra, centrada no Rio de Janeiro, antecipou a temática dos romances burgueses: transformou as ruas em teatros e as gentes — fossem ricos desembargadores, fossem pobres escravos — em atores sociais. Debret pintou uma história da vida privada no Brasil.*

Acima de tudo, era um *flaneur*. Percorria, atento e deslumbrado, calçadas e cascatas, matas e morros, o cais e os caminhos que dali partiam. Entrava em fazendas e favelas, freqüentava palácios e paços. Não dava um passo sem o bloco no qual rabiscava esboços minuciosos que, a seguir, no silêncio laborioso de seu ateliê, transformava em quadros e pranchas. Sem as cerca de duzentas gravuras que Jean-Baptiste Debret realizou do Rio de Janeiro, de São Paulo, do Paraná, de Santa Catarina e do Rio Grande do Sul — seus nobres e seus escravos; seus costumes e seus animais; suas ruas e suas casas —, é quase impossível supor que imagem faríamos do Brasil de 1820. É provável que não fizéssemos imagem nenhuma — pelo menos não uma confiável. Debret registrou os avanços e as mazelas, os horrores e as maravilhas, a rudeza e os encantos do país com o rigor de um historiador e a *finesse* de um artista inspirado. Não fossem seus quadros, a maior parte dos livros didáticos sobre a história do Brasil seria mais maçante do que já é. Um quadro de Debret vale quase uma tese. Sua obra revela como era — e por que viria a ficar como está — um país que é quase um continente.

Jean-Baptiste Debret nasceu em Paris em 18 de abril de 1768, filho de funcionário público graduado e primo do pintor Jacques-Louis David, seu primeiro mestre. Em 1791, ao eclodir a Revolução Francesa, teve de abandonar a Escola de Belas-Artes. Formou-se, então, engenheiro na Escola Politécnica. Voltou a pintar em 1798, e foi premiado no Salão de Paris com obras sobre as campanhas de Napoleão, de quem era admirador. Em 1814, a derrota do imperador não abalou Debret apenas moralmente: acabou com sua carreira na França, além de surpreendê-lo num momento de crise financeira.

O teatro das gentes: Debret compôs um autêntico painel da vida pública e privada no Brasil de D. João VI. Suas gravuras valem por um compêndio.

Foi, portanto, com alívio e alegria que recebeu o convite de Lebreton para juntar-se à missão francesa que viria para o Brasil. Só não podia imaginar que permaneceria por quinze anos no Novo Mundo.

Ao longo da década e meia durante a qual esteve no Brasil, Jean-Baptiste Debret jamais obteve as condições ideais para a realização de seu trabalho. Ainda assim, deixou uma obra monumental que, um século e meio após sua publicação, não encontra paralelo na iconografia brasileira. Ao desembarcar no Rio, em março de 1816, Debret já se envolvera nas polêmicas internas que abalavam a Missão Artística Francesa. Mas o ambiente com o qual se deparou transformaria aquelas meras discussões acadêmicas em mexericos de comadres. Embora tenha sido nomeado pintor da Casa Imperial e tenha ajudado a decorar o Rio para a festa de aclamação de D. João VI (quando teve a idéia de iluminar com lâmpadas de zinco e lustres de cristal os monumentos de Montigny, transformando o Rio numa cidade-luz tropical), Debret esbarrou na muralha de ignorância e inveja erguida por artistas e políticos locais. Decidido a não voltar para a França, alugou uma casa no Catumbi e passou a viver de aulas particulares. Conseguiu fazer alguns retratos da família real, mas os "nobres" cariocas, acostumados a viver em casas de paredes nuas, jamais lhe encomendaram um só quadro. Debret tinha, assim, tempo de sobra para flanar pelo Rio, que se transformava rapidamente.

Em 1827, tomou a sua grande decisão e partiu rumo ao Rio Grande do Sul, acompanhando um grupo de tropeiros. Praticamente refez a trilha que seu conterrâneo Auguste Saint-Hilaire percorrera poucos anos antes. Ao retornar ao Rio, depois de passar por Rio Grande, Desterro, Curitiba, Sorocaba e São Paulo, trazia o material para sua obra definitiva. Em 1831, voltou para a França e deu início à edição da *Voyage pittoresque et historique au Brésil*, obra monumental, lançada em três volumes, entre 1834 e 1839, na qual, em 151 pranchas, capturou um país efervescente, que se civilizava com rapidez e brutalidade. O livro segue o "traçado lógico da civilização no Brasil": o primeiro volume é dedicado aos indígenas e às florestas; no segundo, surgem escravos e artesãos; o terceiro investiga os usos e costumes urbanos e os acontecimentos políticos. Constituem uma aula inesquecível, repleta não apenas de cores: é como se as pinturas de Debret possuíssem também sons e odores preservados no tempo e no espaço.

O Banco do Brasil

Quando D. João fundou o Banco do Brasil, em 12 de outubro de 1808, só havia três bancos emissores no mundo. A idéia, portanto, em tese, era boa. Mas, criado com capital inicial de 1.200 contos e com objetivo de gerar fundos para manter a Corte no Brasil, o banco logo passou a emitir mais do que arrecadava. A seguir, começaram os desfalques, os desvios e o "extravio" do dinheiro. Em vez de "preceder a rigoroso inquérito, como aconselhava a salvação da instituição", o governo "impôs o silêncio pela violência aos que davam curso àqueles boatos", como relatou, injuriado, em 1821, o conselheiro Pereira da Silva. Seu colega, o também conselheiro José Antônio Lisboa, também lastimou "o mau uso que se fazia dos fundos do Banco e as prevaricações de seus empregados". Em abril de 1829, quando as notas emitidas pelo banco já tinham sido desvalorizadas em 190% com relação ao ouro, o então ministro da Fazenda Miguel Calmon (mais tarde marquês de Abrantes) apresentou à Câmara dos Deputados proposta para dissolução da instituição. Após calorosos debates, no dia 11 de dezembro de 1829 — data na qual se esgotavam os privilégios previstos na fundação —, o Banco do Brasil foi então liquidado judicialmente. Só seria restabelecido um quarto de século mais tarde, em 1853.

O Império da Burocracia

Ao trazer cerca de doze mil acompanhantes na sua transmigração para o Brasil, D. João, ao chegar no Rio, não se viu forçado apenas a achar lugar para toda aquela gente morar. Também foi preciso dar-lhes um emprego — e um emprego público, é claro. Logo nos primeiros dias, D. João montou seu ministério, formado por três secretarias: a dos Negócios do Reino, a da Guerra e dos Estrangeiros e a da Marinha e Ultramar. A primeira, e mais importante delas, ficou sob o comando de Fernando José Portugal, marquês de Aguiar. "Minguado de faculdades criadoras para sacar da própria mente e da meditação fecunda as providências que as necessidades do país fossem ditando, o marquês de Aguiar parece ter começado por consultar o almanaque de Lisboa e, à vista dele, ter-se proposto a satisfazer a grande comissão que o príncipe lhe delegara, transplantando para o Brasil, com seus próprios nomes e empregados (para não falar de vícios e abusos), todas as instituições que lá havia, as quais se reduziam a muitas juntas e tribunais, que mais serviam de peia do que de auxílio à administração, sem meter em conta o muito que aumentou as despesas públicas, e o ter-se visto obrigado a empregar um sem-número de nulidades, pela exigência da chusma de fidalgos que haviam emigrado da metrópole e que, não recebendo dali recursos, não tinham o que comer", escreveu, em 1854, o historiador Francisco Adolfo Varnhagem.

O pior para D. João VI foi que, ao abrir os portos "às nações amigas" (que, ele sabia, era apenas e exclusivamente a Inglaterra), privou o Estado de sua única fonte de renda: os impostos extorsivos. A tributação dos produtos ingleses, os únicos disponíveis, baixou para 24% já em 1808. Dois anos mais tarde, foi reduzida para 15%. Dessa forma, a única maneira que D. João VI encontrou para obter dinheiro foi fabricá-lo. Por isso, criou o Banco do Brasil (*leia quadro ao lado*). Ao imprimir papel-moeda sem lastro, mergulhou o Brasil no poço sem fundo da inflação.

Embora desprezasse os traficantes de escravos, que eram os verdadeiros senhores do Rio de sua época (homens como Fernando Carneiro Leão, o maior deles e um dos supostos amantes de D. Carlota Joaquina, e João Rodrigues Pereira de Almeida), D. João aproximou-se deles e obteve empréstimos em troca de terras e de comendas. Tais prêmios asseguraram a esses ricos párias uma rápida ascensão social.

A vida social do Rio tornou-se intensa e as malcuidadas e quase insalubres casas dos ricos luso-brasileiros tiveram de ser remodeladas. Não apenas elas, como seus guarda-roupas. Já os cortesãos circulavam pelas ruas recém-abertas esforçando-se ao máximo para exibir trajes e modos em tudo superiores aos dos nativos. A cena não passou despercebida a Debret, que a imortalizou na prancha *Um funcionário a passeio com sua família* (reproduzida na página ao lado) na qual "uma família de fortuna média, cujo chefe é funcionário", sai de casa para visitar a rua do Ouvidor, "repleta de lojas de moda francesa".

D. Carlota Joaquina era uma amazona ousada que gostava de se vestir com roupas chamativas. Ao deixar o Brasil (*abaixo, à esquerda*), bateu os sapatos para "não levar nem o pó do maldito Brasil".

D. Carlota Joaquina

Na madrugada de 25 de abril de 1821, antes de o dia raiar, a rainha Carlota Joaquina — acompanhada de seu marido, o rei D. João VI, do filho D. Miguel, das seis princesas e de quatro mil cortesãos (e de boa parte do Tesouro Real, mais 50 milhões de cruzados sacados sorrateiramente do Banco do Brasil) — embarcou na nau que, enfim, a levaria junto com a sua corte de volta à Europa. Reza a lenda que, ao pôr os pés no navio, D. Carlota teria batido um sapato contra o outro e dito: "Nem nos calçados quero como lembrança a terra do maldito Brasil".

A rainha de fato odiava o Brasil — e os quase cinco mil dias que nele viveu não foram suficientes para fazê-la mudar de opinião. Mais do que ao Brasil, D. Carlota só odiava uma coisa: o marido D. João, com o qual estava casada havia 36 anos, mas com quem não convivia há vinte. Ainda assim, tivera nove filhos. Prole tão numerosa num casal que mal podia se olhar gerara suspeitas: dizia-se que pelo menos cinco dos nove rebentos não seriam fruto de D. João. De fato, talvez não fossem, embora nem o rei nem a rainha dessem muita importância para o fato. Além desse desinteresse mútuo, uma outra coisa D. João e D. Carlota tinham em comum: eram ambos feiíssimos.

D. Carlota Joaquina de Bourbon, infanta de Espanha, rainha de Portugal e imperatriz honorária do Brasil, nasceu nos arredores de Madri em 22 de abril de 1775. Aos dez anos

de idade, casou-se por procuração com D. João. Realizada por uma questão de Estado, a união foi vexatória desde o início: num dos primeiros encontros, a noiva mordeu selvagemente a orelha do noivo e jogou-lhe um castiçal no rosto. O casal só iniciou sua vida conjugal cinco anos depois do casamento, logo após a primeira menstruação da princesa. A chegada dos filhos não mudou em nada o relacionamento entre ambos. Na prática, se comportavam como monarcas inimigos.

De certa forma, D. Carlota e D. João eram mesmo inimigos. Fiel às origens espanholas, a rainha conspirou com freqüência contra o trono português. Por isso, os historiadores luso-brasileiros gostam de descrevê-la como uma bruxa: "A mulher era quase horrenda, ossuda, com uma espádua acentuadamente mais alta do que a outra, uns olhos miúdos, a pele grossa que as marcas de bexiga ainda faziam mais áspera, o nariz avermelhado. E pequena, quase anã, claudicante... uma alma ardente, ambiciosa, inquieta, sulcada de paixões, sem escrúpulos, com os impulsos do sexo alvoroçados", escreveu Octávio Tarquínio de Souza, em sua obra clássica, *História dos fundadores do Império do Brasil*.

Uma das mais cruéis descrições de D. Carlota, no entanto, foi feita pelo genial escritor inglês William Beckford, que a conheceu e deplorava "suas incessantes intrigas de todos os matizes, seus caprichos extravagantes, seus atos desumanos de crueldade".

A verdade é que, feia ou não, D. Carlota lutava pelos interesses da Espanha — em especial quando estes a favoreciam. Quando Napoleão rompeu com Madri e entronou o próprio irmão no lugar de Carlos IV, pai de D. Carlota, ela quis ser rainha do Prata. D. João bloqueou os planos. D. Carlota, então, fixou-se na casa de praia de Botafogo, onde se banhava nua. Continuou colecionando amantes (mandando matar a mulher de um deles) e começou a fumar a erva diamba (hoje chamada maconha). Amazona audaz, montava como homem. Cantava e dançava o flamenco. Não foi boa mãe, especialmente depois que seu primogênito, Antônio, morreu aos 6 anos. Seu outro favorito era D. Miguel, tido como filho do marquês de Marialva. D. Carlota nunca deu atenção para o príncipe herdeiro, D. Pedro. Ao sair pelas ruas do Rio, era precedida por um séquito de seguranças que forçavam todos os súditos a se ajoelhar. D. Carlota Joaquina morreu em Lisboa, aos 54 anos, sem jamais ter retornado à sua amada Espanha.

Perfil e Legado de D. João VI

Dom João VI passou à história vitimado pela própria aparência e por uma série de características caricaturais. Cabeça enorme, corpo roliço, pernas curtas, mãos e pés minúsculos, rosto avermelhado surgindo de um conflito de volteios e papadas, o rei não apenas era feio ("fealdade que se reputa das maiores ocorridas em pessoas de casa real de qualquer país da Europa", disse um cronista), como também um glutão inveterado que ignorava as mais primárias normas de higiene e asseio. É fato histórico que ele enfiava frangos assados inteiros nos bolsos de casacas engorduradas, sujas e puídas que se recusava a trocar. Também é verdade que odiava o contato com a água. "Não havia memória na Casa Real, em Lisboa ou no Rio de Janeiro, de D. João ter tomado banho de corpo inteiro", escreveu, em 1927, o historiador Tobias Barreto.

Não é de se estranhar, portanto, que o rei tivesse erupções e doenças de pele constantes e coceiras permanentes. "Coçava-se por detrás e por diante, sendo que com essa mão dava assim mesmo a beijar", anotou um cortesão. Não bastasse, D. João VI ainda era traído publicamente pela mulher, D. Carlota Joaquina, e, dizia-se, mantinha um caso com seu camareiro.

Nascido em 13 de maio de 1767, D. João VI era o segundo filho de D. Pedro III e D. Maria I. Não fora criado para ser rei, nem o pretendia. Mas, em 1788, a varíola matou seu irmão mais velho, D. José, e D. João tornou-se o primeiro na linha sucessória. D. Pedro III (tio e marido de D. Maria I) morrera em 1786, de embolia cerebral. Em 1792, D. Maria enlouqueceu e D. João assumiu o governo, mas só aceitou o cargo de regente em 1799, quando sua mãe foi declarada incurável. No trono, revelou-se tímido, distante, fleumático, bucólico, calado e indeciso.

Detestado por muitos de seus biógrafos, atacado por vários de seus contemporâneos — não só estadistas brasileiros, mas políticos portugueses —, D. João VI surge, em muitos livros, como um monarca preguiçoso e bobalhão, vítima de um bucolismo inconseqüente. Afinal, reunia-se regular e longamente com seus ministros e conselheiros, sopesava cuidadosamente todas as questões e, sempre que possível não tomava decisão alguma. Mas o que era visto como covardia talvez devesse ser interpretado como astúcia. Espremido entre um continente dominado pelo Exército francês e um oceano controlado pela marinha britânica, D. João VI adotou o estilo mais apropriado para Portugal numa época em que qualquer ação ousada poderia levar o reino à ruína. Tornou-se um radical de cautela.

De qualquer forma, o D. João imundo e glutão que chegou ao Brasil revelou-se um governante com freqüentes rasgos de bondade e muitas ações práticas. Além de abrir os portos, declarar o Brasil um reino unido a Portugal e remodelar o Rio de Janeiro, ele permitiu a instalação de indústrias e aparelhou as Forças Armadas, criando a Academia da Marinha, a Academia Militar e uma fábrica de pólvora (assim como outras obras, essa foi paga pelos traficantes de escravos do Rio). Construiu o Jardim Botânico, um observatório astronômico e um museu mineralógico.

Fez o teatro, a biblioteca pública e a tipografia real, cuja primeira publicação foi *A riqueza das nações*, de Adam Smith.

No Brasil, D. João não precisava ser pouco mais que um súdito da Inglaterra e só partiu porque era inevitável. Ao fazê-lo, disse ao filho Pedro: "Se o Brasil se separar, antes seja para ti, que me hás de respeitar, do que para algum desses aventureiros". Mais do que um conselho, foi uma profecia.

Os Conflitos do Rei

Ao longo dos treze anos em que ficou no Brasil, D. João VI envolveu-se em três conflitos armados. O primeiro foi a invasão da Guiana Francesa, colônia que o país de Napoleão mantinha na América do Sul. Foi uma ação rápida e tranqüila: com setecentos homens e a ajuda naval inglesa, a capital Caiena foi tomada em janeiro de 1809. O território seria devolvido à França em 1817. Em julho de 1821, depois de anos de escaramuças na fronteira sulista, D. João incorporou ao Brasil a Banda Oriental do Uruguai, que seu exército havia tomado em 1817. Rebatizado de Província Cisplatina, o novo território permaneceria sob controle do Brasil até 1825.

O conflito interno mais grave ocorrido durante o período de D. João VI no Brasil foi a chamada Revolução Pernambucana de 1817. Movimento autonomista de inspiração republicana e maçônica, foi fruto do forte sentimento nativista e separatista que grassava em Pernambuco desde a expulsão dos holandeses, em 1654. Em março de 1817, um grupo de revolucionários assumiu o poder na província, declarando-a uma república separada do resto do Brasil. O novo regime só durou até maio, quando tropas portuguesas invadiram Recife e debelaram o movimento. Seus três principais líderes (entre eles o padre Miguelinho) foram fuzilados.

Um rei bonachão?
Retratado por vários artistas, D. João VI parece ter passado à História vitimado por alguns aspectos caricaturais de suas feições e seu estilo.

CAPÍTULO 14   O Brasil dos Viajantes

Decididos a impedir que a exuberância dos recursos e da natureza brasileira despertassem a cobiça dos demais povos europeus, por três séculos os portugueses mantiveram o Brasil completamente fechado aos olhos estrangeiros. Essa situação só começou a se modificar a partir de 1808, com a chegada da família real ao Rio de Janeiro e a abertura dos portos. A partir daí, um ávido enxame de sábios, cientistas e naturalistas desembarcou no Brasil. E houve um efeito-cascata: cada trabalho publicado na Europa atraía novas levas de estudiosos. Antes disso, porém, Portugal impedira que alguns cientistas de renome estudassem a natureza brasileira. Em 1768, por exemplo, ao realizar sua grande viagem de circunavegação, o capitão James Cook aportou no Rio de Janeiro — mas os botânicos, zoólogos e astrônomos que o acompanhavam foram proibidos de desembarcar. Mais grave ainda foi o fato de as autoridades portuguesas terem impedido a entrada no Brasil, em 1800, do maior de todos os sábios naturalistas, o barão alemão Alexander von Humboldt, que estava na Venezuela. Os prejuízos para o desenvolvimento da ciência no Brasil foram imensos — e irremediáveis.

Embora a "abertura" oficial do Brasil ao olhar estrangeiro tenha se dado em 1808, pouco antes Portugal já baixara a guarda — e evidentemente em favor dos ingleses. É o que explica a entrada no país, em 1802, do viajante Thomas Lindsey. Mais surpreendente ainda foi a permissão que seu compatriota John Mawe obteve para visitar a fechadíssima região das Minas Gerais, em 1807 — e escrever minuciosamente sobre elas. Três outros ingleses logo viriam ao Brasil: John Luccock, em 1808, e Henry Koster, no ano seguinte, ambos autores de relatos notáveis. O terceiro viajante era Richard Francis Burton, príncipe dos exploradores britânicos, tradutor das Mil e uma Noites e do Kama-Sutra, descobridor das nascentes do Nilo e primeiro ocidental a entrar em Meca. Burton foi cônsul britânico em Santos (São Paulo) e redigiu dois livros sobre o Brasil, um deles perdido para sempre. Na esteira dos ingleses — e muito influenciados pela obra de Humboldt — chegaram alemães e austríacos como o príncipe Maximiliano, Langsdorff, Spix e Martius. Todos trouxeram grandes artistas consigo e, assim, além de publicarem textos notáveis sobre o Brasil, eles foram responsáveis pela produção de belas obras de arte.

Cachoeira de Paulo Afonso: óleo do pintor alemão E. F. Schute, pintado em 1850, em Pernambuco — uma das tantas imagens do Brasil produzidas por artistas viajantes que visitaram o país no século XIX.

A Buganvília

Em junho de 1767, o conde Louis Antoine de Bougainville aportou na ilha de Santa Catarina, onde iria passar quinze dias reabastecendo os dois navios com os quais se tornaria o primeiro francês a dar a volta ao mundo. Durante suas incursões às florestas da ilha, o conde — um autêntico iluminista do século XVIII, aristocrata, militar, filósofo e amigo de Diderot — descobriu a belíssima trepadeira que hoje leva seu nome: a Bougainvillea spectabilis, *também chamada de primavera ou três-marias. Alguns meses depois, a planta seria coletada no Rio de Janeiro pelo genial botânico Joseph Banks, que acompanhava a expedição de James Cook, e então desenhada (gravura abaixo) por Sidney Parkinson, brilhante artista que o assessorava.*

Os exploradores: o capitão James Cook, o cientista Charles Darwin, o aventureiro italiano Pigafetta e o navegador Fernão de Magalhães (à direita, de cima para baixo), estiveram todos no Brasil.

Os Circunavegadores

Durante os anos de clausura, as autoridades portuguesas só permitiam que ancorassem no Brasil expedições de circunavegação — e apenas para reequiparem seus navios com a maior brevidade possível. Desde a primeira viagem ao redor do globo, realizada, sob bandeira espanhola, pelo navegador lusitano Fernão de Magalhães, o Rio de Janeiro serviu de ponto de escala. Magalhães partiu da Espanha em 20 de setembro de 1519, com cinco navios e 250 tripulantes, e chegou ao Rio em 13 de dezembro. Sua viagem foi narrada pelo italiano Francesco de Pigafetta, um nobre que conseguiu embarcar na nau Trinidad e que seria um dos únicos dezoito sobreviventes a retornar, três anos depois, ao ponto de partida.

Pigafetta não se surpreendeu apenas com a beleza da baía de Guanabara: também as frutas, como o abacaxi, os animais, como a preguiça, e, em especial, a franqueza sexual das nativas o espantaram. Os primeiros homens a navegar em torno do globo partiram da *Terra do Verzino* (como Pigafetta chamou o Brasil) no dia 27 de dezembro de 1519. Cerca de um ano depois, acharam o estreito que unia o Atlântico ao Pacífico e que foi batizado com o nome de seu descobridor. A descoberta abriu caminho para os corsários ingleses Drake e Cavendish, os circunavegadores seguintes.

O temível Francis Drake passou ao largo do Brasil antes de atacar o Peru, em 1578. Treze anos depois, a colônia não teria a mesma sorte: no dia de Natal de 1591, Thomas Cavendish atacou Santos, antes de se arriscar pelo estreito de Magalhães. Impedidos de atracar no Rio, os holandeses Olivier van Noort, em 1598, e Joris van Spilbergen, em 1614, usaram Ilhabela, em São Paulo, como porto de reabastecimento antes de cruzar o amedrontador estreito e completar a volta ao mundo.

As viagens ao redor do globo iriam adquirir nova dimensão depois que o capitão James Cook partiu de Plymouth, Inglaterra, em agosto de 1768. Levando consigo botânicos, zoólogos e astrônomos — e financiado pela Royal Society —, Cook estava inaugurando a era das grandes expedições científicas. Embora seu navio tenha obtido permissão para abastecer-se de água no Rio, seus tripulantes não puderam desembarcar. O botânico Joseph Banks — um cientista genial — ficou desolado. Teve de se contentar com uma breve excursão pela ilha Rasa, onde foi capaz de recolher 320

espécies, entre as quais orquídeas e bromélias lindíssimas, logo retratadas pelo artista Sidney Parkinson.

As viagens de Cook abriram caminho e a mente do jovem cientista Charles Darwin, cuja obra estava destinada a mudar os rumos da história natural. Em 27 de dezembro de 1830, a bordo do Beagle, Darwin partiu da Inglaterra para uma viagem de cinco anos ao redor do globo. Os estudos que realizou da fauna e da flora de diversas partes do mundo lhe permitiram elaborar a inovadora teoria da evolução das espécies. Embora as ilhas Galápagos tenham tido papel mais importante na elaboração da teoria, Darwin esteve duas vezes no Brasil — em Fernando de Noronha, em Salvador e no Rio —, na ida e na volta da viagem, e impressionou-se profundamente com sua natureza. O primeiro contato com os trópicos se deu em 28 de fevereiro de 1831, quando Darwin desembarcou na Bahia. No dia seguinte, ele anotaria no diário: "O dia passou-se deliciosamente. Mas 'delícia' é termo insuficiente para exprimir as emoções sentidas por um naturalista que, pela primeira vez, se viu a sós com a natureza no seio de uma floresta brasileira. A elegância da relva, a novidade dos parasitas, a beleza das flores, o verde luzidio das ramagens e, acima de tudo, a exuberância da vegetação em geral, foram para mim motivos para uma contemplação maravilhada. Jamais poderei experimentar tanto prazer".

Cabeça Mumificada e Luta entre Botocudos: duas ilustrações feitas sob a orientação do príncipe Maximiliano para ilustrar o livro *Viagem ao Brasil*, que ele publicou em 1820.

Viagem do Príncipe Maximiliano

Oficial hussardo mais afeito às plantas e aos animais do que às armas, o príncipe alemão Maximilian von Wied esteve no Brasil de junho de 1815 a maio de 1817. Embora sua jornada, terrestre e fluvial, do Rio à Bahia, não tenha sido tão duradoura nem tão ampla se comparada às de outros viajantes, a quantidade de informações que o príncipe conseguiu coletar é impressionante. Melhor ainda é que seu livro,

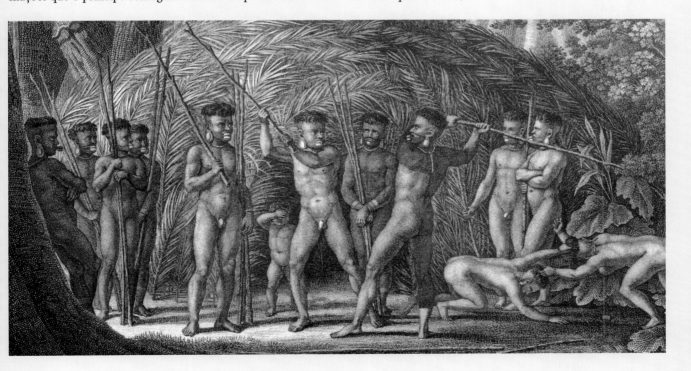

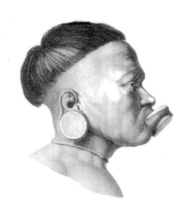

Reise nach Brasilien in den Jahren 1815 bis 1817 (*Viagem ao Brasil nos anos de 1815 a 1817*), publicado em 1820, em Frankfurt, em dois volumes, foi escrito em estilo denso e direto, sem as divagações freqüentes em muitos viajantes. O príncipe viajou com o botânico Friedrich Sellow e o ornitologista Freyreiss: juntos, os três sábios fizeram a primeira expedição realmente científica ao Brasil, realizada sob a influência do barão Von Humboldt — o maior de todos os naturalistas e que, em junho de 1800, fora impedido de entrar no Brasil pelas autoridades portuguesas. Dedicado, austero e incansável, como era de se esperar de um oficial hussardo, Maximiliano realizou um trabalho exemplar no Brasil.

Maximilian Alexander Philip von Wied-Neuwied era filho, neto, bisneto, tio e irmão de soldados. General-de-divisão do Exército alemão, ganhou a Cruz de Ferro em campo de batalha e entrou em Paris, depois da derrota de Napoleão, em companhia de Frederico Guilherme III, da Prússia. Tão logo pôde, trocou as batalhas pelas viagens científicas. No Brasil, sob o pseudônimo de Max von Braunsberg, percorreu a mata costeira do litoral leste do Rio, Espírito Santo, norte de Minas e sul da Bahia. Embora o legado zoológico, botânico e lingüístico da expedição de Maximiliano seja grandioso, sua maior contribuição foi etnográfica. Os estudos que o príncipe fez dos Puri, Botocudo e Pataxó foram pioneiros e inovadores. Maximiliano ligou-se aos Botocudo, que eternizou na aquarela *Luta entre Botocudos*. O príncipe virou grande amigo do Botocudo Quack e levou-o para a Europa. Morreu em 1867, em Neuwied, aos 85 anos, tão enamorado de borboletas, índios, árvores e plumas, fósseis e crânios como nas primeiras décadas de sua existência movimentada e intensa.

A Viagem de Spix e Martius

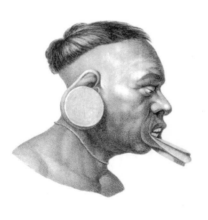

Quando a arquiduquesa Maria Leopoldina Josefa Carolina de Habsburgo veio de Viena para o Rio, em novembro de 1817, já casada por procuração com D. Pedro I, trouxe consigo um grupo de quinze cientistas. Eram os integrantes da chamada Missão Austríaca. D. Leopoldina ouvira falar que D. Pedro era um amante das ciências naturais e imaginou que ele adoraria a idéia. Embora entre as várias paixões de D. Pedro não se incluíssem rochas, plantas e aves, a Missão Austríaca foi um marco na ciência no Brasil — especialmente porque, entre seus membros, estavam o zoólogo Johann Baptist von Spix e o botânico Carl Friedrich Phillip von Martius. A marcha de Spix e Martius pelo interior do Brasil se tornaria não só uma das mais longas já realizadas na colônia como também uma das mais produtivas. Homens de formação humanista, herdeiros intelectuais de Humboldt, dedicados e destemidos, Spix e Martius devotaram os melhores anos de suas vidas ao Brasil. Spix e Martius chegaram ao Rio em 15 de julho de 1817. Depois de quatro meses de deslumbramentos e descobertas numa das mais belas cidades do mundo, partiram para São Paulo no dia 8 de dezembro, dando início à jornada que

os levaria a percorrer mais de vinte mil quilômetros ao longo de três anos. De São Paulo, foram para Minas (Mariana, Sabará e Vila Rica, onde realizaram várias pesquisas geológicas), cruzaram o sudoeste da Bahia até Goiás e daí, pelo vale do rio São Francisco, seguiram até Salvador. Depois de uma excursão a Ilhéus, voltaram a Salvador. Então seguiram para Juazeiro, cruzando os sertões de Pernambuco e do Piauí até o Maranhão. De São Luís, seguiram por mar até Belém, de onde subiram o Amazonas até Manaus, onde se separaram: Spix então subiu pelo Solimões até o Peru, enquanto Martius seguia pelo rio Japurá até os Andes. Em março de 1820, os dois se reencontraram em Manaus. Três meses depois, partiram do Rio para a Europa com um dos maiores acervos já reunidos no Brasil. O material botânico, zoológico e etnográfico coletado por Spix e Martius daria trabalho para uma vida inteira. E a ele ambos se dedicaram até o fim de seus dias — sem poder concluí-lo.

Em 1826, Spix (*à esquerda*) morreu prematuramente, aos 46 anos, participando apenas da redação do primeiro dos três volumes da portentosa *Reise in Brasilien* (*Viagem ao Brasil*), concluída por Martius. Embora inacabado, seu estudo sobre a fauna brasileira — em especial os primatas — é exemplar. Nada, porém, que se possa comparar à monumental *Flora brasiliensis*, à qual Martius (*à direita*) se dedicou pelo resto da vida. Durante meio século, de 1821 até sua morte, em 1868, Martius entregou-se de corpo e alma à tarefa de catalogar, classificar e desenhar magníficos exemplares da vegetação brasileira. Concluída em 1906, com o apoio de três monarcas, entre os quais D. Pedro II, *Flora brasiliensis* tem quinze volumes, 20.773 páginas e 3.811 gravuras, classificando oito mil espécies de plantas.

Lagoa das aves: gravura vivamente colorida feita para ilustrar o livro de Spix e Martius (*retrato acima*).

O Pobre Barão

Georg Heinrich von Langsdorff (à direita) nasceu na Alemanha em 1774. Em 1803 entrou para a Academia de Ciências da Rússia. Desenvolveu projetos de agricultura sustentável em sua fazenda, no Rio. Vitimado por uma febre tropical, ficou louco em 1828, vivendo isolado até a morte em Freiburg, em 1852.

Aldeia dos Apiacás: a belíssima aquarela abaixo foi pintada por Hercule Florence, um dos artistas que acompanharam a triste marcha de Langsdorff pelo Brasil. O quadro original está em São Petersburgo, na Rússia.

A Viagem de Langsdorff

"A imaginação mais rica, mais feliz e perfeita nem de longe pode dar conta dos tesouros desta natureza. Quem quer que anseie por motivos poéticos, que vá ao Brasil, pois ali a natureza responde aos seus pendores. Qualquer pessoa, inclusive a menos sentimental, se deseja descrever as coisas como são, ali se transforma num poeta."

O barão Georg Heinrich von Langsdorff era um apaixonado pelo Brasil e pela sua natureza exuberante. Ao descrevê-la fervorosamente, em diários e cartas, tornou-se um poeta, mas enlouqueceu. A expedição que ele convencera o czar de todas as Rússias, Alexandre I, a financiar, em 1825, estava destinada a ser uma das mais ambiciosas que já percorrera o desconhecido interior do Brasil. Três anos e meio mais tarde, ao retornar ao Rio de Janeiro, de onde partira, com apenas doze dos seus 34 integrantes, ela se tornara a mais trágica de muitas missões científicas a penetrar nas florestas e rios brasileiros. Ainda assim, embora o barão nunca mais recuperasse as faculdades mentais, o legado etnológico, botânico e iconográfico da expedição Langsdorff é um dos maiores tesouros científicos do Brasil.

Alemão de nascimento, Langsdorff era cônsul da Rússia no Brasil, onde esteve pela primeira vez em 1803, apaixonando-se pela ilha de Santa Catarina. Voltou ao país em 1820, para fixar residência no Rio, onde adquiriu a Fazenda da Mandioca, que logo se tornou reduto de altas pesquisas agrícolas. Em pleno regime escravocrata, o barão contratou colonos

alemães — e os pagava bem. Em setembro de 1825, Langsdorff partiu para sua grande expedição científica pelo interior do Brasil: a aventura custaria 350 mil rublos ao czar e estava fadada ao fracasso. Ao longo de dois anos e dezesseis mil quilômetros, os 34 homens de Langsdorff — entre os quais os pintores Hercule Florence e Adrien Taunay — percorreram a rota das monções, coletando cem mil amostras de plantas. A marcha foi marcada por doenças, febres, suicídios, paixões e lutas ardentes, delírios e descaminhos. Em abril de 1828, o barão enlouqueceu e, em outubro, doze debilitados expedicionários retornavam ao Rio. Por anos a fio, o esplendoroso legado científico da missão ficaria jogado nos porões do museu de São Petersburgo, na Rússia.

Adrien Taunay

A Obra de Rugendas

A magnitude do trabalho de Johann Moritz Rugendas só encontra paralelo, no Brasil, na obra de Jean-Baptiste Debret. As semelhanças não são apenas históricas, mas estéticas: há grande similaridade estilística e conceitual entre o suntuoso registro visual que Rugendas e Debret legaram ao Brasil. Eles estiveram na colônia na mesma época, conheceram-se e trocaram idéias e desenhos. Rugendas, filho de artistas, nasceu na Alemanha em 20 de março de 1802. Veio para o Brasil com Langsdorff em 1822. Brigou com o barão, desligou-se da expedição e foi substituído por Adrien Taunay e Hercule Florence. Mas Rugendas ficou no Brasil até 1825, quando encontrou Debret. Seu esplêndido livro, lançado em francês e alemão, intitulado *Voyage pittoresque dans le Brésil* ou *Malerisch reise in Brasilien*, saiu entre 1827 e 1835. Não era um livro como o dos demais viajantes: o texto (que não foi escrito por Rugendas, mas pelo jornalista V. H. Huber) é mero comentário sobre cem pranchas selecionadas. Os desenhos de Rugendas falam por si: sua visão da natureza do Brasil, seus índios e suas cidades compõem um conjunto orgânico, cosmogênico e transcendente que revela o nascimento de uma nação. Rugendas voltou à América do Sul entre 1831 e 1847, visitando novamente o Brasil. Morreu na Baviera, em maio de 1858.

De todas as tragédias ocorridas durante a expedição Langsdorff, nenhuma foi mais marcante do que a morte do jovem e talentoso pintor Aimé-Adrien Taunay. Filho do subchefe da missão francesa, Nicolas-Antoine, Adrien chegou ao Brasil com o pai. Em 1818, com apenas 15 anos, embarcou numa longa viagem com Louis Freycinet, visitando a África do Sul, Austrália e Nova Zelândia, onde fez muitos desenhos. Depois de um naufrágio no cabo Horn, voltou ao Rio e foi contratado por Langsdorff. Em agosto de 1827, o barão dividiu seu grupo em dois. Taunay fazia parte da equipe que deveria seguir de Cuiabá ao Amazonas pelos rios Guaporé, Mamoré e Madeira. No dia 5 de janeiro de 1828, o jovem aventureiro, confiando na sua perícia de nadador, jogou-se afoitamente às águas do revolto rio Guaporé. Morreu afogado e foi enterrado em Vila Bela (Mato Grosso).

Hercule Florence

"Naturalista preparando-se para viagem através do Brasil procura um pintor. Às pessoas que preencham as condições necessárias, roga-se que se dirijam ao consulado da Rússia." Esse anúncio, publicado num jornal do Rio de Janeiro, em 1825, foi o passaporte para o aventureiro, naturalista e pintor Hercule Florence assegurar sua entrada na história da iconografia brasileira. Nascido em Nice, em 1804, chegou ao Rio em maio de 1824. O anúncio de Langsdorff mudaria sua vida.

Florence não apenas produziu mais de duzentas gravuras sobre a malfadada expedição, como também publicou o seu diário, com o título de Viagem fluvial do Tietê ao Amazonas, e organizou a obra do finado Taunay. Ao retornar da viagem, em 1829, Antoine Hercule Romuald Florence se estabeleceu em Campinas, onde abriu uma loja de tecidos, casou-se e dedicou-se a pesquisas sobre a "poligrafia" e o "papel inimitável", que o tornaram o precursor mundial da fotografia. Morreu em 1879.

Índio flechando onça: óleo de Rugendas, pintado em 1823 e um tanto diferente do conjunto habitual de sua obra.

A Viagem de Saint-Hilaire

O Ar Puro de São Paulo

No dia 29 de outubro de 1819, Auguste de Saint-Hilaire chegou a São Paulo, depois de percorrer 86 léguas (mais de quinhentos quilômetros) desde o Mato Grosso. Suas impressões sobre a capital dos paulistas:

"A localização de São Paulo não somente é encantadora como aí se respira um ar puríssimo. O número de casas bonitas é bastante grande, as ruas não são desertas como as de Vila Rica (atual Ouro Preto), os edifícios públicos são bem conservados, e o visitante não se vê afligido, como na maioria das cidades de Minas Gerais, por uma aparência de abandono e miséria. As ruas da cidade situadas na encosta da colina central, e que dão acesso aos vastos campos, são as únicas em declive. As demais são planas, largas e retas, permitindo a circulação de veículos. Todos concordam que se trata de uma cidade bonita e agradavelmente situada. Mas seria inexato dizer que sua localização é favorável ao comércio. É bem verdade que ela não dista mais de 9 ou 12 léguas do mar. Não obstante, quando se vem de Santos — o porto mais próximo — a viagem não leva menos de dois dias, uma vez que se torna necessário subir o trecho extremamente íngreme da cadeia marítima que tem o nome de Serra do Cubatão. A cidade não passa, pois, de um grande depósito de mercadorias que vem da Europa e de um local de trânsito dos produtos da região, que serão enviados para o Velho Mundo."

Modorra colonial: Saint-Hilaire visitou uma São Paulo ainda parada no tempo, como aquela que Thomas Ender havia retratado em 1817, dois anos antes (*gravura acima, à esquerda*).

Para muitos estudiosos da história das expedições científicas ao Brasil, o maior dos viajantes a percorrer o território foi o francês Augustin François César Prouvençal de Saint-Hilaire (1774-1853). Apesar de a obra científica de Saint-Hilaire ter sido gloriosa, não foram seus estudos sobre a flora brasileira que o transformaram no mais cultuado de todos os viajantes que estiveram no Brasil no século XIX. Observador minucioso, crítico feroz dos costumes, generoso e ferino em uma só frase, iracundo e conformado na seguinte, Saint-Hilaire traçou um retrato tão vívido, tão dinâmico, tão humano do Brasil que, passados mais de um século e meio desde a sua publicação, os nove volumes nos quais ele narra sua ampla jornada pela colônia continuam sendo uma leitura apaixonante — e bastante elucidativa.

Saint-Hilaire percorreu mais de doze mil quilômetros em lombo de mula, a pé ou em frágeis pirogas indígenas, coletando plantas e observando a inexorável marcha do progresso que transformava florestas em descampados, índios em indigentes e negociantes desonestos em poderosos oligarcas. Como seu conterrâneo Lévi-Strauss concluiria um século mais tarde, Saint-Hilaire percebeu que esses eram tristes trópicos. Em seu único retrato conhecido (*à direita*), Saint-Hilaire exibe um sorriso à Gioconda — misterioso, debochado, gentil e melancólico. Foi com esse espírito que ele nos legou uma das mais profundas análises da alma da nação.

Saint-Hilaire nasceu em Orléans, na França, em outubro de 1774. Filho da pequena nobreza rural, foi levado para a Alemanha durante a revolução de 1789. Lá, conheceu Aimé Bompland, amigo e íntimo colaborador de Humboldt, um apaixonado pelo Brasil. Convencido por ele, Saint-Hilaire juntou-se à missão francesa que veio ao Brasil com o duque de Luxemburgo, partindo de Brest em abril de 1816. Depois de alguns meses no Rio, Saint-Hilaire iniciou seu périplo pelo Brasil: primeiro percorreu a região de Minas Gerais (descrita nos dois primeiros volumes de seus *Voyages dans l'intérieur du Brésil*). A seguir, penetrou no Distrito Diamantino (terceiro volume), passando logo depois para o Espírito Santo (quarto volume), onde ficou até fins de 1818. Em janeiro de 1819, partiu do Rio rumo a Goiás (quinto volume), retornando para São Paulo pelo caminho dos boiadeiros (sexto volume). Percorreu essa província, mais o Paraná e Santa Catarina (sétimo volume), entrando no Rio Grande do Sul em junho de 1820 (oitavo volume), seguindo pelas Missões até Montevidéu, daí retornando ao Rio e, a seguir, para Paris. Saint-Hilaire levou dez anos para publicar sua obra — e o fez meticulosamente, enquanto preparava a monumental *Flora Brasiliae Meridionalis* (inédita no Brasil). Em fevereiro de 1821, Saint-Hilaire havia sido envenenado pelo mel da abelha lechiguana. Os sintomas da doença o infernizaram pelo resto da vida, até a morte, em 1853. Os dois últimos volumes de sua viagem só foram publicados postumamente, completando um precioso legado.

CAPÍTULO 15   A Amazônia

De "inferno verde" a rain forest, de floresta sem fim a campos dos sonhos, de última fronteira da civilização a "pulmão do mundo", a Amazônia percorreu uma longa trajetória no imaginário ocidental. Desde que o homem branco a penetrou pela primeira vez, há cinco séculos, a floresta permanece praticamente a mesma — e o maior rio do mundo também. O que se modificou foram as imagens que a mata majestosa, seus habitantes (humanos ou não) e sua complexa ecologia passaram a adquirir na mente dos pesquisadores, dos cientistas e da população urbana das maiores cidades do mundo.

Desde a sua descoberta casual, em 1542, a Amazônia tem funcionado como uma espécie de cabo-de-guerra entre fato e ficção, fantasia e realidade. De imediato, a maior região selvagem do mundo se tornou o novo palco de dois antigos mitos: a lenda das ferozes guerreiras amazonas e a miragem de Xangrilá, a cidade perfeita (nos trópicos transfigurada em Eldorado), foram ambas transplantadas para o seio da imensa mata virgem. Esses dois mitos fariam muita gente perder a cabeça — literalmente.

Gonzalo Pizarro, Lope de Aguirre e Walter Raleigh, exploradores que, por anos a fio, procuraram as amazonas e o Eldorado, foram decapitados ao retornar de mãos vazias para a Europa. Mas quem poderia duvidar que, numa região dominada pelos superlativos — onde as árvores tinham 50 metros, as cobras oito metros e uma única planta aquática (a vitória-régia) chegava a dois metros de diâmetro —, não pudesse, de fato, existir uma cidade de ouro e um reino de mulheres guerreiras?

Assim que os ensandecidos conquistadores do século XVI foram substituídos pelos meticulosos cientistas do século XIX — entre eles o francês La Condamine, o "descobridor" da borracha —, ficou claro que o maior tesouro da Amazônia era vegetal. A borracha seria responsável pela primeira corrida da história provocada, não por um minério, mas por uma planta. Pouco antes, estudos feitos na Amazônia pelos precursores de Darwin estavam ajudando o homem a entender seu papel no planeta. Infelizmente isso não seria suficiente para fazer com que o homem descobrisse qual, afinal, era o seu papel na Amazônia.

Terra de extremos: sol e chuva, exuberância e improdutividade, paraíso terrestre e inferno verde são alguns dos contrastes que constroem as imagens da Amazônia.

O Rio das Mulheres Guerreiras

As Amazonas: o antigo mito grego foi transplantado para o seio da maior floresta do planeta através da pena e da imaginação de frei Gaspar de Carvajal, cronista das Índias.

"Eram mulheres muito alvas e altas, com cabelo longo, entrançado e enrolado na cabeça. São muito robustas e andam nuas em pêlo, tapadas suas vergonhas, com os arcos e flechas nas mãos, fazendo tanta guerra quanto dez índios homens e, em verdade, houve uma que enterrou uma flecha a um palmo de profundidade no bergatim, e as outras pouco menos, de modo que, finda a luta, nossos barcos pareciam porcos-espinhos."

Naquele 24 de julho de 1542, a malfadada expedição de Francisco de Orellana já estava havia meio ano navegando pelas águas intempestivas de um rio tão largo, grande e forte quanto jamais se vira, quando o frei dominicano Gaspar de Carvajal, cronista oficial da desventura, sacou da pena para registrar a primeira aparição "factual" das mitológicas amazonas na história das Américas. Junto com Orellana e outros 21 homens, Carvajal deixara Quito, no Equador, em fevereiro de 1541. A expedição fora se juntar ao imenso grupo liderado por Gonzalo Pizarro, que havia partido da capital do império inca em busca do reino da canela — localizado, em tese, além da cordilheira. Boa para o pulmão, anti-séptica e digestiva, a canela era uma riqueza inestimável no século XVI. Tanto que poderia valer a vida de duzentos cavalos, mil cães (treinados para matar), dois mil porcos, quatro mil índios e 250 fidalgos espanhóis — o número de sacrificados nessa viagem de danação, cujo único resultado prático seria a descoberta do maior rio do mundo.

No Natal de 1541, quando, famintos e febris, Pizarro e Orellana enfim venceram a árida e gelada barreira dos Andes, mergulharam num ambiente ainda mais ameaçador: a maior floresta jamais vista por qualquer europeu. Indignado, Pizarro jogou aos cães metade dos índios sobreviventes e queimou vivos os restantes. Mas em breve não haveria mais cães, porcos ou cavalos para alimentar os espanhóis. Então, no dia 26 de dezembro, Orellana foi autorizado a construir um barco e, com 57 homens, descer o rio que viria a se chamar Coca para saquear as grandes aldeias indígenas que existiriam por lá.

Seria uma viagem sem volta: em seis dias a corrente o empurrou quase mil quilômetros rio abaixo. Não havia aldeias: só mata e água. Os viajantes comeram seus cintos e botas fervidos com ervas. O rio Coca deságua no Napo, que é afluente do Ucayali, o qual no Brasil se chama Solimões, e é um dos formadores do majestoso rio no qual aquela nau de insensatos entrou em 11 de fevereiro de 1542. Enquanto isso, na floresta, Pizarro esperou por 40 dias antes de retornar para Quito, amaldiçoando Orellana e acusando-o de traição. Com 80 homens esmaecidos, chegou à cidade em agosto de 1542 — sem canela, sem cães, sem cavalos, sem ouro. Exatas duas semanas mais tarde, a 26 de agosto, um mês após enfrentar doze amazonas (e matar sete delas) e de ter navegado 7.250 quilômetros, Orellana e 48 sobreviventes chegaram ao oceano Atlântico. Tornavam-se os primeiros homens a navegar o maior e mais misterioso rio do planeta.

O Reino do Eldorado

Ao chegar à ilha de Cubágua, a 200 quilômetros de Trinidad, depois da inacreditável viagem em companhia de Orellana, frei Gaspar de Carvajal tratou de redigir no ato o relato da expedição — e o olho que uma flechada lhe roubara não o atrasou nessa missão. Embora as dimensões do rio recém-percorrido fossem espantosas, o que mais chamou a atenção em seu diário foi a menção às amazonas, com as quais os expedicionários teriam se confrontado ao chegar na confluência do rio que hoje se chama Madeira. Aquele era um mito antigo, de origem grega, como a própria palavra (*amazos*, ou "sem seios"). Embora Carvajal jamais tenha afirmado que as guerreiras que seu grupo enfrentou retiravam o seio para melhor manejar o arco, resolveu chamá-las pelo mesmo nome que Homero utilizara, no século VIII a.C., para batizar as mulheres guerreiras da antiga Cítia.

— Viagem de Sir Walter Raleigh
— Viagem de Orellana (dez. 1541 - ago. 1542)
— Viagem de Pedro Teixeira (out. 1637 - jun. 1638)

Lope de Aguirre

Comparadas à delirante jornada de Lope de Aguirre pela Amazônia, as viagens pioneiras de Francisco de Orellana e Pedro Teixeira pelo maior rio do mundo foram piqueniques de escoteiro. Um dos caudilhos mais ensandecidos da história, Aguirre era tenente na expedição liderada pelo governador Pedro de Ursua, que partira de Lima em 1559 em busca do Eldorado. Após um ano de tormento e volteios pela selva, Aguirre amotinou-se, matou Ursua e assumiu o comando da expedição, em 1º de janeiro de 1561. "Deus está no céu, o rei está longe. Aqui mando eu", proclamou o líder rebelde, que pretendia fundar um reino independente na atual Venezuela, do qual seria o monarca. Antes de ser preso e decapitado, Aguirre descobriu a ligação entre o Amazonas e o Orinoco — perdida por duzentos anos depois dele. Sua alucinada viagem virou filme de Werner Herzog (acima, Klaus Kinski no papel do tirano).

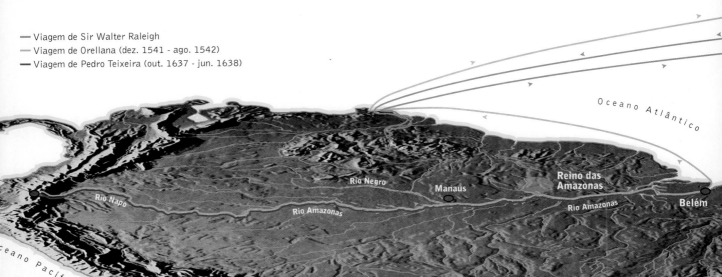

Oceano Atlântico

Rio Negro

Manaus

Reino das Amazonas

Rio Amazonas

Belém

Rio Napo

Rio Amazonas

Oceano Pacífico

Walter Raleigh

Favorito da Rainha Elizabeth I, com quem teve um caso, Walter Raleigh foi uma das dinâmicas e controversas figuras da colonização inglesa. Descobridor das Guianas e primeiro colonizador dos EUA (fundou a Virgínia e a Carolina do Norte), sir Walter Raleigh, tido como o introdutor do tabaco na Inglaterra, ficou conhecido como o "homem que pesou a fumaça". Para ganhar uma aposta, colocou um charuto numa balança, fumou-o e pesou as cinzas. A diferença entre uma medida e outra era "o peso da fumaça". O mais romanesco dos ingleses se tornou um herói popular.

Carvajal seria criticado ainda em vida pelo cronista López de Gomara: "Dentre os disparates que disse, o maior foi afirmar que havia amazonas, (*já que*) nunca tal se viu nem tão pouco se verá neste rio". Para o próprio Gomara, porém, "que mulheres andem com armas e pelejem, ali não é muito, pois esse é seu costume nas Índias". Duzentos anos depois, Humboldt e La Condamine ofereceriam a mesma explicação para a cena descrita por Carvajal: na América, era fato corriqueiro as mulheres irem à luta ao lado dos maridos. Ainda assim, na terceira vez que o Amazonas foi navegado da nascente à foz, em 1639, nem o português Pedro Teixeira nem seu cronista, Cristóbal de Acuña, viram sinal das tais amazonas.

Pouco antes de Pedro Teixeira se tornar o chefe da primeira expedição a subir o Amazonas e de Cristóbal de Acuña vir a ser o segundo cronista do rio, narrando a viagem de volta, de Quito a Belém (*leia na página seguinte*), o Amazonas se tornaria berço de um outro mito — quase tão longevo quanto o das amazonas. El Dorado era o nome do rei do país dos Omáguas e senhor de sua reluzente capital, Manoa, cidade dos telhados de ouro. Todas as manhãs, o Homem Dourado tinha seu corpo polvilhado de ouro (*abaixo*), antes de mergulhar num lago sagrado no qual seus súditos jogavam jóias e adornos. Depois que um certo Juan Martínez chegou à ilha de Trinidad afirmando que vivera sete meses como prisioneiro em Manoa do Eldorado, uma nova febre do ouro tomou conta dos conquistadores espanhóis na América — e logo afetaria ingleses, alemães e holandeses.

Mesclando elementos de *A Utopia*, de Thomas Morus, da *Nova Atlântida*, de Francis Bacon, e de romances de cavalaria, como *Amadis de Gaula*, a lenda do Eldorado se espalhou como fogo na palha. A primeira expedição a meter-se na selva em busca do reino de ouro foi a de Pedro de Ursua e Lope de Aguirre (*leia quadro na página anterior*). As mais alucinadas aventuras em busca do Eldorado, porém, foram patrocinadas por *sir* Walter Raleigh: primeiro em 1595 e depois em 1617 (após permanecer treze anos encarcerado na Torres de Londres). Raleigh navegou pelo Orinoco e percorreu o planalto das Guianas em busca de uma cidade que não estava lá. Na volta para Londres, foi decapitado por ordem do rei James.

A Épica Viagem de Pedro Teixeira

Enviada para Quito para medir o raio equatorial da Terra — que, segundo a polêmica teoria de Newton, deveria ser menor do que o raio polar (o que tornaria o planeta um "elipsóide achatado") — a missão que o cosmógrafo francês Charles Marie de la Condamine fez à Amazônia, entre 1735 a 1746, iria inaugurar um novo período na história das viagens à América. Rico, ilustrado, amigo do filósofo Voltaire, foi La Condamine quem abriu a era das grandes expedições científicas. Desembarcando no Equador em fins de 1735, perambulou por oito anos pela cordilheira dos Andes. Em maio de 1743, decidiu descer o Amazonas da nascente até a foz — viagem que, surpreendentemente, foi autorizado a fazer, tanto pelos espanhóis como pelos portugueses (que, meio século depois, proibiriam a entrada do barão Von Humboldt no Brasil). A jornada durou dez meses, consagrando La Condamine como "descobridor" da borracha (leia página 166), do quinino e da platina.

Em 5 de fevereiro de 1637, ao desembarcar em Belém, os frades espanhóis Andrés de Toledo e Domingo de Brieva, acompanhados por seis soldados castelhanos, estavam se tornando, quase exatamente um século depois da extraordinária aventura de Orellana e Carvajal, os primeiros homens a navegar o imenso rio Amazonas da nascente até a foz. Tão logo foi informado da impressionante façanha daqueles oito homens — e apoiando-se no fato de Portugal e Espanha estarem então unidos sob a mesma coroa —, o governador do Pará, Jacomé Noronha, decidiu de imediato enviar uma expedição pelo mesmo caminho que trouxera os espanhóis, só que na direção inversa.

Para comandar tal missão, Noronha escolheu o capitão-mor Pedro Teixeira (*à esquerda, em retrato supositício*). Em 28 de outubro de 1637, Teixeira, acompanhado por setenta soldados e 1.200 indígenas, partiu de Belém rio acima, com 47 canoas "de bom porte". Oito meses depois, em 24 de junho de 1638 — com menos da metade da tripulação (a maior parte dos nativos desertou ou morreu) —, a expedição chegava a Quito, tendo realizado a prodigiosa tarefa de vencer, em barcos movidos a remo, a forte correnteza do Amazonas (cuja velocidade é de seis nós). Mais do que surpreso, o governador de Quito ficou alarmado com o feito: ele temia que, a partir de então, o rio começasse a ser utilizado como via de acesso para a conquista do Peru pelos portugueses. O governador tratou Teixeira com a devida cortesia, mas mandou-o em seguida de volta a Belém.

Para acompanhar — e descrever — a longa jornada de retorno, as autoridades espanholas destacaram os jesuítas Cristóbal de Acuña e Andrés de Artieda. Em 16 de fevereiro de 1639, em companhia de Teixeira e sua tropa, eles zarparam do Equador. Dez meses mais tarde, em 12 de dezembro, o grupo original estava de volta ao porto de partida: Belém do Pará. Pedro Teixeira tornou-se, assim, o primeiro homem a ter percorrido toda a extensão do maior rio do planeta nos dois sentidos, numa espantosa jornada de ida e volta. Cristóval de Acuña, por seu turno, seguiu imediatamente para a Espanha, onde redigiu o relato *Novo descobrimento do grande rio das amazonas* — um livro em tudo superior ao que o dominicano e inquisidor Gaspar de Carvajal produzira um século antes.

Embora a viagem fosse atribulada e repleta de imprevistos e, segundo Acuña, as margens do grande rio estivessem ocupadas por cerca de dois milhões de indígenas, nem ele, nem Teixeira, nem ninguém viu qualquer sinal das fabulosas "amazonas". A expedição, de qualquer forma, não se tornou apenas um marco na história das explorações: foi graças à coluna de pedra que Teixeira fincou, em 16 de agosto de 1639, na confluência dos rios Aguarico e Napo (atualmente fronteira entre o Equador e Peru) — numa petulante tentativa de estabelecer um limite entre as possessões espanholas e portuguesas na América —, que a maior parte da região amazônica e praticamente todo o curso do rio que a percorre passariam a fazer parte do território brasileiro. Como pagamento pela façanha, Pedro Teixeira ganhou trezentos casais de escravos indígenas.

O intrépido capitão: apesar das extraordinárias conseqüências de sua viagem, o nome de Pedro Teixeira quase nunca é mencionado nos livros escolares e não existem imagens autênticas dele. O retrato acima, à esquerda, é supositício e foi pintado nas primeiras décadas do século XX.

Humboldt

A Jornada de Alexandre Rodrigues Ferreira

A o retornar para Lisboa, em janeiro de 1793, depois de dez anos percorrendo quase 40 mil quilômetros pela região amazônica, nas capitanias do Grão-Pará, Rio Negro, Mato Grosso e Cuiabá, Alexandre Rodrigues Ferreira não estava apenas se tornando o primeiro brasileiro a realizar uma grande expedição científica pelo Brasil: estava coroando também o breve ciclo de missões exploratórias promovido por Portugal no fim do século XVIII. Embora nascido na Bahia, em 1756, Rodrigues Ferreira era um cientista de formação lusitana. Membro da Academia de Coimbra, fora escolhido pelo mestre italiano Domenico Vandelli para chefiar a grande expedição ao Brasil. Fundador do museu e do jardim botânico da mais importante universidade portuguesa, Vandelli era o grande renovador de Coimbra. Apesar de sua influência na Corte ser considerável, a missão amazônica que ele planejara jamais teria sido aprovada, não fizesse ela parte do projeto lançado pelo poderoso marquês de Pombal de investigar as riquezas do Brasil.

Como a colônia estava fechada a cientistas estrangeiros, não havia outra opção senão recorrer aos acadêmicos de Coimbra. Ninguém jamais se arrependeu da decisão: o desempenho de Ferreira à frente da expedição foi exemplar e, até hoje, o conjunto de seus relatos, reunido no livro *Jornada filosófica*, permanece um modelo de investigação científica. Os

Duas figuras com máscaras: aquarela de Joaquim José Codina, um dos brilhantes artistas que acompanhou a expedição de Alexandre Rodrigues Ferreira, chamado de "Humboldt brasileiro".

méritos não cabem apenas a ele: acompanhado pelos ilustradores José Freire e Joaquim Codina e pelo coletor Agostinho do Cabo, Ferreira legou à posteridade um estudo belo e profundo sobre a maior floresta do planeta, apesar do errático destino de seu acervo.

A expedição partiu de Lisboa em 1º de setembro de 1783 e chegou a Belém em 31 de outubro. Enquanto aguardava apoio logístico para realizar sua grande viagem pelos principais rios da bacia amazônica, Ferreira e sua equipe limitaram-se a explorar os arredores da cidade e o vizinho rio Tocantins. Foi só depois de um ano, em setembro de 1784, que a equipe pôde enfim seguir para a capitania do Rio Negro, transformando a localidade de Barcelos em sua segunda cidade-base. Após cinco anos percorrendo a vasta bacia do rio Negro, Ferreira partiu para Mato Grosso — uma viagem tremendamente acidentada que lhe tomou treze meses e dezoito dias.

Instalando-se em Cuiabá, o grande cientista explorou o Pantanal, suas chapadas e toda a bacia do rio Paraguai. Tendo percorrido 39.372 quilômetros, ele então retornou a Belém, em janeiro de 1792. Ao longo de dez anos, Alexandre Rodrigues Ferreira tinha produzido relatórios sobre a situação urbana, demográfica, administrativa e econômica de todas as povoações que percorrera; havia redigido memórias sobre a fauna, a flora e os minerais dessas regiões; ao mesmo tempo que coletava e armazenava milhares de espécies animais, vegetais e minerais, descrevia as etnias indígenas e recolhia os objetos de maior interesse etnográfico.

Ao retornar a Lisboa, Ferreira tornou-se membro da prestigiosa Ordem de Cristo. Mas, a partir de então, nada mais deu certo: bom no trabalho de campo, ele era fraco no gabinete. E, como se não bastasse o fato de tê-lo catalogado de forma confusa e dispersa, Alexandre Rodrigues ainda veria seu material ser saqueado por Geoffroy de Saint-Hilaire, cientista francês que, por ordem do general invasor Andoche Junot, levou-o para Paris em 1808. Parte do espólio retornaria a Lisboa em 1814, após o fim da ocupação francesa, mas até hoje o acervo recolhido por Alexandre Rodrigues Ferreira — o Humboldt brasileiro — ainda não foi devidamente estudado.

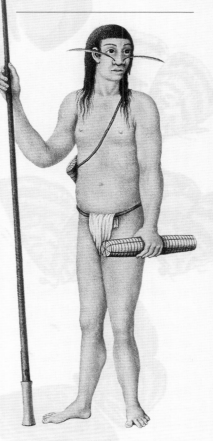

Desenho de gentio: aquarela de José Joaquim Freire, um dos ilustradores portugueses que percorreu o interior do Brasil em companhia de Rodrigues Ferreira.

As Aventuras de Henry Bates

Por volta de 1845, os naturalistas ingleses Henry Walter Bates e Alfred Russel Wallace podiam ser vistos caçando borboletas nos arredores da cidade de Leicester e trocando cartas sobre o assunto de interesse comum. Três anos mais tarde, no dia 28 de maio de 1848, os dois jovens cientistas já estavam desembarcando em Belém para iniciar uma longa permanência na Amazônia, durante a qual não apenas capturaram dezenas de milhares de borboletas, como ajudaram a mudar os rumos da ciência. Wallace queria que Bates o ajudasse a encontrar uma família de borboletas com o maior número possível de espécies, de modo que eles pudessem estudar de que forma elas se modificavam. Esses estudos seriam a base da teoria da origem das espécies, mais tarde consagrada por Darwin. Filho de um operário têxtil, Bates não dispunha de capital para financiar suas explorações e se sustentava com a venda de espécimes, principalmente insetos, para museus ingleses. Deste modo, permaneceu onze anos na Amazônia, de 1848 a 1859, recolhendo 14.712 espécies de mamíferos, aves, répteis e insetos, sendo oito mil delas novas para a ciência. De início, Bates e Wallace permaneceram juntos em Belém e arredores e percorrendo o Tocantins. Depois, Bates seguiu sozinho pelo Solimões até a fronteira com o Peru, retornando mais tarde para Manaus e daí para Londres. Em 1863, ganhou fama com a publi-

"Derrubei um tucano com um tiro e ele caiu num vale profundo onde me embrenhei para pegá-lo. Ele estava apenas ferido e fez uma tremenda algazarra. No mesmo instante, como num passe de mágica, o sombrio vale se encheu de seus companheiros, embora eu tivesse certeza de não haver ali nenhum pássaro quando entrei no mato. Vieram todos em minha direção, saltando de galho em galho, alguns balançando-se nos trapézios dos grossos cipós, soltando seus gritos roufenhos e agitando as asas, como um bando de fúrias."

cação de *O naturalista no rio Amazonas*. Ilustrado com desenhos minuciosos feitos por ele próprio e escrito num estilo primorosamente vívido, o livro cativou a imaginação vitoriana, tornando-se, mais tarde, um favorito também de George Orwell e de D. H. Lawrence. Bates se tornou o maior especialista em mimetismo e um dos grandes responsáveis pelo surgimento da teoria que fez a fama de Darwin.

Embora denso e cientificamente acurado, *O naturalista no rio Amazonas* pode ser lido como um romance de aventuras, como fica claro nos dois trechos selecionados nesta página: "Uma aventura divertida" (*quadro à esquerda*) e "Um incidente durante a pesca de tartarugas":

"Em 6 de outubro (de 1850) deixamos Ega (no Solimões), para uma segunda excursão; desta vez o objetivo (...) era encontrar tartarugas nas lagoas da floresta. (...) Depois que a rede estava armada em círculo e os homens haviam mergulhado (com a finalidade de orientar as tartarugas) viu-se que havia um jacaré preso nas malhas da rede. Não houve pânico — apenas receio de que o bicho a rasgasse. Inicialmente alguém gritou: 'Encostei na cabeça dele'. A seguir outro homem disse: 'Ele raspou na minha perna'. Um índio Miranha perdeu o equilíbrio e ninguém mais conseguiu parar de rir e gritar. Finalmente, atendendo as instruções que dei da margem, um rapaz de uns 14 anos segurou o jacaré pelo rabo e o arrastou até a margem (...) Eu havia cortado um grosso pedaço de pau e, assim que o jacaré foi trazido para terra, dei-lhe uma forte pancada na cabeça que o matou instantaneamente. Aquele era um caimão grande, que os índios chamam de jacaré-açu. Suas mandíbulas de 50 cm eram perfeitamente capazes de cortar ao meio a perna de um homem. (...) Não é exagero dizer que durante a estação seca há tantos jacarés nas águas do Amazonas quanto girinos nos regatos da Inglaterra. Durante uma viagem que fiz, certa vez, pelo Alto Amazonas, os jacarés podiam ser vistos ao longo da margem durante todo o percurso, e os passageiros se divertiam atirando neles da manhã à noite. Quando o vapor passava, eles se amontoavam uns sobre os outros, em grupos compactos, suas couraças se entrechocando."

A Febre de Alfred Russel Wallace

No dia 1º de julho de 1858, o naturalista Alfred Russel Wallace apresentou para a Linnean Society, em Londres, um texto chamado *Sobre a tendência das espécies de se afastarem indefinidamente do tipo original*. Foi um momento histórico pois, naquela mesma tarde, outro cientista, de nome Charles Darwin, leu o manuscrito do que viria a ser *A origem das espécies pela seleção natural* — um texto em tudo similar ao de Wallace. Nenhum dos dois foi acusado de plágio, pois a academia sabia que ambos estavam desenvolvendo a mesma teoria, paralela e simultaneamente — sem contato prévio. Wallace chegara às suas conclusões durante um forte ataque de malária, nas ilhas Molucas, em 1857, enquanto meditava sobre a tese de Malthus a respeito do crescimento das populações. Mas não há dúvida de que ele jamais teria a inspiração para desenvolver sua tese se não tivesse permanecido por quatro anos na Amazônia.

Nascido em janeiro de 1823, Wallace chegou a Belém aos 25 anos, em companhia de Bates. No dia 26 de março de 1850, os dois se separaram em Manaus. Wallace prosseguiu então pelas desconhecidas regiões do Alto Rio Negro e pelo Uaupês, coletando borboletas e estudando também e espantosa biodiversidade dos peixes amazônicos, até chegar em território venezuelano. No dia 6 de agosto de 1852, depois de retornar a Belém, Wallace partiu para a Inglaterra. Mas o *Helen*, navio no qual viajava, se incendiou em alto-mar, queimando todas as coleções e diários que ele coletara. Depois de dez dias à deriva nos escaleres, sedentos e famintos, Wallace e os demais sobreviventes do naufrágio foram resgatados a cerca de duzentas milhas da costa das Bermudas. Com ajuda da memória prodigiosa e das coleções de plantas e animais que enviara antes para a Inglaterra, Wallace começou a redigir seu primeiro livro.

Em 1853, *Uma narrativa das viagens pelos rios Amazonas e Negro* foi lançado, com grande sucesso, em Londres. O livro agradou a comunidade científica e o público leigo. Lendo dois de seus trechos, não é difícil entender por quê:

"Prosseguimos lentamente rio acima. Às vezes velejamos, mas geralmente tínhamos de usar os remos. A chuva incessante perturbava-nos bastante. Além disso, havia os torturantes mosquitos, todas as noites conservando-nos num estado de exaltada irritação, pois não conseguíamos fechar os olhos por um minuto sequer. Os índios sofriam tanto quanto nós, pois é um grande erro supor que os mosquitos não os piquem. Podíamos ouvi-los durante toda a noite dando sonoros tapas em seus corpos seminus, tentando matar ou afugentar os infernais insetos. O tormento era por vezes tão grande que eles preferiam enrolar-se no pano da vela, sofrendo a aflição de ficarem semi-sufocados, a ter de agüentar aquele verdadeiro martírio (...) Já estávamos no fim de dezembro quando chegamos à pequena Povoação de Serpa. No dia de Natal, chegamos a uma casa cujos moradores tinham acabado de fazer proveitosa pesca. Quisemos comprar uns peixes, mas eles se recusaram a vendê-los, não hesitando porém em dar uma excelente posta para enriquecer nossa ceia. Compramos alguns ovos e prosseguimos rio abaixo. Quando fizemos a última parada do dia, preparamos um pudim à base de farinha, fritamos o peixe e fizemos café. Com isso tivemos uma razoável ceia de Natal. Enquanto comíamos, deixamos que nossos pensamentos nos levassem para o lar distante e para os longínquos e queridos amigos que naquela hora, em torno de suas requintadas mesas, possivelmente estariam também com os pensamentos voltados para nós, aqui tão longe nesta incomensurável Amazônia."

"As copas das árvores formavam um compacto dossel por cima das águas, impedindo a penetração dos raios de sol. A beleza da vegetação ultrapassava tudo o que eu já vira até então. A cada curva do regato surgia algo de novo e surpreendente. Aqui era um formidável cedro cujos galhos pendiam sobre as águas; ali uma enorme paineira, destacando-se como um gigante sobre as demais árvores da mata; a seguir, os majestosos coqueiros-muritis, com seus caules cilíndricos e retilíneos, quais colunas gregas, produzindo uma visão de fato imponente."

Alfred Russel Wallace

A árvore-que-chora: conhecida há milênios pelos indígenas, a seringueira — acima, em desenho científico feito no século XIX — foi "descoberta" em 1743 pelo francês La Condamine que a revelou para a indústria ocidental.

O Ciclo da Borracha

"A resina chamada cautchu nas terras da província de Quito, vizinhas ao mar, é também muito comum nas margens do Marañón e se presta para os mesmos usos. Quando fresca, pode ser moldada na forma desejada. É impermeável à chuva, mas o que a torna mais notável é sua grande elasticidade. Fazem-se garrafas que não são frágeis, botas, bolas ocas, que se achatam quando apertadas, mas retornam a forma original quando cessa a pressão." No dia 28 de julho de 1743, a seiva da seringueira — em breve batizada de látex — estava fazendo sua entrada oficial no mundo da ciência, pela pena meticulosa do francês Charles Marie de la Condamine. Em poucos anos se tornaria o produto vegetal mais importante e mais cobiçado do planeta — provocando o *boom* econômico que faria Manaus se transformar, quase que da noite para o dia, de aldeia indígena em capital industrial e recolocando (depois do açúcar e antes do café) o Brasil no mapa econômico mundial. O sonho, porém, não iria durar muito tempo.

Os portugueses conheciam a borracha há dois séculos e a utilizavam, como disse o próprio La Condamine, para fazer "seringas", "com a forma de uma pêra oca, com um canudo na ponta, que eles enchem d'água e apertam quando estão cheias". Por isso, batizaram a árvore de seringueira, embora jamais tenham pensado em utilizá-la de outra maneira. La Condamine levou amostras da *cao o'chu* (ou "árvore que chora") para a Europa e lá a borracha provou ser, senão a maior, pelo menos a primeira das maravilhas vegetais da era industrial.

Tudo começou em 1770, quando Joseph Priestley descobriu que ela apagava os riscos deixados pelo grafite no papel. Em 1823, um escocês chamado Charles Mackintosh infiltrou a borracha em tecidos, lã e couro, criando os primeiros "impermeáveis" (que ficavam duros no inverno e derretiam no verão). Em 1839, Charles Goodyear inventou a vulcanização, adicionando enxofre à borracha quente. Em 1888, John Dunlop ajudou seu filho a ganhar uma corrida de bicicletas amarrando uma tira de borracha em cada roda e inflando-as. Três anos antes, Karl Benz criara o primeiro automóvel movido a gasolina — que logo teria pneus de borracha vulcanizada. Foi o começo do *boom*.

Em 1830, Manaus se chamava Barra e era uma vila de três mil habitantes. Em 1880, a cidade tinha 50 mil habitantes e exportava doze mil toneladas de borracha para a Europa. A terrível seca de 1877-79, no Ceará, provocara um fluxo migratório para o Amazonas e os retirantes viraram seringueiros, esvaindo a seiva de oito milhões de árvores espalhadas por três milhões de quilômetros quadrados. As ruas, hotéis e cafés de Manaus fervilhavam, repletas de banqueiros ingleses, investidores americanos e prostitutas francesas. A cidade tinha trezentos telefones, dezesseis quilômetros de linhas de bondes elétricos e três linhas de navegação que a ligavam à Europa e aos EUA. Em 1896, foi inaugurado o primeiro teatro do Brasil, o fabuloso Amazonas, decorado com opulência. Mas em 1904, quando Manaus estava no zênite, exportando 80 mil toneladas de borracha por ano, as sete mil sementes de seringueira que o inglês Henry Wickham contrabandeara trinta anos antes enfim brotavam na Malásia. Em breve, fariam a produção brasileira ruir como um castelo de cartas. Em 1906, Manaus havia virado quase uma cidade-fantasma. Seu teatro fechou — e com ele acabou-se a farsa do lucro fácil.

O Brasil Independente

O príncipe não estava bem. Teria sido a água salobra de Santos ou algum prato condimentado do jantar da noite anterior? Não se sabe — nem ele o sabia. O fato é que uma diarréia o atacara, e a cavalgada pela tortuosa estrada que o conduzia da baixada santista ao platô de São Paulo não tinha ajudado em nada na recuperação do combalido ventre principesco. No instante em que o major Antônio Ramos Cordeiro e o correio real Paulo Bregaro, que tinham partido do Rio de Janeiro em direção a Santos com um maço de cartas urgentes para D. Pedro, chegaram às margens do riacho Ipiranga, divisaram alguns membros da guarda de honra parados numa colina. D. Pedro estava à beira do córrego, "quebrando o corpo" — agachado para "responder a mais um chamado da natureza". A correspondência lhe foi entregue enquanto ele ainda abotoava a braguilha do uniforme. As circunstâncias não eram as mais indicadas para a "perpetração da façanha memorável". Mas as notícias eram de tal forma definitivas e perturbadoras que, depois de ler, amassar e pisotear as cartas, D. Pedro montou "sua bela besta baia", cavalgou até o topo da colina e gritou à guarda de honra: "Amigos, as Cortes de Lisboa nos oprimem e querem nos escravizar... Deste dia em diante, nossas relações estão rompidas".

Após arrancar a insígnia portuguesa de seu uniforme, o príncipe sacou a espada e, às margens plácidas do Ipiranga, bradou, heróico e retumbante: "Por meu sangue, por minha honra e por Deus: farei do Brasil um país livre". Em seguida, erguendo-se dos estribos e alçando a espada, afirmou: "Brasileiros, de hoje em diante nosso lema será: Independência ou Morte". Eram quatro horas da tarde do dia 7 de setembro de 1822 e o sol, em raios fúlgidos, brilhou no céu da pátria naquele instante.

As cartas que D. Pedro rasgara tinham sido enviadas pelas Cortes de Lisboa (onde, com deboche, o chamavam de "rapazinho" ou de "brasileiro") e acintosamente informavam que, em vez de regente do Brasil, o

príncipe passaria a ser mero delegado das Cortes; que seus ministros seriam nomeados em Lisboa e que aqueles que o tinham apoiado no episódio do "Fico" eram traidores da pátria. Mas, junto às missivas, vinha também uma carta de seu conselheiro, José Bonifácio de Andrada e Silva. "A sorte está lançada", dizia Bonifácio, "nada temos a esperar de Portugal, a não ser escravidão e horrores".

A diarréia estragara o dia de D. Pedro, mas, apesar da crise das Cortes e das dores de barriga, o príncipe vivia um período luminoso. Dois dias antes, "numa viela pouco freqüentada de Santos", ele tinha visto uma "mulata de grande beleza" e, "com o gesto rápido de quem não quer perder a caça, embargou-lhe o passo" e a beijou. A moça, que evidentemente não reconheceu o príncipe regente, o esbofeteou e fugiu. Embora, ao descobrir que era escrava, tenha tentado

O cetro e o grito: D. Pedro I, já imperador, e o *Brado do Ipiranga*, pintado por Pedro Américo em 1888.

comprá-la, D. Pedro ignorou a rejeição: fazia uma semana, estava apaixonado. No dia 29 de agosto, em São Paulo, o jovem príncipe conhecera aquela que, entre incontáveis candidatas, seria a mulher de sua vida: Domitila de Castro Canto e Melo, futura marquesa de Santos. No dia 5 de setembro, quando partiu para uma inspeção a Santos, o futuro imperador e Domitila já eram amantes — e o seriam por sete longos e abrasadores anos. Mas nem a diarréia nem as vertigens da paixão impediriam D. Pedro de tomar a maior decisão de sua vida. Aos 24 anos, o príncipe estava desde os dez no Brasil. Aqui, tivera seus primeiros cavalos e suas primeiras mulheres; aqui, vencera seus primeiros desafios, políticos e pessoais. D. Pedro amava o país. Parecia o homem certo para torná-lo uma nação independente. Foi justamente o que ele fez.

Um Príncipe Brasileiro

As Esposas

A primeira esposa de D. Pedro foi D. Leopoldina (acima), filha do imperador Francisco I de Habsburgo. Os noivos casaram sem se conhecer, em maio de 1817, embora D. Leopoldina (acima) tenha se apaixonado após ver uma imagem do marido. Ao vivo, a partir de novembro de 1817, a paixão aumentou — antes de arrefecer. Nos dois primeiros anos, D. Pedro foi-lhe fiel. D. Leopoldina lhe deu sete filhos, morrendo em 1826, em conseqüência de um parto. Em 1829, D. Pedro casou com a princesa Amélia de Leuchtenberg (abaixo), com quem teve uma filha. Viúva aos 22 anos, D. Amélia não mais se casaria. Morreu aos 70 anos.

Um amante latino:
à direita, duas imagens de
D. Pedro I, aos 10 anos (*abaixo*)
e aos 18 (*no alto*).

Ao retornar de uma audiência com o regente de Portugal D. João VI, em abril de 1805, o embaixador da França em Lisboa, Andoche Junot, anotou no diário: "Meu Deus! Como é feio! Meu Deus! Como é feia a princesa! Meu Deus! Como são todos feios! Não há um só rosto gracioso entre eles, exceto o do príncipe herdeiro". Junot, que dali a três anos invadiria o país, estava se referindo ao garoto Pedro de Alcântara Francisco Antônio João Carlos Xavier de Paula Miguel Rafael Joaquim José Gonzaga Pasqual Sipriano Serafim de Bragança e Bourbon. O segundo filho varão de D. João e Carlota Joaquina nascera no dia 12 de outubro de 1798, na sala D. Quixote do palácio de Queluz, em Lisboa. Antônio, primogênito de D. João, morreu em 1801, aos seis anos de idade, tornando D. Pedro o primeiro na linha sucessória. Apesar disso, nem o regente nem D. Carlota se preocuparam com a educação do filho. Em 1808, depois que D. Pedro se mudou com os pais para o Brasil, esse desleixo assumiria proporções quase criminosas. Criado solto na Quinta da Boa Vista ou na fazenda Santa Cruz (propriedade tomada dos jesuítas, a cerca de 80 quilômetros do Rio), o jovem D. Pedro andava sozinho na mata, brigava a pau e soco com outras crianças, bolinava as escravas. Ali, tornou-se um exímio mas imprudente cavaleiro: caiu do cavalo 36 vezes.

A rudeza desses primeiros anos pode ter agravado a epilepsia congênita: aos 18 anos, D. Pedro já sofrera seis ataques da doença. Alguns, durante cerimônias oficiais — que o príncipe não tolerava (no beija-mão, ele a estendia a adultos, mas, se uma criança se aproximava, ele a socava no queixo). Mas, desde a infância, Pedro revelou ser um sujeito despojado e de bom coração. Andava com roupas de algodão e chapéu de palha, tomava banho nu na praia do Flamengo, ria, debochava e zombava com quem quer que fosse.

Era mau poeta e mau latinista, mas bom escultor e excelente músico: tocava clarinete, flauta, violino, fagote, trombone e cravo. Também tocava um instrumento e um ritmo malditos: o violão e o lundu, que aprendera em lugares mal-afamados no Rio, como a taverna da Corneta, na rua das Violas, onde o príncipe conheceu aquele que viria a ser seu melhor amigo, Francisco Gomes da Silva, o Chalaça. Deve ter sido lá também que Pedro teve sua iniciação sexual. E, depois que começou, não parou mais: por toda a vida, D. Pedro foi um amante latino, dândi liberal que tomava o que gostava — cavalos, mulheres ou roupas. Mas quem convivera com ele concordava com algumas de suas últimas palavras: "Orgulho-me de ser verdadeiro, humano e generoso e de ser capaz de esquecer as ofensas que me são feitas".

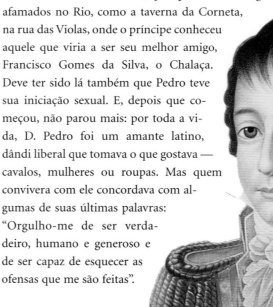

Intriga nas Cortes de Lisboa

Embora tenha começado a romper seus grilhões coloniais no momento em que D. João VI abriu os portos "às nações amigas", em janeiro de 1808, os fatos que antecederam — e anteciparam — a independência do Brasil estão diretamente ligados à Revolução Liberal do Porto, que eclodiu em agosto de 1820.

Portugal era então governado pelo marechal inglês Beresford, que expulsara, ainda em 1808, os franceses do reino. Indignados com a situação — e com o fato de custearem a onerosa permanência de D. João VI no Brasil —, os revoltosos se aproveitaram da ida de Beresford ao Rio para deflagrar o movimento. Além de forçar D. João a retornar a Portugal, a junta provisória que assumiu o controle da nação decidiu reconvocar as "Cortes Gerais Extraordinárias e Constituintes da Nação Portuguesa", que, noutros tempos, eram reunidas em épocas de crise. E foi graças à intransigência das Cortes que os fatos se precipitaram, não deixando aos brasileiros outra opção que não a luta pela independência.

Como Portugal não tinha uma constituição, D. João VI foi forçado a jurar uma nova, que se baseava na Constituição espanhola de 1812. Pelas novas regras do jogo, o Brasil — que, desde 1808, ocupava uma posição de destaque no império português — perdia seus privilégios de "Reino Unido ao de Portugal e Algarves" (*status* que desfrutava desde dezembro de 1815) e teria de voltar a se submeter inteiramente ao governo da metrópole. O novo regime, representativo, permitiria a participação brasileira no governo de Lisboa. O problema era que, de acordo com as novas leis, as colônias seriam sub-representadas e as eleições, indiretas. Assim sendo, das 181 cadeiras das Cortes, apenas 72 poderiam ser ocupadas por deputados brasileiros — e, entre esses, havia aqueles que eram francamente favoráveis à metrópole. Apesar dessas vantagens, as Cortes sequer esperaram que todos os representantes do Brasil chegassem a Lisboa para, em 7 de março de 1821 — com somente 46 dos 72 brasileiros presentes no plenário — , votar a emenda que, pura e simplesmente, dissolvia o reino do Brasil.

Na verdade, não era difícil perceber que o propósito básico das Cortes era, por meio de uma série de medidas que incluíam o envio de tropas e o reestabelecimento do antigo monopólio comercial, "recolonizar" o Brasil. Em sessões tensas e tremendamente tumultuadas, com os deputados quase trocando sopapos (*ver página seguinte*), as Cortes decidiram que o Brasil não apenas deixaria de ser um reino unido a Portugal como também o vice-reinado, com sede no Rio de Janeiro, não seria restabelecido. Em vez de possuir um governo central, o Brasil seria dividido em províncias autônomas, cujos governadores (militares) seriam nomeados pelas próprias Cortes.

Foram eliminadas também todas as agências, repartições públicas e tribunais de justiça estabelecidos depois de 1807. Além disso, estavam sumariamente demitidos todos os juízes, advogados, escreventes e burocratas que ocupavam esses postos. E, como se não bastasse, as Cortes exigiam o retorno imediato a Lisboa do príncipe regente já que, na opinião dos deputados, não tendo mais o Brasil um governo central, a presença de D. Pedro no Rio passava a ser meramente figurativa. Mas as Cortes decidiram também que não havia lugar para D. Pedro em Portugal: o príncipe deveria fazer, incognitamente, "uma viagem pela Inglaterra, França e Espanha para aprofundar sua educação, de modo a, algum dia, poder ocupar condignamente o trono" lusitano.

Uma declaração de guerra não teria efeito maior: enquanto o Brasil se preparava para entrar no século XIX, as Cortes propunham um retorno ao *status quo* do século XVII. Embora as determinações fossem absurdas e injustas, ainda assim D. Pedro estava decidido a cumpri-las. Afinal, as tropas portuguesas estacionadas no Rio e os comerciantes lusitanos residentes no

As Amantes

A partir dos 16 anos, D. Pedro adquiriu fama de amante insaciável. Os nobres portugueses e ricos brasileiros escondiam as filhas quando o príncipe passava. A primeira da série de incontáveis amantes foi a bailarina francesa Noémi Thierry, com quem D. Pedro teve um filho (natimorto), antes que seus pais enviassem a moça de volta a Paris. Embora tenha tido — ou tentado ter — relações sexuais com praticamente qualquer mulher que visse pela frente, a grande paixão de D. Pedro foi Domitila de Castro, que ele fez marquesa de Santos e que lhe deu quatro filhos.

D. Pedro e Domitila (abaixo), uma "sensual luso-brasileira de seios e quadris volumosos", conheceram-se em São Paulo, uma semana antes de o príncipe proclamar a independência. D. Pedro a levou para morar em frente do palácio. O caso tornou-se público. D. Leopoldina morreu em seguida — de desgosto, segundo o povo. Forçado a se casar de novo, D. Pedro dispensou a amante, em 1829. Mas não sem escândalo: ao descobrir que o imperador tinha um caso com sua irmã, Maria Bendita, Domitila tentou matá-la. A marquesa voltou para São Paulo, casou e morreu aos 70 anos.

A primeira amante: os fartos encantos de Domitila de Castro, a marquesa de Santos.

território brasileiro assim o exigiam. Mas então, em janeiro de 1822, o príncipe recebeu uma petição escrita por José Bonifácio e assinada por toda a junta provincial de São Paulo. Era um documento poderoso, que clamava que o príncipe desafiasse as Cortes e permanecesse no Brasil. O texto, comovente, emocionou D. Pedro — e mudou o rumo da história do Brasil.

Do Fico ao Grito

O ano de 1822 começou dramaticamente para D. Pedro. No dia 1º de janeiro ele recebeu o manifesto escrito por José Bonifácio e assinado por toda a junta provincial de São Paulo. Até então, apesar de alguns cartazes espalhados pelos muros do Rio e das manifestações cada vez mais entusiásticas que vinha recebendo nas ruas da capital ou no teatro, D. Pedro não registrara nenhum sinal claro de apoio à sua permanência no Brasil. Mas a carta de Bonifácio era impactante. Segundo ela, as Cortes de Lisboa, baseadas

"no despropósito e no despotismo", buscavam impor ao Brasil "um sistema de anarquia e escravidão". Movidos por uma "nobre indignação", os paulistas estavam "prontos a derramar a última gota do seu sangue e a sacrificar todas as suas posses para não perder o adorado príncipe", em quem colocavam "suas bem-fundamentadas esperanças de felicidade e honra nacional".

Os cariocas, que pensavam da mesma maneira, organizaram um abaixo-assinado com oito mil nomes e o entregaram ao príncipe uma semana depois, numa cerimônia realizada ao meio-dia de 9 de janeiro. Após ler o documento, D. Pedro hesitou por algum tempo, mas, a seguir, declarou aos dignatários presentes ao Paço Municipal: "Se é para o bem de todos e felicidade geral da nação, estou pronto: diga ao povo que fico". Não se sabe na verdade quais foram exatamente as palavras usadas por D. Pedro, já que a frase que passou à história não foi a que ele disse, mas a que anotou na carta que enviou ao pai, D. João VI, no mesmo dia. Segundo testemunhas oculares, a declaração original era menos desafiadora às determinações das Cortes — especialmente porque não continha a palavra "fico". De todo modo, o povo, reunido desde cedo em frente ao Paço, saudou a decisão do príncipe tão logo foi informado dela. E assim, no dia 11, quando tropas portuguesas tentaram obrigar D. Pedro a embarcar para Lisboa, o príncipe, apoiado pela população e por tropas leais, se sentiu forte o bastante para resistir. A independência, agora, era apenas uma questão de tempo.

O manifesto de José Bonifácio e o abaixo-assinado que resultou no "Dia do Fico" marcam a aproximação entre D. Pedro e a facção mais conservadora da elite brasileira, a chamada "elite coimbrã" — formada por homens que, em sua maioria, tinham freqüentado a Universidade de Coimbra e partilhavam da idéia de um império luso-brasileiro: ou seja, eram favoráveis a uma maior autonomia do Brasil, mas não necessariamente à sua independência. Cinco dias depois de expulsar do Rio as tropas lusas, comandadas pelo general Avilez (com cuja mulher mantinha um caso), D. Pedro organizou um novo mi-

Dois momentos-chave: D. Pedro expulsa do Brasil as tropas lusas (*acima*) e D. Leopoldina reúne os ministros e lê as cartas vindas de Lisboa (*abaixo*).

nistério e, para liderá-lo, escolheu justamente José Bonifácio de Andrada e Silva — o nome mais destacado da "elite coimbrã". Em 1º de agosto, declarou inimigas todas as tropas enviadas de Portugal sem seu consentimento. No dia 14, partiu para São Paulo para contornar uma crise interna na província. No dia 2 de setembro, no Rio, D. Leopoldina leu as cartas recém-chegadas de Lisboa com as abusivas decisões das Cortes. A futura imperatriz reuniu os ministros, e enviou mensageiros a D. Pedro, com a recomendação de que "arrebentassem uma dúzia de cavalos, se preciso".

No dia 7 de setembro, sofrendo com a diarréia, o príncipe recebeu as cartas às margens do Ipiranga e concluiu que chegara a hora de romper com a metrópole. No dia seguinte, já recuperado do desarranjo, e após uma noite tórrida com a nova amante, iniciou a viagem de retorno ao Rio, onde chegou em tempo recorde, cavalgando quase ininterruptamente ao longo de cinco dias, deixando o restante da tropa dez horas para trás. Na capital, foi saudado como herói. A 1º de dezembro, aos 24 anos, D. Pedro de Alcântara foi coroado não rei, mas imperador, para mostrar que, apesar do direito monárquico, também fora eleito pelo "povo". O povo em breve se decepcionaria com o novo soberano.

A Constituinte e a Constituição

Dançando conforme a música:
D. Pedro, bom músico, compôs o *Hino da Independência* e afinou um projeto político que lhe concedeu plenos poderes. Mas nem tudo iria sair como o Imperador havia planejado.

A pesar de conflitos e insurreições na Bahia, no Piauí, no Maranhão, no Pará e na Província Cisplatina (hoje Uruguai) — episódios sangrentos da chamada "Guerra Brasileira da Independência"—, a transição do regime colonial para o monárquico foi relativamente tranqüila no Brasil já que, embora estivesse se separando de Portugal, a nova nação colocou no trono um rei português. Ao longo dos dois anos que se seguiram ao grito do Ipiranga, porém, D. Pedro teria que enfrentar muitos problemas políticos. O maior deles iria eclodir no conflito entre deputados conservadores e radicais na Assembléia Constituinte, eleitos para elaborar a primeira Constituição do país que nascia. A Constituinte começou a se reunir no Rio em maio de 1823. Na abertura dos trabalhos, D. Pedro citou uma frase colocada por Luís XVII na Carta Constitucional da França, que definia bem seus propósitos: o imperador do Brasil juraria defender a futura Constituição "se ela fosse digna do Brasil e dele próprio". Era um sinal evidente do que iria acontecer.

A postura da maioria dos constituintes podia ser definida como "liberal-democrata": seu objetivo era instituir uma monarquia constituinte que respeitasse os direitos individuais e delimitasse claramente o poder do monarca. Mas D. Pedro queria poder de veto e controle total sobre o Legislativo. Por isso, surgiram desavenças entre o imperador e os constituintes. A disputa acabou com a vitória do mais forte: em 12 de novembro de 1823, D. Pedro destituiu a Constituinte e mandou o Exército invadir o plenário. Muitos deputados foram presos e exilados — entre eles o ex-todo-poderoso e aliado de primeira hora José Bonifácio. O Brasil independente entrava na era do arbítrio e da exceção.

Um projeto de Constituição foi rapidamente elaborado e, em 25 de março de 1824, era promulgada a primeira Carta Magna do Brasil — e ela perduraria, quase inalterada, até fevereiro de 1891. A Constituição de 1824 estabeleceu um governo monárquico, hereditário e constitucional representativo. O imperador, inviolável e sagrado, não estava sujeito a responsabilidade legal alguma; exercia o Poder Executivo com os ministros (escolhidos por ele) e o Moderador com seus conselheiros. Também podia escolher um entre os três senadores eleitos por província e suspender ou convocar os Conselhos Provinciais e a Assembléia Geral.

A eleição para a Câmara dos Deputados (eleitos pelo "povo", por voto indireto) era temporária; a eleição para o Senado era vitalícia (e, graças a manobras políticas, o imperador acabava apontando não um, mas os três senadores de cada província). Para ser eleitor era preciso ter pelo menos 25 anos e 100 mil-réis de renda anual. Para ser deputado, era necessário ter 200 mil-réis de renda anual e, para ser senador, a renda necessária era de 800 mil-réis por ano. Os presidentes das províncias eram diretamente escolhidos pelo imperador. D. Pedro I compusera o *Hino da Independência*. Agora, o país iria dançar conforme sua música. O Brasil era independente, mas ainda vivia na era do absolutismo ilustrado.

O patriarca da Independência: José Bonifácio, homem enérgico e de olhar malicioso, foi um dos mais ilustrados políticos brasileiros de todos os tempos e acabou se tornando o grande arquiteto do movimento que resultou na independência.

O Artífice da Independência

O mais ilustrado político brasileiro de todos os tempos, José Bonifácio de Andrada e Silva, nasceu em Santos em 13 de junho de 1763, filho de um dos comerciantes mais ricos da cidade. Em 1783, foi para a Universidade de Coimbra, onde se formou em Direito, Filosofia e em Ciências Naturais. Em 1789, foi denunciado à Inquisição por negar a existência de Deus. Amigos e parentes influentes conseguiram tirar seu nome da lista e enviá-lo para os climas intelectualmente mais amenos da Europa do Norte. Durante os anos revolucionários de 1790–91, Bonifácio estava na França, estudando química e geologia. Em 92, especializou-se em mineralogia e metalúrgica na Alemanha. Durante a década que passou no exterior, conviveu com Humboldt, Priestley, Volta e Lavoisier. Na Suécia, descobriu e deu nome a quatro espécies e oito subespécies minerais. Era especialista em agricultura, ciências florestais, filosofia clássica, etnologia indígena, economia e sociologia.

Em 1800, Bonifácio voltou a Lisboa e foi nomeado intendente das Minas e Metais. Depois, participou da luta contra o invasor francês. Só retornou ao Brasil em 1819. Baixinho, curvado, grisalho, de olhar malicioso, vaidoso, enérgico, teimoso, ateu e mulherengo, Bonifácio se tornou o principal arquiteto da independência. Não era maçom convicto, mas

virou Grande Irmão do Oriente. Não era, de início, a favor da independência: foi mitificado como seu patriarca. Não era absolutista; agiu como tal. Era um liberal conservador a favor de um Legislativo forte, mas, por sua própria intransigência, a Constituinte acabou fechada.

Aos 65 anos, Bonifácio dançava lundus e gerava filhos ilegítimos. "As mulheres", escreveria ele, "foram a perdição de minha existência". Apesar dos conflitos políticos com D. Pedro I, foi o tratamento hostil que Bonifácio dispensava à marquesa de Santos que levou o imperador a afastar-se dele. Mas D. Pedro I e o Brasil devem muito ao talento ríspido de José Bonifácio.

Não é fácil rotular o pensamento de José Bonifácio de acordo com as divisões maniqueístas da política brasileira de então e de agora. No campo social, defendia idéias progressistas, como a gradativa extinção do tráfico e da escravidão, e exigia tratamento digno aos índios brasileiros, sobre os quais publicara algumas teses. Era a favor da reforma agrária, da livre entrada de imigrantes no país e do trabalho assalariado. No campo estritamente político, Bonifácio era um conservador liberal. Adversário ferrenho das "esfarrapadas bandeiras da suja e caótica democracia", era favorável à monarquia representativa. Queria uma assembléia constituída por deputados eleitos indiretamente, pelas camadas dominantes da população, mas com mandatos temporários. Os deputados representariam o povo no momento presente; o imperador representaria os interesses permanentes da nação.

Ainda assim, Bonifácio era a favor de um Executivo independente e forte. Apoiava o imperador porque achava que poderia contar com o seu apoio no caso de um provável conflito com a maioria parlamentar. E o conflito logo eclodiu, é claro: como ministro todo-poderoso, Bonifácio mandou prender, exilar, investigar e molestar inúmeros adversários políticos no Rio e em São Paulo — especialmente os portugueses.

Uma briga banal entre soldados lusitanos e um boticário brasileiro levou D. Pedro a dissolver a Constituinte e mandar para o exílio Bonifácio e seus irmãos — embora decidisse que os três receberiam polpuda pensão mensal, de 1.250 libras, à custa do erário. Por seis anos, Bonifácio viveria na Europa, sendo autorizado a voltar ao Brasil em julho de 1829. Ao abdicar do trono em 1831, D. Pedro nomearia como tutor de seus "amados filhos o cidadão muito honrado, íntegro e patriota José Bonifácio, meu amigo de verdade". Foi a reconciliação de velhos camaradas. Bonifácio foi destituído em 1833. Preso, julgado e absolvido, morreria em Niterói, em 1838.

As Guerras da Independência

Embora o Brasil tenha se desvencilhado do jugo português de forma bem menos turbulenta do que os países da América espanhola, a passagem do período colonial para o regime monárquico foi feita de uma maneira relativamente pacífica não só porque o país colocou no trono um rei português, mas, acima de tudo, porque a nova ordem tratou de manter intocados os privilégios das elites — inclusive, e principalmente, a escravidão. Assim sendo, além de permanecer como a única monarquia do continente, o Brasil tornou-se também o único país independente da América do Sul cuja economia se baseava no trabalho escravo.

Tais circunstâncias levaram alguns analistas modernos a classificar o movimento da Independência como uma "revolução conservadora", cujo desenrolar e os efeitos se mantiveram circunscritos aos grandes proprietários de terra e senhores de engenho — que, não por acaso, foram justamente os que mais contribuíram em organização, dinheiro e homens. De fato, como salientou o historiador norte-americano F. W. O. Morton, após o movimento pela Independência, não só "a lei e a ordem foram preservadas, mas a propriedade e a hierarquia

foram respeitadas com extraordinária consistência, mesmo que uma guerra civil tenha sido travada no seio de uma sociedade que se caracterizava pela discriminação racial e as desigualdades econômicas extremas".

Não chega a ser surpresa, portanto, o fato de que os principais conflitos armados ocorridos no país após a declaração da Independência — principalmente na Bahia, no Maranhão e na Província Cisplatina (atual Uruguai) — tenham sido não lutas de cunho social, mas meros combates entre partidários da Independência e portugueses renitentes em aceitá-la. Os levantes populares — em geral de tendência separatista e favoráveis à abolição da escravatura — só ocorreriam alguns anos mais tarde, durante a Regência, e aí sim com constância perturbadora e notável violência.

A principal "guerra da Independência" resumiu-se, assim, ao conflito travado entre portugueses e brasileiros em Salvador, na Bahia. Tais confrontos se iniciaram já na semana seguinte ao "grito do Ipiranga", prolongando-se por quase um ano. Na verdade, a animosidade entre as tropas lusitanas e moradores brasileiros já vinha se desenhando há pelo menos sete meses, desde fevereiro de 1822. Quando os oficiais lusitanos lotados em Salvador se recusaram a reconhecer a Independência — conclamando seus soldados a segui-los —, a luta armada se tornou inevitável. A população brasileira fugiu da capital, que foi logo sitiada pelo chamado "Exército Pacificador", mantido no Recôncavo pelos senhores de engenho da região. Ao final da luta, esse exército, composto basicamente pelas "milícias de cidadãos", já contava com nove mil combatentes.

O conflito terminou no dia 2 de julho de 1823, quando forças brasileiras, apoiadas pela frota do almirante Cochrane, enfim foram capazes de expulsar os portugueses liderados pelo coronel Madeira de Mello. Não apenas na cidade de Cachoeira, onde o levante pró-independência havia se iniciado, mas em toda a Bahia, o Dois de Julho é, ainda hoje, a mais comemorada das datas cívicas — suplantando amplamente o Sete de Setembro.

Durante as lutas em Salvador, duas mulheres brasileiras se transformaram em trágicas heroínas. Joana Angélica de Jesus, abadessa do Convento da Lapa, foi morta à baioneta ao tentar impedir a invasão de seu convento por soldados portugueses, em fevereiro de 1822 — sete meses antes, portanto, da eclosão dos conflitos propriamente ditos. Já Maria Quitéria de Jesus — uma "mulher bela, simpática e de aspecto sadio", de acordo com um cronista contemporâneo — vestiu trajes militares e lutou com bravura, disfarçada sob o nome de José Cordeiro. Maria Quitéria chegou a fazer dois prisioneiros portugueses e, encerrados os combates, foi enviada ao Rio de Janeiro, onde o próprio imperador a recebeu, condecorando-a com a Ordem do Cruzeiro do Sul. Tais honrarias não impediriam que ela morresse cega e esquecida, na mais absoluta miséria, em 1853, aos 61 anos de idade.

Mártir pernambucano: Frei Caneca, revolucionário em 1817 e em 1824, foi fuzilado, pois não houve carrasco que aceitasse enforcá-lo. Acima, tropas brasileiras desfilam em Salvador no dia 2 de julho de 1823.

A Confederação do Equador

No dia 2 de julho de 1824 — exatamente um ano após a consolidação da Independência na Bahia —, explodia em Pernambuco uma revolução separatista que pode ser considerada uma espécie de *avant-première* das várias revoltas regionais que iriam abalar o Brasil durante a Regência. A chamada Confederação do Equador foi um movimento republicano, abolicionista, urbano e popular, que eclodiu numa reação ao fechamento da Assembléia Legislativa Constituinte no Rio de Janeiro, e em protesto contra a pequena autonomia das províncias e a enorme quantidade de poder concentrada nas mãos do imperador D. Pedro I pela constituição de março de 1824.

O Chalaça

Francisco Gomes da Silva, o Chalaça, era o melhor amigo de D. Pedro, seu secretário particular e eventual professor. Gostava de bebidas e de mulheres, de violão e de capoeira. O futuro imperador e ele se conheceram, diz a lenda, na Taverna das Cornetas, na rua das Violas, no centro do Rio de Janeiro. Tornaram-se inseparáveis. Chalaça estava às margens do Ipiranga em 7 de setembro de 1822. Filho adotivo de um ourives que veio para o Brasil com D. João VI, o amigo do rei virou o principal alvo dos ataques de brasileiros contra os portugueses. Em 1830, D. Pedro foi forçado a mandá-lo para fora do país, mas o fez embaixador em Nápoles, com salário de US$ 5 mil anuais. Quando D. Pedro morreu, seu "parente de espírito" estava ao lado de seu leito de morte.

Mas a Confederação do Equador não foi apenas um *trailler* do que viria: foi também uma repetição do que já havia acontecido. De fato, Pernambuco — tida como a mais "nativista" das províncias brasileiras — já havia liderado, em 1817, uma revolta separatista e republicana. Tal movimento foi implacavelmente reprimido por D. João VI e seus principais líderes, fuzilados.

Passados sete anos, porém, a província contava (ou julgava contar) com o apoio da Paraíba, Rio Grande do Norte, Ceará, Piauí e Pará. Por isso, seus líderes audaciosamente anunciaram a formação de um estado federativo independente do Brasil. O chefe ostensivo do levante era Manuel de Carvalho Paes de Andrade, casado com uma americana e grande admirador dos Estados Unidos. Em 2 de julho de 1824, Paes de Andrade publicou um manifesto chamando D. Pedro I de traidor e proclamando a Confederação do Equador, cuja bandeira trazia os dizeres: "Religião, Independência, União e Liberdade". Tendo recebido o apoio não apenas do povo e da imprensa locais, mas também de muitos senhores de engenho — abalados pela crise internacional do açúcar e indignados com os altos impostos cobrados pelo governo central —, Paes de Andrade julgou-se preparado para deflagrar uma revolta contra a Corte. Ele tinha decidido batizar o movimento de "Confederação do Equador" porque julgava que, com a adoção de um regime republicano, iria integrar o Brasil ao "sistema americano" de governo. Paes de Andrade chegou a adotar provisoriamente a Constituição da Colômbia, da qual enviou vários exemplares a outras províncias.

O novo Estado, porém, teria vida breve. Os mais de mil soldados comandados pelo brigadeiro Lima e Silva (mais tarde, regente do Império e pai do futuro duque de Caxias) sitiaram Recife em 28 de agosto de 1824 e, já no dia 11 de setembro, invadiram a cidade. Como as tropas legalistas contavam com o apoio de uma poderosa esquadra de cinco navios, comandada por lorde Cochrane, os rebeldes se renderam menos de uma semana depois da invasão.

As punições foram rápidas e exemplares. Paes de Andrade fugiu para a Europa, mas outros três líderes — entre os quais Frei Caneca, que já participara da revolução de 1817 — foram condenados à morte, embora tivessem se rendido somente depois de uma marcha épica pelos sertões do Rio Grande do Norte e Ceará, ao fim da qual tinham recebido do próprio D. Pedro I a promessa de que "seriam recebidos com filhos, com toda clemência". Como não foi encontrado carrasco disposto a enforcar Frei Caneca, o sacerdote acabou sendo fuzilado, em 1825.

Destino ainda mais atroz teve o corsário luso-polonês João Guilherme Ratcliff, um simpatizante dos rebeldes, capturado em junho de 1824. Como já tomara parte em uma revolta contra D. Carlota Joaquina, mãe de D. Pedro, o imperador mandou enforcá-lo (embora o processo judicial pouco apurasse contra ele), ordenando ainda que sua cabeça e suas mãos fossem enviadas a Portugal. Na parede de sua cela, Ratcliff escreveu: "Morro inocente, pela causa do Brasil e da humanidade. Possa meu sangue ser útil a ambos".

Os depojos de João Guilherme Ratcliff nunca chegaram a Portugal: o navio que os conduzia afundou nas proximidades do arquipélago de Cabo Verde.

Abdicação e Morte

No mesmo quarto de teto circular e côncavo, localizado na ala sudoeste do palácio de Queluz e cujas paredes eram adornadas com imagens de Dom Quixote — e onde, 36 anos antes, ele nascera —, D. Pedro I morreu serenamente, às 2h30 da tarde do dia 24 de setembro de 1834, vítima de tuberculose. Não fora um príncipe quixotesco. Em três décadas e meia de vida, o folgado, mulherengo e mão-fechada D. Pedro tivera três coroas, fundara o Império do Brasil, vencera os rancores da mãe e do irmão, D. Miguel, fizera seus suces-

O último suspiro: aos 36 anos e Rei que tivera quatro coroas, D. Pedro I morreu no mesmo quarto onde nascera, em Lisboa. No Brasil, a morte do Imperador passou quase despercebida.

sores de ambos os lados do Atlântico e, embora tenha centralizado o poder em suas mãos, sempre agiu constitucionalmente. As duas constituições que criou (em 1824 no Brasil e em 1834 em Portugal), foram as primeiras a garantir os direitos básicos dos cidadãos luso-brasileiros. D. Pedro não era perfeito — "nem aperfeiçoável", segundo um de seus biógrafos, o americano Neill Macaulay. Ele engravidara freiras, desquitadas e viúvas; dissolvera manifestações populares com baionetas e a Assembléia com fuzis; exilara seus amigos e endividara o Brasil. Ainda assim, foi o mais eficiente monarca português do século XIX.

Em março de 1824, D. Pedro I dominava a cena política brasileira, tendo poderes para dissolver a Constituinte e baixar uma Constituição. Sete anos mais tarde, seria obrigado a abdicar do trono. O que houve nesse ínterim?

D. Pedro envolveu-se em crises internas e externas. Incompatibilizou-se com o Exército, com o povo e com os políticos. Viu o Brasil se endividar e Portugal rebelar-se. Declarou uma guerra desastrosa à Argentina, a partir de dezembro de 1825, sendo vencido em Ituzaingó em 1827. O Exército afastou-se do imperador, indignado com a derrota e com a presença de portugueses no comando das tropas. O povo, recrutado à força, também passou a odiar D. Pedro. Como se não bastasse, o conflito deixou o Brasil ainda mais endividado. A crise financeira se iniciara em 1825, quando, para obter de Portugal o reconhecimento de sua independência, o Brasil foi forçado a pagar 600 mil libras à Metrópole e assumir o pagamento de um empréstimo de 1,4 milhão de libras que Portugal fizera em bancos ingleses. Assim sendo, no mesmo ano, o Brasil negociaria seu primeiro empréstimo externo: obteve 3,6 milhões de libras do banco de Nathan Rothschild, com juros anuais de 5% e um desconto inicial de 18,33%. Em 1826, o dinheiro simplesmente acabou e D. Pedro recorreu à emissão de moedas de cobre que, além de serem postas em circulação com um valor quatro vezes superior ao valor nominal, seriam falsificadas em larga escala. Em 1827, o deputado mineiro Bernardo de Vasconcelos ia ao plenário fazer um alerta contra a "inchação" da economia.

Mas não era só: surgiram no Rio e em São Paulo inúmeros e "violentíssimos" jornais independentes — e os ataques a D. Pedro se tornaram uma espécie de esporte nacional. Embora também atuasse como jornalista, o imperador fechou muitos dos pasquins. Mas, quando o jornalista Líbero Badaró foi assassinado em São Paulo, em novembro de 1830, ficou claro que ele não se sustentaria por muito mais tempo no poder. O confronto entre brasileiros e portugueses havia chegado ao auge. Em 7 de abril de 1831, D. Pedro abdicou em nome de seu filho de cinco anos, D. Pedro II, nomeando José Bonifácio como tutor da criança. De volta a Portugal, D. Pedro ainda derrubaria seu irmão D. Miguel, aliado dos absolutistas e usurpador do trono. Quando o imperador morreu, em 1834, o Brasil, envolto nas turbulências da Regência, mal percebeu.

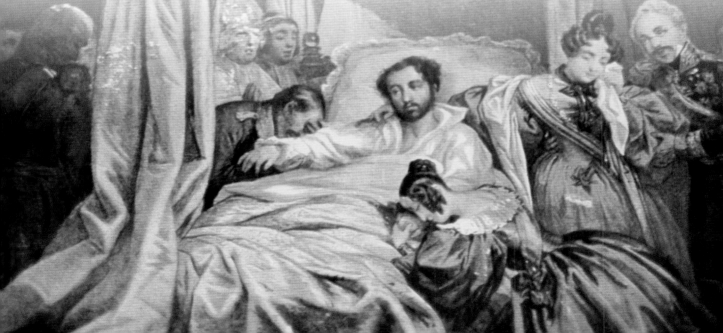

A Regência e as Revoluções

Os nove anos do período regencial desvendam todas as mazelas da política brasileira — muitas das quais permanecem inalteradas. Quando D. Pedro I abdicou, em 7 de abril de 1831, a maioria dos senadores e deputados sequer pôde ser avisada: o Parlamento estava em férias. Como o país não podia ficar sem comando, uma Regência Trina Provisória assumiu o poder: os senadores Carneiro de Campos e Campos Vergueiro e o briga-deiro Francisco de Lima e Silva foram eleitos pelos poucos parlamentares que se achavam no Rio.

Dois meses depois, uma disputada eleição escolheria os três integrantes da Regência Trina Permanente. Foram eleitos os deputados Costa Carvalho e Bráulio Muniz e, outra vez, o brigadeiro Lima e Silva. Os três eram liberais moderados. Mas, ao chegarem ao poder (à direita, a sua cerimônia de posse), esses oposicionistas de D. Pedro I não encontraram paz. Os arranjos que o imperador fizera para garantir uma transição relativamente tranqüila eram frágeis e artificiais e, sem a sua presença, ruíram instantaneamente. As acomodações, composições e conchavos do processo político arquitetado por D. Pedro foram então substituídos por uma turbulência generalizada e profunda que quase rachou a nação.

Aos liberais moderados foi reservado o papel de marisco: ficaram entre a ressaca dos exaltados e a dureza de rocha dos absolutistas. Os exaltados defendiam com intransigência a autonomia das províncias e as liberdades individuais. Os absolutistas, ou "caramurus", muitos deles burocratas portugueses, queriam a volta imediata de D. Pedro I e o retorno ao antigo status quo. As províncias continuavam sendo governadas pelas oligarquias locais: a questão era que, enquanto algumas delas (Rio, São Paulo e Minas Gerais) tinham representação e influência no poder central, outras (Rio Grande do Sul, Bahia e Pernambuco) estavam quase excluídas do jogo político. A confusão aumentava porque nem mesmo entre os grupos dominantes havia consenso sobre qual o arranjo institucional mais conveniente para seus interesses, tampouco sobre o papel do Estado na economia. Quatro revoltas provinciais (Cabanagem, Balaiada, Sabinada e Farroupilha) ameaçavam a unidade nacional. A Constituição foi alterada (com o Ato Adicional de 1834), a Regência passou de Trina a Una e o país, convulsionado, mergulhou na chamada "crise da Regência". Para completar a vertigem política de então, a Regência terminou com um golpe. E o golpe da maioridade foi, surpreendentemente, articulado pelos liberais e não pelos conservadores.

O Jovem Imperador

Embora no mesmo instante em que seu pai abdicou ao trono, D. Pedro II, então com cinco anos, se tornasse o novo imperador do Brasil, a Constituição de 1824 afirmava que ele só poderia chefiar a nação a partir dos 18 anos de idade. Junto com D. Pedro II, ficaram no Brasil suas irmãs, as princesas D. Januária e D. Paula, de 9 e 8 anos (acima). José Bonifácio era o tutor da jovem família real. Acusado de planejar a volta de D. Pedro I, Bonifácio foi destituído do cargo e preso em setembro de 1833, sendo absolvido um ano e meio depois. Em 1840, com o golpe da maioridade, D. Pedro II assumiu o governo do Brasil. Tinha 14 anos.

As Regências Trina e Una

Apesar de ter permanecido no poder por apenas dois meses, os três regentes provisórios agiram rapidamente. Sua primeira ação foi reempossar, no ato, o ministério que D. Pedro destituíra no dia 5 de abril — estopim da crise que resultou na abdicação. Em seguida, votaram a lei que regulamentava seus próprios poderes. Ficou decidido que os regentes não poderiam dissolver a Câmara nem conceder títulos nobiliárquicos mas, como o imperador, escolheriam os senadores, indicados em listas tríplices por província. No dia 17 de junho de 1831, a Assembléia Geral elegeu a Regência Trina Permanente. Apesar de os regentes terem nomeado como ministro da Justiça o enérgico deputado padre Diogo Antônio Feijó — dando-lhe grande autonomia de ação para "restabelecer a ordem pública" —, o fato é que os quatro anos durante os quais a Regência Trina Permanente ficou no poder estão entre os mais conturbados da história do Brasil.

Motins, quarteladas e levantes (a Abrilada, a Setembrada, a Novembrada, a Revolta das Panelas etc.) revelavam um país em surto, dividido em "caramurus" (restauradores absolutistas, favoráveis ao retorno de D. Pedro), "chimangos" (liberais moderados) e "jurujubas" (exaltados ou "farroupilhas", alguns deles republicanos). Foi um período marcado por calúnias, assassinatos e escândalos políticos, ao longo do qual brotou o germe dos dois grandes partidos do Segundo Reinado, o Conservador (formado por magistrados, juízes, burocratas, comerciantes lusos e ruralistas nordestinos) e o Liberal (constituído por padres e proprietários rurais menos tradicionais de São Paulo, Minas Gerais e Rio Grande, além da classe média urbana). Um ato institucional — então chamado de Ato Adicional —, assinado em 12 de agosto de 1834, modificou a Constituição e estabeleceu, entre outras coisas, que a Regência não mais seria Trina, mas Una. Pior para o futuro regente uno.

No dia 7 de abril de 1835, Diogo Antônio Feijó — um padre taciturno e sombrio, filósofo que cultuava Kant e clérigo em luta com Roma por ser contra o celibato — venceu a eleição contra o rico senador Holanda Cavalcanti por menos de seiscentos votos (2.826 contra 2.251) e se tornou o primeiro regente uno. Foi, basicamente, uma vitória de Minas Gerais, pois Feijó tinha muitos adversários no Rio e em São Paulo e Cavalcanti, fazendeiro em Pernambuco, era o candidato do Nordeste. Com a saúde abalada, Feijó não era mais o ministro enérgico de outros anos. Em minoria no Parlamento, tentou formar um ministério de conciliação, mas seus inimigos o rechaçaram. Quando a Guerra dos Farrapos estourou, em 1835, Feijó estava isolado no poder. Renunciou em setembro de 1837, em favor do menos radical de seus inimigos, o senador Araújo Lima, posteriormente ligado ao Partido Conservador.

Após vencer o eterno candidato Cavalcanti nos votos por 4.380 a 1.981, Araújo Lima deu início ao período chamado de "regresso" (quase "retrocesso"). "Regressistas" eram conservadores favoráveis à centralização política e ao "regresso" da autoridade. Adotaram esse nome em reação à tentativa de Feijó de formar um partido que se chamaria Progressista. De qualquer modo, o grupo ligado a Feijó daria origem ao Partido Liberal e a turma de Araújo Lima fundaria o Partido Conservador. Eleito em abril de 1838, o senhor de engenho Araújo Lima ficou no poder até 23 de julho de 1840. Em maio daquele ano, o regente baseou-se numa "interpretação" do Ato Adicional de 1834 para mergulhar o país num estado policialesco. Dois meses depois, os liberais articulariam uma "reinterpretação" do mesmo ato institucional para deflagrar o "golpe da maioridade" e empossar D. Pedro II.

Façamos aos outros aquillo mesmo que queremos que elles pratiquem com nosco. Façamos.

D. Pedro 2

As Revoltas Militares da Regência

Embora os conflitos mais conhecidos do período regencial tenham sido as chamadas revoltas regionais, os nove turbulentos anos da Regência também foram marcados por motins e protestos militares ocorridos na capital do país. Entre 1831 e 1832, nada menos que cinco levantes eclodiram no Rio de Janeiro. Foram, quase todos, promovidos por militares "patriotas", movidos por um sentimento antilusitano tão exacerbado que fez com que eles ficassem conhecidos como os "exaltados" (embora também fossem chamados de "Jurujubas", por causa de uma praia em Niterói onde se reuniam, ou de "farroupilhas", em razão de suas roupas serem supostamente farrapos).

A primeira insurreição se deu a 12 de julho de 1831 (menos de um mês após a eleição da Regência Permanente, portanto), quando o 26º Batalhão de Infantaria se amotinou, deflagrando um movimento que, entre outros objetivos, planejava proibir a entrada de portugueses no Brasil e banir do país todos os funcionários públicos de origem lusitana. O então ministro da Justiça, Diogo Feijó, conseguiu sufocar a revolta e prender os rebeldes, determinando a transferência de 89 dos principais implicados para guarnições na Bahia.

No dia 28 de setembro, eclodiu o levante conhecido como "Tiros do Teatro", porque se iniciou no Teatro São Pedro — habitualmente frequentado pelos "exaltados". Tão logo a prisão de dois oficiais foi decretada, seus companheiros de farda reagiram. A Guarda Municipal então invadiu a casa de espetáculos e, com notória brutalidade, prendeu todos os envolvidos no conflito. Dias depois, em 7 de outubro de 1831, foi o Batalhão de Artilharia da Marinha que iniciou um motim. O regente-brigadeiro Francisco de Lima e Silva mandou invadir o quartel da ilha das Cobras e debelou rapidamente o levante.

Seis meses mais tarde, a 3 de abril de 1832, as guarnições das fortalezas de Villegaignon e Santa Cruz também se rebelaram. Quem reprimiu o movimento foi o então major Luís Alves de Lima e Silva (filho do regente e futuro duque de Caxias). E essa acabaria sendo a última tentativa de golpe dos "exaltados", já que a maior parte das guarnições do Rio de Janeiro foi dissolvida ou transferida para outras províncias, bem como os oficiais ligados a elas já estavam mortos, presos ou exilados.

Como a confiabilidade dos regentes no Exército fora fortemente abalada, o ministro da Justiça, Diogo Feijó, foi autorizado a criar uma Guarda Nacional. A nova tropa — também chamada de "milícia-cidadã", já que seus integrantes eram voluntários e não recebiam soldos — se transformaria na principal base de sustenção militar da Regência Trina Permanente. E foi também a partir desse episódio que os termos "coronel" e "coronelismo" começaram a se misturar à história do Brasil, pois os chefes políticos de diversas províncias da nação — em geral grandes proprietários de terra —, assumiram altas patentes na nova milícia.

No dia 17 de abril de 1832, apenas duas semanas após o levante das fortalezas de Villegaignon e Santa Cruz, foi a vez dos "restauradores" — também chamados de caramurus (por causa do jornal *O Caramuru*, favorável à sua causa) — tentarem seu golpe para destituir a Regência. Mas esse foi apenas um espasmo, que beirou o patético: liderados por um mercenário oportunista, um tal Augusto de Hoiser, cerca de 250 golpistas (entre os quais quase todos os criados portugueses do Palácio da Quinta da Boa Vista, onde vivia o pequeno D. Pedro II), deixaram o palácio gritando "vivas" a D. Pedro I. Suas armas: dois "canhõezinhos de brinquedo que haviam pertencido ao próprio D. Pedro e ao seu irmão, D. Miguel".

Os "caramurus" foram vencidos com facilidade pelo mesmo major Lima e Silva que, poucos anos depois, se dirigiria ao Maranhão para sufocar uma revolta muito mais séria e sangrenta: a Balaiada.

Galeria dos Regentes

O padre Diogo Antônio Feijó (na pag. 182, no alto, à direita), foi o primeiro regente uno. Araújo Lima, no alto dessa página, o substituiu. Durante a Regência Tríplice ocuparam o cargo (de cima para baixo) Lima e Silva, Carneiro de Campos e José Costa Carvalho.

A Guarda Nacional: um cavaleiro da chamada "milícia cidadã", que na prática substituiu o Exército e foi usada para combater as várias revoltas regionais que explodiram pelo país, como em Belém (*gravura abaixo*), onde eclodiu a Cabanagem.

As Revoltas Regionais

A pesar de terem se desenrolado mais ou menos na mesma época — encontrando na desorganização social e política do período regencial um fértil solo para germinar —, as revoltas e rebeliões que explodiram em quase todas as províncias do Brasil, entre 1830 e 1850, não se enquadram numa moldura única. Nem todas foram revoltas políticas — embora seu estopim em geral fosse um conflito travado entre oligarquias locais. Nem todas foram rebeliões econômicas — apesar de interesses financeiros nunca terem deixado de fazer parte de seus entornos. Nem todas foram rebeliões sociais — mas as incertezas e dificuldades às quais as camadas mais pobres da população eram submetidas geralmente levaram os rebeldes a contar com o apoio de negros, ex-escravos, indígenas, jagunços e desvalidos.

Um ponto em comum, porém, une as revoltas ocorridas durante (ou imediatamente após) a Regência: tendo eclodido num período que, embora transitório, era crucial para a história do país, elas abalaram a unidade territorial e a integridade do Império justamente quando o Brasil era um Estado-nação recém-nascido. Os analistas mais lúcidos do período compartilhavam a certeza de que o triunfo de qualquer um daqueles movimentos — em geral de tendência separatista — poderia desferir um "golpe de morte na unidade nacional, com a perda de não apenas uma, mas talvez de várias províncias", como disse o marechal João Crisóstomo Callado, encarregado de combater a Sabinada, na Bahia.

E, no entanto, não restam dúvidas de que, desfeitos os frágeis alicerces que haviam sustentado a "revolução conservadora" da Independência, o que viria a seguir só poderia ser um período de "reação revolucionária". Mas ninguém imaginava que ele estava destinado a ser tão vertiginoso e sangrento.

A Cabanagem

O quê: Apesar de ter eclodido por causa da cisão entre os dois grupos da elite local em torno da nomeação do presidente da Província do Pará, a Cabanagem na verdade foi uma explosiva insurreição popular — provavelmente a maior e mais sangrenta revolta social já ocorrida no Brasil. De início, o levante reuniu cerca de 3 mil mestiços, indígenas destribalizados e negros libertos — os chamados *cabanos* — em resoluta (embora desregrada)

ofensiva contra a ordem estabelecida. Ao contigente original, porém, logo se juntaria boa parte da população de baixa renda de Belém e arredores. A adesão ao movimento foi tal que, ao final do conflito, calcula-se que o número de mortos tenha chegado à espantosa cifra de 30 mil rebeldes — cerca de 30% do total dos habitantes da Província do Pará.

Onde: A rebelião ocorreu basicamente na cidade de Belém, mas a febre revolucionária espalhou-se pelo Baixo Tocantins, Santarém, Óbidos e até pelo Amazonas.

Quando: Os conflitos mais sangrentos se deram entre janeiro de 1835 e abril de 1836. Mas as origens da Cabanagem podem recuar até 1831 (quando 256 revoltosos morreram asfixiados no porão do brigue *Palhaço*, onde tinham sido aprisionados para serem enviados ao Acre, após um levante fracassado, num dos episódios mais infames da história da repressão no Brasil). O fermento da insatisfação popular no Pará vinha desde antes da Independência, ao passo que a rebelião propriamente dita só foi sufocada por completo em fins de 1840.

Origem do nome da revolta: Uma evidente referência às condições de vida dos rebeldes, a absoluta maioria dos quais vivia em meras cabanas, em geral construídas umas junto às outras, na periferia de Belém e de outras cidades da Amazônia — sendo, portanto, muito similares às favelas de hoje.

Por quê: Os cabanos lutavam contra a nomeação dos presidentes da província, impostos pelo distante poder central, no Rio de Janeiro. Mas, na verdade, a Cabanagem foi a revolta contra as lastimáveis condições de vida a que eram submetidas amplas parcelas da população da Província do Pará — uma região remota, cujos vínculos com a Corte eram tênues e imprecisos.

Como transcorreu a luta: Na madrugada de 7 de janeiro de 1835, os cabanos tomaram os quartéis e pontos-chave de Belém, matando, em plena rua, o presidente da província e o comandante militar do Pará. O líder da rebelião, Félix Antônio Malcher, assumiu o poder. Durante um ano, os cabanos foram os verdadeiros senhores de Belém. Em 21 de janeiro de 1836, no entanto, estourou um violento choque entre Malcher e seus aliados, os líderes populares Eduardo Angelim e Francisco Pedro. O confronto entre as duas facções foi feroz e brutal. Malcher ordenou o bombardeamento da cidade, depois de se refugiar em um navio de guerra ancorado no porto. O caos então instaurou-se em Belém.

Em abril de 1836, quando o marechal Francisco José Andréia — um "restaurador", conhecido por sua dureza e rispidez — conseguiu retomar a cidade em nome da Regência, deparou-se com um quadro desolador: a cidade despovoada, quase inteiramente em ruínas, com ervas daninhas recobrindo as ruas, e esgotos correndo a céu aberto. Embora o "exército" rebelde tivesse se dispersado pela floresta, ou fugido utilizando-se da vasta rede fluvial vizinha a Belém, o marechal Andréia determinou que os insurretos fossem perseguidos e duramente reprimidos, ao longo de todo o ano de 1836. A repressão foi tão sangrenta que cerca de 30 mil pessoas teriam sido mortas. A Cabanagem só foi considerada inteiramente debelada em 25 de março de 1840, quando Gonçalves Jorge de Magalhães, tido como o último líder cabano, enfim se rendeu.

A secessão baiana: a Sabinada foi uma revolta separatista e republicana que eclodiu em Salvador (*imagem ao lado*), mas não conseguiu obter apoio das demais cidades da Bahia.

A Sabinada

O quê: A Sabinada foi uma revolta urbana e separatista, de inspiração republicana, que contou com o apoio das camadas médias e baixas da população, e cujo objetivo declarado era transformar a Província da Bahia em república provisória, independente do Império do Brasil, pelo menos até a maioridade de D. Pedro II.

Onde: Apesar de suas pretensões provinciais, a Sabinada na verdade restringiu-se à cidade de Salvador, já que as forças rebeldes não só foram incapazes de conquistar as cidades do Recôncavo Baiano como também foram sitiadas pelos exércitos armados pelos senhores de engenho daquela região — e vencidas por eles, com o apoio do exército imperial.

Quando: A rebelião teve início em 7 de novembro de 1837, dois meses após a renúncia do regente Diogo Feijó, e só foi inteiramente sufocada em março de 1838.

Por quê: Embora tenha se levantado contra o poder central, a Sabinada no fundo foi um conflito da classe média baiana contra a supremacia dos senhores de engenho. E ainda que tenha contado com apoio das camadas menos favorecidas da população, foi liderada pelo médico Francisco Sabino Álvares da Rocha Vieira.

Origem do nome: A revolta foi batizada numa referência a Francisco Sabino.

Como: Em 7 de novembro de 1837, a guarnição do forte São Pedro se sublevou contra o governo provincial, insuflada pelas idéias supostamente republicanas do doutor Sabino. Alarmadas, as principais autoridades da Bahia se refugiaram em navios ancorados no porto ou fugiram para as cidades "legalistas" do Recôncavo. Os líderes da revolta leram um "Manifesto à Nação", mediante o qual declararam a Bahia "inteira e perfeitamente desligada do governo denominado Central do Rio de Janeiro", transformando-a num "Estado livre e independente, até a maioridade de 18 anos de Sua Majestade, o Imperador D. Pedro II". Os grandes fazendeiros e senhores de engenho do Recôncavo — contando com recursos financeiros, e homens, armas — não estavam dispostos a esperar tanto tempo: eles formaram seu próprio exército e iniciaram a reação. Reforços militares foram enviados de Pernambuco e as tropas legalistas cercaram Salvador por terra e mar. No dia 13 de março de 1838, os "sabinos" atearam fogo à cidade, incendiando pelo menos 160 prédios. Vinte e quatro horas depois, eles se renderam. Quase 2 mil pessoas foram presas e enviadas para o exílio. O doutor Sabino, um condenado à morte, teve a pena comutada para o degredo em Mato Grosso — onde morreria, algum tempo depois, em circunstâncias misteriosas. A Sabinada custou a vida de pelo menos 4 mil pessoas — quase dez por cento da população de Salvador.

A Balaiada

O quê: Conquanto estivesse ligada aos desmandos da política local e alimentasse pretensões de derrubar o presidente da província, a Balaiada desviou-se de seus objetivos políticos, tornando-se a mais desenfreada manifestação de banditismo sertanejo a assolar o Brasil durante a Regência. Os saques e as pilhagens levados a cabo por bandos de marginais e desvalidos — jagunços, vaqueiros, indígenas aculturados e escravos fugidos ou libertos — acabaram se constituindo na principal característica do movimento.

Onde: A anarquia espalhou-se por todo o Maranhão, mas os principais combates se concentraram no sul da província, na fronteira com o Piauí; na capital São Luís e na cidade de Caxias.

Quando e por quê: A insurreição começou em 13 de dezembro de 1838, quando o vaqueiro cafuzo Raimundo Gomes, conhecido como "Cara Preta", à frente de um bando de peões, invadiu uma cadeia do interior para soltar seu irmão — que, segundo ele, fora injustamente acusado de assassinato. Cara Preta acabou libertando os demais presos — e eles de imediato se juntaram a seu grupo. À medida que percorriam vilarejos e povoados do Maranhão, os rebeldes iam libertando outros presos e recebendo o apoio das parcelas mais desfavorecidas da população. Cara Preta incorporou então as bandeiras políticas dos liberais do Maranhão — uma província sob controle dos conservadores.

No entanto, depois que ao grupo de Cara Preta se juntaram duas estranhas figuras — Manuel Francisco dos Anjos Ferreira (que tivera duas filhas violentadas por um policial e era conhecido pelo apelido de "Balaio") e o ex-escravo conhecido como "Negro Cosme" (líder de 3 mil escravos fugitivos e que se auto-intitulava "Tutor e Imperador das Liberdades Bem-te-vis", numa referência aos oposicionistas, do Partido Liberal, conhecidos no Maranhão como "bem-te-vis") —, o movimento deu uma guinada radical, descambando quase inteiramente para o saque puro e simples. Intelectuais, jornalistas e políticos liberais retiraram seu apoio aos rebeldes, mas a rebelião continuou, em ritmo desenfreado.

Origem do nome: Era uma referência ao apelido de Francisco dos Anjos, que, antes de aderir à revolta, se sustentava fazendo e vendendo balaios.

Como acabou: Em agosto de 1839, os revoltosos tomaram a cidade de Caxias, uma das maiores do Maranhão. Além do mais, insurreições similares começaram a pipocar no Piauí e no Ceará. Assim sendo, a Regência decidiu reagir com todo o rigor. Em fins de 1839, o então coronel Luís Alves de Lima e Silva foi nomeado presidente e comandante em armas da Província do Maranhão. Chefiando uma tropa de 8 mil homens, e usufruindo de ilimitados poderes políticos, Lima e Silva sufocou a revolta e, mais tarde, acabou se tornando duque de Caxias — numa referência à cidade que ele "liberou". Todos os rebeldes, com exceção do Negro Cosme — que foi executado —, acabaram sendo anistiados.

Luta na selva: a eclosão da Balaiada fez com que milhares de jagunços, vaqueiros e escravos partissem para o saque puro e simples, atacando a cidade de São Luís (*abaixo*) e depois retornando para seus refúgios na mata.

A Praieira

O quê: Embora tenha eclodido já durante o Segundo Reinado — iniciando-se sete anos após a coroação de D. Pedro II —, a Praieira se assemelha aos conflitos ocorridos durante o período regencial. Foi uma revolta política deflagrada pelos liberais contra os conservadores. Sob a liderança do capitão Pedro Ivo Veloso da Silveira, do jornalista Antônio Borges da Fonseca e do deputado Joaquim Nunes Machado, os rebeldes tinham como principal objetivo a convocação de uma Constituinte para redigir uma nova Constituição, que acabasse com o mandato vitalício dos senadores e determinasse que apenas brasileiros natos pudessem ser juízes e ministros. O movimento pretendia propor também a nacionalização do comércio, o fim do Poder Moderador e a extinção da lei dos juros e do sistema de recrutamento então existente. Alguns dos integrantes da revolta eram favoráveis à proclamação da República.

Onde: Começou em Olinda e Recife (onde os rebeldes mantinham uma gráfica na rua da Praia), mas, aos poucos, espalhou-se por toda a Província de Pernambuco.

Origem do nome: Os principais ideólogos da rebelião se uniam em torno de um jornal, o *Diário Novo.* Como a tipografia que o imprimia se localizava na rua da Praia, os liberais pernambucanos ficaram conhecidos como "Praieiros".

Por quê: Em setembro de 1848 caiu, no Rio de Janeiro, o gabinete liberal. Em seu lugar, assumiram os conservadores, sob a chefia de Araújo Lima (que já havia sido regente). Um novo presidente, ligado ao Partido Conservador, assumiu então a presidência da Província de Pernambuco e começou a substituir todos os liberais (ou praieiros) dos cargos que ocupavam. O ódio entre liberais e conservadores, existente em todo o Brasil, era especialmente exarcebado em Pernambuco. Os conservadores chamavam os liberais de "chimangos" (referência a uma ave de rapina), ao passo que os liberais haviam apelidado os conservadores de "guabirus" (que significava ratazana). As mais tradicionais famílias de Pernambuco — os Cavalcanti e os Rego Barros, ambos senhores de engenho — formaram um governo oligárquico na província e foi contra esse estado de coisas que a revolta liberal eclodiu.

Quando: No dia 7 de novembro de 1848, sob a liderança de deputados liberais, um grupo de rebeldes tomou a cidade de Igaraçu, de onde logo foram expulsos pelas tropas legalistas. Três dias mais tarde, irrompia um novo conflito entre os dois grupos, deixando 23 "imperiais" e 43 praieiros mortos. Em fevereiro de 1849, os rebeldes tentaram tomar Recife, mas foram rechaçados. Um dos líderes do movimento, o deputado Joaquim Nunes Machado, foi morto. A partir de então se iniciou uma guerra de guerrilhas, circunscrita ao interior da província. Mais de trezentos praieiros morreram nessas escaramuças. Por fim, embora os rebeldes ainda tentassem invadir a Paraíba, em agosto de 1849, com a prisão de Antônio Borges da Fonseca, o movimento começou a arrefecer. Em fevereiro de 1850, o capitão Pedro Ivo — líder das guerrilhas — foi capturado, o que decretou o fim do levante. Logo após a supressão da Praieira, o Segundo Reinado ingressaria em um período de grande estabilidade, com a constituição do chamado "Gabinete da Conciliação", que harmonizou os interesses de liberais e conservadores.

A Guerra dos Farrapos

General Netto

A Guerra dos Farrapos iniciou-se quando, sob o comando de Bento Gonçalves da Silva, um coronel monarquista, o Rio Grande se levantou contra os desmandos do presidente da província Antônio Rodrigues Fernando Braga (que, por ironia, fora indicado para o cargo pelo próprio Bento Gonçalves). Vários ressentimentos dos gaúchos eclodiram a seguir. E, então, assim sem mais, um general, Antônio de Sousa Netto, proclamou a "independência" da República Rio-grandense.

O "causo" nunca foi bem explicado e talvez nunca venha a ser. O fato é que, em 11 de setembro de 1836, depois de vencer a batalha do Seival, o general farroupilha Antônio de Sousa Netto entusiasmou-se e disse às suas tropas: "Camaradas! Nós (...) devemos ser os primeiros a proclamar, como proclamamos, a independência desta Província, a qual fica desligada das demais do Império e forma um Estado livre e independente, com o título de República Rio-grandense". Os farrapos, quase sem querer, viraram separatistas.

De todas as rebeliões provinciais que abalaram a Regência, nenhuma foi mais duradoura e violenta do que a Guerra dos Farrapos. Embora tenha se prolongado por dez anos e apresentado inúmeras reviravoltas, a verdade é que, para quem se debruça sobre a vasta bibliografia originada por esta luta fratricida, a sensação é a de estar lidando não com uma, mas com várias guerras distintas — reveladas em versões absolutamente divergentes. Comandantes que lutavam de um lado, de repente surgem do outro. Batalhas épicas tornam-se massacres cometidos à traição. Grandes feitos militares viram um embuste sem resultados práticos. Heróis são vilões e vilões são heróis. A razão está do lado dos vivos. E mortos não falam. Como em todas as guerras, também na Guerra dos Farrapos a primeira vítima foi a verdade.

O que foi, afinal, a Guerra dos Farrapos? Uma revolta econômica provocada pelo "centralismo rapinante" do Império, que sobretaxava o principal produto gaúcho, o charque? Uma revolução separatista e republicana — ou seja, uma guerra com um ideal? Uma guerra de guerrilhas conduzida por caudilhos, "semibárbaros egressos do regime pastoril"? Uma luta libertária travada por cavaleiros altivos, embora "esfarrapados"? Há versões para todos os gostos e tendências — basta escolher o livro mais adequado. No terreno sólido dos números, a Guerra dos Farrapos prolongou-se por 3.466 dias, teve "56 encontros bélicos" e custou a vida de, no mínimo, 3 mil homens — cifra que pode chegar a 5 mil. O conflito começou no dia 20 de setembro de 1835, com a tomada de Porto Alegre pelos rebeldes farroupilhas, e terminou em 28 de fevereiro de 1845, com um "honroso" tratado de paz. As singularidades da Guerra dos Farrapos são as próprias singularidades da mais meridional das províncias do Império: uma fronteira em armas, tumultuada desde 150 anos antes da eclosão da luta contra o poder imperial. Cada estancieiro gaúcho era dono de seu próprio exército; cada peão, um soldado — esfarrapado ou não. Nenhuma província brasileira tinha o *know-how* guerreiro do Rio Grande do Sul, e isso o Império logo descobriria.

A maior derrota militar de Bento Gonçalves se deu no combate da ilha de Fanfa, no rio Jacuí, nos arredores de Porto Alegre, em outubro de 1836. E o pior é que ele foi vencido por seu ex-companheiro, Bento Manoel Ribeiro, que, logo após o início da revolução, abandonou os farrapos e passou para o lado dos imperiais. Auxiliado pela frotilha do americano John Greenfell — que fora contratado pela Marinha imperial —, Bento Manuel cercou Bento Gonçalves na ilha. Cento e vinte rebeldes morreram durante o cerco — muitos deles afogados. Bento Gonçalves se rendeu e Bento Manoel prometeu que, se jurasse lealdade ao Império, nem ele nem seus novecentos seguidores seriam presos. Mas a promessa não foi cumprida e Gonçalves foi enviado a ferros para o Rio de Janeiro. Na prisão, foi visitado pelo revolucionário italiano Giuseppe Garibaldi, que resolveu aderir à causa dos farrapos. Após uma tentativa de fuga, Gonçalves foi transferido para o Forte do Mar, na Bahia, de onde escapou espetacularmente em setembro de 1837, retornando ao Rio Grande do Sul e assumindo a presidência da República Rio-grandense, para a qual tinha sido eleito em novembro de 1836. De 1836 ao fim da guerra, Bento Gonçalves foi o líder inconteste da República gaúcha e do exército farrapo. Em 1844, exonerou-se do cargo para evitar conflitos internos entre os rebeldes. Ainda assim, teve de matar, em duelo, o velho amigo Onofre Pires. Morreu dois anos após o fim da guerra, só, empobrecido e amargurado.

Bento Gonçalves

Estancieiro de nascença, exímio cavaleiro por herança e estilo, militar por vocação e necessidade, guerrilheiro na prática, contrabandista de gado por força do hábito, bailarino por vaidade e paixão. O que faltava para transformar Bento Gonçalves da Silva em um típico caudilho gaúcho senão liderar uma revolução?

Nascido em setembro de 1788, nas proximidades de Porto Alegre, Bento Gonçalves entrou na luta aos 21 anos: foi soldado nas guerrilhas do Uruguai em 1811, lutou na campanha cisplatina, na Guerra das Províncias do Prata, em 1825, e, a seguir, contra o caudilho uruguaio Rivera. Em 1833, já promovido a coronel, foi chamado ao Rio de Janeiro, para defender-se da acusação de que era contrabandista de gado. Não apenas foi absolvido como ainda indicou Fernando Braga para a presidência do Rio Grande do Sul.

Em 1835, no entanto, além de problemas políticos com o irmão de Braga, os futuros líderes dos farrapos foram surpreendidos com a criação de um imposto territorial rural e com a demissão dos dois comandantes da fronteira, o próprio Bento Gonçalves e Bento Manoel (afinal, embora fossem encarregados de combater o contrabando, ambos tinham fazendas tanto no Rio Grande do Sul quanto no Uruguai e, como todos os estancieiros da região, ignoravam a fronteira).

A demissão dos dois Bentos foi a gota d'água: em 20 de setembro de 1835, os rebeldes invadiram Porto Alegre. Bento Gonçalves era liberal moderado e monarquista convicto. Bento Manuel Ribeiro também. Ambos queriam apenas a destituição de Fernando Braga e a criação de um regime federalista que concedesse maior autonomia para as províncias. No início de 1836, o regente Feijó colocou José Araújo Ribeiro na presidência do Rio Grande do Sul — e a guerra quase acabou. Primo de Bento Gonçalves, Araújo era respeitado e poderia ter posto fim ao conflito se anistiasse os rebeldes. Mas demorou para fazê-lo e, em setembro de 1836, precipitadamente e sem ordens superiores, o general Netto proclamou uma "República Rio-grandense". Em 2 de outubro, Gonçalves foi preso por Bento Manoel — que trocara de lado, como voltaria a fazer mais duas vezes (*leia o box na página 192*). Mesmo preso, Bento Gonçalves foi eleito presidente da República precipitadamente proclamada por Netto. Assumiu o cargo assim que escapou da prisão em 1837 — e só então tornou-se um separatista.

Giuseppe Garibaldi

Como sua vida foi brilhantemente romanceada por Alexandre Dumas, em *Memórias de um camisa-vermelha*, o revolucionário italiano Giuseppe Garibaldi passou à história como um grande herói libertário. Mas a verdade é que sua participação na Guerra dos Farrapos, embora repleta de cenas épicas e de um caso de amor clássico, foi um fiasco. Nascido em Nice, em 1807, deixou a Europa fugindo de uma condenação à morte e da peste em Marselha. Exilou-se no Rio de Janeiro, onde conheceu o conde italiano e revolucionário Tito Lívio Zambecari e seu companheiro Bento Gonçalves — ambos "farroupilhas" encarcerados nas prisões do Império.

Garibaldi falhou na tentativa de resgatá-los do cárcere. Mas logo a seguir já estava no Rio Grande do Sul, portador de uma "carta de corso" que o autorizava a percorrer a lagoa dos Patos em um lanchão saqueando barcos imperiais. Vários ataques fracassaram. A mais grandiloqüente participação de Garibaldi na Guerra dos Farrapos foi a condução por terra dos lanchões *Seival* e *Rio Pardo*. Apesar disso, o ataque a Laguna, com os lanchões, não teve grandes resultados práticos. Pelo menos não para a guerra, já que, para o mercenário Garibaldi, significou o encontro com a mulher de sua vida, Anita (*box à direita*). Em 1845, Garibaldi renegou sua ligação com os Farrapos. Em 1848, em companhia de Anita, retornou para a Itália. Participou das lutas nacionalistas, enfrentou os austríacos, esteve nos EUA, no Peru e na China — sempre em combate. Morreu em 1882. Em seguida, foi eternizado pelo criador de *Os três mosqueteiros*.

A Efêmera República Juliana

O mar dos gaúchos é o pampa. Por terem tão pouca intimidade com o oceano, os farroupilhas nunca puderam estabelecer de fato sua república: ela simplesmente não possuía saída para o mar (já que o porto de Rio Grande fora bloqueado pelas tropas imperiais tão logo estourou a revolta). Numa tentativa desesperada, os farrapos decidiram tentar a conquista de Laguna, em Santa Catarina. Por isso, entraram com dois lanchões (de 18 e 12 toneladas) pelo rio Capivari (um dos formadores da lagoa dos Patos), avançando até o local mais próximo do oceano. Então, com o auxílio de duzentos bois, transportaram os lanchões por quase 100 quilômetros, até a foz do rio Tramandaí, numa marcha épica. Entrando no mar, atacaram a desprotegida Laguna, auxiliados pelas tropas terrestres comandadas por Davi Canabarro. Porém, os saques que se seguiram à tomada da cidade, em 22 de julho de 1839, irritaram a população local, que retirou seu apoio aos rebeldes. A chamada "República Juliana", fundada pelos farroupilhas, teria vida efêmera: em novembro de 1839, o exército imperial retomou a cidade e os rebeldes iniciaram sua penosa retirada por terra. Foi o começo do fim da guerra.

Anita

Ana Maria de Jesus Ribeiro da Silva era costureira em Laguna (SC) quando se apaixonou pelo aventureiro loiro e revolucionário Garibaldi. Então, largou o marido, pegou em armas, teve seu batismo de fogo em muitos combates, foi inúmeras vezes abandonada pelo amante, para sempre reencontrá-lo, tornando-se ela própria um símbolo de paixão e desprendimento. Anita e Garibaldi casaram-se em Montevidéu, em 1842 (ela se fez passar por solteira). Em 1847, já com três filhos, mudou-se para a Itália, onde foi recebida como heroína. Lá, lutou por dois anos ao lado do marido. Fugindo do exército austríaco, morreu de pneumonia em 4 de agosto de 1849.

O mar dos gaúchos: sem forças navais e sem um porto natural, os farrapos transportaram por terra dois lanchões, numa marcha épica, recriada no filme *Anahy de las Missiones* (foto à esquerda).

O Vira-Casaca

Bento Manuel Ribeiro, paulista de Sorocaba, foi, de longe, a figura mais polêmica de uma guerra repleta de personagens controversos. Ao longo do conflito, ele simplesmente trocou de lado quatro vezes: começou como farrapo, aderiu aos "imperiais" em dezembro de 1835, venceu Bento Gonçalves em Fanfa (e foi forçado pelo presidente da província a descumprir a promessa de soltá-lo). Depois de se tornar o líder militar do exército legalista, Bento Manuel indignou-se com a nomeação de Antero de Brito para a presidência do Rio Grande do Sul e, em março de 1837, prendeu o presidente e debandou para os farrapos, com os quais esteve entre abril de 1838 a meados de 1839. Em julho de 1839, alegando que um de seus desafetos fora nomeado coronel, afastou-se dos rebeldes. Em julho de 1840, foi anistiado pelo governo imperial e se mudou para o Uruguai. Dois anos mais tarde, Caxias o convidou para integrar o Estado-Maior do Exército que deu início à ofensiva final contra os farrapos. Bento Manuel aceitou a proposta, tornando-se uma figura-chave para a vitória legalista. Em 1845, foi promovido a marechal-de-campo. Morreu em Porto Alegre, em maio de 1855, aos 72 anos. "Ao contrário de Bento Gonçalves, que foi fiel a todos, menos a si próprio, Bento Manoel Ribeiro traiu a todos, menos a si mesmo", anotou o escritor Tabajara Ruas, autor de dois romances sobre os Farrapos.

O Fim da Guerra

Conflito condimentado por causas ideológicas, econômicas e políticas, a Guerra dos Farrapos foi uma guerra de guerrilhas tipicamente platina, lutada a cavalo, repleta de atos de heroísmo, guinadas táticas, combates sangrentos e heróis controversos. Alguns historiadores dividem a guerra em três fases: a primeira, de setembro de 1835 a setembro de 1836, a da separação; a segunda, de 1836 a 1843, a fase da rebelião; e a fase de "reintegração" do Rio Grande do Sul ao Império, de 1843 à paz de Ponche Verde, assinada em fevereiro de 1845. Assinada, não: "acordada".

Apesar de concessões e da anistia aos rebeldes, o então presidente do Rio Grande do Sul, duque de Caxias (*leia texto à direita*), não firmou o tratado de paz. Ele sabia que não estava lidando com "esfarrapados", mas com a elite estancieira local — que pegara em armas indignada com o fato de o charque uruguaio pagar 4% de imposto no Rio, enquanto o charque gaúcho pagava 25%. A paz foi "honrosa". O único ponto controverso — a liberdade dos escravos que lutaram ao lado dos rebeldes em troca da alforria —, foi resolvido de

forma pragmática e cruel: o batalhão dos chamados "Lanceiros Negros", desarmado por seu comandante, Davi Canabarro, teria sido massacrado em novembro de 1844, na localidade de Porongos (Rio Grande do Sul).

Sem o empecilho dos ex-escravos, a paz veio ao natural. O conflito durara dez anos — embora, durante os rigorosos invernos do pampa, as lutas em geral fossem suspensas. O exército farroupilha teria 1.700 homens quando da proclamação da República Rio-grandense e cerca de 3 mil combatentes no auge da luta. As forças imperiais estavam reduzidas a 270 homens no início do conflito. Mas, sob o comando de Caxias, o exército legalista chegou a ter mais de 11 mil soldados (dois terços do Exército brasileiro de então). Apesar dessa diferença numérica, Caxias só venceu a guerra por utilizar as mesmas táticas do inimigo — e contar com a ajuda de Bento Manoel e do terrível guerrilheiro Chico Preto.

Entre as muitas vítimas da guerra — os ex-escravos e guerrilheiros negros, os imigrantes alemães recrutados à força pelos farrapos, os milhares de bois que tiveram suas línguas cortadas para não serem utilizados pelo inimigo —, uma das principais foi a verdade. Durante anos, a guerra foi tema tabu: era simplesmente proibido escrever sobre ela. Só em 1870 apareceu no Brasil o primeiro livro sobre o conflito: eram as *Memórias* de Garibaldi, redigidas por Dumas. Desde então, a maior parte dos textos foi escrita no Sul por autores gaúchos e inverte uma tendência da historiografia mundial: faz a apologia dos vencidos.

Caxias

Veterano na repressão às rebeliões provinciais, Caxias foi nomeado presidente do Rio Grande do Sul em setembro de 1842. Na verdade, seria o chefe militar cuja missão era vencer os farrapos. E foi o que ele fez: revelando "grande percepção da natureza da guerra", Caxias adotou as táticas do inimigo, travou uma guerra de guerrilhas, venceu combates decisivos e ofereceu aos rebeldes uma "paz honrosa". Teve dificuldades de encontrar o chefe real dos farrapos e optou pelo general Davi Canabarro, com quem estabeleceu um acordo de paz.

Canabarro

Embora descrito por um contemporâneo como "rude, extravagante e descuidado de filigranas morais", Davi Canabarro (1796-1867) era um gênio militar. Ele assumiu o comando do exército farrapo logo após Bento Gonçalves se retirar da luta. Negociou a paz com Caxias. Em 11 de novembro de 1844, teria mandado desarmar seiscentos ex-escravos que lutavam com ele. Na mesma noite, o regimento dos Lanceiros Negros foi atacado e massacrado pelo Exército imperial. Canabarro jamais se defendeu da acusação de ter traído o grupo. Vinte anos mais tarde, em 1865, no início da Guerra do Paraguai, não conseguiu defender Uruguaiana da invasão pelo exército de Solano Lopez e foi levado à corte marcial. Morreu antes de ser julgado.

A grande guerra civil: por quase dez anos farrapos e "imperiais" combateram nas planícies do pampa, lutando uma guerra cujos objetivos nem sempre estavam claros para os combatentes de ambos os lados.

CAPÍTULO 18 O Segundo Reinado

Passados o Primeiro Reinado e a Regência, o Brasil ingressou na terceira fase de sua vida política independente, mais uma vez sob o signo da inconstitucionalidade. A Constituição de 1824 nascera sob o manto do arbítrio: D. Pedro I dissolvera a Assembléia Constituinte e proclamara a primeira "Carta" da nova nação de acordo com seus próprios interesses. Dez anos mais tarde, essa mesma Constituição tivera sua "pureza" corrompida pelo Ato Adicional de 1834. Ambas as ações haviam sido maquinadas em tramas palacianas semi-secretas.

O golpe da Maioridade também teria desvãos e desvelos urdidos à sombra da lei. Mas desta vez, pelo menos, seus próprios articuladores admitiam que se tratava de um golpe. Derrubados todos os projetos apresentados (em 1835, em 37 e em 39) pelos deputados liberais para alterar o artigo 121 da Constituição (segundo o qual só aos 18 anos D. Pedro II poderia assumir a chefia da nação), o deputado Clemente Pereira foi ao plenário dizer que a Maioridade não seria

alcançada por uma reforma constitucional, mas "só por um ato revolucionário, embora (isso) seja um golpe de Estado". Pereira achava que golpes eram "lamentáveis", mas "admissíveis em casos extremos". Já para o deputado Rocha Galvão, era "legal todo o ato que satisfaz a vontade do povo". E o povo — pelo menos as oito mil pessoas que, numa segunda-feira, 23 de junho de 1840, se reuniram para saudar o jovem de 14 anos que

assumiria a chefia da nação — parecia estar com a sua vontade satisfeita.

Desde a abdicação forçada de seu pai, em abril de 1831, D. Pedro II era formalmente o imperador do Brasil — fora aclamado dois dias depois. O próprio D. Pedro I, nos momentos de crise que antecederam sua queda, ouvira gritos de "Viva D. Pedro II". Em maio de 1840, quando o regente Araújo Lima fez a Câmara (de maioria conservadora) aprovar

a Lei Interpretativa do Ato Adicional, *os liberais iniciaram a campanha "maioridade-já". O projeto dos "maioristas" quase adquiriu um verniz de legalidade: por apenas dois votos (18 a 16), a Câmara deixou de aprovar a moção do senador José de Alencar que tornaria D. Pedro II apto a assumir o comando da nação. Então, o Clube da Maioridade não parou mais de conspirar. Em 22 de junho de 1840, os deputados liberais, liderados por Antônio Carlos de Andrada (irmão de José Bonifácio), abandonaram a "Câmara prostituída" e foram ao Paço de São Cristóvão oferecer o governo a D. Pedro II. Que outra opção restava ao garoto de 14 anos senão aceitá-lo? Reunido no Campo de Santana, o povo cantava:*

Queremos D. Pedro II
Embora não tenha idade
A nação dispensa a lei
E viva a Maioridade

Muitas nações já dispensaram a lei. Poucas o fizeram tão alegre e explicitamente.

As barbas do imperador: D. Pedro II (*à esquerda, aos 14 anos, e acima, com 50*) foi imperador do Brasil por quase meio século, sempre instalado no Rio de Janeiro (*abaixo, em óleo de Bertichen, 1864*).

O Segundo Imperador

Uma vida em quatro tempos:
o Brasil acompanhou a trajetória de
D. Pedro II, convivendo com ele desde
a infância até a velhice.

No início de 1837, em conversa informal na Câmara, o deputado liberal José de Alencar (pai do escritor) diria: "Julgo político irmos arranhando nos ânimos dos povos o amor a esse sujeitinho, porque só a essa âncora poderemos nos agarrar". O "sujeitinho" era Pedro de Alcântara João Carlos Leopoldo Salvador Bibiano Francisco Xavier de Paula Miguel Gabriel Rafael Gonzaga, filho de D. Pedro I e D. Leopoldina, nascido em 2 de dezembro de 1825 e sobre o qual seria, de fato, jogado o peso duma nação.

De "constituição débil e temperamento nervoso", D. Pedro II perderia a mãe dez dias depois de completar um ano. O pai partiu quando ele tinha cinco anos — e, apesar da correspondência assídua, jamais voltou a vê-lo. Teve uma infância marcada pela solidão e a austeridade — que viriam a se tornar características marcantes de sua personalidade ao longo de 66 anos de vida. Afastado dos turbilhões da Regência, D. Pedro II foi logo mergulhando nos estudos. "Queriam-no sábio e inofensivo", escreveu o biógrafo Pedro Calmon, "com a timidez dos 'príncipes filósofos' e a ilustração virtuosa do frade, mais inclinado à contemplação e à humildade".

Seu tutor foi José Bonifácio (derrubado em 1833), e seu principal professor, o pintor Félix Émile Taunay. Cada passo da vida do imperador era controlado: do momento de acordar à hora de se recolher, Pedro II obedecia sempre à mesma rotina. "A juventude fugira dele a galope", diria o historiador Gilberto Freyre: imperador aos cinco anos, chefe da nação aos 14, ele faria "a triste figura de um menino amadurecido antes do tempo (*que*) aos vinte e tantos era já um velho com barbas e aspectos de um avô". O "sujeitinho" velho antes da hora governaria a nação por 50 anos.

Um dos primeiros atos de D. Pedro II como imperador foi decretar anistia aos envolvidos nas revoltas internas da Regência. Essa seria uma das marcas de seu meio século de governo: perdão aos rebeldes vencidos. Por isso, o apelidaram "o Magnânimo". Uma de suas ações seguintes foi a dissolução da Câmara e a derrubada do "gabinete maiorista" que lhe dera o poder — ato que acabou promovendo nova ascensão dos conservadores. E essa viria a ser outra característica do governo daquele que certos historiadores chamam de "o maior dos brasileiros": o permanente rodízio no poder entre liberais e conservadores (foram 36 gabinetes em 50 anos de governo — um a cada ano e três meses, em média).

A prática se tornaria ainda mais regular a partir de 1847, quando D. Pedro II recriou o cargo de presidente do Conselho de Ministros (que havia sido extinto pelo Ato Adicional de 1834) — instalando no país uma espécie de parlamentarismo. D. Pedro II parece ter percebido a verdade contida na frase do senador Holanda Cavalcanti: "Nada se assemelha mais a um *saquarema* do que um *luzia* no poder".

"Luzias" eram os liberais e "saquaremas" os conservadores: embora em tese fossem adversários irreconciliáveis, no fundo eram farinha do mesmo saco. Em 1850, o barão de Cotegipe, conservador, lamentaria que "nossos negócios (*políticos*) infelizmente andam em contínua ação e reação". Mas, em 1853, o marquês do Paraná, Honório Hermeto Carneiro Leão, líder dos conservadores, formou o chamado Ministério da Conciliação, enfim unificando as duas forças políticas do país. Começaria então um período de paz interna e prosperidade econômica e cultural — época que o historiador Capistrano de Abreu denominou de "o apogeu do fulgor imperial". Os lucros trazidos pela lavoura do café transformaram rapidamente o Brasil. Tudo mudou, menos o essencial: o país continuou sendo uma sociedade agrária e escravocrata.

O Reinado do Café

A inda hoje há quem lamente o fato de o inglês Henry Wickman ter surrupiado da Amazônia as sementes de seringueira que vingaram na Malásia e encerraram melancolicamente o ciclo da borracha no Brasil. No entanto, não foi muito diferente a maneira como o café — uma riqueza vegetal de potencial ainda mais espetacular — chegou ao país. Em 1727, o oficial português Francisco de Mello Palheta retornou da Guiana Francesa trazendo as primeiras mudas da rubiácea que mudaria a história do Brasil — econômica, política, social e ecologicamente. Palheta não roubara as mudas: ganhou-as de presente de madame d'Orvilliers, mulher do governador de Caiena. Como a saída de mudas ou sementes de café estava proibida, há estudiosos que consideram "lícito pensar que o aventureiro português recebeu não só frutos, mas favores mais doces de madame".

De qualquer modo, não seria a partir do Pará — onde germinaram sem dificuldade — que as plantas se espalhariam pelo resto do Brasil. Em 1781, o funcionário João Alberto de Castello Branco foi transferido de Belém para o Rio e trouxe sementes consigo. A planta — que fora introduzida na América pelo francês Gabriel de Clieu, em fins do século XV, na ilha de Martinica, no Caribe — chegava então ao lugar a partir do qual teria sua notável expansão.

O mundo descobriu as delícias do café na primeira metade do século XIX. Só então o Brasil perceberia o quão doce lhe poderia ser o amargo grão. O centro de irradiação da cultura cafeeira foi a Baixada Fluminense, de onde a lavoura subiu a serra, atingindo as matas do rio Paraíba do Sul. Depois da libertação das treze colônias norte-americanas, em 1776, os EUA — sequiosos por café e dispostos a se afastar dos mercados dominados pela Inglaterra — passaram a importar o café brasileiro. As florestas foram implacavelmente derrubadas, quase um milhão de escravos foram trazidos da África e do Nordeste, os grandes capitais (imobilizados desde a proibição do tráfico de escravos em 1850) encon-

Originário da Abissínia, hoje Etiópia, o café (acima, em desenho de Debret) é a baga do cafeeiro (Coffea arabica), planta da família das rubiáceas que os árabes levaram para a Índia e os italianos introduziram na Europa. Além do gosto peculiar, o café logo se popularizou mundialmente por ser um poderoso excitante. Lorde Bacon o definiu como a bebida que "dá espírito a quem não o tem".

A lavoura da fartura: colheita de café na floresta da Tijuca, no Rio de Janeiro, em gravura de Debret.

traram nova ocupação; novas cidades, novas fortunas e novos latifúndios foram criados quase que da noite para o dia. Entre 1821 e 1830, o café respondia por apenas 18% do total das exportações brasileiras. De 1831 a 1870, passou a ser responsável por 50%. A partir de 1871, o Brasil começou a colher cerca de cinco milhões de sacas por ano — a metade da produção mundial. O café gerou uma nova classe social — e a seguir, política. Fez o país criar ferrovias e aparelhar os portos do Rio e de Santos. Mais tarde, incentivaria a vinda dos trabalhadores assalariados — e derrubaria o Império que ajudara a tornar fulgurante.

Visconde de Mauá: Vida e Obra

O Empresário do Império

Órfão de pai aos cinco anos — João Evangelista foi assassinado —, Irineu Evangelista de Sousa, nascido em Arroio Grande (Rio Grande do Sul), em dezembro de 1813, mudou-se para o Rio em 1823. Aos onze anos, era contínuo. Aos quinze, o homem de confiança do patrão. Aos 23, sócio de um escocês excêntrico. Aos trinta, um dos comerciantes mais ricos do Brasil. Era pouco: aos 32, Irineu decidiu virar industrial — o primeiro do Brasil. A crise de 1875 e a má vontade do governo o levaram à falência, em 78. Mas Mauá pagou tudo o que devia. Ao morrer, em outubro de 1889, perdera seu império industrial. Mas não devia nada a ninguém.

Um homem de ação: o barão e visconde de Mauá, na meia-idade (*à direita*) e mais idoso (*acima*).

Irineu Evangelista de Souza, barão e visconde de Mauá, foi o primeiro *self-made man* urbano do Brasil. Tentou introduzir a nação no mundo do capitalismo moderno, promover a indústria pesada, estabelecer de vez o trabalho assalariado, a economia de mercado e o liberalismo. Foi incompreendido, desprezado, perseguido, humilhado, ofendido — e faliu. Mauá fez quase tudo certo: apenas esqueceu que vivia num país ruralista, escravocrata e latifundiário, cuja economia era controlada pelo Estado. Ainda assim, a obra de Mauá foi grandiosa e — apesar dos lucros trazidos aos borbotões pelo café — é quase que exclusivamente graças a ela que se pode falar no *boom* econômico do Segundo Reinado.

O orçamento das empresas de Mauá era maior que o próprio orçamento do Império. Mauá criou a primeira multinacional brasileira; foi pioneiro na globalização da economia; foi o primeiro (e até hoje um dos únicos) empresário brasileiro respeitado e admirado no exterior. Virou verbete da *Enciclopédia Britânica* e personagem citado por Júlio Verne (em *A volta ao mundo em 80 dias*). Tinha o apoio e respeito do barão Rotschild e dos irmãos Barings — os maiores banqueiros de seu tempo. Mas era desprezado (e, talvez, invejado) por D. Pedro II — o monarca "iluminista", que só admirava as letras quando não eram promissórias e os números se fossem abstratos.

O imperador e o barão jamais tiveram uma discussão pública, mas, embora fossem vizinhos, sua incompatibilidade de gênios é notória. Mauá cometia o supremo pecado de ser devotado ao lucro — e isso o arqueólogo diletante, o aprendiz de lingüística e filólogo, astrônomo amador, botânico de fim de semana e antropólogo iniciante D. Pedro II não podia tolerar. O desprezo pelas idéias e propostas de Mauá — e o torpedeamento contínuo de seus projetos feito pelos políticos fiéis ao imperador — se configura como um dos mais desastrados e lamentáveis episódios da pobre história econômica do Brasil.

De acordo com seu melhor biógrafo, o pesquisador Jorge Caldeira, autor de *Mauá, empresário do Império,* o barão controlava seu vasto império industrial e econômico sozinho. Não procurava ajuda nem mesmo para manter a ampla correspondência diária, embora — ou talvez por isso mesmo — soubesse que "de seu punho podiam nascer leis no Uruguai, movimentos de tropas na Argentina, um novo ministro no Brasil, uma grande tacada na Bolsa de Londres". De sua escrivaninha, Mauá comandava um império "consultando apenas as próprias idéias". Não parecia razoável, mas era assim que ele achava que funcionava. Eis a descrição de Jorge Caldeira:

"De sua mesa saíam ordens para os diretores de 17 empresas instaladas em seis países e informações para um complexo grupo de sócios, no qual despontavam milionários ingleses, nobres franceses, especuladores norte-americanos, comerciantes do Pará, fazendeiros do Rio Grande do Sul. Por meio da correspondência com esses sócios e colaboradores, o barão geria bancos no Brasil, Uruguai, Argentina, EUA, Inglaterra e França; estaleiros no Brasil e no Uruguai; três estradas de ferro no interior do Brasil; a maior fábrica do país, uma fundição que ocupava setecentos operários; uma grande companhia de navegação, empresas de comércio exterior; mineradoras; usinas de gás; fazendas de criação de gado; fábricas variadas. Todas as noites, além de administrar esse império, ele ainda movimentava sua fortuna pessoal, aplicada nos melhores títulos financeiros do planeta. Graças a seu método de controle solitário, só ele sabia o valor total do conjunto de suas empresas (...) Só mais tarde o público teria uma idéia das dimensões de sua riqueza. Quando o barão resolveu, em 1867, reunir a maior parte das empresas num único conglomerado, o valor total dos ativos chegou aos 115 mil contos de réis. Só havia um número no país comparável a este: o orçamento do Império, que consignava todos os gastos do governo (...) com 97 mil contos de réis naquele mesmo ano".

Uma nota: cédula do banco de Mauá.

O Império das Letras

A explosão cultural do Segundo Reinado foi feita à imagem e semelhança de seu mecenas. Tranqüilizado pela bonança política resultante da "conciliação" (como se chamou o esquema de alternância no poder firmado entre liberais e conservadores) e entusiasmado com a pujança econômica trazida pelo café, D. Pedro II decidiu investir em cultura. Por florescer à sombra do imperador, porém, tal movimento cultural se engajou no projeto de "redescoberta" da nação idealizado pelo próprio monarca. Uma *monumentalização* do Brasil — de seu passado (relido pela ótica do romantismo); de suas cores, de suas "coisas" — foi articulada por historiadores, pintores e literatos. Esse "nacionalismo conservador exprimiu-se de modo orgânico nos anos de apogeu do Império escravagista: está nas páginas eruditas da *Revista do Instituto Histórico e Geográfico*; permeia a rica messe documental da *História geral do Brasil* de Varnhagen e é o cimento mítico do romance indianista e colonial de José de Alencar", escreveu o crítico Alfredo Bosi.

Os indigenistas: o apocalíptico Gonçalves Dias (*acima*) e José de Alencar, um *best-seller* (*abaixo*).

De fato, embora tenha sido fundado pelo regente Araújo Lima, o Instituto Histórico e Geográfico contou com os auspícios do imperador — que presidiu a mais de quinhentas sessões. D. Pedro II também enviou bolsistas para o Exterior — especialmente para copiar documentos na Torre do Tombo, em Lisboa. Dentre eles, nenhum se destacou mais do que Francisco Adolfo de Varnhagen (1816-1878), autor da monumental *História geral do Brasil* (publicada em 1854). Eivada de preconceitos e esgares, a obra de Varnhagen é, ainda assim e até hoje, a mais completa crônica documental da colônia, e seu autor, o pai da historiografia brasileira. Da obra de Varnhagen emerge a construção idealizada de uma nova nacionalidade: o Brasil da civilização branca.

Uma outra face do processo de construção da "identidade" nacional se encontra na fase áurea da literatura romântica indianista — de 1837 até fins de 1869. Nem tanto na obra apocalíptica e fulgurante de Gonçalves Dias (*à direita, no alto*), na qual o destino atroz e a morte pavorosa de tribos e raças eventualmente beiram a morbidez. Filho de português

O Guarani Sinfônico

Certa tarde de 1869, sentado num café da Piazza del Duomo, em Milão, Carlos Gomes comprou de um livreiro ambulante o livro Il Guarani — Romanzo Brasiliano. *Nascia ali a inspiração para a mais famosa ópera brasileira de todos os tempos. Em março de 1870, no Teatro Scala de Milão, com um cenário monumental, estreava essa extravagante versão musical do romantismo indianista. Embora a mais famosa,* O Guarani *não é a melhor ópera de Carlos Gomes, que estava na Europa graças a uma bolsa concedida por D. Pedro II.* A Fosca, *de 1873, lhe é superior. Em 1889, Carlos Gomes recusou-se a atender ao pedido do marechal Deodoro da Fonseca para compor o Hino da República. Pagou caro a ousadia: ao morrer, em 1896 — já criticado na Europa — cairia no ostracismo também no Brasil.*

com cafuza, Dias (1823-1864) viu o pai abandonar a mãe assim que encontrou uma "branca de sociedade" com quem casar. Escrevendo na época em que a província do Maranhão ainda fervilhava na luta contra lusos renitentes, Gonçalves Dias viu o massacre dos indígenas como metáfora de uma sociedade ainda sufocada pelos tentáculos da metrópole.

Foi com José de Alencar (*embaixo, na página anterior*) que o romance indianista se pôs plenamente a serviço de uma visão mitificadora da "nova" sociedade brasileira. Seus dois livros clássicos, *O Guarani* e *Iracema* — aliás, fundadores do romance nacional —, apresentam os nativos como bons selvagens, belos, fortes, livres e plenamente subservientes ao branco. Como em Gonçalves Dias, os índios morrem no fim — mas, em Alencar, essa morte se realiza numa espécie de altar de sacrifícios e dela emerge um novo Brasil. Em Alencar, não apenas os "autóctones", mas a própria natureza brasileira são postos a serviço do nobre conquistador branco. Ou melhor: existem só para servi-lo. José de Alencar (1829-1877), deputado conservador, fundou o nativismo servil e colonialista. Ao fazê-lo inventou um novo passado para o Brasil. Passado a limpo.

As Cores e os Sons do Monarca

A Academia Imperial de Belas-Artes desempenhou o papel de "braço pictórico" no projeto de "monumentalização" dos fatos históricos do Brasil, concebido pelo Instituto Histórico e Geográfico sob a batuta de D. Pedro II. Criada pela Missão Francesa de 1816, a Academia se caracterizou, desde o início, como o berço de um certo neoclassicismo temporão; o baluarte seguro e feroz do academicismo, fechado às mudanças artísticas cujos ventos já varriam a Europa.

D. Pedro II adorava pintura neoclássica. De 1850 a 1880, muitos dos principais pintores brasileiros ganharam bolsas — em geral concedidas pelo próprio monarca — para estudar em Paris ou na Itália. A condição, porém, parecia ser a de manter-se hostil às novas diretrizes da arte, afastando-se do realismo de Coubert, do romantismo de Delacroix e do paisagismo de Corot. O resultado é que pintores como Pedro Américo e Vítor Meireles, especialistas em pinturas históricas e sacras, produziram obras clássicas e laboriosas, mas de um gélido alheamento, aprisionadas em disciplina e convencionalismo, empapadas num romantismo repleto de idealizações europeizantes. Pedro Américo e Vítor Meireles fizeram escola e definiram as novas feições visuais da nação.

Pedro Américo Figueiredo e Melo (1843-1905) foi descoberto, aos nove anos de idade, pelo viajante francês Louis Brunet, no vilarejo de Areias, na Paraíba. Acompanhou, como desenhista, a expedição daquele naturalista. Em 1859, já estava em Paris (com bolsa concedida por D. Pedro II). Estudou filosofia e literatura na Sorbonne, doutorou-se em física em Bruxelas. Mas sua fama se fez foi em Florença, onde apresentou as telas *A batalha do Avaí*, em 1877, e *O grito do Ipiranga*, em 1888 — ambas feitas por encomenda do imperador do Brasil. Em 1889, Pedro Américo foi eleito deputado constituinte no Rio.

Quando estava na Sorbonne, conhecera Vítor Meireles de Lima (1832-1903). Filho de família pobre, Meireles havia entrado na Academia em 1847, para estudar pintura histórica. Aos 21 anos, já ganhara bolsa e estava em Paris. Pintou *A primeira missa no Brasil*, em 1861, exposta no Salão de Paris. Depois, também por encomenda do governo, fez *A batalha naval do Riachuelo* e *Passagem de Humaitá*. Em 1875, foi acusado de plágio ao apresentar *A batalha de Guararapes*, considerada cópia de *A batalha do Avaí*, que Pedro Américo pintava desde 1872. Duramente criticado, Meireles respondeu pelos jornais. A seguir, dedicou-se à cátedra.

Lecionando na Academia, Vítor Meireles foi o mestre da geração que deu continuidade à grandiloqüente representação visual da história do Brasil: Henrique Bernardelli (*Proclamação da República*), Antônio Parreiras (*A prisão de Tiradentes*), Rodolfo Amoêdo (*O último Tamoio*) e José Maria de Medeiros. A idealização da realidade proposta por tais pintores fica clara em sua representação do indígena: os nativos são meras projeções da visão eurocêntrica do homem natural, pintadas com pieguismo tal que só lhes ressalta a estranheza quase alienígena. Além do mais, nesses quadros, índio bom é índio morto. Quanto aos negros, permanecem banidos das artes brasileiras até 1892, quando o pintor espanhol Modesto Brocos y Gómez representou um "homem de cor" no quadro *Engenho*.

Ainda assim, entre os discípulos de Meireles surgiriam dois grandes inovadores da arte no Brasil: Elyseo Visconti (1866-1944), fundador de um paisagismo autenticamente brasileiro, e Almeida Jr. (1850-1899), que fez eclodir o brasileirismo submerso nesse romantismo pueril ao pintar os homens do campo (*no alto, à direita, Caipira picando fumo*) com uma certa cor européia, mas um lirismo original.

Esses homens fabricaram parte da memória visual da história do Brasil.

Índio bom é índio morto: na página ao lado, o quadro *Moema*, de Victor Meirelles. Acima, um esboço de autoria do próprio Meirelles. Ao alto, à esquerda, *Arrufos*, de Almeida Jr., também autor de *Caipira picando fumo*.

A Derrocada do Imperador

Em 7 de setembro de 1872, o Brasil comemorou o cinqüentenário de sua independência com grandes festas em todas as províncias da nação. D. Pedro II tomou parte ativa em várias delas. "O imperador sentia-se bem naquele jubileu de 50", diagnosticou o historiador Capistrano de Abreu. De fato, durante quase duas décadas, D. Pedro II estivera à frente de um país sem grandes atribulações.

Quatro anos antes do jubileu, porém, a paz política tinha começado a se despedir — e logo se afastaria para sempre — do imperador. Tudo havia começado com a abrupta demissão do gabinete liberal chefiado por Zacarias de Góes e Vasconcelos, no dia 16 de julho de 1868. O estopim fora a nomeação, em janeiro anterior, do duque de Caxias — um ferrenho conservador — para o comando do Exército brasileiro na Guerra do Paraguai (*leia sobre a guerra no próximo capítulo*).

Foi o afastamento de Zacarias e de seus ministros que rompeu com os quinze anos de conciliação (de homens e de idéias) entre liberais e conservadores. De fato, em 1853, o marquês do Paraná organizara um ministério muito propriamente batizado de "Gabinete da Conciliação". Embora tal gabinete tenha caído em 1859, a ascensão do "Gabinete Zacarias", em 24 de maio de 1862, garantiria uma considerável estabilidade ao regime imperial — baseada fundamentalmente na preservação dos interesses das elites e na manutenção do regime escravista.

A Guerra do Paraguai aumentou o prestígio popular do imperador. Mas, depois do fim do conflito, no primeiro semestre de 1870, tudo começou a dar errado para D. Pedro II: uma sucessão quase conspiratória de acontecimentos que só cessaria com a sua destituição em 1889. De fato, os vinte anos que se seguiram ao final da Guerra do Paraguai foram o oposto das duas décadas anteriores. "Abriu-se contra o imperador a guerra do ridículo, um veio incessantemente explorado pelos jornais ilustrados da imprensa popular, que surgiu em 1875 com a *Gazeta de Notícias*", conta o mesmo Capistrano de Abreu. "O imperador tolerava que a crítica e o insulto, a própria calúnia, tivessem livre curso e campeassem impunes", diz Pandiá Calógeras. "Nunca se defendeu, seguro como estava em sua consciência de homem de bem de se achar acima de tais misérias."

Fosse ou não um homem de bem — e muito provavelmente o era —, D. Pedro II, abatido com a morte da filha Leopoldina, em 1871, e muito afetado pela diabetes e pela insuficiência cardíaca, começou a alhear-se progressivamente do mundo.

A volta dos liberais ao poder em 1878 não acalmou a nação. De um jorro, seguiram-se a "questão religiosa" (*ver capítulo 21*); as mortes de Caxias, Osório, Rio Branco, Nabuco, Alencar e Zacarias; o clamor abolicionista; e a fermentação republicana. "O edifício do prestígio oficial fendia-se de alto a baixo; uma atmosfera de chalaça deletéria envolvia tudo", comenta Capistrano. "Só o imperador não dava por isso, embebido em seus estudos de sânscrito, persa, árabe, hebraico e tupi." Pode-se dizer que foi com um certo alívio que, na tarde de 16 de novembro de 1888, D. Pedro II recebeu do major Sólon Ribeiro, comandante da cavalaria, a comunicação de que fora deposto e deveria deixar o país "no mais breve prazo possível".

A guerra do ridículo: D. Pedro II acabou se tornando um alvo fácil para os caricaturistas dos pasquins brasileiros. Eles profetizaram a queda do imperador bem antes de ela acontecer.

O Último Adeus

Foi no Hotel Belford, modesto estabelecimento em Paris, onde se hospedara no começo de 1890, que D. Pedro II passou os dois últimos anos de sua vida — enfim livre para os livros. No exílio, o imperador comportou-se com a dignidade sóbria e o retraimento supostamente erudito que sempre o caracterizaram. Recusou-se a receber pensão do governo, recusou-se a utilizar seu grande prestígio internacional para levar uma vida faustosa, embora quem lhe pagasse as contas fosse o barão de Penedo, provavelmente com dinheiro público, numa contradição bastante reveladora não apenas da personalidade, mas dos quase 50 anos durante os quais o imperador governara o Brasil. D. Pedro II morreu solitário, em 6 de dezembro de 1891. O escritor Victor Hugo chamou-o de "neto de Marco Aurélio" e o governo francês o enterrou com honras de chefe de Estado, o que irritou militares republicanos no Brasil. D. Pedro II desceu ao túmulo levando seus mistérios. "É impossível conhecer-lhe o pensamento íntimo, os terrores que lhe perseguiram a infância, tendo feito da dissimulação um instinto de sua natureza e dado ao seu olhar qualquer coisa de intranqüilo", escreveu um contemporâneo.

Funerais imperiais: o enterro de D. Pedro II, em Paris, foi uma cerimônia pomposa, toda paga pelo governo francês e registrada por essa litogravura de H. Meyer.

CAPÍTULO 19 A Guerra do Paraguai

Foi uma virada nos rumos da guerra. A esquadra brasileira — uma fragata, quatro corvetas e quatro canhoneiras, com 2.287 homens e 59 canhões a bordo — estava próxima à embocadura dos rios Paraná e Paraguai, junto ao afluente Riachuelo, nos arredores de Corrientes, quase na atual fronteira entre a Argentina e o Paraguai. Reinava calma a bordo: os marinheiros preparavam-se para assistir à missa da festa da Santíssima Trindade. Mas então, por

volta das nove horas da manhã, em formação de batalha e com uma velocidade de doze milhas por hora (a favor da correnteza), duas corvetas, sete vapores e seis chatas paraguaias, com 2.500 homens e 44 canhões surgiram subitamente à frente deles.

Era domingo, 11 de junho de 1865, e uma das maiores batalhas navais da história do continente iria começar. A esquadra brasileira era comandada pelo chefe-de-divisão Francisco Manoel Barroso, que estava a bordo da fragata Amazonas, na

qual mandou içar o letreiro: "O Brasil espera que cada um cumpra o seu dever", seguido pela ordem: "Atacar o inimigo mais próximo que cada um puder". Foi exatamente o que aconteceu ao longo de mais de dez horas de um combate feroz, ao final do qual a sorte havia mudado de lado na Guerra do Paraguai.

O mais longo, mais sanguinolento e mais destrutivo conflito armado da história da América do Sul havia começado seis meses antes. Desde então, a iniciativa ofensiva

pertencia ao Paraguai. Com o maior e mais poderoso exército do continente (cerca de 60 mil homens em armas), e sob o comando férreo do ditador Francisco Solano López, o Paraguai vinha se preparando havia anos para deflagrar um conflito armado. A ambição de López era tornar seu país uma potência continental. Seus interesses bateram de frente com os do império brasileiro e, a seguir, com os da jovem república argentina. Na conflituosa geopolítica da bacia do Prata — uma região conflagrada desde o século XVI —, López desempenhou o papel do fósforo no paiol de pólvora. Ao longo dos quatro anos que se seguiram à Batalha do Riachuelo, Brasil, Argentina e Uruguai — unidos pelo Tratado da Tríplice Aliança — destroçaram o Paraguai.

Passados quase 150 anos do fim do conflito, a Guerra do Paraguai ainda desperta paixão e polêmica. A historiografia oficial de cada um dos países envolvidos apresenta uma versão diferente, senão dos fatos, ao menos de seus objetivos e motivações. A verdade é mais uma entre as centenas de milhares de vítimas da guerra. Nos compêndios brasileiros, o conflito surge como fruto da megalomania e do expansionismo de López. O papel supostamente heróico de líderes militares (Caxias, Osório, Tamandaré, Barroso) e a descrição de batalhas épicas (em geral acompanhada da reprodução dos belos quadros que D. Pedro II encomendou a pintores como Pedro Américo, autor de A batalha do Avaí, e Vitor Meireles, autor de Batalha naval do Riachuelo) muitas vezes substituem análises mais profundas. Nos livros argentinos, são outros heróis e outras batalhas — mas o tom celebratório é o mesmo. Para os paraguaios, tudo começou por causa da truculência dos países vizinhos, poderosos e invejosos.

Na verdade, foi uma guerra suja, travada em pântanos e alagadiços, lutada por escravos recém-libertos, indígenas de diversas nações, mestiços, "voluntários" convocados à força e até por mulheres, crianças e velhos. Guerra na qual muitos combatentes morreram de tifo, cólera ou malária antes de dispararem o primeiro tiro. Guerra de interesses expansionistas, travada entre ex-colônias emergentes sonhando um dia ser metrópole. A mais longa (prolongou-se de outubro de 1864 a março de 1870) e a mais violenta (deixou cerca de 150 mil mortos) guerra ocorrida no mundo entre 1815 e 1914. A maior guerra da história da América Latina.

Uma guerra trágica, tola e sórdida — como todas.

Chegada do exército aliado à fortaleza de Itapiru em 18 de abril de 1866.

Sangue e Morte na Terra de Ninguém

D esde o início, era uma região conflituada — virtualmente uma terra de ninguém. Ao longo dos três séculos e meio durante os quais Portugal e Espanha controlaram os destinos políticos da América, seus governantes não conseguiram estabelecer os limites de seus impérios coloniais na região sul do continente. Desde o alvorecer do século XVI, Portugal tentara prolongar suas fronteiras sul-americanas até a embocadura do Prata. A Espanha, embora pareça ter desistido de lutar pelos direitos que lhe eram concedidos pelo Tratado de Tordesilhas (assinado em 1494), jamais se mostrou disposta a ceder tanto terreno para o avanço luso.

O quadro começaria a se agravar a partir de 1680, quando os portugueses fundaram a Colônia do Sacramento desafiadoramente em frente a Buenos Aires (*leia pag. 85*). Cerca de século e meio mais tarde, a crise chegou ao auge quando tropas luso-brasileiras invadiram a chamada Banda Oriental (mais tarde, Uruguai), deflagrando a Guerra Cisplatina, que se prolongou de 1811 a 1816. A partir de então, raros seriam os períodos durante os quais reinaria a paz nas vastas amplitudes do pampa.

Não foi muito diferente depois que as colônias conseguiram se livrar das metrópoles. Em 1816, o Paraguai se tornara o primeiro país independente da região — separando-se não apenas da Espanha, mas também de Buenos Aires (sede do Vice-Reinado do Prata, criado em 1777, englobando, além das províncias platinas, também Tucumán, Cuyo e o Alto Peru, hoje Bolívia; só em 1852 a Argentina iria reconhecer a independência do Paraguai). A seguir, foi a Argentina que, em 9 de julho de 1816, também conquistou sua soberania. Em 29 de agosto de 1828, seis anos após a independência brasileira, Argentina e Brasil assinavam, no Rio de Janeiro, um tratado reconhecendo o Uruguai como um país independente. A ex-Banda (ou "lado") Oriental nascia para ser uma espécie de Estado-tampão — uma nação pára-choques — estrategicamente estabelecido entre duas jovens nações expansionistas.

A fundação do Uruguai iria amenizar mas não solucionar os conflitos na bacia do Prata, cujo termômetro geopolítico se manteve em temperaturas elevadas e em ritmo taquicárdico por mais um século. De 1830 ao crepúsculo do século XIX, as coxilhas ondulantes do pampa foram regadas de sangue numa série aparentemente infindável de conflitos: guerras

Uma luta de caudilhos: a guerra do Paraguai começou com o envolvimento do Brasil nos confrontos entre o "blanco" Oribe (*acima*) e o "colorado" Rosas (*página ao lado, abaixo*). Abaixo, tropas argentinas acampadas em Uruguaiana, no Rio Grande do Sul.

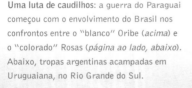

No campo de batalha: tropas argentinas ocupam as amplas planícies do pampa, em quadro do soldado-pintor Cándido López.

de caudilhos, guerras de guerrilhas, guerras a cavalo, guerras de degolas. O Brasil se envolveria em quase todas elas, em geral apoiando, em nome dos próprios interesses, o governo constitucionalista do Uruguai — estivesse ele em poder dos *colorados* (liberais) ou dos *blancos* (conservadores), os dois partidos que rachavam o país ao meio.

Na Argentina, o poder pertencia aos *colorados* e essa seria sua facção no Uruguai, independente de qualquer acontecimento político. E, na verdade, embora tivesse suas raízes fincadas na secular rivalidade entre Portugal e Espanha, a Guerra do Paraguai iria eclodir como um trágico desdobramento de episódios inseridos na guerra civil extremamente longa entre *blancos* e *colorados* no Uruguai.

Em 1841, o dúbio jogo de interesses e os conflitos incessantes entre o ditador argentino Juan Manuel Rosas, *colorado*, e os caudilhos uruguaios Frutuoso Rivera, *colorado*, e Manuel Oribe, *blanco*, já haviam deflagrado a chamada *Guerra Grande*, que conduzira ao dramático cerco de dez anos a Montevidéu — cidade que, na definição de Alexandre Dumas, tornou-se então uma "nova Tróia". Ao longo de uma década, os horrores vivenciados pela população sitiada na capital uruguaia comoveram o mundo — embora nenhum país, nem Inglaterra, nem França, nem Brasil, tenha ousado intervir no conflito. Por fim, em 1851 — após batalhas nas quais a degola de até oitocentos homens se tornara um fato corriqueiro —, Oribe venceu seu rival.

Logo a seguir, o governo *blanco* de Oribe incentivou seus partidários a atacar estâncias de brasileiros localizadas tanto em território uruguaio como além da fronteira, já em pleno Rio Grande do Sul. Tais incursões — chamadas *califórnias*, pois, de acordo com o historiador Pedro Calmon, "lembravam as violentas cenas da expansão americana rumo ao Oeste" — custaram muitas vidas e cerca de 800 mil cabeças de gado ao Brasil.

Assim sendo, em julho de 1851, o então conde de Caxias, na época ocupando a presidência da Província do Rio Grande do Sul, foi autorizado pelo imperador D. Pedro II a invadir o Uruguai, à frente de um exército de 16 mil homens. Após uma breve e bem-sucedida campanha militar, ele derrubou o caudilho Manuel Oribe, em outubro daquele ano. A seguir, firmando uma aliança com o general argentino Urquiza, Caxias tramou também a derrubada do ditador Juan Manuel Rosas, a qual se concretizou em 1852. Foi o final da chamada "Guerra contra Oribe e Rosas". A paz, no entanto, não iria perdurar por muito tempo na conflagrada bacia do Prata.

Ao longo de toda a década de 1850, os confrontos se sucediam de ambos os lados da fronteira. Mas, então, em abril de 1863, quando o Brasil e a Argentina se uniram para apoiar a rebelião do general uruguaio Venâncio Flores (do Partido Colorado) contra o governo constitucional *blanco*, o ditador paraguaio Francisco Solano López (que havia assumido o poder em outubro de 1862), sentindo-se prejudicado pela aliança entre as duas nações mais poderosas da região e sua intervenção nos assuntos internos do Uruguai, concluiu — com alguma arrogância e enorme temeridade — que era chegada a hora de mudar o equilíbrio geopolítico da região e dar ao Paraguai um novo papel naquele jogo de interesses político-econômicos.

Sua decisão teria consequências trágicas — e não apenas para o Paraguai.

O Patrono da Marinha Brasileira

O Brasil começou a vencer o Paraguai nas águas dos rios da bacia do Prata. O comandante-chefe das forças navais brasileiras era o almirante Tamandaré. Veterano dos conflitos regionais — ele combatera a Confederação do Equador, a Cabanagem, a Sabinada, os Farrapos e a Balaiada —, Tamandaré bloqueou os portos inimigos e comandou as operações de transporte na invasão do Paraguai. Seus desafetos, porém, dizem que ele preferia "os prazeres de Buenos Aires" às agruras do campo de batalha.

A Tríplice Aliança Vai à Guerra

A Guerra do Paraguai começou no Uruguai. Mais estranhamente ainda: começou com o Brasil invadindo o Uruguai — supostamente para apoiar o Partido Colorado e em represália ao Partido Blanco, cujos membros continuavam cruzando a fronteira para atacar estâncias no Rio Grande do Sul. Para o ditador paraguaio Solano López — que havia chegado ao poder havia apenas dois anos, substituindo o pai, o também ditador e grande modernizador do Paraguai, Carlos Antônio —, a ação brasileira seria apenas a ponta do *iceberg* da política expansionista do Brasil no Prata, em tudo nociva aos interesses paraguaios. Solano López sabia que se a embocadura do rio da Prata fosse bloqueada, o Paraguai poderia ser mantido na clausura — tanto econômica quanto geopolítica.

López decidiu então se defender atacando: aprisionou um navio brasileiro em Assunção e, a seguir, em novembro de 1864, invadiu a vulnerável Província de Mato Grosso. Logo depois, pediu autorização à Argentina para passar com suas tropas pela Província de Corrientes com o propósito de atacar o Rio Grande do Sul e as tropas brasileiras que tinham invadido o Uruguai. O pedido foi negado. Solano López cometeu então a suprema audácia de declarar guerra também à Argentina. Supostamente, López julgava que poderia contar com o apoio das províncias argentinas adversárias do então presidente Bartolomé Mitre e com a ajuda dos *blancos* uruguaios, além da possibilidade de negociar com o Brasil um acordo sobre uma possível retirada das tropas paraguaias do Mato Grosso. Nada disso, porém, se concretizou.

Embora o Paraguai fosse menor e menos rico do que o Brasil e a Argentina, o país, ao contrário de seus adversários, estava pronto para a guerra. Tinha 64 mil homens em armas (e 28 mil reservistas). O Brasil dispunha de 18 mil soldados efetivos, a Argentina oito mil e o Uruguai, então governado pelos *colorados*, apenas mil. Quarenta dias depois de assinado o Tratado da Tríplice Aliança, a marinha brasileira destroçou a paraguaia na batalha do Riachuelo. Até então, praticamente só o Paraguai atacara. Essa vitória decidiu a guerra em favor da Tríplice Aliança, e os exércitos aliados só não avançaram até Assunção por causa da heróica resistência da fortaleza de Humaitá (ironicamente construída por engenheiros militares brasileiros) — e, segundo alguns historiadores, por causa do "desleixo" do almirante Tamandaré, que julgou o inimigo derrotado.

Mas os paraguaios ainda resistiriam por cinco anos, auxiliados pelas condições geográficas de seu país — onde a guerra, a partir de então, passou a ser travada — e pela bravura de seus combatentes, que julgavam lutar por uma causa justa, compartilhando a certeza (habilmente explorada por López) de que a derrota significaria o aniquilamento de sua nação. Após o exército paraguaio ter sido destroçado na batalha do Tuiuti, em maio de 1886, o conflito transformou-se basicamente em uma guerra de guerrilhas, com os aliados movendo incessante perseguição a um Solano López cada vez mais acossado e paranóico. Em 1º de março de 1870, o líder paraguaio enfim foi morto por tropas brasileiras. "Muero con mi Pátria", foram suas últimas palavras.

Pura verdade: a guerra virtualmente arrasou o Paraguai.

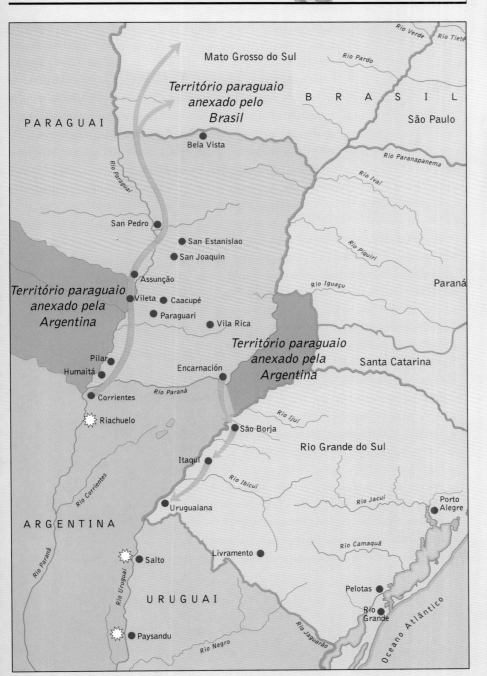

A área conflagrada: no mapa ao lado, a região da chamada "tríplice fronteira", onde os interesses expansionistas de Brasil, Argentina e Uruguai se chocaram.

Além do ataque ao forte Coimbra — e a conseqüente invasão do Mato Grosso pelas tropas de Solano López —, o outro estopim da Guerra do Paraguai foi o aprisionamento arbitrário do vapor Marquês de Olinda, ocorrido no porto de Assunção, em dezembro de 1864. Submetidos a condições severas na prisão, apenas dois homens da tripulação conseguiram sobreviver. Um mês depois do episódio, contando com o maior exército do continente, Solano López declarou guerra ao Brasil. No fim de dezembro, o ditador paraguaio determinou a invasão da Província do Mato Grosso. O tenente brasileiro Antônio João Ribeiro (acima) comandou uma heróica resistência em Dourados. Tornou-se um dos primeiros mártires brasileiros no maior conflito armado do continente.

Território paraguaio (1864-1865)

Local dos principais conflitos

O Teatro de Operações

Começou no Pantanal e acabou no Chaco. Embora por um breve período também tenha havido luta no pampa, a Guerra do Paraguai foi travada basicamente nos baixios alagadiços localizados na mesopotâmia dos rios Paraná e Paraguai. O número total de soldados envolvidos nos quase seis anos de conflitos jamais será plenamente conhecido. As estatísticas mais confiáveis falam em 64 mil soldados paraguaios mobilizados desde o início da guerra, além de um corpo de 28 mil reservistas — do qual fariam parte velhos veteranos e até mulheres e crianças.

O Brasil teria enviado aos campos de batalha cerca de 145 mil combatentes; a Argentina, algo em torno de 25 mil; e o Uruguai, menos de três mil (tendo uma presença meramente simbólica na guerra, em especial após 1866). Supõe-se que aproximadamente 95% dos soldados paraguaios tenham morrido em combate, ou sido vitimados por doenças. Também é provável que algo em torno de 15% do total da população paraguaia pré-guerra (calculada em cerca de 300 mil habitantes) tenha sucumbido no conflito: ou seja, cerca de 45 mil mortos civis (muitos deles em surtos de fome e epidemias). Apenas entre Tuiuti, Curupaiti e nos arredores da fortaleza de Humaitá, cerca de 33 mil soldados aliados perderam suas vidas. O total das baixas entre os soldados da Tríplice Aliança pode ter ultrapassado 60 mil homens (cerca de 20 mil argentinos e 40 mil brasileiros) — sete mil deles mortos pela cólera ou por febres tropicais. São índices extremamente elevados segundo os padrões de qualquer guerra moderna.

A Guerra do Paraguai pode ser dividida em quatro fases distintas:

1. O ataque paraguaio

a) Invasão de Mato Grosso (em dezembro de 1864)

b) Invasão da Província de Corrientes, na Argentina (em janeiro de 1865)

c) Tomada de Uruguaiana, no Rio Grande do Sul (início de junho de 1865)

2. A reação dos aliados

a) Formação da Tríplice Aliança (em maio de 1865)

b) Batalha do Riachuelo (em 11 de junho de 1865)

c) A invasão do Paraguai (em abril de 1866)

3. O comando de Caxias (a partir de fins de 1866)

a) A Retirada de Laguna (em maio de 1867)

b) Tomada da fortaleza de Humaitá (em agosto de 1868)

c) A Dezembrada (em dezembro de 1868)

4. Sob o comando do conde d'Eu (a partir de março de 1869)

a) A campanha das Cordilheiras (em abril de 1869)

b) Perseguição e morte de Solano López (em março de 1870)

O combate final da Guerra do Paraguai se deu no dia 1º de março de 1870, em Cerro Corá, região nordeste do Paraguai. Ferido por uma lançada do cabo Lacerca, apelidado de Chico Diabo, López foi morto com um tiro, nas barrancas do arroio chamado Aquidabanigui.

O ousado ditador: Solano López (*acima*) foi quem deflagrou a maior guerra da história da América Latina, lutada em pântanos e lodaçais.

De Tuiuti a Curupaiti

O primeiro canhonaço estourou pouco depois do meio-dia de 24 de maio de 1866. Foi o tiro de largada para o início da batalha do Tuiuti — a maior e mais sangrenta luta armada da história do continente sul-americano e o começo da segunda fase da Guerra do Paraguai.

Em abril de 1866, quase um ano depois de terem destruído a marinha paraguaia na batalha do Riachuelo, os exércitos aliados finalmente haviam invadido o Paraguai por terra. As forças da Tríplice Aliança decidiram estabelecer então seu quartel-general nos baixios do Tuiuti — região pantanosa localizada logo acima da confluência dos rios Paraná e Paraguai. Na manhã de 24 de maio de 1866, os paraguaios concluíram que era preciso tentar desalojá-las dali.

O cenário para o confronto estava desenhado. De um lado, cercados de pântanos, lagoas e densos matagais, agrupavam-se os exércitos aliados: 21 mil soldados brasileiros, 10 mil argentinos e 1,2 mil uruguaios, sob a chefia do general e presidente argentino Bartolomé Mitre, comandante-geral das forças da Tríplice Aliança. Do outro lado, 24 mil combatentes paraguaios, sob o comando de seu líder supremo, Solano López.

À direita do campo estavam os argentinos; no centro e na esquerda, brasileiros e uruguaios. Partindo para a ofensiva, López determinou o avanço de 18 mil homens, divididos em três colunas. Eles levaram de roldão dois batalhões uruguaios e o 4º de voluntários brasileiros. O plano do líder paraguaio consistia em investir contra os flancos e o centro das tropas aliadas, com as alas flanqueantes encarregadas de fecharem tenazes para impedir uma eventual fuga dos invasores e surpreendê-los pela retaguarda.

Foi um ataque terrível e ruidoso, conforme revela o relato do alferes Dionísio Cerqueira, do 4º Batalhão de Voluntários: "Novas colunas de cor avermelhada e armas cintilantes surgiam umas após as outras; eram guerreiros acobreados, espadaúdos, montados em pequenos cavalos, com os estribos de rodela entre os dois dedos dos pés e chiripás de lã vermelha; com boleadeiras nos tentos, empunhando lanças enormes, ou brandindo espadas curvas e afiadas, avançando a galope, em alarido infernal, sobre os batalhões, já meio desorientados, pelas cargas repetidas que davam, pelas linhas de atiradores que saíam, pelas fileiras que rareavam, pelos oficiais que morriam, pelos chefes que tombavam. Parecia uma tempestade... Cornetas tocavam à carga; lanças se enristavam; a artilharia rugia; cruzavam-se baionetas; rasgavam-se os corpos sadios dos heróis; espadas brandidas abriam crânios, cortavam braços e decepavam cabeças".

Depois de duas horas de fragorosa batalha campal, as tropas do general brasileiro Manuel Osório conseguiram conter o ataque ao centro da formação brasileira e, em seguida, depois de auxiliarem as alas, passaram à ofensiva. Às quatro e meia da tarde, o exército

Osório

Embora tenha, certa vez, se perdido antes de chegar ao campo de batalha, ficando impedido de participar do combate, o marechal Manoel Luís Osório (1808-1879) foi, de fato, um dos heróis da Guerra do Paraguai — e o maior responsável pela vitória em Tuiuti, confronto no qual foi ferido. Mais tarde, na batalha do Avaí, voltaria a receber um ferimento em combate. Por ser um liberal, ligado ao Partido Progressista, virou comandante-chefe do Exército brasileiro, já que Caxias, que o lançara na carreira militar, era do Partido Conservador. "É fácil a missão de comandar homens livres", diria Osório, embora muitos integrantes das tropas que ele chefiava fossem ex-escravos ou tivessem sido recrutados à força.

Caxias

Luís Alves de Lima e Silva, futuro duque de Caxias, seria o comandante natural do Exército brasileiro na Guerra do Paraguai. Quando o conflito rebentou, porém, o governo do Brasil estava em mãos dos liberais — e Caxias, ligado ao Partido Conservador, acabou sendo substituído pelo ex-discípulo Manoel Osório. Em julho de 1866, os conservadores forçaram sua ascensão e Caxias enfim assumiu o comando geral das tropas brasileiras. Um ano mais tarde, com Bartolomé Mitre saindo de cena, ele se tornaria o chefe dos exércitos aliados, imprimindo às operações o estilo ofensivo que sempre caracterizou suas campanhas. Venceu uma sucessão de batalhas e entrou em Assunção em janeiro de 1869. Doente, retirou-se em março, deixando a guerra praticamente ganha.

paraguaio batia em retirada, deixando seis mil mortos (contra 3.913 dos aliados) e sete mil feridos. Porém, o comandante das forças da Tríplice Aliança, Bartolomé Mitre, resolveu não perseguir o inimigo já batido. Descontente e discordando da atitude de Mitre, Osório — que fora um dos principais heróis da batalha — decidiria retirar-se, já no mês seguinte, do teatro de operações. Por quase dois anos, Osório se manteve longe da guerra — que, julgava ele, poderia ter começado a terminar exatamente naquele dia, em Tuiuti, caso Mitre tivesse revelado mais determinação.

De todo modo, se ainda não o fizera, quatro meses mais tarde Mitre teria todos os motivos para se arrepender (e dar razão a Osório). Afinal, no dia 22 de setembro de 1866, ele comandou pessoalmente um ataque à fortaleza de Curupaiti, em pleno Chaco paraguaio. E, ali, o exército que Mitre perdera a chance de destroçar em Tuiuti estava não apenas reagrupado, mas protegido pelas trincheiras, fossos e pelos 32 canhões de um forte recém-reconstruído. Como não é difícil supor, o combate redundou em tragédia e fracasso para os aliados, que perderam mais de cinco mil homens. Boa parte das tropas argentinas (2.082 homens) e uruguaias (cerca de novecentos soldados) foi dizimada em Curupaiti — e ambos os países jamais tiveram possibilidade de restaurar seus efetivos.

Assim, a partir de fins de 1866, a Guerra do Paraguai passou a ser, quase que exclusivamente, uma guerra do Brasil contra o Paraguai. E o confronto ainda se arrastaria por quatro terríveis e longos anos.

A Dezembrada

A pesar da vitória esmagadora em Tuiuti, em maio de 1866 a situação da guerra permanecia incerta. Foi quando, no Rio de Janeiro, o Partido Conservador, que estava na oposição, conseguiu forçar o gabinete liberal, chefiado por Zacarias Góes e Vasconcelos, a entregar o comando-geral das forças brasileiras ao então marquês de Caxias — mesmo porque o general Osório, ferido e contrariado, havia se afastado momentaneamente da luta. Em janeiro de 1868, o general Bartolomé Mitre, presidente da Argentina, foi forçado a retornar a Buenos Aires para enfrentar problemas políticos internos. O comando dos exércitos aliados passou, então, às mãos de Caxias — ainda mais porque o Brasil prosseguiria na guerra virtualmente sozinho.

Tão logo assumiu a chefia, Caxias — que encontrara o exército brasileiro mal armado, indisciplinado e duramente atingido por doenças e epidemias —, reorganizou as tropas e deu início à ofensiva final para tomar Assunção, a capital paraguaia. Duas décadas antes, porém, engenheiros militares brasileiros tinham ajudado o governo do Paraguai a erguer a fortaleza de Humaitá, nas margens do rio Paraguai, quase na confluência com o rio Paraná. Em junho de 1867, o último baluarte do exército de López a impedir o avanço das forças aliadas era jus-

Auto-retrato ficcional: Pedro Américo retratou a si próprio em meio ao fragor da *Batalha do Avaí*, um de seus quadros mais conhecidos, e o mais polêmico.

Realismo brutal: o amplo painel — com dez metros de comprimento por cinco de largura — *A Batalha do Avaí*, de Pedro Américo, foi recebido com surpresa e horror tanto pelo povo quanto pelos acadêmicos brasileiros.

Os soldados guaranis: o exército paraguaio (*abaixo*) lutou com extraordinária bravura e foi massacrado até o último homem.

tamente o forte erguido com a ajuda de seus inimigos de então. Mas, com o exército reequipado e remotivado, Caxias pôde determinar o cerco a Humaitá, contornando a fortaleza e atacando-a pela retaguarda, em fevereiro de 1868. O forte, no entanto, só foi tomado em agosto. Estava aberto o caminho não apenas para Assunção, mas para a vitória — embora a guerra ainda fosse clamar milhares de vidas e exigir mais de uma dezena de batalhas épicas.

Depois de tomar a linha fortificada de Pisiquiri, às margens do rio Paraguai — fazendo uma trilha com seis mil troncos de palmeiras para poder atravessar um pântano —, Caxias deu início à ofensiva final, que entraria para a história com o nome de Dezembrada. A campanha começou em 4 de dezembro de 1868, com a batalha de Itororó. Depois vieram os combates de Angostura e Lomas Valentinas — esse último com seis dias de duração. Entre um e outro, no dia 11, foi travada a Batalha do Avaí, que Pedro Américo iria imortalizar com um quadro de amplas dimensões (*na página anterior*).

A Dezembrada terminaria no dia 30, com a tomada de Angostura. Uma semana depois, a 5 de janeiro de 1869, os exércitos aliados marchavam sobre Assunção. A guerra, porém, ainda não estava terminada, já que Solano López abandonara a cidade, refugiando-se no norte do Paraguai com seus 13 mil derradeiros soldados.

A Retirada da Laguna

Não foram apenas belos (e polêmicos) quadros de batalhas que a Guerra do Paraguai legou às artes brasileiras. Há também pelo menos uma obra-prima literária produzida no campo de batalha. Militarmente, o episódio conhecido como a Retirada da Laguna foi um fiasco e um fracasso. Literariamente, porém, transformou-se em uma vitória maior.

Primeiro, os fatos: em maio de 1867, o Brasil ainda não possuía comunicação por terra com o território de Mato Grosso, que havia sido invadido e permanecia controlado pelo Paraguai. Uma pequena coluna brasileira, formada por 1.680 homens, comandados pelo coronel Carlos de Morais Camisão, recebeu a incumbência de realizar uma incursão por trás das linhas inimigas e penetrar em Mato Grosso. Foi uma marcha épica, iniciada a 8 de maio, que acabou conduzindo aquela tropa desde o Rio de Janeiro até Coxim, em Mato Grosso (via Mogi, Franca e Uberaba). De Coxim, os expedicionários, já vitimados pelo cansaço, pela fome e pelas enchentes, entraram em Laguna, no Paraguai, sendo então atacados pelo inimigo. Forçados a bater em retirada, foram acometidos por epidemias de cólera-morbo e febres palustres. Toda a sorte de perigos e privações, todos os atos de desespero e de heroísmo, foram brilhante e minuciosamente descritos por Alfredo d'Escragnolle Taunay, em seu livro *A retirada da Laguna*, escrito originalmente em francês, em 1871, e, três anos mais tarde, traduzido para o português por seu filho, Afonso Taunay.

Lançado em português em 1874, apenas dois anos após *Inocência* ter consagrado Taunay como escritor tremendamente popular, *A retirada da Laguna* encantou os críticos e emocionou o público. Sílvio Romero, em sua clássica *História da literatura brasileira*, publicada em 1888, considerou Taunay superior, em certo sentido, a Machado de Assis e a José de Alencar, graças ao que ele chamou de "um inigualável sentimento da paisagem". Anos mais tarde, Antonio Candido, o maior crítico literário do Brasil, repetia, em sua *Formação da literatura brasileira*, publicada em 1959, que, na obra de Taunay, "a paisagem deixou de ser um espetáculo para integrar-se na sua mais vívida experiência de homem", resultando daí "um brasileirismo, misto de entusiasmo plástico e consciência dos problemas econômicos e sociais". Mais recentemente, o professor Francisco Alambert não deixou de notar, em um ensaio escrito em 1994, que Taunay descreveu "uma paisagem em que a Guerra e as misérias humanas se confundem e combinam com o lado obscuro e desconhecido da Natureza e com a natureza básica dos homens, primitivos, selvagens e guerreiros".

A obra-prima de Alfredo d'Escragnolle Taunay interpreta a Guerra do Paraguai como um confronto entre civilização e barbárie e, embora o livro seja um canto de derrota da civilização, pretende demonstrar apenas que, apesar de terem perdido aquela batalha específica, os "heróis civilizadores" acabariam ganhando a guerra contra os "primitivos guaranis" — tão próximos da Natureza que, na verdade, não eram muito mais do que apenas parte dela.

Um trecho:

"Tínhamos muito próximo de nós o termo de tantas misérias, quando outra novidade veio agravar a situação, além de qualquer previsão, por mais sinistra que fosse: circulou de repente pelo acampamento a notícia de que nele havia cólera. Teve esse dia cruel uma tarde e uma noite, como era de se prever. Pela manhã, o tempo, a princípio chuvoso, melhorou; e logo tornou-se o sol ardente. Os homens mal se arrastavam, tendo a morte sob os olhos e no coração... A que causa devíamos atribuir esta irrupção de cólera ou, melhor, a que causa não a atribuirmos? Seria a carne estragada que éramos obrigados a comer, ou a fome curtida quando náuseas venciam o apetite, ou, ainda, o insuportável ardor dos incêncios que nos escaldavam o sangue, quiçá a infecção oriunda das substâncias vegetais que devorávamos, brotos, frutos verdes e podres, ou, também, enfim, a insalubridade do ar viciado pela água estagnada dos charcos e lodaçais que naquela região abundam?... Era terrível ver os coléricos dilacerando os andrajos com os quais tentávamos cobri-los, rolando uns sobre os outros, a se torcerem com cãimbras, vociferando: 'Água!', enquanto a chuva caía sobre seus corpos gélidos."

Um homem de letras e armas: Alfredo Maria Adriano d'Escragnolle Taunay (1843-1899) era filho do pintor Félix Émile e neto de Nicolas Taunay, que viera ao Brasil junto com a Missão Francesa. Em 1872, escreveu o *best-seller Inocência*.

As Conseqüências da Guerra

A Guerra do Paraguai, como já disse alguém, foi um grande negócio. Certamente não para o Paraguai — destroçado pelos exércitos da Tríplice Aliança (especialmente pelo Exército brasileiro), o país perdeu mais da metade de sua população masculina: foram pelo menos 90 mil mortos. Sobraram apenas velhos, mulheres e crianças. Para muitos analistas, a nação ainda não se recuperou do terrível golpe. A guerra também não foi um bom negócio para o Brasil. Além de perder 33 mil homens, o país contraiu uma enorme dívida de guerra com dois bancos ingleses: cerca de dez milhões de libras. O território anexado do Paraguai — um retângulo irregular, de cerca de 300 quilômetros de comprimento e 150 de largura, localizado entre os rios Apa e Branco, no atual estado do Mato Grosso do Sul — não foi suficiente para compensar a crise monetária que se seguiu.

A guerra com certeza também não foi um bom negócio para os milhares de escravos libertos e ex-escravos mandados para a linha de frente com a promessa, muitas vezes não cumprida, de ganharem a liberdade depois do conflito. As piores tarefas da frente de batalha eram sempre entregues a eles. A guerra igualmente não foi um bom negócio para os milhares de indígenas das nações Terena, Guaicuru e Guarani envolvidos no conflito e conduzidos para a linha de frente — o trabalho sujo da guerra de guerrilhas ficou para eles. Os Terena lutaram do lado brasileiro. Os Guaicuru combateram tanto a favor dos aliados quanto a favor do Paraguai, dependendo de que lado da fronteira ficavam suas aldeias. Já o grosso das tropas paraguaias era formado por Guarani — descendentes das tribos que, no século XVII, tinham sido escravizadas pelos bandeirantes paulistas.

A guerra também não foi um bom negócio para a Argentina, que não apenas não conseguiu se apoderar de vastas porções do território paraguaio, como também se endividou com os ingleses. A guerra, por fim, não foi um bom negócio para o Uruguai, que, embora não tenha contraído muitas dívidas, perdeu mais de mil homens e, na partilha territorial que se seguiu ao fim do conflito, não levou nada.

Para quem, então, a guerra do Paraguai foi um grande negócio? Para "o judeu Rothschild e seu colega cristão Barings" — segundo o poema do inglês Lord Byron que os apontava como "os senhores do mundo (...)/ cujos empréstimos (...) fundam uma nação ou derrubam um trono". Ao Brasil, esses dois bancos emprestaram dez milhões de libras durante o conflito (entre 1871 e 1889, após a guerra, essa quantia chegou a 45 milhões). A Argentina recebeu seis milhões de libras (mais doze milhões ao final do conflito).

O fato de os exércitos da Tríplice Aliança terem sido financiados por bancos britânicos fez com que, nas décadas de 1960 e 1970, surgisse na América Latina, entre historiadores e jornalistas de esquerda, uma "nova" interpretação para a Guerra do Paraguai, segundo a qual o conflito fora incentivado pela Inglaterra, com o objetivo não só de endividar o Brasil e a Argentina como também para sufocar o modelo econômico paraguaio — supostamente desvinculado do "imperialismo britânico". A tese "revisionista" não encontra sustentação em provas documentais. Embora o Paraguai de fato buscasse fórmulas "heterodoxas" de desenvolvimento e entre as conquistas do ditador Solano López estivesse a erradicação do analfabetismo entre os paraguaios, o país não só negociava freqüentemente com a Inglaterra como estava longe de ser um paraíso democrático: o povo era miserável e López não se enquadra em nenhuma definição que não a de um tirano.

De qualquer forma, muita gente combateu por ele, achando que a causa era justa — e, se o fizeram com tanta fúria, foi basicamente porque o próprio López os convenceu de que a derrota significaria o desaparecimento da nação. Mas a guerra acabou não se revelando bom negócio para os paraguaios — massacrados, literalmente, até o último homem. A guerra, ainda assim, acabou sendo bom negócio para os militares brasileiros, que saíram dela fortalecidos como classe e preparados para conspirar contra o Império. De todo modo, como profeticamente havia dito o barão de Mauá — que, desde o início, se opôs ao conflito —, "a maldita guerra será a ruína do vencedor e a destruição do vencido".

Foi uma guerra trágica e sórdida — como todas.

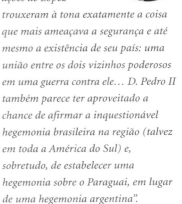

talvez mesmo de destruir, um poder emergente e preocupante dentro de sua zona de influência... Dessa forma, as imprudentes ações de López trouxeram à tona exatamente a coisa que mais ameaçava a segurança e até mesmo a existência de seu país: uma união entre os dois vizinhos poderosos em uma guerra contra ele... D. Pedro II também parece ter aproveitado a chance de afirmar a inquestionável hegemonia brasileira na região (talvez em toda a América do Sul) e, sobretudo, de estabelecer uma hegemonia sobre o Paraguai, em lugar de uma hegemonia argentina".

Sob o peso da derrota: no quadro abaixo, o pintor Cándido López, que além de pintar lutou no conflito, registra o dia-a-dia dos soldados paraguaios feridos e capturados pelas tropas da Tríplice Aliança.

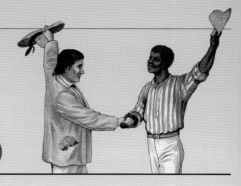

CAPÍTULO 20 A Abolição

A lei tinha apenas dois artigos. Fora redigida por um calígrafo famoso, em pergaminho finíssimo. A princesa assinou-a com uma pena de ouro cravejada de brilhantes, adquirida por subscrição popular e usada aquela única vez. O artigo primeiro dizia: "É declarada extinta a escravidão no Brasil". O artigo 2º estabelecia: "Revogam-se as disposições em contrário". O despojamento radical do texto não disfarçava — talvez apenas reforçasse — a complexidade brutal que antecedera (e sucederia) a aprovação da Lei Áurea. A luta pela abolição da escravatura no Brasil — única nação independente que, na aurora do século XX, ainda possuía escravos — fora

a mais longa, complexa e tortuosa de todas as campanhas sociais jamais realizadas no país. Durara 80 anos — ao longo dos quais cerca de 1,5 milhão de escravos entraram no país (pelo menos 700 mil deles, ilegalmente) — e envolvera toda a nação, desvendando-lhes as incertezas e omissões.

É evidente que a simples assinatura colocada pela princesa Isabel em um pergaminho rebuscado, libertando, a partir daquela data, os 723.719 escravos oficialmente existentes no país não poderia resolver a questão. Três séculos de escravidão (durante os quais mais de 4,5 milhões de escravos haviam sido trazidos para o Brasil) não seriam riscados com um simples rabisco num papel — por mais sucinto, requintado e direto que fosse.

Passados mais de cem anos, a polêmica em torno da abolição de certa forma persiste — com algumas teses tão simplistas quanto a própria lei que a decretou. Para historiadores com recaídas monarquistas, a princesa Isabel e seu pai D. Pedro II foram heróis, quase mártires, que aboliram a escravatura e perderam o trono. Para os intérpretes republicanos, a lei só foi assinada por pressão de abolicionistas radicais (e republicanos), como

Luís Gama e Silva Jardim. Para militantes do movimento negro, Isabel não é a "Redentora", mas a princesa que deixou os escravos na miséria e no abandono. Para analistas de formação esquerdista, foram as insurreições escravas e o "medo branco diante da onda negra" que precipitaram a assinatura da lei. Para a chamada Escola Paulista — cujos historiadores também interpretavam os fatos históricos por uma ótica marxista — foi a pressão dos cafeicultores do Oeste de São Paulo (dispostos a usar trabalho livre nas fazendas) que acelerou a libertação dos escravos. O papel de abolicionistas "legalistas" (e monarquistas), como Joaquim Nabuco, José do Patrocínio e André Rebouças, tão valorizado pela historiografia do princípio do século XX, vem sendo deixado em plano secundário.

O espelho da historiografia reflete imagens côncavas e convexas. A imagem real em frente do espelho, porém, parece revelar uma nação rude, dividida, de espírito escravista e antilegalista, que relutou ao máximo antes de alterar sua ordem econômica e social baseada na exploração do trabalho escravo. Uma nação que, às 3h15 de uma tarde ensolarada de domingo, 13 de maio de 1888, não apenas não se livraria de seu passado conturbado como, ainda hoje parece incapaz de lidar com ele.

A Lei Áurea: um simples papel, com apenas dois artigos (*página ao lado*), assinado (*ao alto*) pela princesa Isabel (*à esquerda*) não iria apagar o trágico legado de mais de três séculos de escravidão no Brasil.

Lei N.º 3353 de 13 de Maio de 1888.

Declara extincta a escravidão no Brasil

A Princeza Imperial Regente em Nome de Sua Magestade o Imperador o Senhor D. Pedro II, Faz saber a todos os subditos do Imperio que a Assembléa Geral Decretou e Ella sancionou a Lei seguinte:

Artigo 1.º É declarada extincta desde a data d'esta Lei a escravidão no Brasil.

Artigo 2.º Revogam-se as disposições em contrario.

Manda portanto a todas as autoridades a quem o conhecimento e execução da referida Lei pertencer, que a cumpram e façam cumprir e guardar tão inteiramente como n'ella se contem. O Secretario de Estado dos Negocios d'Agricultura, Commercio e Obras Publicas e Interino dos Negocios Estrangeiros Bacharel Rodrigo Augusto da Silva do Conselho de Sua Magestade o Imperador, o faça imprimir, publicar e correr. Dado no Palacio do Rio de Janeiro, em 13 de Maio de 1888 - 67º da Independencia e do Imperio.

Princeza Imperial Regente

Rodrigo A. da Silva

Carta de Lei, pela qual Vossa Alteza Imperial Manda executar o Decreto da Assembléa Geral, que Houve por bem sancionar; declarando extincta a escravidão no Brasil, como n'ella se declara.

Chancellaria-mór do Imperio.

Antonio Ferreira Vianna

Transitou em 12 de Maio de 1888

José Julio d'Albuq Barros

Para Vossa Alteza Imperial ver.

Sem Barba ou Barriga

No dia 30 de junho de 1887, acossado pela diabetes e pelas turbulências da política, D. Pedro II partiu para uma temporada na Europa. Sua filha, a princesa Isabel, assumiu o comando da nação como regente. Aos 41 anos, Isabel não lembrava em nada a menina que, transformada em herdeira da Coroa pela morte dos irmãos Pedro e Afonso, assumira aquele mesmo cargo pela primeira vez em 1871, anotando no diário: "Muito esquisito ver-me assim, uma espécie de imperador, sem barba e sem barriga". Já na primeira regência Isabel assinaria a polêmica Lei do Ventre Livre. Em 1875, a princesa assumiu outra vez o posto e assinou novas leis pró-abolição. Mas aqueles momentos não se comparavam ao país convulsionado com o qual ela se defrontava agora. O ministério, comandado pelo barão de Cotejipe, se opunha à iminente abolição da escravatura. Mas, em 13 de maio de 1888, interrompendo descanso em Petrópolis, a princesa voltou ao Rio e assinou a Lei nº 3.353 — aprovada pelo Parlamento por 85 votos a nove.

O Mercado de Escravos

Ao longo dos 80 anos durante os quais a luta pela abolição da escravatura se desenrolou no Brasil, metade foi dedicada a acabar com o tráfico entre a África e o Brasil. Nada mais natural: o tráfico era a parte mais rentável do negócio. Um só exemplo (entre milhares): em 1832, o paulista José Maria Lisboa adquiriu 760 "peças" na África, pagando 20 mil-réis por cabeça. Vendeu-as no Brasil por 250 mil-réis cada uma. Como bloquear um negócio cujos lucros eram freqüentemente superiores a 1.000%?

Embora sempre tivesse sido extremamente vantajoso para os luso-brasileiros, o tráfico de escravos jamais fora tão lucrativo como viria a se tornar a partir da segunda década do século XIX. Por um simples motivo: no alvorecer da Revolução Industrial, a escravidão deixara de ser um bom negócio para a Inglaterra, que até então fora uma das maiores nações escravagistas do mundo — e na qual, em outros tempos, cada novo desembarque de africanos inspirava os presbíteros a fazer longos sermões, agradecendo a Deus pela possibilidade de "conduzir novas almas" ao rebanho divino. Ao se tornar ilegal, por pressão dos ingleses, o tráfico de escravos entre as duas margens do oceano Atlântico ficou muito mais arriscado — e imensamente mais rentável.

Foi em 7 de julho de 1807, depois de sete anos de pendengas parlamentares, que a Câmara dos Lordes enfim proibiu a escravidão na Inglaterra. Interesses meramente econômicos tinham levado o governo a ceder à pressão de grupos humanitários, que contavam com o apoio inflamado dos comerciantes de Bristol e Liverpool (portos dos quais, noutras épocas, mais de dois mil navios negreiros haviam zarpado). Sancionada a lei, a Inglaterra — com o apoio de sua poderosa Marinha — passou a se empenhar na difusão de sua "política moralizadora dos mares" com a mesma paixão com que, anteriormente, defendera a escravidão e o tráfico dela decorrente.

Quase um ano e meio mais tarde, em novembro de 1808, a armada britânica escoltava a comitiva de D. João VI para o exílio no Brasil. O príncipe logo seria forçado a assinar, a contragosto, em 19 de fevereiro de 1810, um tratado no qual se comprometia a "cooperar com Sua Majestade britânica na causa de humanidade e justiça", que era a "gradual abolição do comércio de escravos". Estava começando uma luta que iria perdurar pelos próximos 80 anos — durante os quais primeiro Portugal e, a seguir, o Brasil se empenhariam ao máximo em fraudar todos os tratados que se viram forçados a assinar.

Em 22 de janeiro de 1815, em um congresso em Viena, a Inglaterra induziu Portugal a firmar um tratado comprometendo-se a não mais traficar escravos ao norte da linha do Equador. Ratificada em 8 de junho de 1817, a lei teria efeito inverso: o tráfico entre o Brasil e os reinos de Daomé e Benin (ambos a cinco graus de latitude norte, portanto na zona proibida) aumentou brutalmente. O motivo era simples: com a proibição, o preço dos escravos despencou a menos da metade naqueles dois reinos com longa tradição escravagista, e isso compensava o risco de o negreiro ser capturado por um navio inglês. Além do mais, no Brasil, os escravos sudaneses eram muito mais "estimados" que os bantos de Angola (localizada a quinze graus de latitude sul, em zona ainda liberada).

Em 23 de novembro de 1826, no entanto, em troca do reconhecimento da independência, a Inglaterra forçou o Brasil a assinar um novo tratado (ratificado em 13 de março de 1827), segundo o qual "três anos após a troca das ratificações não seria mais lícito aos súditos do Império do Brasil fazer o tráfico de escravos da costa da África, sob qualquer pretexto ou maneira, sendo a continuação desse comércio (...) tratada como pirataria". Portanto, em 13 de março de 1830, o tráfico de escravos ficou oficialmente proibido no país. Nunca se traficaria tanto.

O Fim do Tráfico

O tratado de 1826 causou grande indignação no Brasil escravocrata. O deputado Cunha Matos, de Goiás, foi a plenário deplorar que o país tivesse sido "forçado, obrigado, submetido e compelido pelo governo britânico a assinar uma convenção onerosa e degradante sobre assuntos internos, domésticos e puramente nacionais". Contudo, os escravos continuaram a chegar ao país — e em número cada vez maior: 30 mil em 1827, 38 mil em 1828 e 45 mil no ano seguinte.

Em novembro de 1831, o padre Diogo Feijó, ministro da Justiça durante a Regência Trina, assinou uma lei decretando que "todos os escravos que entrarem no território ou portos do Brasil vindos de fora ficam livres". Mas, em 1838, foram desembarcados mais de 40 mil cativos. Em 1843, o número chegou a 64 mil — e, evidentemente, nenhum

deles ficou livre. Explica-se: a própria Regência aumentara muito o poder dos juízes locais. Vários deles eram donos de fazendas e de escravos. Os que não eram, passaram a cobrar 10% do valor de cada africano desembarcado para fazer vista grossa. Os poucos juízes que tentaram impor a lei foram ameaçados de morte — exatamente como acon-

Tabela de Preços

O preço dos escravos variou muito ao longo dos três séculos pelos quais a escravidão perdurou no Brasil — e não apenas por causa do passar dos anos, mas também pelas "flutuações" do mercado na América e na África. Em 1622, um escravo valia 29 mil-réis; em 1635, 42 mil-réis, e, no ano de 1652, 55 mil-réis. Em 1835, o preço subira para 375 mil-réis, e, em 1875, chegou a 1.256 mil-réis — um aumento de 235%. Em moeda estrangeira, em 1831, um escravo custava 5 libras na África e 98 libras "colocado" no Brasil. Já no ano de 1846, o preço de 8 dólares na África chegava a 300 no Brasil.

Robinson Crusoé

O personagem mais famoso da literatura inglesa, o náufrago Robinson Crusoé, era traficante de escravos. Crusoé, na verdade, tinha virado senhor de engenho na Bahia, onde chegara por acaso. "Vendo como os traficantes enriqueciam mais rápido do que os fazendeiros", o personagem, criado por Daniel Defoe em 1719, decidiu partir para a África, com seu próprio capital e o de outros plantadores, para adquirir uma "partilha de escravos". Na viagem de ida, o navio afundou e Crusoé, único sobrevivente, viveria por vinte anos em uma ilha deserta.

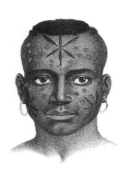

teceria, no século XX, com os juízes italianos que enfrentaram a Máfia e com os magistrados colombianos inimigos do narcotráfico.

Em 1842, o desrespeito à lei era tal que o dramaturgo Martins Pena incluiu em uma de suas peças a fala: "Há por aí uma costa tão larga e autoridades tão condescendentes...". Os escravos já não desembarcavam no Rio de Janeiro, nem iam direto para a alfândega, nem, após a quarentena na ilha de Jesus, para os mercados da rua do Valongo. Os novos portos da "costa tão larga" eram na ilha Grande (SP), em Sernampetiba e na restinga da Marambaia, ao sul da cidade do Rio de Janeiro. Os negros eram desembarcados na praia e trocados no ato por sacas de café.

Os traficantes criaram também uma companhia de seguros, que cobrava 10% do valor da carga e, no caso de apreensão do navio por cruzadores ingleses, pagava metade do seu valor total. A proibição fizera o preço dos escravos despencar à quarta parte em Cabinda e Benguela. No Brasil, por outro lado, o *boom* do café (a partir de 1845) quintuplicara o valor das "peças". Assim, os negreiros passaram a entupir seus navios com uma quantidade brutal de escravos. As várias descrições do interior desses barcos — muito propriamente apelidados "tumbeiros" — suplanta qualquer horror imaginável. Houve — e ainda há — quem preferisse culpar por esses abusos as instituições humanitárias e os "malditos ingleses".

Os "malditos ingleses" não podiam diminuir as costas largas do Brasil, mas podiam reduzir a "condescendência" de suas autoridades. Foi o que fizeram. Logo depois de o diplomata lorde Brougham ter enviado do Rio de Janeiro uma carta para Londres afirmando que "a história toda da desfaçatez humana não apresenta passagem que possa rivalizar" com o desrespeito à lei contra o tráfico de escravos no Brasil, foi assinado, em 9 de agosto de 1845, o famigerado *Bill Aberdeen* — um ato unilateral que permitia aos britânicos abordar e inspecionar qualquer navio brasileiro em qualquer oceano. Ainda assim, se, de 1841 a 1845, 97.742 escravos tinham entrado ilegalmente no Brasil, de 1845 a 1851 esse número iria chegar a 243.496.

Porém, em 4 de setembro de 1850, o então ministro da Justiça, Eusébio de Queirós, assinou uma lei rígida que, enfim, foi cumprida (tanto é que em 1851, só 700 escravos entraram no país). Queirós, no entanto, lamentaria a própria atitude: para ele, como o "Brasil inteiro" praticava o tráfico, era "impossível que fosse um crime e haveria temeridade em chamá-lo de erro". De qualquer forma, após meio século de luta, o tráfico enfim fora interrompido. Mas cerca de 1,5 milhão de cativos viviam no Brasil. Para libertá-los, iniciou-se vigorosa campanha abolicionista, na qual se destacaram Joaquim Nabuco e José do Patrocínio.

José do Patrocínio

"Se toda a propriedade é roubo, a propriedade escrava é um duplo roubo, contrária aos princípios humanos a que qualquer ordem jurídica deve servir." Não se tratava apenas de uma retórica inflamada de nítida inspiração socialista, nem de um mero exercício de propagandismo desabusado que se poderia esperar de um dos jornalistas mais polêmicos do país. Filho de um padre com uma escrava que vendia frutas, José do Patrocínio (1853-1905) sabia do que estava falando: senhor por parte de pai, escravo por parte de mãe, ele vivia na pele todas as contradições da escravatura.

Nascido em Campos (RJ), um dos pólos escravistas do país, mudou-se para o Rio de Janeiro e começou a vida como servente de pedreiro. Pagando o próprio estudo, formou-se em farmácia. Em 1875, porém, descobriu a verdadeira vocação ao fundar um jornal satírico, *Os Ferrões*. Começava ali a carreira de um dos mais brilhantes jornalistas brasileiros de todos os tempos. Dono de um texto requintado e viril, José do Patrocínio (que de início assinava Proudhon) tornou-se um articulista famoso em todo o país. Conheceu a princesa Isabel, fundou um diário, a *Gazeta da Tarde*, e virou o "Tigre do Abolicionismo". Em maio de 1883, criou, junto com André Rebouças, uma confederação unindo todos os clubes abolicionistas do país. A revolução se iniciara. "E a revolução se chama Patrocínio", disse Joaquim Nabuco.

Pouco depois de a princesa Isabel assinar a Lei Áurea, sob uma chuva de rosas, no Paço da Cidade, a campanha que, por dez anos, Patrocínio liderara enfim parecia encerrada. "Minha alma sobe de joelhos nestes paços", diria ele, curvando-se para beijar as mãos da "loira mãe dos brasileiros". Aos 35 anos incompletos, era difícil supor que, a partir dali, Patrocínio veria sua carreira ir ladeira abaixo. Mas foi o que aconteceu: seu novo jornal, *A Cidade do Rio* (fundado em 1887), virou porta-voz da monarquia — em tempos pró-republicanos. Patrocínio foi acusado de estimular a formação da "Guarda Negra", um bando de escravos libertos que agiam com violência nos comícios republicanos. Era um "isabelista" ferrenho.

Em 1889, ele aderiu ao movimento republicano: tarde demais para agradar aos adeptos do novo regime, mas ainda em tempo de ser abandonado pelos ex-aliados. Em 1892, depois de atacar o ditador de plantão, marechal Floriano Peixoto, Patrocínio foi enviado para o exílio na Amazônia. Rui Barbosa o defendeu, num texto vigoroso: "Que sociedade é essa, cuja consciência moral mergulha em lama, ao menor capricho da força, as estrelas de sua admiração?". Em 1893, Patrocínio voltou ao Rio, mas, como continuou atacando o "Marechal de Ferro", seu jornal foi fechado. A miséria bateu-lhe à porta e Patrocínio mudou-se para um barracão no subúrbio. Por anos dedicou-se a um projeto delirante: construir um dirigível de 45 metros de comprimento. A nave jamais se ergueria do chão. Em 1905, o "Tigre do Abolicionismo" morreu, desamparado e imerso em dívidas.

O "tigre da abolição": José do Patrocínio (*acima e na caricatura abaixo*) foi um dos abolicionistas mais combativos, mas, após a proclamação da República, caiu em desgraça no país por ser monarquista.

Os Dramas de Gama

Se fosse norte-americano, sua vida teria rendido vários livros e filmes. Mas Luís Gama era um pobre negro brasileiro, nascido na Bahia em 1830, e, embora sua biografia mais pareça um conto dramático, continua sendo praticamente ignorada no país. Luís Gama (acima) foi, e continua sendo, o nome mais emblemático do movimento abolicionista. Filho de um fidalgo português empobrecido e de Luísa Mahin, "negra africana livre que sempre recusou o batismo e a doutrina cristã", Gama foi ilegalmente vendido como escravo pelo próprio pai, aos dez anos de idade. Levado para o Rio de Janeiro e, mais tarde, para Santos, fugiu da casa de seu "dono", foi soldado, jornalista, poeta e, por fim, advogado. Iniciou, então, monumental batalha judicial, conseguindo a libertação de mais de quinhentos escravos, baseando-se na lei de 1831, segundo a qual todos os africanos entrados no país depois de 7 de setembro daquele ano eram livres. Também obteve alforria de mais quinhentos cativos aproveitando-se de outra brecha da lei. Morreu aos 52 anos, em São Paulo, em 24 de agosto de 1882 — seis anos antes da Lei Áurea. Seu enterro, no cemitério da Consolação, transformou-se numa portentosa manifestação abolicionista (e republicana).

André Rebouças

Morreu solitário, sobre uma grande pedra, em frente do mar, na ilha da Madeira. Estava só e amargurado. O exílio, porém, era voluntário. André Rebouças (1838-1898) tinha atingido o maior objetivo de sua vida: a escravidão fora abolida do Brasil. Mas o custo lhe parecera alto demais: amigo do imperador D. Pedro II, a quem venerava, da princesa Isabel e do marido dela, o conde D'Eu, Rebouças não ignorava que a abolição fora uma das causas da proclamação da República, e a República, é claro, destronara os monarcas. Assim, o mulato franzino que havia sido um dos maiores propagandistas e um meticuloso estrategista do movimento abolicionista preferiu abandonar o Brasil no mesmo navio no qual a família real zarpou para o exílio.

A morte de D. Pedro II, em 1891, provocou-lhe distúrbios emocionais. Rebouças partiu então para a África, numa jornada alucinada que o levou a Moçambique e Zanzibar. Foi-se meter no Transvaal, onde alimentou o plano delirante de vestir toda a população de 300 mil habitantes. Detalhista, calculou que seriam necessários "mais de 900 mil metros [*de tecidos*] a fornecer imediatamente; e como serão indispensáveis seis mudas no verão, serão 5,4 milhões de metros de pano de algodão por ano". Achava que o projeto poderia salvar as fábricas da Europa da bancarrota.

Embora capaz de dedicar-se a planos tão utópicos quanto vestir toda a população de uma região miserável, André Rebouças também era homem prático e ativo. Nascido na Bahia, em janeiro de 1838, mudou-se para o Rio aos quatro anos de idade. Junto com o irmão, Antônio, formou-se em engenharia. Convocado para a Guerra do Paraguai, não pôde, de início, exercer a profissão. Mas como contraiu varíola no *front*, deu baixa em um ano. Então, percorreu o Brasil tentando convencer o imperador a modernizar portos e ferrovias. Não eram só as idéias muito avançadas que o impediam de concretizar seus projetos: a cor da pele não ajudava. Ainda assim, André, pioneiro da mecânica de solos no Brasil, fez as docas do Rio de Janeiro e vários portos no Nordeste, enquanto o irmão Antônio construía a ferrovia Paranaguá–Curitiba. A partir de 1872, André se dedicou integralmente ao abolicionismo, influenciando toda a ação do movimento. Era tímido e mau orador, mas, de acordo com Joaquim Nabuco, "teve o mais belo dos papéis, embora oculto: foi nosso motor e nossa inspiração".

Joaquim Nabuco

Em 1883, Joaquim Aurélio Barreto Nabuco de Araújo estava morando em Londres. Era correspondente do *Jornal do Commercio*, amigo do embaixador do Brasil na Inglaterra, barão de Penedo, e vivia no bairro mais aristocrático da capital do mundo. Ainda assim, não havia se recuperado da derrota eleitoral sofrida dois anos antes, no Brasil. Deputado do Partido Liberal, ele fora eleito em 1878 por Pernambuco, tornando-se, a partir de então, um "verdadeiro tormento na Câmara". Em 1880, depois de fundar a Sociedade Brasileira contra a Escravidão, ele se transformara no maior porta-voz do abolicionismo legalista e parlamentar.

De formação conservadora, filho de uma das mais tradicionais famílias do país, ligada à economia açucareira e à política imperial, o monarquista Nabuco (nascido em Recife em agosto de 1849) apresentou, em agosto de 1880, um minucioso projeto de lei propondo a abolição da escravatura em 1890 e o pagamento de uma indenização aos senhores de escravos. O projeto se chocava com a proposta dos militantes radicais, em geral republicanos, que queriam abolição imediata e sem indenização. Pego entre dois fogos, Nabuco não conseguiu reeleger-se em 1881.

No agridoce exílio londrino, ele escreveu então uma das mais densas e belas obras de combate já publicadas em português: *O abolicionismo* — livro fulgurante, moderno e incisivo, no qual, livre do compromisso com as manobras políticas, Nabuco defende a abolição imediata e sem indenização, desde que dentro da lei.

Em 1884, Nabuco retornou ao Brasil e à Câmara: foi reeleito com ampla margem de votos. Como se manteve monarquista e legalista, e acreditando que a abolição era, basicamente, "negócio de brancos", certos historiadores o consideraram "líder da ala direita do movimento". Nos anos seguintes, a abolição se concretizou, embora logo ficasse claro que não se tratava de muito mais do que uma mera medida jurídica, e em seguida veio a República. Apesar de ter sido ministro dos governos de Prudente de Morais e de Campos Sales, Nabuco (que morreu em Washington, em janeiro de 1910) amargurou-se profundamente com os destinos do país e dos ex-escravos.

Em janeiro de 1893, ele havia escrito para André Rebouças, o amigo que muito o influenciara e que então se achava no exílio voluntário na África: "Com que gente andamos metidos! Hoje estou convencido de que não havia uma parcela de amor ao escravo, de desinteresse e de abnegação em três quartas partes dos que se diziam abolicionistas. Foi uma especulação a mais! A prova é que fizeram essa república e depois dela só advogam a causa dos bolsistas [*investidores da bolsa de valores*], dos ladrões da finança, piorando infinitamente a condição dos pobres. (...) Estávamos metidos com financistas, e não com puritanos, com fâmulos de banqueiros falidos, mercenários e agiotas…".

Sob as Bênçãos de Bento

A obra de Luís Gama teria continuação — ou melhor, se radicalizaria — nas ações desencadeadas pelo mais fiel e ativo de seus discípulos: Antônio Bento. Branco, rico e filho de fazendeiros, Bento nascera em condições opostas às de Gama. Mas se tornou um abolicionista fanático, não apenas libertando os escravos da fazenda de sua irmã, mas criando um grupo radical, os Caifazes, que passou a invadir fazendas e articular fugas em massa de centenas de escravos. Para completar os traços invulgares de sua singularíssima biografia, Antônio Bento (acima) era — e continuou sendo até a morte, em 1898 — monarquista e conservador. Mas foi também o mais subversivo de todos os abolicionistas, a ponto de ter sua morte tramada por senhores de escravos e sua mansão invadida várias vezes pela polícia. Antônio Bento foi também o principal organizador do quilombo do Jabaquara, localizado em Santos, para onde foram levados mais de dez mil escravos cuja fuga ele próprio ajudara a organizar.

As Leis da Abolição

Silva Jardim

Era um homem de natureza vulcânica. Tanto é que, no início de 1888, depois que sua proposta de desencadear uma "ação popular revolucionária" para derrubar D. Pedro II e instalar a República no Brasil não foi aceita no Congresso Republicano, realizado em São Paulo, o advogado e jornalista Antônio Silva Jardim (1860-1891) decidiu vender, por 500 mil-réis, sua parte num escritório de advocacia. E disse: "Com esse dinheiro, vou derrubar a monarquia. Com alguns níqueis e uma garganta, também se pode abrir caminho para a República". Silva Jardim não era apenas um republicano extremado: era também um abolicionista radical, disposto a burlar qualquer expediente jurídico que barrasse a libertação dos escravos. Para ele, a lei da abolição deveria ter — como de fato teve — apenas dois artigos. "A questão se resolveria assim: o primeiro artigo diria: fica abolida a escravidão no Brasil; e o segundo, pedimos perdão ao mundo por não tê-lo feito há mais tempo."

Silva Jardim foi responsável pela fuga de dezenas de escravos de fazendas paulistas. Mas, pouco após a abolição, quando iniciou sua pregação republicana numa viagem pelo vale do Paraíba, Rio de Janeiro e Minas Gerais, fazendo, em um mês, trinta comícios em 27 cidades, teve sérios problemas com a "Guarda Negra", a milícia de escravos libertos encarregada de

um país que adotou a ficção jurídica segundo a qual as leis "pegam" ou "não pegam", não é de estranhar que as imposições contra o tráfico de escravos e contra a própria escravidão tenham demorado tanto para "pegar". Às pendengas judiciais, aos tortuosos caminhos legais da Câmara e do Senado, aos entraves, recuos e decursos de prazo provocados por infindáveis discussões partidárias, aos conflitos entre os liberais e conservadores que antecediam a aprovação de qualquer nova lei contra a escravidão é preciso acrescentar o fato de que, depois de finalmente aprovadas, tais leis se tornavam, no ato e na prática, letra morta. Esse processo sórdido explica por que a luta legal contra a escravidão se prolongou por 80 anos no Brasil.

Foi somente após a humilhação internacional resultante do *Bill Aberdeen* que o Brasil, enfim, se dispôs a proibir o tráfico. A abolição se tornou, então, uma questão interna, realmente "nacional". Sem a pressão exterior, seu processo se arrastaria por quase quatro décadas. A maioria dos conservadores era, *a priori*, contra a libertação dos escravos. Se ela tivesse de ser feita, os proprietários precisariam ser indenizados pelo Estado e o processo deveria ser "lento, gradual e seguro". Em maio de 1855, o conselheiro José Antônio Saraiva propôs que a escravidão fosse extinta em 14 anos e que o Estado pagasse 800 mil-réis por escravo entre 20 e 30 anos, 600 mil-réis pelos de 30 a 40, 400 mil-réis pelos de 40 a 50 e um conto (ou 1 milhão) de réis por escravo com menos de 20 anos.

Entre os liberais, as posições variavam muito. Havia os que pensavam como os conservadores; havia os republicanos radicais; havia os fazendeiros de São Paulo interessados em solucionar logo a questão substituindo os escravos por imigrantes europeus — desde que recebessem incentivos financeiros para o projeto.

De qualquer forma, em 28 de setembro de 1871, numa jogada política sagaz, o gabinete conservador, então chefiado pelo visconde do Rio Branco, conseguiu aprovar a chamada Lei do Ventre Livre, segundo a qual seria livre qualquer filho de escrava nascido no Brasil. Além de arrancar a bandeira abolicionista das mãos dos liberais, a lei ainda bloquearia por anos a ação dos abolicionistas mais radicais, garantindo, assim, que a libertação dos escravos fosse um processo "lento, gradual e seguro". Na prática, a lei seria burlada desde o início, com a alteração da data de nascimento de inúmeros escravos. O Fundo de Emancipação, criado pela mesma lei e oriundo da Receita Federal — para pagar pela alforria de certos escravos — também foi logo dilapidado, usado em grandes negociatas. Muitos proprietários arrancavam os filhos recém-nascidos de suas mães e os mandavam para instituições de caridade, onde as crianças eram vendidas por enfermeiras que faziam parte do esquema armado para burlar a "Lei Rio Branco". Em alguns manuais escolares, o conservador visconde do Rio Branco ainda hoje surge com a mesma aura que adquiriu aos olhos dos abolicionistas ultramoderados: a imagem de "Abraham Lincoln brasileiro".

Golpeada pela Lei do Ventre Livre, a campanha abolicionista só recomeçaria em 1884. Um ano mais tarde, porém, o Parlamento jogou outra cartada em sua luta para retardar a abolição: em 28 de setembro foi aprovada a Lei Saraiva-Cotegipe, ou "Lei dos Sexagenários". Proposta pelo gabinete liberal do conselheiro José Antônio Saraiva e aprovada no Senado, comandado pelo então presidente do Conselho dos Ministros, o barão de Cotegipe, a lei concedia liberdade aos cativos maiores de 65 anos e estabelecia normas para a libertação gradual de todos os escravos, mediante indenização. Na verdade, a Lei dos Sexagenários voltaria a beneficiar os senhores de escravos, permitindo que se livrassem de velhos "imprestáveis".

No início de 1888, a impopularidade do chefe de polícia do Rio de Janeiro, Coelho Bastos, fez cair o ministério de Cotegipe, que abertamente afrontava a princesa Isabel. Os conservadores permaneceram no poder, com João Alfredo como presidente do ministério. Em abril de 1888, João Alfredo chegou a pensar em propor a abolição imediata da escravatura, porém obrigando os libertos a ficar por "dois anos junto a seus senhores, trabalhando mediante módica retribuição". No mês seguinte, não foi mais possível retardar o processo abolicionista — então liderado pessoalmente pela própria princesa Isabel, que já havia apoiado a lei do Ventre Livre. Depois que a regente assinou a lei, Cotegipe estava entre os que foram cumprimentá-la. Ao beijar-lhe a mão, o barão teria dito: "Vossa Majestade redimiu uma raça, mas acaba de perder o trono". A frase se revelaria profética.

dissolver a cacetadas as reuniões republicanas. Chegou a discursar de revólver em punho. Certa vez, quando seus companheiros quiseram escoltá-lo até em casa, ele fez questão de ir sozinho. Disse: "Quero ver quem tem mais coragem: se eu para morrer, se essa gente para matar". Depois da Proclamação da República, o rebelde desiludiu-se com o movimento — e perdeu a eleição para senador. Partiu, então, para a Europa. No dia 1º de julho de 1891, estava em Pompéia e resolveu escalar o Vesúvio. Foi tragado numa fenda. José do Patrocínio (que, apesar de seu amigo, era acusado de ser o homem por trás da "Guarda Negra") diria: "Bela sepultura, o vulcão — extraordinário destino o do grande brasileiro: até para morrer, transformou-se em lava...".

Depois da Abolição

Ainda não: o cartaz feito por uma companhia de tecidos em agosto de 1888 para celebrar a assinatura da Lei Áurea revela uma situação existente apenas no imaginário.

A lei sucinta e direta que a princesa Isabel assinou em 13 de maio de 1888 não concedia indenização alguma aos senhores de escravos. De qualquer forma, ao longo dos 17 anos que se estenderam da Lei do Ventre Livre à abolição efetiva, os escravocratas tinham encontrado muitas fórmulas para ressarcir-se de supostas perdas, entre elas o tráfico interprovincial de escravos, as fraudes ao Fundo de Emancipação e à Lei do Ventre Livre. Mas, se os escravocratas não atingiram um de seus objetivos, o fracasso dos abolicionistas foi maior e mais amargo.

Afinal, homens como Joaquim Nabuco, José do Patrocínio, Antônio Rebouças, Luís Gama, Antônio Bento e Rui Barbosa compartilhavam — apesar de suas divergências ideológicas — da certeza de que a abolição era apenas a medida mais urgente de um programa que só se cumpriria plenamente com uma reforma agrária, uma "democracia rural" (a expressão é de Rebouças) e a entrada dos ex-escravos e dos trabalhadores em geral num sistema de oportunidade plena e concorrência. Para eles, como expôs o crítico Alfredo Bosi, "o desafio social e ético que a sociedade brasileira teria de enfrentar era o de redimir um passado de abjeção, fazer justiça aos negros, dar-lhes liberdade a curto prazo e integrá-los numa democracia moderna".

Nada disso se concretizou. Os libertos — quase 800 mil — foram jogados na mais terrível miséria. O Brasil imperial — e, logo a seguir, o jovem Brasil republicano — negou-

Da senzala às favelas: após a abolição da escravatura, milhares de escravos foram deixados no mais completo abandono, trocando as senzalas (*ao lado*) pelas favelas (*página anterior*).

lhes a posse de qualquer pedaço de terra para viver ou cultivar, de escolas, de assistência social, de hospitais. Deu-lhes, só e sobejamente, discriminação e repressão. Embora, de acordo com o historiador Hélio Viana, a maioria dos ex-escravos tenha continuado "a residir nas fazendas, passando a receber salários regulares", o fato é que, além de esses "salários" serem baixíssimos, alguns milhares de libertos acabaram por se dirigir às grandes cidades — especialmente Rio de Janeiro e Salvador. Lá, ergueram os chamados bairros africanos, origem das favelas modernas. Trocaram a senzala pelos casebres. Apesar da impossibilidade de plantar, acharam ali um meio social menos hostil, mesmo que ainda miserável.

O governo brasileiro não pagou indenização alguma aos senhores de escravos ("Indenização mostruosa, já que uma grande parte deles eram africanos ilegalmente escravizados, pois haviam aportado ao Brasil depois da Lei Feijó, de 7 de novembro de 1831", como disse, em discurso na Câmara, Joaquim Nabuco). Porém, o preço para que tal indenização absurda não fosse paga foi enorme. Afinal, teria sido justamente para evitar que qualquer petição pudesse ser feita pelos escravocratas que Rui Barbosa, ministro das Finanças do primeiro governo republicano, assinou o despacho de 14 de dezembro de 1890, determinando que todos os livros e documentos referentes à escravidão existentes no Ministério das Finanças fossem recolhidos e queimados na sala das caldeiras da Alfândega do Rio de Janeiro. Seis dias mais tarde, em 20 de dezembro, a decisão foi aprovada com a seguinte moção: "O Congresso Nacional felicita o Governo Provisório por ter ordenado a eliminação nos arquivos nacionais dos vestígios da escravatura no Brasil". Em 20 de janeiro de 1891, Rui Barbosa deixou de ser ministro das Finanças, mas a destruição dos documentos prosseguiu.

De acordo com o historiador Américo Lacombe, "uma placa de bronze, existente nas oficinas do Loyde brasileiro, contém, de fato, esta inscrição assaz lacônica: '13 de maio de 1891. Aqui foram incendiados os últimos documentos da escravidão no Brasil'". Foi, portanto, com essa espécie de auto-de-fé abolicionista que o Brasil comemorou os três anos da mais tardia emancipação de escravos no hemisfério ocidental. Embora pragmática — e muito mais verossímil do que a versão oficialesca de que os documentos foram queimados para "apagar qualquer lembrança do triste período escravocrata" — a medida foi torpe. E ajudou a fazer com que, passados mais de cem anos da libertação dos escravos, o Brasil ainda não tenha acertado as contas com seu negro passado.

A Proclamação da República

CAPÍTULO 21

Não houve um só tiro que pudesse revelar que se tratava de um golpe e não de uma parada militar. Se ecoassem disparos (na verdade, houve dois, mas ninguém os escutou), talvez aqueles seiscentos soldados percebessem que não estavam ali para participar de um desfile, e sim para derrubar um regime. Na verdade, alguns dos militares de alta patente ali presentes sabiam que estavam tomando parte em uma quartelada. Mas, mesmo os que pensavam assim, achavam que quem estava sendo derrubado era o presidente do Conselho de Ministros, visconde de Ouro Preto. Jamais o imperador D. Pedro II — e muito menos a monarquia que ele representava.

Não é de se estranhar a ignorância dos soldados do 1º e do 3º Regimento de Cavalaria e do 9º Batalhão. Afinal, até poucas horas antes, o próprio líder do levante se mostrava indeciso. Mais: estava doente, de cama, e só chegou ao Campo de Santana, na zona central do Rio de Janeiro, quando os canhões dos insurretos já apontavam para o quartel. Talvez ele não tenha dado o "Viva o imperador" que alguns juraram tê-lo ouvido gritar. Mas com certeza impediu que pelo menos um cadete berrasse "Viva a república" — o grito que, supostamente, estava entalado em muitas gargantas.

A cena foi bem estranha. Montado em seu belo cavalo, o marechal Deodoro da Fonseca desfilou longa lista de queixas, pessoais e corporativas, contra o governo — o governo do ministro Ouro Preto, não o do imperador. O imperador — isso o rebelde fazia questão de deixar claro — era seu amigo pessoal: "Devo-lhe favores". O Exército, porém, fora maltratado. Por isso, derrubava-se o ministério. Difícil imaginar que Deodoro estivesse dando um golpe, ainda mais golpe republicano — afinal, além de legalista, ele sempre fora monarquista. Ao seu lado estava o tenente-coronel Benjamin Constant, militar que odiava andar fardado, não gostava de armas nem de tiros e, até cinco anos antes, também falava mal do regime republicano. Ambos, Deodoro e Constant, contavam agora com o apoio de republicanos civis. Mas não havia sinal de "paisanos" por perto — eles apenas tinham incentivado a aventura golpista dos dois militares (por coincidência ou não, dois militares ressentidos).

O fato é que, naquele confuso alvorecer de 15 de novembro de 1889, o ministro Ouro Preto foi preso e todo seu gabinete derrubado. Mas ninguém teve coragem de falar em república. Apenas na calada da noite, quando golpistas civis e militares se reuniram, foi que proclamaram — em silêncio e provisoriamente — o advento de uma república federativa. "Provisoriamente" porque se aguardaria "o pronunciamento definitivo da nação, livremente expressado pelo sufrágio popular". Por falar em vontade popular, como estava o "povo" a todas essas?

Bem, o povo assistiu a tudo "bestializado, atônito, surpreso, sem conhecer o que significava", de acordo com o depoimento do deputado Aristides Lobo. Embora Lobo fosse republicano convicto e membro do primeiro ministério do novo governo, sua opinião tem sido contestada por alguns historiadores (que citam as várias revoltas populares ocorridas naquele período como um indicativo do grau de insatisfação com o regime imperial). De qualquer forma, o Segundo Reinado, que começara com um golpe branco, terminava com um golpe esmaecido. A monarquia, no Brasil, não caiu com um estrondo, mas com um suspiro. E o plebiscito para "referendar" a república de fato foi convocado — em 1993, com 104 anos de atraso. Os dias imperiais do Brasil já haviam terminado.

O grito que não houve: o pintor e historiador Benedito Calixto reconstituiu os acontecimentos de 15 de novembro de 1889, mas transfigurou os fatos reais dando ao episódio um tom épico que não existiu. Na página ao lado, o quadro representa a mulher e as filhas de Benjamin Constant costurando a nova bandeira do Brasil.

Um Fim Melancólico

Uma semana depois do baile da ilha Fiscal, D. Pedro II foi comunicado por um major que deveria deixar o país. Antes de estender-lhe o papel, o militar gaguejou: "Vossa Excelência", disse; "Vossa Alteza", corrigiu; "Vossa Majestade...", rendeu-se. Algumas horas mais tarde, em nota oficial, D. Pedro anunciava que, "cedendo ao império das circunstâncias", deixava, com a família, o país ao qual dera "constantes testemunhos de entranhado amor e dedicação durante quase meio século". No dia 17 de novembro, a família imperial seguiu para o exílio na Europa.

Imagens do passado: acima, o convite para o Baile da Ilha Fiscal, o canto de cisne da monarquia no Brasil. Ao alto, D. Pedro II no leito de morte, em foto de Nadar e, ao lado, a família imperial partindo para o exílio.

O Ocaso do Império

Oficialmente, a festa era para recepcionar os oficiais do cruzador chileno *Cochrane*, que estavam no Brasil havia duas semanas. Na verdade, o baile (*páginas 234 e 235*) — o primeiro promovido pela família imperial brasileira e o mais pomposo dos que se tivessem realizado — fora organizado para celebrar as bodas de prata da princesa Isabel e do conde D'Eu. Era 9 de novembro de 1889, e tudo havia sido preparado para tornar a festa inesquecível: milhares de velas iluminavam o palácio da ilha Fiscal, na baía da Guanabara, no Rio de Janeiro, todo ornamentado com balões e lanternas venezianas. Três mil disputadíssimos convites foram enviados para o "melhor da sociedade" imperial. Cascatas de camarão, champanhe e vinho jorravam aos borbotões. A festança se prolongou até o raiar do dia.

Por uma dessas ironias que parecem construir a história, no instante em que a monarquia, insuflada, fazia ecoar seu canto do cisne numa ilha de fantasia, não longe dali o tenente-coronel e professor de matemática Benjamin Constant presidia uma reunião do Clube Militar. Nela, criticou arduamente o governo imperial e sua "hostilidade" contra os militares. No final, fez um pedido: "Mais do que nunca preciso que me sejam dados plenos poderes para tirar a classe militar de um estado de coisas incompatível com a honra e a dignidade. Comprometo-me, sob palavra, se não encontrar dentro de 8 dias uma solução honrosa para o Exército e a Pátria, resignar aos empregos públicos e quebrar minha espada".

Constant não precisou de oito dias. Uma semana após a festa e reunião conspiratória, ele encontraria sua solução honrosa — na forma de um golpe militar.

Várias são as ironias históricas que cercam o baile da ilha Fiscal. Pedro II, por exemplo, passou a noite retraído. Era do seu feitio, mas, todos sabiam, o imperador não estava bem de saúde. Quem o substituiria se ele viesse a "faltar"? Embora os chilenos fossem convidados de honra, os reais homenageados eram Isabel e o conde D'Eu. E ninguém — talvez nem mesmo eles — achava que teriam chances de assumir o trono caso o monarca morresse ou renunciasse. Além de "estrangeiro", D'Eu, nascido na França, era um tipo estranho, vítima de acusações grosseiras e alvo de piadas populares.

Além disso, fora justamente num encontro com os tais oficiais chilenos do *Cochrane*, ocorrido na Escola Militar, alguns dias antes, que Constant tivera seu primeiro grande espasmo público a favor do republicanismo, ao final do qual, afrontando as autoridades presentes, seus alunos gritavam em coro: "Viva a república... do Chile". E mais: ao sair da reunião conspiratória do dia 9 de novembro, Constant teve de ir até o cais Pharoux, por exigência de sua esposa, que queria ver a ilha iluminada. Ele bem que tentou ir até a própria ilha no barco dos convidados — "sem desembarcar". Mas não o deixaram ver o Império bailando. Duas semanas depois, Benjamin Constant e a família eram os convidados de honra da festa que o governo republicano deu para se despedir dos oficiais chilenos.

Muitos fatores ajudaram na queda do Império, mas pode-se dizer que a monarquia quase caiu por si — como fruta mais do que madura.

Trono x altar: as questiúnculas que acabaram virando "a questão religiosa" se tornaram um prato cheio para os caricaturistas da época. Ao pé da página, "D. Pedro II dá a mão à palmatória do Papa Pio IX", ilustração publicada no jornal *O Mosquito* em 1876.

A Questão Religiosa

Um conflito aparentemente banal entre a Igreja Católica e a maçonaria quase acabou se transformando num confronto entre o próprio imperador D. Pedro II e o papa Pio IX. A chamada *Questão Religiosa* se prolongou por três anos, desgastando a imagem imperial aos olhos do povo. Apesar disso, o episódio não parece ter tido maior influência na queda do regime monárquico ocorrida 14 anos depois, já que o povo pouco teve a ver com o golpe que afastou o imperador, e a Igreja quase não exercia influência sobre militares e republicanos. Ainda assim, muitos livros didáticos continuam apontando "o conflito entre o trono e o altar" como uma das causas que levou à derrocada da monarquia no Brasil.

O Último Baile da Monarquia: o óleo de Aurélio Figueiredo, pintado logo após o golpe de 1889, mostra o alvorecer da República enquanto a monarquia dança, despreocupada.

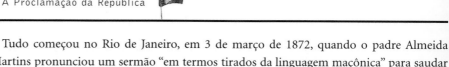

O bispo Vidal: o jovem e exaltado capuchinho (*acima*) acabou se tornando o pivô da chamada Questão Religiosa e não escapou do implacável deboche dos caricaturistas do Rio (*ao alto*).

Angelo Agostini, um dos desenhistas mais famosos de seu tempo, retratou o duque de Caxias sendo "varrido para fora da Igreja por sua ligação com a maçonaria", em charge da *Revista Ilustrada* (1876).

Tudo começou no Rio de Janeiro, em 3 de março de 1872, quando o padre Almeida Martins pronunciou um sermão "em termos tirados da linguagem maçônica" para saudar a aprovação da Lei do Ventre Livre, que beneficiava filhos de escravos nascidos no Brasil. A idéia era homenagear o autor da proposta, visconde do Rio Branco, que, além de presidente do Conselho de Ministros, era grão-mestre da maçonaria.

Porém, o bispo do Rio de Janeiro, Pedro Lacerda, não gostou das ousadias do padre Martins e resolveu suspendê-lo de suas funções. O que deveria ser um mero exercício canônico de autoridade eclesiástica transformou-se em questão nacional depois que o bispo Vital de Oliveira, de Olinda, apoiou a atitude do bispo Lacerda e afastou de sua diocese dois padres que se recusaram a abandonar a maçonaria. Recém-empossado, jovem e exaltado, o capuchinho Vital (*ao lado*) impediu também que o monsenhor Pinto de Campos celebrasse o casamento de um maçon (*à esquerda, alto da página*). Foi imediatamente apoiado pelo bispo do Pará, D. Antônio Costa, que interditou os templos dirigidos por maçons em sua região. O conflito então se generalizou.

A constituição brasileira de 1824 previa a "união entre o trono e o altar", e o país herdara de Portugal o regime do *padroado*, de acordo com o qual o governo indicava os principais sacerdotes e os padres eram pagos pelo Estado. Por outro lado, as bulas papais somente tinham aplicação no Brasil se sancionadas pelo imperador. Quando Pio IX assumiu o Vaticano em 1848, criticando "as liberdades modernas" e reafirmando a preponderância da Igreja sobre o "poder temporal", a questão tornou-se fonte potencial de conflito. A polêmica explodiu de vez quando, em 1874, o imperador D. Pedro II mandou prender os bispos de Olinda e do Pará, condenando-os a quatro anos de prisão com trabalhos forçados. Embora a pena tenha sido transformada em prisão simples, o papa Pio IX — mesmo que, a princípio, desaprovasse a conduta dos bispos — ergueu-se em defesa deles e a "Questão Religiosa" adquiriu proporções internacionais. Tudo acabou em setembro de 1875, com um arranjo que favorecia a Igreja: os bispos foram anistiados e o gabinete do visconde de Rio Branco caiu, sendo substituído por um novo ministério chefiado pelo conservador Duque de Caxias.

A Questão Militar

Uma série de eventos, ocorridos entre 1883 e 1887, colocou em rota de colisão oficiais do Exército brasileiro e políticos monarquistas, especialmente aqueles ligados ao Partido Conservador. Tais acontecimentos marcaram a afirmação de uma "classe militar", supostamente unida e coesa, que nos anos seguintes deflagraria o movimento que conduziu à Proclamação da República. As desavenças entre ambos os grupos começaram em razão do crescente ressentimento dos militares (que afirmavam ter "se arriscado pelo país na Guerra do Paraguai") em relação ao "pavoroso egoísmo, fundamentalmente antipatriótico, da classe política, no momento em que o sangue brasileiro corria em regatos".

O estopim da chamada "Questão Militar" foi o fato de os militares estarem proibidos por lei de se pronunciarem sobre assuntos políticos. O primeiro incidente envolveu o tenente-coronel Antônio de Sena Madureira (*alto da página 237*), punido por ter defendido publicamente o fim da escravatura. Madureira não era um radical, embora anteriormente já houvesse protagonizado outros dois confrontos contra a ordem estabelecida. Em 1883, ele se manifestara contra a contribuição obrigatória ao montepio dos militares, apresentada como projeto de lei no Senado pelo visconde de Paranaguá. Foi advertido e, a seguir, punido. No ano seguinte, como comandante da Escola de Tiro de Campo Grande, organizou uma recepção festiva para o jangadeiro Francisco do Nascimento, que havia se negado a transportar escravos no Ceará. Foi então transferido para a Escola Preparatória de Rio Pardo (Rio Grande do Sul), onde passou a defender abertamente o fim da escravatura. Para agravar a situação, apresentou seus pontos de vista em um artigo escrito para um jornal republicano, *A Federação*, uma publicação incendiária dirigida pelo republicano radical Júlio de Castilhos.

Ao mesmo tempo, outro acontecimento grave contribuiu para o recrudescimento da hostilidade entre as duas classes. Em agosto de 1885, o coronel Cunha Matos, ligado ao Partido Liberal, apurou irregularidades num quartel do Piauí e pediu o afastamento do comandante corrupto, ligado ao Partido Conservador. Matos foi atacado, na Câmara, pelo deputado Simplício Rezende, amigo e correligionário do comandante punido, que o acusou de covardia na Guerra do Paraguai. Quando se defendeu em artigos de jornal — recurso que era vedado aos militares —, Matos foi preso por dois dias, acirrando ainda mais os ânimos dos seus companheiros de farda.

Em 23 de setembro de 1886, o inflamado Júlio de Castilhos escreveu, em seu próprio jornal, um artigo intitulado "Arbítrio e inépcia", atacando violentamente o Império e transformando a *Questão Militar* numa "questão" política e nacional. O texto de Castilhos apresentava o Exército como a única força que se mantinha "impoluta" em meio a uma "nação em ruínas". Duas semanas antes, o marechal Deodoro, comandante em armas e presidente em exercício da Província do Rio Grande do Sul, havia decidido que não iria punir Sena Madureira, mas o ministro da Guerra, Alfredo Chaves, que antes mandara prender Cunha Matos, já o fizera. Em outubro, os alunos da Escola Militar da Praia Vermelha — conhecida como "tabernáculo da Ciência" e berço da chamada "mocidade militar" — declararam seu apoio irrestrito a Deodoro (que fora exonerado e transferido para o Mato Grosso) e a Sena Madureira (que se demitira do Exército).

Ao chegar ao Rio de Janeiro, em 26 de janeiro de 1887, Deodoro e Sena Madureira foram recebidos como heróis pelos cadetes. A tensão estava se tornando incontrolável, e D. Pedro II precisou tomar decisões que preservassem a integridade do Império. Em maio do mesmo ano, Chaves caiu, Madureira, Deodoro e Cunha Matos foram perdoados e a *Questão Militar* supostamente se encerrou. Pela primeira vez na história do Brasil, os militares haviam se afirmado como classe unida, antecipando o papel fundamental que teriam dois anos mais tarde e na Proclamação da República.

O pivô da crise: o coronel Sena Madureira, cujos artigos publicados em jornal deflagraram a chamada "questão militar". Abaixo, a Escola Militar da Praia Vermelha, conhecida como "o Tabernáculo da Ciência", centro da fermentação republicana de 1889.

Bocaiúva

Quintino Antônio Ferreira de Souza assinava Quintino Bocaiúva nas páginas de O País — principal jornal republicano do Brasil, do qual era redator-chefe. Mas os artigos que ele escrevia caçoando da família imperial eram infinitamente mais ásperos do que o tom moderado que deu ao Manifesto Republicano de 1870, do qual foi o principal redator. Quintino achava que os problemas de saúde do imperador poderiam salvar a nação: se D. Pedro II morresse, a República nasceria ao natural.

Uma nova força política: no alto, à direita, reunião de fundação do PRP, Partido Republicano Paulista, formado basicamente por fazendeiros e cafeicultores. Acima, o republicano histórico Quintino Bocaiúva.

O Republicanismo

Embora o papel de golpistas tenha sido confiado aos militares e as fricções com a Igreja tenham ajudado a abalar a imagem pública do Império — sem falar de todo o desgaste político decorrente da tortuosa luta pela abolição —, o fato é que, sem a base social fornecida por um largo setor da burguesia cafeeira de São Paulo, politicamente organizada em torno do Partido Republicano Paulista (PRP), o movimento de novembro de 1889 jamais se concretizaria.

O ideal republicano no Brasil evidentemente era bem anterior à fundação do PRP. Tanto é que não apenas a Inconfidência Mineira como várias revoltas internas do período regencial já sonhavam com a queda da monarquia. Mas a tais movimentos faltara sempre uma base legalista e econômica — além do apoio das classes conservadoras.

Em 1870, surgira, no Rio, o Partido Republicano — a primeira organização partidária com esse caráter a ter existência legal. Em 3 de dezembro do mesmo ano, foi lançado, também no Rio, o célebre "Manifesto Republicano" de 1870, redigido por Quintino Bocaiúva, com 58 signatários. A base social do republicanismo carioca era constituída de profissionais liberais e jornalistas e o partido almejava uma transição pacífica da monarquia para a república, de preferência quando acontecesse a morte do imperador.

De todo modo, o republicanismo brasileiro só iria adquirir a solidez conservadora que as elites pareciam exigir para sacramentá-lo como força política atuante com a fundação do Partido Republicano Paulista. O PRP nasceu em 16 de abril de 1873, durante a convenção de Itu (*acima*). Formado para representar os interesses da oligarquia rural paulista, de seus 133 convencionais, 78 eram fazendeiros. Como observou o historiador Bóris Fausto, enquanto os republicanos cariocas associavam o regime republicano à maior representação política dos cidadãos, aos direitos individuais e ao fim da escravidão, o PRP estava quase que inteiramente devotado à luta pelo regime federalista. Descentralização, maior autonomia provincial e uma nova política de empréstimos bancários eram palavras de ordem dos republicanos da grande lavoura, latifundiários oriundos do chamado "Oeste Novo" de São Paulo. Na questão abolicionista, o PRP agiu sempre com a cautela mais radical, só aderindo ao movimento na última hora. Para o partido, mais do que o destino dos escravos, interessava saber como substituí-los.

Em 1884, o PRP detinha apenas um quarto do eleitorado paulista. Aliado aos conservadores, elegeu apenas dois deputados — ambos, Prudente de Morais e Campos Sales, viriam a ser os primeiros presidentes civis da República. Embora nunca tenha havido grandes interesses comuns nem mesmo contato intenso entre os militares e o PRP, foi a burguesia cafeeira paulista que, implicitamente, deu aos militares a convicção de que sua aventura golpista poderia contar com uma sólida base de apoio econômico e social.

Benjamin Constant

Em março de 1867, do campo de batalha no Paraguai, Benjamin Constant enviou uma carta para sua mulher. "Espero que toda esta porcaria acabe o mais depressa possível", lamuriava-se. "Nada mais tenho em vista, mesmo porque não posso, e não devo, ser militar com a numerosa família que tenho, e pelos nenhuns recursos que dá esta desgraçada classe em nosso país". O desabafo não poderia ser mais explícito: Benjamin Constant não apenas não gostava de guerras como se julgava mal pago.

Benjamin Constant Botelho de Magalhães só havia entrado para a carreira militar pela mais pura necessidade. Nascido em Niterói (Rio de Janeiro) em fins de 1836, era filho de um tenente da Marinha portuguesa que se transferira para o Brasil. Seu pai morreu de tifo em 1849 e a mãe tinha graves problemas mentais. Aos 12 anos, Benjamin tentou o suicídio. O único emprego que lhe ofereceram antes do quartel foi o de servente de pedreiro. Na caserna, Benjamin descobriu suas duas verdadeiras paixões: a matemática e o positivismo, doutrina criada pelo filósofo francês Augusto Comte (*leia quadro*). Em 1872, Constant entrou para o magistério da Escola Militar da Praia Vermelha e, quatro anos mais tarde, foi um dos fundadores da Sociedade Positivista do Brasil. Mas, numa doutrina marcada pela mais absoluta ortodoxia, logo teve problemas e tratou de romper com o grupo que ajudara a formar — embora, até o fim de seus dias, tenha se mantido um discípulo fiel e devotado de Augusto Comte.

Graças ao desempenho como professor na Escola da Praia Vermelha, Benjamin Constant tornou-se líder da chamada "mocidade militar" — grupo formado por jovens tenentes "científicos", a maioria deles adeptos da racionalíssima "religião da humanidade" fundada por Comte. Muitos desses alunos eram republicanos, e parece ter sido eles que influenciaram o mestre. Afinal, ainda em 1879, Benjamin falava mal da República. Mas o fato é que, mal pago e desprezado na cátedra, como já o fora no quartel (suas promoções eram freqüentemente adiadas), o "doutor" Benjamin tornou-se um militante. A príncipio, para defender a "classe" na Questão Militar; a seguir, para atacar o Império (que o maltratara tanto, e aos seus colegas de farda — que ele próprio evitava ao máximo vestir).

Quando suas "merecidas" promoções enfim vieram, o pacato professor, que antes vivia "constantemente imerso num sonambulismo matemático", já havia se transformado num ativista. Tanto é que, em maio de 1887, junto com o marechal Manuel Deodoro da Fonseca, fundara o Clube Militar. Então, no dia 23 de outubro de 1889, Constant proferiu um surpreendente discurso de quase uma hora, durante a visita de oficiais chilenos à Escola da Praia Vermelha — foi a senha pública para o golpe que nascia. A "mocidade militar" enfim encontrara seu líder. Agora, só faltava se unir aos militares mais velhos — os chamados "tarimbeiros" — e sair de casa, de madrugada, para derrubar o regime. Foi justamente o que o Dr. Benjamin fez na madrugada de 15 de novembro de 1889.

O Positivismo

O positivismo é a escola filosófica nascida das idéias do pensador francês Augusto Comte (1798-1857). Em meio a uma série de teorias, baseadas em sua "filosofia da história" e na sua "classificação das ciências", Comte criou o que ele próprio chamou de "religião da humanidade" — um culto não-teísta no qual Deus seria substituído por uma humanidade racional e evoluída, que atingiria esse estágio "mais elevado" tão logo fosse conduzida a ele por "homens mais esclarecidos". Para Comte, a melhor forma de governo era a ditadura republicana — um "governo de salvação nacional exercido no interesse do povo". O ditador comtiano, em tese, deveria ser representativo, mas poderia "afastar-se" do povo em nome do "bem da república". Não é difícil entender por que os "militares científicos" se apaixonaram pela tese.

Ao assumir o poder, depois do golpe de 1889, os militares — sob a liderança ideológica de Benjamin Constant —, deram um tom evidentemente comtiano ao novo regime, bastante centralizador e autocrático. Porém, com a ascensão dos oligarcas de São Paulo — representada pelas presidências de Prudente de Morais e de Campos Sales —, a influência positivista se arrefeceu. Mas ela logo voltaria a fluir entre os tenentes dos anos 20, na Coluna Prestes e na Revolução de 30. Em outra vertente, os esquemas políticos comtianos se codificaram também no trabalhismo gaúcho de Lindolfo Collor, ministro do Trabalho do positivista Getúlio Vargas. A "modernização conservadora" proposta por Comte ainda fascina facções militares em vários países do Terceiro Mundo. E um de seus lemas — "o amor por princípio, a ordem por base e o progresso por fim" — continua tremulando na bandeira brasileira, embora, neste caso, "o amor" tenha ficado de fora. Outro mote positivista eventualmente liberta fantasmas no espectro político do Brasil: segundo Comte, "os vivos são sempre e cada vez mais governados pelos mortos".

Deodoro e a República: alegoria mostra o marechal entregando à Nação a bandeira republicana.

O Poder dos Quartéis

Os profundos ressentimentos nutridos por Benjamin Constant e por Deodoro da Fonseca talvez estivessem fundamentados em meros entraves burocráticos, em questiúnculas pessoais ou, quem sabe, numa certa mania de perseguição que, porventura, afetasse os dois oficiais. De qualquer forma, o tratamento dispensado a ambos pelo governo imperial — constantes adiamentos de promoções, baixos soldos, transferências e punições — era um reflexo da situação de penúria que o Exército brasileiro vivia naquela época. Tanto é que mesmo um monarquista convicto como o político e historiador Eduardo Prado se via forçado a reconhecer, às vésperas do golpe, a existência, no Brasil, de "um exército esquecido, mal-organizado, mal-instruído e mal-pago". Prado lamentava o fato de Pedro II estar "divorciado das coisas militares".

Embora D. Pedro II realmente tivesse horror às armas, a fragilização do Exército se iniciara antes de ele assumir o poder. Até a abdicação de D. Pedro I — precipitada, aliás, pelo primeiro "golpe" da história do país que contou com o envolvimento dos militares —, a participação de oficiais do Exército no governo sempre fora significativa. Mas a presença das tropas em várias das agitações populares do período regencial fizera com que a instituição passasse a ser vista com desconfiança pelo poder central. Tanto é que — temerosos de que "um grande exército" fizesse surgir "pequenos Napoleões", como já acontecera no México e na Argentina — os liberais da Regência, sob a liderança de Diogo Feijó, reduziram drasticamente os efetivos do Exército e criaram uma Guarda Nacional.

A partir de então, o quadro de oficiais do Exército perdeu suas características de grupo de elite — ao contrário do que se deu na Marinha. A maior parte dos jovens oficiais provinha de famílias tradicionais do interior do Nordeste (então em declínio) ou eram filhos de fazendeiros (também relativamente decadentes) do Rio Grande do Sul. Foi essa a oficialidade mandada à guerra contra o Paraguai. "Em minha vida, só tive um protetor: Solano López. Devo a ele, que provocou a Guerra do Paraguai, a minha carreira", desabafara Deodoro da Fonseca, em agosto de 1889. O marechal tinha razão: foi depois da guerra contra López que o Exército adquiriu uma identidade institucional e um orgulho "classista" até então desconhecidos. Depois de lutar no Chaco, os militares sentiram-se preparados para os lodaçais da política.

O centro da fermentação golpista foi a Escola Militar da Praia Vermelha — conhecida como o "Tabernáculo da Ciência", já que lá se estudava mais filosofia e matemática do que estratégia militar. Seus cadetes, a "mocidade militar", eram chamados de "científicos" e a maior parte deles defendia idéias positivistas e republicanas. Tal grupo nada tinha a ver com a facção representada pelo marechal Deodoro da Fonseca, que, como militar de carreira, era apenas um "tarimbeiro" — termo depreciativo, originário do estrado de madeira (a tarimba) sobre o qual os soldados dormiam nos quartéis, e que os "científicos" usavam para designar os oficiais ligados à tropa, sem estudos superiores. O único elo entre "tarimbeiros" e "científicos" era a ligação entre Benjamin Constant e Deodoro da Fonseca — por sua vez unidos pelo ressentimento. Foram os "científicos", com a bênção de Deodoro (que fora cooptado por Benjamin), que encaminharam o golpe de 15 de novembro. Não mais do que uma quinta parte do Exército estava ciente da trama. A absoluta maioria da tropa agiu como o próprio povo: "Ficou estranha ao acontecimento, que tomou como fato consumado". De todo modo, como avaliou com brilhantismo o historiador Celso Castro, "a história escrita pelos protagonistas do golpe de 1889 deixou inscrita na história política do país a visão de que um grupo 'esclarecido' de militares pode 'salvar' a Nação, em seu nome".

O Marechal Deodoro

Militar por vocação, herança e necessidade, Manuel Deodoro da Fonseca foi oficial de carreira que ascendeu na tropa graças à bravura em combate, à determinação e ao comportamento irrepreensível. Participou da repressão à revolta Praieira, do cerco a Montevidéu e de uma dezena de batalhas na Guerra do Paraguai. Sua ascensão foi tal que, em 1883, além de comandante das Armas do Rio Grande do Sul, tornou-se também presidente provisório daquela província. E foi então que se envolveu na Questão Militar, alinhou-se a Júlio de Castilhos e desafiou pela primeira vez o regime monárquico.

Embora a Questão Militar em tese tenha acabado bem para todos, Deodoro sentiu-se prejudicado pelo arranjo proposto pelo imperador, já que, apesar de continuar como comandante de Armas de uma província, sua transferência do Rio Grande do Sul para Mato Grosso, em janeiro de 1887, soou-lhe como uma espécie de desterro. Mas dois anos e novos desacertos ainda seriam necessários antes que Deodoro se tornasse de fato um inimigo do Império.

Em agosto de 1889, o coronel Cunha Matos, o mesmo da Questão Militar, foi feito presidente de Mato Grosso — o que significava que um coronel iria mandar num marechal. Pouco mais tarde, Gaspar Silveira Martins — que Deodoro odiava — virou presidente do Rio Grande do Sul. Embora tivesse se tornado amigo de Júlio de Castilhos, Assis Brasil, Ramiro Barcelos e de outros republicanos gaúchos, Deodoro não era um deles. Tanto é que, logo após chegar ao Rio, em 13 de setembro de 1889, após abandonar seu cargo no Mato Grosso sem ter dado maiores explicações ao governo, Deodoro escreveu numa carta a um sobrinho: "República no Brasil é coisa impossível porque será uma verdadeira desgraça. Os brasileiros estão e estarão muito mal-educados para republicanos. O único sustentáculo do nosso Brasil é a monarquia; se mal com ela, pior sem ela". Faltavam 63 dias para o marechal dar o golpe republicano.

Deodoro estava doente; passou quase todo o mês de outubro na cama. Apesar de amargurado com o governo imperial, ele relutou muito antes de conspirar. Parece ter sido quase um "inocente útil", atraído à rebelião por Benjamin Constant — para servir de ponte entre a velha-guarda e a "mocidade militar". Talvez isso explique seu vacilo diante das tropas, no Campo de Santana, quando derrubou o ministro Ouro Preto, mas não ousou proclamar a República. A República de fato só seria proclamada à noite, na casa de Deodoro, com ele na cama, ainda adoentado. Alguém espalhou o boato (infundado) de que D. Pedro II escolhera Gaspar Silveira Martins para ocupar a presidência do Conselho de Ministros, no lugar do visconde de Ouro Preto. As hesitações de Deodoro então acabaram. Ele chamou Benjamin Constant, Quintino Bocaiúva, Aristides Lobo e falou: "Digam ao povo que a República está feita".

Deodoro se tornaria o primeiro presidente do novo regime e Benjamin Constant, o ministro da Guerra. O convívio entre ambos não foi pacífico — como não era o dos "tarimbeiros" com os "científicos". Numa reunião ministerial, em 1890, ambos quase se agrediram e Deodoro chegou a desafiar Constant para um duelo. Mas dali a dois anos ambos estariam mortos, vencidos pela desilusão. Deodoro, que havia pedido demissão do Exército, exigiu ser enterrado em trajes civis.

O **rígido marechal**: ao assumir a presidência, Deodoro acabou se revelando um político pouco hábil, dono de um temperamento irascível, o que precipitou sua renúncia.

CAPÍTULO 22   A República de 10 Anos

Todos os descaminhos da política e da economia brasileiras se materializaram plenamente nos dez primeiros anos da República. Escândalos financeiros, arrocho salarial, clientelismo, aumento dos impostos, regime oligárquico, coronelismo, repressão aos movimentos populares, desvio de verbas, impunidade, fraude eleitoral, fechamento do Congresso, estado de sítio, crimes políticos, confronto entre governos civis e governos militares, alternância no poder da forma mais equivocada com o novo governo devastando a obra do governo anterior — houve de tudo na primeira década republicana.

A vertigem econômica, política e social do período foi tal que, num estudo recente, o historiador Renato Lessa escreveu: "Nem mesmo aqueles que acreditam ter a história algum sentido podem honestamente supor que havia ordem subjacente e invisível a regular o caos da primeira década republicana no Brasil". Não bastassem as atribulações advindas do governo central, durante os dez primeiros anos da República o país ainda seria sacudido por suas duas maiores guerras civis: a Revolução Federalista de 1893, que por dois anos ensangüentou o pampa gaúcho, e o massacre ocorrido nas lonjuras do sertão baiano, em Canudos — o episódio que já houve quem tenha chamado de a "guerra do fim do mundo". O Brasil ingressou no século XX da maneira mais turbulenta possível.

Embora a frase de Renato Lessa seja elucidativa, na verdade havia uma espécie de ordem "subjacente e invisível a regular o caos da primeira década republicana". E nem era tão invisível assim: o que na verdade ocorreu nos dez primeiros anos da República foi uma luta feroz pelo poder travada entre grupos antagônicos. Durante o governo provisório de Deodoro da Fonseca (novembro de 1889 a fevereiro de 1891), explodiu o confronto entre os militares de carreira e os "científicos", simbolizado pelo choque entre Deodoro e Benjamin Constant, vencido pelo primeiro.

Ao longo do breve governo Deodoro (de fevereiro a novembro de 1891), ficou clara a existência também de um conflito entre a elite civil — favorável ao governo federalista e descentralizado — e os militares de linha dura. Apesar de Floriano Peixoto ser a favor da centralização, os republicanos paulistas o apoiaram para dividir ainda mais os militares e precipitar a queda de Deodoro. Floriano governou inconstitucionalmente, como "vice-presidente em exercício", de fins de 1891 a novembro de 1894. De todo modo, os civis republicanos também estavam divididos: os chamados "jacobinos" representavam a classe média nacionalista e apoiavam Floriano, mas, com a eleição de Prudente de Morais (presidente de novembro de 1894 a 11/1898) e de Campos Sales (11/1898 a 11/1902), foram os cafeicultores paulistas que assumiram o poder, criando a "República dos fazendeiros" e deixando a nação, de novo, sob o comando dos latifundiários.

O confronto entre os militares "tarimbeiros" (oficiais de carreira, em geral sem curso superior) e os "científicos" (jovens tenentes da Escola Militar da Praia Vermelha, de formação positivista), mais as desavenças entre os civis republicanos — divididos em jacobinos (revolucionários exaltados, em geral de classe média urbana), positivistas ortodoxos e liberais federalistas (entre os quais se incluíam os cafeicultores paulistas, do PRP) —, não se refletiram apenas nos choques políticos travados na luta pelo poder. Houve conflito também na escolha dos símbolos, entre os quais a bandeira e o hino, que representariam o novo governo. A batalha simbólica — na verdade, face mais sutil de um combate ideológico — acabou sendo vencida pelos posivitistas.

No Brasil, como na França e nas antigas Grécia e Roma, a República passaria a ser representada pela imagem de uma mulher. Segundo Gilberto Freyre, a escolha foi favorecida, de um lado, pelo repúdio ao patriarcalismo de D. Pedro II e, de outro, pelo culto católico à Virgem Maria. O assunto foi largamente aprofundado pelo historiador José Murilo de Carvalho. No livro A formação das almas, Carvalho revela como, cedo, o Brasil "dessacralizou" a imagem feminina da República. Embora fossem pintados quadros como os de Manuel Lopes Rodrigues e de Décio Vilares, certos políticos, jornalistas e caricaturistas logo passaram a chamar, ou representaram, a República como uma meretriz. A atitude não poderia ser mais reveladora.

Nova imagem da pátria: após intensas discussões entre grupos rivais, ficou decidido que, no Brasil, a República seria representada pela imagem de uma mulher. Mas o novo símbolo logo passaria a ser ironizado por cartunistas.

A "Fábrica de Leis"

Para compor o ministério de seu governo provisório, o marechal Deodoro convidou os mais destacados articuladores do golpe republicano, tanto civis quanto militares. Do grupo (foto acima) faziam parte o futuro presidente Campos Sales (ministro da Justiça), Benjamin Constant (ministro da Educação), Quintino Bocaiúva (ministro das Relações Exteriores), Ruy Barbosa (ministro da Fazenda, de atuação desastrosa) e Eduardo Wandenkolk (foto abaixo), ministro da Marinha e futuro candidato a vice-presidente na chapa de Deodoro nas eleições de 1891, e que seria fragorosamente derrotado por Floriano Peixoto, candidato a vice na chapa de Prudente de Morais. Irritado com a teimosia de Deodoro esse ministério se demitiu coletivamente em janeiro de 1891, um mês antes das eleições.

Posse tumultuada: a gravura (*no alto, à direita*) mostra a cerimônia de posse do marechal Deodoro e do vice Floriano Peixoto, eleito com mais votos do que o próprio presidente, apesar de vir de uma chapa diferente da dele.

Os Dois Governos de Deodoro

Os governos do marechal Deodoro começaram e terminaram no mesmo lugar: em sua própria cama. Deodoro estava doente e, após derrubar o ministério do visconde de Ouro Preto, na confusa quartelada de 15 de novembro de 1889, viu-se induzido a proclamar a república naquela mesma noite, em sua casa, rodeado pelos golpistas que imediatamente empossou como membros do ministério do novo governo. Embora provisório, o governo recém-empossado já foi até chamado de "fábrica de leis", tal o número de decisões que tomou em menos de um mês, pavimentando a trilha que lhe solidificaria o poder. Antes do final de 1889, o aparelho político-administrativo do Estado estava montado. O país tornou-se "provisoriamente" uma república federativa; todos os brasileiros homens e alfabetizados ganharam direito a voto; surgiram a nova bandeira e o novo hino, e os militares golpistas foram promovidos. Em 23 de dezembro nascia também a primeira lei de imprensa do país: uma junta militar poderia julgar sumariamente quem "abusasse na manifestação do pensamento" — foi o chamado "Decreto-Rolha". Ao longo de todo o ano de 1890, discutiu-se a nova Constituição do Brasil, aprovada em 24 de fevereiro de 1891. No dia seguinte, depois de ter governado interinamente o país por pouco mais de doze meses, Deodoro foi eleito presidente. Mas já estava isolado: um mês antes, todo o seu ministério tinha se demitido.

O marechal começou a cair no mesmo dia em que tomou posse. Em 25 de fevereiro de 1891, o Congresso o elegeu presidente com 129 votos, contra 97 dados a Prudente de Morais. No entanto, Floriano Peixoto, candidato a vice na chapa de Prudente, obteve 153 votos (24 a mais que Deodoro e quase o triplo dos 57 votos dados a Eduardo Wandenkolk, vice de Deodoro). No dia da posse (*na gravura*), o Congresso recebeu Deodoro com um silêncio constrangedor para, minutos depois, aclamar Floriano com urras ensurdecedoras.

Em 3 de novembro de 1891, indignado com a aprovação de uma lei que permitiria o *impeachment* do presidente, Deodoro fechou o Congresso. No dia 23, o almirante Custódio de Melo ameaçou bombardear o Rio. Doente e de cama, Deodoro então decidiu renunciar em favor de Floriano. Teimoso, autoritário e sem experiência administrativa, Deodoro fizera um governo desastroso, especialmente porque a política financeira do ministro Rui Barbosa havia mergulhado o país no caos. O fechamento do Congresso, a decretação do estado de sítio e o "Decreto-Rolha" candidatam Deodoro ao posto de primeiro ditador brasileiro. Como ditadores não renunciam, o título acabou ficando com seu sucessor.

O Marechal de Ferro

onsiderado o primeiro ditador de fato da história do Brasil, o marechal Floriano Peixoto era figura misteriosa e evasiva — tido por certos historiadores como a maior "esfinge" da política brasileira. Um dia antes do golpe de 15 de novembro, Floriano, comandante do Exército do Rio, assegurava ao primeiro-ministro, visconde de Ouro Preto: "A esta hora, V. Exa. deve ter conhecimento que tramam algo por aí além: Não dê importância (...) confie na lealdade dos chefes que estão alertas". Um dia antes, porém, garantira a Deodoro que estava pronto para o golpe: "Se a coisa é contra os casacas (*monarquistas*), tenho ainda minha espingarda velha". Não se sabe ao certo de que lado Floriano estava. O fato é que, quando os rebeldes tomaram o campo de Santana e Ouro Preto ordenou a Floriano que os combatesse, lembrando sua bravura no Paraguai, o futuro marechal respondeu: "Lá, as bocas de fogo eram inimigas: Essas que V. Exa. está vendo são brasileiras...". E não mexeu uma só palha, cedendo ao império das circunstâncias — ou, quem sabe, à república dos fatos. Em abril de 1890, Floriano tornou-se ministro da Guerra do novo regime, tomando o lugar de Benjamin Constant, que assumiu a pasta da Educação. Em 20 de janeiro de 1891, todos os ministros de Deodoro — entre eles Benjamin e Floriano — demitiram-se, indignados com a teimosia do presidente. Em 25 de fevereiro, Floriano foi eleito pelo Congresso vice-presidente do Brasil — e virou uma espécie de "herdeiro presuntivo" da república. Nove meses depois, ele seria o presidente.

O que esperar da presidência de um homem que, durante a Questão Militar, em 1877, dissera que o caso revelava "exuberantemente a podridão que vai por este pobre país e, portanto, a necessidade de uma ditadura militar para expurgá-la"? "Como liberal, não posso querer o governo da espada para meu país, mas não há quem desconheça que ela sabe purificar o sangue do corpo social que, como o nosso, está corrompido." Nascido em Alagoas, em 1839, veterano da guerra do Paraguai, Floriano assumiu o governo como vice-presidente em exercício, em 23 de novembro de 1891. Restabeleceu o Congresso, que fora fechado por Deodoro, e suspendeu o estado de sítio. De todo modo, seu governo era inconstitucional: o artigo 42 na nova Constituição dizia que, se o presidente não completasse a metade do mandato, novas eleições deviam ser convocadas — e Deodoro governara por apenas nove meses. Mas, com o apoio do PRP e da classe média urbana, Floriano sentiu-se à vontade no papel de "consolidador da república" e lançou as bases de uma ditadura de "salvação nacional". Fez um governo nacionalista, austero e centralizador; enfrentou implacavelmente seus inimigos; demitiu (contra a lei) os governadores que tinham apoiado Deodoro; venceu a queda-de-braço contra a Marinha, na segunda Revolta da Armada. No Sul, deu apoio a Júlio de Castilhos, durante a Revolução Federalista do Rio Grande do Sul. Tornou-se o Marechal de Ferro. Queria a reeleição (que era inconstitucional), mas, ainda assim, se recusou a dar um golpe — articulado por seus aliados jacobinos — contra a posse de Prudente de Morais, primeiro presidente civil da história do Brasil.

Florianópolis?

O maior problema que Floriano enfrentou em seus três anos como "vice-presidente em exercício" (assim ele assinava seus atos) foi a Revolução Federalista, que estourou no Rio Grande do Sul em fevereiro de 1893 (leia capítulo 23). Nela, Floriano tomou o partido de Júlio de Castilhos (antigo aliado de Deodoro) contra os maragatos (ou federalistas) de Silveira Martins. Quando os rebeldes da Revolta da Armada (leia pág. seguinte) se uniram aos maragatos e tomaram a cidade de Nossa Senhora do Desterro, em Santa Catarina, Floriano mandou persegui-los. Em outubro de 1894, depois de fuzilamentos sumários, o marechal desferiu um castigo final à cidade revoltosa: trocou o antigo nome pelo seu próprio. E assim surgiu... Florianópolis (acima).

A Primeira Revolta

Foram duas as revoltas da Armada que rebentaram entre 1891 e 1893. A primeira delas, que eclodiu em novembro de 1891, resultaria na queda do marechal Deodoro. Nada mais natural, afinal, embora o líder da revolta fosse o almirante Custódio de Melo, um dos principais articuladores do movimento fora Eduardo Wandenkolk, que havia sido candidato a vice na chapa de Deodoro, perdera a eleição para Floriano mas tinha se tornado ministro da Marinha do novo governo. Só que Wandenkolk se demitiu junto com todo o ministério — e deu seu aval ao movimento liderado por Custódio de Melo. Deodoro então preferiu renunciar.

Na Guanabara: a fortaleza de Villegaignon em ruínas (*abaixo*) enquanto populares observam os conflitos (*acima*).

A Revolta da Armada

No momento em que o marechal Deodoro deu o golpe que resultou na proclamação da República, todas as vezes em que ele citava o Exército, ao seu lado Benjamin Constant completava: "E também a Armada". Mas não era verdade: ao contrário do Exército, a Marinha Brasileira — ou Armada, como então se dizia — era monarquista. Considerada uma instituição nobre, comandada desde a independência por oficiais ingleses como Lorde Cochrane e John Greenfeld, a Armada era privilegiada em relação ao Exército, recebendo soldos melhores e mais atenções do Império.

Embora não tenha tentado impedir o golpe que derrubou D. Pedro II (mesmo que não tomasse parte nele), a corporação iria protagonizar duas significativas rebeliões, que ajudaram a incendiar ainda mais os primeiros e tumultuados anos da República. Três almirantes eram os chefes mais importantes da Marinha: Eduardo Wandenkolk, um dos raros republicanos da Armada e membro do primeiro ministério de Deodoro; Custódio de Melo, um monarquista moderado; e Saldanha da Gama, também monarquista, mas, acima de tudo, um "legalista".

Na Primeira Revolta da Armada, ocorrida em novembro de 1891, o contra-almirante Custódio de Melo conseguiu derrubar o marechal Deodoro — o que resultou na posse do vice, Floriano Peixoto (que demitiu Eduardo Wandenkolk do ministério). Na segunda Revolta da Armada, ocorrida dois anos depois, o mesmo Custódio de Melo uniu-se a Saldanha da Gama na tentativa de depor Floriano.

A Segunda Revolta da Armada eclodiu às onze horas da noite do dia 6 de setembro de 1893, quando o contra-almirante Custódio de Melo fez içar, no encouraçado Aquidabã, o pavilhão rubro da rebelião, invocando, não sem fina ironia, que era preciso "restaurar o império da Constituição". Foi acompanhado por outros dezesseis vapores de guerra e oito mercantes — a maioria deles navios velhos e quase imprestáveis. Os confrontos se concentraram na Baía de Guanabara, mas os rebeldes nunca bombardearam a cidade do Rio de Janeiro, limitando-se a trocar tiros com a Fortaleza de Santa Cruz. Ante a resistência das forças de terra, Custódio de Melo deixou a maior parte da esquadra sob o comando de Saldanha da Gama e invadiu a cidade catarinense de Desterro — hoje Florianópolis (SC). Ali instalou um "governo provisório" e aliou-se aos maragatos de Gaspar Silveira Martins, embora o único ponto em comum entre a Revolta da Armada e a Revolução Federalista do Rio Grande do Sul fosse o ódio ao "jacobinismo florianista".

A Segunda Revolta da Armada terminou em 13 de março de 1895, quando os insurretos foram derrotados na Batalha da Armação e desistiram da luta. Custódio de Melo e Saldanha da Gama (que era trineto do marquês do Pombal), refugiaram-se em navios portugueses fundeados na Baía de Guanabara e posteriormente uniram-se aos rebeldes federalistas do Sul. Embora aliados, eram inimigos pessoais e tiveram destinos diferentes: enquanto Custódio de Melo refugiou-se em Buenos Aires com o fim da Revolução Federalista, retornando ao Brasil depois de anistiado, Saldanha da Gama morreu tragicamente, perfurado por uma lança, no combate de Campo Osório, nas coxilhas do Rio Grande do Sul, quase na fronteira com o Uruguai, em 1895, aos 49 anos de idade.

O PRP

Desde sua fundação, o Partido Republicano Paulista (PRP) sempre se portou de modo ambíguo quanto à abolição da escravatura, quanto à maneira de derrubar o império e, até mesmo, com relação à melhor forma de governo republicano — embora o ponto central do programa partidário fosse a defesa da federação, com os estados cada vez mais autônomos em relação ao governo central e com poderes para exercer uma política bancária própria. Dos 129 delegados que participaram da fundação do partido, 78 eram cafeicultores. Dos 51 restantes, muitos eram advogados formados pela faculdade de direito de São Paulo (vários deles, entre os quais Campos Sales, Francisco Glicério e Américo de Campos, aparecem na gravura acima). Em 1884, ainda em pleno Império, o PRP aliou-se ao Partido Conservador e conseguiu eleger como deputados Prudente de Morais e Campos Sales. Em fevereiro de 1891, o partido escolheu Floriano Peixoto para vice de Prudente de Morais, na eleição contra a chapa de Deodoro e Wandenkolk. Prudente perdeu para Deodoro, mas Floriano foi eleito vice-presidente. A tomada do poder se configuraria na eleição seguinte, quando Prudente e o PRP fariam o comando da nação voltar às mãos dos civis — civis conservadores, latifundiários e oligárquicos.

Os rebeldes: Custódio de Melo (*centro, à esquerda*) e Saldanha da Gama (*ao lado*). No alto, o encouraçado Aquidabã, depois de torpedeado pelas tropas do governo.

Um Vice Golpista?

Ao assumir a presidência, em 5 de novembro de 1896, o vice Manuel Vitorino Pereira simplesmente decidiu substituir todo o ministério, trocando aliados de Prudente de Morais por "florianistas" convictos. Ao contrário de Prudente, Vitorino (acima), baiano nascido em 1853 e primeiro governador de seu estado depois da República, era um jornalista cujos "dotes cintilantes de orador" o tornavam um "autêntico condutor de massas" — e um jacobino potencial.

Uma vez no poder, Vitorino "escancarou todas as janelas do novo palácio ao ruído exterior". O "novo palácio" era o do Catete, que ele comprou para ser sede do governo, no lugar do Itamarati. E o "ruído exterior" eram os urras a Floriano, que adquiriram um tom verdadeiramente messiânico após a morte do Marechal de Ferro, em junho de 1895. Muitos rezavam no túmulo do ex-presidente, e havia aqueles que distribuíam seu retrato como se fosse o de um santo. A sombra do marechal nacionalista pairava sobre a "República dos Fazendeiros".

A figura "impoluta" do austero, ditatorial e nacionalista Floriano foi adotada como símbolo pelos jacobinos.

O Primeiro Presidente Civil

O breve e tumultuado governo de Deodoro da Fonseca não deixou saudade nos círculos civis, especialmente entre os cafeicultores paulistas. Por isso, as oligarquias e elites rurais deram todo apoio à candidatura de Floriano, para derrubar Deodoro e dividir os militares. Mas esse foi um acordo de curto prazo, e o governo nacionalista, de apoio à indústria e à classe média urbana, do Marechal de Ferro, logo desagradaria à chamada "República dos Fazendeiros" — especialmente porque os jacobinos (republicanos exaltados e radicais, inimigos dos oligarcas) se uniram a Floriano no ato. De qualquer modo, as atribuições políticas do governo Floriano — amplificadas pela Revolução Federalista do Rio Grande do Sul — levaram as elites civis ao consenso de que era preciso afastar os militares da política e retomar o controle do país.

A eleição de Prudente de Morais, em 15 de novembro de 1894, representou o retorno da classe latifundiária — que fora o sustentáculo do império — ao comando da nação. Sob a vestimenta republicana, o federalismo conservador se saiu vitorioso nas "urnas". Embora Prudente de Morais tenha sido o primeiro presidente brasileiro eleito pelo voto, o país não teria estabilidade durante os quatro anos de seu mandato: a Revolta de Canudos, que eclodiu no interior da Bahia, tumultuou a nação. Desde o início, o presidente seria tido por pusilânime: era "prudente demais".

Também apelidado de "Biriba" pelo povo, Prudente de Morais foi submetido a humilhações desde o dia da posse: precisou ir para o Itamarati de carro alugado e, ao chegar lá, "não teve quem lhe segurasse o chapéu". Isso até que não foi de todo mau: aliados de Floriano haviam articulado um golpe para impedir a posse do presidente civil. Mas o Marechal de Ferro preferiu ficar em casa, cultivando suas rosas, e frustrou a trama dos jacobinos. O fato de Prudente decidir anistiar os rebeldes gaúchos — acabando com a guerra civil no Sul — foi visto como ato de fraqueza pelos florianistas, e a campanha de desmoralização do presidente começou.

Em novembro de 1896, doente, Prudente teve de se afastar da presidência — e o vice, Manuel Vitorino Pereira, um florianista militante, assumiu o posto. Em março de 1897, o presidente retornou ao cargo. Em novembro, sofreu um atentado (*leia na pág. seguinte*). Então, decretou estado de sítio, mandou fechar o Clube Militar, prendeu senadores e deputados, tentou processar o vice Vitorino — e acabou consolidando a república oligárquica, ou "dos fazendeiros", que iria permanecer no poder até 1930. Ao assinar um novo acordo financeiro com a Inglaterra (*leia na pág. 250*) e manter a monocultura cafeeira como única opção econômica do Brasil, Prudente de Moraes entregou ao seu sucessor um país politicamente estabilizado — mas tremendamente endividado.

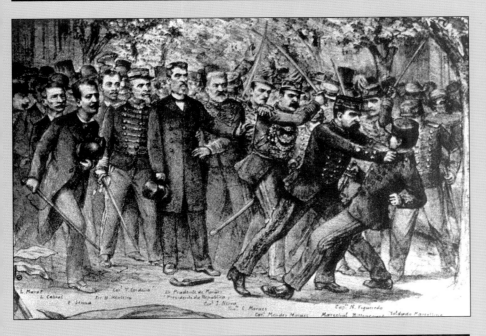

O Atentado a Prudente de Morais

Em 4 de março de 1897, recuperado da doença que o afastara do cargo, Prudente de Morais retornou à presidência — para desalento do vice Manuel Vitorino, dos florianistas em geral e dos jacobinos em particular. Esses, exaltados, logo começaram a tramar contra a vida de Prudente. Em 5 de novembro — quando faltavam ainda 375 dias para o fim de seu mandato — sobreveio um atentado. O presidente fora ao embarcadouro do Arsenal de Guerra, no Rio, recepcionar o navio Espírito Santo, que retornava da Bahia com a primeira tropa vitoriosa no combate contra os "fanáticos" de Canudos.

À uma da tarde, ao chegar ao cais, o presidente foi recebido com "urras" a Floriano e Vitorino. No meio da multidão, um militar de baixa patente, Marcelino Bispo de Melo, se aproximou do presidente e sacou uma garrucha. Prudente afastou a arma com a cartola — o que não lhe salvaria a vida caso houvesse o disparo. Mas a arma falhou cinco vezes e o militar foi desarmado com uma pranchada desferida por um coronel. Antes de ser preso, porém, o terrorista conseguiu esfaquear o ministro da Guerra, Carlos Bittencourt, que morreu.

A morte do marechal Bittencourt era o pretexto de que Prudente de Morais precisava para endurecer seu regime e deflagrar uma vingança política. A partir do instante em que ficou claro que Marcelino estava ligado ao jornal *O Jacobino*, Prudente partiu para a retaliação. Pediu e obteve do Congresso permissão para instalar 30 dias de estado de sítio. Envolveu o vice Vitorino na conspiração e mandou prender e exilar seus rivais.

Bittencourt tornou-se um mártir — e foi enterrado com a alcunha reveladora de "Marechal de Ouro". Enquanto isso, em sua cela, Marcelino revelava sinais de "desarranjo mental", escrevia um desconexo soneto chamado *Jesus Cristo e Floriano*, pedia para ser fuzilado e, por fim, se enforcava na prisão. O atentado acabou resultando no fechamento do Clube Militar e num longo afastamento dos militares da política (que perduraria até o surgimento do tenentismo, na década de 1920). Ao encerrar seu governo, em novembro de 1898, o homem que os jacobinos tinham equivocadamente apelidado de "Prudente Demais" se tornara uma espécie de Floriano civil e o consolidador da "República dos Fazendeiros".

Os Jacobinos

Os jacobinos derivaram seu nome de uma das correntes predominantes da Revolução Francesa. Seus membros eram propagandistas exaltados, em geral da classe média baixa — aos quais se juntavam alguns operários e militares atingidos pela carestia deflagrada pelo "Encilhamento" (veja página 251). Esse grupo acreditava numa república forte e centralista, capaz de enfrentar os monarquistas — cuja sombra vislumbravam, com paranóia, em cada esquina, e até mesmo nas lonjuras do sertão baiano, entre os miseráveis de Canudos. Os jacobinos eram inimigos de morte da República liberal, descentralizada e federalista com a qual sonhavam os cafeicultores paulistas. Para os jacobinos — neste caso não de todo destituídos de razão — a ascensão ao poder da "República dos Fazendeiros", representada por Prudente de Morais e por seu sucessor, Campos Sales, nada mais era do que o retorno da nação às mãos dos latifundiários, exatamente como nos tempos da Colônia e do Império.

Política dos Governadores

Campos Sales implodiu por quase cinco anos a política partidária do Brasil. Está certo que o Partido Republicano Federal (PRF), fundado em 1893, em São Paulo — com a fusão do PRP com clubes republicanos de outros estados —, já se tinha dissolvido em razão de crises internas. Afinal, o presidente do PRF, Francisco Glicério (acima), trombara de frente com Prudente de Morais — e, de certa forma, viu-se envolvido até mesmo no atentado contra ele.

Mas, o golpe de morte no papel desempenhado pelos partidos republicanos no Congresso foi desferido por Campos Sales, ele próprio um "republicano histórico". Ao instaurar sua "política dos governadores", Sales comandou o país eventualmente afastado até mesmo do Partido Republicano Mineiro (PRM), que, junto com o PRP, tinha apoiado sua candidatura. Campos Sales não estava interessado em lealdade partidária, mas em fidelidade absoluta ao seu programa de governo. De acordo com o historiador Bóris Fausto, os objetivos da "política dos governadores" podem ser resumidos assim: "reduzir ao máximo as disputas políticas no âmbito de cada Estado, prestigiando os grupos mais fortes; chegar a um acordo básico entre a União e os Estados; pôr fim à hostilidade entre o Executivo e o Legislativo, domesticando a escolha dos deputados. Para ajustar a Câmara dos Deputados a esses fins (...), o presidente da Câmara, temporário e de confiança, garantia o mandato de deputado a quem representasse os grupos dominantes nos Estados e fosse fiel ao governo federal. Os não-merecedores desse tipo de confiança eram excluídos, ou 'degolados', como se dizia na época". Era a República Oligárquica — ou, de acordo com a origem grega da palavra, o governo de poucas pessoas, pertencentes à mesma classe ou grupo. No Brasil, essa "República de uns poucos" também seria chamada de "República dos Coronéis" ou "República Café-com-Leite".

O Presidente Café-com-Leite

Político mais habilidoso, orador mais inspirado e propagandista mais eficiente do que seu antecessor, o paulista Manuel Ferraz de Campos Sales conseguiu consolidar plenamente a "República dos Fazendeiros", idealizada por Prudente de Morais, pelos cafeicultores e pelo PRP. O arranjo político articulado por Campos Sales ao longo de seus quatro anos (1898-1902) de governo foi brilhante: ele criou a chamada "política dos governadores", que perduraria intacta até a Revolução de 30. O jacobinismo se esfacelara após o atentado a Prudente; os militares voltaram aos quartéis e Campos Sales assumiu, soberano.

Apesar de a Constituição afirmar que o Executivo e o Legislativo eram poderes "harmônicos e independentes entre si", o fato é que as ações do governo eram freqüentemente barradas no Congresso. Campos Sales inventou então uma nova — e pouco ética — forma de presidencialismo: ignorou os partidos para apoiar os governadores estaduais; escolheu ministros de fora da política, ou alheios a ela, bastando que lhe fossem fiéis; apagou os últimos vestígios de tradição parlamentar e submeteu a formação do Congresso às conveniências de seu governo. Dessa forma, a partir de então, "o governo central sustentaria os grupos dominantes nos Estados, enquanto estes, em troca, apoiariam o presidente", conforme o diagnóstico preciso do historiador Bóris Fausto. Campos Sales fez mais: criou a "degola política", institucionalizou a fraude eleitoral e converteu a federação em feudos eleitorais. Por fim, instituiu a política do "café-com-leite" — a aliança entre São Paulo e Minas, que passaram a se alternar no poder.

O "sucesso" do arranjo político de Campos Sales não ajudou a tornar seu governo popular por causa das medidas econômicas recessivas que ele se viu forçado a tomar. Antes do final de seu governo, Prudente de Morais fora obrigado a iniciar negociações com a Casa Rothschild, banqueiros ingleses que emprestavam dinheiro ao Brasil, mas que pretendiam cancelar os financiamentos. Já eleito, mas ainda não empossado, Campos Sales foi à Inglaterra negociar um *funding loan*. *Funding loan* nada mais era do que um empréstimo para pagar os juros das dívidas de um empréstimo anterior. Sales foi bem-sucedido: obteve dez milhões de libras, com os quais pagou, durante três anos, os juros da dívida total, cuja cobrança foi suspensa até 1911. Com a moratória, o país escapou da insolvência, mas o preço foi alto. Iniciou-se um duro programa de deflação, com a incineração de boa parte do papel-moeda em circulação no país, a elevação das taxas cambiais e o aumento brutal dos impostos (foi criado até um "selo", colocado nos alimentos). A agricultura, a indústria e o povo foram prejudicados. Uma onda de greves, protestos e falências ocorreu durante o chamado "pânico de 1900". Ainda assim, o esquema político da República Oligárquica foi passado intacto às mãos de Rodrigues Alves. Isso não impediu Campos Sales de se tornar um dos presidentes mais impopulares da história do Brasil. Ele foi vaiado desde o Catete até a estação, onde pegou o trem que o levou de volta para São Paulo.

Dívida, Inflação e Crise Econômica

De todos os deslizes da política econômica brasileira, poucos foram tão desastrosos quanto o "Encilhamento" — como ficou conhecida a série de decretos baixada por Rui Barbosa, ministro da Fazenda do governo provisório de Deodoro. Rui era intelectual de primeira grandeza, dono de biblioteca formidável (a maior do país) e principal responsável pela Constituição aprovada em 1891. Como economista, porém, revelou-se um tremendo fracasso.

Tudo começou com o decreto nº 165, de 17 de janeiro de 1890. Com ele, o governo permitiu que os bancos emitissem dinheiro, lastreado apenas por bônus governamentais, e não por fundos de reservas. Foram lançados no mercado 450 mil contos — o dobro da quantia então em circulação no país. Na verdade, o decreto foi baixado justamente para suprir a ausência crônica do "meio circulante" (quantidade de moeda em circulação no país).

Desde o Império era evidente que não havia papel-moeda suficiente para suprir as necessidades impostas pelo trabalho assalariado, realizado por mais de um milhão de escravos libertos e imigrantes recém-chegados. Em tese, portanto, a nova medida estava correta. Mas a questão é que o decreto nº 165 incentivava também a criação de sociedades anônimas e liberava o crédito. Surgiu, assim, a idéia de que a República seria o "reino dos negócios". Desencadeou-se uma corrida desenfreada às bolsas de valores e os bancos faziam "chover" dinheiro.

Milhares de empresas — muitas delas fictícias — foram criadas da noite para o dia. A especulação atingiu níveis estratoféricos. A enlouquecida disputa pela preferência dos investidores nos pregões foi logo identificada com o *encilhamento* dos cavalos antes da largada no hipódromo — instante no qual a atividade dos apostadores se torna frenética. E assim foi que o povo acabou batizando o "pacote". Em menos de um ano, o balão estourou. Muitas ações não tinham lastro ou correspondência monetária — eram títulos falsos de empresas fantasmas. No início de 1891, a crise começou: o preço das ações despencou; a inflação e o custo de vida dispararam; a falência atingiu milhares de empresas e bancos; o desemprego veio em massa, o valor da moeda brasileira com relação à libra desabou. O projeto do industrialista Rui Barbosa gerara uma febre especulativa extremamente nociva à economia produtiva. Com o país mergulhado no caos, o ministro se demitiu.

O Peso da Dívida

A princípio — e por princípio — o decreto de Rui Barbosa indignou os fazendeiros paulistas. Afinal, a medida era parte de uma política industrialista, que visava diminuir a dependência do Brasil de produtos vindos do mercado externo. Para os cafeicultores, quanto mais importações, melhor. Houve euforia entre as oligarquias rurais quando Rui Barbosa se demitiu. A alegria durou pouco: o Encilhamento deixara o Brasil pesadamente endividado. O país, que devia 30 milhões em libras em 1890, ficou devendo 44,2 milhões em 1900. Em 1913, a dívida chegara a 144,3 milhões. Os ministros da Fazenda do governo de Prudente de Morais, Rodrigues Alves (abaixo) e Bernardino de Campos (acima), deram início a uma política "deflacionista", reduzindo, entre outras medidas, a circulação da moeda em todo o país e retomando o pagamento da dívida externa. No governo seguinte, o de Campos Sales, o país seria submetido às agruras exigidas pelo funding loan.

Sangue no Pampa e no Sertão

mbora a transformação do império em república tenha sido quase um passeio — na verdade, não houve muito mais que uma parada militar liderada pelo marechal Deodoro, à qual, como disse Aristides Lobo, o povo assistiu "bestializado" —, a primeira década do novo regime seria marcada pelo caos político, econômico e social. A instabilidade generalizada foi ampliada pela eclosão das duas maiores guerras civis da história do Brasil: a Revolução Federalista do Rio Grande do Sul, travada de fevereiro de 1893 a setembro de 1895, e a "guerra do

fim do mundo", ocorrida em Canudos, no sertão da Bahia, de agosto de 1896 a outubro do ano seguinte, e na qual milhares de sertanejos, seguidores do beato Antônio Conselheiro, foram massacrados pelo exército republicano.

Esses conflitos pouco tiveram em comum, além da brutalidade absurda: a crueldade dos vencedores, a degola dos vencidos e as batalhas sem prisioneiros. A guerra civil de 1893 no Rio Grande do Sul foi um conflito eminentemente político — retrato fiel das dissidências que, desde o Segundo Reinado, rachavam o estado. Foi uma das raras guerras civis

na qual fatores econômicos não tiveram importância, e o único conflito no pampa gaúcho a se equiparar, em violência e crueza, às guerras platinas do século XIX. A Revolução Federalista foi um confronto terrível que colocou frente a frente "maragatos" — como se chamavam os republicanos jacobinos e positivistas liderados por Júlio de Castilhos — e "picapaus" — que eram os antigos liberais do regime monárquico, chefiados por Gaspar Silveira Martins.

Canudos, por seu turno, foi a guerra mais trágica da história do Brasil — mais dramática e violenta que a derroca-

da de Palmares. Em Palmares travou-se uma luta pela liberdade. Em Canudos lutou-se sem razão. Só a existência de dois Brasis inteiramente distintos e incompatíveis — o Brasil das elites urbanas e o Brasil dos miseráveis olvidados — pode explicar a "guerra do fim do mundo", para usar a denominação que o escritor peruano Mario Vargas Llosa deu ao conflito. Nesse sentido, Canudos foi exemplar, revelando ao país, no fim do século XIX, a trágica dicotomia com a qual ele haveria de conviver ao longo de todo o século XX. De todo modo, a República só se consolidou após o batismo com o sangue vertido pelas tropas legalistas, no pampa (abaixo) e nos cafundós do sertão, no arraial desgraçado de Canudos (ao lado).

Encarando a história: combatentes gaúchos da Revolução Federalista de 1893 (*abaixo*) e os desvalidos de Canudos (*acima*) "posam" para fotografias — uma nova forma que então surgia para registrar acontecimentos históricos.

A Degola

Rápida, silenciosa e barata, a degola foi a forma predileta de execução ao longo dos dois anos e meio, durante os quais a guerra civil de 1893 sangrou o Rio Grande do Sul. As vítimas eram mortas da mesma maneira como se abatiam carneiros: forçadas a se ajoelhar ante seu algoz, tinham a cabeça colocada entre as pernas do executor, que então lhes rasgava a carótida com um súbito golpe de faca. Os castilhistas degolaram antes e mais que os federalistas — mas, sempre que possível, houve vingança. Os dois episódios mais infames foram os massacres do Rio Negro e do Boi Preto. O primeiro se deu em 27 de novembro de 1893. Nesse dia, sob as ordens do comandante Silva Tavares, o negro uruguaio Adão Latorre degolou 180 federalistas que tinham se rendido sob a promessa de terem suas vidas poupadas. Em 5 de abril de 1894, em Boi Preto, os federalistas se vingaram degolando 250 homens da brigada do general Firmino de Paula. Os principais líderes dos maragatos, ou federalistas, foram os irmãos Gumercindo e Aparício Saraiva (acima) nascidos na fronteira entre o Uruguai e o Brasil. Os dois falavam mais espanhol que português e eram típicos caudilhos do pampa: contrabandistas de gado, guerrilheiros de vida tempestuosa e de ideais supostamente libertários.

A Revolução Federalista de 1893

O tribuno e seu duplo: Silveira Martins (*acima*) e o rival Castilhos (*abaixo*).

Embora houvesse um leque de complexidades e vários outros interesses em jogo, a chamada Revolução Federalista de 1893 pode ser resumida ao choque frontal entre os aliados de Gaspar Silveira Martins e os partidários de Júlio de Castilhos — que nada mais era do que um reflexo da luta entre o antigo regime monarquista e a nova ordem republicana.

Alto, corpulento e rico; barba farta e nariz romano, retórica agressiva e oratória inflamada, Gaspar Silveira Martins (*foto ao lado*) — liberal na política mas autoritário por feitio — era o próprio estereótipo do caudilho gaúcho. Com fama de imbatível, ele fora, por 20 anos, o virtual dono do Rio Grande do Sul. A importância de Silveira Martins no cenário político brasileiro era tal que o marechal Deodoro só havia decidido proclamar a república quando lhe informaram (enganosamente) que o imperador D. Pedro II havia escolhido o *Tribuno* (apelido de Silveira Martins) para o lugar do primeiro-ministro, visconde de Ouro Preto, que o marechal derrubara na quartelada do dia 15 de novembro. Um dos primeiros atos de Deodoro após assumir a presidência foi enviar Silveira Martins para o exílio.

Era tudo o que Júlio de Castilhos esperava. Moreno, baixo e gago, com o rosto marcado pela varíola (*foto abaixo*), mau orador mas dono de vontade férrea e de um texto incandescente, Castilhos era um advogado (formado em São Paulo) que se revelara um jornalista ambicioso e brilhante — "dono da capacidade especial de inspirar fanatismo em seus seguidores e ódio nos adversários", segundo um de seus biógrafos. Positivista convicto, fora o próprio Castilhos quem, em 1886, envolvera o vaidoso e ingênuo Deodoro na Questão Militar, publicando os artigos do marechal em seu jornal, *A Federação*.

Embora, após a proclamação da República, Deodoro tivesse, surpreendentemente, escolhido um liberal para governar o Rio Grande do Sul, o exílio do *Tribuno* fez que o Sul passasse a ter um novo senhor. Mas, ironicamente, seria um movimento contra Júlio de Castilhos que ajudaria a derrubar o marechal Deodoro. E a queda de Deodoro acabou arrastando Castilhos.

Mas não por muito tempo: saindo do poder em novembro de 1891, Castilhos o retomou com um golpe em junho de 1892. Entre um período e outro, nada menos do que dez governos tinham dirigido o Rio Grande do Sul. Em fevereiro de 1892, Silveira Martins havia retornado do exílio, transformando o estado em um barril de pólvora. Mas, assustado com o parlamentarismo radical do *Tribuno*, Floriano Peixoto, novo presidente do Brasil, pragmaticamente preferiu apoiar Castilhos — apesar de ele ser um antigo aliado de Deodoro.

E assim, com o aval (ou pelo menos a omissão) do governo central, Castilhos — que, em julho de 1891, havia redigido uma constituição estadual que era o próprio elogio da monocracia (governo de um homem só) —, tornou-se mais autoritário, vingativo, intolerante e sectário do que jamais fora. Aos seus adversários, só restava a rebelião. E ela não demoraria a estourar.

O Rio Grande Insurreto

Após fraudes escandalosas em duas eleições e uma sucessão de assassinatos políticos, Júlio de Castilhos assumiu a presidência do Rio Grande do Sul em 25 de janeiro de 1893. Uma semana depois, em 2 de fevereiro, a guerra civil rebentou. Contra Castilhos se ergueram não só os federalistas de Gaspar Silveira Martins, mas também monarquistas, perseguidos e descontentes em geral e até mesmo republicanos (tanto de tendência parlamentarista quanto presidencialista) que o sectarismo do ditador havia afastado do partido. Porém, a força dos revoltosos acabou se revelando sua fraqueza: afinal, além do ódio a Castilhos, os rebeldes nada mais tinham em comum. Por outro lado, os castilhistas — que eram positivistas de vontade férrea, extremamente unidos e disciplinados —, fechavam colunas sólidas. Além disso, os "legalistas" contavam com o apoio de Floriano Peixoto e do Exército paulista.

A guerra iria perdurar por 31 meses, estendendo-se pelos três estados meridionais (quase chegando a São Paulo) e cobrando, como um sinistro tributo, a vida de pelo menos 10 mil homens — muitos mortos por degola (*leia box na página anterior*). Não foi um combate lírico: o número de baixas e a carnificina dos embates não encontra paralelo em nenhuma outra luta travada no Brasil.

Já envelhecido, Silveira Martins mostrou-se omisso e vacilante durante todo o conflito. O verdadeiro chefe militar dos insurretos era o caudilho brasileiro-uruguaio Gumercindo Saraiva. Os exércitos rebeldes não passavam, em geral, de bandos de peões comandados por estancieiros — alguns veteranos da Guerra do Paraguai e outros, como o próprio Saraiva, das revoluções platinas. Sua tática era a guerrilha, que, várias vezes sufocada, invariavelmente renascia das cinzas. Em setembro de 1893, os rebeldes ganharam novo fôlego graças à eclosão, no Rio, da Revolta da Armada. Com a tomada da cidade do Desterro (hoje Florianópolis), em Santa Catarina, pelos revoltosos da Marinha, deu-se o enlace entre dois movimentos revolucionários que nada tinham em comum a não ser o ódio ao "jacobinismo florianista". Ainda assim, com a derrota de Gumercindo Saraiva em julho de 1894, em Passo Fundo — num sangrento combate que marcou a vitória da arma de fogo contra a arma branca e do "quadrado" da infantaria contra as cargas de cavalaria —, a guerra virtualmente acabou. Mas a sublevação persistiria na forma de um protesto inútil e sangrento até a posse de Prudente de Morais — o presidente conservador que aplacou o ódio de vencedores e vencidos. O Rio Grande do Sul, no entanto, seguiria violento e dividido até 1930.

Cores e Nomes

No folclore e na tradição do Rio Grande do Sul, a guerra civil de 1893 foi o combate feroz entre "maragatos" e "pica-paus". Maragatos era o apelido que identificava os chamados federalistas. O primeiro bando de rebeldes que invadiu o Rio Grande do Sul para combater os desmandos de Castilhos, em fevereiro de 1893, veio do Uruguai, de um departamento povoado por espanhóis oriundos da província de Maragataría. Os republicanos os apelidaram então de "maragatos" — insinuando que se tratava de um bando de invasores estrangeiros. Mas o pejorativo acabou sendo adotado como distintivo de honra. Os republicanos castilhistas — que se autodenominavam "legalistas" — foram, por sua vez, batizados de "pica-paus". A origem do termo é controversa: para alguns, deve-se ao estampido de suas armas de fogo; para outros, era devido ao quepe vermelho usado pelas tropas castilhistas. Pelo menos nas cores os dois grupos combinavam: afinal, os "maragatos" usavam um lenço "colorado" ao redor do pescoço. Acima, o caudilho Gumercindo Saraiva.

Guerra em Canudos

Tremeluzindo sob o sol inclemente do sertão, o arraial de Canudos se erguia onde antes havia apenas os arbustos espinhosos da caatinga. Embora parecesse uma favela, era um aglomerado impressionante: possuía 5.200 casas e cerca de 20 ou 25 mil habitantes. Eram números espantosos: em fins de 1896, Juazeiro, a maior cidade no norte da Bahia, tinha 3 mil moradores e a capital, Salvador, 200 mil. A maioria absoluta dos habitantes de Canudos era de sertanejos indigentes, agrupados em torno da figura misteriosa do beato Antônio Conselheiro.

No solo miserável do sertão, Conselheiro encontrara terreno fértil para sua pregação messiânica. A decadência dos engenhos, o fim da escravidão, a seca terrível de 1878 (durante a qual, só no Ceará, cerca de 100 mil pessoas morreram de fome), a limitação do mercado de trabalho provocada pelo fluxo incessante de imigrantes europeus: tudo conduzira ao caos social no Nordeste. Nesse ambiente de vertigem e desespero, surgiu a figura magnética de Conselheiro.

Antônio Vicente Mendes Maciel nasceu no Ceará, em 1828. Filho de um comerciante, que pretendia fazer dele um padre, Antônio fora professor e ambulante, quando problemas financeiros e domésticos (a mulher o abandonou) o converteram em beato — uma espécie de nômade do sertão, um cangaceiro místico e asceta que por 17 anos perambulou pela caatinga, conclamando o povo a construir e reconstruir igrejas, reerguer os muros dos cemitérios e levar uma vida de penitência e meditação. Em 1876, preocupados com o ajuntamento em torno de Conselheiro, a Igreja e o governo começaram a transformá-lo em mártir.

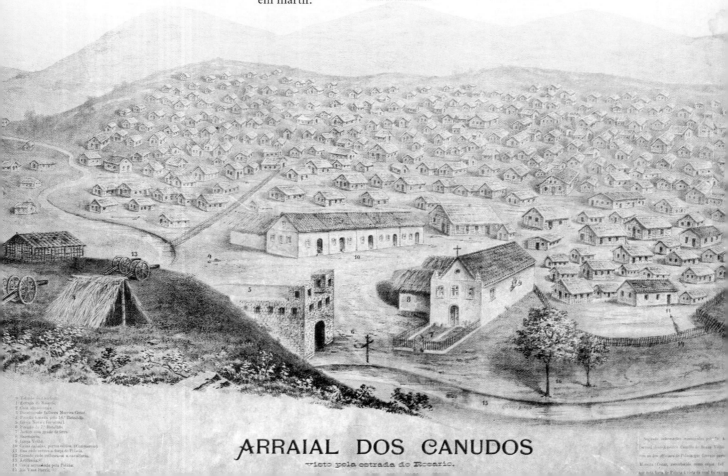

ARRAIAL DOS CANUDOS
visto pela estrada do Rosario.

Falsamente acusado de ter matado a mulher e o filho, Conselheiro foi preso. Julgado inocente, foi liberado e retornou à deriva no mar arenoso do sertão. Em 1893, depois de quase duas décadas de peregrinação e já com cerca de 8 mil seguidores, Conselheiro encontraria seu porto seguro em uma fazenda da Bahia. Lá surgiria o arraial de Belo Monte, mais tarde batizado de Canudos. Em poucos meses, Conselheiro — ajudado por homens como João Abade, Pajeú, Joaquim Tranca-Pés, Raimundo Boca-Torta, Chico Ema, Antônio Beato e Manoel Quadrado — começou a materializar a utopia de uma sociedade evangélica autosuficiente. Em Canudos não havia propriedade privada: terra, rebanhos e lavouras eram de todos. Milho, feijão, mandioca e cana eram cultivadas coletivamente. Cabras forneciam carne, queijo e leite. Suas peles, curtidas, eram vendidas em Juazeiro e exportadas até para os EUA. Canudos se tornou a Meca dos desvalidos. Um outro Brasil.

A proclamação da República, em 1889, desagradara Conselheiro — especialmente porque, além de ter criado novos impostos municipais, havia decretado a separação entre o Estado e a Igreja, o que acabara com a obrigatoriedade do casamento religioso, tornando suficiente o casamento apenas no civil. Em 1893, em Bom Conselho, Conselheiro mandara arrancar e queimar as ordens de cobrança de impostos e se complicara com a lei. Seu culto era sebastianista — antiga seita messiânica que previa o retorno, do fundo do oceano, de D. Sebastião, o rei português morto no Marrocos em 1578. Conselheiro, por isso, era monarquista. Nesse contexto, como se verá, um episódio corriqueiro de desonestidade comercial precipitou o início da grande tragédia.

O Fanático Antonio Conselheiro.

O santo do sertão: Antônio Conselheiro, entronado, endeusado ou sob a mira dos canhões, virou uma espécie de santo e, a seguir, um mártir para milhares de sertanejos.

Um Cérebro Normal

O corpo de Conselheiro foi exumado em 6 de outubro de 1897. Em razão de adiantado estado de putrefação, não foi possível estabelecer a causa mortis. No entanto, não havia perfurações de bala no cadáver. A cabeça do beato foi cortada e enviada para a Faculdade de Medicina da Bahia, para ser examinada por especialistas. Em tempos lombrosianos, acreditava-se que o estudo de seu cérebro certamente indicaria sinais de anormalidade — quando não as marcas da "criminalidade nata". Mas o diagnóstico do diretor da faculdade, Pacífico Pereira, do psiquiatra Juliano Pereira e do consagrado antropólogo Nina Rodrigues foi frustrante para a imprensa e para o povo. "O crânio de Antônio Conselheiro não apresenta nenhuma anormalidade que demonstre traços de degenerescência. É um crânio normal", dizia o relatório de Nina Rodrigues, um cientista já acusado de ser racista.

Almoço em Canudos: o coronel Moreira César (à *direita*) subestimou o poder de fogo dos rebeldes — e pagou caro por isso. No alto da página, o mapa mostra as rotas das várias expedições contra Canudos.

O Vexame do Exército

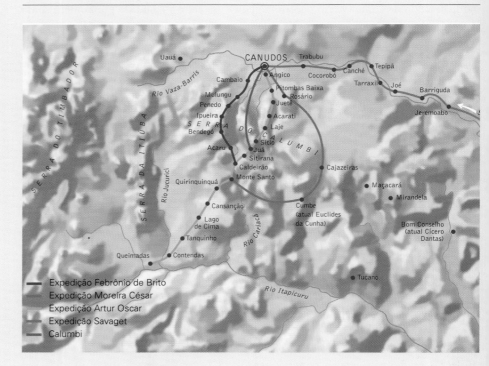

Em agosto de 1896, a comunidade de Canudos comprara um carregamento de madeira de um comerciante de Juazeiro. A carga — já paga — não chegou ao destino. Injuriado, Conselheiro avisou que seus seguidores iriam à cidade retirar a madeira. Alarmado com o boato de que o "bando de fanáticos" saquearia a cidade, o juiz de Juazeiro (que já fora desafiado por Conselheiro três anos antes, em Bom Conselho, quando o beato mandara queimar as ordens de cobrança de impostos) de imediato pediu ajuda ao governador. Em novembro, uma tropa de cem soldados foi enviada à região e, concluindo que o ataque era a melhor defesa, decidiu invadir o arraial.

No vilarejo de Uauá, os soldados foram surpreendidos por trezentos sertanejos armados de paus e pedras. Apesar de 150 homens de Conselheiro terem sido mortos, contra apenas dez mortos e dezesseis soldados feridos, as forças legais bateram em retirada. O Exército então concluiu que o episódio clamava por vingança. E ela cedo viria: antes do fim de novembro de 1896, 543 soldados, quatorze oficiais, duas metralhadoras e dois canhões foram enviados numa expedição punitiva. No dia 20 de janeiro de 1897, novamente desmoralizados, famintos e de fardas rasgadas, os soldados dessa segunda tropa batiam em retirada, sob a vaia e o fogo cerrado dos sertanejos.

A derrota da segunda expedição, comandada pelo major Febrônio de Brito, não só chocou as instituições estaduais e federais como deixou claro para o Exército que a Igreja e o governo de Canudos eram uma séria ameaça à ordem estabelecida. E assim, com apoio do governo central, uma nova força militar foi reunida com o intuito de, agora sim, arrasar o arraial rebelde a qualquer custo. Para chefiá-la foi escolhido o coronel Moreira César.

Apesar de epilético, descontrolado e vingativo — responsável pelo fuzilamento sumário de 49 rebeldes em Desterro (Santa Catarina), durante a Revolta da Armada (*leia p. 246*) —, Moreira César era herói nacional, com um currículo repleto de vitórias. E, dessa vez, com a ajuda de 1.300 soldados, vários oficiais, metralhadoras, fuzis, 15 milhões de cartuchos e quatro canhões, ele tinha tudo para vencer outra vez. A tropa partiu de trem de Salvador no dia 3 de fevereiro. No dia 18, já acampava em Monte Santo, a 60 km de Canudos. Duas crises epiléticas do comandante atrasaram o assalto ao arraial. Mas, em 2 de março, com seus homens já famintos e sedentos, Moreira César, exalando confiança, disse: "Vamos almoçar em Canudos". E ordenou a investida.

O impossível aconteceu outra vez: os sertanejos repeliram o primeiro ataque. Cego de ódio, Moreira César ordenou outro assalto. Gritou: "Vamos tomar o arraial sem tiros. À baioneta!". Mas as ruas de Canudos pareciam um labirinto e, ao entrarem na cidade, os soldados viraram alvo fácil para os franco-atiradores postados no alto das torres da nova igreja. Moreira César tomou nova decisão equivocada ao ordenar o avanço da cavalaria, incapaz de manobras entre ruelas e os casebres que serviam de abrigo aos nativos. Ao investir ele próprio contra o arraial, o próprio Moreira César tombou morto. Vencidos e humilhados, os soldados bateram em retirada deixando seu arsenal — inclusive os canhões — na mão dos inimigos.

A repercussão da derrota e morte de Moreira César foi retumbante. Setores da imprensa, do governo e do Exército transformaram Canudos em símbolo das ameaças que rondariam a consolidação do regime republicano. Os boatos mais delirantes circulavam pelo Rio de Janeiro. Jacobinos viam na revolta um levante monarquista e republicanos radicais clamavam por sangue. Ele logo correria.

O Massacre Final

A paranóia dos jacobinos — que viam em tudo o dedo oculto dos monarquistas —, o sensacionalismo irresponsável da imprensa, os frágeis alicerces da República, a crônica cegueira das elites brasileiras com relação aos problemas sociais do país: tudo contribuiria para tornar um episódio originado pelas centenárias desigualdades da vida no sertão não em uma inovadora possibilidade de convívio entre miseráveis e abonados, mas numa tragédia sem paralelo na história do país.

Em abril de 1897, o general Arthur Oscar começou a formar a tropa escalada para exterminar 20 mil desgraçados. A expedição, minuciosamente planejada, foi dividida em duas colunas: a primeira, na qual seguiria Arthur Oscar, tinha 2 mil homens e partiria de Monte Santo, passando pela serra do Calumbi; a segunda, sob o comando do general Savaget, reunia 2.350 homens e sairia de Sergipe rumo a Jeremoabo, na Bahia (*veja o mapa*). Os dois

O último sertanejo: óleo de Murilo LaGreca mostra "o último fanático de Canudos" morto no campo de batalha. Embora romantizado, o quadro reflete a realidade: não houve sobreviventes.

grupos levavam mais de 700 toneladas de munição, metralhadoras e canhões Krupp, além do canhão Withworth 32, chamado de "Matadeira", tão grande que eram necessárias vinte juntas de boi para movimentá-lo lentamente pelos morros agrestes e planícies áridas dos cafundós do sertão baiano.

Em junho de 1897, ambas as tropas estavam prontas para a luta. Mais uma vez, porém, a primeira vitória foi dos rebeldes. No dia 25 de junho, ao partir de Jeremoabo rumo ao arraial, uma coluna comandada pelo general Savaget foi atacada por guerrilheiros no planalto de Cocorobó. Depois de mais de 8 horas de combate, 178 militares estavam mortos. Ao mesmo tempo, na frente sul, a tropa do comandante-chefe Artur Oscar também estava cercada, no morro da Favela. Os dois acampamentos eram alvos constantes de ataques suicidas: sertanejos cruzavam as linhas e atiravam contra os oficiais.

Em fins de julho, o Exército não apenas não conseguira vitória significativa como já tivera mil baixas. Conservando com dificuldade suas posições, as tropas aguardavam desesperadamente por reforços. Eles chegaram em meados de agosto: 3 mil homens que haviam sido reunidos às pressas por todo o país. No dia 24, um disparo da "Matadeira" derrubou o sino da igreja de Canudos. Duas semanas depois, a própria igreja foi reduzida a escombros. Era um sinal claro: raiavam os últimos dias na cidade da utopia evangélica. Quase um mês mais tarde, em 22 de setembro, morria Conselheiro. Até hoje não se sabe o que o matou: estilhaços de granada, parada cardíaca, problemas gastrintestinais provocados pela má alimentação, desgosto profundo, pura premonição?

Sem o líder, os sertanejos insurretos arrefeceram seu ânimo. Havia cerca de um ano viviam sitiados. Tinham acumulado dezenas de pequenas vitórias, infligindo muitas humilhações às tropas republicanas, aproveitando-se de todas as vantagens estratégicas que a terra crestada do sertão e as agruras às quais estavam acostumados desde sempre podiam lhes oferecer. Mas não era possível resistir mais. No dia 3 de outubro de 1897, uma bandeira branca foi erguida entre as ruínas chamuscadas de Canudos. Dois jagunços — um deles era Antônio Beato, "ex-chefe de polícia" do arraial — foram negociar com o Exército a rendição de 300 mulheres, velhos e crianças. Os demais ficaram para o combate final.

No dia 3, os combates reiniciaram e, no dia 5, o Exército enfim entrou em Canudos: tinha matado seus quatro últimos defensores — dois adultos, um velho e um garoto. Do arraial restavam apenas escombros fumegantes. A batalha mais inglória do Exército brasileiro tinha sido vencida. Canudos talvez estivesse destinado a ser enterrado em cova rasa na vala comum da história, não fosse o fato de a expedição de Arthur Oscar ter sido acompanhada por um repórter do jornal *O Estado de S. Paulo*. Euclides da Cunha transformou Canudos numa Tróia sertaneja e imortalizou Conselheiro ao escrever *Os sertões*, talvez o maior clássico da literatura brasileira.

Duas Visões de Conselheiro

A o chegar ao sertão, em agosto de 1897, Euclides da Cunha percebeu que estava diante de uma história épica. Todos os ingredientes de uma saga trágica e atávica desfilavam diante de seus olhos. Com o talento dos prosadores iluminados, ele redigiu um texto fulgurante, que tornou aquela luta uma aventura literária comparável às sagas de Homero. Eis sua descrição de Antônio Conselheiro:

"Surgia na Bahia o anacoreta sombrio, cabelos crescidos até os ombros, barba inculta e longa; face escaveirada; olhar fulgurante; monstruoso, dentro de um hábito azul de brim

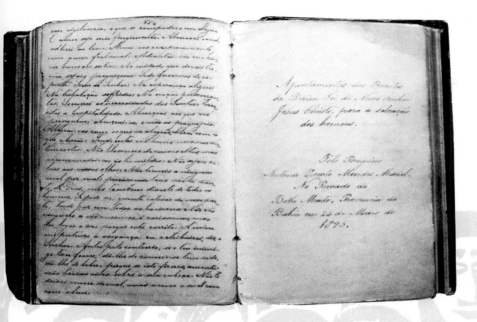

americano: abordoado ao clássico bastão, em que se apóia o passo tardo dos peregrinos (...) Sua entrada nos povoados, seguido pela multidão contrita, em silêncio, alevantando imagens, cruzes e bandeiras do Divino, era solene e impressionada (...) Prenunciavam-se, em seus sermões, anos sucessivos de desgraças: 'Em 1896 há de rebanhos mil correr da praia para o sertão; então o sertão virará praia e a praia virará sertão (...) Em verdade vos digo, quando as nações brigam com as nações (...) das ondas do mar Dom Sebastião sairá com todo o seu Exército'. (...) No seio de uma sociedade primitiva que pelas qualidades étnicas e influxo das santas missões malévolas compreendia melhor a vida pelo incompreendido dos milagres (...) aquele dominador foi títere. Agiu passivo como uma sombra (...) E cresceu tanto que se projetou na história."

Em 1980, o escritor peruano Mário Vargas Llosa cometeu a ousadia suprema de utilizar o episódio de Canudos como tema de seu romance *A guerra do fim do mundo*. Sabia que, mais do que inevitáveis, as comparações com *Os sertões* lhe seriam de todo desvantajosas. Mas Llosa não apenas enfrentou o desafio como produziu uma obra magnífica. Eis o retrato que ele traçou do enigmático Conselheiro:

"O homem era tão alto e tão magro que parecia sempre de perfil. Sua pele era escura, seus ossos proeminentes e seus olhos ardiam com fogo perpétuo. Calçava sandálias de pastor e a túnica azulão que lhe caía sobre o corpo lembrava o hábito dos missionários que, de quando em quando, visitavam os povoados do sertão, batizando multidões de crianças e casando amancebados. Era impossível saber sua idade, sua procedência, sua história, mas algo havia em seu aspecto tranqüilo, em seus costumes frugais, em sua imperturbável seriedade que, mesmo antes de dar conselhos, atraía as pessoas. Aparecia de improviso, no princípio sozinho, sempre a pé, coberto pelo pó do caminho. Sua alta silhueta destacava-se na luz crepuscular ou nascente, enquanto atravessava a única rua do povoado, a grandes trancos, com uma espécie de urgência. Não comia nem bebia antes de chegar à igreja do povoado e comprovar, uma vez mais, uma e cem vezes, que estava em petição de miséria. Entristecia-se o seu rosto com uma dor de retirante a quem a seca matou filhos e animais."

Euclides da Cunha e *Os Sertões*

O "livro vingador": frontispício da primeira edição de *Os sertões*, a obra literária que ajudou o Brasil letrado a descobrir a existência de um outro Brasil, menos fulgurante, mas tão ou mais real do que os das cidades.

Engenheiro formado pela Escola Militar da Praia Vermelha, sob forte influência positivista, Euclides Pimenta da Cunha (1866-1909) era um republicano convicto que acreditava que uma literatura engajada e de combate — elaborada com paciência, meticulosidade e ciência — poderia ajudar a construir um país melhor. Nesse sentido, e em vários outros, a obra literária desse matemático formado em ciências físicas e naturais e que, paralelamente, decidira seguir também a carreira jornalística, nada tinha a ver com a "República das Letras" da rua do Ouvidor — caracterizada por seu preciosismo gramatical, seu dandismo, sua arrogância tipicamente *belle époque*. Talvez justamente por isso, Euclides tenha passado a noite anterior ao lançamento de seu primeiro livro, *Os sertões*, corrigindo, com um canivete de pena, um a um, nos mil exemplares da primeira edição, os 80 erros que encontrara na obra. Tamanha meticulosidade seria plenamente recompensada: ao ser lançado pela respeitada editora carioca Laemmert, em 11 de dezembro de 1902, *Os sertões* tornou-se, literalmente da noite para o dia, um estrondoso sucesso.

Embora cinco anos já houvessem passado desde os sangrentos e amedrontadores acontecimentos de Canudos, o episódio tinha permanecido vivo na memória nacional. Além de possuir todos os ingredientes necessários para um grande romance — o caráter épico, as tensões dramáticas, as derrotas militares, uma insurreição de miseráveis —, o livro fora escrito em estilo inovador e marcante. Recendia a terra e sangue, era agreste e desconhecido como o próprio sertão; era espantosamente real. Além disso, apresentava aos brasileiros letrados um Brasil que eles jamais tinham visto, suposto ou tentado entender. A sinceridade, o tom quase homérico, as peculiaridades verbais de Euclides — "ele escreve como com um cipó", diria Joaquim Nabuco —, tornaram sua prosa uma febre nacional. A primeira edição logo se esgotou e muitas outras se seguiriam. Um século depois, *Os sertões* permanece tão admirável quanto no primeiro dia.

Euclides da Cunha nasceu em Cantagalo, no Rio de Janeiro, em novembro de 1866. Impossibilitado de continuar pagando a Escola Politécnica, transferiu-se para a Escola Militar da Praia Vermelha, que era gratuita. Tornou-se aluno de Benjamin Constant e, como tantos de seus pupilos, "converteu-se" ao positivismo. Em 4 de novembro de 1888, quando o então ministro da Guerra, Tomás Coelho, visitava a escola, Euclides, abolicionista e republicano radical, saiu da formação e jogou o sabre no chão. Foi preso e expulso da escola, mas ficou tão famoso por causa da ousadia que acabou sendo contratado para escrever para o jornal *O Estado de S.Paulo*.

Com a proclamação da República, seria lembrado como o intrépido "estudante da baioneta" e, por ordem do próprio Deodoro, voltou à Escola, onde se formou em engenharia militar, matemática e ciências físicas e naturais. Em agosto de 1896, Euclides já era capitão quando uma nova punição — provocada pelo radicalismo de seus artigos em *O Estado* — o levou a desistir da carreira militar e a se reformar. Após um ano exato, Júlio Mesquita, diretor do jornal, decidiu enviá-lo como repórter para o *front*, em Canudos. No dia 14 de agosto, com a tropa do marechal Carlos Bittencourt, Euclides partiu para Salvador. Chegou a Canudos em 16 de setembro — apenas seis dias antes da morte de Conselheiro. No dia 5 de outubro, tombaram os últimos defensores do arraial. "Eram quatro apenas", escreveu Euclides. "Um velho, dois homens feitos e uma criança, na frente dos quais rugiam 5 mil soldados."

Os ideais românticos de Euclides morriam junto com os quatro derradeiros sertanejos de Canudos. De volta a São Paulo, decidiu escrever seu "livro vingador". Ele o fez à margem do

Devastação e morte: as impactantes ilustrações de Ib Andersen, feitas para a edição alemã de *Os sertões*, ajudaram a tornar o livro de Euclides da Cunha um sucesso também na Alemanha.

rio Pardo (São Paulo), onde passou três anos supervisionando a construção de uma ponte. Lá, numa cabana de teto de zinco, à sombra de uma paineira, nasceria um dos mais extraordinários livros da história da literatura brasileira: um texto primoroso capaz de decifrar os mistérios e os horrores do Brasil — que, passado mais de um século, o Brasil, de certa forma, segue ignorando.

CAPÍTULO 24 O Brasil dos Imigrantes

E is um país forjado por exilados. Foram, de fato, "povos transplantados" — para usar a expressão de Darcy Ribeiro — aqueles que construíram esta nação. Após quase 50 anos de abandono, apenas em 1532, com a criação das capitanias hereditárias, Portugal começou a fincar as raízes da primeira civilização européia a se estabelecer nos trópicos — região que os próprios europeus imaginavam, e até descreviam, ora como paraíso ora como inferno. Massacrados os indígenas, miscigenados os portugueses, procriados os mamelucos e cafuzos, o país seria erguido pelo braço escravo: cerca de 4,5 milhões de negros foram trazidos da África para o Brasil ao longo de quatro séculos de tráfico. Com o fim da escravatura — ou, pouco antes, com a efervescência da campanha abolicionista — o país deu início à "importação em massa" de imigrantes europeus.

De 1886 a 1914, quase três milhões de estrangeiros vieram para o Brasil na tentativa de "fazer a América": foram, mais exatamente, 2,71 milhões os imigrantes que chegaram ao país em 28 anos. Eles fizeram do Brasil uma das três nações do mundo que mais se abriram para o fluxo migratório — EUA e Canadá são as outras duas. As causas dessa vertiginosa transmigração de povos são várias e suas conseqüências, duradouras e complexas. Embora seja, em seu fundamento, uma nação luso-africana, o Brasil se tornaria também, em especial no Sul, um país altamente europeizado. Imigrantes japoneses, árabes e judeus viriam a seguir, dando uma contribuição igualmente notável.

O caldeirão de raças forjou uma nova nação. Mas não foi um processo tranqüilo

e orgânico. Pelo contrário: os conflitos inerentes da adaptação desses povos ao "novo mundo dos trópicos" acabaram por constituir a própria alma do Brasil. "A tentativa de implantação da cultura européia em extenso território, dotado de condições naturais, senão adversas, largamente estranhas à sua tradição milenar, é, nas origens da sociedade brasileira, o fato dominante e mais rico em conseqüências. Trazendo de países distantes nossas formas de convívio, nossas instituições, nossas idéias, e timbrando em manter tudo isso em ambiente desfavorável e hostil, somos ainda hoje uns desterrados em nossa terra. (...) O certo é que todo fruto de nosso trabalho ou de nossa preguiça parece participar de um sistema de evolução próprio de outro clima e de outra paisagem", anotou Sérgio Buarque de Holanda na abertura de seu clássico Raízes do Brasil.

Depois de portugueses e africanos, foram os italianos aqueles que chegaram em maior número ao Brasil: 1,6 milhão em mais de cem anos (921 mil apenas entre 1886 e 1900). O segundo maior contingente de imigrantes veio da Espanha: 694 mil em um século. Os alemães vêm a

seguir, com 250 mil. Os japoneses ocupam o quarto lugar, com 229 mil imigrantes. Esses povos não modificaram apenas os hábitos, a língua, as formas de pensar, de agir e de se alimentar: mudaram a própria imagem que o país fazia de si mesmo. E, se não puderam mudar "o clima", transformaram profundamente "a paisagem": especialmente no Sul, o "imperialismo ecológico" dos "povos transplantados" fez brotar um Brasil europeizado, com outras árvores, outros animais, outras raízes. E, é claro, outras gentes: afinal, se na planície litorânea os povos Tupi foram massacrados para dar lugar aos colonos lusitanos, nas serranias do Sul, os Kaingang seriam exterminados para "liberar" a terra para os imigrantes teuto-italianos. No caldeirão brasileiro, algumas raças são mais iguais que outras.

A longa e tortuosa marcha: a saga dos imigrantes europeus que vieram para o Brasil foi imortalizada pelo pintor Lasar Segall no quadro *Navio de imigrantes* (*detalhe à direita*).

Braços para o Café

"Na América onde chegamos/ Não encontramos nem palha nem feno/ Dormíamos no chão, ao sereno/ Como as bestas irracionais/ E com o engenho dos nossos italianos/ E o esforço de nossos paisanos/ Com o passar dos anos/ Construímos países e arraiais."

Canção popular dos imigrantes italianos

Um pesado fardo: o quadro *Imigrantes*, de Antonio Rocco (*acima*), retrata o desembarque no Brasil. Abaixo, lavoura de café no interior de São Paulo, onde labutavam os imigrantes vindos da Itália.

A vertiginosa expansão da lavoura cafeeira pelo vale do rio Paraíba do Sul coincidiu com o início da campanha abolicionista no Rio e em São Paulo. Por isso, os grandes cafeicultores da região logo se preocuparam com a questão da mão-de-obra. A própria fundação do Partido Republicano Paulista, em 1873, esteve diretamente ligada à questão. Mas o destino dos escravos nunca chegou a ser tema relevante para os fazendeiros filiados ao PRP. Tanto é que, em maio de 1885, quando se discutia a Lei dos Sexagenários, o então deputado Prudente de Morais diria: "Em São Paulo a questão principal não é a da liberdade do escravo. A questão séria é a da substituição do trabalho. E desde que o governo cure seriamente de empregar meios que facilitem a aquisição de braços livres, os paulistas estarão satisfeitos e podem abrir mão dos escravos, mesmo sem indenização, porque a verdadeira indenização está na facilidade de obter trabalhadores livres". O discurso era claro: em troca da adesão à campanha abolicionista, o PRP exigia subsídios oficiais para a obtenção de braços livres: um programa governamental de incentivo à imigração.

Tal desejo político não tardou em ser atendido. Entre 1887 e 1888, uma série de acordos e convênios assinados entre o Brasil e alguns países europeus deu início à *grande imigração*: em dois anos, 150 mil trabalhadores chegaram ao Brasil, quase todos italianos embarcados em Gênova e desembarcados em Santos. Na maioria, eram camponeses pobres vindos da Lombardia e da Calábria e zonas rurais do sul da Itália. Vinham com toda a família, amontoados como bestas de carga em navios sujos. Chegavam em Santos e eram enviados para a Hospedaria dos Imigrantes, em São Paulo. De certa forma, o local funcionava como funcionara, no Rio, o mercado do Valongo: os imigrantes eram "examinados" pelos fazendeiros; e os escolhidos discutiam as condições sob as quais seriam contratados — trato quase nunca respeitado pelo empregador. Quando a mão-de-obra era escassa, os fazendeiros competiam entre si e os salários subiam; quando havia excedente de braços, os contratos eram firmados por quantias irrisórias. Entre 1881 e 1890, 530 mil imigrantes entraram no Brasil — e os preços acordados se tornaram, portanto, muito vantajosos para os fazendeiros.

Uma vez contratados, os imigrantes seguiam para cafezais do Oeste Paulista — um suposto "Eldorado". A decepção era imediata: cada família era forçada a cuidar de cerca de sete mil pés de café (anteriormente, a um único escravo eram "confiados" seis mil pés, em jornadas diárias de 14 horas) mais cinco ou seis "carpas" (como se chamava a limpeza da lavoura para eliminar as ervas daninhas) por ano. Além disso, alojados em terras distantes, os imigrantes tinham de comprar seus víveres na venda do dono da fazenda, a preços extorsivos. Acabavam devendo mais do que recebiam. Certos fazendeiros os chamavam de "escravos brancos", pois se o trabalho era assalariado, a mentalidade dos fazendeiros continuava escravocrata.

De 1891 a 1900 cerca de 1,2 milhão de imigrantes vieram para o Brasil. Não chega a ser surpresa o fato de 40% terem retornado ao seu país de origem. Itália, Prússia e Espanha chegaram a cancelar seus acordos com o Brasil — especialmente porque aos imigrantes era vetada a possibilidade de permanecer nas cidades: as articulações políticas dos fazendeiros os forçavam a ir para as lavouras.

Os Italianos

Os primeiros imigrantes italianos que vieram para o Brasil chegaram ao país duas décadas antes do contingente que iria penar nos cafezais do Oeste Paulista. Embora menos cruel, sua saga não deixaria de ser amarga e áspera. Ao contrário de seus sucessores, porém, esses primeiros "colonos" seriam, por uma série de circunstâncias, capazes de construir quase seu próprio "país" nas verdejantes serras do Brasil meridional. Na verdade, a vinda dos imigrantes italianos — e, antes deles, dos alemães — revela a outra face da política governamental da introdução de mão-de-obra livre no Brasil, que se dividiu entre a colonização (voltada para o Sul) e o fornecimento de braços (para os cafezais de São Paulo). Os colonos italianos foram levados para o Sul, a fim de ocupar terras devolutas — amplas regiões da qual grupos indígenas, em especial os Kaingang, haviam sido violentamente desalojados pelos chamados "bugreiros" (caçadores/matadores de indígenas, eventualmente contratados pelas próprias empresas encarregadas de instalar os imigrantes).

O Pioneiro Dúbio

O senador português radicado no Brasil Nicolau Vergueiro (1778-1859) foi o primeiro fazendeiro a trazer imigrantes para trabalhar nos cafezais do Brasil — no caso, seus próprios cafezais. Em 1847, Vergueiro "importou" três mil colonos alemães da Prússia para as lides na fazenda Ibicaba, em Limeira (SP). Inspirado na colonização dos EUA, Vergueiro estabeleceu o sistema de parceria. Apesar de abolicionista, o senador era um homem duro e autoritário. Em 1856, indignados com o regime de semi-escravidão, os colonos se revoltaram. Uma comissão do governo lhes deu ganho de causa. Em 1859, a Prússia decidiu proibir a imigração de seus súditos para o Brasil.

Na hospedaria: imigrantes italianos alinhados em frente à Hospedaria dos Imigrantes, no centro de São Paulo, onde os recém-chegados ficavam aguardando os contatos e a assinatura dos contratos com seus novos empregadores.

O ciclo da colonização italiana no Rio Grande do Sul se iniciou em 1875. Pequenos agricultores, procedentes em maioria do Tirol e do Vêneto, se estabeleceram em colônias na serra gaúcha, sendo Caxias do Sul a mais importante delas. Foi a última fase da colonização do Rio Grande do Sul, ainda uma fronteira em armas e com a agricultura devastada pela Guerra dos Farrapos. Supostamente, os colonos teriam vantagens, como terras, sementes e equipamentos. Mesmo que, na prática, tais benefícios raramente tenham sido concedidos, a verdade é que o Império — baseado na crença racista de que os trabalhadores europeus eram superiores — proporcionou aos recém-chegados o que sistematicamente negara a seus demais súditos: terra para o cultivo. Depois da chegada de alemães e italianos, a "nação gaúcha" ficaria reduzida ao pampa, enquanto, na serra, brotava um novo Brasil — que logo se revelaria refratário e exclusivista.

Se nas longínquas matas gaúchas os italianos só se tornaram brasileiros de fato depois do advento do Estado Novo, na década de 1930, em São Paulo os vastos contingentes de imigrantes que se fixaram na cidade logo se mesclaram ao novo país — modificando seus costumes tanto quanto a própria nação modificava os deles. Embora, ainda em plena década de 1920, Washington Luís, então governador (e cafeicultor) de São Paulo, tenha dito que "dirigir a corrente imigratória para outro lugar que não a fazenda equivale a destruir a riqueza nacional e atrasar o Brasil", a partir do alvorecer do século XX, cada vez mais italianos preferiam estabelecer-se na grande cidade, em vez de seguir para o regime de semi-escravidão nos cafezais do Oeste Paulista. Ainda assim, entre 1911 e 1920, cerca de 80% dos 138 mil italianos desembarcados em São Paulo acabaram sendo enviados para o interior, principalmente para os municípios de Campinas, Piracicaba e Ribeirão Preto.

Enquanto na serra gaúcha os primeiros imigrantes italianos produziam vinho e hortifrutigranjeiros, na cidade de São Paulo, alfaiates, padeiros, sapateiros, donos de cantina criavam novos bairros, como o Bexiga, a Mooca e o Brás, modificando para sempre a face urbana da nação. Entre 1914 e 1918, a eclosão da Primeira Guerra Mundial interrompeu bruscamente o fluxo migratório — em especial, é claro, o de italianos e alemães (originários de países inimigos dos aliados do Brasil). De todo modo, a contribuição italiana para a formação do caldeirão multirracial brasileiro já fora dada em escala notável.

Os Alemães

Os primeiros imigrantes a chegarem ao Brasil — exceto os portugueses, evidentemente — foram os colonos alemães. O fluxo migratório se iniciou ainda no Primeiro Reinado, quando José Bonifácio e D. Pedro I, por razões militares, socioeconômicas e psicossociais — entre as quais estava o projeto de "branquear" o Sul do Brasil —, promoveram a vinda de alemães e suíços. O fato de D. Pedro ser casado com a austríaca D. Leopoldina estimulou a preferência por imigrantes de origem germânica. Os primeiros a chegar foram suíços, instalados em Nova Friburgo (Rio de Janeiro) já em 1818 — mas os suíços jamais viriam em grande número para o Brasil.

A primeira (e mais bem-sucedida) colônia alemã foi fundada em São Leopoldo (Rio Grande do Sul), onde os imigrantes desembarcaram em 1824. A idéia era estabelecê-los longe das áreas onde imperava o latifúndio (ou seja, as vastas planíces no pampa, em mãos de estancieiros e caudilhos) e incentivá-los a promover novos plantios. Os alemães foram recrutados pelo major Jorge Antônio Schaeffer. As primeiras 26 famílias chegaram a Porto Alegre em julho de 1824, após uma viagem feita sob terríveis condi-

País novo, vida velha: ao lado, passaporte de uma família de imigrantes alemães. Abaixo, a atriz Anna Kirchgassner atuando na comédia *Alt Heidelberg*, montada no Brasil em 1917 por imigrantes alemães.

ções. Elas foram levadas para as margens do rio dos Sinos, atual região metropolitana de Porto Alegre, instalando-se na antiga Real Feitoria do Linho Cânhamo, rebatizada São Leopoldo (em homenagem à imperatriz). Novas levas de colonos vieram a seguir — e todos eles logo se viram isolados e no mais completo abandono, já que eram falsas as promessas feitas pelo aliciador, major Schaeffer.

Ainda assim, os colonos se dedicaram ao trabalho. Em 1826, surgiu o primeiro curtume da região do vale dos Sinos (ainda hoje um dos maiores pólos da indústria calçadista do Brasil). A seguir, instalaram-se moinhos de trigo, uma fábrica de sabão, ferrarias, oficinas de lapidação de pedras, além, é claro, de um grande número de sapatarias. Em 1829, São Leopoldo já possuía 182 prédios. Entre 1824 e 1830, foram 4.856 os alemães que chegaram ao Rio Grande do Sul — a maioria vinda de Hamburgo, para instalar-se em Novo Hamburgo, erguida nos arredores de São Leopoldo. Em 1835, o início da Guerra dos Farrapos encerrou a primeira fase desse ciclo migratório.

Os alemães dedicaram-se também à criação de porcos, galinhas, gado leiteiro e ao cultivo de batatas, verduras e frutas até então inexistentes no Brasil, como a maçã. O fracasso das colônias de Santo Amaro (São Paulo), Florianópolis e Nova Friburgo (além da revolta dos colonos trazidos pelo senador Vergueiro em 1847) contribuiria para arrefecer sensivelmente o fluxo migratório dos alemães.

Da terra do sol nascente: uma professora paulista posa entre imigrantes japonesas recém-chegadas (*à direita*). Mas a imagem não reflete as duras condições enfrentadas pelos nipônicos no Brasil.

Os Japoneses

Os primeiros imigrantes japoneses — ao todo 781 pessoas — chegaram ao Brasil no segundo semestre de 1908, a bordo do navio Kasato Maru, que atracou no porto de Santos (São Paulo). De acordo com um "relatório confidencial", enviado pouco antes pelo consulado do Brasil no Japão para a Secretaria de Agricultura do Estado de São Paulo (publicado pela enciclopédia *Nosso Século*), os japoneses eram "mais fracos do que fortes" e deles não se deveria "exigir mais de 2/3 do trabalho produzido por um imigrante branco" — sendo que "naturalmente" seus salários deveriam "ser pagos nessa mesma proporção".

Apesar da suposta "inferioridade", cerca de quinze mil japoneses seriam trazidos para o Brasil entre 1908 e 1914. Esse primeiro ciclo migratório foi subsidiado pelo governo de São Paulo, que pagava parte da passagem. O restante era pago pelos cafeicultores, e depois descontado do salário dos trabalhadores — em transações nem sempre lícitas. Uma vez desembarcados em Santos, os japoneses eram encaminhados "em vagões fechados" diretamente para a Hospedaria dos Imigrantes, em São Paulo, e instalados de acordo com o *ken* (ou província) de onde provinham.

No dia seguinte, ou nos imediatamente posteriores, eram embarcados, de preferência à noite, em vagões trancados e sem ventilação que os levavam para as fazendas do oeste de São Paulo, onde os aguardavam contratos válidos por no mínimo um ano. Lá, além de condições de trabalho extremamente árduas, encontravam charque em vez de arroz, café em vez de chá, prato raso no lugar de tijela, calça e não quimono; garfos substituindo *ohashis*. Os recém-chegados não falavam português e nada sabiam sobre o Brasil, exceto o que lhes fora dito pela propaganda aliciadora impressa nos panfletos distribuídos pelas companhias de emigração.

Não é de se estranhar, portanto, que muitos colonos, vendo frustrados seus sonhos de sucesso rápido e retorno quase imediato ao Japão, tenham se utilizado de qualquer pretexto para abandonar as fazendas nas quais tinham sido quase que literalmente depositados — não hesitando em recorrer até mesmo à fuga. Foi justamente por isso que, em 1914, alegando "crescentes problemas de adaptação, falta de fixação do japonês e o uso da fuga como meio de burlar o contrato", o governo brasileiro decidiu cancelar o subsídio para a imigração nipônica.

A eclosão da I Guerra Mundial fez cessar por completo a primeira fase desse ciclo migratório para o Brasil. Em novembro de 1923, porém, o contrato de imigração japonesa para o Peru foi abolido e, no ano seguinte, a migração para os EUA, já muito reduzida, cessou totalmente — por decisão do Congresso americano. O Brasil tornou-se, assim, um dos únicos países do mundo onde os imigrantes japoneses ainda poderiam ser recebidos. O governo do Japão passou a se interessar diretamente pelo assunto e, em julho de 1924, o Parlamento aprovou a concessão de subsídio integral da passagem marítima para os imigrantes ultramarinos, concedendo vultosas verbas à K.K.K.K., ou Kaigai Kogyo Kabushiki Kaisha (Companhia Ultramarina de Empreendimentos S.A.) — empresa responsável pelo recrutamento e transporte dos imigrantes.

Com o incentivo governamental e a assinatura de um novo acordo com o Brasil, a K.K.K.K. — que em 1932 obteria ainda uma ajuda extra a título de "preparativos de viagem" — foi capaz de trazer 139.050 imigrantes japoneses para o Brasil entre 1925 e 1935 (contra 34.939 nos 17 anos anteriores a 1925). Após 1935, porém, a taxa de imigrantes japoneses caiu consideravelmente devido ao "regime de quotas" aprovado pela Constituição de 1934, novamente incluído na de 1937. O fluxo de japoneses cessaria totalmente com a declaração de guerra do Brasil aos países do Eixo, em agosto de 1942.

Mas então, dos quase 230 mil japoneses que tinham sido trazidos para a América Latina, 193.156 haviam desembarcado no Brasil — e São Paulo já havia se transformado na cidade que concentra o maior número de japoneses fora do Japão. A árdua saga dos primeiros imigrantes nipônicos foi retratada com emoção e requinte no filme *Gaijin*, de Tizuka Yamazaki.

Os Retirantes

A grande seca que assolou o Nordeste de 1877 a 1879 — provocando 220 mil mortes — forçou o êxodo de milhares de sertanejos. Com a produção de açúcar em decadência, muitos se dirigiram para os cafezais de São Paulo. A chegada de imensos contingentes de imigrantes italianos e espanhóis agravaria ainda mais a situação dos nordestinos, já que os europeus tinham a preferência dos fazendeiros. Seu fluxo migratório, então, mudou de direção, conduzindo-os para a Amazônia, onde se tornaram seringueiros. Foram os retirantes nordestinos que invadiram o território boliviano que viria a ser do Acre.

No porto de Santos: no segundo semestre de 1908, os primeiros japoneses chegaram ao Brasil, a bordo do navio Kasato-Maru, que atracou em Santos (SP) trazendo 781 imigrantes.

Atribulações dos Chineses

De todas as tragédias que se abateram sobre imigrantes no Brasil, nenhuma é mais dramática e revoltante do que o episódio relacionado com os chineses. Vindos da possessão portuguesa de Macau, cerca de 200 agricultores chineses desembarcaram no Rio de Janeiro em 1812. Tinham sido trazidos por determinação de D. João VI, que pretendia introduzir o plantio de chá no Brasil, a partir de lavouras experimentais plantadas no Jardim Botânico (reserva florestal que o próprio monarca havia mandado fazer nas margens da Lagoa Rodrigo de Freitas, na zona sul do Rio de Janeiro). O experimento falhou e os membros dessa primeira colônia chinesa simplesmente desapareceram. Denúncias feitas por um parlamentar inglês, em 12 de maio de 1834 (mais de vinte anos após o episódio, portanto), asseguram — ou, quando menos, insinuam — que vários daqueles imigrantes teriam tido um destino terrível. (Leia box à direita.)

As Outras Etnias

Embora alemães, italianos e espanhóis tenham chegado antes e em maior número, vários outros povos e etnias contribuíram para forjar as muitas faces e muitas línguas da Babel brasileira. Mascates turcos, comerciantes judeus, lavradores poloneses, camponeses russos, ucranianos e letões, chineses plantadores de chá, americanos rebeldes fugidos da Guerra da Secessão, ambulantes sírio-libaneses — eles não só modificaram os costumes, o idioma, os hábitos alimentares e as feições do país, como desempenharam também um papel fundamental no crescimento econômico do Brasil.

Mesmo que, desde o princípio, a fraude, a ganância e o preconceito — e até a matança (e não apenas a de indígenas no sul do Brasil e no oeste de São Paulo, como mostra o texto à esquerda) — tenham marcado a saga dos imigrantes no Brasil, a imigração foi uma aventura de contornos épicos, repleta de vigor, paixão e esperança. Uma história que inspirou escritores, cineastas, poetas e pintores — como Lasar

Segall, judeu russo radicado no Brasil a partir de 1932, autor do quadro *Navio de Emigrantes* (que ilustra a abertura deste capítulo). Ao ver a pintura, o escritor Stefan Zweig considerou-a "uma síntese visionária da miséria contemporânea", e o poeta Paulo Medeiros e Albuquerque escreveu: "Emigrantes, emigrantes/ gente que veio de longe,/ que não sabe para onde vai/ gente triste, gente estranha/ estampada a dor na face, tristeza no coração/ Eles não estão vendo o tombadilho/ nem os mastros, nem mesmo o mar/ Eles estão com os olhos voltados para longe,/ para suas terras perdidas".

Com os olhos voltados para suas terras perdidas desembarcaram no Brasil, entre 1870 e 1920, mais de vinte mil poloneses. Eles se instalaram basicamente no Paraná (principalmente nos municípios de Araucária, São José dos Pinhais, Castro e Ponta Grossa). O Paraná acabou sendo também o estado para o qual se dirigiram ucranianos, lituanos, estonianos e letões. Sua contribuição para o desenvolvimento da agricultura e do comércio no sul do Brasil foi muito significativa.

Dentre as muitas sagas repletas da ação e emoção que caracterizaram o movimento migratório para o Brasil, uma das mais tocantes é a dos rebeldes sulistas norte-americanos, que preferiram abandonar os EUA após a derrota dos Estados confederados na Guerra da Secessão. Fazendeiros vindos do Alabama, Texas, Carolina do Sul, Virgínia e Tennessee começaram a desembarcar no Brasil em fins de 1866. A primeira leva era composta por cerca de 500 famílias, totalizando 2.070 imigrantes. Entre eles, estavam parentes próximos do general Lee, o principal líder militar dos Confederados. Esses imigrantes fundaram sua própria cidade: Americana, nos arredores de Campinas (São Paulo), embora tenham se instalado também em Santarém (Pará), e em Paranaguá (Paraná). Já houve quem tenha chamado esse grupo de rebeldes desgarrados de "a colônia perdida da Confederação".

Caçadores de Homens

Segundo denúncias do parlamentar inglês, alguns imigrantes chineses teriam sido largados nas florestas dos arredores do Rio de Janeiro para serem perseguidos, por "esporte", por caçadores de homens, auxiliados por cavalos e cães. O membro mais atuante desse grupo de assassinos teria sido o príncipe D. Miguel — filho de D. João VI e de Carlota Joaquina e irmão do futuro imperador D. Pedro I. O episódio, mencionado na tese inédita de Arlene M. Kelly (Chinese and tea in Brazil: 1808-1822), jamais foi esclarecido.

A Babel brasileira: na página ao lado, imigrantes chineses plantando chá no Rio de Janeiro, em gravura de Rugendas. Acima, um imigrante libanês em São Paulo. Nesta página, ao alto, *Operários*, obra clássica de Tarsila do Amaral.

CAPÍTULO 25

O Reinado do Café-com-leite

Para milhões de brasileiros, o sinal mais evidente de que o país estava entrando no século XX foi a construção, no Rio de Janeiro, da esplêndida avenida Central. O amplo bulevar de dois quilômetros de comprimento e 33 metros de largura, com calçadas de sete metros ladeadas por prédios suntuosos, rasgou o coração da capital federal, marcando sua transformação de cidade malsã em cidade maravilhosa. O termo "rasgou" deve ser tomado literalmente: agindo com poderes que os jornais definiam como "ditatoriais", a equipe contratada pelo presidente Rodrigues Alves (eleito

em março de 1902 e, depois de Prudente de Morais e Campos Sales, o terceiro paulista a ocupar sucessivamente o cargo), derrubou 614 imóveis em menos de um ano. A obra foi terminada no tempo recorde de 18 meses.

Como as outras ações saneadoras e urbanizadoras do governo Rodrigues Alves — entre as quais a remodelação do porto, a construção da avenida Beira-Mar e o combate à febre amarela, à varíola e à peste bubônica —, a empreitada foi altamente polêmica e gerou uma série de protestos. Mas, quando a avenida foi inaugurada, em 15 de novembro de 1905, o povo do Rio

O passado e o presente: a rua do Ouvidor, estreita e abarrotada, contrasta com a nova e fulgurante avenida Central (*abaixo*), mostrando a nova ordem urbana do Rio.

de Janeiro — e, por extensão, o do resto do Brasil — percebeu que uma era se iniciava. O bulevar possuía imenso significado metafórico: era uma vitrine da civilização; era o símbolo quase miraculoso da eficiência, saúde e beleza do país; era a materialização da pujança trazida pelo café. Era o fim da letargia tropical. Mais do que uma rua, era uma proclamação.

Embora refinada e fascinante, a nova avenida recendia à nostalgia parisiense. Em suas fachadas típicas do estilo batizado de "ecletismo francês", em sua volúpia de vidro e ferro fundido, mais lembrava a via principal de uma metrópole européia deslocada no espaço e no tempo. Mas seus cafés e lojas finas, os almofadinhas que flanavam por suas calçadas e os automóveis que logo começariam a circular por seu leito concederam ao país uma ilusão de progresso, riqueza e modernidade. Ao caos urbano seguiu-se o fausto burguês e o fetichismo consumista. E Rodrigues Alves — ex-monarquista e republicano de última hora — passaria à história como o mais eficiente presidente da República Velha. Era o homem que "civilizara" o país.

"No aluir das paredes, no ruir das pedras, no esfarelar do barro, havia um longo gemido. Era o gemido soturno e lamentoso do Passado, do Atraso, do Opróbrio (...) Mas o hino claro das picaretas abafava esse protesto impotente. Com que alegria cantavam elas — as picaretas regeneradoras! No seu clamor incessante e rítmico, celebravam a vitória da higiene, do bom gosto e da arte!"

Olavo Bilac

O Cronista Visual

A reurbanização do Rio teve um documentarista à altura da audácia do projeto. O fotógrafo Marc Ferrez (1843-1923) era um gênio em sua arte. Filho de Zéphyrin Ferrez, que viera para o Brasil com a missão francesa, Marc já documentara muitos aspectos do Brasil quando foi contratado pela equipe do engenheiro Pereira Passos para registrar a construção da grande avenida. As fotos de Ferrez são quase tudo que resta do bulevar que foi o mais lindo do Brasil.

O Prefeito Bota-abaixo

Ao assumir a presidência, em novembro de 1902, Rodrigues Alves declarou ao Congresso e à nação que seu objetivo era "atrair mais imigrantes, remodelar o porto do Rio de Janeiro e reurbanizar a cidade". Para tocar esse projeto — e de forma muito mais ousada do que se poderia supor —, o presidente montou uma equipe altamente capacitada. O time, liderado pelo general catarinense Lauro Müller, ministro de Viação e Obras Públicas, tinha como maior estrela o prefeito Francisco Pereira Passos, de quase 70 anos.

Pereira Passos (1836-1913), filho de um barão cafeicultor, havia decidido cursar engenharia em vez de entrar para a faculdade de Direito, como então era a praxe entre os membros da elite. Formado pela Escola Militar, Pereira Passos se mudara para Paris em 1857, presenciando a grande reurbanização feita por Georges Haussmann naquela capital. De volta ao Brasil em 1860, iniciou carreira como engenheiro ferroviário, construindo as principais estradas de ferro do país, algumas delas em associação com o barão de Mauá.

O Governo de Rodrigues Alves

Conselheiro nos tempos do Império, abolicionista convicto, jornalista e chefe de redação do jornal *16 de Junho* (que pertencia ao Clube Conservador), juiz de direito, deputado de 1872 a 1879, deputado constituinte após a proclamação da República, ministro da Fazenda dos governos de Floriano Peixoto e Prudente de Morais, rico cafeicultor, liberal na economia e conservador na política, Francisco de Paula Rodrigues Alves (1848-1919) fora sempre o primeiro em tudo na vida. De acordo com seus aliados, era um homem de "caráter sisudo, inteligência cultivada e idéias sãs". Em 1900, ele havia assumido a presidência de São Paulo e lançado um plano de reurbanização da cidade — trocando lampiões de gás por luz elétrica, fazendo rede de esgotos e abrindo largas avenidas. Em 1902, foi eleito o quinto presidente do Brasil, com o apoio das elites de São Paulo e de Minas Gerais.

Porém, uma vez no poder, revelou-se mais um conservador do que propriamente um republicano, dirigindo o país com pulso forte e se colocando acima dos partidos. Para surpresa de seus aliados, Rodrigues Alves agia como um monarquista antioligárquico, ignorando tanto as oligarquias de oposição (do Rio de Janeiro, Rio Grande do Sul e do Norte) quanto as situacionistas (de São Paulo e Minas Gerais), que o tinham alçado ao poder. Seu governo foi marcado pela vigorosa reurbanização do Rio de Janeiro — uma de suas promessas de campanha — e por sua posição radical na eclosão da Revolta da Vacina, em 1904, quando enfrentou os militares rebeldes da Escola da Praia Vermelha e os venceu.

Embora cafeicultor (levado ao poder por cafeicultores como ele), Rodrigues Alves se opôs às artimanhas do Convênio de Taubaté — o plano dos fazendeiros paulistas para fazer subir os preços internacionais do café (*leia na página 282*). A "traição" tinha explicação: além de apologista do liberalismo econômico — e, portanto, contra a intervenção do Estado na economia, o protecionismo e a quebra do padrão monetário —, o presidente precisava ser fiel ao Banco Rothschild, principal credor do Brasil e sustentáculo de sua política de contenção de emissões, equilíbrio orçamentário e valorização da moeda nacional.

Desse modo, Rodrigues Alves acabou fazendo um governo criticado "por cima" (pelas elites oligárquicas) e "por baixo" (pelo povo, empobrecido depois da carestia no governo Campos Sales e ainda por cima expulso do centro do Rio pela especulação imobiliária e o aumento dos aluguéis resultantes da reurbanização da cidade). Mas o velho conselheiro se manteve firme até o fim — encarando a Revolta da Vacina (*leia na página 278*) e ainda empenhando-se ao máximo para fazer do paulista Bernardino de Campos seu sucessor. Na batalha sucessória, porém, o presidente foi vencido pelas manobras do senador gaúcho Pinheiro Machado, que conseguiu indicar o mineiro Afonso Pena. Findo o mandato, seus ministros publicaram uma nota nos jornais: "A História dirá, apreciando os atos e acontecimentos desse período de governo, se o honrado Sr. Dr. Rodrigues Alves poderia ter cumprido melhor o seu dever".

O Rio Civiliza-se

No alvorecer do século XX, o Rio de Janeiro continuava uma cidade de ruas sujas e estreitas, vielas tortuosas e epidemias mortíferas — conservava "o cunho desolador dos velhos tempos do rei e dos vice-reis". Embora tida mundialmente como uma cidade belíssima, era linda apenas vista de um navio. Tanto que muitas linhas de navegação ofereciam "trânsito direto para Buenos Aires, sem passar pelo Brasil e pelos perigosos focos de febre amarela do Rio de Janeiro". Ironicamente, fora através dos navios que as duas doenças mais graves que assolavam a população haviam chegado à cidade. Um cargueiro norte-americano teria trazido a peste bubônica por volta de 1890. Com os navios dos imigrantes chegara a varíola, a partir de 1850. Era justamente para receber mais imigrantes — braços para o café — que o cafeicultor Rodrigues Alves pretendia remodelar a cidade. "A capital da República não pode continuar a ser apontada como sede de vida difícil, quando tem fartos elementos para constituir o mais notável centro de atração de braços, de atividades e de capitais nesta parte do mundo", dissera o presidente em seu discurso de posse. Empossado, partiu da teoria para a prática.

Com um empréstimo de oito milhões de libras tomado na Inglaterra e com uma equipe afinada com seus objetivos, Rodrigues Alves deflagrou a grande revolução urbana, cujo ponto focal era a construção da avenida Central (hoje, avenida Rio Branco). As obras começaram em 29 de fevereiro de 1904. Em nove meses, 614 imóveis foram postos abaixo "sob o hino jubiloso das picaretas regeneradoras". Muita gente perdeu suas propriedades — inclusive o fotógrafo Marc Ferrez, cujo ateliê, na rua São José, foi derrubado. Os aluguéis dispararam e o "povaréu prosaico e mal-indumentado" foi expulso do centro.

O projeto era de tal forma exclusivista que, para instalar-se na nova avenida, os prédios precisavam ter as fachadas e projetos aprovados por uma comissão, da qual faziam parte Lauro Müller, Paulo de Frontin, Pereira Passos e sete outros notáveis. Os "cartões-postais" da avenida eram o Teatro Municipal, a Biblioteca Nacional, o Palácio Monroe e o prédio do *Jornal do Commercio*. Além da avenida Central, foi remodelada a rua do Ouvidor e construída a avenida Beira-Mar (*abaixo*) — graças à qual os cariocas descobriram quão linda era a orla onde sua cidade se erguia. As ruas mais amplas permitiram também que a

As Picaretas do Progresso

Como prefeito do Rio de Janeiro, de 1903 a 1906, Pereira Passos virou a cidade de cabeça para baixo. Contou com a ajuda de Paulo de Frontin, responsável pela mais notável das reformas — a abertura da avenida Central —, e de Francisco Bicalho, encarregado da modernização do porto (que ganhou 52 novos armazéns). Além de responsável pelo planejamento global das mudanças, Pereira Passos construiu a avenida Beira-Mar (foto abaixo), fez ruas e calçadas, pavimentou estradas, abriu o túnel do Leme, iniciou a avenida Atlântica, uniu a cidade aos subúrbios do Flamengo e de Botafogo, embelezou as praças e proibiu a circulação de vacas, porcos e cães vadios pela cidade, a exposição de carne na porta dos açougues, o ato de cuspir no assoalho dos bondes, o descuido com as fachadas e vários outros costumes "bárbaros e incultos", como o "desfile de blocos de Carnaval sem autorização". Foi apelidado de "prefeito bota-abaixo". Seus métodos rígidos e suas "picaretas do progresso" foram instrumentos utilizados para "civilizar" — e "afrancesar" — o Rio de Janeiro.

A Árdua Missão de Oswaldo Cruz

"Quem é, afinal, esse Oswaldo Cruz?, quis saber Rodrigues Alves. Pai que chorava a morte de um filho pela febre amarela, o presidente estava decidido a sanear o Rio de Janeiro. Por isso, mandara chamar, no Instituto Pasteur, em Paris, o célebre sanitarista Émile Roux. Mas o diretor do instituto preferiu indicar um "brilhante discípulo seu": o jovem Oswaldo Cruz. Com menos de 30 anos, Cruz aceitaria a missão de combater a febre, que assolava a cidade no verão (causando cerca de mil mortes por ano); a varíola, que atacava no inverno (4 mil óbitos anuais), e a peste bubônica.

"Se eu não exterminar a febre amarela em três anos, pode me fuzilar", disse ao presidente. Cruz ganhou "liberdade de ação" e, em 3 de março de 1903, começou a trabalhar, "com métodos ditatoriais". Primeiro, combateu a peste: criou um esquadrão que caçava ratos pela cidade, pagando 300 réis por roedor morto. Depois, convencido de que a febre era transmitida por mosquitos, decretou a luta contra o inseto. Criou a "polícia de focos", que interditava mocambos e pulverizava casas e quintais. Batizado "czar dos mosquitos", o "dr. Cruz" virou o alvo favorito da imprensa caricata.

Embora o número de óbitos despencasse, o que era brincadeira virou caso de polícia quando o Congresso aprovou a lei que tornava obrigatória a vacina contra a varíola. A "impudente tirania" foi contestada até por Rui Barbosa, o maior intelectual do país, que se recusou a ter seu "sangue envenenado por um vírus". O tenente-coronel Lauro Sodré, num ataque virulento, diria que a lei era "um ato de força ao qual se poderia opor a própria força". Mas ele não estava exatamente pensando em vírus, ratos ou mosquitos.

população vislumbrasse as montanhas, percebendo que a cidade ficava entre dois monumentos naturais: a serra e o mar. O fascínio com o novo esplendor urbano era tanto que, no Carnaval de 1904, surgiu a marchinha que dizia: "Sem igual no mundo inteiro/ Cidade Maravilhosa/ Salve o Rio de Janeiro". Um século depois da missão francesa, o Rio de Janeiro "civilizava-se" — e outra vez pelo modelo francês.

Mas nem tudo eram elogios. Enquanto as classes mais altas bebericavam café nas mesinhas na calçada da nova avenida, a insatisfação corroía as classes mais baixas. A política antiinflacionária adotada no governo Campos Sales deixara os pobres mais pobres e os ricos mais ricos. A avenida Central custara mais de quarenta mil contos — e os trabalhadores, como sempre, pagaram a conta. Seria graças a outro braço da política reurbanizadora do governo Rodrigues Alves — o braço sanitarista, operado pelo jovem cientista Osvaldo Cruz — que uma revolta popular eclodiria em 1904, com o nome inusitado de Revolta da Vacina. Por trás dela, além da insatisfação do povo, escondiam-se as frustrações dos jacobinos positivistas, dispostos a instaurar uma ditadura que restaurasse a "pureza" original dos ideais republicanos.

A Revolta da Vacina

Irrompeu com o nome improvável de "Revolta da Vacina" — ou, mais apropriadamente, "Revolta contra a Vacina". O estopim da virulenta insurreição popular que eclodiu no Rio de Janeiro em novembro de 1904 foi, de fato, a recusa de boa parte da população da cidade — em especial as classes baixa e média — em aceitar o cumprimento da lei que tornava obrigatória a vacina contra a varíola. Aprovada pelo Congresso em 31 de outubro, a lei era uma vitória pessoal do jovem médico Oswaldo Cruz — sanitarista que, poucos anos antes, retornara da Europa disposto a erradicar uma série de epidemias que assolavam duas das maiores cidades portuárias do Brasil: Santos e Rio de Janeiro. Desconhecida no Brasil, a vacina contra a varíola — já testada com êxito em vários países da Europa — era encarada com desconfiança pelos brasileiros em geral e pelos cariocas em particular. Por isso, tão logo as chamadas Brigadas Sanitárias passaram a entrar em todas as casas da cidade, acompanhadas da polícia, para vacinar os moradores à força, os adversários da medida começaram a chamá-las de "violadoras de lares" e "túmulos da liberdade".

A eclosão da revolta era mera questão de tempo. E não foi preciso esperar muito: quando, num comício contra a vacina, realizado no centro do Rio de Janeiro, no dia 10 de novembro, um orador foi preso em pleno palanque, a multidão partiu para o confronto. Imóveis derrubados pelo prefeito Pereira Passos forneciam grande quantidade de pedras. Com elas, o povaréu passou a alvejar os policiais. A revolta espalhou-se como um rastilho de pólvora: ao longo de quatro dias, os revoltosos dominaram o centro da cidade, tombando e incendiando bondes, depredando e saqueando estabelecimentos comerciais, destruindo os novos postes de luz estilo *art-noveau*.

O que poderia estar por trás de uma revolta com tais proporções?

No dia 14 de novembro, uma das principais — e talvez a mais reveladora — das várias faces da rebelião começou a se desvendar: a Escola Militar da Praia Vermelha decidiu "unir-se" ao povo e aderir ao levante. Ficou evidente que a "vacina" era apenas um pretexto para a eclosão de um movimento político-social. A carestia, a inflação, o achatamento salarial, o aumento abusivo dos aluguéis, o projeto excludente e elitista de remodelação do centro do Rio — tudo havia provocado um genuíno clamor de indignação entre as classes média e baixa.

Para os cadetes positivistas da Escola Militar de Praia Vermelha, não se tratava apenas de uma traição aos ideais do golpe republicano de 1889: tratava-se também da ocasião providencial para tentar derrubar os cafeicultores paulistas que haviam assumido o controle da nação a partir de 1894. De fato, desde o afastamento dos marechais Deodoro da Fonseca e Floriano Peixoto, o Brasil era presidido por civis diretamente ligados ao café e a São Paulo (Prudente de Morais, Campos Sales e o então presidente Rodrigues Alves). Os militares achavam que já era mais do que hora de reinstaurar uma ditadura republicana: ou seja, um "governo de salvação nacional exercido no interesse do povo". O homem providencial, naquele caso, era o tenente-coronel Lauro Sodré — que seria "proclamado ditador" tão logo o levante vingasse.

Contando com o auxílio dos chamados "jacobinos" e tendo a certeza de que obteriam o apoio do restante da população, os cadetes da Escola Militar, liderados pelo general Travassos, saíram às ruas dispostos a tomar o Catete. Mas o governo reagiu com rapidez e dureza. Após declarar que "só morto" sairia do palácio, Rodrigues Alves conseguiu arregimentar tropas leais ao governo, decretando a repressão à revolta. Após um terrível tiroteio, travado ao longo de quase toda a noite do dia 15 de novembro (não por acaso, aniversário — o décimo quinto — da proclamação da República), o general Travassos e cerca de 200 cadetes estavam mortos, o tenente-coronel Lauro Sodré fora ferido e preso e a rebelião havia sido sufocada.

No dia seguinte, Rodrigues Alves solicitou, e o Congresso aprovou, a decretação do estado de sítio, válida por um mês. Aproveitando-se das prerrogativas do regime de exceção, a polícia e as tropas leais ao governo invadiram cortiços e favelas, prendendo não apenas quem participara do motim, mas desempregados e desvalidos em geral. Centenas deles foram enfiados em porões de navios e despachados para o longínquo Acre (território que o Brasil acabara de conquistar da Bolívia). A vacinação — suspensa no dia 11 — foi então reiniciada em larga escala. Dali há poucos meses, a varíola estava erradicada do Rio de Janeiro.

Bombardeada durante o levante, a Escola Militar da Praia Vermelha foi fechada e desativada naquele mesmo mês de novembro de 1904. Três anos mais tarde, o enorme prédio de dois andares seria demolido para dar lugar aos estandes da fulgurante Exposição Nacional de 1908 — planejada para revelar ao mundo como o Rio de Janeiro fora saneado e remodelado.

A ditadura positivista teria que esperar até 1930.

O Mata-Mosquitos

Não foi Oswaldo Cruz quem descobriu que a peste bubônica era provocada pela pulga dos ratos nem que a febre amarela era transmitida por um mosquito. Mas ele sabia que as novas descobertas científicas estavam corretas — especialmente a do médico cubano Carlos Finlay, que identificara, em 1881, o mosquito rajado Stegomya fasciatta *(hoje* Aedes aegypti) *como o transmissor da febre.*

Cruz era fascinado por um novo ramo da medicina, a microbiologia, e, desde os tempos de estudante, ganhara destaque com a publicação de teses e trabalhos inovadores. Em 1899, ele retornara ao Brasil depois de estudar no Instituto Pasteur, em Paris. Ele então combateu — e venceu — uma epidemia de peste bubônica no porto de Santos. Em 1902, assumiu a direção-geral do Instituto de Manguinhos (hoje, Oswaldo Cruz, no Rio de Janeiro) e logo deu início à total remodelação da instituição, por dentro e por fora.

Por fora, Oswaldo Cruz mandou construir um palácio em estilo mourisco. A obra, feita com verbas da Saúde Pública, causou viva polêmica. Por dentro, contratou uma equipe de sanitaristas, jovens e brilhantes como ele. Dela faziam parte o dr. Carneiro de Mendonça, que viria a ser o chefe da "brigada mata-mosquitos" (apelidado pela imprensa de "mosquiteiro-mor" e "fanático estegomicida"); Carlos Chagas, descobridor da moléstia que hoje se chama de doença de Chagas, transmitida pelo inseto "barbeiro", portador do protozoário Trypanossoma cruzi *e Adolfo Lutz, bacteriologista especializado em malária, disenteria e febre tifóide. Foram esses homens, trabalhadores incansáveis, que sanearam o Rio de Janeiro, enfrentando as críticas e chacotas. O Brasil, que passara a contar, em São Paulo, com uma cidade fabril, deixaria, graças à equipe do dr. Cruz, de ter, no Rio, uma cidade febril.*

O Presidente Viajante

Como seu predecessor Rodrigues Alves, Afonso Pena (1847-1909) também fora conselheiro do Império. Formado na Faculdade de Direito de São Paulo, foi deputado de Minas Gerais de 1874 a 1889. Três vezes ministro de D. Pedro II — da Guerra (1882), da Agricultura (1883) e da Justiça (1885) —, ajudou a organizar o Código Civil Brasileiro. Depois da proclamação da República, foi presidente de Minas Gerais e incentivou a construção da nova capital, Belo Horizonte. Eleito em 1906, fez longa viagem pelo Brasil, inaugurando o costume das viagens presidenciais. Afonso Pena promoveu também a grandiosa Exposição Nacional de 1908, comemorativa dos cem anos da abertura dos portos. O presidente morreu um ano e meio antes do final de seu mandato. O vice Nilo Peçanha assumiu a presidência (leia na página ao lado).

O Governo de Afonso Pena

Depois de três paulistas terem ocupado sucessivamente a Presidência da República, o mineiro Afonso Pena (que fora o vice de Rodrigues Alves) assumiu o cargo, em 15 de novembro de 1906, para dar continuidade à política do café-com-leite. Apesar de vir da terra do leite, Pena foi um presidente "cafeeiro". Na verdade, só obteve a vitória contra o candidato paulista Bernardino de Campos porque deixou claro que seria a favor da "política da valorização do café" — estabelecida em fevereiro de 1906 pelo Convênio de Taubaté (*leia mais na página 282*). Menos ortodoxo em matéria fiscal e financeira do que Rodrigues Alves, Pena bancou um empréstimo de 15 milhões de libras para custear a intervenção do Estado no mercado do café. Incentivou a "internacionalização" do mercado cafeeiro e estabeleceu a política de desvalorização da moeda nacional.

Entre 1906 e 1910, especuladores internacionais retiveram 8,5 milhões de sacas de café para forçar o aumento do preço do produto. O esquema beneficiou os atravessadores, mas vários produtores ficaram arruinados e a dívida externa brasileira aumentou muito. O café não era a única preocupação de Afonso Pena: ele promoveu a criação de parques industriais (embora não fosse industrialista), incentivou a construção de linhas férreas, modernizou os portos de Recife, Vitória e Rio Grande do Sul. Promoveu a conquista do Oeste, a cargo de Rondon, e organizou a Exposição Nacional de 1908, para mostrar que o Rio se civilizara.

"Política faço eu", declarou Afonso Pena pouco depois de assumir o cargo. A frase era uma resposta ao apelido que seu ministério — formado por jovens com pouca experiência em cargos públicos — recebera da imprensa: "Jardim da Infância". O objetivo de Pena era desvincular o governo das pressões articuladas pelas oligarquias estaduais e fortalecer o poder central. A exceção no ministério de Pena era o ministro da Guerra, Hermes da Fonseca, de 41 anos, modernizador do Exército. Seria justamente ele que desestabilizaria o processo sucessório.

Para sua sucessão na Presidência, Pena pretendia indicar o presidente de Minas Gerais, João Pinheiro, que morreu. O presidente optou então por seu ministro da Fazenda, Davi Campista. Mas, diz a lenda, o marechal Hermes entrou no Catete e, "de modo rude", anunciou que pretendia concorrer à Presidência da República — enfatizando a proposta com um golpe de espada na mesa.

Inconformado com o perfil militarista de Hermes, o eterno candidato ao "trono" presidencial, Rui Barbosa, lançou o próprio nome. Já doente, Afonso Pena não resistiu a três golpes consecutivos: a briga com o ministro da Guerra, as críticas violentas de ex-aliados, como o oligarca mineiro Bias Fortes, por sua interferência no processo sucessório e, por fim, a morte do filho mais velho. Solitário e isolado — e desafiado também por Rui Barbosa —, morreu em junho de 1909, um ano e meio antes do término de seu mandato.

A Semente Amarga do Progresso

O Vice em Exercício

Embora o panorama político estivesse tumultuado pela luta sucessória e faltassem ainda 17 meses para o fim do mandato de Afonso Pena, o vice-presidente Nilo Peçanha assumiu a Presidência dentro da normalidade constitucional. Apesar de terem sido as pretensões presidencialistas e centralizadoras de Pena que abriram as primeiras fissuras na política do café-com-leite, os maiores estragos no esquema montado por Campos Sales seriam provocados pelo próprio Nilo Peçanha: ao apoiar abertamente a candidatura de Hermes da Fonseca, Peçanha foi forçado a romper não só com o Partido Republicano Paulista como também com o Partido Republicano Fluminense, do qual fora um dos fundadores. Peçanha aproximou-se então do Partido Republicano Conservador, fundado pouco antes pelo senador gaúcho Pinheiro Machado.

Apesar de ter aberto seu voto, Nilo Peçanha procurou montar um ministério de conciliação e fazer um governo moderado e pacifista. Ainda que vários comícios no Rio de Janeiro tenham terminado com derramamento de sangue e o governo sido forçado a intervir na Bahia, em Sergipe, no Maranhão e no Amazonas, Peçanha alcançou seu objetivo e manteve o país sob relativo controle até o fim de seu mandato, em novembro de 1910.

Era a droga ideal para o século que nascia. Ilegal até o século XVI, plenamente aclimatada no Brasil desde o século XVII, a planta estava agora não só plenamente liberada: havia se tornado também uma coqueluche mundial. Quente, estimulante e negro; precedido da fama de "provocar idéias" e servido de forma quase ritual, o café — cada dia mais barato e acessível — se tornara um hábito irresistível para poetas em Paris, músicos em Viena, banqueiros em Berlim e, em especial, para as multidões de Nova York e os caubóis do Velho Oeste. O Brasil alimentava o novo vício mundial: na virada do século, quatro quintos da produção global provinham do país. Só os ingleses continuavam preferindo o chá — mas e daí? Os 74 milhões de sacas produzidas entre 1891 e 1900 e absorvidas de imediato pelo mercado transformaram o café no "ouro verde" do Brasil. Era a "semente do progresso".

Mas, como tudo o que sobe um dia desce, a febre cafeeira que incendiou o Brasil logo teria seu reverso. Uma série de supersafras (a primeira ocorrida já em 1896, seguida pelas de 1901 e 1906), a profusão de braços trazida pelo aumento da imigração européia, a liberação franca de empréstimos para a abertura de novas áreas de cultivo, a produtividade inicial das terras virgens e a elevação do preço do café em moeda nacional (em razão da queda do câmbio) acabariam causando um desastre: café demais, barato demais.

Em 1901, o Brasil produziu dezesseis milhões de sacas de café. O consumo mundial era ligeiramente superior a quinze milhões de sacas. Na supersafra de 1906, foram colhidos o equivalente a vinte milhões de sacas, mas o consumo planetário mal chegava a 16 milhões. Resultado: o preço internacional do café despencou. Para piorar, a queda do preço de mercado se seguiu ao plano do governo de valorizar a moeda nacional, mantendo elevadas taxas de câmbio. Os exportadores perdiam na venda (por preços mais baixos) e na conversão da libra em mil-réis (por cotações artificialmente mais altas). O negócio só era bom para firmas exportadoras (financiadas por capital inglês): atravessadores compravam na época da colheita, estocavam o café e só o revendiam na entressafra, obtendo lucros enormes. Muitos fazendeiros foram à falência.

Em fevereiro de 1906, dispostos a reverter essa situação, os presidentes de São Paulo, Jorge Tibiriçá, do Rio, Nilo Peçanha, e de Minas, Francisco Sales, se reuniram com os maiores cafeicultores do Brasil em Taubaté (SP) para exigir do governo uma "política de valorização do café". O plano consistia, primeiro, em convencer o governo a fazer um empréstimo externo para comprar a produção excedente; depois, forçá-lo a desvalorizar o mil-réis. Embora cafeicultor, o então presidente Rodrigues Alves se recusou a executar tal projeto.

Os cafeicultores de São Paulo decidiram então agir por conta própria. Firmando o Convênio de Taubaté, tomaram um empréstimo de quinze milhões de libras com o qual, até fins de 1907, foram comprados 8,2 milhões de sacas. Muitas ficaram armazenadas na Europa e nos EUA; outras foram queimadas. Em 1908, o novo presidente, Afonso Pena, convenceu o Congresso a tornar a União fiadora desse empréstimo. Apesar da polêmica, a medida foi aprovada. Embora corretas em tese, as medidas do Convênio de Taubaté acabaram por favorecer apenas grandes produtores, banqueiros internacionais e casas comissárias.

Em 1909, quando o preço do café subiu, muitas fazendas já tinham sido vendidas — algumas para estrangeiros, outras para grandes empresas, como a Prado Chaves, que adquiriu 14 propriedades com cerca de 3,5 milhões de pés de café. Os desdobramentos do Convênio de Taubaté formalizaram um fenômeno econômico-político-social bem brasileiro, batizado de "socialização das perdas" pelo economista Celso Furtado. Ou seja: ao desvalorizar a moeda para favorecer a cafeicultura, o governo encarecia as importações, pagas pelo conjunto da população. Assim, enquanto os lucros do café permaneciam privados — e cada vez mais concentrados —, seus prejuízos eram compartilhados com o país. Era o socialismo tupiniquim.

Duas Tragédias

Quando o café chegou ao oeste de São Paulo, duas tragédias ocorreram: primeiro, amplas áreas de florestas virgens foram devastadas — por queimadas ou pelo desmatamento braçal, feito por imigrantes (acima, o quadro O derrubador brasileiro, *de Almeida Júnior). Mais tarde, quando foi construída a estrada de ferro que desbravou a região, os índios Kaingang, que ocupavam a área, foram massacrados. Suas terras se tornaram imensas fazendas de café.*

A Metrópole e a Avenida do Café

Depois de ocupar — e devastar — todo o vale do rio Paraíba do Sul, o café "deu um salto" sobre a área ocupada pela cidade de São Paulo (imprópria para o cultivo) e se instalou nas férteis planícies do noroeste do Estado. Ali, a lavoura se desenvolveria como nunca. Nada poderia ter sido melhor para a capital paulista; agora, em seu caminho rumo ao porto de Santos, o café precisava passar por ela. Não apenas isso: por volta da década de 1880, entediados com a clausura pastoril e estimulados pelas obras de reurbanização feitas na capital, vários cafeicultores tinham decidido se mudar para São Paulo. Quando a pujança lhes bateu à porta — e o presidente da Província, Rodrigues Alves, saneou a cidade, iluminou-a e a embelezou, contando com o esforço e o vigor do prefeito Antônio Prado —, os barões do café se puseram em marcha, numa espécie de "êxodo rural" inteiramente diferente daqueles que o Brasil conhecia.

Faltando quinze anos para o fim do século XIX, São Paulo era uma cidade modesta, com cerca de 200 mil habitantes. A marca de seu desabrochar urbano, iniciado em 1877, ironicamente se chamava viaduto do Chá. Quando a principal obra pública de São Paulo foi enfim inaugurada, em 1892, a cidade já havia se tornado a metrópole do café — e seu requintado viaduto apontava em direção a novos bairros.

São Paulo estava orgulhosamente pronta para receber seus novos e ilustres habitantes: os magnatas do café. Gente tão fina não poderia, é evidente, instalar-se nas áreas infectas do centro, do Brás ou da Mooca, fervilhando de tifo e peste e agitadas pelo rebuliço permanente de gente em busca de emprego. Transpondo os alagadiços do vale do Anhangabaú, o viaduto do Chá apontava para uma região recém-loteada, entre a rua da Consolação e o

Pacaembu. Em 1890, era aberta a avenida Higienópolis — sadia e altiva como o próprio nome indicava. Em 1892, no topo do espigão granítico do Caaguaçu ("grande mata", em tupi) era inaugurada a avenida Paulista (*abaixo*) — um bulevar ladeado de plátanos e carvalhos (árvores européias, plantadas para substituir a vegetação nativa, derrubada para abrir caminho ao progresso e tida por menos "nobre" que as espécies exóticas vindas do Hemisfério Norte).

Na virada do século, os barões do café tinham, à disposição de seu dinheiro, um recanto urbano à sua altura: "redutos de convívio quase exclusivo com gente de seu próprio nível", como diria um cronista da cidade. Em breve, os amplos lotes de cinco mil metros quadrados que ladeavam a Paulista estavam todos vendidos — o mesmo acontecendo com os terrenos ao longo da avenida Higienópolis. A seguir, começariam a surgir os palacetes do fausto e da fartura.

Nas primeiras décadas do século XX, São Paulo começou a se tornar não só a capital do café, mas também um poderoso pólo industrial. Os lucros excedentes do café, a instabilidade dos preços do produto e a abundância de braços europeus oferecida por imigrantes que se recusavam a ir para o campo fizeram com que a criação de indústrias se tornasse opção óbvia para a aplicação dos capitais. E assim, além dos suntuosos casarões neoclássicos e *art nouveau*, a avenida Paulista começou a ser ocupada também por palacetes em estilos "estrangeiros regionais", como o florentino e o árabe, e por mansões de caráter arquitetônico francamente indefinível. Eram as casas de industrialistas *nouveaux riches*. A avenida Paulista se tornaria o equivalente e o contraponto da avenida Central, no Rio: esta simbolizava a pujança pública; a outra, o lucro privado.

A partir dos anos 50 do século XX, os casarões da Paulista começaram a ser derrubados (assim como os prédios suntuosos da avenida Central), para dar lugar aos espigões de grandes bancos, instituições financeiras e edifícios residenciais — aos pés dos quais hoje dormem meninos de rua. A avenida Paulista permanece, ainda assim e por isso mesmo, como símbolo das vertigens, das obsessões, do vigor e do exclusivismo das elites brasileiras e do processo socioeconômico que move a nação.

A avenida dos barões do café: abaixo, a avenida Paulista no dia de sua inauguração mas antes da construção das mansões dos cafeicultores.

O Governo de Hermes da Fonseca

Rui, o Civilista

Dono de inteligência privilegiada, oratória inflamada e coragem indômita, Rui Barbosa (1849-1923) representava, para os brasileiros letrados, as mais altas esperanças de uma democracia liberal. Apesar de não ter sido propagandista republicano na década de 1880, Rui participara da conspiração que derrubou o antigo regime e dominou o governo provisório de Deodoro, quando redigiu a nova Constituição do país. Caiu em desgraça por causa de sua desastrada política do Encilhamento, não escapando das acusações de ter-se locupletado com ela. Mas se opôs ativamente à ditadura de Floriano, amargando dois anos de exílio. Em 1907, chefiou a delegação do Brasil na Conferência de Paz de Haia, revelando ser jurista brilhante. Apesar de ter sido considerado pelo chefe da delegação alemã como o membro "mais enfadonho" do encontro, para os brasileiros Rui virou a "Águia de Haia". Em 1909, preterido tanto por Pinheiro Machado como por Afonso Pena, Rui decidiu lançar sua candidatura independente.

Percorreu o país inteiro fazendo conferências, tentando atrair o voto da classe média, defendendo princípios democráticos e o voto secreto, dando à campanha um tom de reação contra a intervenção do Exército na política. "Embora a base política mais

Tendo ou não batido com a espada na mesa do gabinete presidencial de Afonso Pena, o fato é que, ao lançar sua candidatura ao Catete, o marechal Hermes da Fonseca foi de imediato identificado com a "espada providencial" que militares e aguardavam para "purgar" os equívocos da nação e "restaurar" os ideais de 1889. Mas nem tudo saiu como eles esperavam. A candidatura do gaúcho Hermes, tendo como vice o mineiro Venceslau Brás, indicava uma aliança entre Rio Grande do Sul e Minas. Mas, ao ver-se alijado da corrida presidencial, São Paulo reagiu e, junto com a Bahia, apoiou a candidatura de Rui Barbosa. Iniciou-se então "a luta da pena contra a espada": após duas décadas de regime republicano, o país viveria sua primeira campanha eleitoral de verdade.

As eleições anteriores haviam sido jogos de cartas marcadas. As fraudes eram descaradas e, antes da apuração dos votos, já se sabia que o vencedor seria o nome referendado pelo governo. É provável que Afonso Pena achasse que o esquema se repetiria na sua sucessão. Para seu lugar na Presidência, Pena lançara o nome do ministro Davi Campista, mineiro como ele. Conseguiu desagradar a gregos e troianos: os paulistas se injuriaram, os militares se injuriaram, os gaúchos se injuriaram. Em 14 de maio de 1909, Hermes da Fonseca, ministro da Guerra de Afonso Pena, reuniu-se em particular com o presidente. Não se sabe ao certo o que se passou no gabinete presidencial. Sabe-se, isso sim, que no dia seguinte Hermes saía do governo e, uma semana depois, se lançava como candidato. No início de junho, Rui Barbosa decidiu enfrentar o marechal. Na noite do dia 14, morria Afonso Pena.

A morte do presidente que rompera com a política do café-com-leite reverteu a cena eleitoral: Hermes passou da oposição para a situação, já que o vice Nilo Peçanha, que substituiu o presidente falecido, decidiu dar apoio à candidatura do marechal. Rui Barbosa deflagrou então a chamada "campanha civilista" (*leia à esquerda*), reagindo contra o "militarismo iminente", que Hermes representaria. Após uma campanha incendiária, que agitou as principais capitais do país, em 15 de novembro de 1910, o senador Pinheiro Machado anunciou à nação que o marechal Hermes fora vencedor, tendo recebido os célebres "400 mil votos redondos". Era a volta dos militares ao poder, depois de quatro presidentes civis. Hermes da Fonseca (1855-1923) era sobrinho do marechal Deodoro. Militar desde a juventude, durante o império fora ajudante-de-ordens do odiado conde D'Eu. Promovido pelo tio após a Proclamação da República, foi ministro do Supremo Tribunal Militar e ministro da Guerra de Afonso Pena. Modernizou e profissionalizou o Exército, apoiando militares "tarimbeiros" e desferindo o golpe de morte nos "científicos" — já abalados pelo fim da Escola Militar da Praia Vermelha. Uma vez na presidência — à qual chegou com o apoio não só dos militares e de Pinheiro Machado, mas da classe média baixa e de radicais remanescentes do florianismo —, Hermes iniciou a chamada política das "salvações nacionais".

De qualquer forma, o governo teve de enfrentar duas terríveis revoltas, a da Chibata e a do Contestado. Venceu-as, mas se enfraqueceu politicamente. Em 1912, já nacionalmente tido como "uma nulidade", Hermes se casou com a caricaturista Nair de Teffé. A "linda donzela cujos dotes de espírito lhe inspiraram tão violenta paixão" fez com que o presidente virtualmente se "esquecesse" de governar. O país caía nas mãos ardilosas do senador gaúcho Pinheiro Machado.

A Revolta da Chibata

Se fosse necessário algum prenúncio de que o governo Hermes da Fonseca seria um dos mais turbulentos da política brasileira, não foi preciso aguardar mais do que uma semana por ele. Já na manhã do dia seguinte à posse do sétimo presidente da República, começaria a fermentar, nas fileiras da Marinha do Brasil, uma séria rebelião interna, de conseqüências trágicas, que iria passar à história com o nome de Revolta da Chibata. Os incidentes desembocaram em um dos mais infames episódios de repressão a militares rebeldes na história do Brasil.

O quê: a Revolta da Chibata, como o próprio nome indica, foi um movimento que eclodiu dentro da marinha brasileira em protesto contra os castigos corporais a que eram submetidos os marinheiros. Contrastando com a "aristocracia" dos oficiais, o recrutamento dos marinheiros era forçado e feito entre "indivíduos de má conduta" que deveriam "ser corrigidos". Embora um decreto assinado no primeiro dia da República tivesse banido a prática do açoite, um novo decreto, firmado por Rui Barbosa em abril de 1890, por pressão dos oficiais, restabeleceu as "penas disciplinares" — que, além dos açoites, incluíam o "bolo" (palmatória) e a prisão a ferro, na solitária a pão e água.

Quando: no dia 16 de novembro de 1910, um dia após a posse de Hermes da Fonseca, toda a tripulação do encouraçado Minas Gerais foi convocada para assistir à punição ao marinheiro Marcelino Rodrigues Menezes, que havia ferido um cabo. As 250 chibatadas, aplicadas ao rufar de tambores, foram desferidas pelo comandante João Batista das Neves — conhecido pelo prazer com que chicoteava seus subalternos. Seis dias mais tarde, sob a chefia do marinheiro João Cândido, a tripulação do Minas Gerais se rebelou. Os amotinados tomaram o navio e mataram o comandante Neves. Os encouraçados São Paulo, Deodoro e Bahia logo aderiram ao movimento e, neles, dois outros oficiais foram assassinados. Ameaçando bombardear o Rio de Janeiro, os amotinados — mais de dois mil homens, sob a liderança de João Cândido, a partir de então chamado de Almirante Negro — exigiam o fim da chibata, o aumento dos soldos e melhor alimentação a bordo.

Como a crise foi contornada: reunidos no Congresso e no palácio do Catete, o presidente, seus assessores e os influentes senadores Pinheiro Machado e Rui Barbosa concordaram com as exigências dos rebeldes e prometeram anistiá-los.

Quais os desdobramentos da crise: no dia 25 de novembro, os amotinados arriaram as bandeiras vermelhas que sinalizavam sua rebelião e o episódio parecia encerrado. Em 28 de novembro, porém, um decreto presidencial permitiu ao ministro da Marinha expulsar da corporação os principais envolvidos no movimento. Para agravar ainda mais a situação, no dia 10 de dezembro, os fuzileiros navais alojados na ilha das Cobras também decidiram se rebelar. Para evitar a repressão, os marinheiros dos encouraçados Minas Gerais, Bahia e São Paulo — que nada tinham a ver com os protestos dos fuzileiros — não hesitaram em bombardear as instalações onde se encontravam seus companheiros de corporação. Ainda assim, não foi o bastante: alarmado

importante de Rui fosse a oligarquia paulista, sua campanha se apresentou como a luta da inteligência pelas liberdades públicas, pela cultura, pelas tradições liberais, contra o Brasil inculto, oligárquico e autoritário", conforme escreveu o historiador Bóris Fausto. Em 15 de novembro de 1910, porém, Hermes da Fonseca recebeu 403.897 votos contra os 223.784 de Rui Barbosa — uma proporção de quase dois para um.

O Potenkin brasileiro: os marinheiros do encouraçado Minas Gerais, sob a liderança de João Cândido, depois chamado de "Almirante Negro", foram os que deflagraram a Revolta da Chibata.

com a onda de conspirações, o governo Hermes da Fonseca deflagrou uma repressão sangrenta ao levante. E aproveitou a oportunidade para prender 69 marinheiros já anistiados, que haviam participado da Revolta da Chibata (embora, como já foi dito, eles nada tivessem a ver com a revolta da ilha das Cobras). Muitos foram fuzilados sumariamente.

João Cândido foi encarcerado numa cela minúscula, na qual 17 prisioneiros morreram asfixiados depois que cal virgem misturada à água foi jogada dentro do cubículo. Após 18 meses numa masmorra subterrânea, o *Almirante Negro* foi internado num hospício por três médicos da Marinha, embora os psiquiatras do Hospital de Alienados afirmassem que ele não era nem estava louco. Ainda assim, a sorte de João Cândido foi melhor que a de outros 250 marinheiros presos: junto com cerca de 250 ladrões, 180 desordeiros, 120 cafetões e 44 meretrizes, eles foram enfiados no cargueiro Satélite e mandados para o exílio no Acre. O "navio da morte" zarpou do Rio no dia 24 de dezembro de 1910. No dia 1º de janeiro de 1911, nove marinheiros que haviam tomado parte na Revolta da Chibata foram fuzilados a bordo e seus corpos jogados ao mar. Dos que chegaram vivos ao Acre (onde, ironicamente, João Cândido lutara, em 1904, no bando do caudilho Plácido de Castro), duzentos foram incorporados à Comissão Rondon, que instalava linhas telegráficas na região, e os demais ficaram abandonados às margens do rio Madeira, para trabalhar junto com os seringueiros. Quase todos eram negros e mulatos. Quanto a João Cândido Felisberto, libertado da prisão em 1914, morreu de câncer, na mais completa miséria, numa favela do Rio, em dezembro de 1969.

O almirante negro: João Cândido (*acima, à direita*), lendo um manifesto dos marinheiros insurretos. Abaixo, combatentes no Contestado.

A Guerra do Contestado

Menos de dois anos depois da Revolta da Chibata, uma outra insurreição — muito mais sangrenta, duradoura e problemática — iria abalar os já frágeis alicerces do governo Hermes da Fonseca. A chamada Guerra do Contestado seria uma espécie de reprise, ocorrida quinze anos mais tarde e em pleno sul-maravilha, do massacre que se desenrolara em Canudos em 1896. Os dois episódios se assemelham em muitos aspectos: no messianismo primitivo, no desespero dos "fanáticos", na crueldade quase demente dos soldados que os combateram, nos interesses exclusivistas das elites, nos delírios apocalípticos do "monge" João Maria, tão similares aos de Antônio Conselheiro. Acima de tudo, os dois casos se unem também pelo desfecho trágico e sangrento.

O quê: a Guerra do Contestado foi o conflito armado entre o exército e os camponeses miseráveis da região sudoeste do Paraná e noroeste de Santa Catarina. Território de 48 mil quilô-

metros quadrados, disputado desde os tempos do Império pelas províncias de Paraná e Santa Catarina, a área "contestada" era delimitada pelos rios Uruguai, Iguaçu e do Peixe e pela fronteira com a Argentina. Essa remota "terra de ninguém", rica em pinheirais e ervais, havia sido ocupada por refugiados das revoluções gaúchas e por desvalidos em geral. Em 1900, o governo cedeu uma faixa de trinta quilômetros de largura para a Brazil Railway, no centro da qual seria construída a ferrovia São Paulo–Rio Grande do Sul. Posseiros que ocupavam a área foram desalojados à força. A seguir, a madeireira Southern Brazil Lumber & Colonization se instalou na região e "contratou" milhares de camponeses, transformando-os em mão-de-obra semi-escrava. Ambas as empresas, a Brazil Railway e a Southern Lumber, pertenciam ao magnata norte-americano Percival Farquhar, um dos "donos" do Brasil. Na região do Contestado, quem não trabalhava para Farquhar trabalhava para os "coronéis" da erva-mate, em ervais onde a semi-escravidão também imperava. Em 1906, quando as obras da ferrovia foram suspensas, oito mil homens foram sumariamente demitidos e deixados ao léu, perambulando pela região. Estava preparado o terreno para a fermentação da revolta.

Quando: em novembro de 1911, surgiu em Palmas (Paraná) um homem alto, cabeludo, desdentado e barbudo, um gaúcho mestiço de índio chamado Miguel Lucena de Boaventura, desertor da Força Pública do Paraná. Citando a Bíblia e um livro infantil ilustrado sobre Carlos Magno, dizia-se "herdeiro espiritual" do beato João Maria, líder messiânico que havia percorrido aquela mesma região cerca de dez anos antes, na época da Revolução Federalista do Rio Grande do Sul. Lucena logo mudou de nome, passou a se chamar de "monge José Maria" e reuniu em torno de si dois mil seguidores.

Como a guerra eclodiu: José Maria pregava a proximidade do fim dos tempos, afirmava que o comércio era "coisa do demônio" e que o rei português D. Sebastião (morto no Marrocos, em 1578) voltaria para reinar sobre os homens. Dizendo-se eleito por Deus para erguer na Terra uma "Monarquia Celeste", o monge fundou seu primeiro "quadro santo" no município de Curitibanos (Santa Catarina). A área era delimitada por cruzes nos quatro cantos e uma tosca capela ao centro. Ali se instalaram seus dois mil seguidores. Alertado pelos coronéis da região, o exército foi chamado para expulsar os "fanáticos", depois que José Maria se recusara a depor na delegacia de Palmas (Paraná). Em outubro de 1912, uma tropa de quatrocentos homens, chefiada pelo capitão João Gualberto, atacou o "quadro santo" erguido no município de Irani, onde os seguidores do monge tinham se refugiado. Quando a metralhadora da tropa de Gaulberto engasgou, os "fanáticos", soprando berrantes, investiram contra os invasores. Embora José Maria tenha sido um dos primeiros a tombar, o capitão Gualberto e mais treze soldados também foram mortos, e o restante da tropa bateu em retirada, deixando armas e munições para os rebeldes.

Como a guerra acabou: apesar de José Maria não ter ressuscitado como anunciara, seus seguidores continuaram combatendo os "peludos". Após alguns caboclos terem seus cabelos raspados pela polícia, os "fanáticos" do Contestado decidiram também cortar os seus e passaram a se autodenominar "pelados". Os inimigos da Monarquia Celestial começaram então a ser chamados de "peludos". Com outros líderes e adotando táticas de guerrilha, os "pelados" resistiam a todas as investidas dos "peludos". A virgem de quinze anos Maria da Rosa virou chefe militar, enquanto o "menino deus" Joaquim, de onze, era tido como porta-voz de José Maria — que, por meio de mensagens enviadas do além, "comandava" o exército de cinco mil sertanejos.

Os rebeldes chegaram a dominar 25 mil km², vencendo sete expedições militares enviadas contra eles. Em setembro de 1914, o general Setembrino de Carvalho chegou a Curitiba com ordens do ministro da Guerra para sufocar a rebelião. Com sete mil homens bem-armados (80% do exército brasileiro de então) e os primeiros aviões usados para fins militares na história do Brasil, Carvalho atacou os "fanáticos" implacavelmente, matando homens, mulheres e crianças. Ainda assim, a "guerra santa" perdurou até janeiro de 1916. Em cinco anos de luta, nove mil casas haviam sido queimadas e o espantoso número de vinte mil pessoas tinham sido mortas.

A guerra dos pelados: acima, o beato João Maria, que foi a principal influência no "monge" José Maria, líder da Revolta do Contestado e do qual não existem fotos nem imagens.

CAPÍTULO 26

A Primeira Guerra e os Anos 20

Depois de adiar a decisão por quase dois anos, o Brasil, enfim, resolveu entrar na Primeira Guerra Mundial em 26 de outubro de 1917 – três anos após o início e um ano antes do fim do conflito. No mesmo dia em que o presidente Venceslau Brás assinou o decreto-lei nº 3.361, Lenin era eleito presidente dos sovietes, 48 horas após a vitória da Revolução Russa. O decreto de Brás reconhecia e proclamava "o estado de guerra iniciado pelo império alemão contra o Brasil".

O país só decidiu entrar na guerra — tão tardiamente quanto os Estados Unidos, que o tinham feito em fevereiro de 1917 — depois de três navios mercantes brasileiros terem sido afundados pelos alemães. O primeiro foi o Paraná, torpedeado no canal da Mancha, em 3 de abril de 1917. Oito dias depois, o Brasil rompia relações diplomáticas com a Alemanha. O segundo foi o Tijuca, afundado próximo a Brest, na França, em 22 de maio. Dois dias mais tarde, o Brasil abria mão de sua neutralidade e confiscava todos os navios mercantes alemães ainda ancorados nos portos do país. No dia 25 de outubro, o Macau foi posto a pique em águas espanholas.

Quando afundaram o Tijuca, no mês de maio, o ministro do Exterior, Lauro Müller, descendente de alemães e tido como germanófilo, se demitiu do cargo. Com ele fora do governo, Venceslau Brás sentiu-se à vontade para se reunir no Catete com o ex-presidente Rodrigues Alves, Rui Barbosa e o novo ministro do Exterior, Nilo Peçanha, e declarar guerra formalmente à Alemanha.

Ainda assim, o país relutou em enviar reforços para os aliados. A justificativa do ministro da Guerra, José Caetano de Faria, era a de que o Exército brasileiro contava com poucos efetivos e que eles eram necessários para assegurar "nossa própria integridade contra os alemães e germanófilos que temos no Sul". No fim de 1917, porém, cedendo às pressões internacionais, o Brasil enviou uma divisão naval, uma missão médica e um contingente de aviadores para a Europa. Sua participação na Primeira Guerra Mundial teria sido apenas patética se não tivesse sido trágica.

As jovens equipes médicas brasileiras foram levadas para a França, onde tiveram algum trabalho. Os aviadores praticamente não saíram do chão. A divisão naval, encarregada de patrulhar o oceano Atlântico em frente do Senegal, ancorou em Dacar, onde a gripe espanhola dizimou quase metade da tripulação. Enviada para Gibraltar, a esquadra brasileira abriu fogo contra um cardume de toninhas (espécie de boto), julgando se tratar de submarinos alemães. O episódio entrou para a história com o nome de "Batalha das Toninhas". Um dia depois de atracar em Gibraltar, em 10 de novembro de 1917, os brasileiros foram informados de que a Alemanha capitulara. A "guerra para acabar com todas as guerras" tinha terminado.

A novidade da semana: o presidente Venceslau Brás reuniu-se com seus ministros, no palácio do Catete, e anunciou ao Brasil que o país estava em guerra, como mostra a capa da *Revista da Semana* (à direita) em fins de 1917.

A Revolução Russa e a Gripe Espanhola

A Revolução Russa — vitoriosa no mesmo dia em que o Brasil decidiu entrar na Primeira Guerra (enquanto a Rússia, por decisão do comando revolucionário, dela saía) — teve grande repercussão no país. As elites se assustaram com a possibilidade de que, graças ao crescente movimento de reivindicações operárias, os trabalhadores pudessem, um dia, chegar ao poder. Ainda mais que, havia cerca de três meses, São Paulo fora paralisada por uma monumental greve geral, a primeira organizada no Brasil. Cerca de 70 mil trabalhadores cruzaram os braços no dia 12 de julho de 1917, enquanto dez mil pessoas acompanhavam o enterro de um operário morto pela polícia três dias antes, durante uma manifestação de protesto.

Como se não bastassem os problemas políticos e econômicos que afligiam o Brasil no fim da segunda década do século XX, o país ainda foi atingido, em 1918, por uma epidemia da chamada "gripe espanhola". O ciclo virótico recebeu esse nome porque irrompeu logo após a chegada ao Rio de Janeiro de um navio que trazia imigrantes da Espanha. Só na capital, 17 mil pessoas morreram em dois meses. As ruas ficaram coalhadas de cadáveres e presidiários foram obrigados a trabalhar como coveiros. A epidemia chegou a São Paulo, onde morreram mais de oito mil pessoas. A morte mais rumorosa foi a de Rodrigues Alves. Eleito presidente pela segunda vez, para contornar a crise que cercara a sucessão de Venceslau Brás, o conselheiro não pôde tomar posse: alquebrado e envelhecido, sucumbiu à "espanhola" em 16 de janeiro de 1919. Em seu lugar, assumiu interinamente, por oito meses, o vice Delfim Moreira, que estava com sífilis terciária e morreria logo depois de ser obrigado a realizar novas eleições.

REVISTA DA SEMANA

Premiada com Medalha de Ouro na Exposição de Turim de 1911

PROPRIEDADE DA COMPANHIA EDITORA AMERICANA

Anno XVIII — N.º 17 — Rio de Janeiro, 2 de Junho de 1917

Endereço Telegraphico: **REVISTA** — Telephone: 3.660, Norte

Redacção e Administração

PRAÇA GONÇALVES DIAS, 12 — Rio de Janeiro

Director — **C. MALHEIRO DIAS**

CONDIÇÕES DE ASSIGNATURAS

Por cada serie de 52 numeros (1 anno): 20$000—Estrangeiro : 50 francos

Avulso Capital 400 réis — Estados 500 réis

Correspondencia dirigida a **ARTHUR BRANDÃO**, Director-Gerente

Meditando sobre a situação creada pelo torpedeamento de varios navios brazileiros, o senhor Presidente da Republica resolveu reunir em conselho os senhores vice-presidente da Republica, Ministro do Exterior, Ruy Barbosa, a maior mentalidade do Brazil, e Rodrigues Alves, provavel presidente no futuro quadriennio, afim de trocarem impressões sobre o momento internacional. Tratando-se de assumpto de alta magnitude, archivamos em nosso logar de honra o grupo de eminentes estadistas a quem as circumstancias de momento entregaram a solução do mais grave problema da vida do paiz.

Greves e carestia

Ao contrário de Rodrigues Alves e de Afonso Pena, o mineiro Venceslau Brás (1868-1966) era um republicano de primeira hora. Deputado estadual em Minas Gerais em 1892 e deputado federal de 1903 a 1908, foi eleito presidente de Minas Gerais no ano seguinte. Deixou o cargo em 1910, para se tornar vice-presidente da República na chapa de Hermes da Fonseca. Em novembro de 1914, tomou posse como presidente do Brasil. Com a ajuda de um empréstimo, tentou equilibrar as finanças do país, que sofria as conseqüências econômico-financeiras da guerra que então se travava na Europa.

A carestia, a especulação com gêneros alimentícios e as condições indignas de trabalho fizeram eclodir, em 1917, em São Paulo, três greves gerais (imagem abaixo). Manipuladas por militantes anarquistas e comunistas, as greves não significavam que os operários quisessem fazer uma revolução: queriam apenas um salário e uma vida mais decentes. Os movimentos, de todo modo, foram duramente reprimidos pela polícia.

Retorno mineiro: Brás deu seguimento à política do "café-com-leite".

O Governo de Venceslau Brás

Tido por seus adversários como um homem "de completa nulidade mental", Hermes da Fonseca, ao sair da Presidência, deixou o país política e economicamente em frangalhos. A batalha por sua sucessão se iniciara enquanto o marechal ainda estava no poder. O senador Pinheiro Machado bem que tentou "fazer" o novo presidente — indicando para o cargo, em mais uma de suas manobras divisionistas, o ex-presidente Campos Sales. Mas, dessa vez, paulistas e mineiros reagiram, firmando, em fins de 1913, o chamado Pacto de Ouro Fino, depois do qual se uniram em torno da candidatura do então vice-presidente Venceslau Brás Pereira Gomes. Ironicamente, Brás só chegara ao cargo graças às articulações do próprio Pinheiro, que, para obter o apoio do Partido Republicano Mineiro (PRM) à candidatura de Hermes, aceitara a indicação do deputado.

Durante o quatriênio de Hermes, porém, Brás se revelou omisso e ausente, passando a maior parte do tempo em sua fazenda, em Itajubá (MG). Tanto que, quando sua candidatura foi oficialmente lançada, o escritor Emílio Meneses ironizou: "É a primeira vez que vejo um funcionário promovido por abandono de emprego".

Ainda assim, para as oligarquias de São Paulo e Minas Gerais, a candidatura de Venceslau, batizada de "o retorno mineiro", foi de grande importância estratégica, pois marcou a volta da política do café-com-leite e o início do fim do reinado republicano de Pinheiro Machado, que seria assassinado menos de dois anos depois (*leia à direita*). Ao assumir o cargo, em novembro de 1914, Venceslau anunciou que governaria "fora e acima dos partidos", o que, na verdade, significava dizer que o faria "fora" do Partido Republicano Conservador (PRC) e "acima" de Pinheiro.

Ascensão e Queda de Pinheiro Machado

A posse de Venceslau Brás deixou claro que a influência do senador José Gomes Pinheiro Machado na política brasileira estava em declínio. Ainda assim, talvez jamais tivesse havido em toda a história republicana do Brasil um homem com tanto poder — pelo menos não durante tanto tempo — quanto o que Pinheiro desfrutara até aquele momento, novembro de 1914. Desde que afastara o paulista Francisco Glicério e assumira, em 1905, a liderança da facção majoritária do Senado — batizada de "Bloco" —, Pinheiro Machado se tornara o homem mais influente da política brasileira. Como chefe das comissões apuradoras do Congresso, ele simplesmente decidia quais políticos tomariam posse, quais não — independentemente do número de votos que tivessem recebido.

Com muita propriedade, a imprensa passou a chamá-lo de "fazedor de reis", ou "o homem que governa o governo"; e os caricaturistas, a representá-lo como um galo ("chefe do terreiro") ou uma raposa ("terror dos galinheiros políticos"). Para boa parte da população, Pinheiro era a encarnação de todos os males que afligiam a nação. Formado na Faculdade de Direito de São Paulo e veterano de duas guerras (a do Paraguai e a Revolução Federalista de 1893, na qual fora o chefe da poderosa divisão do Norte, que derrotara Gumercindo Saraiva), o gaúcho Pinheiro fora feito general por Floriano Peixoto quando já era um experiente caudilho.

A vertiginosa ascensão política de Pinheiro Machado começou em 1902, quando se tornou o vice-presidente do Senado, cargo que manteve até 1905. De 1905 a 1915, não só se firmou como a figura mais poderosa do Congresso como "fez" todos os presidentes, participando decisivamente das eleições de Rodrigues Alves e Afonso Pena (apesar de ambos não gostarem de seu estilo). Com a posse de Hermes da Fonseca, o poder de Pinheiro se tornou quase absoluto. Ainda assim, não conseguiu lançar o próprio nome para a Presidência.

No início de 1915, Pinheiro cometeu seu maior erro político ao tentar impedir a posse de Nilo Peçanha, eleito presidente do Rio de Janeiro. Quando uma multidão cercou seu carro, com o objetivo de linchá-lo, na saída do Senado, Pinheiro ordenou ao chofer: "Avance, nem tão devagar que pareça afronta, nem tão depressa que pareça covardia". Homem de frases fabulosas, também diria: "É possível que o braço assassino, impelido pela eloqüência delirante das ruas, nos possa atingir". Se o golpe viesse, Pinheiro Machado garantia que não ocultaria, "como César, a face com a toga, e, de frente, olharemos (...) a ignóbil figura do bandido". Essa promessa o caudilho não pôde cumprir: a 8 de setembro de 1915, no saguão de um hotel do Rio de Janeiro, Pinheiro foi assassinado com uma facada pelas costas. O "sicário" chamava-se Francisco Manso de Paiva — e era um zé-ninguém.

O "Fazedor de Reis"

Pinheiro Machado era uma figura imponente. Esguio, com um alfinete de pérola na gravata de seda e uma bengala com o cabo de marfim ("de unicórnio", dizia ele), andava ereto, oferecia banquetes suntuosos, adorava galos de rinha, jogava pôquer e bilhar e utilizava um vocabulário floreado, posto a serviço da retórica agressiva. Poderoso e adulado, Pinheiro fez da política "um meio de se tornar mais rico", segundo o historiador norte-americano Joseph Love. "Noutras palavras: pairava ao seu redor um ar inconfundível de corrupção."

Talvez por isso, tenha havido carnaval no Rio de Janeiro e em São Paulo quando a notícia de que Pinheiro fora assassinado se espalhou. O povo associava sua figura à carestia, aos desmandos políticos e à manutenção do poder nas mãos dos oligarcas. Embora todas as evidências apontassem em direção a uma conspiração, nunca ficou provado que Francisco Manso de Paiva — padeiro gaúcho desempregado e semi-analfabeto — estivesse agindo sob as ordens de alguns dos inúmeros e poderosos inimigos de Pinheiro. Ao ser preso, a poucas quadras do hotel, o assassino trazia um bilhete no qual pretendia justificar sua atitude, caso fosse morto. A nota, que enfatizava o sofrimento do povo e o atribuía a Pinheiro, parecia redigida por alguém mais letrado do que Paiva. Mas o julgamento, presidido por Flores da Cunha, fervoroso aliado de Pinheiro, não conseguiu incriminar ninguém além do próprio assassino.

De qualquer forma, ao desbancar Bahia e Pernambuco, Pinheiro mudara o mapa político do Brasil, tornando o Rio Grande do Sul o terceiro Estado mais importante da federação, atrás de São Paulo e de Minas. Embora não tivesse sido capaz de impor seu nome à Presidência, Pinheiro deixou o Rio Grande nas mãos de Borges de Medeiros.

O Presidente Civilista

*Uma vez alçado ao poder, o paraibano
Epitácio Lindolfo da Silva Pessoa (1865-
1942) — primeiro nordestino a
comandar a nação — revelou-se muito
mais ousado e autoritário do que seus
aliados poderiam supor. Ainda assim,
desde o início de seu governo, tentou
assegurar o apoio dos três "grandes"
Estados da federação (São Paulo, Minas
Gerais e Rio Grande do Sul). Tanto é que
seis dos sete ministros que nomeou eram
paulistas, mineiros ou gaúchos. Para
poder articular mais plenamente essa
composição, Epitácio Pessoa (acima) teve
que nomear dois civis para os ministérios
da Guerra e da Marinha (respectivamente
Pandiá Calógeras, seu companheiro em
Versalhes, com quem aparece na gravura
ao lado, e Raul Soares). Civis comandando
militares era algo que, no Brasil, não se
via desde o império. Houve grande
indignação nos quartéis. A atitude
"civilista" de Epitácio Pessoa teria
profundas conseqüências — embora o
desfecho delas só viesse a ocorrer no
governo seguinte, de Artur Bernardes.*

*Além da construção de mais de mil
quilômetros de ferrovias no Sul do Brasil,
a maior obra do governo Epitácio Pessoa
foi o Programa de Combate à Seca no
Nordeste. Com investimento de 304 mil
contos, o presidente fez mais de duzentos
açudes na região. Injuriados com o que
julgavam ser um "protecionismo ao
Nordeste", os paulistas exigiram que uma
quantia similar fosse destinada para
"valorizar" outra vez o café. Cedendo às
pressões, Pessoa liberou 124 mil contos e
o governo estocou 4,5 milhões de sacas,
forçando novo aumento no preço do
produto, que despencara de 50 centavos
de dólar para 20 centavos de dólar
por quilo.*

Epitácio Pessoa e o Tratado de Versalhes

Se Paris já não fosse uma festa, teria se transformado em uma quando, em fevereiro de 1919, uma enorme delegação do Brasil desembarcou na capital francesa, com todas as despesas pagas pelo tesouro nacional. Encerrada a Primeira Guerra, após o pedido de armistício feito pela Alemanha, as 32 nações envolvidas no conflito se reuniram para a Conferência de Paz de Paris — na qual, em 28 de junho de 1919, no salão dos Espelhos, foi assinado o Tratado de Versalhes.

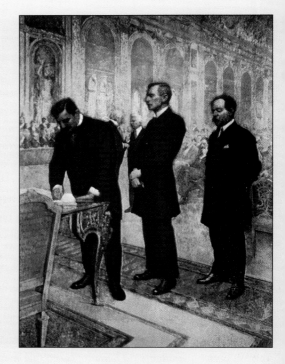

O Brasil, incluído com outros 23 países no grupo de "potências com interesses especiais" (do qual também faziam parte Libéria, Haiti e Sião), enviou à conferência dez delegados oficiais, sob a chefia de Epitácio Pessoa. Junto com os juristas e os representantes oficiais do país, porém, seguiram seus familiares, assessores, convidados e acompanhantes em tal número que o navio que zarpou do Rio de Janeiro, no dia 2 de janeiro de 1919, partiu quase lotado.

Menos mal que, nas negociações, o país se saísse bem: dos 440 artigos do tratado, dois deles se referiam especificamente a interesses brasileiros. No primeiro, a Alemanha era obrigada a pagar 125 milhões de marcos pelas 1,85 milhão de sacas de café que tinha destruído ao atacar navios brasileiros, e a devolver as sacas que haviam sido estocadas em Berlim durante a "valorização" de 1906. No outro, foi concedido ao Brasil o direito de pagar com preços "antigos" — portanto, mais baixos — os 70 navios alemães que o país havia confiscado em seus portos.

Ao retornar da França com seu "navio da alegria", em julho de 1919, Epitácio Pessoa, que deixara o país como senador, descobriu que era o novo presidente do Brasil. Os fatos que o tinham conduzido ao cargo retrocediam à sucessão de Venceslau Brás. Apesar de Pinheiro Machado estar morto, a luta pela indicação do sucessor de Brás foi tão renhida quanto nos tempos do senador. Após várias reviravoltas, as oligarquias e feudos políticos de São Paulo, Minas Gerais, Rio de Janeiro e Rio Grande do Sul chegaram a um candidato de consenso: o velho conselheiro do império Rodrigues Alves, então com 70 anos. Concorrendo sozinho, Alves foi eleito em março de 1918, mas não pôde tomar posse em 15 de novembro. Acometido pela "gripe espanhola", morreu em janeiro de 1919. Em seu lugar, assumiu o vice Delfim Moreira.

Como a Constituição previa novas eleições em caso de morte ou renúncia do presidente antes de completada a metade do mandato (e como, dessa vez, não havia marechais de ferro por perto), Delfim Moreira ficou no poder até julho de 1919, quando se realizaram novas

eleições. Embora o eterno candidato Rui Barbosa lançasse mais uma vez sua candidatura, atacando arranjos oligárquicos e mesquinharias políticas, Minas Gerais, São Paulo e Rio Grande do Sul decidiram apoiar o nome de Epitácio Pessoa. Apesar de estar ausente do país, seus aliados alardearam os supostos "esplendores" de seu desempenho diplomático em Versalhes. E Pessoa ganhou fácil a "eleição" (*leia box à esquerda*).

O Governo de Artur Bernardes

A pesar de não ter se envolvido diretamente na dura campanha desencadeada para a sua sucessão, Epitácio Pessoa foi o maior responsável pelos rumos que ela iria adquirir. Ao nomear dois civis para os ministérios da Guerra e da Marinha, o presidente gerara grande insatisfação nos quartéis. Embora Epitácio devesse muito de sua candidatura ao apoio dado pelo governador do Rio Grande do Sul, Borges de Medeiros, logo após o início de seu governo Borges praticamente passara para a oposição. Quando, em fins de 1919, o governador de São Paulo, Washington Luís, e o de Minas Gerais, Artur Bernardes, fizeram um acordo para lançar Bernardes como o candidato do "café-com-leite" às eleições de 1922, Borges iniciou as articulações que desembocariam no movimento conhecido como "Reação Republicana", contrário à candidatura de Bernardes e favorável à de Nilo Peçanha, governador do Rio de Janeiro. De imediato, os militares apoiaram Borges e Nilo.

Em outubro de 1921, quando os jornais divulgaram cartas de Artur Bernardes atacando o ex-presidente Hermes da Fonseca em particular e os militares em geral, faltou pouco para estourar um golpe militar. Embora as cartas fossem falsas (*leia o quadro à direita*), o clima político polarizou-se e o Brasil se encaminhou para as eleições mais dis-

Em 4 de novembro de 1920, depois de passar cinco anos na Europa em companhia de sua jovem esposa, Hermes da Fonseca retornou ao Brasil. Embora o país não tivesse esquecido de seu desastroso desempenho na Presidência, o marechal foi recebido como herói pelos oficiais do Exército. Desagradados com o comportamento "civilista" de Epitácio Pessoa, os militares descontentes vislumbraram em Hermes o líder ideal para dar início a uma reação. Em março de 1921, o marechal tomou posse na presidência do Clube Militar e deu todo apoio à candidatura de Nilo Peçanha, adversário da chapa "café-com-leite" encabeçada por Artur Bernardes.

Na edição de 9 de outubro de 1921, o jornal Correio da Manhã, do Rio de Janeiro, publicou uma carta, atribuída ao então candidato Artur Bernardes, na qual Hermes da Fonseca era chamado de "sargentão sem compostura", Nilo Peçanha de "pobre mulato" e alguns generais de "anarquizadores". A edição do jornal teve o efeito de uma bomba. Bernardes de imediato negou a autoria da carta. No dia seguinte, o mesmo jornal publicou nova missiva — tão ofensiva quanto a primeira. No dia 27 de dezembro, peritos declararam que as cartas eram verdadeiras. O ministro da Guerra, Pandiá Calógeras, informou Epitácio Pessoa que, caso fosse eleito, Bernardes "não agüentaria 24 horas no Catete". Mas, em março de 1922, Artur Bernardes recebeu 1,5 milhão de votos, contra 700 mil dados a Peçanha. Hermes da Fonseca foi preso e o Clube Militar fechado em 2 de julho. Setenta e duas horas mais tarde, explodiria a Revolução Tenentista (leia o capítulo "O Brasil dos Tenentes"). Em maio de 1929, dois falsários confessaram ter forjado as cartas da discórdia.

O "Câmbio Vil"

Ao tomar posse em novembro de 1926, Washington Luís pretendia fazer da estabilização cambial e dos preços a medida prioritária de sua administração. Ao estabelecer uma taxa fixa de câmbio, o presidente desvalorizou o mil-réis (rompendo o padrão oficial — e artificial — que, desde 1846, equivalia a 27 dinheiros por mil-réis e passou a ser de 6 dinheiros por mil-réis) e restabeleceu a conversibilidade do mil-réis pelo ouro, proibindo a emissão de dinheiro sem lastro e mandando incinerar o saldo orçamentário do exercício anterior.

A medida agradou aos cafeicultores de São Paulo e aos pecuaristas gaúchos. Porém, a classe média, que consumia produtos importados, indignou-se com o "câmbio vil". A outra marca da administração de Washington Luís se sintetizava no slogan "Governar é abrir estradas". O presidente fez as rodovias Rio–São Paulo e Rio–Petrópolis. O país e a aliança café-com-leite pareciam estar em paz. Só o fracasso da política financeira do governo e o rompimento do acordo São Paulo–Minas Gerais poderiam abalar o "reinado" de Washington Luís. A quebra da Bolsa de Nova York, em 1929, e a tentativa do presidente de fazer do paulista Júlio Prestes seu sucessor tornaram reais essas duas terríveis ameaças. E uma revolução acabaria derrubando o governo.

putadas desde o pleito de 1910, entre Hermes da Fonseca e Rui Barbosa. Em março de 1922, Artur Bernardes e Nilo Peçanha se enfrentaram nas urnas. Findas as eleições, os dois lados cantaram vitória. Após disputas ferozes, ameaças de guerra civil, conflitos de rua, tramóias de todos os tipos e fraudes descaradas, Artur Bernardes foi declarado vencedor em julho de 1922.

Bernardes tomou posse em novembro de 1922 sob estado de sítio, declarado desde a Revolução Tenentista de Copacabana (também chamada de Os Dezoito do Forte), que rebentara no dia 5 de julho (*leia o capítulo "Os Dezoito do Forte e a Eclosão do Tenentismo"*). Autoritário e vingativo, "envenenado pela campanha difamatória que sofrera", Bernardes manteve a "suspensão das garantias constitucionais" ao longo de todo o seu governo. Não concedeu anistia aos rebeldes, censurou a imprensa, mandou prender seus adversários e, acima de tudo, aproveitando-se do recesso da Câmara, graças ao estado de sítio, decretou intervenção federal no Rio de Janeiro e na Bahia, que, juntos com o Rio Grande do Sul e Pernambuco, faziam parte da "Reação Republicana".

Em Pernambuco, Bernardes não precisou intervir, pois seu antecessor, Epitácio Pessoa, já o fizera (episódio que resultou na prisão de Hermes da Fonseca, que havia instigado os militares locais a não cumprir as ordens presidenciais de reprimir as manifestações populares). No Rio Grande do Sul, a eclosão da Revolução de 1923 também ajudaria Bernardes, poupando-o do desgaste que uma intervenção no terceiro Estado mais importante da federação certamente provocaria. Em 1924, o presidente enfrentaria nova revolta tenentista, desta vez em São Paulo — sem falar da Coluna Prestes, que se pusera em marcha desde 1922. Por isso, Bernardes governou o Brasil enclausurado no Catete, de onde quase não saía. Ainda assim, manteve intacta a aliança São Paulo–Minas Gerais e conseguiu entregar o país ao candidato "café-com-leite", o paulista Washington Luís.

O Governo de Washington Luís

Washington Luís Pereira de Souza começou a se tornar presidente do país sete anos antes de ser "eleito" por aclamação, em março de 1926. Em carta enviada a Borges de Medeiros, em 24 de novembro de 1919, um congressista gaúcho alertava o presidente do Rio Grande do Sul de que Artur Bernardes (então presidente de Minas) e Washington Luís (de São Paulo) já tinham articulado sua estratégia na Câmara e entre as lideranças do PRM e do PRP, para se tornarem os próximos presidentes do Brasil. Com a eleição de Bernardes em 1922, ficou claro que assim seria.

No entanto, a aliança café-com-leite poderia ter sido estremecida pelas revoluções tenentistas de 1922, 1924 e 1925, pela revolução de 1923 no Rio Grande do Sul e pela marcha épica da Coluna Prestes. Não foi o que aconteceu: ao governar o país com mão-de-ferro, enclausurado no Catete, Artur Bernardes conseguiu passar o cetro a seu sucessor paulista. As máquinas políticas da "Reação Republicana" — contrárias à aliança café-com-leite — tinham sido duramente punidas na Bahia, no Rio de Janeiro e em Pernambuco. No Sul, Borges de Medeiros — interessado em eleger-se pela quinta vez consecutiva presidente do Estado e ainda ressabiado com as conseqüências da Revolução de 1923 — achou mais prudente aceitar passivamente a fórmula paulista-mineira.

Por "sugestão" de Bernardes, cada Estado reuniu uma convenção de líderes municipais; a essa seguiu-se, em setembro de 1925, a convenção nacional na qual Washington Luís foi proclamado formalmente candidato único à Presidência. Em 1º de março de 1926, a chapa unânime recebeu 98% dos votos numa das eleições mais calmas da história brasileira. Foi a consagração final de um sistema trapaceiro.

Washington Luís tomou posse em 15 de novembro de 1926, desfilando em carro aberto pela avenida Rio Branco, no centro do Rio de Janeiro, sem proteção policial, sendo entusiasticamente ovacionado pela população. A primeira ação prática do novo presidente foi a suspensão do estado de sítio. Esperava-se que o passo seguinte fosse a anistia aos rebeldes de 22, 23, 24 e 25, para que o país pudesse ingressar, pacificado, em uma nova era. Mas, Washington Luís não foi capaz de fazê-lo: sua lealdade ao governo anterior e a hostilidade do Exército ao retorno dos revolucionários aos quartéis impediriam a aprovação da anistia "ampla, geral e irrestrita". A seguir, novos focos de insatisfação política levaram o governo a reforçar a Lei de Imprensa e a aprovar a "Lei Celerada", destinada a reprimir o comunismo. O Partido Comunista do Brasil (PCB), na legalidade desde janeiro de 1927, foi outra vez jogado na clandestinidade.

Reafirmando a aliança café-com-leite, Washington Luís montou um ministério de paulistas e mineiros. Mas, para "premiar" a lealdade do Rio Grande do Sul, que não se opusera à sua candidatura, nomeou o deputado Getúlio Vargas ministro da Fazenda, ainda que o próprio Vargas não se achasse qualificado para o cargo. Disposto a "pacificar" definitivamente o Sul, o presidente teve outro gesto de boa vontade após a posse: foi a Porto Alegre, tornando-se o primeiro presidente a visitar o Rio Grande do Sul em vinte anos. Por ordem de Borges, Getúlio aceitou o cargo em dezembro de 1926 — saindo dele em janeiro de 1928 para se tornar governador do Rio Grande do Sul, no lugar do próprio Borges. Os treze meses de Getúlio como ministro da Fazenda foram, de qualquer forma, apenas figurativos: quem de fato mandava na economia era o presidente.

Aclamado pelo povo: no dia de sua posse, o paulista Washington Luís desfilou pela avenida Rio Branco, no Rio, sendo aclamado pelo povo. Quatro anos depois, seria deposto e forçado a partir para um longo exílio.

C A P Í T U L O 2 7 O Brasil dos Tenentes

Nos quartéis, a cada dia o comentário se tornava mais freqüente e ousado: "A procissão vai sair". O Clube Militar fora fechado — e, o que era mais ultrajante, a interdição havia sido feita com base em uma lei de 1921, contra "associações nocivas à sociedade". O marechal Hermes da Fonseca fora preso — e, apesar de domiciliar e com duração de apenas um dia, a pena lhe fora imposta de forma "arbitrária e injusta", segundo os militares. Não era só: apesar de Artur Bernardes negar a autoria

das cartas nas quais se achincalhava o marechal Hermes da Fonseca, em particular, e o Exército, em geral, grafólogos asseguravam (equivocadamente) que a letra era realmente de Bernardes, presidente eleito, cuja posse estava marcada para dali a quatro meses. Mais: segundo seus inimigos de farda, Artur Bernardes fraudara as eleições e só por isso tinha vencido o pleito contra Nilo Peçanha, o candidato que recebera o apoio dos quartéis. Era preciso fazer alguma coisa — e o mais rapidamente possível. Por isso, "a procissão" ia sair.

A conspiração militar para derrubar o governo de Venceslau Brás e impedir a posse de Artur Bernardes deveria começar no forte de Copacabana. Quem liderava a tropa era o capitão Euclides Hermes, filho de Hermes da Fonseca — com o auxílio de vários tenentes, entre os quais Siqueira Campos e Eduardo Gomes. À uma hora da manhã de 5 de julho de 1922, um dos canhões do forte foi disparado: era a senha para os demais fortes do Rio de Janeiro aderirem ao levante. Mas o tiro de pólvora seca ecoou solitário pela baía. As outras

guarnições desistiram de juntar-se à conspiração. "Fomos traídos!", gritou o tenente Siqueira Campos. "Perdemos a revolução. Só resta nos entregarmos como covardes ou sairmos lutando por aí." Ao amanhecer, o forte de Copacabana foi bombardeado por dois encouraçados e cercado pelas tropas leais ao governo. "Não queremos levar ninguém ao suicídio", voltou a dizer Siqueira Campos. "Estamos cercados por 4 mil soldados. Quem quiser abandonar o forte, deve fazê-lo agora."

Dos 301 homens, 273 deixam a guarnição. Os 28 restantes estão prontos para tudo. O capitão Euclides Hermes da Fonseca vai ao Catete negociar com o ministro da Guerra, o civil Pandiá Calógeras. Chegando lá, é preso. No forte, seus companheiros dividem a bandeira do Brasil em 28 pedaços e decidem sair às

ruas, seguindo em direção ao palácio do governo. Começa a Marcha da Morte. Lentamente, armados e de peito estufado, eles caminham pela avenida Atlântica (abaixo). Na altura do hotel de Londres, restam apenas 18; os demais desertaram. A eles, junta-se um transeunte civil, o engenheiro gaúcho Otávio Correia. Nas ruas laterais, 4 mil soldados aguardam as ordens para enfrentá-los. Ouvem-se alguns tiros e, agora, são apenas dez os homens que marcham para a morte — entre eles, Correia, o paisano. Uma nova saraivada de tiros e oito cadáveres jazem no chão da avenida. Sobrevivem apenas os tenentes Siqueira Campos e Eduardo Gomes — justamente os dois líderes do movimento que entraria para a história com o nome de "Os 18 do Forte".

A quixotesca revolução dos 18 do Forte teria profundas conseqüências. Foi a primeira eclosão do movimento tenentista — a revolta dos quartéis em oposição ao regime oligárquico que em breve representaria a revolta da classe média contra os desmandos da elite café-com-leite. Cinco de julho se tornaria uma data marcante, na medida em que nesse mesmo dia, no futuro, eclodiriam outras insurreições militares. E o mais importante: oito anos depois da marcha dos tenentes, o tenentismo acabaria chegando ao poder, sob a liderança de Getúlio Vargas. E os tortuosos caminhos da história tornariam Vargas o inimigo número um do mais heróico dos "tenentes": o capitão Luís Carlos Prestes, líder da épica marcha conhecida como Coluna Prestes.

O Libertador

Político, jornalista, poeta e estancieiro, Joaquim Francisco de Assis Brasil (1858-1938) era líder natural dos opositores ao governo Borges de Medeiros. Eleito deputado em 1884, ainda nos tempos do Império, foi ministro na Argentina em 1890 e embaixador na China em 1893. Dois anos antes, Assis Brasil (foto acima) rompera com o Partido Republicano e com Júlio de Castilhos. Depois dos trágicos acontecimentos da Guerra Civil de 1893, decidiu afastar-se da política. Mas, em 1922, não pôde recusar o convite dos federalistas e dos democratas e voltou à ativa para liderar a revolta de metade dos gaúchos contra Borges.

Com a faca na bota: velhos combatentes gaúchos, veteranos de várias revoluções, envolveram-se também na revolta liberal de 1923 que, de certo modo, era uma continuação da revolução federalista de 1893.

A Revolução de 1923 no Rio Grande do Sul

Seis meses após o episódio dos 18 do Forte e apenas 71 dias depois da posse do presidente Artur Bernardes, uma nova revolução sacudiria o Brasil, dessa vez por mais tempo e com maior derramamento de sangue. Nesse caso, porém, tratava-se de um confronto local — embora, a partir dele, o movimento tenentista adquirisse novo fôlego e se sentisse preparado para se disseminar por outras regiões do país.

A Revolução de 1923 eclodiu em 25 de janeiro, dia da quarta posse consecutiva de Borges de Medeiros no governo do Rio Grande do Sul. A Constituição estadual gaúcha — redigida por Júlio de Castilhos em 1891, à sua imagem e semelhança — era de cunho autocrático e positivista. Ainda assim, a Carta estabelecia que, para suceder a si mesmo, um governador teria de receber 75% dos votos. Com a certeza de que tal índice só seria obtido por meio da fraude mais descarada, federalistas, estancieiros e democratas — inimigos mortais dos castilhistas e de seu herdeiro político, Borges — deixaram momentaneamente de lado suas divergências e se fundiram numa "Aliança Libertadora" para extinguir o reinado do Chimango, como Borges fora apelidado.

Sob a liderança de Assis Brasil, os rebeldes se intitularam "libertadores" e iniciaram o combate a Borges. Em janeiro de 1923, quando o governo anunciou que "vencera" as eleições de novembro de 1922 com a margem exigida pela Constituição, a guerra rebentou. Foi quase uma repetição do que ocorrera na Guerra Civil de 1893: os republicanos de Borges, que se denominavam "legalistas", estavam mais bem-armados e em maior número. Enfrentaram com modernas metralhadoras os exércitos de lanceiros libertadores (que, também como em 1893, usavam o lenço vermelho ao redor do pescoço). Além dos 3.500 homens da Brigada Militar (fundada por Castilhos), Borges contava com os 8.500 soldados dos chamados "corpos provisórios". Esses ferozes batalhões de peões (*acima*) eram liderados pelos caudilhos da nova geração: Flores da Cunha, Osvaldo Aranha e Getúlio Vargas. Flores comandou a Brigada do Oeste e venceu os rebeldes em cada combate que conseguiu provocar. Os libertadores também tiveram seus heróis, entre eles, Batista Luzardo e Honório Lemes. A revolução durou dez meses e mais de mil homens morreram.

Desde o começo do conflito, Assis Brasil tentou convencer o presidente Artur Bernardes a não reconhecer a "vitória" eleitoral de Borges e a intervir no Rio Grande do Sul, como já fizera na Bahia e em Pernambuco e logo faria no Rio de Janeiro — punindo os Estados que tinham formado a Reação Republicana, contrária a sua candidatura. Apesar de ter sido justamente Borges o principal articulador da Reação, Bernardes sabia que intervir no Rio Grande do Sul seria muito arriscado. E, de início, não envolveu o governo central no conflito. Mais tarde, decidiu aliar-se ao próprio Borges, forçando a bancada gaúcha a apoiar, no Congresso, sua intervenção no Rio de Janeiro para derrubar Nilo Peçanha.

Uma vez consolidado seu poder no Rio de Janeiro e, por extensão, no resto do Brasil, Bernardes começou a forçar Borges a fazer certas concessões aos libertadores. Em 14 de dezembro de 1923, na estância de Assis Brasil, foi assinada a paz entre legalistas e libertadores, conhecida como o Pacto de Pedras Altas. Borges continuou no poder, mas teve de mudar a Constituição: as reeleições ficaram proibidas e o governador não poderia indicar o vice. Foi uma grande vitória de Bernardes. Nos quartéis da fronteira, porém, alguns tenentes achavam que a luta estava só começando.

A Revolução Paulista de 1924

Para toda uma geração de jovens militares, o dia 5 de julho de 1922 marcou o início da história "moderna" do Brasil, pois a sublevação "heróica" dos 18 do Forte seria o estopim de uma série de revoltas que acabaram destruindo a República Velha. A data se tornara tão simbólica que, no segundo aniversário do levante do Forte de Copacabana, em 5 de julho de 1924, insurreições militares eclodiram em São Paulo, Sergipe e Amazonas. Os movimentos do Norte foram dominados e o governo conseguiu manter os quartéis sob controle. Em São Paulo, porém, os rebeldes tomaram a capital do estado e a ocuparam por três semanas.

Esse movimento foi comandado pelo general gaúcho Isidoro Dias Lopes (*leia texto à direita*), pelo major Miguel Costa, comandante do Regimento de Cavalaria da Força Pública e pelo tenente Joaquim Távora. Entre os combatentes mais destacados figuraram os tenentes Eduardo Gomes (líder dos 18 do Forte, que retornou do exílio para participar da luta), Juarez Távora (irmão de Joaquim), o feroz João Cabanas e o ardiloso Filinto Müller. O objetivo do golpe era a deposição do presidente Artur Bernardes — o inimigo número um dos militares.

Embora planejada com antecedência, a revolução começou caoticamente. Às 5 horas da manhã de 5 de julho, 2.600 soldados rebelados tomaram com facilidade os quartéis do Exército e da Força Pública, no bairro da Luz, em São Paulo, além das estações de trem da Luz e da Sorocabana. Ingenuamente, contudo, os revoltosos esqueceram-se de cortar as comunicações telegráficas e telefônicas, e a notícia da rebelião chegou à capital federal, onde Artur Bernardes se preparou para combatê-la. Antes da chegada das tropas legalistas, os rebeldes abririam fogo contra o palácio dos Campos Elísios, onde estava o presidente do Estado, Carlos de Campos.

No dia 6, o primeiro contingente das tropas federais chegou a São Paulo, mas parte dele aderiu aos revoltosos. No interior do estado, fazendeiros e comerciantes armaram volun-

Um Velho Rebelde

Veterano da Revolução Federalista de 1893 e das lutas contra Floriano, o coronel gaúcho Isidoro Dias Lopes (foto abaixo) um militar reformado, foi convidado pelos tenentes paulistas para assumir o comando da Revolução de 1924. Ele chegou à cidade de trem, vindo do Rio de Janeiro, na noite de 4 de junho. Logo se desentendeu com o major Miguel Costa, o outro chefe do levante. Foi de Isidoro a decisão de deixar a cidade e partir para o Paraná. Apesar de sugerir que os rebeldes gaúchos se juntassem aos paulistas, Isidoro se mostrou contra o início da marcha da Coluna Prestes. Ele queria depor as armas. Em 1932, participaria do levante dos paulistas contra Getúlio Vargas.

tários para combater o golpe, formando os chamados "pelotões patrióticos". Ao anoitecer do dia 8, impossibilitados de tomar a cidade com seus blindados pesados demais, e também incapazes de expandir a luta até Santos, os rebeldes enviaram um mensageiro ao palácio bombardeado. Iam propor a rendição em troca de anistia. Depararam com o palácio vazio.

O presidente Carlos de Campos fugira de madrugada. Assim, os rebeldes tomaram o poder. Mas não por muito tempo: Artur Bernardes ordenou o bombardeamento aéreo de São Paulo, embora soubesse que isso provocaria a morte de civis inocentes. As bombas deixaram a cidade entregue ao caos. Em meio ao desespero da população, inúmeros armazéns, mercados e depósitos foram saqueados. A partir do dia 16 de julho, com 15 mil soldados fiéis ao governo cercando a cidade, iniciaram-se as negociações para o armistício.

A princípio, o general Isidoro condicionou a assinatura de um acordo à entrega do poder a um governo provisório e à convocação de uma Constituinte. Bernardes recusou a proposta. A seguir, os revoltosos prometeram depor as armas se fossem anistiados. Quando essa reivindicação também foi negada, as forças rebeldes decidiram abandonar a capital, de trem, partindo no dia 27 de julho rumo a Foz do Iguaçu (Paraná). Em outubro de 1924, alguns tenentes gaúchos, inconformados com as estipulações do Pacto de Pedras Altas — que decretara o fim da Revolução de 1923, no Rio Grande do Sul —, se insurgiram iniciando uma marcha para se unir aos rebeldes paulistas no Paraná. Em abril de 1925, os dois grupos se juntaram, formando o que viria a ser o embrião da Coluna Prestes.

A Coluna Prestes

Os revolucionários incansáveis: os principais integrantes da Coluna Prestes, entre eles Miguel Costa, Juarez Távora e o próprio Prestes, reunidos em Porto Nacional, em Goiás, em outubro de 1925.

A partida das forças rebeldes de São Paulo, no dia 27 de julho de 1924, foi atribulada e dramática. O tenente João Cabanas, principal líder dos saques aos mercados públicos da cidade, ficou na retaguarda da marcha, combatendo com ferocidade as tropas legalistas que se lançaram em perseguição aos rebeldes. Em setembro, ainda sob o comando do general Isidoro Dias Lopes, os revoltosos conquistaram Guaíra, no Paraná, e lá estabeleceram seu quartel-general, enfrentando as tropas comandadas pelo general Rondon em combates sangrentos que perduraram até abril de 1925. Antes do início da campanha militar no Paraná, alguns tenentes — entre eles Juarez Távora e João Alberto — partiram para o Rio Grande do Sul a fim de insuflar a revolta nos quartéis, onde grassava a insatisfação com o Pacto de Pedras Altas, que dera fim à Revolução de 1923 mas mantivera Borges de Medeiros no poder. Assim, em outubro de 1924, a insurreição foi deflagrada também no Sul, com o capitão Luís Carlos Prestes assumindo o comando do Primeiro Batalhão Ferroviário, com sede em Santo Ângelo.

Logo em seguida, as guarnições de São Luís, São Borja e Uruguaiana, todas no oeste do Rio Grande do Sul, também se rebelaram. Em São Borja, o levante contou com o apoio do tenente Siqueira Campos, que retornara clandestinamente do exílio em Buenos Aires. Em Alegrete, o caudilho Honório Lemes, veterano da Revolução de 1893 e um dos líderes dos libertadores em 1923, juntou-se aos rebeldes, com seu exército "particular" de 800 homens. Ainda assim, Honório Lemes foi, uma vez mais, vencido pelas tropas de Flores da Cunha, no combate de Guaçu-Boi.

Lemes e os tenentes Távora, João Alberto e Cordeiro de Farias se refugiaram, então, brevemente, na Argentina. Apenas São Luís Gonzaga permaneceu sob o controle de Prestes. Contando com cerca de 3 mil homens, Luís Carlos Prestes, cercado por 10 mil soldados legalistas, passou cerca de dois meses imobilizado na cidade, em posição francamente defensiva. Em fins de dezembro de 1924, obedecendo a instruções do general Isidoro Lopes, os rebeldes gaúchos foram comunicados de que deveriam marchar para o Norte, atravessando Santa Catarina, para juntar-se aos rebeldes paulistas em Guaíra. Mais de mil gaúchos desertaram. Os 2 mil restantes, sob o comando de Prestes, romperam o cerco e se puseram em movimento. Depois de batalhas ferozes, chegaram ao Paraná em abril de 1925. No dia 12, numa reunião entre os generais Isidoro e Bernardo Padilha, o major Miguel Costa e o tenente Prestes, decidiu-se prosseguir a marcha e invadir Mato Grosso.

Formou-se então a Primeira Divisão Revolucionária, que passaria à história com o nome de Coluna Miguel Costa-Prestes, ou simplesmente Coluna Prestes. Costa foi nomeado general revolucionário e Prestes, coronel. Composta por quatro destacamentos — liderados por Cordeiro de Farias, João Alberto, Siqueira Campos e Djalma Dutra (também promovidos a coronel pelo comando revolucionário) —, a Coluna protagonizaria, ao longo de dois anos, a marcha mais épica da história do Brasil.

A Marcha Épica

Ao percorrer cerca de 25 mil quilômetros por praticamente todos os estados do Brasil — mais alguns trechos do Paraguai e da Bolívia — desde abril de 1925 até junho de 1927, a Coluna Prestes serviria de modelo para a grande marcha que Mao Tsé-tung e seu exército revolucionário realizariam na China, 20 anos mais tarde. Seria também um dos episódios mais dramáticos e simbólicos da luta revolucionária no Brasil — com seu quixotismo, seus sonhos e seus delírios; a imensa distância entre suas intenções e suas ações; a nulidade quase total de seus resultados práticos; seu heroísmo vão e sua violência latente.

O objetivo principal da Coluna Prestes, decidido na reunião de 12 de abril de 1925, era o de percorrer todo o interior do Brasil para propagar o ideal revolucionário e conscientizar a população rural, fazendo-a sublevar-se contra o domínio exploratório exercido pelas elites "vegetais". Os revolucionários tinham também a esperança de despertar para si a atenção do governo — o que, supostamente, facilitaria o surgimento de novas revoltas nos centros urbanos.

O contingente da Coluna Prestes nunca ultrapassou 1.500 pessoas, em média — apesar de ser praticamente impossível calcular números mais exatos, dado o fato de que houve sempre muitas deserções e novas adesões, além da freqüente entrada e saída de vários participantes transitórios. Disposta a evitar o choque frontal com as tropas legalistas do governo, a Coluna se deslocava rapidamente de um vilarejo para outro — e seu maior efeito parece ter sido inspirar o mais profundo terror entre as populações rurais à simples menção da palavra "revolução".

A marcha da Coluna Prestes começou no fim de abril de 1925, quando os revolucionários cruzaram o rio Paraná, penetrando no Paraguai para seguir em direção a Mato Grosso. Depois de passar por Dourados, Campo Grande e Baús, a Coluna cruzou Goiás, parte de Minas Gerais, novamente Goiás e prosseguiu até o Maranhão, onde o tenente-coronel Paulo Krüger foi preso e enviado a São Luís. Em dezembro, os revolucionários chegaram ao Piauí, travando longo e sangrento combate em Teresina contra as forças destacadas para defender a capital do Estado.

Rumando em direção ao Ceará, em janeiro de 1926, a Coluna teria outra baixa importante: Juarez Távora foi capturado na serra de Ibiapina. A coluna atravessou o Ceará, onde o deputado Floro Bartolomeu, com o apoio do padre Cícero Romão, de Juazeiro, enviou um emissário ao sertão convidando o cangaceiro Lampião para combater a Coluna. Mas Lampião e o grupo de Prestes nunca chegaram a se encontrar. Depois de cruzar o Ceará e o Rio Grande do Norte, o exército de Luís Carlos Prestes invadiu a Paraíba em fevereiro, enfrentando, na vila de Piancó, a ferrenha resistência comandada pelo padre Aristides Ferreira da Cruz, que acabou preso e degolado pelos rebeldes. Prosseguindo em direção ao sul, a Coluna atravessou o Pernambuco e a Bahia, rumando para o norte de Minas Gerais.

Na cidadezinha de Taiobeiras (MG), diante da grande concentração de tropas legalistas em Minas Gerais, o comando da Coluna decidiu interromper o avanço para o sul e realizar a manobra chamada de "laço húngaro", iniciando uma contramarcha para a Bahia, o Piauí, Goiás e Mato Grosso, em direção ao exílio na Bolívia. Em outubro de 1926, depois de uma jornada estafante, a Coluna estava de volta a Mato Grosso. Em março de 1927, após uma penosa travessia do Pantanal, parte dos integrantes da Coluna, comandados por Siqueira Campos, chegou ao Paraguai. O restante, sob a liderança de Prestes, ingressou na Bolívia. Após a Revolução de 30, todos os chefes revolucionários retornariam ao Brasil para ocupar cargos no governo Vargas — todos, menos Luís Carlos Prestes.

No exílio, ele se tornara marxista e logo iniciaria a luta pela Revolução Comunista, dentro e fora do Brasil. Embora o apoio da população rural não passasse de ilusão e as possibilidades de êxito militar tivessem sempre sido nulas, a Coluna Prestes surtiu um efeito simbólico entre os setores da população urbana insatisfeitos com a elite dirigente. Para esses setores, havia esperanças de mudar os destinos da República, como parecia mostrar a marcha heróica dos "cavaleiros da esperança".

O Cavaleiro da Esperança

Filho do oficial do Exército Antônio Pereira Prestes e da professora primária dona Leocádia, Luís Carlos Prestes nasceu em Porto Alegre, em 3 de janeiro de 1898. Estava destinado a se tornar um dos personagens mais lendários da história do Brasil. Olhando-o, porém, seria impossível fazer a profecia. "Pequeno de estatura, o culote subindo-lhe pelos joelhos, montando a cavalo com a sela militar ladeada de alforjes cheios de mapas, constitui um conjunto grotesco, incompatível com a tradição de um chefe gaúcho, sempre vestido a caráter, temerário, desafiador, espetacular", diria dele o tenente João Alberto, um dos principais membros da Coluna. Apesar do depoimento insuspeito, Prestes veio a se tornar um homem "temerário, desafiador e espetacular". Mesmo rompendo quase definitivamente com seus laços gaúchos, ele nunca deixaria de ser uma espécie de caudilho platino: era

A Bela Espiã

Charmosa, inteligente, revolucionária e decidida, Olga Benário entrou para o Partido Comunista da Alemanha em 1923, aos 15 anos. Tentou alistar-se no Exército Vermelho em 1926. Mudou-se para Moscou em abril de 1928, depois de resgatar espetacularmente um companheiro da prisão, em Berlim. Em 1934, aos 27 anos, foi mandada ao Brasil para acompanhar e "controlar" Prestes. Os dois se apaixonaram. Olga estava grávida ao ser presa em março de 1936. O governo Vargas a deportou para a Alemanha nazista — o que equivalia a uma condenação à morte, pois ela era judia. Na prisão, Olga deu à luz uma menina, em novembro de 1936. Morreu na câmara de gás, na Páscoa de 1942. A filha, Anita Leocádia, sobreviveu aos horrores do Holocausto.

No exílio: em março de 1927, Prestes com Cordeiro de Farias à sua direita e Djalma Dutra à esquerda, aguarda o desdobramento dos acontecimentos na localidade de Corazón, na Bolívia.

indômito, autoritário, teimoso, decidido e controverso. Apesar da figura quixotesca, quase chapliniana, ele se transformaria no Cavaleiro da Esperança, projetando sua sombra e sua presença sobre as quatro décadas mais agitadas da política brasileira.

Matriculado no Colégio Militar do Rio de Janeiro, Prestes formou-se tenente-engenheiro na Escola Militar do Realengo, na turma de 1920, da qual faziam parte Siqueira Campos e Eduardo Gomes (os líderes dos 18 do Forte). Em 29 de outubro de 1924, de volta ao Sul, ele forjaria um telegrama para sublevar o Primeiro Batalhão Ferroviário de Santo Ângelo, para o qual fora destacado. Após liderar a revolta dos tenentes do Rio Grande do Sul, Prestes conseguiu romper o cerco das tropas federais, seguindo para o Paraná numa marcha audaciosa, que lhe permitiu se unir aos rebeldes paulistas.

Em maio de 1930, depois das épicas peripécias da coluna que adquiriu seu nome, Prestes, exilado na Argentina, recusou-se a se envolver nas conspirações que resultaram na Revolução de 30. Ao lançar um manifesto no qual se declarava "socialista revolucionário", condenou o apoio dado por seus companheiros às oligarquias dissidentes e anunciou o início de um novo ciclo de luta armada. Mais tarde, Prestes se converteu ao comunismo, viajando para a União Soviética em novembro de 1931. Retornou ao Brasil em abril de 1935, junto com a espiã alemã Olga Benário, que se tornaria sua mulher, para liderar, desastradamente, a Intentona Comunista de novembro de 1935.

O movimento, mal-articulado, foi duramente reprimido por Vargas (*leia no capítulo "O Estado Novo"*). Perseguidos ao longo de três meses, Prestes e Olga foram presos em março de 1936. Judia e comunista, Olga foi deportada para a Alemanha nazista, mesmo estando grávida (*leia quadro na pág. anterior*). Solto em 1945, Prestes aliou-se a seu maior inimigo, Getúlio Vargas e, como chefe do então legalizado Partido Comunista, elegeu-se deputado federal, com a maior votação do país. Em 1948, com o PCB de novo na clandestinidade, Prestes fugiu do Brasil e viveu anos na União Soviética, da qual se tornou vassalo leal. Em 1957, Prestes obteve o direito de voltar ao país por mandado judicial e apoiou João Goulart em 1961. Com o golpe militar de 1964, viu-se forçado a fugir outra vez — deixando para trás documentos que comprometeram vários companheiros. Retornou ao Brasil depois da anistia de 1978 e participou da campanha das Diretas-Já. Stalinista ferrenho, conspirador e conservador, disciplinado e disciplinador, doutrinário e doutrinador, dúbio e drástico, Prestes morreu aos 92 anos, em 1990, mantendo segredo e alimentando o mito de suas várias e fracassadas "ações revolucionárias".

Floro Bartolomeu e o Padim Ciço

No início de 1926, quando a Coluna Prestes entrou no Ceará, o então deputado Floro Bartolomeu Costa resolveu — após breve consulta ao seu "padrinho" político, o padre Cícero Romão — enviar um mensageiro atrás do bando do famigerado cangaceiro Virgulino Ferreira da Silva, o Lampião. Em troca da patente de capitão do Exército, além de um suprimento de modernos rifles Mauser, Floro Bartolomeu decidiu convidar o "rei do cangaço" para enfrentar os homens de Luís Carlos Prestes. Se pudesse abandonar suas funções políticas, Floro Bartolomeu Costa certamente partiria para o sertão disposto a combater ele próprio o inimigo. Afinal, uma década antes, o doutor Floro fora capaz de vencer o próprio Exército nacional.

Formado na Faculdade de Medicina da Bahia, o Dr. Floro Costa chegara ao Vale do Cairiri, no Ceará, em 1908. Abriu um consultório e uma farmácia e logo se tornou amigo de todos os homens influentes de Juazeiro — e o grande aliado do principal deles, o padre Cícero Romão. Graças a seus dotes militares e espírito de liderança, Floro Bartolomeu Costa se tornou chefe de um bando de jagunços e se mostrou capaz de vencer todos os combates nas muitas guerras travadas entre os coronéis locais. Seu exército particular logo se tornaria o exército privado do "Padim Ciço".

Em janeiro de 1912, quando a "política das salvações", deflagrada pelo então presidente Hermes da Fonseca, chegou ao Ceará com o objetivo de derrubar o oligarca Nogueira Accioly da presidência do Estado, Floro, Padim Ciço e seu exército de jagunços concluíram que chegara a hora de o Brasil ouvir falar deles. Em março de 1914, depois de inúmeros combates no sertão, Floro tomou Fortaleza, derrubou o presidente nomeado por Hermes da Fonseca e devolveu o poder à oligarquia Accioly. Não houve reação por parte do governo federal.

Até fins do século XIX, o padre Cícero Romão Batista (1844-1934) era apenas um entre os vários beatos que perambulavam pelo Nordeste, solo fértil para o messianismo, especialmente em épocas de seca e miséria. Quase na virada do século, porém, já consagrado como "santo de Juazeiro", ele se tornaria não apenas "líder espiritual" de milhares de sertanejos dispostos a dar a vida por ele, mas também o "padre do coronel Accioly" (verdadeiro dono do Ceará). Por volta de 1908, apesar de não ousar romper sua aliança com a oligarquia Accioly, o Padim Ciço virara, ele mesmo, um dos mais poderosos "coronéis" do Nordeste e "dono" de Juazeiro.

Padre Cícero chegara à principal cidade do Vale do Cariri em 1872, com uma mão na frente e outra atrás. Fora ordenado presbítero dois anos antes, em 1870, apesar do voto contrário do reitor do seminário em que se formara, que o considerava "fantasioso". Perto de 1889, as fantasias do Padim Ciço começaram a virar "milagre": ao receber a comunhão de suas mãos, as beatas "tombavam por terra e as hóstias tingiam-se de sangue".

Em 1892, o padre foi proibido de pregar e receber confissões. No ano de 1894, Roma considerou os "milagres de Juazeiro" nada além de "superstição", ameaçando o padre Cícero de excomunhão caso não saísse da cidade. Três anos depois, durante a campanha contra Antônio Conselheiro, o Padim Ciço achou aconselhável exilar-se no sertão.

Em 1898, no entanto, ele retornou a Juazeiro e a transformou na "cidade santa" do Nordeste. Quem ousaria enfrentar seu exército de jagunços, comandado pelo Dr. Floro? Quando o novo século raiou, o Padim Ciço tinha se transformado no senhor absoluto do Vale do Cariri. Ainda hoje há uma campanha em prol de sua beatificação. O Vaticano segue ignorando-a.

Floro Bartolomeu Costa e o padre Cícero (abaixo) se conheceram e se associaram em 1908, quando, disposto a explorar as minas de cobre de Coxá (Ceará), o padre entrou em choque com o fazendeiro Antônio Pequeno e decidiu contratar os "serviços" do Dr. Floro. Os dois homens mais conhecidos de Juazeiro formaram um exército de jagunços e assumiram o controle da região. Em 1924, uma imensa estátua do Padim Ciço foi erguida na cidade. O padre morreu em 1934, mas continua sendo venerado como santo no Nordeste.

O Rei do Cangaço

De todos os cangaceiros que aterrorizaram o sertão nordestino nas primeiras décadas do século XX, nenhum foi mais ousado, temido e famoso do que o capitão Virgulino Ferreira da Silva, que a história consagrou com o nome de Lampião, o rei do cangaço. Virgulino entrou para o cangaço por volta de 1914, para vingar a morte de seu pai, envolvido na briga entre as famílias Carvalho e Pereira, que havia anos ensangüentava o sertão. Embora cedo tenha lavado em sangue a honra do pai assassinado, Virgulino tomou gosto pelas correrias armadas, pelos assaltos, pelos incêndios, tiroteios e estupros, que caracterizavam a vida bandida dos cangaceiros. E não precisou de muito tempo para se tornar o mais sanguinário de todos eles.

No início da década de 1920, já era chamado de Lampião — apelido que ele mesmo criara ao dizer que, nos tiroteios, sua "espingarda nunca deixava de ter clarão, tal qual um lampião". Por volta de 1922, quando os tenentes se rebelavam em Copacabana e os poetas antropofágicos surpreendiam São Paulo, Lampião já se tornara o braço direito do cangaceiro chamado Sinhô Pereira. Em fins de 22, Pereira decidiu seguir os conselhos do Padim Ciço — de quem, como a maioria dos cangaceiros, era devoto — e abandonou as estripulias do sertão. Lampião assumiu então o comando do enorme bando de cangaceiros que vivia pelos sertões de Sergipe e da Bahia. Expandiu suas atividades fazendo incursões eventuais a Alagoas, Ceará, Pernambuco, Paraíba e Rio Grande do Norte. Virou lenda.

Em 12 de abril de 1926, depois de praticar os mais variados crimes e saques, atacando cidades em plena luz do dia, Lampião foi transformado em "capitão" legalista, recebendo, por ordem do deputado Floro Bartolomeu Costa e do padre Cícero, fuzis Mauser e trezentos homens. Tinha ordens de perseguir a Coluna Prestes. Quando descobriu que o governo não pretendia anistiá-lo e que o documento que o tornava capitão do Exército não tinha validade legal, desistiu da caçada humana e — com as novas armas — retornou aos saques, aos assaltos e aos crimes.

VIVER DO CANGACEIRO

JOSÉ CAVALCANTI E FERREIRA DILA
AUTOR

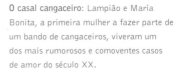
Em 1928, Lampião encontrou, na fazenda Malhada, na Bahia, aquela que seria a mulher de sua vida. Encontrou, não: foi encontrado por ela. Embora casada, assim que o viu, a filha do fazendeiro, uma tal de Maria Bonita, teria dito: "Esse é o homem que amo. Como é, quer me levar ou quer que eu te acompanhe?". Foi paixão à primeira vista, e Lampião e Maria Bonita ficaram juntos até a morte. Lampião cercou-a de atenções e carinho, agiu como bom marido e apelidou-a de "Santinha". A influência de Maria Bonita no grupo também foi benéfica. Graças a ela, os bandos de cangaceiros — antes exclusivamente masculinos — se tornaram "mistos" e vários "tenentes" de Lampião também se casaram. A partir de então, a ferocidade e a freqüência dos ataques diminuíram. Por três vezes, Lampião tentou abandonar o cangaço. Mas o chamado selvagem acabou sendo sempre mais forte. Seu destino estava selado.

O casal cangaceiro: Lampião e Maria Bonita, a primeira mulher a fazer parte de um bando de cangaceiros, viveram um dos mais rumorosos e comoventes casos de amor do século XX.

No final da década de 1930, com Vargas e o Estado Novo no comando da nação, o cangaço estava com os dias contados e a cabeça de Lampião, a prêmio. Em julho de 1938, o bando do rei do cangaço se instalara numa fazenda em Angico, no interior de Sergipe, quase na fronteira com Alagoas. Um comerciante local, com quem Lampião costumava negociar, delatou o grupo. A volante comandada pelo tenente João Bezerra, da Força Pública de Alagoas, surpreendeu o bando e matou Lampião, Maria Bonita e nove outros cangaceiros. Os corpos foram jogados num riacho seco e as cabeças, decepadas, postas em tonéis de querosene, com sal grosso, e levadas para serem expostas nas escadarias da Igreja de Santana do Ipanema, a cidade mais próxima. De lá, foram conduzidas para Maceió e depois para Salvador, onde, mumificadas, passaram a fazer companhia à cabeça de Conselheiro — o beato de Canudos — no tétrico acervo do museu Nina Rodrigues. Foi somente em fins da década de 1960 que a filha e os netos de Lampião conseguiram permissão para retirá-las de lá e dar-lhes "um enterro cristão". Desde a morte de Corisco, o Diabo Louro, em julho de 1940, os horrores do cangaço estavam definitivamente encerrados.

A Cultura de Machado ao Pau-Brasil

C orria o ano 366 da deglutição do bispo Sardinha e os canibais estavam de volta. Queriam o fígado de Peri. Queriam devorar o Guarani — em prosa e verso. Planejavam trancafiar Castro Alves no navio negreiro, crucificar Vítor Meireles na primeira cruz e esquartejar Pedro Américo como este fizera com Tiradentes. E queriam incomodar a burguesia. A burguesia adormecera sobre os sacos de café e dinheiro, como gato de armazém? Era preciso despertá-la, de preferência com barulho. Nem que fosse o de suas próprias vaias, "relinchos e miados".

E por isso o poeta gritava: "Eu insulto o burguês! O burguês-níquel,/ O burguês-burguês!/ A digestão bem-feita de São Paulo!/ O homem-curva! o homem nádegas!/ (...) Come-te a ti mesmo, oh! gelatina de pasma!/ Oh!, purê de batatas morais/ Oh! cabelos nas ventas/ oh! carecas!/ Ódio aos temperamentos regulares/ Ódio aos relógios musculares!/ Morte e infâmia/ Ódio à soma! Ódio aos secos e molhados!/ (...) Ódio e insulto! Ódio e raiva! Ódio e mais ódio!/ Morte ao burguês de giolhos,/ (...) Ódio, fundamento, sem perdão/ Fora! Fu! Fora o bom burguês!...".

Fora, sim. A platéia, enfim, ecoava o poeta. O poeta tímido e pacato, que desferia aquela bofetada no gosto do público. E o público pagara 20 mil-réis para ouvir aqueles poemas sem pé nem cabeça, escutar aquelas partituras dissonantes, ver aquelas pinturas manchadas. Era quarta-feira, 15 de fevereiro de 1922. Palco? O Teatro Municipal de São Paulo. Poeta? Um tal de Mário de Andrade (acompanhado pela música de Villa-Lobos e pelas

pinturas de Anita Malfatti). Evento? A Semana de Arte Moderna.

O Brasil nunca mais seria o mesmo após aqueles três dias de vertigem e vaias no teatro refinado de São Paulo. A Semana de Arte Moderna, que começara na segunda-feira, 13 de fevereiro, e se encerraria no dia 17, apresentou ao país seus "neotupis": os poetas Mário e Oswald de Andrade, a pintora Anita Malfatti, o compositor Villa-Lobos. Logo, outros os seguiram; todos dispostos a comer o bispo e a deixar a paulicéia desvairada. E pior: tinham apoio de burgueses, como o cafeicultor Paulo Prado, que bancara a festa, e o diplomata Graça Aranha, que fizera a conferência de abertura daquele bacanal cultural.

A Semana seria só o começo. A seguir, vieram o "Manifesto da Poesia Pau-Brasil" e o "Manifesto Antropofágico". O Brasil dos novos poetas queria ouvir novas rimas e novos sons. Queria acabar com o padre Anchieta, com o padre Vieira, com Alencar e

com Carlos Gomes. Queria redescobrir Pindorama na selva das cidades, queria que o novo mundo fosse admirável e industrial. Queria ser índio e negro. Queria acabar com o "passadismo"; queria a vanguarda e a queria já. Para isso, era preciso borrar as velhas pinturas e arruinar a velha música; queimar os velhos livros e pisotear a "República das Letras". Se a literatura era o "sorriso da sociedade", os novos canibais queriam transformá-la num esgar de escárnio. Queriam a revolução caraíba e queriam, é claro, "épater le bourgeois". Conseguiram tudo, embora pagassem caro pela conquista. E à vista. A Semana de Arte Moderna rompeu com o passado e apresentou o Brasil das letras ao Brasil das calçadas. Plantou o pau-brasil — e só poupou o Machado.

Para a posteridade: reunidos antes da eclosão polêmica, a comissão organizadora da Semana de Arte Moderna de 1922 posa nos salões do Teatro Municipal de São Paulo. Ao lado, detalhe do óleo *E.F.C.B*, de Tarsila do Amaral.

Memórias Póstumas de Machado de Assis

No instante em que Machado de Assis investigava as profundezas da alma humana, no mesmo Rio de Janeiro do início do século dois outros escritores viviam o apogeu — logo seguido pela decadência — do estilo batizado de belle époque *carioca*. O primeiro deles era Olavo Bilac (1865-1918), coroado Príncipe dos Poetas. Mas não foi sua poesia, parnasiana e conservadora, que o tornou o favorito da elite carioca. Seria com sua prosa volumosa — eivada de racismo e eurocentrismo — que Bilac forjaria o estilo que, até 1922, era tido como sinônimo do bom gosto. Se a literatura era "o sorriso da sociedade", ninguém apresentava dentes mais alvos do que Olavo Bilac. Seu único concorrente era seu amigo Coelho Neto, apontado por Lima Barreto como "o mais nefasto dos intelectuais brasileiros". Nascido na periferia, Coelho Neto (1864-1934) lutou contra a pobreza a vida inteira e o fez com um exército de palavras. Suas obras completas enchem 27 volumes. Com uma prosa francamente francófila, combinando ecos de romantismo com o florescimento do naturalismo, Coelho Neto pôs em movimento uma "linha de montagem" literária, na qual produzia mercadorias verbosas com a maior rapidez possível. Talvez não configurassem a melhor prosa do mundo: o importante é que vendiam bem. Apesar dos méritos esparsos, a obra de Bilac e de Coelho Neto era feita para entreter as senhoras da sociedade. E isso ela sem dúvida fazia.

Foi uma vida marcada pela regularidade burocrática, pela discrição, pelos silêncios repletos de significado, pelo ceticismo e pela desilusão. Homem frio em relação às paixões políticas — ou qualquer outra paixão —, reservado, circunspecto e modesto, Joaquim Maria Machado de Assis (1839-1908) passou 25 anos indo e vindo do Ministério da Agricultura, Viação e Obras Públicas, na mesma hora e pelo mesmo caminho.

Ao chegar em casa, porém, esse funcionário de vida descolorida e monótona se transformava num escritor genial. No silêncio de seu gabinete, rompido apenas pelo tique-taque do relógio, Machado de Assis compôs aqueles que seriam não só os maiores romances de seu tempo, mas os maiores de todos os tempos da literatura brasileira. De 1881 a 1908, sempre na surdina, escreveu obras-primas como *Dom Casmurro*, *Memórias póstumas de Brás Cubas*, *Memorial de Aires*, *Quincas Borba*, *Esaú e Jacó*.

Elaborou sua obra sobre os alicerces das duas gerações românticas que surgiram e desapareceram durante sua juventude. Depois, adaptou e reelaborou elementos de todas as escolas que passaram por sua vida, sem se filiar a nenhuma. Poeta, contista, cronista, dramaturgo e crítico, Machado desenvolveu um estilo inimitável, destilado de suas próprias reflexões e desapontamentos, baseado numa profunda compreensão da natureza humana. Sua obra é o triunfo de uma sutil sensibilidade psicológica, e o país soube percebê-lo e os modernistas iconoclastas nem ousaram atacá-lo. Mas Machado, mulato, gago e epilético, embora eleito o primeiro presidente da Academia Brasileira de Letras, continuou evitando o "alto mundo" e criando, em silêncio, romances capazes de romper o véu das aparências e desvendar a carne viva da fragilidade humana.

Monarquista liberal, Machado sempre expressou suas opiniões "pondo veludo na voz", com uma reserva crescente, fruto da doença, da desilusão e de uma amarga maturidade. No trabalho, era um burocrata que servia indiferentemente a liberais e a conservadores, a florianistas e a paulistas, embora, desde o advento da República, se tornasse ainda mais circunspecto. Apesar disso, na alquimia que se processava no silêncio de sua casa, nunca deixou de ser o mais astuto e malicioso cronista de seu tempo. Alguns o chamam de "o romancista do Segundo Reinado", já que Machado fez a crônica dos 66 anos da monarquia. *Brás Cubas* situa-se na época de D. Pedro I, *Quincas Borba* e *Dom Casmurro* se passam no tempo de D. Pedro II, e *Memorial de Aires* e *Esaú e Jacó* narram o ocaso do Império, enquanto este último fala também do desabrochar da República.

Com ceticismo e uma pitada de cinismo, Machado fez a simbiose entre ficção e história, desnudando a mola que impulsionava as vaidades e ambições aninhadas no seio da sociedade e na alma de seus protagonistas. Como o próprio narrador, porém, os personagens machadianos se comportam com um estoicismo e distanciamento que, de certa forma, os projetam para além da história, embora continuem sujeitos a todas suas vicissitudes. Machado faz uma sátira ferina e sem pretensões moralizantes, como Swift ou Sterne. "Nenhum escritor brasileiro estava tão enraizado na realidade nacional quanto ele e, portanto, nenhum outro poderia realizar, tão magistralmente, seu potencial universal", disse o historiador americano Jeffrey Needell, que, como Susan Sontag e Kurt Vonnegut Jr., é fã convicto de Machado. "A história não é um simples quadro de acontecimentos; é mais, é o verbo feito livro", disse Machado de Assis. E foi o que ele fez.

O Triste Fim de Lima Barreto

Pobre e mulato como Machado de Assis — e como João do Rio —, Afonso Henriques de Lima Barreto (1881-1922) também vislumbrou na literatura sua única possibilidade de ascensão social, num país exclusivista e afrancesado como era o Brasil do alvorecer do século XX. Ao contrário de Machado, porém, Lima Barreto teve a imortalidade em vida firme e permanentemente negada por seus contemporâneos. Apesar de ter escrito livros admiráveis — ainda que ríspidos e eventualmente cruéis —, seu talento só seria reconhecido postumamente. E o pior é que Lima Barreto morreu devagar, acossado pela loucura e pela bebida, um boêmio prematuramente envelhecido, maltrapilho e amargo, que nunca sentiu o gosto do sucesso, indispensável para o senso pessoal de valor de mestiço justificadamente paranóico como ele.

Afonso Henriques de Lima Barreto — "nome de rei para um pobre mulato, hóspede acidental do hospício, dado à cachaça e freqüentador habitual de botequins", como escreveu o historiador Nelson Werneck Sodré — nasceu no Rio, de um casal de mulatos que, "apadrinhado" por uma família rica, conseguiu dar ao filho a oportunidade de não só ingressar na Escola Politécnica (uma cidadela positivista) como de arrumar um "emprego decente".

A última vez em que Lima Barreto tentou entrar para a Academia Brasileira de Letras, em 1922, quis fazê-lo para ocupar a vaga aberta com a morte — como a dele próprio, prematura — de João do Rio, em 1921. Também mulato, como Lima Barreto e Machado de Assis, o cronista e jornalista João Paulo Emílio Cristóvão Santos Coelho Barreto, nascido em 1881, era homossexual e cocainômano. Tinha, portanto, ainda mais motivos para ser escorraçado pelo "alto mundo" literário da rua do Ouvidor e se tornar, como Lima Barreto, um pária marginal da República das Letras. Mas aconteceu justamente o oposto: junto com Olavo Bilac e Coelho Neto, João do Rio tornou-se um dos principais cronistas da belle époque carioca e seu principal jornalista. Dono de um estilo surpreendentemente ágil e bem-humorado, João do Rio seria um grande inovador do texto jornalístico.

Embora, no início de sua carreira, João do Rio escrevesse sobre as favelas, os morros e os prostíbulos, sobre o candomblé e os tipos soturnos que flanavam pelo bas-fond carioca, ele logo mudou de estilo. Passou a assinar uma "coluna social", na qual "alimentava o narcisismo do 'alto mundo', com mexericos, reflexões elegantes, comentários de moda e divertissements picantes". A razão de seu sucesso estrondoso foi, segundo Jeffrey Needell, o fato de ele "escrever sobre o mundo da elite carioca não como ele era, mas como a elite gostaria que fosse".

Os donos do Rio: Olavo Bilac (*acima*) e João do Rio (*ao lado*).

"Mulato, desorganizado, incompreensível e incompreendido, era a única coisa que me encheria de satisfação, ser inteligente, muito e muito! A humanidade vive da inteligência e para a inteligência, e eu, inteligente, entraria por força na humanidade, isto é, na grande Humanidade de que quero fazer parte (...) O homem, por intermédio da arte, não fica adstrito aos preconceitos e preceitos de seu tempo, de seu nascimento, de sua pátria, de sua raça; ele vai além disso, mais longe do que pode, para alcançar a vida total do Universo."

Lima Barreto

Lima Barreto tornou-se um pequeno burocrata ministerial. Mas, para ele, esse emprego era uma espécie de morte mental lenta. Para libertar-se, iniciou a luta para virar um escritor reconhecido. A grandeza literária se tornou sua obsessão particular "e sua única esperança de vingança contra uma sociedade cujas pretensões euró filas, racismo e preconceitos de classe ele assimilara e sofria diariamente", como observou o historiador Jeffrey Needell no livro *Belle époque tropical*.

Se Machado de Assis dissecou o Segundo Reinado, Lima Barreto fez a autópsia da Primeira República. O que provocou o mal-estar de seus contemporâneos não foi apenas a abordagem cínica, escorada num "texto amargo, irônico, flexível e cortante como um florete", que Lima Barreto fez dos "temas nacionais". Num tempo em que o preciosismo gramatical era um bem sagrado, ele incorporou o linguajar das ruas, a gíria, a "fala carioca" à sua prosa urbana e ruidosa. Jamais se importou com "os erros de transcendente gramática dos importantes". Em livros como *Recordações do escrivão Isaías Caminha* (1909), *Triste fim de Policarpo Quaresma* (1915) e *Vida e morte de M. J. Gonzaga de Sá* (1919), ele devastou a "república do Kaphet", ridicularizando a burocracia fardada, morna e estúpida, que se arrastava por trás dos jacobinos florianistas; atacou os "escravocratas de quatro costados da administração republicana, cujo objetivo é enriquecer a antiga nobreza agrícola e conservadora, por meio de tarifas, auxílios à lavoura, imigração paga, etc.". Transformou o Brasil em Bruzundanga, o reino dos corruptos, e percebeu que o país era governado pelo "homem que sabia javanês". Mas foi como se Lima Barreto falasse grego: ninguém quis entendê-lo. Por três vezes tentou entrar para a academia — por três vezes foi rejeitado. Morreu em 1922 e por pouco não foi enterrado como indigente.

A Semana de Arte Moderna de São Paulo passou sobre os escombros de seu anonimato. Nem os rebeldes paulistas tinham sabido reconhecer o talento do mulato que uma vez gritara: "Qual é a cor da minha forma, do meu sentir? Qual é a cor da tempestade de dilacerações que me abala? Qual a dos meus sonhos e gritos? Qual a dos meus desejos e febre?".

Os Dois Andrades

O homem de Bruzundanga: o mulato Lima Barreto (*abaixo*), um gênio ignorado. Ao lado, Mário de Andrade retratado por Lasar Segall. Na página seguinte, Oswald visto por Tarsila do Amaral.

Foi o encontro que mudou a cara do Brasil — e o tornou mais esperto, mais ladino, mais tropical. Menos França e mais Brasil. No dia 21 de novembro de 1917, o escritor e jornalista Mário de Andrade deu uma conferência no Conservatório de Arte Dramática, em São Paulo. Finda a palestra, o repórter do *Jornal do Commercio* se estapeou com um colega de outra publicação para obter as laudas originais. No dia seguinte, seu jornal publicou o texto completo. O repórter do *Jornal do Commercio* se chamava Oswald de Andrade. Estava iniciada a amizade que mudaria os rumos da arte no Brasil.

Menos de um mês depois, em 12 de dezembro, os dois novos amigos foram a uma exposição de pintura. "Os rapazes chegaram numa chuvarada. Começaram a rir a toda e um deles não parava. Fiquei furiosa e pedi satisfação. Quanto mais eu me zangava, mais o tal não se continha. Afinal, meio que sossegou e, ao sair, apresentou-se: 'Sou o poeta Mário Sobral'." Mário Sobral era o pseudônimo de Mário de Andrade. Seu companheiro, claro, era Oswald. E a pintora, que registrou o episódio em seu diário, se chamava Anita Malfatti. Dias depois, "Sobral" enviava um poema a Anita. Mais tarde, o jornal

O Estado de S. Paulo publicou uma crítica devastadora da exposição, assinada pelo respeitado Monteiro Lobato. Oswald logo rebateu, com virulência, as opiniões de Lobato — mas isso não foi suficiente para impedir que vários quadros já vendidos fossem devolvidos.

Passados alguns meses, os amigos, agora inseparáveis, foram procurar o escritor Menotti del Picchia — redator-chefe do *Correio Paulistano* e autor do livro *Juca Mulato* — no hotel onde ele vivia, no centro de São Paulo. O trio fez um pacto para "botar por terra toda a arte passadista e acadêmica". Mas a turma ainda não estava completa. No dia 14 de janeiro de 1920, Oswald e o pintor Di Cavalcanti descobriram que, no porão do inacabado Palácio das Indústrias, em São Paulo, trabalhava "um escultor, um tipo esquisitão, de pouca prosa, que faz estátuas enormes e estranhas". Era Vítor Brecheret. Só então o time — montado pelos "mariscadores gênios", os Andrades, Mário e Oswald — ficou pronto para o jogo decisivo. Em breve, o Brasil ouviria falar deles.

A simbiose entre Mário (*à esquerda, pintado por Lasar Segal*) e Oswald de Andrade (*acima, por Tarsila do Amaral*) era de fato espantosa. O primeiro era um intelectual tímido e comedido, dono de uma erudição sólida e sossegada: um jornalista de classe média, gênio gentil e generoso. Oswald, milionário excêntrico, boêmio desregrado e *clown*, dono de um Cadillac verde (comprado só porque tinha cinzeiro) e de escandalosas luvas brancas com losangos pretos, era audacioso e revolto; um iconoclasta desabusado, perspicaz e bárbaro. Mário lia tudo e não conhecia ninguém. Oswald não lia nada e conhecia todo mundo. Um completava o outro. Quando se tornaram "Oswaldário dos Andrades", ou "Marioswald de Andrade", o mundo tremeu.

O Palco da Hora

O Teatro Municipal de São Paulo era o prédio mais requintado da metrópole do café. Inaugurado em 11 de setembro de 1911, no mais puro estilo neoclássico, comportava mais de 1.600 espectadores. Fora projetado pelo arquiteto Ramos Azevedo para ser o templo das artes mais refinadas de seu tempo. Como esse santuário do conservadorismo artístico (abaixo), que simbolizava tudo o que o modernismo jurara destruir, veio a se tornar o palco da manifestação artística mais iconoclasta e ruidosa já realizada na paroquial cena cultural de São Paulo?

Em novembro de 1921, durante a inauguração de uma exposição de Di Cavalcanti, no Rio, o pintor sugeriu à "mocidade artística de São Paulo" a organização de um evento "espetacular que abalasse, pelo vulto e violência, o povo brasileiro". A idéia contou com o apoio do cafeicultor Paulo Prado, milionário culto e homem do mundo; do riquíssimo senador e empresário José Freitas Valle e de Washington Luís, presidente de São Paulo e homem de letras. Por influência deles — e pela presença, no programa, dos consagrados Villa-Lobos e Guiomar Novaes — o teatro foi emprestado.

O Padrinho

Foi na pequena livraria carioca onde se deu a exposição de Di Cavalcanti que "a mocidade artística e literária de São Paulo" teve o primeiro contato com o escritor e diplomata Graça Aranha. Sob a liderança do autor do "livro tabu" Canaã (publicado em 1902 e que, segundo Oswald de Andrade, "ninguém havia lido e todos admiravam"), a Semana iria adquirir um certo "prestígio oficial". Aranha vivia em Paris e se julgava herdeiro da posição olímpica desfrutada anos antes pelo barão do Rio Branco. Os cafeicultores lhe deviam favores e alguns diziam que, na Europa, ele era visto como "a maior glória do nome brasileiro e orgulho da raça latina". Aranha não tinha muito que ver com os modernistas. Mas em breve eles também lhe deveriam favores.

O próprio Oswald reconheceu que o apoio de Graça Aranha foi "um presente do céu". Afinal, "com o endosso dele poderíamos ser tomados a sério. Do contrário, era difícil". Por prudência e obviedade, o diplomata-filósofo foi escolhido para fazer a palestra da noite de abertura. Ela se chamou "A emoção estética na arte moderna" — e até pode ter sido moderna, mas não foi nem um pouco modernista. Tanto que seria uma das únicas manifestações literárias a escapar das vaias furiosas dos almofadinhas da platéia. Graça Aranha era um "medalhão" inatacável, e parece não haver dúvidas de que foi estrategicamente escolhido para abrir o festim. Os canibais modernistas, ao fim e ao cabo, também precisavam recorrer a padrinhos poderosos.

A Primeira Semana do Novo Brasil

A sugestão dada por Di Cavalcanti aos jovens rebeldes de São Paulo começou a se materializar quando os ricos e refinados Paulo e Marinette Prado — cafeicultores com a vida e a mente voltadas para a Paris dos modernistas — decidiram apoiar o evento. Eles formaram um comitê patrocinador que contou com o apoio do "escol financeiro e mundano da sociedade paulista": Alfredo Pujol, Armando Penteado, José Freitas Valle e o prefeito Antônio Prado. O *Correio Paulistano*, órgão do PRP cujo redator-chefe era Menotti del Picchia, também

"agasalhou os avanguardistas, com o consentimento de Washington Luís, presidente do Estado". Com tal apoio logístico, os novos canibais partiram para a ofensiva. A Semana de Arte Moderna durou três dias e reuniu poetas, escultores, pintores, músicos e intelectuais ligados à Nova Arte. Iniciou-se calma e convencional em 13 de fevereiro, com a palestra "A emoção estética na arte moderna", proferida por Graça Aranha, um dos padrinhos do evento (*leia o quadro à esquerda*).

A confusão começou dois dias depois, na palestra de Menotti del Picchia ("Queremos luz, ar, ventiladores, aeroplanos, reivindicações obreiras, idealismos, motores, chaminés de fábricas, sangue, velocidade, sonho, na nossa Arte", disse ele). Apesar de a conferência ter claramente aberto a temporada de caça ao "passadismo", a platéia se conteve e não vaiou. Minutos depois, porém, o que houve foi... Bem, ouçamos a versão da vítima, Oswald de Andrade: "Apenas Menotti se sentou e, quando me levantei, o teatro estrugiu numa vaia irracional e infrene. Antes mesmo d'eu pronunciar uma só palavra. Esperei de pé, calmo, sorrindo como pude, que o barulho serenasse. (...) Abri a boca. Ia começar a ler, e nova pateada se elevou, imensa, proibitiva.

Nova espera (...) Então pude começar. Devo ter lido baixo e comovido. O que me interessava era acabar depressa e sair. Mário de Andrade me sucedeu, e vaia estrondou de novo. Com aquela santidade que o marcava, Mário gritou: 'Assim não recito mais'. Houve grossas gargalhadas."

Anos depois, Mário de Andrade se questionaria: "Como tive coragem pra dizer versos diante duma platéia tão bulhenta?". A seguir, as coisas se acalmaram graças às melodias tocadas pela *superstar* Guiomar Novaes, que atraíra o público até lá (*leia na página 317*). A terceira e última noite do evento, em 17 de fevereiro, foi inteiramente dedicada a um recital de Villa-Lobos. Embora ele já fosse um pianista respeitado, quando entrou no palco de fraque e de chinelos, o público voltou a se enraivecer. Os sons fabulosos do jovem maestro e compositor logo domaram a platéia, e a Semana terminaria com aplausos efusivos a Villa-Lobos.

É preciso deixar claro, contudo, que os modernistas vaiados não foram vítimas inocentes. O jogo perverso entre palco e platéia, os apupos, achincalhes, "miados e relinchos" estavam no programa, faziam parte do espetáculo e talvez fossem até desejados — tanto é que, ainda hoje, há estudiosos que acham que os modernistas "contrataram" gente para uivar contra eles. A vaia soava para eles como o mais caro sinal de reconhecimento.

O Manifesto Antropofágico

A pintura teve importância fundamental não apenas no advento da Semana de Arte Moderna como na eclosão de todo o movimento modernista que veio a seguir. De início, é preciso lembrar que o primeiro vislumbre que São Paulo tivera de arte moderna ocorreu na exposição do pintor Lasar Segall, em 1913 — mostra que causou espanto, a ponto de a sociedade preferir esquecer que ela havia acontecido. Além disso, foi na visita à exposição de Anita Malfatti que Mário de Andrade e Oswald de Andrade não só selaram sua amizade como partiram dali para atitudes mais práticas. Oswald, mais combativo, saiu em defesa de Anita, duramente atacada por Monteiro Lobato. Mário, mais introspectivo, escreveu um poema inspirado no quadro *O homem amarelo*. Anos depois, disse: "Não posso falar pelos meus companheiros, mas eu, pessoalmente, devo a revelação do novo e a convicção de revolta a Anita e à força dos seus quadros".

É preciso lembrar também que a idéia de deflagrar o movimento que Oswald batizara de "revolução sem sangue" nasceu durante uma mostra do pintor Di Cavalcanti. Mas isso seria apenas o começo.

Foi com a chegada da pintora Tarsila do Amaral ao Brasil (ela vivia em Paris e desembarcou em São Paulo em julho de 1922) que a efervescência passageira da Semana de Arte Moderna adquiriria os contornos mais permanentes de uma revolução estética. A arte de Tarsila inspirou e hipnotizou os modernistas.

Tarsila era linda, era rica, era chique, era talentosa, era exótica. Não bastasse, ainda era amiga de Fernand Léger, de Jean Cocteau, de Blaise Cendrars, de Jean Giraudoux — turma que ela introduziu à feijoada, à caipirinha, aos cigarros de palha de milho e ao café cheiroso, em seu ateliê em Paris. Ao retornar ao Brasil, depois de alguns anos na Europa,

O Brasil não seria o mesmo sem O homem amarelo, sem A mulher de cabelos verdes, sem O japonês, sem A estudante russa. O Brasil não seria como é sem a pintura de Anita Malfatti, porque sem a pintura dela talvez não tivesse acontecido a Semana de Arte Moderna de 1922. Tudo começou em 1917, quando Anita, jovem paulista de classe média-alta, que vivera na Europa e nos Estados Unidos (onde conhecera Juan Gris, Marcel Duchamp, Isadora Duncan e Máximo Górki), voltou ao Brasil e decidiu mostrar para alguns conhecidos as pinturas que fizera, inspirada pelo expressionismo e pelo cubismo nascente. "Todos acharam minhas telas feias, dantescas, e todos ficaram tristes; não eram santinhos do colégio."

Anita guardou os quadros. Mas "alguns jornalistas pediram para ver aquelas obras tão malfeitas — e acharam que eu devia fazer uma exposição". A exposição foi inaugurada em dezembro de 1917. Dez dos 53 quadros já tinham sido vendidos quando Monteiro Lobato publicou uma crítica devastadora no Estadão. As telas foram devolvidas. Mas Anita, sem saber, lançara um movimento. "Pode-se dizer que a pintura de vanguarda, no Brasil, enquanto luta e polêmica, tem o seu ponto de partida numa mulher e o de chegada em outra. A sua conquista de compreensão e a imposição de sua legitimidade, como expressão nova de arte, começam e terminam, respectivamente, em Anita Malfatti e Tarsila do Amaral", escreveu o crítico Mário da Silva Brito.

"A música de Villa-Lobos é uma das mais perfeitas expressões da nossa cultura. Palpita nela a chama da nossa raça, do que há de mais belo e original na raça brasileira. Ela não representa um estado parcial da nossa psique. Não é a índole portuguesa, africana ou indígena, ou a simples simbiose dessas quantidades étnicas que percebemos nela. O que ela nos mostra é uma entidade nova, o caráter especial de um povo que principia a se definir livremente, num meio cósmico digno dos deuses e dos heróis."

Ronald de Carvalho
17 de fevereiro de 1922

Cores e flores: à direita, o espantoso *Abaporu*, o comedor de gente, quadro de Tarsila que "batizou" o Movimento Antropofágico. Abaixo, detalhes do óleo *Manacá*, pintado em 1927.

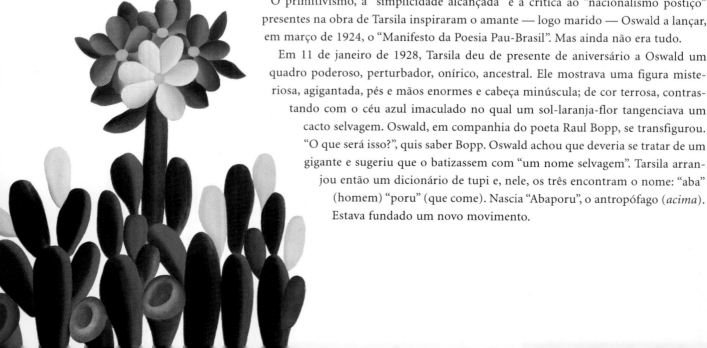

caiu nos braços dos "avanguardistas". E o *playboy* intelectual Oswald ("Osváld", como gostava de ser chamado) logo se apaixonou por ela. E foi correspondido.

O primitivismo, a "simplicidade alcançada" e a crítica ao "nacionalismo postiço" presentes na obra de Tarsila inspiraram o amante — logo marido — Oswald a lançar, em março de 1924, o "Manifesto da Poesia Pau-Brasil". Mas ainda não era tudo.

Em 11 de janeiro de 1928, Tarsila deu de presente de aniversário a Oswald um quadro poderoso, perturbador, onírico, ancestral. Ele mostrava uma figura misteriosa, agigantada, pés e mãos enormes e cabeça minúscula; de cor terrosa, contrastando com o céu azul imaculado no qual um sol-laranja-flor tangenciava um cacto selvagem. Oswald, em companhia do poeta Raul Bopp, se transfigurou. "O que será isso?", quis saber Bopp. Oswald achou que deveria se tratar de um gigante e sugeriu que o batizassem com "um nome selvagem". Tarsila arranjou então um dicionário de tupi e, nele, os três encontram o nome: "aba" (homem) "poru" (que come). Nascia "Abaporu", o antropófago (*acima*). Estava fundado um novo movimento.

Os Sons de Villa-Lobos

Se a pintura ajudou a deflagrar o movimento modernista, foi graças à música que os ingressos postos à venda no Teatro Municipal, para as noites de 13, 15 e 17 de fevereiro, se esgotaram na hora. A maioria dos "burgueses", presentes à cena inaugural do modernismo pau-brasil não estava para ouvir poesia sem rima, ver borrões emoldurados ou assistir a palestras sobre um futuro para eles distante e alheio. Estava lá para ouvir a pianista Guiomar Novaes e admirar o compositor Heitor Villa-Lobos.

Guiomar Novaes, a pequena-prodígio, desde cedo se revelara tão talentosa que aos 13 anos, em 1909, foi mandada a Paris para estudar com Debussy. Aos 15 anos, ganhou o grande prêmio do Conservatório de Paris — e foi ovacionada de pé. Passou a percorrer o mundo, num turbilhão de consagração e fama. Em março de 1921, bateu o recorde de lotação do Carnegie Hall, em Nova York. Era a artista brasileira mais conhecida no exterior. Cada apresentação no Brasil era sinônimo de lotação esgotada, tumulto na porta, multidões ensandecidas. E Guiomar fora escalada para tocar na quarta-feira, 15 de fevereiro de 1922. De fato, tocou, foi aclamada como sempre e passaria ilesa pela polêmica Semana se não tivesse denunciado, em carta aberta, "o caráter bastante exclusivista e intolerante que assumiu a primeira festa da arte moderna (...) em relação às demais escolas de música das quais sou intérprete e admiradora". Guiomar Novaes estava indignada com o deboche a Chopin. Ou estaria com ciúme do sucesso de Villa-Lobos?

Aos 35 anos, o maestro Heitor Villa-Lobos era um fenômeno da arte moderna brasileira. A própria programação da Semana fora feita para realçar esse fato: Villa-Lobos era o único artista com participação central durante os três dias do evento. Na primeira noite, toda a parte musical do programa era composta por obras suas, interpretadas, entre outros, por sua mulher Lucília. Na segunda noite, ele teria a honra de ver suas composições tocadas pela fabulosa Guiomar Novaes. Por fim, na terceira e última noitada, o próprio maestro executaria suas obras mais conhecidas.

Apesar do início confuso, a apresentação de Heitor Villa-Lobos foi consagradora. Ao entrar no palco, o compositor vestia casaca, conforme o figurino. Porém, atacado por ácido úrico nos pés, calçava... chinelos. Supondo tratar-se de uma manifestação "futurista", o público tentou bagunçar o concerto. Mas Villa-Lobos foi impondo seu talento e terminou a noite sob aplausos estrondosos.

Desde 1915, Villa-Lobos (*à esquerda*) deixava ousadias harmônicas, rítmicas e tímbricas invadirem seu aprendizado tradicional. Uma longa viagem pelo Brasil, realizada de 1905 a 1913, levara-o se apaixonar pelos violeiros nordestinos e pelos sons populares do Brasil. A alquimia sonora que ele forjou imprimiria o conceito de "brasilidade" à música erudita. Depois da Semana, Villa-Lobos ganhou uma bolsa do governo de São Paulo e partiu para a Europa. Lá, sua música encantaria Stravinski, Varèse, Prokofiev e De Falla, consagrando-o definitivamente.

CAPÍTULO 29 A Revolução de 30

No último dia de outubro de 1930, Getúlio Vargas fez sua entrada triunfal no Rio de Janeiro. Vestia uniforme militar, lenço vermelho no pescoço e um chapéu gaúcho de aba larga. Apesar de o futuro "chefe do governo provisório" ter vindo do Rio Grande do Sul de trem — uma jornada ruidosa e apoteótica —, muitos de seus aliados gaúchos cobriram o percurso de quase 1.500 quilômetros a cavalo.

Diversos desses milicianos, integrantes dos chamados "corpos provisórios", tinham sido recrutados nas estâncias do pampa — alguns eram veteranos da Revolução de 1923. Eles cavalgaram pelas ruas da capital nacional com um misto de desprezo e admiração pelo esplendor urbano. Ao atingir o centro da cidade, decidiram amarrar suas montarias ao pé do obelisco da avenida Rio Branco.

Foi uma cena emblemática. Para muitos dos revoltosos, essa era uma forma de deixar claro que uma nova visão de mundo estava chegando ao poder. Para inúmeros moradores da capital nacional, era uma "vergonhosa profanação" de um requintado símbolo da cultura européia — tão venerada no refinado Rio de Janeiro.

Embora Getúlio Vargas estivesse preparado para se tornar um político ardiloso, disposto a fazer certas concessões para consolidar-se no poder, sua vida e sua carreira o configuravam como herdeiro de uma longa tradição caudilhista. Uma herança que, ao usar o lenço vermelho e o chapéu de aba larga, ele não apenas não se preocupava em esconder como fazia questão de honrar.

Apesar de boa parte da população do Rio de Janeiro ter saído às ruas para saudar Vargas naquele 31 de outubro, os gaúchos ainda eram vistos com desconfiança na capital federal. Não se haviam passado duas décadas desde a declaração do crítico literário Sílvio Romero de que o Rio Grande do Sul era governado por "almas semibárbaras de egressos do regime pastoril". Seu colega José Veríssimo o ecoara, insinuando que o estado sulista era "um corpo estranho na Federação".

Foram protestos inócuos: em fins de 1930, depois de anos de revoltas sangrentas e capitulações mais ou menos humilhantes, o Rio Grande do Sul estava maduro para exportar ao resto do país seu modelo político baseado no caudilhismo de influência artiguista e no republicanismo positivista. A fórmula iria perdurar por 25 anos.

Em 1930, dentre os grupos políticos dominantes, os gaúchos eram os menos dependentes do sistema econômico internacional e, portanto, os menos arruinados por seu colapso — configurado pela quebra da Bolsa de Nova York, em 1929. O paulista Washington Luís cometera vários erros políticos, mas a crise econômica mundial bem poderia ter derrubado qualquer presidente num país tão dependente dos mercados estrangeiros.

Militarmente, a Revolução de 30 foi uma vitória das forças estaduais, aliadas aos contingentes rebeldes do Exército, sobre as forças federais legalistas do Rio de Janeiro. E seria a última vez que os estados poderiam enfrentar o governo federal: 11 dias depois de seus correligionários amarrarem os cavalos no obelisco, Getúlio Vargas — nomeado chefe do governo provisório em 3 de novembro — suspendeu a Constituição e designou interventores para todos os Estados, exceto Minas Gerais, governado por seu aliado Olegário Maciel. Não era apenas o desfecho da revolução: era o fim da aliança café-com-leite e da política dos governadores. O ocaso de uma época e a queda da República Velha. O Brasil tinha um novo regime e, em breve, um novo ditador.

Cavalgaduras e militares: meses depois de ter sido obrigado a "enfiar a viola no saco", derrotado nas urnas, Getúlio Vargas liderou o golpe de 1930 e, enquanto seus aliados amarravam os cavalos no obelisco da avenida Rio Branco, no Rio, ele assumia o comando da nação ao lado de Góes Monteiro e Miguel Costa.

A Candidatura de Júlio Prestes

O "Crack" de 1929

No dia 29 de outubro de 1929, a Bolsa de Nova York quebrou. O reflexo de uma crise tão monumental não demoraria a chegar ao Brasil — país em tudo dependente de mercados exteriores. Antes do fim de 1929, já havia quase 2 milhões de desempregados no país: 579 fábricas fecharam as portas em São Paulo e no Rio. Nas cidades e no campo, o salário dos trabalhadores caiu cerca de 40% a 50%. O preço internacional do café despencou: de 200 mil-réis em agosto de 1929, o valor da saca caiu para 21 mil-réis em janeiro de 1930.

Dos seis estados economicamente mais desenvolvidos no Brasil, o Rio Grande do Sul era o único que não dependia fundamentalmente dos mercados internacionais (uma vez que vendia charque e arroz principalmente para os brasileiros).

A depressão estava destinada, portanto, a fortalecer, no Rio Grande do Sul, a posição daqueles que eram favoráveis, num primeiro momento, à candidatura de Vargas e, a seguir — caso ela fracassasse —, à revolta armada contra o governo central. Mesmo assim, os cautelosos Borges de Medeiros e Getúlio Vargas ainda relutavam em enfrentar a máquina política e eleitoral de Washington Luís e a candidatura Prestes.

N o início de 1929 era quase impossível prever que um governo relativamente tranqüilo como estava sendo o de Washington Luís (especialmente se comparado com o de seu antecessor, Artur Bernardes) fosse capaz de romper a aliança café-com-leite e ainda provocar a crise que levaria à derrocada da República Velha. Mas foi justamente o que aconteceu — e não apenas por causa da teimosia política e dos equívocos de Washington Luís, mas também graças à crise da economia internacional, provocada pelo *crack* da Bolsa de Nova York, em outubro de 1929 (*leia no quadro à esquerda*).

As eleições presidenciais estavam marcadas para março de 1930 — e, supostamente, seria a "vez" de Minas Gerais ocupar o Catete. A partir de janeiro de 1929, porém, Washington Luís começou a deixar claro que romperia o acordo com seus aliados mineiros. Disposto a dar continuidade a sua política econômico-financeira, o presidente estava decidido a lançar a candidatura do paulista Júlio Prestes. Então presidente de São Paulo, Prestes fora por cinco vezes o líder da maioria no Congresso. Com a máquina política do PRP a apoiá-lo, teria todas as condições de garantir a aprovação de qualquer plano econômico do governo.

Os cafeicultores não tinham muitos motivos para apoiar fervorosamente a política econômica ortodoxa e de contenção de Washington Luís. Embora ele já tivesse baixado o padrão de conversão do mil-réis, os paulistas queriam mais "proteção" ao café do que o presidente ousava lhes conceder. De todo modo, qualquer outro possível candidato à sucessão presidencial, com exceção de Júlio Prestes, seria ainda mais avesso ao protecionismo ao café. Além do mais, a história já provara que era virtualmente inviável — além de ser quase um suicídio político — apoiar um candidato que não fosse o indicado pelo presidente. Portanto, os barões do café decidiram dar seu aval ao jovem Júlio Prestes de Albuquerque (*acima*), então com 37 anos.

Mas, em Minas Gerais, a atitude de Washington Luís repercutiu tremendamente mal. O presidente do segundo estado mais poderoso da federação, Antônio Carlos Ribeiro de Andrada — descendente do patriarca da Independência, José Bonifácio de Andrada e Silva —, tinha certeza de que seria indicado para ocupar o cargo de Washington Luís, dando continuidade à aliança café-com-leite, que vinha funcionando sem percalços desde o Pacto de Ouro Fino (responsável pela eleição de todos os presidentes desde Venceslau Brás, em

1914). Dessa vez, porém, não haveria um novo "retorno mineiro". Quando, na inauguração da estrada Rio–São Paulo (hoje Via Dutra), um político paulista subiu ao palanque e saudou Júlio Prestes como "futuro presidente da República", o aveludado, sutil e refinado Antônio Carlos percebeu que seu tapete seria puxado. Não deve, portanto, ter recebido com surpresa o anúncio oficial da candidatura de Prestes, feito por Washington Luís em junho de 1929. Por isso, o líder mineiro logo partiria para a articulação de uma chapa de oposição — por mais traumático que esse rompimento com São Paulo pudesse vir a ser.

Em julho de 1929, Antônio Carlos enviou um emissário para uma reunião com João Neves, líder da bancada gaúcha no Congresso, informando-o de que, caso São Paulo de fato vetasse um candidato mineiro, Minas apoiaria uma possível candidatura de Getúlio Vargas, ou de Borges de Medeiros, para a Presidência. No dia 17, o PRM e o PRR firmaram o pacto. No dia 19, porém, Getúlio enviou uma carta confidencial para Washington Luís comunicando-lhe a proposta dos mineiros. Irritado, o presidente respondeu que dezessete governadores estaduais — todos, salvo os de Minas Gerais, Rio Grande do Sul e Paraíba — já haviam dado seu apoio a Júlio Prestes. Diante dessa demonstração de força, Vargas escreveu novamente para Washington Luís, em 29 de julho, dizendo-lhe que não concorreria, "se o PRM assim o consentisse". Antônio Carlos não consentiu, é claro. Em breve, a luta pela Presidência se iniciaria com todo o vigor.

A Aliança Liberal

Em fins de 1929, o Rio Grande do Sul estava quieto no seu canto. Depois de ter articulado a Reação Republicana em 1922 e enfrentado a Revolução de 1923, o ressabiado Borges de Medeiros — e, por extensão, seu herdeiro político Getúlio Vargas — sabia bem das conseqüências de uma oposição ao candidato "oficial" à Presidência. Portanto, quando começaram as negociações, Minas Gerais percebeu que a única forma de atrair o Rio Grande do Sul para um novo confronto com o governo central era oferecendo-lhe a Presidência. Ainda assim, depois de Antônio Carlos ter formalizado a proposta, Vargas e Borges mantiveram-se reticentes.

O Fermento do Golpe

Apesar de criticar a "máquina eleitoral" do governo e os mecanismos por ela utilizados para fraudar os resultados das eleições, os integrantes da Aliança Liberal se serviram amplamente desses mesmos ardis. Tanto é que, no Rio Grande do Sul, a contagem "oficial" apontou 298.627 votos para Vargas contra 982 para Júlio Prestes. Nos estados controlados pelo governo federal os resultados foram inversamente proporcionais. De qualquer forma, tanto Vargas quanto Borges se apressaram em declarar, mesmo antes do anúncio oficial, que reconheceriam a vitória do adversário e que, embora ainda sustentassem o programa da Aliança Liberal, estavam "prontos para colaborar com o novo governo", caso fossem convidados a fazê-lo. Ambos temiam que o governo punisse duramente o Rio Grande do Sul, não reconhecendo os gaúchos eleitos para o Congresso.

A posição de Vargas e Borges não era compartilhada pela nova geração de políticos gaúchos. Flores da Cunha e João Neves da Fontoura, mais Osvaldo Aranha e Lindolfo Collor — a chamada "geração de 1907" (ano em que eles se formaram em direito, na mesma turma que Vargas) —, já conspiravam abertamente, e a palavra "revolução" era pronunciada cada vez mais freqüentemente por todos eles. Apesar de Flores e Aranha terem combatido os tenentes em 1924, agora estavam preparados para unir-se a eles e derrubar o governo Washington Luís antes da posse de Júlio Prestes, prevista para novembro de 1930. Getúlio Vargas, porém, aparentemente permanecia disposto a "enfiar a viola no saco", como insinuavam as charges. Uma tragédia na Paraíba o faria mudar de idéia.

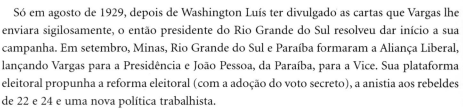

Só em agosto de 1929, depois de Washington Luís ter divulgado as cartas que Vargas lhe enviara sigilosamente, o então presidente do Rio Grande do Sul resolveu dar início a sua campanha. Em setembro, Minas, Rio Grande do Sul e Paraíba formaram a Aliança Liberal, lançando Vargas para a Presidência e João Pessoa, da Paraíba, para a Vice. Sua plataforma eleitoral propunha a reforma eleitoral (com a adoção do voto secreto), a anistia aos rebeldes de 22 e 24 e uma nova política trabalhista.

Se "a questão social", para Washington Luís, era "questão de polícia", a chapa Vargas–João Pessoa decidira acenar com reformas "de base" que dariam mais apoio aos "desvalidos". Para confirmar os "vínculos populares" de sua plataforma, Vargas inovou na forma de apresentá-la à nação: em vez de ler seu programa num banquete da elite política — ao modo de Júlio Prestes e de todos os demais candidatos anteriores —, Getúlio Vargas subiu num palanque e dirigiu suas palavras à multidão compacta que se agrupou para ouvi-lo, no Rio de Janeiro (embora ele tivesse se comprometido com o presidente a não sair do Rio Grande do Sul durante a campanha).

Foi tudo inútil. A eleição se deu em 1º de março de 1930, coincidindo com o primeiro dia de Carnaval. O resultado parecia tão evidente que o povo nem aguardou os números oficiais. Uma marchinha do sambista Sinhô foi o sucesso daquele Carnaval. A letra dizia: "Eu ouço falar/ Que para nosso bem/ Jesus já designou/ Que Seu Julinho é que vem". E "seu Julinho" veio mesmo: em maio, o Congresso anunciou que ele recebera 1 milhão de votos contra 700 mil de Getúlio Vargas.

O mártir involuntário: João Pessoa (*abaixo*), então presidente da Paraíba, estava no lugar errado na hora errada e acabou sendo morto por um desafeto que o fez mais por motivos pessoais do que propriamente por questões políticas.

A Morte de João Pessoa

Os resultados das eleições presidenciais de 1930 ainda não haviam sido anunciados oficialmente quando o presidente da Paraíba, João Pessoa, antecipando-se ao clima conspiratório que incendiaria seus correligionários, disse: "Nunca contarão comigo para um movimento armado. Prefiro dez Júlio Prestes a uma revolução". Na verdade, jamais se saberá com certeza se a frase de fato foi pronunciada, já que só foi divulgada depois que João Pessoa estava morto — e a revolução, consumada.

De qualquer forma, o episódio é revelador da posição do líder da Paraíba: como Borges, como Getúlio e como o presidente de Minas Gerais, Antônio Carlos (a quem uma anedota atribui a frase memorável: "Façamos a revolução antes que o povo a faça"), João Pessoa era contra o golpe de Estado. Ironicamente, seu assassinato seria o pretexto que os jovens políticos gaúchos, a nova geração de políticos mineiros e os sempre conspiradores tenentes esperavam para pegar em armas e seguir a trilha golpista. Mais ironicamente ainda, o assassinato de João Pessoa não estava tão ligado à campanha presidencial quanto a mazelas politiqueiras locais — e a questiúnculas pessoais, que incluíam até um complicado caso de amor (*leia o quadro na página ao lado*).

Disposto a punir seu ex-aliado, o "coronel" José Pereira — chefe inconteste da cidade de Princesa (hoje, Princesa Isabel, no sul da Paraíba) —, João Pessoa bloqueara a fronteira entre seu estado e Pernambuco, proibindo os moradores da região de comercializar com Recife (a não ser que pagassem um elevado imposto estadual). Pessoa determinara que todo o comércio deveria ser feito pelo porto paraibano de Cabedelos. Em fevereiro de 1930, o "coronel" Pereira juntou 2 mil homens em armas e partiu para o confronto com o governador, declarando, desafiadoramente, a "independência" da cidade de Princesa.

Quando os resultados oficiais do pleito de março foram anunciados, em maio, o Congresso puniu duramente a Paraíba: embora, nesse estado, a Aliança Liberal tivesse vencido a chapa de Prestes por uma média de três votos a um, nenhum aliado de Pessoa foi empossado pela comissão verificadora do Congresso — enquanto os candidatos paraibanos pró-Prestes conseguiam seis cadeiras (uma no Senado e cinco na Câmara). Ainda assim, Pessoa recusou-se a conspirar contra o governo central. Na guerra civil em Princesa, também preferiu agir com cautela, uma vez que os líderes da Aliança Liberal achavam que o Catete estava incentivando os rebeldes a fim de ter uma desculpa para a intervenção militar na Paraíba.

No dia 26 de junho, contrariando o conselho de todos os seus aliados, João Pessoa resolveu ir a Recife. Na confeitaria mais chique da cidade, enquanto tomava o chá das 5 com políticos e amigos, foi assassinado por João Dantas — membro de uma família tradicional paraibana, aliada do "coronel" Pereira (*leia o quadro à direita*). O crime provocou uma comoção nacional. Na Paraíba, seus aliados saíram às ruas saqueando e queimando prédios dos adversários de Pessoa. Cerca de 200 presos foram soltos da cadeia pública, juntando-se à turba, enquanto os bombeiros se recusavam a combater os incêndios.

Quase instantaneamente, o Legislativo paraibano trocou o nome da capital do Estado para João Pessoa. À bandeira estadual logo seria acrescentado o lema "Nego!" — a suposta resposta que Pessoa dera quando Washington Luís lhe pediu que apoiasse Júlio Prestes. No dia do crime, o deputado gaúcho Lindolfo Collor subiu à tribuna da Câmara e perguntou: "Caim, que fizeste de teu irmão? Presidente da República, que fizeste do presidente da Paraíba?". Faltava pouco para o golpe.

A Eclosão da Revolução

Apesar do discurso emocionado de Lindolfo Collor no Congresso, no Rio Grande do Sul nem Getúlio nem Borges de Medeiros fizeram declarações bombásticas acerca do assassinato de João Pessoa — embora dessem sinal verde para Osvaldo Aranha retomar os preparativos para o golpe. Aranha, o mais inteligente e brilhante membro da "geração de 1907" depois de Vargas, conspirava desde dezembro de 1929, convencido de que a revolução era "o único meio de conter o rolo compressor paulista". Usando sua condição de secretário do interior do Rio Grande do Sul para encobrir os preparativos, Aranha não apenas encomendara armas à Checoslováquia como, no início de 1930, começou a manter contato com os tenentes revoltosos de 22 e 24, exilados no Uruguai e na Argentina.

Os Tiros da Largada

A confeitaria Glória, na rua Nova, em Recife, era o ponto de encontro da elite nordestina. João Pessoa Albuquerque (1878-1930), sobrinho do ex-presidente Epitácio Pessoa, era membro da elite nordestina, mas estava na cidade errada, no local errado, na hora errada. Havia três meses, vivia em Recife o advogado João Dantas, que "fugira" da Paraíba depois de se envolver no conflito entre Pessoa e o coronel José Pereira. Para vingar-se do apoio que Dantas dera ao coronel, aliados de Pessoa publicaram no Diário Oficial *cartas que Dantas enviara a sua amante, a professora primária Anaíde Beiriz (roubadas após uma invasão ao escritório de Dantas). Ambos eram solteiros, mas Anaíde caiu em desgraça e foi abandonada pela família. No dia 26 de junho de 1930, Pessoa sorvia seu chá na confeitaria quando um homem se aproximou de sua mesa e disse: "Sou João Dantas, a quem tanto humilhastes e maltratastes", e disparou-lhe "nos peitos" três tiros à queima-roupa. A revolução tinha o cadáver que lhe faltava. João Pessoa — que aceitara concorrer a vice de Vargas depois que nenhum candidato do Rio Grande do Sul, de Pernambuco ou Ceará ousara desafiar a chapa de Washington Luís — virou o mártir em nome de quem foi deflagrado o golpe com o qual ele nunca concordara. Um pouco mais tarde, Dantas e Anaíde se suicidaram.*

Os novos caudilhos: Flores da Cunha, veterano de outras revoluções, lutou junto com os filhos durante o golpe de 1930. Mas depois ele acabaria se afastando de Vargas.

O Príncipe dos Tenentes

Se Luís Carlos Prestes era o "Cavaleiro da Esperança", seu companheiro Juarez Távora tornou-se o "D'Artagnan do tenentismo", conforme a definição da enciclopédia Nosso Século. *Aventureiro romântico, Távora revelou-se um herói revolucionário mais ligado à ação do que às teorizações. Tanto é que, ao contrário de Prestes, decidiu aderir à Revolução de 30. Preso em janeiro de 1930, Távora escapou da prisão em abril e foi para Pernambuco, de onde chefiou todas as operações militares que deram a vitória à revolução no Norte e no Nordeste do país. Por pressão dos tenentes, tornou-se o chefe do governo provisório nos estados do Norte e virou uma espécie de "vice-rei" do Brasil. Afastou-se do alto-comando da revolução em 1931, rompeu com Vargas em 34, opôs-se ao Estado Novo em 37 e ajudou a derrubar o ditador em 45. No ano de 1954, participou ativamente dos episódios que culminaram com o suicídio de Vargas e foi chefe da Casa Militar do governo Café Filho, que assumiu o poder após a morte de Getúlio. Concorreu à Presidência pela UDN, em 1955, sendo derrotado por Juscelino Kubitschek. Em 1958, elegeu-se deputado federal da Guanabara. Ainda que não tivesse participando do golpe de 1964, foi ministro de Castelo Branco. Morreu em 1975.*

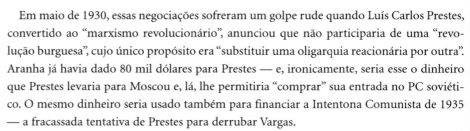

Em maio de 1930, essas negociações sofreram um golpe rude quando Luís Carlos Prestes, convertido ao "marxismo revolucionário", anunciou que não participaria de uma "revolução burguesa", cujo único propósito era "substituir uma oligarquia reacionária por outra". Aranha já havia dado 80 mil dólares para Prestes — e, ironicamente, seria esse o dinheiro que Prestes levaria para Moscou e, lá, lhe permitiria "comprar" sua entrada no PC soviético. O mesmo dinheiro seria usado também para financiar a Intentona Comunista de 1935 — a fracassada tentativa de Prestes para derrubar Vargas.

Aranha havia combatido os tenentes na insurreição de 1924. Seu companheiro nessa luta fora Flores da Cunha. Caudilho franco e rude, Flores, então senador, era o mais radical entusiasta do "golpe já". Ele apoiou Aranha quando este, declarando-se "farto" das vacilações de Borges e Vargas, decidiu abandonar seu cargo no governo do Rio Grande do Sul, em 28 de junho de 1930. Uma semana depois, no entanto, Aranha seria autorizado a reiniciar os planos conspiratórios.

Enquanto isso, em Minas Gerais, o presidente Antônio Carlos também ainda não se decidira a abraçar a revolução. Como logo sairia do governo, resolveu deixar o ônus da decisão para seu sucessor, Olegário Maciel. Em 6 de setembro de 1930, quando Antônio Carlos passou a presidência do estado para Maciel, por uma dessas coincidências significativas tão freqüentes na história, estourava um golpe na Argentina, também convulsionada pela crise provocada pela quebra da Bolsa de Nova York. Era o primeiro em 40 anos — e aos analistas políticos não passou despercebido o fato de que os períodos de estabilidade no Brasil coincidiam com os do vizinho (fenômeno mais tarde batizado de "efeito Orloff": a Argentina era o Brasil no dia seguinte).

Como Aranha e Flores, Olegário Maciel era a favor do golpe. No Nordeste, em chamas desde o assassinato de João Pessoa, a situação também já era de pré-insurreição. Lá, os conspiradores sulistas contavam com o apoio de Juarez Távora, um dos tenentes mais ativos desde 1922, que discordava do manifesto de Luís Carlos Prestes (*leia quadro à esquerda*). Embora em 24 de agosto de 1930 Vargas informasse a Borges que estava disposto a suspender as atividades conspiratórias, uma semana depois — aparentemente convencido pelo argumento segundo o qual, em meio ao caos econômico, a revolução era inevitável —, Borges abandonou a sua posição "legalista" e deu sinal verde para o golpe. Getúlio, sempre obediente, concordou e a trama se iniciou. O dia combinado para o início da revolução foi 3 de outubro. No Rio Grande do Sul e em Minas Gerais, os governos estaduais comandariam o golpe. No Nordeste, a responsabilidade seria de Távora. Ninguém sabia ao certo o que aconteceria no Rio de Janeiro, enquanto a resistência legalista com certeza se daria em São Paulo e na Bahia. E, de fato, assim foi. Três semanas depois, a luta já estava ganha.

O Trem da História

A o contrário da proclamação da República, o golpe de 1930 não foi uma mera passeata militar. Houve luta e resistência — e os combates se prolongaram por quase um mês. Ainda assim, em termos gerais, a derrubada da chamada República Velha — embora tenha sido o mais complexo e sangrento golpe a instaurar um novo governo no Brasil — foi uma operação relativamente rápida, razoavelmente fácil e tremendamente bem-sucedida para seus articuladores. Como na proclamação do Império, a antiga ordem caiu como caem as frutas mais que maduras.

Depois dos desacertos que frustraram as quarteladas de 1922, no Rio de Janeiro, e de 1924, em São Paulo, os golpistas de 30 compreenderam que um mínimo de estratégia militar era necessário para o sucesso da conspiração. O comando das operações militares foi então entregue ao general Miguel Costa e ao tenente-coronel Góis Monteiro. Costa fora um dos principais "tenentes" do Movimento de 22 — e líder da coluna depois chamada de Coluna Prestes. Monteiro era nordestino, mas vivera quase toda a vida no Rio Grande do Sul: era membro do Bloco Castilhista e amigo íntimo de Aranha. Em 1937, seria o coordenador do golpe do Estado Novo.

A Revolução de 30 começou às 17h30 de 3 de outubro, horário em que terminava o expediente dos quartéis — fato que facilitaria a prisão dos oficiais em casa. O foco rebelde foi Porto Alegre, onde, no início da noite, todos os quartéis já haviam sido tomados por Aranha e pelo tenente-coronel Góis Monteiro, chefe militar do golpe (*leia página seguinte*). Vinte pessoas morreram. Em Minas Gerais, houve resistência do 12º Regimento e, em Belo Horizonte, os combates duraram cinco dias — até os soldados legalistas ficarem sem víveres. Na Paraíba, um erro de comunicação entre os rebeldes fez o movimento começar apenas na madrugada do dia 4, o que permitiu a articulação das forças do governo. Mas Juarez Távora logo tomou a Paraíba e, a seguir, a cidade de Recife, onde o povo saiu às ruas para saudá-lo. Os demais estados nordestinos — menos a Bahia — aderiram aos golpistas. No dia 5, quando as tropas gaúchas se puseram em marcha, logo conquistando Santa Catarina e Paraná, apenas São Paulo, Bahia e Pará se mantinham fiéis ao governo central. No Rio, a situação seguia indefinida.

As tropas gaúchas, partindo de trem e a cavalo de Porto Alegre, não conseguiram conquistar Florianópolis (que só se renderia em 24 de outubro), mas logo tomaram Joinville e, a seguir, Góis Monteiro instalou o quartel-general dos rebeldes em Ponta Grossa (PR). Para lá — após o embarque apoteótico na estação ferroviária de Porto Alegre (*acima*) — partiu Vargas, no dia 12. A chegada a Ponta Grossa, dia 17, também se transformou numa celebração. Mas a revolução ainda não estava ganha: em Itararé (SP), na fronteira com o Paraná, mais de 6 mil soldados legalistas, comandados por Pais de Andrade e com o apoio de aviões e quatro canhões, aguardavam a hora do choque contra os 8 mil rebeldes, que tinham 18 canhões. Andrade, aquartelado num penhasco à beira de um rio, recebera as ordens de "defender a cidade a todo o transe". Previa-se um terrível combate. No dia 24, porém, ao serem informados de que Washington Luís fora deposto, no Rio, os legalistas se renderam. Itararé entraria para a história como "a batalha que não aconteceu".

Se tivesse ocorrido, a revolução provavelmente seria, ainda assim, vitoriosa — e o custo da conquista com certeza seria elevado o suficiente para mudar os rumos da história do Brasil. Informado da deposição do presidente (*leia na página seguinte*), Vargas partiu de Ponta Grossa para São Paulo, onde chegou no dia 29, precedido por 3 mil soldados gaúchos. Foi aclamado com tal entusiasmo que chegou a se assustar. Getúlio ficou apenas 24 horas em São Paulo — tempo suficiente para colocar um interventor no governo do estado, desagradando aos paulistas. Na madrugada do dia 30, pegou o trem que o levaria ao Rio de Janeiro e ao poder.

No dia 3 de outubro, embora o único comentário a correr pela cidade do Rio de Janeiro fosse a eclosão de um golpe no Sul e no Nordeste, o presidente Washington Luís, instalado no Catete, se recusava a dar crédito ao "boato". Ao longo da semana seguinte, apesar de os golpistas conquistarem cada vez mais estados, o ministro da Guerra, general Passos, continuava "tranqüilizando" o presidente, assegurando-lhe que a rebelião logo seria controlada. Portanto, foi com espanto — e indignação — que Washington Luís viu uma junta governativa, na manhã de 24 de outubro, apoderar-se de uma ala do palácio do Catete contígua à que o presidente ocupava. Por mais de sete horas Washington Luís recusou-se a receber a junta. Por fim, em torno das 18 horas, por insistência do cardeal D. Leme, o presidente concordou em falar com o general Tasso Fragoso, seu amigo pessoal. Fragoso, então, pediu que Washington Luís renunciasse, "para evitar mais derramamento de sangue".

O presidente foi direto e desafiador: "Não renuncio. Do palácio só saio morto". Uma hora mais tarde, Washington Luís — que o povo chamava de "Dr. Barbado" e que tinha fama de "farrista e mulherengo" — saía do palácio do Catete, vivo, preso e destituído. O presidente então foi levado para o forte de Copacabana onde, oito anos antes, um grupo de tenentes tinha tentado derrubar o governo que, mais tarde, daria posse ao autoritário e teimoso Washington Luís.

A Tomada do Poder

No início da noite de 24 de outubro, os generais Tasso Fragoso, Mena Barreto e o almirante Isaías de Noronha depuseram e prenderam o presidente Washington Luís. No dia seguinte, essa "junta governativa" assumiu o comando da nação. A deposição do presidente (*leia box ao lado*) evitou a batalha de Itararé e deu aos rebeldes a convicção de que a revolução estava ganha. Antes de se pôr em movimento, abandonando seu posto temporário no Paraná, Vargas soube, por comentários e insinuações feitas no Rio de Janeiro pelo general Bertoldo Klinger, que a junta tinha planos de permanecer no poder. De imediato, telegrafou para o ministro do Exterior da junta, Mello Franco, alertando-o de que "os membros da junta serão aceitos como nossos colaboradores, porém não como dirigentes, uma vez que seus elementos participaram da revolução quando esta já estava virtualmente vitoriosa".

A posição de Getúlio foi transmitida à própria junta, e de forma ainda mais clara, pelo chefe militar do golpe, coronel Góis Monteiro: "O governo provisório deverá ter por chefe o Sr. Getúlio Vargas", dizia o telegrama enviado de São Paulo, de onde Monteiro comandava cerca de 30 mil homens. Um dia depois, 26, a junta prudentemente anunciou que ficaria no poder apenas até a chegada de Vargas ao Rio de Janeiro. Na manhã do último dia de outubro de 1930, o trem que trazia Vargas chegou ao Rio.

De uniforme militar, chapéu de aba larga, lenço vermelho no pescoço — uma reveladora concessão aos "libertadores" (contra os quais ele mesmo lutara na Revolução de 1923) —, Vargas fez sua entrada apoteótica no Rio de Janeiro. O povo lotava as ruas à sua passagem. Contudo, mesmo o mais desatento dos observadores não poderia deixar de notar que o homem que tomava o poder com o objetivo de incentivar a "unidade nacional" chegava à capital federal envolto pela mística caudilhista tão típica de seu estado natal. O triunfo desse regionalismo de influência nitidamente platina ficaria ainda mais evidente no momento em que os cavalarianos que acompanhavam Getúlio Vargas desafiadoramente amarraram seus cavalos no obelisco da avenida Rio Branco.

Que tipo de "revolução" Vargas e seus aliados estavam fazendo? No dia 4 de outubro, ainda no Rio Grande do Sul, Getúlio declarara que o movimento pretendia "restaurar" a democracia liberal e recuperar a economia. "Estamos ante uma contra-revolução para restaurar a pureza do regime republicano", disse ele, sem especificar outros objetivos sociais e econômicos além da "reconstrução nacional". Sua declaração, publicada no jornal *A Federação* (fundado pelo positivista Júlio de Castilhos nos tempos do Império), terminava com o apelo: "Rio Grande, de pé pelo Brasil! Não poderás faltar ao teu destino histórico". Que destino era esse, o Brasil logo saberia.

O Governo Provisório

Na tarde do dia 3 de novembro de 1930, com o palácio do Catete completamente lotado, Getúlio Vargas – envergando pela última vez seu uniforme militar — tomou posse "provisoriamente" no governo federal. O cargo lhe foi entregue pelo general Tasso Fragoso. Quarenta e um anos antes, Fragoso tomara parte, como cadete de Benjamin Constant, do golpe que derrubara a monarquia no Brasil. Por isso, no seu dis-

Houve quem pretendesse "justiçá-lo" já no dia seguinte. Mas, dois dias depois, o ex-presidente embarcava no navio Alcântara, *que o levaria para a Europa. O exílio de Washington Luís se prolongou por 17 anos: só com o fim do Estado Novo, em 1947, é que o último presidente da República Velha retornaria ao Brasil. Júlio Prestes, o presidente que não tomou posse, também partiria para o exílio. Mas Prestes voltou para o país em 1934, embora não se envolvesse mais com política.*

Vargas tomou posse na Presidência "provisoriamente" em novembro de 1930. Somente com a promulgação da nova Constituição, em julho de 1934, ele receberia a faixa e se tornaria presidente de fato, nomeado pela Assembléia, em eleições indiretas.

curso, além de criticar o autoritarismo do ex-amigo Washington Luís, o general fazia referência aos "heróis de 1889". Para Fragoso, foram "o orgulho, a vaidade e a prepotência" do ex-presidente que "acabaram provocando o movimento revolucionário". Afinal, "a violação dos princípios fundamentais do regime republicano e os atentados contra a liberdade" cometidos por Luís iam "aniquilando a obra meritória levada a cabo em 15 de novembro de 1889, em torno de Deodoro da Fonseca e Benjamin Constant, na fundada esperança de proporcionar ao Brasil dias mais felizes".

Embora a Revolução de 30 não fosse um movimento militar, ficava claro que os militares positivistas e nacionalistas, ou seja, os jacobinos travestidos de tenentes, que vinham conspirando desde a queda de Floriano, retomavam o poder. Getúlio Vargas era seu novo patrono. E o gaúcho tomou posse, promovendo a anistia dos rebeldes de 22 e 24, modificando o sistema eleitoral e tributário e o Judiciário, incentivando a "policultura" e criando o Ministério do Trabalho.

Desde as primeiras ações, os revolucionários se preocuparam em definir, para a nação, o caráter do movimento. O próprio Getúlio o chamara de "contra-revolução". Seus aliados mineiros se apressavam em definir o golpe como "conservador" e, em fins de outubro, o arcebispo de Porto Alegre telegrafara ao Papa Pio XII assegurando que o movimento não era "de origem nem de caráter comunista". Como Luís Carlos Prestes previra, era "uma revolução burguesa". Em 11 de novembro, Vargas suspendeu a Constituição e nomeou interventores em todos os Estados, menos Minas Gerais (reforçando seu conflito com São Paulo). Antes, já nomeara o seu ministério, do qual faziam parte Osvaldo Aranha (Justiça), Assis Brasil (Agricultura), Juarez Távora (Viação e Obras) e, acima de todos, Lindolfo Collor (Trabalho — *leia "O Estado Novo", capítulo seguinte*).

No discurso de posse, Getúlio prometera "promover, sem violência, a extinção progressiva do latifúndio, desmontar a máquina do filhotismo parasitário e sanear o ambiente moral da pátria". Surgia um Estado forte, paternalista, centralizador e nacionalista. Acabava-se o federalismo descentralizado e liberal da "república dos fazendeiros". A intervenção do Estado na economia crescia: os sindicatos e as relações trabalhistas passaram a ser controladas pelo governo. Empresas estrangeiras eram obrigadas a ter dois terços de empregados brasileiros e a pagar um tributo de 8% sobre os lucros enviados ao exterior. Em breve, Vargas se sentiria forte o bastante para tentar perpetuar-se no poder.

CAPÍTULO 30 O Estado Novo

Trabalhadores carregando a efígie de Getúlio Vargas numa parada colegial organizada em moldes militares é uma cena que se tornaria comum no Brasil a partir de 10 de novembro de 1937. Nesse dia, Vargas instaurou o Estado Novo, que nada mais foi do que um golpe dentro do golpe que fora sua eleição indireta em 1934, dado após o golpe revolucionário de 1930. Ao assumir "provisoriamente" o governo, em novembro de 30, Vargas disse que a revolução fora feita para "restituir a liberdade do povo". Mas a liberdade começou a ser suprimida oito dias depois, com a suspensão da Constituição.

Ao longo dos anos seguintes, embora abandonasse para sempre o uniforme militar com o qual chegara ao Rio, Vargas assumiu progressivamente as facetas mais autoritárias de sua personalidade — chegando ao ponto de romper com muitos aliados, entre os quais Osvaldo Aranha e Borges de Medeiros. Vargas romperia também com os tenentes, embora colocasse em prática muitos preceitos do tenentismo. Ainda assim, apesar de todos os senões, para muitos historiadores foi só a partir da Revolução de 30 que o Brasil entrou de fato no século XX. A questão social deixou de ser "questão de polícia" depois que Lindolfo Collor criou a legislação trabalhista. Mas era uma legislação tutelar e paternalista — 100% positivista. Graças a ela, à medida que se tornava cada vez mais ditador, Vargas ganhava ainda mais popularidade. Virou o "pai do povo". Em breve, se iniciaria o culto a sua personalidade, nos moldes do fascismo.

Mas seria um erro considerar um personagem complexo, contraditório e grandioso como Vargas um mero ditador posi-

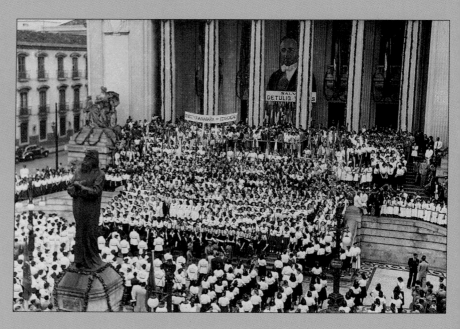

tivista. Filho de uma família de estancieiros gaúchos da fronteira com a Argentina, com raízes caudilhistas, Getúlio Dorneles Vargas nasceu em abril de 1883. Após breve iniciação na carreira militar, destacou-se na política estudantil. Baixo e atarracado, afável e eficiente, habilidoso e prudente, logo se tornaria o favorito de Borges de Medeiros. Foi líder da maioria na Assembléia gaúcha, deputado federal em 1923, lutou contra os libertadores no mesmo ano e virou ministro da Fazenda em 1926.

Disposto a governar mais pela astúcia do que pela força, afastou-se progressivamente não só de Borges, mas da herança caudilhista de Júlio de Castilhos. Transformou-se numa espécie de "revolucionário" de consenso em 1930, assumindo o governo provisório sem oposições. Antes de começar a se tornar o primeiro ditador brasileiro com poderes totais, venceu a "guerra" contra São Paulo em 1932 e con-

cordou em convocar uma Assembléia Constituinte em 34, quando foi eleito presidente por voto indireto. Influenciado pela ascensão do nazi-fascismo na Europa, saudou o surgimento do integralismo no Brasil e depois o dizimou. Primeiro combateu e aniquilou a Intentona Comunista de 1935. Então, utilizou o pretexto dado pela "descoberta" do Plano Cohen (leia na página 334) para decretar o Estado Novo, que de novo mesmo só trouxe a inclusão do Brasil no rol de ditaduras nazi-fascistas. Até ser deposto, em 1945, Vargas mandou no Brasil. Cinco anos depois, voltaria ao poder — eleito pelo voto direto.

Uma nova ordem: Após o golpe dentro do golpe que foi o movimento que resultou no Estado Novo, manifestações populares ao estilo nazi-fascista se tornaram comuns no Brasil, que ingressou em uma era policialesca.

VOCÊ

tem um dever a

CUMPRIR

A Locomotiva

A "guerra paulista" em favor da constitucionalização do país e por uma maior autonomia estadual despertou o orgulho de São Paulo. Segundo seus habitantes, que contribuíram com ouro e alianças para um "fundo revolucionário", São Paulo era "uma locomotiva que puxava 20 vagões vazios".

De pé, por São Paulo: a chamada revolução constitucionalista de 1932 foi, de certa forma, uma continuação da luta entre paulistas e gaúchos que quase tinha ocorrido na revolução de 30.

A Revolução Paulista de 1932

Ao fazer uma breve parada em São Paulo, em outubro de 1930, antes de partir para o Rio de Janeiro e para o poder, Getúlio Vargas foi recebido com tal entusiasmo que chegou a se assustar. "Pequenino, de pernas curtas, de apelido 'Petiço', [*Getúlio*] voltou para o trem, pálido e trêmulo, temendo ser vítima dos agrados frenéticos da massa que entupia as plataformas", escreveu uma testemunha da história. Getúlio permaneceria apenas 24 horas em São Paulo — tempo suficiente para, num de seus primeiros erros políticos de 1930, nomear o coronel João Alberto de Barros, "plebeu e forasteiro", como interventor do Estado. Seria apenas o começo das divergências entre Vargas e os paulistas.

Em março de 1932, embora Vargas tivesse substituído João Alberto por Pedro de Toledo, paulista e civil, este — "hermista" na década de 1910 — não foi um nome bem-recebido em São Paulo. Além disso, comentava-se que Osvaldo Aranha (que acabara de assumir o lugar do paulista José Maria Whitaker como ministro da Fazenda) tentou "impor" todo o gabinete de Toledo. Não bastassem essas ofensas a São Paulo, o Instituto do Café fora "esvaziado" de poderes — para marcar claramente o fim da "república dos fazendeiros".

Depois de quatro jovens paulistas serem mortos numa manifestação de rua, vários setores da sociedade de São Paulo se ergueram na campanha pela constitucionalização do Brasil (embora seu lema real fosse "São Paulo livre, civil e paulista"). A classe média, os cafeicultores e os industrialistas paulistas estavam unidos. E Vargas logo enfrentaria a primeira revolta contra seu governo.

Alguns gaúchos notáveis também estavam descontentes com Vargas, entre eles o interventor do Rio Grande do Sul, Flores da Cunha, e o "padrinho" político de Getúlio, Borges de Medeiros (injuriado por ter sido "alijado" do poder). Os paulistas rebeldes achavam que poderiam contar com o apoio de ambos, mais o auxílio do general Bertoldo Klinger, então comandante militar do Mato Grosso.

No dia 9 de julho de 1932, a revolução rebentou em São Paulo. O plano dos revolucionários era realizar um ataque fulminante contra a capital federal. Mas nada saiu conforme planejado: Flores decidiu mudar de lado e apoiar Getúlio, Klinger só conseguiu uns poucos homens e os rebeldes paulistas se viram sozinhos contra o resto do país. Getúlio enviou 18 mil homens para cercar os 8,5 mil soldados revolucionários. Apesar do desequilíbrio de forças, a luta foi sangrenta e durou quase três meses. Quando a ameaça da ocupação da cidade de São Paulo tornou-se real, os paulistas decidiram se render às tropas chefiadas pelo general Góis Monteiro. Segundo o historiador Bóris Fausto, "'a guerra paulista' teve um lado voltado para o passado e outro para o futuro. A bandeira da constitucionalização abrigou tanto os que esperavam retroceder às formas oligárquicas de poder como os que pretendiam estabelecer uma democracia liberal no país. O movimento trouxe conseqüências importantes: embora vitorioso, o governo percebeu claramente a impossibilidade de ignorar a elite paulista. Os derrotados, por sua vez, compreenderam que precisariam fazer alguns arranjos com o poder central".

A Constituição de 1934

Adeus às urnas: embora tenha votado em si mesmo nas eleições de março de 1930 (*ao lado*), Vargas só chegou ao poder com o golpe de outubro. Depois dele, os brasileiros só voltariam a votar para presidente em 1945. Abaixo, José Américo de Almeida, "tenente civil" e candidato à presidência das eleições de 1938, que não foram realizadas.

Getúlio Vargas foi às urnas em março de 1930 votar em si mesmo. Aquela seria a última vez, ao longo de 15 anos, que a cena — um brasileiro colocando seu voto para presidente numa urna — se repetiria no Brasil. Em 1932, muitos setores do país clamavam pela volta da legalidade, não apenas os paulistas. Vencida a revolução de São Paulo, Vargas concluiu que, para permanecer no poder, deveria convocar uma Assembléia Nacional Constituinte. Afinal, era preciso promulgar uma nova Constituição, já que, em 1930, o próprio Vargas dissolvera a Câmara e o Senado, suspendera a Constituição e assumira "provisoriamente" o governo.

Em 3 de maio de 1933, quando o único partido de projeção nacional era a Ação Integralista, 1,2 milhão de eleitores elegeram 214 constituintes. A eles se juntaram quarenta representantes de sindicatos de patrões e operários, já que, nos moldes do que ocorria na Itália e na Espanha fascistas, entidades de classe tinham lugar assegurado no Congresso.

O pleito ocorreu de acordo com a nova Lei Eleitoral criada por Vargas: instituía o voto secreto, a Justiça Eleitoral (para coibir fraudes) e o direito das mulheres ao voto — sendo uma delas, Carlota Pereira de Queirós, eleita por São Paulo.

Em 15 de novembro de 1933, os 254 deputados começaram a trabalhar na nova Constituição. Menos de um ano depois, em 16 de julho de 1934, a nova Carta era promul-

A Queda de Prestes

No dia 5 de março de 1936, em uma casinha no Méier (Rio), Luís Carlos Prestes foi preso pela polícia política de Vargas; junto com ele estava sua companheira, Olga — mais tarde deportada grávida para a Alemanha, onde morreria na câmara de gás. Em fevereiro de 1937, Prestes depôs no Conselho de Justiça Militar (foto). Foi condenado, passou 9 anos na solitária e só foi libertado com a anistia de 1945. Até a morte, em 1990, negou o evidente (e hoje documentado) apoio tático e financeiro que Moscou deu à fracassada Intentona Comunista de 1935.

gada. Ao estabelecer uma república federalista, a Constituição se inspirava na da República de Weimar — o regime que governou a Alemanha entre o fim da Primeira Guerra Mundial e a ascensão do nazismo. Era uma coincidência ironicamente profética: como Weimar, a Constituição de 1934 estava destinada a ser meramente transitória, vigorando por apenas três anos, até o advento do Estado Novo. O texto era reticente e híbrido: dava novo fôlego aos oligarcas favoráveis à descentralização, mas, ao mesmo tempo, estabelecia as bases para a doutrina da "segurança nacional"; criava uma nova legislação trabalhista, mas atrelava os sindicatos à máquina governamental.

Ao longo de oito meses, discutiu-se por tudo e por nada. A expressão "Pondo nossa confiança em Deus", que abria a Constituição, irritou os constituintes agnósticos. Em abril de 1931, a Academia Brasileira de Letras fizera uma reforma ortográfica na língua escrita no Brasil: alguns constituintes se recusaram a segui-la. Após muita confusão, a Carta de 1934 manteve Deus no seu lugar e foi redigida com a mesma ortografia da de 1891. No mesmo dia em que a nova Constituição foi aprovada — 15 de julho de 1934 — os constituintes elegeram Vargas presidente do Brasil. Vargas recebeu 175 votos. Em segundo lugar, com 59 votos, ficou Borges de Medeiros — homem que "inventara" Getúlio e com quem já não se sentava à mesma mesa. Ficou também decidido que o mandato de Vargas, cuja reeleição era vetada pela própria Constituição, se prolongaria até 3 de maio de 1938, quando haveria novas eleições.

Depois dos tumultos, decorrentes da Intentona Comunista (*texto a seguir*) e da aprovação da Lei de Segurança Nacional, em 1935, os candidatos à sucessão de Vargas se definiram em fins de 1936. O candidato "oficial" era o paraibano José Américo de Almeida, um "tenente civil" que fora ministro de Vargas e tinha o apoio de Minas Gerais, do Nordeste e do Rio Grande do Sul. O outro candidato era Armando de Salles Oliveira, governador de São Paulo, apoiado por Flores da Cunha — incompatibilizado com Vargas e disposto a "pegar em armas" se as eleições não se realizassem. Em julho de 1937, o integralista Plínio Salgado também lançaria sua candidatura, com aparente incentivo de Vargas. No entanto, nenhum deles iria se eleger, simplesmente porque não haveria eleições.

A Intentona Comunista de 1935

A Constituição de 1934 concedeu um verniz de legalidade ao governo Vargas. A carta constitucional, porém, não era exatamente aquela que o presidente eleito pelo voto indireto desejava. Em breve, uma série de episódios daria a Vargas o pretexto para modificar as regras do jogo. Como o novo e frágil Estado liberal abrira brechas para o aparecimento de outros partidos, em março de 1935 surgiu, no Rio, a Aliança Nacional Libertadora. Se o programa da ANL, que defendia a suspensão unilateral da dívida externa e a reforma agrária imediata, não fosse suficiente para definir seu radicalismo, o fato de um jovem e então desconhecido estudante de direito chamado Carlos Lacerda ter indicado Luís Carlos Prestes para "presidente honorário" do partido foi, para o governo, a "prova" definitiva de que aquela era uma organização comunista. E, de fato, era: por trás dela estava a Internacional Comunista, com sede em Moscou.

Em maio de 1935, a ANL já contava com cerca de 80 mil membros. No dia 5 de julho daquele ano, 13º aniversário do levante dos Dezoito do Forte, o mesmo Lacerda leu um manifesto de Prestes (que continuava na clandestinidade), no qual desafiava o "odioso" governo Vargas, propondo abertamente a eclosão de uma insurreição revolucionária. O manifesto terminava com as palavras de ordem determinadas por Moscou: "Todo o poder à ANL". Para o jornalista William Waack, autor de *Camaradas*, livro que desmitifica inúmeros episódios do Movimento de 35, a declaração de Prestes foi "uma das mais tonitruantes bravatas da história política do Brasil". Ainda mais que, no dia 4 de abril de 1935, Vargas já conseguira aprovar, no Congresso, a Lei de Segurança Nacional.

Baseado nessa lei repressiva — criada menos de uma semana após a fundação da ANL —, o governo fechou a organização no dia 11 de julho. Então, auxiliado por meia dúzia de agentes vindos de Moscou, Prestes, que entrara clandestinamente no Brasil, começou a planejar uma revolução. Ela eclodiu primeiro em Natal (RN), em 23 de novembro de 1935, quando cabos e sargentos do 21º Batalhão se sublevaram. Após 19 horas de luta, eles tomaram o quartel e, a seguir, o governo do Estado. O levante levou 80 horas. Segundo o historiador Hélio Silva, "foi mais uma festa popular, um Carnaval exaltado, do que uma revolução". Tropas leais ao governo debelaram o levante em Natal e no Recife, onde durara poucas horas. No dia 26, Vargas obteve do Congresso a decretação do estado de sítio. Ainda assim, a 27 de novembro, Luís Carlos Prestes determinou que a insurreição eclodisse também no Rio. O movimento se restringiria a uma quartelada malsucedida, à qual aderiram apenas o 3º Regimento de Infantaria e a Escola Militar de Aviação. No 3º RI, o levante foi comandado pelo capitão Agildo Barata, que recebera ordens diretas de Prestes. Barata — mais tarde acusado (sem que se provasse) de ter assassinado alguns oficiais enquanto dormiam — fora um dos tenentes que aderira à Revolução de 30. Ele manteve o comando do 3º RI até as 13 horas do dia 28, quando, com o quartel cercado e em chamas, os rebeldes hastearam uma bandeira branca num cabo de vassoura e se renderam. Saíram do quartel desarmados, de braços dados e rindo (*abaixo*), direto para a prisão. Em breve, não teriam mais motivos para sorrir: a polícia política de Vargas — chefiada pelo temível Filinto Müller (*leia na página 336*) — prenderia, torturaria e até mataria muitos dos implicados no golpe.

De braços dados: deixando o quartel, no Rio, os rebeldes da Intentona Comunista sorriem a caminho da prisão. Sua tentativa de golpe de fato teria sido risível se não se revelasse trágica para o país.

Sob a Sombra da Ditadura

Na noite de 10 de novembro de 1937, Getúlio Vargas fez um pronunciamento radiofônico à nação. "Quero instituir um governo de autoridade, liberto das peias da chamada democracia liberal, que inspirou a Constituição de 34", disse. "Nos períodos de crise, como o que atravessamos, a democracia de partidos (...) subverte a hierarquia, ameaça a unidade pátria e põe em perigo a existência da nação".

Naquela manhã, para afastar tal "perigo", Vargas aboliu os partidos e o Parlamento, prendeu seus adversários e baixou uma nova Constituição. Redigida pelo jurista Francisco Campos, a Carta de 37 se baseava na Constituição autoritária da Polônia. Por isso, foi batizada de "A Polaca" — ainda que o nome do regime recém-instaurado, Estado Novo, se inspirasse na ditadura instituída por Salazar em Portugal, em 1933.

Como prêmio pela redação da "Polaca", Campos se tornou ministro da Justiça de um país que a suprimia. Os colegas juristas o apelidaram de "Chico Ciência", por sua "capacidade de transformar atos arbitrários em fórmulas legais". Um quarto de século mais tarde, Francisco Campos confirmaria a fama de jurista da exceção ao redigir o Ato Institucional nº 1 (o AI-1), primeira Emenda à Constituição de 1946 outorgada pelo regime militar de 1964.

Respaldado por uma ordem jurídica fascista, manipulando os sindicatos, cultuado nas escolas (cujo currículo, reformado por Campos, incluía "educação moral e cívica"), apoiado pelos industriais, aclamado pelos trabalhadores, venerado pelos militares golpistas, com seus inimigos presos, mortos ou no exílio e a imprensa censurada, Vargas, liberto "das peias da chamada democracia liberal", se tornaria o primeiro ditador brasileiro a adquirir poderes absolutos.

O Golpe do Estado Novo

O frágil Estado liberal estabelecido pela Carta de 1934 se debatia entre as circunstâncias políticas criadas no exterior e seus reflexos no Brasil: a ascensão do nazismo na Alemanha, o fascismo na Itália, a guerra civil na Espanha, o stalinismo na União Soviética. No Brasil, a ameaça de guerra civil nos moldes do conflito espanhol parecia afastada, embora comunistas e integralistas (os fascistas em versão tropical — *leia página 337*) brigassem nas ruas. Mas a radicalização da política internacional era um bom pretexto para o endurecimento do regime. A Intentona Comunista de 35 daria novo ímpeto à repressão governista. Ao longo de 1936, o Congresso aprovou todas as medidas de exceção solicitadas pelo governo. Em março daquele ano, a polícia invadiu o Congresso e prendeu cinco parlamentares que supostamente apoiavam a ANL. Os congressistas deram autorização para o governo processá-los. Até julho de 1937, o Brasil viveria sob "estado de guerra". Mas, para que um novo golpe ainda mais duro se concretizasse, era preciso um novo pretexto. Se os fatos não os fornecessem, talvez fosse preciso fabricá-los. E foi justamente o que aconteceu: no dia 28 de setembro de 1937, o capitão Olímpio Mourão Filho — integralista que mais tarde teria participação decisiva no golpe militar de 1964 — foi "surpreendido" datilografando um documento no Ministério da Guerra. Era o resumo de uma suposta insurreição comunista que tinha o nome de "Plano Cohen".

Foi o oficial Caiado de Castro quem viu o capitão Olímpio Mourão redigindo o que seria uma cópia do "plano comunista para a subversão da ordem no Brasil". Interpelado por Castro por que ainda não denunciara a trama, Mourão respondeu que, por ser ele um integralista, "a autenticidade do documento poderia ser posta em dúvida". Por intermédio de Caiado, o "documento" chegou às mãos do chefe do Estado-Maior, Góis Monteiro. Em 30 de setembro, trechos do "Plano" foram lidos no programa radiofônico "Hora do Brasil" e divulgados por jornais de tendência governista. No dia 1º de outubro, Góis e o general Eurico Gaspar Dutra, ministro da Guerra (maior repressor da Revolução de 32 em São Paulo e da Intentona Comunista de 35), obtiveram no Congresso, por 138 votos contra 52, a decretação de um novo "estado de guerra" e a conseqüente suspensão das garantias constitucionais. Mas, 40 dias depois, Vargas poderia dispensar novas votações: em 10 de novembro, a polícia militar fechou o Congresso, vários parlamentares foram presos e o Estado Novo instaurado. Era um golpe radical dentro do golpe brando que fora a eleição indireta de 1934, após o golpe revolucionário de 1930. O golpe dentro do golpe dentro do golpe, portanto. E foi dado sem grande esforço: a "ameaça comunista", a aliança momentânea do governo com os integralistas, o apoio das forças econômicas a Getúlio, a passividade do Congresso e a prisão dos comunistas — tudo isso faria de Vargas um ditador sem adversários.

Osvaldo Aranha

Um Homem do Mundo

A pesar de ter cursado o Colégio Militar de Porto Alegre — onde, mais tarde, os futuros generais, Castelo Branco, Costa e Silva, Médici, Geisel e Figueiredo também estudariam —, Osvaldo Aranha decidiu, contra a vontade dos pais, ser advogado e não militar. Ainda assim, por sua participação decisiva em várias batalhas das revoluções de 1923 e 1924, sempre lutando ao lado de Borges de Medeiros, Aranha se tornou um "tenente civil". Nascido em Itaqui (RS), em fevereiro de 1894, Osvaldo Euclides de Sousa Aranha era descendente direto da baronesa de Campinas — uma das pioneiras no plantio de café em São Paulo. Em 1927, Borges o escolheu para ocupar o lugar de Vargas, que deixava a Câmara Federal para se tornar ministro da Fazenda de Washington Luís — o presidente que em breve ele derrubaria. Mas Aranha logo retornou ao Rio Grande do Sul, pois, ao assumir a presidência do Estado, em novembro de 1927, Vargas o nomeou secretário da Justiça. Foi enquanto ocupava esse cargo que Aranha começou a articular a Revolução de 30. Depois de a chapa Vargas—João Pessoa ser derrotada nas urnas, Aranha ficou francamente favorável ao golpe contra o governo eleito de Júlio Prestes. Chegou a comprar 16 mil contos em armas da Checoslováquia. Irritou-se profundamente com os recuos e vacilos de Borges e Vargas, que receavam atirar-se à aventura golpista. Ao receber sinal verde de ambos, liderou, junto com o velho colega de luta Flores da Cunha, o ataque aos quartéis de Porto Alegre.

Vitorioso o golpe, Aranha foi feito ministro da Justiça. Ao tomar posse, anunciou: "A revolução não reconhece direitos adquiridos". No dia 11 de novembro de 1930, baixou o decreto nº 19.398, que institucionalizava os poderes discricionários do chefe do governo provisório. Aranha seria um dos principais responsáveis pela eclosão da Revolução de 32 em São Paulo. Primeiro, porque queria manter no cargo o interventor, o coronel João Alberto; depois, porque queria montar o gabinete do novo interventor, Pedro de Toledo. Por fim, depois de acusar o ministro da Fazenda, José Maria Whitaker — único paulista do ministério —, de recusar-se a averiguar o desvio de 240 mil contos do Banco do Brasil, Aranha o derrubou e assumiu a pasta. Como homem forte da economia brasileira, foi ele quem enfrentou as conseqüências da crise da Bolsa de Nova

York. Assinou nova renegociação da dívida externa, que já chegava a 250 milhões de libras. A seguir, lançou o Plano Aranha, baseado na política do "dinheiro caro", juros altíssimos e recessão. Durante a Constituinte de 34, foi líder da maioria no Congresso. Mas não gostou da nova Constituição, acusando-a de "diminuir os brios revolucionários para evitar choques, ressentimentos e crises de interesses políticos irrepreensíveis". Abandonou a pasta da Fazenda e não quis tomar parte no novo ministério de Vargas. Em vez disso, foi nomeado embaixador em Washington. Antes de ir para os Estados Unidos, tentou, sem sucesso, uma audiência com Benito Mussolini, ditador da Itália.

Em novembro de 1937, Osvaldo Aranha estava nos Estados Unidos, praticamente rompido com Vargas, quando foi informado pelo próprio presidente da decretação do Estado Novo. Ele logo renunciou ao cargo de embaixador, declarando que a nova Constituição, a "Polaca", "desrespeitava as tradições do povo que lutou 100 anos por sua liberdade". De volta ao Brasil, em janeiro de 1938, Aranha acabou aceitando, após inúmeras reuniões com Vargas, o cargo de ministro das Relações Exteriores. Seria o início de sua projeção internacional. A primeira exigência de Aranha para ocupar o posto foi a de orientar a política externa brasileira no sentido contrário às teses totalitárias abraçadas por Vargas, afastando o Brasil da Alemanha nazista e fortalecendo a união pan-americana.

De 1938 a 1944, Aranha conduziu a política internacional brasileira. Embora o Estado Novo fosse freqüentemente acusado de anti-semita, caberia a Aranha, por uma dessas ironias do destino, presidir o Conselho de Segurança da ONU quando, no segundo semestre de 1947, foi decidida a criação do Estado de Israel. Em julho de 1953, depois de algum tempo afastado da vida pública, Aranha aceitou o convite de Vargas para ser, novamente, seu ministro da Fazenda. Ficou no cargo até o suicídio de Getúlio, em agosto de 1954. Foi cogitado para sucessão presidencial em 1955 e para a vice-presidência em 1960, ano em que veio a morrer.

O amigo americano: Aranha, que seria o grande artífice da aliança entre o Brasil e os EUA, recebe a visita do pai do Pato Donald, o gênio dos quadrinhos Walt Disney.

Patrono dos Torturadores

Nenhum nome simbolizou com tanta precisão os horrores e desmandos do Estado Novo quanto o de Filinto Strubing Müller (1900-1973). Chefe da brutal polícia política de Vargas, Müller já foi apontado por alguns historiadores como "o patrono das armas dos torturadores". E era mesmo: depois que, nas masmorras do Estado Novo, a tortura tornou-se, sob a supervisão de Müller, prática habitual para arrancar confissões verdadeiras ou falsas, nunca mais se deixou de torturar no Brasil. Nos anos 70, a tortura se voltou contra "terroristas" de esquerda. Depois da abertura, marginais desvalidos e presos comuns se tornaram as novas vítimas. Filinto Müller jamais negou suas participações nas torturas: "Fico com a responsabilidade. Não a atiro nem para cima nem para baixo", disse ele em 1973.

Filinto Müller nasceu em Cuiabá, filho do prefeito local. Participou dos levantes tenentistas de 1922 e 1924. Acusado de covardia, foi expulso da Coluna Prestes pelo próprio Luís Carlos Prestes. Dez anos depois, após a Intentona de 35, Müller seria o principal responsável pela prisão de Prestes e deportação de Olga Benário. Teve pouca participação na Revolução de 30, mas virou chefe de polícia do Distrito Federal, em 1933. Ficou no cargo até 1945 — período no qual 20 mil pessoas foram presas. Em fins de 1937, visitou Heinrich Himmler, chefe da Gestapo Alemã, de quem era admirador. Perseguiu tanto comunistas quanto integralistas, apesar de simpatizar com os últimos. Foi deputado de 1947 a 51 e de 1955 a 73. Morreu incinerado num acidente de avião em Paris, em julho de 1973. Houve quem festejasse.

O pai de todos: cartilhas de uma nova disciplina escolar criada pelo regime, a Educação Moral e Cívica, mostravam o ditador Vargas na forma de uma figura afável e paternal. A realidade era outra.

O Poder do DIP

Ao assumir o comando da nação com poderes totais, Getúlio Vargas deu início à estratégia que os ditadores das décadas de 1930 e 1940 estavam tornando comum: o culto à própria personalidade. Os braços "armados" dessa política de "fabricação" da imagem do ditador brasileiro eram o Departamento de Imprensa e Propaganda (DIP) e o Ministério da Educação, embora ambos tivessem atuação bem diferente. Sob o comando do mineiro Gustavo Capanema, o Ministério da Educação desempenhou papel mais brando no processo de mitificação de Vargas, deixando brechas para que artistas como o poeta Carlos Drummond de Andrade (chefe de gabinete), os arquitetos Lúcio Costa e Oscar Niemeyer e o pintor Cândido Portinari trabalhassem na "repartição". Ainda assim, o ministério seguia a ideologia autoritária e nacionalista do Estado Novo. O decreto-lei de 8 de março de 1940 instituiu a uniformização do ensino e criou a disciplina de Educação Moral e Cívica. Os alunos eram obrigados a participar de inúmeras paradas e desfiles (nos dias da Bandeira, da Pátria, do Soldado, da Juventude, da Raça, do Trabalho etc.). A efígie de Vargas tornou-se onipresente. Cartilhas e livros de adoção obrigatória em todas as escolas apresentavam versão altamente sectária da história do Brasil e saudavam não só o ditador como também o surgimento do Estado Novo.

Mas, perto do DIP, o Ministério da Educação era um jardim de infância. Criado em dezembro de 1939, o DIP substituiu o Departamento Oficial de Propaganda, formado em 1931. Dirigido pelo jornalista Lorival Flores e diretamente subordinado à Presidência da República, o DIP surgiu para "centralizar, coordenar, orientar e superintender a propaganda nacional interna e externa (...), fazer censura do teatro, do cinema, de funções recreativas e esportivas, (...) da radiodifusão, da literatura (...) e da imprensa". Com suas cartilhas para crianças (*ilustração abaixo*), seus "jornais nacionais" (de exibição obrigatória em todos os cinemas), com a "Hora do Brasil" (programa radiofônico que o povo apelidou de "O Fala-Sozinho"), com seus cartazes, o DIP se encarregou de divulgar a imagem e a ideologia de Vargas em todas as instâncias da vida nacional, imitando a tática nazista de Joseph Goebbels. Por outro lado, o DIP censurava furiosamente todas as manifestações artísticas que pudessem, ainda que de leve, contrariar o regime. Em março de 1940, numa de suas investidas mais ousadas e infames, o DIP decretou intervenção no jornal *O Estado de S.Paulo*, que teve sua direção destituída e ficou sob o controle do governo até 1945. O DIP foi extinto em maio de 1945, mas em seu lugar surgiu o DNI (Departamento Nacional de Informações), avô do famigerado SNI.

O Integralismo

Eles usavam uniforme verde-oliva e se comportavam com certa histeria. Por isso, seus inimigos os apelidaram de "galinhas verdes". Durante cinco anos, porém, os integralistas cantaram de galo no Brasil. Especialmente depois que o próprio presidente, Getúlio Vargas — cujas recaídas autoritárias se tornavam cada vez mais freqüentes —, saudou calorosamente o surgimento da organização que unia todos os partidos brasileiros de tendências fascistas. A Ação Integralista Brasileira foi fundada em abril de 1933 e logo se espalhou por todo o Brasil, entrando em choque com grupos democráticos. Depois da fundação da ANL, em 1935, esses conflitos se intensificaram ainda mais, tomando as ruas de várias capitais brasileiras. Os líderes intelectuais do integralismo no Brasil eram Jackson Figueiredo, Alberto Torres e Oliveira Vianna, embora a figura-chave do partido viesse a se tornar seu diretor, Plínio Salgado (*caricatura à direita*).

Romancista que participara ativamente da efervescência modernista em 1922 — fundando, junto com Menotti del Picchia, os movimentos Verde-Amarelo e Anta, na década de 1920 —, o paulista Plínio Salgado (1895-1975) foi o principal responsável pela sistematização da "Teoria do Estado Integral" e o mentor dos símbolos, uniformes, hábitos e costumes adotados pelos integralistas, alguns dos quais beiravam o ridículo. Os integrantes do movimento — 300 mil, segundo seus porta-vozes, mas, na verdade, não mais de 100 mil — cumprimentavam-se uns aos outros com a palavra tupi "Anauê!", exclamada a plenos pulmões, seguida de uma saudação com o braço esticado e a mão espalmada. Seu maior símbolo era a letra grega sigma, que significa soma. Todos os membros da organização andavam uniformizados: bonés e camisas verdes, calças azuis, gravatas pretas. Com sua bandeira azul com um círculo branco no centro, dentro do qual o sigma se sobrepunha ao mapa do Brasil, os integralistas desfilavam com pompa em paradas militares pelas ruas do Rio e de São Paulo. Uma de suas maiores passeatas se deu no dia seguinte à implantação do Estado Novo.

Ideologicamente, o integralismo padecia de profundas contradições. Embora o movimento fosse "contrário ao capitalismo internacional", jamais questionava a propriedade privada dos meios de produção. Apesar de ferrenhamente nacionalista, baseava sua forma de ação e seus conceitos no fascismo italiano, do qual era uma cópia escarrada. Misturando autoritarismo, catolicismo e nacionalismo, o movimento era anti-socialista, anti-semita e antiliberal. Portanto, o Estado Novo parecia feito a sua imagem e semelhança. Aliás, o pretexto para o golpe fora dado por um integralista, o capitão Olímpio Mourão Filho, que forjou (como, anos mais tarde, ele próprio admitiria) o documento chamado de "Plano Cohen".

No entanto, disposto a implantar um regime autoritário menos histriônico que o integralismo, assim que se viu senhor da situação, Vargas tratou de tramar a derrubada dos integralistas. Em primeiro lugar, não convidou Plínio Salgado para ser ministro da Educação, como, segundo Salgado, disse que faria. Depois, jogou a Ação Integralista na ilegalidade. Injuriados, 2 mil integralistas do Exército tentaram derrubar Getúlio em março de 1938. O golpe fracassou e, surpreendentemente, a repressão foi branda. Incentivados pelo que julgaram ser uma certa fraqueza de Vargas, os fascistas brasileiros lançaram uma nova intentona em 10 de maio de 1938. Cerca de 80 integralistas atacaram o palácio Guanabara para tomar o governo. Muitos deles foram mortos (alguns fuzilados sumariamente), outros 1.500 foram presos (vários deles caindo nas garras de Filinto Müller) e Plínio Salgado foi enviado para o exílio. Foi o fim do integralismo no Brasil — embora não o do fascismo nos trópicos.

Anauê: com uma série de costumes que beiravam o ridículo — como a saudação em língua Tupi — os integralistas foram apelidados de "galinhas verdes". Mas cantaram de galo no Brasil dos anos 30.

CAPÍTULO 31 O Fim da Era Vargas

Vinte e quatro de agosto de 1954 há de ter sido o dia mais dramático da história do Brasil para pelo menos três gerações de brasileiros. Às 4 horas e 30 da manhã, no seu quarto, no palácio do Catete, no Rio de Janeiro, o presidente Getúlio Vargas se suicidou com um tiro no coração. Ao fazê-lo, atingiu não apenas a si mesmo, mas a própria nação: o coração de seus aliados e a mente de seus inimigos. Ao longo de um quarto de século, Vargas fora o principal personagem do país. Naquele instante, como ele mesmo profetizara, saía "da vida para entrar na história".

Que Getúlio seria aquele que se matava, de pijama, com um balaço no peito? De certa forma, com certeza não era o caudilho revolucionário de 1930, muito menos o ditador policialesco de 1937. Nem o presidente eleito pelo voto indireto em 1934 ou o positivista com constantes recaídas nazistas. Quem se matava era o presidente que voltara ao Catete "nos braços do povo" – o "Pai dos Pobres", o protetor dos trabalhadores, o nacionalista fervoroso. Mais do que qualquer personagem incorporado por Vargas ao longo de 25 anos, morria o mais astuto político brasileiro de todos os tempos: o homem de conciliação, o ditador disposto a anistiar seus inimigos, o mais mineiro dos caudilhos gaúchos, risonho e misterioso "como um mandarim chinês". O homem que, em tese, era um livro aberto para seus adversários e um enigma indecifrável para os amigos mais íntimos.

Como se acompanhasse os meandros da carreira de Vargas, a história do Brasil dera tantos volteios desde a Revolução de 30 que o homem que se suicidava o fazia para impedir o avanço dos conservadores.

Era um "libertário" que morria, sacrificando-se em nome do que o país tinha de melhor. A morte de Vargas abalaria profundamente seus admiradores, mas causaria estragos muito maiores entre aqueles que conspiravam contra o seu governo. Os generais Sílvio Frota e Golbery do Couto e Silva, o jornalista Carlos Lacerda, o ex-integralista Olímpio Mourão: eles e seus aliados teriam de aguardar mais uma década antes de concretizar seu golpe de direita. A reação popular à imolação do grande líder foi tal que a conspiração em curso teve que ser suspensa por 10 anos.

Numa última, definitiva e dramática vitória contra seus acusadores, Vargas ofereceu a própria vida em nome de convicções das quais ele talvez abrisse mão se lhe restasse outro caminho. Mas não lhe sobrava saída, e o mais brilhante articulador político que o Brasil jamais tivera preferiu recorrer à última artimanha para assegurar uma vitória incontestável — que teve o cuidado de deixar minuciosamente explicada numa carta-testamento irretocável e emocionante. Vivo, Getúlio Vargas comandara por quase 20 anos os destinos do Brasil. Morto, projetaria sua sombra e sua influência até o alvorecer da sexta década do século que, no Brasil, foi quase inteiramente dele.

Comoção nacional: o enterro de Vargas, após seu dramático suicídio, transformou-se numa ruidosa manifestação política. E adiou por dez anos a eclosão de um golpe militar.

ÚLTIMO BILHETE DE GETÚLIO

RIO, 24 (Sucursal) — "A SANHA DOS MEUS INIMIGOS DEIXO O LEGADO DE MINHA MORTE. LEVO O PESAR DE NÃO TER PODIDO FAZER PELOS HUMILDES TUDO AQUILO QUE EU DESEJAVA".

CUMPRINDO SUA PROMESSA: "SÓ MORTO SAIREI DO CATETE"

GETÚLIO VARGAS SUICIDOU-SE

RIO, 24 (SUCURSAL) — VARGAS SUICIDOU-SE, HOJE, ÀS 8,35 HORAS.

RIO, 24 (SUCURSAL) — O PRESIDENTE GETÚLIO VARGAS, CUMPRINDO SUA PROMESSA DE QUE SÓ SAIRIA MORTO DO CATETE, SUICIDOU-SE, EM SEUS APOSENTOS PARTICULARES, COM UM TIRO NO CORAÇÃO.

RIO, 24 (SUCURSAL) — LOGO ÀS PRIMEIRAS NOTÍCIAS DO SUICÍDIO DO PRESIDENTE DA REPÚBLICA GRANDE NÚMERO DE PERSONALIDADES DO MUNDO POLÍTICO, SOCIAL E MILITAR ACORRERAM AO PALÁCIO DO CATETE. É GRANDE O NERVOSISMO EM TODA A CIDADE, ACREDITANDO-SE QUE O GESTO DRAMÁTICO DO PRESIDENTE MODIFICARÁ O AMBIENTE POLÍTICO, AGRAVANDO POSSIVEL-

MENTE A CRISE QUE SE SUPUNHA SUPERADA COM O SEU PROPÓSITO DE LICENCIAR-SE, PASSANDO O GOVERNO AO SEU SUBSTITUTO LEGAL, SR. CAFÉ FILHO.

RIO, 24 (SUCURSAL) — RECORDA-SE QUE O PRESIDENTE GETÚLIO VARGAS, AO TERMINAR A DRAMÁTICA REUNIÃO DO MINISTÉRIO, REALIZADA ONTEM PELA MADRUGADA, ANUNCIARA AOS PRESENTES O SEU FIRME PROPÓSITO DE SÓ ABANDONAR O GOVERNO E RENUNCIAR ÀS SUAS PRERROGATIVAS CONSTITUCIONAIS COM O DERRAMAMENTO DE SEU PRÓPRIO SANGUE. NADA, NO ENTANTO, FAZIA CRER QUE VARGAS ESTARIA DISPOSTO A SUICIDAR-SE, POIS, SE RECOLHEU AOS SEUS APOSENTOS MOSTRANDO-SE APARENTEMENTE CALMO.

Última Hora

Diretor: OSCAR PEDROSO HORTA ★ Fundador: SAMUEL WAINER ★ Diretor Superintendente: J. F. BOCAYUVA CUNHA

ANO III ★ SÃO PAULO, 24 DE AGOSTO DE 1954 ★ Nº 745

A MARCHA DOS ACONTECIMENTOS DESTA MANHÃ (NA 2.ª PÁGINA)

Extra

PARENTES E AMIGOS VELAM O CORPO DO PRESIDENTE

RIO, 24 (SUCURSAL) — A PRIMEIRA PESSOA QUE CHEGOU JUNTO AO CORPO DO PRESIDENTE VARGAS, FOI O SEU FILHO, LUTHERO VARGAS, PRESA DE FORTE EMOÇÃO. EM SEGUIDA, ENTROU O GENERAL AGUINALDO CAIADO DE CASTRO, QUE DIANTE DO QUADRO ESTARRECEDOR DESMAIOU. SEGUIU-SE O

MINISTRO OSVALDO ARANHA, QUE CAIU EM PRANTO CONVULSIVO.

ATÉ ÀS 9,15 HORAS DE HOJE O CORPO DO PRESIDENTE VARGAS AINDA SE ENCONTRAVA NOS SEUS APOSENTOS PARTICULARES, VELADO POR PESSOAS DA FAMÍLIA E OS PRIMEIROS AMIGOS QUE COMPARECERAM AO CATETE.

CAFÉ FILHO, O NOVO PRESIDENTE

MANTENHAM A ORDEM

TUDO CALMO NA VILA MILITAR

A Cultura na Era Vargas

Um quarteto de gênios: Drummond (*caricatura acima*), Graciliano Ramos (*acima, no centro*), Manuel Bandeira (*acima, à direita*) e Guimarães Rosa (*abaixo*) se envolveram, cada um a sua maneira, com os meandros da Era Vargas.

Em agosto de 1941, Getúlio Vargas, chefe supremo do Estado Novo, foi eleito para a Academia Brasileira de Letras. Embora, de acordo com o depoimento do poeta Manuel Bandeira, Vargas, ao participar das reuniões da sociedade, se comportasse como "um perfeito acadêmico", a verdade é que a "obra literária" do ditador se reduzia a algumas dezenas de discursos áridos e eventualmente sinuosos — a maioria dos quais nem sequer havia sido escrita por ele. De qualquer maneira, apesar da "obra" insossa e de toda a censura e perseguição que impôs a escritores que não se mostravam dispostos a seguir os desmandos de seu regime de exceção, Vargas veria florescer, ao longo de seu extenso domínio político, uma nova era para a cultura brasileira (ainda que, muitas vezes, isso se desse não por causa, mas apesar, dele).

O fato é que, após a Revolução de 30, o Brasil passou a refletir sobre si próprio e seus destinos de uma forma inovadora e surpreendente. Em 1933, surgiram dois livros-chave para a interpretação do país: *Casa grande e senzala*, de Gilberto Freyre, e *Evolução política do Brasil*, de Caio Prado Júnior. A eles se juntaria, em 1936, *Raízes do Brasil*, de Sérgio Buarque de Holanda. Essas três obras clássicas desvendariam uma nação multicultural e mestiça, litorânea e predatória, dividida entre a "cordialidade" e a crueza, dominada pelas elites "vegetais", adaptada aos hábitos indígenas, construída pelo braço negro e pela mão operária. Um Brasil épico e trágico.

Já o ano de 1930 fora grandioso para a poesia brasileira: nele, surgiram os primeiros livros de Carlos Drummond de Andrade (*caricatura acima, à esquerda*), Manuel Bandeira, Murilo Mendes e Augusto Frederico Schmidt. No ano anterior, aparecera Cecília Meireles e, no seguinte, Raul Bopp. Em 1931, Vargas convidaria Manuel Bandeira para presidir o Salão Nacional de Belas-Artes. Seria a primeira aproximação entre o governo e os modernistas — mas estava longe de ser a última.

Apesar da censura e das perseguições, Vargas, disposto a revelar sua face conciliadora e paternalista, passou a desenvolver uma política sistemática de "assimilação da inteligência nacional", desenvolvida em especial pelo Ministério da Educação — a princípio sob o comando do jurista Francisco Campos e, depois, de Gustavo Capanema. Nessa repartição trabalharam Drummond (chefe de gabinete) e Augusto Meyer (diretor do Instituto Nacional do Livro), enquanto o Departamento Cultural da Prefeitura de São Paulo era entregue a Mário de Andrade. Ao mesmo tempo, os arquitetos Lúcio Costa e Oscar

Niemeyer eram contratados para fazer o projeto do novo prédio do Ministério da Educação, cuja decoração foi entregue aos pintores Portinari, Pancetti e Guignard e ao paisagista Burle Marx. Com tais atitudes, Vargas lutava para obter, no mundo das artes, a mesma aceitação — e o mesmo grau de cooptação — que sua política trabalhista, baseada no paternalismo positivista, estava conseguindo entre os trabalhadores.

Mas sempre houve atrito entre o regime e os artistas "dissidentes". O caso mais rumoroso foi o de Graciliano Ramos (*ao lado, no centro*). Prefeito no interior de Alagoas, destituído pela Revolução de 30, ele estreou na literatura em 1933 com o pungente *Caetés*, logo seguido pelo clássico *São Bernardo* (1934). Em março de 1936, sob suspeita de ter participado da ANL, Graciliano foi preso pela polícia de Vargas. Levado para a terrível prisão de Ilha Grande (RJ), ficou lá um ano, sem acusação formal. Defendido pelo advogado Sobral Pinto, foi solto em 1937. Um ano depois lançou *Vidas secas*. A experiência na prisão foi relatada em *Memórias do cárcere*.

O pintor Di Cavalcanti e os escritores Jorge Amado e Érico Veríssimo tiveram também seus problemas com o regime. Em 1949, na obra *O tempo e o vento*, Veríssimo deu sua opinião sobre Vargas pela boca de um personagem: "Tudo nele é mediano e medíocre. Jamais teve o pitoresco dum Flores da Cunha, o brilho dum Osvaldo Aranha, a eloquência de um João Neves. (...) É um homem frio, reservado, cauteloso, impessoal (...) calmo numa terra de esquentados. Disciplinado numa terra de indisciplinados. Prudente numa terra de imprudentes. Sóbrio numa terra de esbanjadores. Um silencioso numa terra de papagaios".

João Guimarães Rosa (*ao lado, à direita*), um dos maiores escritores brasileiros de todos os tempos, viveu durante a Era Vargas. Embora militar e diplomata, forjou sua alquimia do verbo na surdina, nos sertões de Minas Gerais, longe do mundo.

Nasce a Petrobras

Embora, ao contrário do aço, o petróleo ainda não fosse, nos anos 30, um produto tido como indispensável, houve muita discussão sobre a nacionalização das reservas depois que o primeiro poço brasileiro foi perfurado na Bahia, em 1939. Vargas já criara, em 1938, o Conselho Nacional do Petróleo. Em 1936, Monteiro Lobato, favorável ao uso de capital privado nacional na exploração das jazidas, acendera a polêmica com a publicação do livro O escândalo do petróleo. Foi depois do fim da Segunda Guerra que o petróleo se revelou um produto tão importante quanto o aço. Companhias americanas, como Texaco e Standard Oil, controlavam a produção e a distribuição de petróleo no Brasil. Em 1947, no governo Dutra, surgiria a campanha nacionalista "O Petróleo É Nosso".

Seu principal líder foi o general Horta Barbosa. Depois de discussões, prisões e acusações, nascia, em 3 de outubro de 1953, a Petrobras — empresa mais estatizada do que Vargas pretendia. Com capital de US$ 20,3 bilhões, a Petrobras detinha, ainda em 1997, o monopólio do petróleo no Brasil. Deficitária (US$ 415 milhões de perdas anuais), a Companhia Siderúrgica Nacional foi privatizada em abril de 1993. Vendida por US$ 1,6 bilhão, passou a dar lucro de US$ 202 milhões anuais. Já a mineradora Vale do Rio Doce, também criada por Vargas, era superavitária, faturando US$ 2,97 bilhões por ano, quando foi privatizada em maio de 1997, vendida por US$ 3,3 bilhões.

O Aço e o Petróleo São Nossos

No campo econômico, o mesmo paternalismo com que Vargas tentou cooptar escritores e artistas se repetiria não só no conjunto de regras que estabelecia as relações de trabalho, mas, principalmente, no nacionalismo intervencionista de uma economia fortemente estatizada. O Estado foi o principal "empresário" do Brasil na Era Vargas e seu campo de atuação essencial se deu nas medidas protecionistas à indústria e na nacionalização dos recursos minerais. Em 1934, surgiu o Departamento Nacional de Produção Mineral e, durante o Estado Novo, foram criados o Conselho Nacional de Petróleo (1938), a Companhia Siderúrgica Nacional (1941) e a mineradora Vale do Rio Doce (1943) — germes daquelas que se tornariam, nas décadas seguintes, as três estatais gigantes de um Brasil ainda fechado ao livre mercado e cujas privatizações gerariam mais polêmica do que suas fundações.

A criação da Companhia Siderúrgica Nacional, em plena Segunda Guerra Mundial (em que o Brasil ainda não se envolvera diretamente), foi um marco na história da nação. No começo dos anos 40, as importações de aço, feitas especialmente dos Estados Unidos, representavam o maior fator de desequilíbrio da balança comercial. Disposto a expandir seu sistema de transportes e instalar indústrias de base (além de diminuir sua dependência exterior), o governo iniciou estudos para a criação de uma siderúrgica. Embora considerasse o projeto nacional exequível, a United States Steel Corp. — primeiro parceiro procurado pelo Brasil — desistiu

Como na I Guerra Mundial, o Brasil só entrou no conflito depois de ter seus navios afundados pela Alemanha. Em 1942, porém, os torpedeamentos foram muito mais violentos: 36 mercantes brasileiros foram postos a pique, provocando a morte de quase mil pessoas. Apenas entre fevereiro e julho de 1942, foram 14 os navios afundados. Mas só em 15 de agosto deu-se o primeiro ataque em águas territoriais brasileiras: o submarino nazista U-507 afundou o Baapendi, matando seus 270 tripulantes. Nos dias seguintes, o mesmo submarino pôs a pique outros quatro navios, todos na costa entre Sergipe e Bahia. Os ataques causaram grande comoção nacional e nem mesmo os simpatizantes do nazismo que faziam parte do governo conseguiram impedir (como haviam feito antes) inúmeras passeatas favoráveis à declaração de guerra. No dia 31 de agosto, Vargas rendeu-se à pressão e o Brasil declarou guerra à Alemanha.

do negócio em janeiro de 1940. Apesar de a desculpa oficial dos Estados Unidos ser a de que, para o Brasil, seria "mais barato continuar importando aço", o motivo real da desistência parece ter sido o temor com relação "à grande incerteza nos assuntos brasileiros".

A isso se somava o receio com o fervor nacionalista do governo (justificável, já que em janeiro de 1940 surgiu o Código de Minas, que proibia a participação de estrangeiros na mineração e metalurgia). Desde 1938, porém, o chefe da Comissão Executiva do Plano Siderúrgico, coronel Macedo Soares, mantinha contatos com o governo de Hitler, e a empresa alemã Krupp, além de fornecer peças de artilharia ao Brasil, mostrou-se disposta a financiar a siderurgia brasileira. Assessores do presidente americano Roosevelt consideraram a medida desastrosa, já que essa associação "asseguraria a predominância da Alemanha na vida econômica e militar do Brasil por anos". Assim sendo, em troca da instalação de uma base americana em Natal (RN), os Estados Unidos emprestaram US$ 20 milhões ao Brasil. Com outros US$ 25 milhões do governo brasileiro, Volta Redonda foi inaugurada em 1946.

O Brasil Vai à Guerra

O empréstimo dos Estados Unidos ao Brasil para a construção de Volta Redonda foi aprovado seis meses antes do ataque japonês a Pearl Harbor, que resultou na entrada dos americanos na guerra. Essa associação com os EUA acabou se tornando um momento-chave na história do Brasil, já que, até aquele momento, o governo Vargas jogara habilmente com os antagonismos entre as nações democráticas e o nazi-fascismo, fazendo um jogo já definido como "neutralidade interesseira". Mas não era apenas um jogo: Vargas e seus assessores estavam de fato divididos. Em julho de 1940 — coincidindo com a invasão da França pelos nazistas —, o presidente fizera um discurso dúbio que deixou americanos e ingleses temerosos de que o Brasil se alinhasse aos países do Eixo. Os generais Dutra e Góis Monteiro eram francamente favoráveis à aliança com a Alemanha,

tanto que, em 1940, Dutra chegara a sugerir que o Brasil declarasse guerra à Inglaterra e, em janeiro de 1942, Monteiro ainda era contrário ao rompimento das relações com os nazi-fascistas. Além disso, colaboradores íntimos de Vargas, como o jurista Francisco de Campos e o chefe de polícia Filinto Müller, também eram admiradores do regime de Hitler. E o próprio Vargas muitas vezes se comportara como um totalitário.

O brilhantismo vigoroso do embaixador do Brasil nos Estados Unidos, Osvaldo Aranha, fazia a balança pender para o outro lado. Em 15 de janeiro de 1942, Aranha foi a principal estrela da Conferência de Chanceleres das Repúblicas Americanas, realizada no Rio de Janeiro. Foi ele quem propôs o rompimento de todas as relações comerciais, políticas, militares e diplomáticas entre as nações da União Pan-Americana e os países do Eixo. Os EUA preferiam declaração de guerra, mas aceitaram essa decisão — e se comprometeram a garantir a defesa territorial do Brasil. Embora o país não tivesse declarado guerra à Alemanha — que, na época, ainda era o segundo maior parceiro comercial do Brasil, suplantado apenas pelos EUA —, Hitler determinou o torpedeamento de navios brasileiros. O primeiro foi afundado em fevereiro de 1942. O povo saiu às ruas clamando por vingança e em agosto o Brasil entrou na guerra (*leia o quadro à esquerda*). Em janeiro de 1943, Roosevelt visitou a base que o Brasil autorizara os EUA a construir em Natal. Encontrou-se com Vargas (*à esquerda*), a quem chamou de "dictator in defense of democracy" ("ditador em defesa da democracia"), e sugeriu que o Brasil fosse um dos fundadores da futura Organização das Nações Unidas. Vargas aceitou e, em troca de dinheiro e armas, enviou tropas brasileiras para a Europa.

Os Pracinhas na Europa

Nem todas as nações aliadas eram favoráveis à presença do Exército brasileiro nos combates na Europa, uma vez que as tropas do país eram consideradas despreparadas e mal-equipadas — o que era um fato. O projeto inicial era enviar os expedicionários brasileiros para combater na África. Em agosto de 1943, um decreto criara a Força Expedicionária Brasileira (FEB). Esperava-se que 100 mil brasileiros se alistassem. No início de 1944, porém, apenas 28 mil soldados estavam prontos para entrar na guerra — muitos deles negros, havendo até todo um regimento, o Andrade Neves, cujos 300 integrantes tinham sido recrutados nas favelas. A derrota alemã na África forçaria uma mudança nos planos dos aliados com relação à FEB, escalada, então, para lutar na Itália. Na noite de 30 de junho de 1944, numa operação sigilosa, mais de 5 mil soldados brasileiros

Os dois anos durante os quais o Brasil esteve oficialmente em guerra contra a Alemanha modificaram o cotidiano da nação, como já acontecera em praticamente todos os países do mundo. Mesmo antes da declaração formal de guerra, o Brasil já capturava espiões alemães, tivera seus navios afundados e fora obrigado a racionar alguns produtos. Durante quatro anos, o maior racionamento seria o da gasolina e, por esse motivo, os carros que circulavam no país eram movidos a gasogênio (aparelho que queimava carvão, produzindo gás combustível). A partir de agosto de 1942, a população das grandes cidades foi forçada a fazer blecautes eventuais: todas as luzes deveriam ficar apagadas. Sirenes soavam preparando os cidadãos para supostos bombardeios. Ao mesmo tempo, a base americana em Natal e a aliança com os Estados Unidos davam início ao processo de americanização do país, cujos reflexos são evidentes até hoje.

A imprensa nacional ficou mais ágil e mais "americana". Surgiu o famoso Repórter Esso, noticiário radiofônico, cujas transmissões diárias paravam a nação. A revista O Cruzeiro fez uma cobertura dinâmica da luta na Europa. Um dos correspondentes de guerra foi Rubem Braga, o maior dos cronistas brasileiros. Outro grande intelectual que se envolveu no "esforço de guerra" foi o poeta Guilherme de Almeida, autor da letra da Canção do expedicionário ("Por mais terras que eu percorra,/ não permita Deus que eu morra/ sem que volte para lá;/ sem que leve por divisa/ este "V" que simboliza/ a vitória que virá"). Nos campos de batalha da Itália lutaram o general Cordeiro de Farias, que fora um dos tenentes da Coluna Prestes, e o então tenente-coronel Castelo Branco, chefe da Seção de Planejamento e Operações. Além da FEB, a FAB (Força Aérea Brasileira) também participou da guerra, realizando quatrocentas missões.

"Do You Do, Dutra?"

O marechal Eurico Gaspar Dutra (1883-1974) nasceu em Cuiabá. Participou da Revolta da Vacina em 1904, reprimiu os levantes tenentistas de 1922 e 1924, aderiu à Revolução de 30, combateu os paulistas em 1932 e os comunistas em 1935, apoiou o golpe do Estado Novo em 1937, foi ministro de Vargas por nove anos e o derrubou em 1945. Como presidente, proibiu o jogo e promulgou a nova Constituição — que chamava de "livrinho". Introduziu o Brasil na guerra fria, criando a Escola Superior de Guerra, banindo o PC, rompendo relações com a União Soviética e se aproximando dos Estados Unidos de Harry Truman. Dutra era uma figura caricata, sobre a qual surgiram muitas piadas. Uma delas contava que, ao ser cumprimentado por Truman, que dissera "How do you do, Dutra?", o marechal de imediato respondeu: "How tru you tru, Truman?"

embarcaram, no Rio de Janeiro, no navio americano General Mann, com destino ainda desconhecido. Era o primeiro contingente dos 25.334 homens que, sob o comando do general Mascarenhas de Moraes, se incorporariam ao 4º Corpo do Exército americano, por sua vez integrante do 15º Grupo de Exércitos Aliados.

Desacostumados com os métodos americanos de comando (já que o Exército brasileiro seguia a escola francesa), sofrendo com o rigoroso inverno europeu, recebendo a rala ração C, forçados a se adaptar a "uns troços com pranchas largas e umas bengalas pontudas" (os esquis), os soldados brasileiros até que não fizeram feio nos campos de batalha da Itália. Ao longo de 239 dias de luta (de 6.9.1944 a 2.5.1945), a FEB participou da guerra pela conquista dos Apeninos, a cadeia montanhosa no norte da Itália, de grande importância estratégica por dar acesso aos vales dos rios Reno e Pó. A tomada de Monte Castelo — que fracassara em três ocasiões anteriores – ocorreu em 21 de fevereiro de 1945, depois de 12 horas de combate. Foi o ponto alto da ação bélica brasileira. Ao todo, o Exército do Brasil teve 465 mortos — 444 soldados, treze oficiais do Exército e oito oficiais da FAB (Força Aérea Brasileira) — e 1.517 feridos em combate (mais 658 "acidentados"). A FEB capturou mais de 20 mil alemães, 80 canhões e 1.500 viaturas. No dia 18 de julho de 1945, os primeiros 4.931 pracinhas brasileiros retornaram ao Rio de Janeiro. Ao desfilarem pela avenida Rio Branco, foram recebidos apoteoticamente. Ao longo das semanas seguintes, a cerimônia se repetiria para os demais contingentes.

O Governo do Marechal Dutra

Q uando os pracinhas retornaram ao Brasil, em julho de 1945, uma contradição tornou-se evidente para toda a nação: na Europa, o Exército nacional lutara pela democracia; em casa, o país vivia sob o regime ditatorial. Um ano e meio antes, a insatisfação de vários segmentos da nação com a ditadura Vargas já havia ficado clara com surgimento do chamado "Manifesto dos Mineiros". Lançado em 24 de outubro de 1943, no 13º aniversário da Revolução de 30, o documento clamava: "Queremos liberdade de pensamento, sobretudo do pensamento político".

Em 1942, nascera a UNE (União Nacional dos Estudantes), responsável por passeatas de protesto no país inteiro (sendo uma delas causadora da demissão de Filinto Müller e de Francisco de Campos). Em janeiro de 1945, o I Congresso Brasileiro de Escritores, realizado em São Paulo, também exigia a redemocratização do país. Em 22 de fevereiro daquele ano, o ex-ministro José Américo, em entrevista ao jornalista Carlos Lacerda, rompeu com a censura, criticando abertamente o governo. Vargas se viu forçado a baixar a guarda e, no dia 28 de fevereiro, assinou o Ato Adicional nº 9, fixando o prazo de 90 dias para a realização de eleições.

Os novos partidos se organizaram rapidamente: em 7 de abril nascia a UDN (União Democrática Nacional), formada pela antiga oposição liberal, associada a banqueiros e ao setor privado. A UDN lançou a candidatura do brigadeiro Eduardo Gomes — um dos líderes do movimento dos Dezoito do Forte. Em julho de 1945, surgia, dentro da máquina

Fim da Era Vargas

Nos Braços do Povo

Embora afastado do governo por um golpe brando, Getúlio Vargas acabaria sendo um dos grandes vencedores das eleições de dezembro de 1945. Não apenas figurativamente: Vargas foi eleito senador por dois estados (RS e SP) e deputado por outros sete. Ainda assim, praticamente não apareceu no Senado: preferiu o auto-exílio na fazenda Itu, em São Borja, na qual recebia o beija-mão dos políticos e articulava sua volta ao poder. Na verdade, as manobras para a sucessão de Dutra se iniciaram antes do marechal completar a metade de seu mandato. Embora Dutra se recusasse a apoiar a candidatura de Vargas, ela logo surgiu, lançada por João Goulart, durante a comemoração do 67º aniversário do ex-presidente, em 19 de abril de 1950, na fazenda Itu. Vargas concorreu pelo PTB, tendo como vice João Café Filho, do Partido Social Progressista (PSP), que fora indicado pelo presidente do partido, o governador paulista Ademar de Barros (que popularizara o slogan "rouba mas faz"). O acordo era simples: Vargas em 1950, Ademar em 1955. Nas eleições de 3 de outubro de 1950, Vargas concorreu contra Cristiano Machado, do PSD, e Eduardo Gomes, outra vez candidato da UDN. Baseando sua campanha na defesa da industrialização e na necessidade de se ampliar a legislação trabalhista, Vargas venceu fácil, obtendo 48,7% dos votos. A UDN tentou impugnar a eleição, alegando que só poderia ser considerado vencedor o candidato que obtivesse a metade do total de votos mais um. O Tribunal Superior Eleitoral rejeitou a exigência e Vargas recebeu a faixa presidencial das mãos de Dutra, em janeiro de 1951.

político-administrativa do Estado Novo, o PSD (Partido Social Democrático), que lançou o general Dutra como candidato.

Com as eleições marcadas para 2 de dezembro, novas ações políticas agitaram o segundo semestre de 1945. No dia 15 de julho, numa manifestação gigante em São Paulo, Luís Carlos Prestes lançou a campanha "Constituinte com Getúlio", que era uma tentativa de "golpe branco": em vez de eleições, uma nova Assembléia Constituinte seria convocada, com Vargas ainda no comando da nação. Em agosto, líderes sindicais e funcionários do Ministério do Trabalho entoavam o lema: "Queremos Getúlio" — e nascia o "movimento queremista". Em setembro, surge, também sob a batuta de Vargas, do Ministério do Trabalho e da burocracia sindical, o PTB (Partido Trabalhista Brasileiro).

Três meses antes de sua realização, as eleições de dezembro já pareciam definidas: a UDN não teria como vencer Vargas e seus aliados. Em fins de outubro, porém, o presidente insiste em fazer de seu irmão, Bejo Vargas, o chefe de polícia do Rio de Janeiro. Liderado pelos generais Góis Monteiro e Dutra, um golpe militar depõe o ditador. Entre humilhado e conciliador, o presidente declara à nação que renunciara ao cargo por vontade própria — e sai do Catete sem ser exilado e sem perder os direitos políticos. As eleições de dezembro se realizam sob sua vasta sombra e o general Dutra, do PSD, apoiado por Vargas e pelo PTB, vence com certa facilidade a UDN de Eduardo Gomes: dos 6 milhões de votos (13,4% da população), 3,25 milhões são para Dutra. Em setembro de 1946 uma nova Constituição é promulgada. Pelos 18 anos seguintes, o Brasil voltará a conviver com a democracia.

O Escândalo que Derrubou Vargas

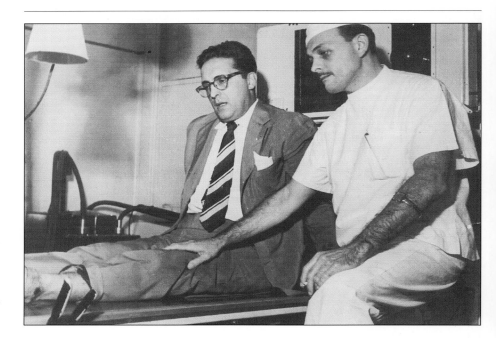

Tiro pela Culatra

Na madrugada de 5 de agosto de 1954, dois pistoleiros tentaram matar Carlos Lacerda na porta de sua casa, na rua Toneleros, em Copacabana, no Rio de Janeiro. Os tiros o feriram levemente no pé (à direita), mas mataram o major da Aeronáutica, Rubens Vaz — que se oferecera espontaneamente para protegê-lo. "Este tiro é uma punhalada em minhas costas", disse Vargas ao saber do atentado. Desautorizando o então ministro da Justiça, Tancredo Neves, a Aeronáutica decidiu investigar o crime por conta própria e instaurou um inquérito que, em 29 horas, conseguiu prender os culpados. Em poucos dias ficou claro que Gregório Fortunato (acima), preso no dia 11 de agosto, fora o mandante do crime. Na Base Aérea do Galeão, Fortunato sofreu todo tipo de pressão para denunciar um nome que derrubasse Vargas. Naqueles dias de tensão, o país passou a ser governado pela chamada "República do Galeão". Muitos colaboradores de Vargas foram presos e ameaçados de ser jogados de aviões no mar. Uma década e meia depois, a ameaça se tornaria realidade para os prisioneiros do regime militar que tomou o poder em 1964.

Em 22 de agosto, os brigadeiros se reuniram no Clube da Aeronáutica para pedir a renúncia de Vargas. No dia 23, cerca de trinta generais lançaram um "Manifesto à Nação" que, na verdade, era um ultimato a Getúlio. Um dia antes, quando o vice-presidente Café Filho sugeriu a Vargas que ambos renunciassem, o presidente respondeu: "Se tentarem tomar o Catete, terão que passar sobre o meu cadáver"

Em 31 de janeiro de 1951, cinco anos, três meses e dois dias depois de ser escorraçado do Catete como ditador deposto, Getúlio Vargas voltou ao governo "nos braços do povo" para mais quatro anos na Presidência. Dessa vez, porém, não sairia mais do palácio do governo — pelo menos não vivo. O país com o qual Vargas deparou era muito diferente daquele que comandara cinco anos antes. De início, o presidente se viu forçado a manobrar num mar de correntes contraditórias, como disse o historiador Bóris Fausto: "De um lado, não podia deixar de se preocupar com as reivindicações dos trabalhadores, atingidos pela alta do custo de vida; de outro, precisava tomar medidas impopulares para controlar a inflação". Vargas tentou resolver a equação lutando para fazer um governo popular com um ministério conservador (no qual predominava o PSD). Tentou aproximar-se até mesmo da UDN.

O "tigre da inflação", sobre o qual Getúlio prometeu montar, começou a "mover-se de forma inquietante" em fins de 1951. Um ano depois, 500 mil pessoas participavam dos protestos contra a carestia na campanha da "Panela Vazia". O país se debatia entre o nacionalismo, o entreguismo e o estatismo. Em 3 de outubro de 1953, Vargas dá a virada decisiva de seu segundo governo, firmando a imagem de "Pai dos Pobres": pressionado pelos sindicatos, ele começa a afastar-se dos Estados Unidos, cria a Petrobras, faz uma lei sobre remessa de lucros para o exterior e muda o ministério.

Para a pasta do Trabalho, convoca João Goulart, um estancieiro de São Borja. Embora sua função fosse conter a influência comunista nos sindicatos, Jango foi transformado pela UDN, por setores da classe média e pelos militares antigetulistas num personagem perigoso, que simbolizava o avanço da "república sindicalista" e personificava a chegada do peronismo ao Brasil. Quando Jango propôs aumento de 100% no salário mínimo, o estopim da crise foi aceso. Em fevereiro de 1954, após o lançamento do "Manifesto dos Coronéis" (assinado, entre outros, por Sílvio Frota e Golbery do Couto e Silva), Vargas foi obrigado a demitir Jango. Mas em 1º de maio ele não só aprovou o aumento salarial como

A agonia política do presidente durou
19 dias. Na noite do dia 23, Bejo Vargas
informou ao irmão que fora convocado
para depor na "República do Galeão".
Vargas comentou: "A UDN está
preparando um banquete. Na hora em
que sentarem à mesa, eu puxo a toalha".
Na mesma noite, convocou uma
reunião ministerial e declarou: "Só
morto saio do Catete". Às 4 da manhã,
dois oficiais foram ao palácio convocar
Bejo para depor. Por volta das 4h30,
um tiro ecoou no Catete. Em breve,
ressoaria em toda a nação.

discursou aos trabalhadores: "Hoje vocês estão no governo. Amanhã serão governo". Foi o
que bastou: para a UDN, para os conservadores e os militares, era preciso derrubar Vargas.
Faltava apenas um pretexto. Ele logo viria.

De todos os opositores de Getúlio, o mais ruidoso e radical era o jornalista Carlos
Lacerda. Muito jovem, Lacerda lançara o nome de Luís Carlos Prestes para a presidência da ANL. Com o tempo, não apenas se afastou dos comunistas como virou um de
seus maiores inimigos. À frente de seu jornal, *Tribuna da Imprensa*, Lacerda desferia os
mais violentos ataques a Vargas. A partir de 1953, Roberto Marinho ofereceu a Lacerda
os microfones da rádio Globo e Assis Chateaubriand o pôs no ar na TV Tupi. Com o
apoio da mídia nacional, Lacerda exigia a renúncia de Vargas e apelava às Forças
Armadas para que elas "restabelecessem a democracia no Brasil". Nos círculos getulis-
tas, surgiu a convicção de que era preciso "dar um jeito" em Lacerda. O chefe da guarda presidencial, Gregório Fortunato (*foto à esquerda, na pág. 346*) — fiel servidor de
Getúlio por mais de 30 anos —, decidiu tramar o assassinato de Lacerda (*leia à esquerda*). Se a idéia em si já era desastrada, mais desastrada ainda seria sua execução. Foi um
tiro que saiu pela culatra.

A Era JK, Jânio e Jango

C A P Í T U L O 3 2

Foi um tempo em que, para usar a expressão do ensaísta Roberto Schwarz, o país estava "irreconhecivelmente inteligente". Havia a bossa nova, o cinema novo e a Novacap. A política externa era independente — o que, talvez, quisesse dizer apenas que estava "desvinculada" dos Estados Unidos. Falava-se cada vez mais em "libertação nacional" e ela estava diretamente ligada a slogans ultra-otimistas, do tipo "50 anos em 5", "transformações estruturais" e "reformas de base". O "nacional-desenvolvimentismo" parecia ser "caminho do meio" entre nacionalismo e "entreguismo", entre economia estatizada e liberalismo. O latifúndio recuava e a reforma agrária se punha em movimento. Árvores caíam e carros roncavam — e isso era visto como símbolo inequívoco de progresso. Em 41 meses, uma cidade futurista surgira no meio do nada e o presidente era um sujeito jovial e sorridente, alto e boa-pinta: o presidente bossa-nova.

Após quase duas décadas de democracia, o país se sentia jovem e ousado, esperançoso e otimista. A instabilidade política e a econômica permaneciam as mesmas — mas, pelo menos, naqueles anos de ouro, pararam de fazer "tabelinha": era uma ou outra; quase nunca as duas ao mesmo tempo. Ainda assim, o ovo da serpente estava em gestação e, em menos de uma década, a nação se confrontaria outra vez mais com seus equívocos e descaminhos, com sua alma dúbia, suas recaídas autoritárias, sua elite irredutível e seu povo despreparado ou omisso, seus temores e seu desleixo. Mas, dos anos JK ao turbulento reinado populista de João Goulart, ao Brasil foi permitido sonhar. A segunda metade dos anos 50 e a primeira parte da década de 1960 foram muito mais arejadas e auspiciosas do que os 20 anos que vieram antes e os 20 que viriam depois.

Ainda assim, a posse de JK, em janeiro de 1956, seria um retrato das atribulações que estavam por vir. Eleito em outubro de 1955, Kubitschek só tomou posse graças a um golpe militar — o único golpe legalista da história brasileira. Com o novo presidente, assumiu o vice, João Goulart, o Jango — cuja atuação como ministro de Vargas fora um dos estopins da crise que acabou desembocando no suicídio de Getúlio. JK conseguiu estabilizar o país politicamente, mas o entregou endividado ao sucessor Jânio Quadros, que tomou posse em janeiro de 1961. Jânio — certa vez definido como "marxista da linha Groucho"— era um político desequi-librado e instável, que governou enviando "bilhetinhos" a seus assessores, regulamentou o tamanho do maiô das misses, proibiu corridas de cavalos "em dias úteis" e renunciou abruptamente em agosto de 1961.

Ocupando outra vez a vice-presidência, João Goulart — para horror dos militares e dos conservadores — tomou posse em setembro. Durante três anos e meio, governou um país em turbilhão permanente, rachado entre a miragem utópica e temerária das esquerdas e os receios e rancores hidrófobos da direita de farda e de paletó. O confronto teria um resultado previsível. Os anos de ouro desembocaram nos anos de chumbo, e o Brasil "inteligente" seria soterrado em 20 anos de arbítrio.

Sob o espectro das Forças Armadas: desde antes de sua posse, em janeiro de 1956, JK viu seu governo ameaçado pela possibilidade de um golpe militar.

Lott e o Golpe Preventivo

Café Filho no Poder

Embora tivesse sugerido que ambos renunciassem, assim que Getúlio Vargas se matou, o vice-presidente Café Filho assumiu a chefia da nação. O impacto provocado pelo suicídio de Vargas impediu que a "República do Galeão" tomasse o poder. A posse de Café Filho foi a solução constitucional. O potiguar João Café Filho (1899-1970) era um político com um passado de esquerda que, como bom fisiologista, se ligara ao populismo ademarista. Fora o próprio Ademar de Barros quem o indicara para vice de Vargas nas eleições de 1950. Ao ser empossado, Café Filho manteve a posição que adotara durante a crise que levou Vargas ao suicídio: permaneceu na oposição ao governo anterior e montou um ministério no qual o predomínio da UDN era evidente. Ainda assim, Café Filho se comprometeu a cumprir o calendário eleitoral, mantendo as eleições para a Câmara, Senado e governos estaduais (marcadas para outubro de 1954) e as eleições presidenciais, previstas para outubro de 1955. E cumpriu a promessa. Após a eleição de JK, porém, Café Filho (acima) teria participação indireta na tentativa de golpe com a qual a UDN tentou impedir a posse do presidente eleito.

Em novembro de 1954, Juscelino Kubitschek, então governador de Minas Gerais, lançou sua candidatura à Presidência pelo PSD. Em abril do ano seguinte, o PTB decidiu fazer aliança com o PSD e lançou João Goulart para vice de Juscelino. Formava-se novamente a dobradinha entre os dois partidos nascidos à sombra de Vargas — e cuja união, em 1945, dera ampla vitória a Dutra contra a UDN, que a chamara de "coligação maldita". Em maio de 1955, depois de muita hesitação, o general Juarez Távora enfim aceitou o convite feito por Jânio Quadros para ser o novo candidato militar da UDN. Nas semanas seguintes, apesar de derrotado pelo próprio Jânio nas eleições para o governo de São Paulo (em outubro de 1954), Ademar de Barros decidiu concorrer pelo PSP. Se Vargas estivesse vivo, Ademar seria o candidato oficial à sucessão, mas agora estava desamparado. O quadro eleitoral se completou com o lançamento da candidatura do integralista Plínio Salgado. Embora os rumores de um golpe militar fossem cada vez mais freqüentes, as eleições se realizaram no dia 3 de outubro de 1955.

As urnas deram a vitória a Juscelino por uma margem estreita. JK teve 36% (3.077.411 votos) contra 30% (ou 2.610.462 votos) de Juarez Távora. Ao obter 26% dos votos, Ademar de Barros teve um papel decisivo na eleição. Plínio Salgado não passou dos 8%. Derrotada nas urnas, a UDN — supostamente um partido legalista — começou a propor abertamente a mudança das regras do jogo eleitoral: só poderia assumir o candidato que tivesse recebido a metade dos votos mais um. Era um evidente artifício para impedir a posse de JK.

De acordo com o governador do Rio Grande do Sul, Ildo Meneghetti, a UDN não tinha nada contra JK: "Nosso problema é o Jango". Desde os tempos em que era ministro de

Vargas, Jango era visto como "incitador de greves e articulador da república sindicalista". Em setembro de 1955, o jornalista Carlos Lacerda já tentara envolvê-lo em um episódio de cartas falsas (similar ao que abalara Artur Bernardes, em 1922). Em 1º de novembro de 1955, no enterro do presidente do Clube Militar, o coronel Bizarria Mamede atacou a "mentira democrática" e disse que "a vitória da minoria" estabelecia uma "pseudolegalidade imoral e corrompida". O general Henrique Teixeira Lott, ministro da Guerra do governo Café Filho — um militar legalista que já anunciara que o Exército seria "a espada neutra" no processo sucessório —, pretendia punir Mamede. Como diretor da Escola Superior de Guerra, porém, o coronel Mamede estava submetido diretamente ao presidente.

Em 5 de novembro, Café Filho teve um ataque cardíaco — ou fingiu que tivera, de acordo com JK. O presidente da Câmara, deputado Carlos Luz, tomou posse provisoriamente — e se recusou a punir o coronel. Em 11 de novembro, depois de se demitir do ministério, o general Lott botou as tropas na rua e destituiu Carlos Luz, dando o chamado "golpe preventivo", não para impedir, mas para garantir a posse de JK. Lacerda ainda tentou articular uma reação, mas o presidente do Senado, Nereu Ramos, assumiu o governo sob estado de sítio. No dia 21 de novembro de 1955, dizendo-se recuperado, Café Filho anunciou-se disposto a retomar a Presidência, mas foi declarado "impedido" pelo Congresso. Em 31 de janeiro de 1956, JK foi, afinal, empossado.

JK, o Presidente Bossa-Nova

Q uando, durante a campanha de 1955, um repórter da revista *O Cruzeiro* lhe perguntou sobre "o problema do café", o então candidato à presidência JK replicou: "Qual deles? O vegetal ou o animal?". Dono de um sorriso luminoso, Juscelino Kubitschek de Oliveira era bem-humorado, esguio, boa-pinta, "moderno". Estava pronto para ser o presidente bossa-nova e comandar um país que voltava a acreditar em si mesmo. Descendente de checos, nascido em Diamantina (MG), em setembro de 1902, JK, apesar

O Preço do Progresso

Ao encontrar-se com o engenheiro Bernardo Saião, responsável pela construção da estrada Belém–Brasília, JK lhe disse: "Vamos arrombar esta selva". Disposto a "integrar" o Brasil e a estimular o consumo de automóveis, JK determinou a abertura de "um cruzeiro de estradas" cortando o Brasil, dos quatro pontos cardeais ao centro de Brasília. De 1955, ano anterior a sua posse, a 1961, foram abertos 13 mil quilômetros de estradas e pavimentados 7 mil. Era uma época em que as florestas, que JK queria "arrombar", eram tidas como "mato" e representavam um "entrave" ao progresso. O surto desenvolvimentista do governo JK foi acompanhado por uma devastação ecológica sem par na história do Brasil. A assessoria de imprensa do presidente distribuía fotos de JK derrubando árvores centenárias a bordo de tratores, ou caminhando sobre troncos tombados. A expansão da indústria automobilística enfraqueceu o transporte fluvial e ferroviário no Brasil, mas JK era adorado, e o menestrel Juca Chaves compôs uma elegia a ele: "Bossa-nova mesmo é ser presidente/ Desta terra descoberta por Cabral/ Para tanto basta ser/ Simpático, risonho, original". Quanto ao engenheiro Bernardo Saião, em uma trágica ironia, morreu esmagado por uma árvore.

O ronco dos motores: uma das principais realizações do governo JK foi a plena implantação da indústria automobilística no Brasil. Engarrafamentos e poluição eram, então, palavras desconhecidas.

da infância pobre, se formou em Medicina em 1927. Foi eleito deputado federal em 1934, prefeito de Belo Horizonte em 1940 e governador de Minas Gerais em 1950. Em 1955, era o nome ideal para encabeçar a dobradinha PSD–PTB — articulada por Osvaldo Aranha e Tancredo Neves no enterro de Vargas.

Uma vez no poder, JK revelou-se dinâmico, empreendedor, competente e astuto, e seu otimismo contagiou a nação. Apesar de conciliador, JK não fez concessões à UDN: dos 24 ministros civis, dezesseis eram do PSD e seis do PTB. O "partido golpista" não recebeu uma única pasta. Ainda assim, os anos JK seriam marcados pela estabilidade política: a cúpula militar se acalmara; os golpistas tinham perdido duas paradas altas — a tentativa de derrubar Vargas acabou se tornando o suicídio de um "mártir" e a tentativa de impedir a posse de JK esbarrou na "espada neutra" do general Lott. Embora uma pequena rebelião liderada por dois oficiais da Aeronáutica, deflagrada duas semanas após a posse do presidente, em fevereiro de 1956, tivesse ocorrido em Jacareacanga, no Pará, JK teria toda a tranqüilidade para governar.

Para executar seu ambicioso Plano de Metas — resumido no *slogan* "50 anos em 5" e baseado no binômio "energia e transportes" (*leia na página 354*) —, JK, disposto a derrotar a burocracia, criou órgãos paralelos e horários alternativos de trabalho. Ao obter recursos que lhe permitissem concretizar seus planos, ele acabou forjando a expressão "nacional-desenvolvimentismo" — uma astuciosa política econômica que combinava a ação do Estado com a empresa privada nacional e o capital estrangeiro. Entre muitas ações que marcaram um surto desenvolvimentista sem precedentes no país, o governo JK se notabilizou pelo grande impulso dado à indústria automobilística. Ainda em 1956, o presidente criou o Grupo Executivo da Indústria Automobilística (GEIA). Graças a incentivos fiscais, empresas automobilísticas multinacionais, como a Ford e a General Motors (que estavam no Brasil desde 1919 e 1925, respectivamente), passaram a fabricar utilitários, em 1957, e outras montadoras se instalaram na região do ABC (SP).

Devido ao interesse primordial dos Estados Unidos no mercado da Europa, foram justamente empresas européias as que vieram para o país — entre elas a Volkswagen, alemã, e a Simca, francesa. Em 1959 foi lançado o primeiro Fusca montado no Brasil — e JK orgulhosamente desfilou a bordo do automóvel que se tornaria um dos mais vendidos e amados do país. Também em 59 a Simca lançou a luxuosa linha Chambord, logo transformada em símbolo de requinte e eficiência, que seriam associados à era JK. Entre 1957 e 1960, foram produzidos mais de 320 mil veículos, 90% acima do previsto. O Brasil se movia sobre quatro rodas.

Brasília: A Nova Capital

Era uma cidade longamente profetizada. Já em 1883, ela aparecera, reluzente, nas visões do santo italiano João Bosco. Um século antes, fizera parte dos sonhos libertários dos inconfidentes, fulminados em 1789. Em 1813, o jornalista Hipólito José da Costa, redator do *Correio Braziliense*, editado em Londres, deu novo alento à idéia de transferir a capital do Brasil para o interior, "junto às cabeceiras do Rio São Francisco". No início de 1822 surgiria, em Lisboa, um livreto, redigido nas Cortes, determinando que, "no centro do Brasil, entre as nascentes dos confluentes do Paraguai e do Amazonas fundar-se-á a capital do Brasil, com a denominação de Brasília". No mesmo ano, após a Independência, José Bonifácio defenderia, na Constituinte, a idéia de erguer a nova capital "na latitude de

15°, em sítio sadio, ameno, fértil e regado por um rio navegável". Em 1852, o historiador Francisco Adolfo de Varnhagen tornou-se o principal defensor de Brasília e, em 1877, seria o primeiro a viajar ao Planalto Central tentando demarcar o ponto ideal.

Achou-o "no triângulo formado pelas lagoas Formosa, Feia e Mestre d'Armas, pelo fato de fluírem para o Amazonas, o São Francisco e o Prata". Proclamada a República, o artigo 3º da nova Constituição estabeleceu que a capital de fato seria mudada para o Planalto Central. Por isso, em 1892, à frente da recém-formada Comissão Exploradora do Planalto Central, o cientista Luís Cruls demarcou "um quadrilátero de 14.400 quilômetros para nele ser erguida a nova cidade". Em 1922, o presidente Epitácio Pessoa baixou um decreto determinando que no dia 7 de setembro daquele ano (centenário da Independência) fosse assentada a pedra fundamental da nova capital, na cidade de Planaltina (GO), localizada no "quadrilátero Cruls", hoje perímetro urbano de Brasília. A idéia de transferir a capital para os longínquos descampados do cerrado seria mantida nas constituições de 1934 e de 1946. Mas só começou de fato a sair do papel no dia 4 de abril de 1955, num comício em Jataí (GO), quando o então candidato à Presidência Juscelino Kubitschek decidiu fazer a mais óbvia das promessas de campanha: jurou que iria "cumprir a Constituição". Então, como o próprio JK conta no livro *Por que construí Brasília*, algo de surpreendente aconteceu — e mudou os destinos do Brasil.

De acordo com JK, ao final do comício em Jataí, "uma voz forte se impôs" e o interpelou. "O senhor disse que, se eleito, irá cumprir rigorosamente a Constituição. Desejo saber se pretende pôr em prática a mudança da capital federal para o Planalto Central." JK olhou para a platéia e identificou o interpelante: era um certo Toquinho. Embora considerasse a pergunta embaraçosa e já tivesse seu Plano de Metas pronto, JK respondeu que construiria a nova capital. A partir daí, Brasília virou a "meta-síntese" de seu governo. Ao assumir a Presidência, apresentou o projeto ao Congresso como fato consumado. Em setembro de 1956, foi aprovada a lei nº 2.874 que criou a Cia. Urbanizadora da Nova Capital. As obras se iniciaram em fevereiro de 1957, com apenas 3 mil trabalhadores — batizados de "candangos". Os arquitetos Oscar Niemeyer e Lúcio Costa foram encarregados de projetar a cidade "futurista".

Nove meses depois, cerca de 12 mil pessoas viviam e trabalhavam em Brasília. Mais de 45 milhões de metros cúbicos de terra vermelha foram deslocados numa terraplanagem monumental. Redigida por San Tiago Dantas, a Lei da Novacap permitia ao governo fazer todas as operações de crédito sem passar pelo Congresso. Houve corrupção e desvios de verbas, é claro, mas, em 41 meses, onde havia apenas deserto e se escutava só "o miado da onça", erguia-se uma das cidades mais modernas do mundo. O ritmo de construção, "excessivamente rápido", foi duramente criticado por políticos e empresários. Lançado em 1991, o filme *Companheiros velhos de guerra*, de Vladimir Carvalho — um pungente documentário sobre a construção da cidade —, revela como, a partir de Brasília, o Brasil

Linhas modernistas: uma cidade havia muito profetizada surgiu, do nada, em meio aos sertões do Brasil central, dando ao país uma ilusão de progresso.

Em maio de 1959, JK recebeu Fidel Castro no Rio de Janeiro e homenageou o líder da Revolução Cubana. Em junho, no ato mais espetaculoso de seu governo, JK rompeu negociações com o Fundo Monetário Internacional (FMI), afirmando que o Brasil não era "mais o parente pobre relegado à cozinha". Era o início de uma política externa "desalinhada" da dos Estados Unidos — que acabaria desembocando no golpe militar de 1964. Com a posse de Jânio Quadros, em 1961, o Brasil manteria a mesma postura da era JK. Jânio não apenas se recusou a apoiar o bloqueio dos Estados Unidos a Cuba como — além de enviar Jango à China e à Alemanha Oriental e saudar o astronauta soviético Gagárin — voltou a homenagear Fidel e concedeu ao guerrilheiro Che Guevara, em Brasília, a mais alta insígnia nacional: a Ordem do Cruzeiro do Sul (foto abaixo).

se tornaria o campeão mundial de acidentes de trabalho: centenas de operários morreram. Os acidentes eram rapidamente abafados e JK tinha o apoio de intelectuais, estudantes, líderes sindicais e, é evidente, dos grandes empreiteiros. Embora ousado e inovador, o projeto de Brasília prima pela frieza — e um futuro presidente iria declarar que "Niemeyer deveria ser condenado a morar no Palácio da Alvorada". De qualquer forma, em fins de 1987, Brasília foi tombada pela Unesco como patrimônio cultural da humanidade, sendo o único monumento arquitetônico com menos de cem anos a receber tal honraria.

O Plano de Metas: 50 Anos em 5

A construção de Brasília tornou-se a "meta-síntese" do ousado Plano de Metas de JK, cujo objetivo estava explícito no *slogan* "50 anos em 5". Brasília simbolizava a conclusão e o sucesso de um programa de 31 metas divididas em cinco grupos, que eram o coração do sonho desenvolvimentista de JK. Informe publicado pelo governo divulgava os percentuais do Plano de Metas (tão otimistas que simplesmente ultrapassavam os 100%). O grupo 1, o da "Energia", receberia 43,4% dos investimentos e teria cinco metas: energia elétrica, energia nuclear, carvão, petróleo e refinamento de petróleo. O grupo 2 era o dos "Transportes", dono de 29,6% dos investimentos. Suas oito metas eram reequipamento e construção de estradas de ferro, construção e pavimentação de estradas de rodagem, portos e barragens, marinha mercante e transportes aéreos. O grupo 3, o dos "Alimentos", teria 3,2% e seis metas: trigo, armazéns e silos, frigoríficos, matadouros, mecanização da agricultura e fertilizantes. As "Indústrias de Base" compunham o grupo 4 e, com 20,4% dos investimentos, tinham doze metas: cimento, aço, alumínio, metais não-ferrosos, álcalis, papel e celulose, borracha, exportação de ferro, construção naval, equipamento elétrico, indústria de veículos motorizados e maquinaria pesada. O quinto grupo era o da "Educação". Com 4,3% dos investimentos, tinha como meta um programa de alfabetização.

Os resultados do Plano de Metas, nas áreas industrial, de transportes e de energia, foram excepcionais. O sucesso no setor de energia foi tal que, em 1960, o Congresso aprovou a criação do Ministério de Minas e Energia (que voltaria a receber grande impulso durante o regime militar, após o golpe de 1964). No setor da indústria de base, as metas do aço, da indústria automobilística, do cimento e da construção naval

alcançaram praticamente 100% dos objetivos propostos. A construção de estradas foi igualmente bem-sucedida.

Apesar de ter fracassado quase por completo nas áreas de educação e agricultura — às quais talvez faltasse o "charme" futurista e a sanha desenvolvimentista —, o enorme sucesso do Plano de Metas provocou, entre 1957 e 1961, o crescimento do PIB em taxas de 7% ao ano. Em termos comparativos, o crescimento do PIB brasileiro durante a década de 1950 foi três vezes maior do que o dos demais países da América Latina. Segundo dados citados pelo historiador Bóris Fausto, o valor da produção industrial no Brasil, entre 1955 e 1961, cresceu 80% descontada a inflação, com porcentagens mais altas registradas nas indústrias do aço (110%), comunicações (380%), mecânicas (125%) e de material de transporte (600%).

Empregados, empregadores, políticos e militares, sindicalistas e estudantes estavam todos satisfeitos com o "nacional-desenvolvimentismo" dos anos JK. Ao combinar habilmente um forte intervencionismo estatal com interesses da indústria privada nacional e o estímulo à entrada do capital estrangeiro, JK livrou o país do aflitivo debate entre "nacionalismo" e "entreguismo", que tanto agitara os últimos anos do governo Vargas.

Sob muitos aspectos, a política econômica de JK prenunciaria os rumos do surto desenvolvimentista do "Brasil Grande", forjado, em outro contexto, pelos governos militares pós-64. Como voltaria a acontecer nos anos 1970, o Plano de Metas de JK, embora reluzente e febril, geraria, já a partir de 1958, uma crise econômica (provocada pela dívida externa e por uma "corrida inflacionária"), que seria herdada pelo governo seguinte, de Jânio Quadros.

Como metáfora exata de um país que, a partir de então, mais inchou do que cresceu, Brasília não tem só 700 mil habitantes como queriam seus criadores, Oscar Niemeyer e Lúcio Costa. No alvorecer do século XXI, já havia passado de 2 milhões.

Eleição e Renúncia de Jânio Quadros

Em 30 de junho de 1961, a revista Time *dedicou sua capa a Jânio (e contratou Portinari para retratá-lo). O texto dizia: "Saindo não se sabe de onde para liderar a maior votação popular da história, Jânio Quadros aparece ao mundo como a própria imagem do Brasil — temperamental, brilhando com independência, ambicioso, assombrado com a pobreza, lutando para aprender, ávido de grandeza". Já a revista* France Soir *foi mais irônica e o comparou a "Marx — não Karl, mas Harpo". Ao mesmo tempo, no Brasil, aliados e inimigos esforçavam-se para definir o "enigma político" que comandava a nação.*

Para o udenista Mário Martins, cinco personagens históricos pareciam ter influenciado Jânio: Cristo, Shakespeare, Lincoln, Lênin e Chaplin. "O problema é que nunca se sabe quando ele imita esse ou aquele (...) Às vezes procuramos Cristo e damos de cara com Lênin." Para Lacerda — que durante a campanha dissera que Jânio tinha "cheiro de povo" —, o presidente era "o mais mutável, o mais desequilibrado, o mais pérfido de todos os homens públicos que apareceram no Brasil". A melhor definição, porém, parece ter sido a de Afonso Arinos. Para o ministro das Relações Exteriores de Jânio, ele era "a UDN de porre".

O homem da vassoura: da surpreendente campanha nas ruas de São Paulo (*à esquerda*) à capa da revista *Time* (*em retrato pintado por Portinari, ao alto*), Jânio Quadros personificou as fragilidades da nascente democracia brasileira.

Embora acusado de articular "planos continuístas", JK nunca tentou alterar a Constituição, que o impedia de concorrer à reeleição em 1960. De todo modo, tinha certeza de que venceria o pleito de 1965. Mantendo-se fiel à dobradinha PSD-PTB, o presidente bossa-nova decidiu apoiar o general Lott, candidato da aliança às eleições de outubro de 1960. Mas a inflação e a carestia resultantes do Plano de Metas de JK acabariam sendo responsáveis pelo surgimento de uma das candidaturas mais surpreendentes da política brasileira: em abril de 1959, com o apoio de Lacerda e sob a legenda do minúsculo PTN, o governador de São Paulo, Jânio Quadros, foi feito candidato de uma chapa que, mais tarde, iria compor a bizarra coligação entre UDN, PTN, PDC, PR e PL (mais dissidências do PTB, PSD e PSB).

Com um discurso populista e tom moralista, Jânio apresentava-se como "o homem do tostão contra o milhão" que iria "sanear" a nação. Não bastasse o fato de Jânio ter conquistado o apoio maciço da classe média e de setores militares, Lott revelou-se um candidato desastroso, que, além de soar artificial em sua defesa do getulismo, falava mal em público. O terceiro candidato era Ademar de Barros, do PSP, já derrotado por Jânio na eleição ao governo de São Paulo em 1954. Em outubro de 1960, Jânio recebeu uma das mais expressivas votações da história do Brasil: 48% dos votos.

Apoiada em quase 6 milhões de votos, a vitória de Jânio só não foi total porque, graças à desvinculação dos votos, João Goulart, que fizera chapa com Lott, se elegeu vice-presidente. Articulada à revelia de seus dois integrantes, a dobradinha Jan-Jan tinha tudo para dar errado.

Em sua campanha, Jânio usara como símbolo uma vassoura e o *jingle* "Varre, varre vassourinha/ Varre, varre a bandalheira/ O povo já está cansado/ De viver dessa maneira". Uma vez no poder, o novo presidente revelou-se tão histriônico quanto se poderia supor. Enviava centenas de "bilhetinhos" (mais de 2 mil em 206 dias de trabalho) a ministros e assessores. Ele também proibiu a propaganda em cinemas, regulamentou os horários e as normas do jogo de cartas em clubes e a participação de crianças em programas de TV e de rádio, entre outras medidas.

Mas Jânio governava sem base política: o PTB e o PSD dominavam o Congresso, Lacerda passara para a oposição, Jânio não consultava a UDN e o país estava endividado. Em 24 de agosto de 1961, Lacerda fez um discurso no rádio denunciando uma suposta tentativa de golpe articulada por Jânio. No dia seguinte, após quase sete meses no governo, o primeiro presidente a tomar posse em Brasília estarrecia a nação ao anunciar sua renúncia. Embora se referisse a "forças terríveis", Jânio nunca explicou detalhadamente o episódio. Pouco antes de morrer, em fevereiro de 1992, ele admitiria que a renúncia era apenas um blefe: ele achava que sua saída do poder não seria aceita pela sociedade nem pelos militares — já que ela implicaria a posse do vice, João Goulart. Mas o tiro de Jânio saiu pela culatra e resultou em desastre.

O Governo Goulart

Como se não bastassem as acusações que militares e udenistas havia anos lhe faziam, no momento em que Jânio Quadros renunciou, o então vice-presidente João Goulart estava na China Comunista. Embora se tratasse de uma visita oficial, eram tempos de guerra fria e Jango sempre fora visto como o "líder da república sindicalista", um comunista travestido de democrata. O próprio Jânio parecia compartilhar dessa opinião e tentou o blefe da renúncia por achar que nem os militares nem o Congresso entregariam o país "a um louco

A Primeira Dama

"Quando Jacqueline Kennedy, pela manhã, pergunta ao seu espelhinho mágico: 'Qual a mais linda primeira-dama na face da Terra?', já não está certa de ouvir unicamente o seu próprio nome. Porque no espelhinho (...) outro rosto se reflete (...) do qual se irradia um sorriso que parece triste e que mostra uns olhos maternalmente preocupados com o destino do Brasil." Se João Goulart estava longe de ser uma unanimidade nacional, sua mulher, Maria Teresa Fontelle Goulart (acima), era, como revela o trecho acima publicado na revista O Cruzeiro (de 23.2.1963), admirada por todo o país. Aos 23 anos, ela era *"a mais jovem (...) e a mais bonita primeira-dama do Brasil"*, como definiu a enciclopédia Nosso Século. De qualquer forma, Maria Teresa — que casara com Jango em 1955 — jamais se interessou por política. O primeiro e último comício a que compareceu foi no dia 13 de março de 1964. Duas semanas depois, os militares derrubaram Jango.

que iria incendiá-lo". Porém, não havia ninguém ao lado de Jânio Quadros e sua encenação falhou. Isso estava longe de significar que os ministros militares e os conservadores estivessem dispostos a deixar o mais destacado político do final da era Vargas tomar o poder. Mas, além de o Congresso se negar a vetar a posse de Jango, o general Augusto Lopes, chefe do 3º Exército (com sede no Rio Grande do Sul), instigado pelo então governador Leonel Brizola, declarou-se disposto a pegar em armas para garantir o cumprimento da Constituição.

A crise foi contornada com a criação de uma comissão no Congresso que propôs a diminuição dos poderes do novo presidente e a adoção de um regime parlamentarista. Assim sendo, depois de tortuosa viagem de volta, Jango chegou ao Brasil em 31 de agosto de 1961 e, no aniversário da Independência, tomou posse em Brasília. A situação estava parcialmente resolvida. Tancredo Neves foi nomeado primeiro-ministro do novo regime.

Cunhado não é parente: Brizola (*abaixo, à esquerda*) conversa com o então presidente João Goulart, irmão de Neuza, que era casada com Brizola. O fim do governo Jango se iniciou com o radicalismo do cunhado.

Em julho de 1962, Tancredo renunciou e houve nova crise quando Jango quis nomear San Tiago Dantas (favorável ao afastamento dos Estados Unidos e à aliança com nações socialistas). No final, o gaúcho Brochado da Rocha, do PSD, assumiu o cargo. Em janeiro de 1963, um plebiscito deu ampla vitória ao presidencialismo (9 milhões de votos) sobre o parlamentarismo (2 milhões). Só então João Goulart virou presidente de verdade.

O fato de se tornar presidente com seus plenos poderes restaurados não trouxe tranqüilidade para Jango. Ele assumia o comando de um país cada vez mais polarizado, volátil e inquieto. Constantemente fustigado pela esquerda (que queria reformas imediatas) e pela direita (que temia qualquer avanço social), Jango foi pego entre dois fogos. De um lado, Leonel Brizola, Miguel Arraes e Francisco Julião. De outro, Carlos Lacerda e os generais Olímpio Mourão e Costa e Silva. Após quase 20 anos de democracia, a sociedade civil estava dividida, mas organizada: se os trabalhadores tinham o CGT (Comando Geral dos Trabalhadores), os empresários criaram o Ipes (Instituto de Pesquisas e Estudos Sociais), um dos núcleos civis do golpe de 64. Se os estudantes da esquerda se aglutinavam na UNE (União Nacional dos Estudantes), seus adversários fundaram o hidrófobo MAC (Movimento Anticomunista). Havia as "revolucionárias" Ligas Camponesas, mas havia também o ultraconservador Ibad (Instituto Brasileiro de Ação Democrática). Se a esquerda cristã tinha a Ação Popular, as mulheres católicas formaram a UCF (União Cívica Feminina), organizadora da Marcha da Família, em março de 1964. Pelos primeiros, Jango era visto como "frouxo"; pelos outros, como um "incendiário".

De janeiro a julho de 1963, sob o comando do ministro Celso Furtado, Goulart pôs em prática o Plano Trienal, baseado em "reformas de base". O Congresso recusou-se a cooperar com o projeto. Greves estouravam pelo país. Jango — que, embora fosse um estancieiro nascido em São Borja, não era (apesar da indumentária) o típico caudilho gaúcho — se sentiu forçado a dar uma guinada à esquerda. Para pressionar o Congresso a aprovar as reformas, decidiu realizar um comício-monstro, no Rio de Janeiro, em 13 de março de 1964. Ao fazê-lo, decretou o começo do fim de seu governo (*leia na página 362*).

Leonel Brizola

No dia 31 de agosto de 1961, João Goulart chegou a Porto Alegre, vindo da China (via Paris–Nova York–Montevidéu). Foi aclamado na "capital da legalidade". O Rio Grande do Sul, governado por seu cunhado, Leonel Brizola, liderava o movimento favorável à posse do vice-presidente. Desde a renúncia de Jânio, Brizola ocupara militarmente as principais rádios da cidade, organizando a chamada "rede da legalidade", com mais de cem estações. Apesar de o ministro da Guerra, Odílio Denys, ter determinado que o comandante do 3º Exército enfrentasse Brizola (dando ordens para bombardear o palácio e, se preciso, assassinar o governador), o general Machado Lopes ficou a favor da Constituição.

Graças a essas movimentações, Jango pôde tomar posse no dia 7 de setembro. Brizola — que cercara o palácio Piratini com barricadas e armara a população — foi um dos maiores responsáveis pela solução constitucional e um dos principais adversários da "saída" parlamentarista. Após o retorno do presidencialismo, porém, o mesmo Brizola se tornaria um dos maiores agentes da desestabilização do governo Goulart, por causa de suas pregações exaltadas e medidas "antiimperialis-

"tas", que incluíram a nacionalização das companhias telefônica e eletricitária do Rio Grande do Sul (ambas americanas). Em 1964, o radicalismo de Brizola teria o efeito inverso do que tivera em 1961.

Filho de pequenos lavradores, Leonel Brizola nasceu no planalto do Rio Grande do Sul em janeiro de 1922. Seu pai, que apoiava as forças federalistas de Assis Brasil, foi tirado de casa e morto pelos republicanos de Borges de Medeiros, na Revolução de 1923. Brizola mudou-se para Porto Alegre em 1936. Em 1939, empregou-se como graxeiro numa refinaria de Gravataí. No ano de 1945, quando conseguiu entrar para a Escola de Engenharia, filiou-se ao PTB. Dois anos depois elegeu-se deputado. Casou-se com Neuza Goulart, irmã de Jango, em 1950 —, e Getúlio Vargas foi seu padrinho de casamento. Ainda em 1950, Brizola seria um dos principais articuladores da candidatura de Vargas à Presidência. Eleito deputado federal em 1954, virou o maior opositor de Lacerda, após o suicídio de Vargas. Eleito prefeito de Porto Alegre em 1955, derrotando a coligação PSD, PL e UDN, sua administração o qualificou a eleger-se governador do Rio Grande do Sul em 1958. Brizola então construiu mais de 6 mil escolas e contratou 40 mil professores, além de nacionalizar duas grandes empresas americanas — ligadas às multinacionais Bond and Share e ITT —, provocando uma crise entre o Brasil e os Estados Unidos que explodiria na Presidência de Jango. Em outubro de 1962, ao receber quase 300 mil votos, Brizola se tornou o deputado federal mais votado do Brasil. Um ano e meio depois, seria forçado a se exilar no Uruguai.

O Engenheiro Leonel

Após o golpe militar de 31 de março de 1964 — que, de certa forma, suas próprias pressões sobre o governo Jango tinham ajudado a precipitar —, Brizola se tornou o inimigo público número 1 do novo regime. Depois que Jango chegou a Porto Alegre, no dia 2 de abril, Brizola ainda tentou organizar a resistência ao golpe. Mas o 3º Exército aderiu ao novo regime e, enquanto Jango partia para o Uruguai, Brizola passou dois meses escondido em fazendas da fronteira, exilando-se no Uruguai até o fim de maio. Durante dois anos, conspirou contra militares, apesar de viver sob vigilância de policiais uruguaios, no balneário de Atlântida. Em setembro de 1977, Brizola foi expulso pelo governo do Uruguai, sob alegação de violar as normas de asilo. Surpreendentemente, mudou-se para Nova York, amparado pela política de direitos humanos do então presidente Jimmy Carter, que retirou o apoio que os Estados Unidos davam às ditaduras militares do Cone Sul.

Em janeiro de 1978, Brizola transferiu-se para Lisboa, onde o socialista Mário Soares chegara ao poder depois da queda da ditadura salazarista. De Lisboa, coordenou o ressurgimento do PTB no retorno do Brasil ao pluripartidarismo. Perdeu a sigla para Ivete Vargas e fundou o Partido Democrático Trabalhista (PDT). Acusado de "divisionista" pela oposição do regime militar, Brizola voltou ao Brasil, em 6 de setembro de 1979, visitando túmulos de Jango e de Vargas em São Borja. Em novembro de 1982, foi eleito governador do Rio de Janeiro pelo PDT, fazendo uma gestão polêmica e contestada. Concorreu à Presidência em 1989, mas não chegou ao segundo turno, disputado por Fernando Collor e Lula. Voltou a concorrer em 1994, mas, desgastado, ficou num constrangedor quinto lugar, com dois milhões de votos.

CAPÍTULO 33 O Golpe de 1964

Era um golpe há muito premeditado. Os tambores da conspiração já haviam rufado, ruidosos, em 1954. O tiro que rebentou o coração de Vargas os abafou. Os rumores da intriga voltariam a ecoar em 1955 e em 1961. Mas só uma década após o suicídio do homem que vislumbrava o populismo como o caminho para a reforma social no Brasil é que seus inimigos enfim conseguiram tomar o poder, derrubando João Goulart e Leonel Brizola — herdeiros à esquerda de Vargas. O motivo "oficial" para o desfecho do golpe de 1964 foi o "espectro do comunismo". Nas Forças Armadas, esse era um sentimento genuíno. Mas não foi apenas ele — alimentado pelos delírios estatizantes do governo Goulart — que moveu golpistas militares e civis.

O que se travou no Brasil, da posse (em setembro de 1961) à queda (em abril de 64) de Goulart, foi o choque entre duas visões conflitantes da política e, especialmente, da economia. Em vez das "reformas de base" propostas por Jango, o binômio "segurança e desenvolvimento", sugerido pelos teóricos da Escola Superior de Guerra (ESG). Em lugar da "república sindicalista", a concentração de renda, o arrocho salarial e o alinhamento subserviente ao grande capital internacional. No confronto entre dois modelos desenvolvimentistas distintos, venceu a "modernização conservadora" proposta pela ESG, com o apoio dos Estados Unidos. Para concretizá-la, foi preciso romper o jogo democrático e promover o fechamento político — e assim se fez. Chamado de "revolução" durante anos — e festejado como tal nos quartéis, até 1997 —, o movimento político-militar deflagrado em 31 de março de 1964 foi, na verdade, um golpe de Estado. Mas não apenas um golpe militar, como em geral se supõe: a sociedade civil e o Congresso tiveram participação decisiva nele.

A conspiração de 1964, que teve apoio financeiro, logístico e militar dos Estados Unidos, nasceu como um movimento político-militar cujo objetivo inicial (e supostamente o único) era derrubar o governo Goulart e, no âmbito interno do Exército, restabelecer a hierarquia "vertical", abalada pelo provocativo apoio que o presidente dava à luta emancipatória dos marinheiros e sargentos, que queriam obter o direito de candidatar-se a cargos públicos. Em tese, a Constituição, as eleições e a "normalidade democrática" seriam preservadas. Militarmente, o movimento de março de 64 foi — como já o fora a própria proclamação da República — pouco mais do que um desfile de tropas rebeldes, que partiram de Minas Gerais até o Rio de Janeiro, sendo saudadas pelas classes média e alta.

No dia 27 de outubro de 1965, porém, o primeiro general-presidente, Humberto Castelo Branco — coordenador da ação militar que depôs Jango —, baixou o ato institucional nº 2 (AI-2), suspendendo a Constituição e mergulhando o país numa genuína ditadura militar. Dois dias antes, os principais golpistas civis, os governadores Carlos Lacerda (RJ) e Magalhães Pinto (MG), tinham rompido com Castelo. O regime de exceção perduraria por 20 anos, e só dali a 21 um civil voltaria à Presidência. Embora firmemente estabelecidos no poder, os militares não estavam unidos. Em fins de abril de 1964, ao visitar Porto Alegre — de onde Jango e Brizola haviam partido para o exílio no Uruguai —, Castelo Branco estava dividido entre a "linha dura", cujo porta-voz, naquele instante, era o general Costa e Silva, e o "grupo da Sorbonne", vindo da ESG, do qual fazia parte o general Orlando Geisel. O AI-2 e a posse de Costa e Silva dali a três anos revelariam para que lado Castelo se inclinaria.

O golpe em marcha: duas semanas após a "revolução" de 31 de março de 1964, Castelo Branco (*página ao lado, de pé e com a mão erguida*) saúda populares em Porto Alegre, apoiado em Costa e Silva e na companhia de Orlando Geisel (*na frente*).

Os Marinheiros

No dia 25 de março de 1964, membros da Associação dos Marinheiros e Fuzileiros Navais se reuniram no Rio de Janeiro para reivindicar melhores salários e elegibilidade. A entidade, liderada pelo cabo Anselmo dos Santos, não era reconhecida pela Marinha. Na presença de João Cândido, líder da Revolta da Chibata, de 1910, o grupo assistiu ao filme O couraçado Potemkin, *sobre a revolta dos marinheiros russos em 1905. O prédio foi cercado pela Polícia do Exército e marinheiros presos. No dia 27, quando Goulart soltou e anistiou os rebeldes, a Marinha decidiu aderir ao golpe. Em 1972, ficou comprovado que o cabo Anselmo era agente policial infiltrado.*

O início do fim: apesar de ter reunido multidões na sexta-feira 13 de março de 1964, Jango Goulart (*acima, no Comício das Reformas, em companhia da mulher, Maria Teresa*) seria derrubado por um golpe menos de três semanas depois.

A Ruidosa Agonia de Jango

Após o fracasso do Plano Trienal e convencido de que suas "reformas de base" não seriam aprovadas, João Goulart programou um comício-monstro no Rio de Janeiro, disposto a pressionar o Congresso a mudar alguns artigos da Constituição, concedendo ao presidente poderes para executar seus projetos. Alguns deles, como a Lei de Remessa de Lucros e o congelamento dos aluguéis, já tinham sido aprovados. Mas, pressionado pela esquerda sindical, Jango iniciara a luta pela reforma agrária, pela concessão do voto aos analfabetos e pela elegibilidade dos sargentos. Planejado desde janeiro de 1964, o Comício da Central do Brasil — ou Comício das Reformas, como ficou conhecido — foi marcado para uma sexta-feira, 13 de março, dois dias antes do reinício das atividades do Congresso.

Organizada pelas maiores centrais sindicais do país, a manifestação reuniu cerca de 200 mil pessoas na praça da República, no Rio. Ladeado pelos governadores Brizola (Rio Grande do Sul) e Miguel Arraes (Pernambuco), Jango — que perdera o apoio do PSD e sabia que a direita tramava para derrubá-lo — deu, naquele instante, a guinada à esquerda que, de certa forma, ele próprio temia e até então evitara. Entre milhares de bandeiras vermelhas, cartazes pedindo a legalização do PC e urras de "Reformas já", Jango anunciou a assinatura de mais dois decretos. O primeiro, quase simbólico, encampava refinarias de petróleo "particulares" que ainda não pertenciam à Petrobras; o segundo, o da Superintendência da Reforma Agrária (Supra), desapropriava terras improdutivas localizadas à beira de estradas e ferrovias.

O presidente assegurou, porém, que aqueles eram apenas os primeiros passos rumo às reformas bancária e urbana, que tanto apavorava os proprietários de imóveis. Aclamado, Jango, ao lado da mulher, Maria Teresa, encerrou seu discurso conclamando a multidão a "ajudar o governo a fiscalizar os exploradores do povo".

Transmitido pela TV para todo o Brasil, o pronunciamento de Jango teve um efeito ainda mais explosivo do que o discurso que, 10 anos antes, Vargas fizera, em 1º de maio de 1954, afirmando que, em breve, os trabalhadores estariam no poder. O caudilhismo de Vargas, que, em algum momento da história entre sua deposição em 1945 e seu retorno em 1951, se tornara um populismo reformista, voltava a reencarnar na figura de um estancieiro de São Borja (RS) e a assombrar as forças conservadoras da nação. E elas não tardariam a reagir: 6 dias após o Comício das Reformas, a Marcha da Família com Deus pela Liberdade saía às ruas em São Paulo, clamando "contra o perigo do comunismo" e emitindo sinais de que o golpe era iminente.

Ainda assim, o alerta parece não ter sido suficiente para refrear o ímpeto do presidente. Depois de desafiar abertamente o comando militar ao anistiar, em 27 de março de 1964, os participantes da Revolta dos Marinheiros (*quadro à esquerda*), Jango decidiu — apesar dos conselhos contrários — discursar numa assembléia de sargentos, no Automóvel Clube do Brasil, no dia 30. O movimento lutava pela elegibilidade dos sargentos. Ao contrário do tenentismo — um dos pilares da Revolução de 30 —, a reivindicação dos sargentos era vista como uma quebra da hierarquia militar (já que dava igualdade política a não-oficiais).

Que outro argumento a direita ainda necessitaria? Reforma agrária no campo, imóveis desapropriados na cidade, empresas estrangeiras nacionalizadas, reformas bancárias em andamento, ligas camponesas no sertão, voto para os analfabetos e elegibilidade para os sargentos, o que viria a seguir? — perguntavam-se os empresários, a classe média, o clero conservador e os militares de linha dura. Enquanto João Goulart discursava entusiasticamente para os sargentos, o golpe dos generais e dos coronéis já estava em andamento em quartéis de todo o país.

A Marcha da Família

Se o Comício das Reformas fora uma poderosa manifestação de força do movimento sindical, a Marcha da Família com Deus pela Liberdade foi um sinal ainda mais impressionante de que a classe média e as "forças reacionárias" estavam unidas, temerosas e, acima de tudo, prontas para a ação. A Marcha da Família começou a nascer depois que Jango dissera, no comício do dia 13 de março, que "os rosários da fé" não podiam "ser levantados contra o povo". O presidente se referia ao episódio no qual um grupo de mulheres com rosários nas mãos impedira Brizola de discursar em Belo Horizonte, no início de março.

Organizada pela União Cívica Feminina e pela Campanha da Mulher pela Democracia, com o apoio do deputado conservador Cunha Bueno e do

Com Deus, pela Liberdade

Cerca de meio milhão de pessoas saíram às ruas em 19 de março de 1964, em São Paulo, para, ao fim e ao cabo, clamar pela derrubada do governo constitucional de Jango. Uma das faixas dizia: "Nossa Senhora Aparecida, iluminai os reacionários".

Embora a Marcha da Família com Deus pela Liberdade fosse o sinal definitivo de que grande parte da classe média e alta do Brasil — representada pela burguesia paulista — era francamente favorável ao golpe, as grandes manifestações públicas seriam virtualmente banidas depois que os militares tomaram o poder. Não antes, porém, de o Rio de Janeiro "ecoar" a marcha paulista: no dia 2 de abril de 1964, com a vitória dos militares já assegurada, cerca de 1 milhão de pessoas saiu às ruas para saudar o novo regime. Foi a ruidosa "Marcha da Vitória", na qual participaram Carlos Lacerda e Magalhães Pinto.

Essa foi uma das últimas vezes que as pessoas puderam sair livremente às ruas. As manifestações que vieram a seguir — todas contrárias ao novo governo, é claro — foram duramente reprimidas. Ainda assim, duas saíram às ruas — ambas em 1968, o mais rebelde dos anos. Em 29 de março, 50 mil pessoas acompanharam o enterro do estudante Édson Luís, morto pela polícia, no Rio de Janeiro. Em 26 de junho, ainda em conseqüência da morte do estudante, houve a Passeata dos Cem Mil, no Rio. Mas, ao contrário do governo Goulart, o regime militar já havia se solidificado o suficiente para não ser derrubado por uma passeata.

A iluminação dos reacionários: a Marcha da Família, que levou às ruas de São Paulo cerca de 500 mil pessoas, no dia 19 de março de 1964, foi uma espécie de "aval civil" para o golpe militar.

Os golpistas de terno e gravata: O apoio dos governadores de Minas, Magalhães Pinto, e do Rio, Carlos Larcerda (*ambos na vinheta abaixo*) foi fundamental para o sucesso do golpe de 1964.

governo de São Paulo, a Marcha da Família reuniu em torno de 500 mil pessoas, no dia 19 de março. A manifestação saiu da praça da República e, duas horas depois, chegou à praça da Sé, onde foi rezada uma missa "pela salvação da democracia". O padre norte-americano Patrick Peyton — braço religioso da conspiração dos Estados Unidos contra o governo Goulart e articulador da campanha "Família que reza unida permanece unida" — também participou da marcha. Após o golpe, o deputado Cunha Bueno diria: "Sabíamos que os militares só definiriam sua posição depois que houvesse uma manifestação pública e inequívoca de que ninguém mais suportava aquela situação". A Marcha da Família foi o aval civil para o golpe militar.

As duas principais articuladoras da Marcha da Família, a União Cívica Feminina (UCF) e, principalmente, a Campanha da Mulher pela Democracia (Camde), eram patrocinadas pelo Instituto de Pesquisas e Estudos Sociais. O IPES, fundado por empresários paulistas e cariocas em novembro de 1961 — logo após a posse de Jango, portanto –, era uma entidade civil que acabaria sendo dirigida por um militar. Com a chegada de Jango ao poder, em setembro de 1961, o general Golbery do Couto e Silva pedira sua passagem para a reserva. Foi, então, promovido à chefia do instituto, cujo objetivo primordial era a derrubada de Jango.

O IPES, que investira cerca de US$ 500 mil em dois anos (obtidos com a colaboração de quase trezentas empresas americanas), ocupava treze salas no 27º andar do edifício Avenida Central, no Rio de Janeiro. A partir dali, Golbery fora capaz de grampear cerca de três mil telefones de colaboradores ou simpatizantes do presidente João Goulart. O general também fez a ponte entre o IPES e a Escola Superior de Guerra, então chamada de "Sorbonne brasileira", na qual surgira a doutrina "desenvolvimento e segurança": uma visão em tudo similar à do IPES, favorável à concentração de renda e ao arrocho salarial como forma de expansão capitalista. Apesar de preferir conspirar nas sombras — ao estilo do próprio Golbery —, o IPES mostrou sua força durante a Marcha da Família, embora, para fazê-lo, usasse não os seus empresários, mas esposas deles e as empregadas domésticas delas.

Os Conspiradores Civis

Apesar de vários segmentos da sociedade civil — dos quais faziam parte empresários do Rio de Janeiro e São Paulo, uma boa parcela das classes médias urbanas e a maioria do patronato rural — estarem dispostos a apoiar um complô para derrubar o governo constitucional de Jango, foi o governador de Minas Gerais, Magalhães Pinto, quem se escalou para "assumir a liderança civil do movimento anti-Goulart". No dia seguinte à Revolta dos Marinheiros, três representantes do governador mineiro procuraram o general Humberto Castelo Branco — cientes de que ele era "o coordenador-geral dos grupos militares da conspiração" — para comunicar a decisão de Magalhães Pinto.

Nascido em 1909, Magalhães fora um dos signatários do Manifesto dos Mineiros, que ajudara a derrubar Vargas em 1945, e um dos fundadores da UDN. Já como banqueiro (era dono do Banco Nacional criado em 1944) e governador de Minas Gerais (eleito em 1960), lutou contra a posse de Jango em 1961 e, a partir de 1963, virou chefe da conspiração civil. Chegou a armar 20 mil homens da Polícia Militar de Minas e, junto com os governadores do Rio de Janeiro, Carlos Lacerda, de São Paulo, Ademar de Barros, e do Rio Grande do Sul, Ildo Meneghetti, tramou a derrubada de Jango.

Magalhães acabaria tendo participação decisiva no desfecho do golpe, pois, quando Castelo Branco considerou "precipitada" a partida das tropas de Olímpio Mourão de Minas para o Rio e ligou para Magalhães ordenando que o movimento fosse detido, o governador recusou-se a transmitir o recado.

Outro conspirador civil de grande importância para o desfecho do golpe foi Carlos Lacerda. Na verdade, este jornalista esteve envolvido em quase todas as conspirações que agitaram a nação desde os anos 30. Em 1935, quando era comunista, lançara o nome de Prestes para a presidência da recém-fundada ANL, o que provocou o fechamento da entidade, a eclosão da Intentona Comunista de 35 e o golpe do Estado Novo. Em 1939, rompido com os comunistas, Lacerda começou a colaborar com a DIP. Seis anos depois, em 1945, já afastado de Vargas, fez uma entrevista (com o ex-candidato à Presidência José Américo) que ajudou a acabar com a censura, forçou Vargas a marcar eleições para 1946 e precipitou a queda do ditador. Em 1949, vereador pela UDN e convertido ao catolicismo, Lacerda fundou a *Tribuna da Imprensa*. O jornal se tornaria o mais violento foco da oposição a Vargas, fazendo com que os colaboradores íntimos do presidente tentassem assassinar Lacerda.

ACABO DE SER CASSADO.

A crise após o atentado da rua Toneleros levou Vargas ao suicídio. Em 1955, Lacerda conspirou contra a posse de JK. Dois anos depois, tornou-se o líder da UDN na Câmara e em 1960 foi eleito governador da Guanabara. Iniciou a oposição a Jânio e, ao acusar o presidente de tramar o golpe, foi o maior responsável por sua renúncia. Lacerda passou então a conspirar de todas as formas imagináveis, primeiro contra a posse e a seguir contra o governo Goulart (ele publicara cartas falsas em 1955, tentando vincular Jango a Perón). Censurou jornais, fez aliança com militares do Brasil e dos Estados Unidos e envolveu os governadores Ney Braga (Paraná) e Ildo Meneghetti (Rio Grande do Sul) na conspiração.

A terceira ponta do tripé dos governadores golpistas era ocupada por Ademar de Barros — cujo *slogan*, nos anos 50, fora "rouba mas faz". Filho da oligarquia cafeeira, Ademar participara da luta dos paulistas contra Vargas, em 1932. Mas, em 1937, após o Estado Novo, conseguiu, por indicação de Filinto Müller, ser nomeado interventor em São Paulo, ocupando o cargo até 1941. Fundador do PSP, Ademar se tornou um dos expoentes do populismo à brasileira. Governador de São Paulo em 1947, perdeu as eleições, para governador, em 1954, para Jânio Quadros. Em 1955, foi vencido por JK nas eleições para presidente, mas, em 1962, elegeu-se governador paulista. Em abril de 1963, Ademar de Barros lançou contra Goulart o "Manifesto dos governadores democratas", assinado, entre outros, por Ney Braga e Ildo Meneghetti.

Prefeito de Porto Alegre em 1951 (quando venceu as eleições contra Brizola) e governador em 1954, Ildo Meneghetti voltaria a se eleger em 1962. Em 1955, fora contra a posse de JK, e, em 1961, contra a de Jango. Durante o estouro do golpe de 64, retirou-se para Passo Fundo e só voltou à capital após a vitória da "revolução".

O clero conservador, liderado pelo cardeal D. Jaime Barros, do Rio, e pelo padre norte-americano Patrick Peyton, também se envolveu na trama contra o governo. No Congresso, a oposição a Goulart era liderada pelo presidente da UDN, deputado Olavo Bilac Pinto, e pelo bloco Ação Democrática Popular, cujos parlamentares, em sua maioria, tinham sido eleitos com o apoio financeiro dos Estados Unidos.

Em outubro de 1964, Magalhães Pinto, Lacerda e Ademar iriam romper com Castelo Branco por discordarem de sua política econômica.

Os Conspiradores Militares

Os homens de farda: os generais A. C. Murici e Olímpio Mourão (que, certa ocasião, dissera que em matéria de política era "uma vaca fardada"), na companhia de Magalhães Pinto, em 1º de abril de 1964, depois do golpe.

A conspiração militar contra o governo de João Goulart começara antes mesmo de sua posse, em setembro de 1961. Após a renúncia de Jânio Quadros, os três ministros militares — general Odílio Denys, da Guerra; brigadeiro Grün Moss, da Aeronáutica; almirante Sílvio Heck, da Marinha — foram radicalmente contrários ao retorno de Goulart ao Brasil, "por razões de segurança nacional". Quando o arranjo parlamentarista permitiu não só a volta, mas a posse de Jango, a trama para derrubá-lo teve início.

Na verdade, a arqueologia do golpe de 64 remete ao movimento que encurralara Vargas em 1954 — e acabaria sendo abortado por seu dramático suicídio. Pouco antes da morte de Getúlio, fora lançado o "Manifesto dos Coronéis". Criticando a proposta de aumento de 100% do salário mínimo (feita por Jango, então ministro do Trabalho), o documento era assinado por 42 coronéis, entre os quais Amauri Kruel e Antônio Carlos Murici, mais 39 tenentes-coronéis, como Sílvio Frota, Ednardo Melo e Golbery do Couto e Silva. Liderada por Odílio Denys e pelo general Cordeiro de Farias, revolucionário de 30, a conspiração dos coronéis se reaqueceu assim que Jango assumiu a Presidência. A esse grupo juntou-se o general Olímpio Mourão Filho, líder do Exército em Minas Gerais. Ironicamente, fora graças a um documento forjado por Mourão — o "Plano Cohen" — que Vargas encontrara o pretexto para decretar o Estado Novo, em 1937. Um quarto de século depois, Mourão lutava contra o principal herdeiro da Era Vargas.

Apesar do temor e do ódio comuns à suposta "república sindicalista" que Goulart estaria disposto a instaurar no Brasil, os militares estavam divididos. A Escola Superior de Guerra reunia o grupo dos chamados "modernizadores", no qual se incluíam Ernesto e Orlando Geisel, Antônio Carlos Murici, Cordeiro de Farias e Golbery do Couto e Silva. Tal grupo estava diretamente articulado com o empresariado, através do IPES, e defendia a tese definida pelo binômio "segurança e desenvolvimento", segundo o qual a concentração de renda (e o arrocho salarial) era o melhor caminho para a promoção de um "capitalismo brasileiro", mais ajustado às necessidades desenvolvimentistas da nação.

Mas havia também os militares "tradicionalistas" — na verdade, a linha dura da instituição, para a qual o mais importante era defender a nação, a qualquer custo, do "espectro comunista". Entre os integrantes desse segundo grupo estavam os generais Artur da Costa e Silva, Olímpio Mourão Filho, Odílio Denys e Muniz de Aragão. Os "modernizadores" tinham mais representatividade de classe e vínculos com a sociedade civil. Os "tradicionalistas", porém, possuíam a força das armas e a estratégia militar. Desde fins de 1963, eles já haviam até articulado o plano formal para a tomada do poder *manu militare*: concebido pelo general Ulhoa Cintra, a tática previa a movimentação das tropas paulistas e mineiras anti-Jango em direção ao Rio de Janeiro, onde boa parte do Exército ainda se mantinha leal ao presidente. Tal seria o plano posto em prática por Mourão Filho e Murici na madrugada de 31 de março de 1964.

Para que o golpe se concretizasse, porém, era preciso encontrar um personagem capaz de unir "modernizadores" e "tradicionalistas". Embora ligado à Escola Superior de Guerra, o general Castelo Branco tinha bom trânsito na linha dura. No entanto, o então chefe do Estado-Maior do Exército era um oficial "legalista" que hesitou bastante antes de se unir aos conspiradores. Em janeiro de 1963, Castelo reuniu-se com Cordeiro Farias e o encontro marcou a aproximação entre legalistas e golpistas. Em março de 1963, surgiria o documento apócrifo "Lealdade ao Exército", ou Leex, cujo objetivo era diminuir, "dentro dos limites da lei", o dever de obediência dos militares ao presidente, em nome da "lealdade ao Exército". Segundo o general Murici, o documento foi posto em circulação para insinuar que Castelo Branco estava integrado ao movimento golpista.

Um ano depois, o próprio Castelo — alarmado pelo Comício das Reformas, pela Revolta dos Marinheiros e pela presença de Goulart no encontro dos sargentos — enviava uma "Circular Reservada" aos generais e oficiais do Estado-Maior alertando para a ruptura da hierarquia que estaria prestes a ocorrer nas Forças Armadas caso "a ordem" não fosse restabelecida. Só então Castelo aderiu formalmente ao golpe. No oficialato, ainda havia segmentos leais a Goulart, dos quais faziam parte os generais Assis Brasil, Ladário Teles e Morais Âncora. O general Amaury Kruel, chefe do 2º Exército, sediado em São Paulo, era a grande interrogação: amigo de Jango, a quem tentava afastar dos "comunistas", Kruel só aderiu ao golpe na tarde de 31 de março.

O Golpe em Marcha

A pesar de os inimigos do golpe maliciosamente afirmarem, ao longo dos anos, que o movimento militar de 1964 só se concretizaria em 1º de abril — dia dos bobos, ou da mentira —, a trama de fato se desenlaçou na madrugada de 31 de março. Ainda assim, uma curiosa nota de pé de página pode ser acrescentada à discussão relativa à data marcada para o desfecho da conspiração que derrubou João Goulart. Numa reunião em Juiz de Fora, em 28 de março, o governador Magalhães Pinto e os generais Odílio Denys e Mourão Filho estabeceram 4 de abril como o dia para o levante. Mas o general Carlos Guedes, da 4ª Divisão de Infantaria, foi contrário à decisão, pois, segundo ele, "tudo o que começa com a Lua em quarto minguante não dá certo". Assim sendo, o movimento deveria ser deflagrado "antes do dia 2 ou depois do dia 8". O levante foi então adiado para depois do dia 8 de abril de 1964.

Às 3 horas da manhã de 31 de março, porém, depois de passar a noite em claro, Olímpio Mourão Filho partiu com suas tropas de Juiz de Fora rumo ao Rio de Janeiro. Ao saber da "manobra intempestiva" de Mourão, o líder militar do levante, o general Castelo Branco, telefonou para Magalhães Pinto ordenando a volta aos quartéis. Magalhães argumentou que era "tarde demais", uma vez que as tropas já estariam na fronteira com o Rio. Ao ser questionado pelo deputado golpista Armando Falcão se estava "articulando com alguém", Mourão — que, anos depois, diria que, "em matéria de política", era "uma vaca fardada" — respondeu: "Estou articulado com minha consciência. Quem quiser que me siga". Em breve, todo o Exército o seguiria – e uma boa parcela da sociedade civil também.

A "precipitação" do general Mourão poderia ter resultado em desastre — ou provocado uma guerra civil, caso João Goulart estivesse articulado com os segmentos do Exército que ainda lhe eram leais. Embora isso não viesse a ocorrer, houve um momento de muita tensão na marcha golpista. A ponte do rio Paraibuna, na fronteira entre Minas Gerais e Rio de Janeiro, fora tomada pelo Destacamento Tiradentes, vanguarda das tropas de Mourão (três mil homens chefiados pelo general Murici, a quem, um ano antes, Brizola chamara de "gorila golpista"). No vale do Paraíba, os rebeldes se defrontaram com o poderoso Destacamento Sampaio, enviado do Rio para combatê-los pelo ministro do Exército, general Morais Âncora

Os tanques nas ruas: os militares ocuparam os pontos estratégicos das principais capitais do Brasil, como Porto Alegre (*nas fotos acima*), mas não houve confronto e o golpe se resumiu a um desfile de tropas.

Ressaca na Rua da Praia: soldados perseguem manifestantes pela principal rua de Porto Alegre. Em 1961, a cidade liderara a campanha pela legalidade. Mas, em março de 1964, Jango não quis recorrer à suposta lealdade do III Exército.

(ainda leal a Goulart, embora, horas antes, tivesse se recusado a cumprir a ordem de prisão contra Castelo Branco, dada pelo presidente).

Quando as tropas se encontraram, não houve combate: os oficiais cariocas aderiram aos golpistas e, naquele instante, às 17 horas de 31 de março, a conspiração se viu virtualmente vitoriosa. No fim da tarde, o general Amaury Kruel, comandante do 2º Exército e amigo de Goulart, travou um dramático diálogo telefônico com o presidente e pediu-lhe que, em troca de seu apoio, fechasse a Confederação Geral do Trabalho (CGT). Com a negativa de Goulart, Kruel e as tropas de São Paulo aderiram ao golpe, partiram pela via Dutra e se juntaram aos cadetes da Academia de Agulhas Negras (chefiados pelo general Garrastazu Médici, que mandara bloquear a estrada, em Resende). E foi em Resende, na tarde do dia 1º, que, após uma reunião com Kruel, o legalista Morais Âncora desistiu de opor qualquer resistência ao golpe.

Enquanto isso, no Nordeste, os golpistas precisaram executar apenas uma ação ofensiva: a prisão dos governadores Miguel Arraes (Pernambuco) e João Dória (Sergipe). No dia 1º, o general Justino Bastos, comandante do 4º Exército, já era o senhor absoluto da situação. O único problema poderia vir do Sul, onde, em 1961, o 3º Exército frustrara as articulações contra a posse de Goulart. Dessa vez, porém, embora o general Ládario Teles se mantivesse leal ao governo e Goulart tivesse buscado refúgio em Porto Alegre, não houve resistência. Surpreendido pelo golpe no Rio, Goulart voara para Brasília na tarde do dia 1º. Seguiu para o Rio Grande do Sul na mesma noite, deixando o chefe do Gabinete Civil, Darcy Ribeiro, com a incumbência de comunicar ao Congresso o fato de que o presidente permanecia em território nacional.

O comunicado, lido numa sessão tumultuada, foi ignorado pelo presidente do Congresso, senador Auro de Moura Andrade. Às 3h45 da madrugada do dia 2, Andrade declarou vaga a Presidência da República e, numa cerimônia apressada, empossou o presidente da Câmara, Ranieri Mazzilli, como novo presidente do país. Foi após esse "golpe" de interpretação da lei, dado por Moura Andrade, com a aprovação ou o silêncio do Congresso, que Jango — embora ainda contasse com o apoio do general Ladário e o estímulo de seu cunhado Leonel Brizola — desistiu de tentar articular qualquer reação armada ao golpe, só então concretizado. No dia 4 de abril, o presidente deposto fugiu para o Uruguai. As ruas e parques de sua Porto Alegre já estavam tomados pelas tropas leais ao novo regime.

A "Operação Brother Sam"

O muy amigo americano: o embaixador dos EUA no Brasil, Lincoln Gordon, que apoiou o movimento militar contra o governo Goulart.

Pouco depois de chegar a Porto Alegre, na alta madrugada de 2 de abril de 1964, João Goulart foi informado de que os Estados Unidos já haviam reconhecido o "novo governo" de Ranieri Mazzilli, embora o presidente não tivesse abandonado nem o cargo nem o país. Tal notícia deu a Goulart a convicção de que qualquer resistência resultaria em guerra civil — na qual ele e seus aliados provavelmente seriam derrotados. O que Goulart talvez não soubesse é que, naquele instante, o governo americano não havia tomado apenas uma decisão diplomática: já deflagrara também a chamada "Operação Brother Sam".

Ciente da instabilidade do governo Jango, o embaixador dos Estados Unidos no Brasil, Lincoln Gordon, que há meses mantinha contato com os militares golpistas, solicitara a Washington "apoio logístico" aos rebeldes. Na tarde de 31 de março, foi deflagrada a operação, que consistia no envio de seis destróieres, um porta-aviões, um navio para transporte de helicópteros, uma esquadrilha de aviões de caça e quatro petroleiros com capacidade para 130 mil barris, destinados ao abastecimento das tropas rebeldes, além de 100 toneladas de armas leves e munições, que foram reunidas numa base em Nova Jersey (EUA) e seriam transportadas, se necessário, em aviões C-135. Mas não houve resistência e a "Operação Brother Sam" foi suspensa, virando uma pilha de documentos, arquivados na biblioteca Lyndon Johnson, no Texas. Em 1976, foram redescobertos e publicados pela historiadora americana Phyllis Parker. Os papéis provam que os Estados Unidos não apenas iriam ajudar os militares golpistas como, se fosse preciso, seus soldados entrariam de fato na luta.

Era uma posição previsível. Havia mais de três anos, os Estados Unidos vinham incentivando os golpistas militares e civis no país. Brasil e Estados Unidos tinham estreitado relações durante a Segunda Guerra Mundial. Em 1946, em plena guerra fria, o Brasil se alinhou aos EUA após o encontro entre os presidentes Dutra e Truman, promotor da ideologia da "segurança nacional". Dutra fundou a Escola Superior de Guerra, inspirada nos *war colleges* americanos, onde a elite do Exército brasileiro passou a estudar. Em 1955, JK começou a ensaiar uma política externa independente, o que desagradou aos americanos.

Após a construção do muro de Berlim, a guerra fria esquentou e, depois da Revolução Cubana, chegou a vez de os confrontos se transferirem para a América Latina. JK e Jânio homenagearam Fidel e Che — o que soou como uma provocação aos EUA. Com a posse de Jango, as preocupações com o Brasil se multiplicaram. Em janeiro de 1962, o Brasil se recusou a adotar sanções contra Cuba. No mês seguinte, Brizola estatizou a Cia. Telefônica do Rio Grande do Sul, pertencente à ITT, americana. Em setembro, o Congresso aprovou a Lei da Remessa de Lucros, prejudicial aos interesses dos Estados Unidos (donos de um terço dos US$ 3,5 bilhões investidos e de 31 das 55 maiores empresas do país). Embora Goulart visitasse os Estados Unidos e houvesse simpatia recíproca entre ele e o presidente Kennedy, os dólares da Aliança para o Progresso não iriam para os cofres da União: seriam usados na campanha de onze governadores, quinze senadores e 750 deputados ou

vereadores contrários a Jango e, depois, repartidos entre os estados onde a oposição vencera (áreas que o embaixador Gordon chamava de "ilhas de sanidade administrativa").

Lincoln Gordon era um *scholar* formado em Harvard e Oxford e fora um dos idealizadores da Aliança para o Progresso. Chegara ao Brasil em setembro de 1961. Ligado ao Partido Democrata, de início agiu com tato e diplomacia e não se vinculou aos golpistas. Após os acontecimentos de 1962, porém, não apenas passou a financiar a oposição como, em outubro daquele ano, fez do coronel Vernon Walters o adido militar de sua embaixada. Walters trabalhara como intérprete da FEB na Itália, era amigo pessoal de Castelo Branco e de Cordeiro de Farias e um conspirador nato, ligado à CIA e aos republicanos (trabalhando, mais tarde, para os presidentes Nixon e Reagan e se envolvendo no caso Watergate). Embora Walters e a CIA já estivessem tramando (tanto que o assessor militar Dan Mitrione estava em Minas Gerais, a pedido de Magalhães Pinto, treinando 10 mil homens da PM e ensinando-lhes técnicas de tortura), foi só após o assassinato de Kennedy e a posse de Lyndon Johnson, em novembro de 1963, que os conspiradores americanos receberam sinal verde de Washington.

Em 17 de janeiro de 1964, Goulart sancionou a Lei da Remessa de Lucros, decretando o início do fim de seu governo. Em 3 de março, um editorial do jornal *The New York Times* anunciava que "os Estados Unidos não mais procurariam punir juntas militares por derrubarem governos democráticos". Era a senha para o golpe. Depois dele, o novo regime se alinharia definitivamente à política externa e econômica dos EUA. Em 1979, Gordon se diria "chocado com o desvirtuamento dos ideais do movimento de 64" e o governo do democrata Jimmy Carter concederia abrigo político a Leonel Brizola. Tarde demais para salvar a democracia brasileira.

Humberto Castelo Branco

Castelo Branco

Castelo Branco não enfrentou apenas problemas políticos. Ao assinar, em dezembro de 1964, a lei que permitia a exploração do subsolo brasileiro por capitais privados, o presidente perdeu o apoio dos governadores golpistas Magalhães Pinto (MG) e Carlos Lacerda (RJ), que denunciaram a "doação" do ferro de Minas Gerais à empresa americana Hanna Mining Co. Não só na economia, mas também na política externa, o Brasil voltava a se alinhar com os Estados Unidos: o país rompeu relações com Cuba em maio de 1964 e enviou tropas para participar da intervenção militar na República Dominicana, em maio de 1965. Ainda assim, o primeiro grande mandatário a visitar o Brasil após o golpe não foi um americano, mas o general francês Charles de Gaulle. No dia 4 de outubro de 1964, em Brasília, o presidente da França travou um diálogo memorável com Castelo Branco. A conversa foi registrada pelo então ministro Roberto Campos. "Senhor marechal", perguntou De Gaulle, "sempre me preocupou saber o que é um ditador sul-americano e por que a história os registra tão numerosos". "Senhor presidente", teria respondido Castelo, "um ditador sul-americano é um homem, não necessariamente um militar como nós dois, que acha extremamente agradável agarrar o poder e extremamente desagradável deixá-lo. Eu deixarei o poder em 15 de março de 1967. E o senhor, que planos tem?".

Se já hesitara em assumir a chefia da conspiração contra Goulart, o general Humberto de Alencar Castelo Branco (1897-1967) vacilaria ainda mais antes de aceitar a Presidência do país sob o novo regime, mesmo porque não era o único candidato. Dutra, Kruel, Mourão Filho e Magalhães Pinto também estavam cotados, embora o general Costa e Silva — falando em nome da linha dura — fosse favorável à manutenção do poder nas mãos do Comando Supremo da Revolução, que ele próprio chefiava. No dia 9 de abril, a Junta Militar liderada por Costa e Silva baixou o Ato Institucional nº 1 (AI-1), que cassou os direitos políticos de 102 brasileiros, entre os quais Goulart, Brizola, Jânio Quadros, Miguel Arraes e Luís Carlos Prestes, mas também marcou eleições presidenciais para outubro de 1965 e estabeleceu o "retorno à normalidade democrática" para 31 de janeiro de 1966.

No dia 11 de abril de 1964, com a concordância relutante de Costa e Silva, Castelo foi eleito presidente "provisório", com 361 votos dados por um Congresso já expurgado. Formou-se um novo ministério — com Costa e Silva na pasta da Guerra, Roberto Campos na do Planejamento e Gouveia

Bulhões na da Fazenda, para promover o que Lacerda chamaria de "americanalhação" do Brasil. No dia 13 de junho, Castelo criou o Serviço Nacional de Informações (SNI) e colocou o general golpista Golbery do Couto e Silva na chefia do órgão. No dia 17 de abril, o mandato de Castelo foi prorrogado até 15 de março de 1967.

Para a linha dura, a prorrogação do mandato de Castelo Branco não era suficiente. No dia 3 de outubro de 1965, as eleições para governador deram o poder a aliados de JK em Minas Gerais (Israel Pinheiro) e no Rio de Janeiro (Negrão de Lima). No dia 26, JK (que fora cassado em 8 de junho) voltou da França e foi recebido festivamente. No dia seguinte, Castelo cedia às pressões da linha dura e assinava o AI-2, tornando-se o que até então ele próprio temera: um ditador de fato. O AI-2 acabou com a Constituição de 1946, ampliou os poderes do presidente (que passaria a ser eleito por votação indireta), deixou o país nas mãos da Justiça Militar e suprimiu o multipartidarismo, criando a Arena (ligada ao governo e à UDN) e o MDB (a oposição, vinda do PTB e do PSD).

A partir de então, Castelo parece ter-se sentido à vontade no papel que, um ano antes, em conversa com o presidente De Gaulle, dissera desprezar (*leia o quadro na página 370*). O fechamento progressivo do regime prosseguiu em 12 de fevereiro de 1966, quando o AI-3 estabeleceu eleições indiretas também para os governos estaduais. Em maio de 1966, a Arena homologou a candidatura de Costa e Silva — e Castelo a aceitou. Em janeiro de 1967, o presidente fez aprovar a nova Constituição, que institucionalizava a ditadura. Em fevereiro, surgiria a Lei de Imprensa, que cerceava a liberdade de pensamento e informação e era a expressão definitiva do fechamento do regime.

Ao deixar o poder, em 15 de março de 1967, Castelo Branco tinha cassado os direitos políticos de mais de 2 mil brasileiros e assinado mais de setecentas leis, onze emendas constitucionais, 312 decretos-leis e 19.259 decretos, além de ter baixado a Constituição de 1967.

CAPÍTULO 34

Os Anos de Chumbo

Logo após a vitória do golpe de 1964, seus líderes se apressaram em defini-lo como um "movimento legalista". O general Mourão Filho declarou que Jango fora afastado do poder, "de que abusava", para que, "de acordo com a lei, se opere sua sucessão". Já o general Kruel garantiu que o Exército iria "se manter fiel à Constituição e aos poderes constituídos". Porém, quando Castelo baixou o AI-2, reduzindo a farrapos a Constituição de 1946, o movimento de 64 se tornou uma ditadura militar de fato. Com a posse de Costa e Silva, em 1967, a linha dura chegou ao poder. Embora, mais tarde, o segundo general-presidente quisesse promover a redemocratização, as circunstâncias históricas o tornariam o maior responsável pelo fechamento definitivo do regime.

Pressionado pela linha dura e pelas greves operárias e manifestações estudantis, Costa e Silva encontrou um pretexto fútil para decretar, em 13 de dezembro de 1968, o Ato Institucional nº 5, chamado de "golpe dentro do golpe". Apesar de a expressão ter virado chavão, ela continua refletindo a realidade: o AI-5 concretizou o golpe de 1964 e deixou claro que os militares estavam dispostos a abandonar sua posição de "poder moderador". Desde a proclamação da República, eles eram chamados a intervir no processo político da nação em momentos de crise — e retornavam aos quartéis tão logo tais problemas estivessem contornados. Dessa vez, dispostos a colocar em prática suas teses desenvolvimentistas, eles se manteriam por duas décadas no poder, promovendo o fechamento político do país e se impondo à sociedade civil.

O auge do binômio "fechamento político–euforia desenvolvimentista" se deu no governo de Garrastazu Médici. O AI-5 (leia o quadro abaixo) convencera vários setores de oposição de que o único caminho que restava para combater o regime e destituir os militares era a luta armada. Tanto é que, em setembro de 1969, no início de uma série de ações similares, o embaixador americano no Brasil foi seqüestrado e trocado por quinze presos políticos. Médici, o terceiro e mais brutal dos generais-presidentes, iniciou então um combate sem trégua aos "terroristas" — e os venceu. Com o surto desenvolvimentista, batizado de "milagre econômico", repressão e ufanismo andaram de braços dados. Médici se tornaria presidente de um país esquizofrênico: numa nação em crise, jornais e TVs, sob censura, só davam "notícias boas".

As boas notícias de fato vieram, embora devagar, com a posse de Ernesto Geisel, em março de 1974. Disposto a promover o retorno aos quartéis e acabar com o "poder paralelo" da linha dura (que, por vias transversas, trouxera de volta o fantasma da quebra da hierarquia militar), Geisel deu início ao processo de abertura "lenta, gradual e segura". Realmente lenta e gradual, a abertura — concretizada por João Figueiredo, o quinto general-presidente — foi muito insegura. Além da crise econô-

mica global e da falência do "milagre", a ultradireita reagiu com bombas à anistia assinada por Figueiredo. A medida beneficiou não só guerrilheiros de esquerda, mas torturadores e terroristas de direita. Nos anos 90, famílias de militantes de esquerda receberiam indenizações da União. A nação, porém, não foi indenizada por 21 anos de arbítrio.

Nasce o AI-5

Em março de 1968, a Polícia Militar invadiu o restaurante estudantil Calabouço, no Rio de Janeiro, e, no choque que se seguiu, foi morto o estudante Édson Luís Souto. No dia seguinte, 50 mil pessoas saíram às ruas para protestar. Três meses depois, cem mil estudantes fizeram uma enorme passeata no Rio de Janeiro. No início de setembro, depois de a PM ter invadido a Universidade de Brasília, o deputado carioca

Márcio Moreira Alves, do MDB, em discurso no Congresso (foto menor), sugeriu que a população boicotasse o desfile do 7 de setembro e as mulheres se recusassem a namorar oficiais que não denunciassem a violência. O discurso foi considerado uma ofensa às Forças Armadas e os ministros militares decidiram processar o deputado. Para isso, precisavam que o Congresso suspendesse a imunidade parlamentar de Moreira Alves. Em 12 de dezembro de 1968, o Congresso corajosamente se negou a fazê-lo.

No dia seguinte, disposto a punir o deputado, o general-presidente Costa e Silva decretou o AI-5. Naquele instante, o governo militar abriu mão de qualquer escrúpulo, abandonando de vez sua suposta busca pelo retorno à legalidade constitucional. De fato, a punição a Márcio Moreira Alves foi só o pretexto para a decretação do AI-5. O ato pisoteou a Constituição de 1967, decretando o fechamento do Congresso, autorizando o Executivo a legislar "em todas as matérias previstas nas Constituições", suspendendo as "garantias constitucionais ou legais de vitaliciedade, inamobilidade e estabilidade" e permitindo ao presidente "demitir, remover, aposentar, transferir" juízes, empregados de autarquias e militares. Na prática, o ato concentrava nas mãos de Costa e Silva uma quantidade monumental de poder, tornando-o um ditador no sentido pleno da palavra. O AI-5 perduraria por onze longos anos.

A Vitória da Linha Dura

Quando o general Costa e Silva sofreu um derrame, em agosto de 1969, a Constituição determinava que o vice, Pedro Aleixo, assumisse o poder. Embora a Constituição tivesse sido promulgada pelo próprio regime militar, ela foi simplesmente ignorada. Uma junta militar assumiu o controle da nação — e acelerou a escalada repressiva. Com as esquerdas já tendo deflagrado a luta armada e seqüestrado o embaixador americano Charles Elbrick, no dia 4 de setembro (leia quadro da página 377), a Junta baixou novos atos institucionais: o AI-13, criando a pena de banimento do território nacional, aplicável a todo cidadão que se tornasse "inconveniente, nocivo ou perigoso à segurança nacional"; e o AI-14, que estabeleceu a "pena de morte para os casos de guerra externa psicológica, revolucionária ou subversiva". Ao mesmo tempo que endurecia as regras políticas, a Junta também institucionalizava a tortura, que se tornaria uma prática comum nos porões da ditadura.

Mas, em nome da "segurança nacional", a linha dura contestava até mesmo as decisões da Junta — como o fato de ela ter negociado com os seqüestradores de Elbrick, trocando-o por quinze presos políticos. No dia 14 de outubro, por pressão da "comunidade de informações" do Exército — liderada pelo SNI —, a Junta, convencida de que Costa e Silva não se recuperaria, decretou o AI-16, declarando vagos os cargos de presidente e vice. Iniciou-se então a luta pela sucessão, vencida com facilidade pelo general Garrastazu Médici — não por acaso ex-chefe do SNI (posto que assumira depois que o general Golbery, incompatibilizado com a linha dura, se afastara do cargo, no fim do governo Castelo Branco). Médici foi escolhido por 240 generais, e não pelos habituais 1.300 oficiais das Três Armas. Em 17 de dezembro de 1969, o "tradicionalista" Costa e Silva estava morto, e o poder passara para mãos muito mais radicais do que ele previra ou desejara.

O Governo Costa e Silva

Embora durante o desenlace da conspiração de 1964 Artur Costa e Silva tenha desempenhado apenas o papel de coordenador das tropas golpistas no Rio de Janeiro, após a vitória do movimento esse general "tradicionalista" foi assumindo uma posição cada vez mais influente, até se tornar o porta-voz da linha dura do Exército. Em princípio, Costa e Silva foi contrário à posse de Castelo Branco, sugerindo que o poder permanecesse nas mãos do Comando Supremo da Revolução, a Junta Militar que ele mesmo comandava e que fora responsável pela decretação do AI-1. Poucos dias depois, em nome da "unidade do Exército", Costa e Silva apoiou a posse de Castelo — embora se mantivesse sempre à direita do primeiro general-presidente. Como ministro da Guerra, Costa e Silva solidificaria essa posição e teria um papel decisivo não apenas na cassação de JK, mas também na decretação do AI-2, o ato que institucionalizou a ditadura.

Em janeiro de 1966, Costa e Silva embarcou para uma longa viagem ao exterior (e três mil oficiais "prestigiaram" seu embarque, para apoiá-lo). Em entrevista em Paris, lançou sua candidatura à Presidência — "preferencialmente pelo partido do governo; senão, pela oposição". Foi um desrespeito explícito à determinação de Castelo Branco, que já o alertara sobre a existência de outros candidatos (entre eles os generais Cordeiro de Farias e Juraci Magalhães e os civis Nei Braga e Olavo Bilac Pinto). Cordeiro de Farias se enfureceu, uma vez que, cumprindo as ordens do presidente, ainda não saíra em campanha. De qualquer modo, em outubro de 1966, com a abstenção do MDB (que se retirou do plenário), Costa e Silva foi eleito presidente e o civil Pedro Aleixo, vice. Depois da posse, em 15 de março de 1967, em vez de contar com o apoio, Costa e Silva teria de enfrentar a oposição e a ousadia crescentes da linha dura, cada vez mais radical.

Mesmo sem ter ligações com o "grupo da Sorbonne", Costa e Silva — chamado de "tio velho" pelos conspiradores de 64 — assumiu o poder com planos de restabelecer a democracia. Mas, ao fazer Delfim Netto seu todo-poderoso ministro da Fazenda, o presidente passou a ser visto como inimigo pela linha dura ultranacionalista. Pressionado pela direita e pela esquerda — já que, pelo país, explodiam manifestações estudantis e greves operárias —,

Costa e Silva viu-se forçado a abrir mão de seus planos liberalizantes e respondeu com o endurecimento político. Após a morte do estudante Édson Luís Souto, em março de 1968, a Passeata dos Cem Mil, em junho, e o discurso do deputado Márcio Moreira Alves, em setembro, o general capitulou e decretou o AI-5 — o ato que sacramentou o arbítrio. Em agosto de 1969, quando Costa e Silva ficou doente (*leia quadro à esquerda*) e uma junta militar assumiu o poder, a vitória da linha dura já estava plenamente consolidada.

O Governo Médici

Durante os governos Castelo Branco e Costa e Silva, a linha dura não mostrou a cara: agiu nas sombras, em nome da "segurança nacional" e sob a denominação vaga de "sistema militar". Ao assumir o poder no dia 30 de outubro de 1969, o terceiro general-presidente Emílio Garrastazu Médici deixou tudo mais explícito. Disposto a consolidar o poder da "comunidade de informações" e a combater a esquerda utilizando as mesmas táticas de "guerra suja" (supostamente deflagrada pelos "terroristas"), Médici deu início àquele que talvez tenha sido o período mais repressivo da história do Brasil.

O governo Médici também se transformaria num dos períodos mais esquizofrênicos na vida da nação: oficialmente tudo ia às mil maravilhas — o Brasil era o "país grande" que ninguém segurava, o "país que vai pra frente". Enquanto isso, nos porões da ditadura, havia tortura, repressão e morte.

O próprio Médici acabou se tornando o melhor intérprete dessa incongruência ao declarar, em uma de suas raríssimas entrevistas, que "o Brasil vai bem, mas o povo vai mal". Gaúcho (como seu antecessor, Costa e Silva, e seu sucessor, Ernesto Geisel), Médici era neto de um combatente maragato, estudara no Colégio Militar de Porto Alegre, fora a favor da Revolução de 30 e contra a posse de Goulart em 1961: três características comuns aos cinco generais-presidentes. Mas, dentre eles, apenas Médici faria o país retroceder aos tempos do Estado Novo, não apenas pela utilização maciça da propaganda para promover o regime, como pelo fato de ter feito do deputado Filinto Müller (o carrasco que servira a Vargas) presidente do Congresso e chefe do partido do governo, a Arena. De todo modo, durante o governo Médici o Legislativo seria reduzido à condição de mero homologador das decisões de um Executivo ultracentralizador.

O País Vai Bem, e o Povo?

De todas as "boas notícias" alardeadas nos tempos do "Brasil Grande" — a época do "ame-o ou deixe-o" —, uma das únicas reais talvez tenha sido a conquista da Copa do Mundo no México, em 1970. Ainda assim, embora a seleção que arrebatou o tri fosse de fato deslumbrante, o uso que a máquina de propaganda do governo fez dessa conquista histórica foi tal que os segmentos mais intelectualizados da nação nem conseguiram festejá-la. O pior é que o general Médici realmente adorava futebol, chegando a palpitar (equivocadamente) na escalação da seleção, deixando-se fotografar brincando com a bola e erguendo a taça Jules Rimet assim que o time vencedor voltou para casa. Os índices de popularidade do governo chegaram à estratosfera. O ufanismo era completado pelo plano de construção da Transamazônica (que fracassou) e pelo delírio da soberania sobre as 200 milhas marítimas, em lugar das 12 milhas internacionalmente aceitas (outro plano que não vingou).

Mais euforia seria trazida pelo "milagre econômico". De 1969 a 1973, de fato ocorreu um extraordinário crescimento econômico no país, aliado a baixos índices de inflação (18% ao ano). O PIB cresceu na espantosa média anual de 11% (chegando a 13% em 1973). Houve uma febre de investimentos, grandes obras (muitas delas faraônicas e desnecessárias) e muito dinheiro vindo do exterior, com juros baixos. O ministro Delfim Netto foi o articulador-mor do "milagre". Logo o processo de crescimento se revelaria mais terreno do que "milagroso". Com a crise do petróleo, iniciada em 1974, e a conseqüente retração do capitalismo internacional, o "milagre" mostrou sua face mais real: o que ocorreu no Brasil durante o governo Médici foi um brutal processo de concentração de renda e o crescimento desmedido da dívida externa e do fosso social que separava ricos de pobres. O país ia bem, e o povo, de mal a pior.

Com a bola cheia: o general Médici era presidente durante a Copa de 1970 e não deixou de fazer uso político da maior conquista futebolística do Brasil.

Crivado de balas: o corpo do ativista Marighella jaz no banco de um carro, depois de ele ter sido atraído para uma emboscada.

Apesar das várias semelhanças, o Brasil do general Médici se revelaria um país ainda mais repressivo do que fora na época do Estado Novo. Nunca houve tanta censura à imprensa, nunca houve tanto cerceamento às liberdades individuais e de pensamento. E nunca se escutaram tão poucas críticas — a não ser quando espocavam os tiros disparados pela guerrilha urbana e rural (das quais Médici veria o apogeu e a decadência). Em outubro de 1972, Médici enterrou outra vez as esperanças de redemocratização do país, promulgando a Emenda Constitucional nº 2, modificando a Carta outorgada pela Junta Militar, que previa eleições diretas para os governos de Estado em outubro de 1974. Mas, então, um grupo de generais "castelistas" concluiu que era hora de tentar restituir um mínimo de normalidade constitucional à nação — e lançou Ernesto Geisel como candidato à sucessão de Médici. As trevas começaram a se dissipar, embora lentamente.

Marighella e a Guerrilha Urbana

A pesar de o Partido Comunista Brasileiro ter sido contrário à luta armada como forma de combater a ditadura, o endurecimento do regime militar levou vários militantes a contrariar a posição do principal partido da esquerda brasileira e a pegar em armas para enfrentar o avanço da linha dura. Um dos primeiros a romper com a determinação do PCB foi Carlos Marighella, velho militante de esquerda que participara da Intentona Comunista de 1935. Em 1967, aos 56 anos, ele fundou a ALN (Ação Libertadora Nacional) e partiu para a luta armada. "Expropriou" vários bancos e, na ação mais espetacular, tomou uma estação da rádio Nacional, em agosto de 1969, lendo um "manifesto revolucionário".

Inspirados pelo exemplo de Carlos Marighella, pela Revolução Cubana e pelo *slogan* dos revolucionários de todo o mundo — "criar um, dois, três, mil Vietnãs" —, centena de jovens militantes (muitos deles estudantes de classe média) aderiram à guerrilha urbana nos dois

últimos anos da década de 1960. Houve inúmeras dissidências internas, divergências táticas e ideológicas e posições ensandecidas.

Em fins de 1969, a morte de Marighella se tornara questão de honra para os grupos encarregados da repressão. Após a tortura de dois frades dominicanos que mantinham ligação com o "terrorista", os homens do delegado Sérgio Paranhos Fleury, liderados por ele mesmo, surpreenderam Marighella numa rua de um bairro chique de São Paulo, na noite de 4 de novembro de 1969. Antes que pudesse reagir, Marighella — autor de vários livros sobre guerrilha publicados em todo o mundo — foi crivado de balas. Segundo a versão oficial, ele morreu ao tentar "resistir à prisão".

A morte de Marighella não foi suficiente para sufocar a guerrilha, que, com o seqüestro de vários diplomatas, adquiriria repercussão nacional e internacional. É uma lei da física que se aplica à história: toda ação gera reação igual e em sentido contrário. Se o endurecimento do regime resultou na eclosão da guerrilha — com o surgimento de várias organizações, como ANL, VPR, MR-8 e VAR-Palmares —, o início da "guerra suja" levaria o governo, especialmente depois da posse de Médici, a radicalizar ainda mais a repressão.

Nesse contexto, surgiram primeiro a Operação Bandeirantes (OBAN) e depois os DOI-CODIs. Criada em julho de 1969, a OBAN reuniu todos os órgãos que combatiam a luta armada e foi financiada por empresários (entre os quais Henning Boilesen, depois morto pela guerrilha). Mais tarde, o Exército passou a agir por meio dos Destacamentos de Operações e Informações (DOIs) e Centros de Operações de Defesa Interna (CODIs), órgãos coordenados pelo Centro de Informações do Exército (CIE). Na prática, essas casas de tortura acabariam se tornando um poder paralelo que mais tarde desafiaria o próprio governo.

Embora não fosse militar, ninguém simbolizou melhor esse período negro da história do Brasil do que o delegado Sérgio Fernando Paranhos Fleury. Fleury entrou para o DOPS com 17 anos e logo ingressou na Ronda Noturna Especial (Ronde), notabilizando-se como um ferrenho caçador de bandidos que andava acompanhado por um cão policial.

São dessa época as acusações de que Fleury fazia parte do Esquadrão da Morte, grupo de extermínio montado dentro da polícia. A partir de 1968, convocado para a luta contra a "subversão", ele prendeu, torturou e, em alguns casos, matou muitos "terroristas". Foi condecorado várias vezes. Levado a julgamento, nunca foi punido, embora houvesse provas de seus crimes. Contrário à anistia, que o beneficiou, Fleury morreu em circunstâncias bastante misteriosas em 1979.

Lamarca e a Guerrilha Rural

Entre as inúmeras teses que faziam os "revolucionários" se consumir em debates intermináveis estava aquela que dividia as ações armadas em guerrilha urbana e guerrilha rural. Uma das teorias mais aceitas entre os que partiram para a luta contra o regime militar era a de que a guerrilha urbana serviria para "arrecadar fundos" (por meio de assaltos a bancos, na época chamados pelos guerrilheiros de "expropriações"), que financiariam a guerrilha rural.

O primeiro foco de guerrilha no campo surgiu em fins de 1966, na serra de Caparaó, fronteira entre Minas Gerais e Espírito Santo. Foi estabelecido por integrantes do Movimento Nacional Revolucionário. Com apenas quatorze guerrilheiros, esse "núcleo" revolucionário foi logo desbaratado pelo Exército, em janeiro de 1967. Mas o MNR deu origem à Vanguarda Popular Revolucionária e, sob a liderança do capitão Carlos

Cinco dias depois de a Junta Militar assumir o poder no lugar do adoentado presidente Costa e Silva, e endurecer ainda mais as regras do jogo político no país, militantes do MR-8 e da ALN decidiram, numa audaciosa ação conjunta, seqüestrar o embaixador dos Estados Unidos no Brasil. E assim, em 4 de setembro de 1969, Charles Burke Elbrick (foto abaixo) se tornaria o primeiro diplomata dos EUA a ser seqüestrado em todo o mundo, e a ação seria a primeira desse tipo realizada na América do Sul. Elbrick, que substituíra John Tuthill (por sua vez, substituto de Lincoln Gordon), era um democrata liberal contrário à ditadura. Mas os Estados Unidos estavam por demais envolvidos com o regime militar brasileiro para que seu embaixador não fosse a vítima ideal.

Apesar de os "revolucionários" quase terem capturado por engano o embaixador de Portugal, que, pouco antes, passou pelo caminho normalmente percorrido pelo diplomata norte-americano, o seqüestro foi bem-sucedido. Elbrick acabou sendo trocado por quinze prisioneiros políticos, que no dia 6 de setembro embarcaram para o México. Além da libertação dos companheiros, os guerrilheiros conseguiram divulgar nas rádios e jornais de todo o país um "manifesto contra a ditadura", o que despertou a atenção nacional e internacional para sua luta contra os militares — até então mantida pela censura na mais rigorosa clandestinidade. O seqüestro do embaixador Burke Elbrick deflagraria uma onda de novas ações da mesma natureza e novas trocas de prisioneiros.

Onda de Seqüestros

Se as críticas da linha dura ao fato de a Junta Militar ter aceito negociar com os seqüestradores de Elbrick tinham sido feitas em razão do "perigoso precedente" que tal atitude abriria, então a linha dura estava coberta de razão. A ação contra o embaixador americano foi a primeira de uma série de seqüestros bem-sucedidos. Em março de 1970, o cônsul do Japão em São Paulo, Nobuo Okuchi, foi seqüestrado pela VPR e trocado por onze presos políticos. Em junho, a ALN e a VPR voltaram a executar uma ação conjunta, desta vez capturando o embaixador da Alemanha, Ehrenfried von Holleben, no Rio de Janeiro, e trocando-o por quarenta presos. Em dezembro do mesmo ano, o seqüestro do embaixador suíço Giovani Bucher, no Rio, possibilitou a libertação de setenta prisioneiros dos porões do regime militar. A partir de 1971, a onda de seqüestros arrefeceu.

O capitão **Lamarca**: exímio atirador e brilhante estrategista, era instrutor de tiro dos funcionários do banco Bradesco — para "protegê-los" dos assaltos (ou "expropriações").

Lamarca — desertor do Exército —, a VPR criou um novo foco de guerrilha rural, no vale do Ribeira, região sul do estado de São Paulo. Com apenas nove homens, a guerrilha do vale do Ribeira também foi vencida com facilidade em maio de 1970. Mas Lamarca já se tornara um herói revolucionário.

Em janeiro de 1969, o capitão Carlos Lamarca fugira do quartel de Quitaúna, Osasco (SP), com 63 fuzis FAL, dez metralhadoras INA e três bazucas. Nacionalista de esquerda, Lamarca, nascido em 1937, escapara do expurgo do exército em 1964 e se tornara instrutor de tiro dos funcionários do banco Bradesco — para "protegê-los" dos "terroristas". Mas Lamarca tinha-se tornado marxista em 1957 e, desde 1967, fazia parte da VPR. Escapando do vale do Ribeira, Lamarca e sua companheira Iara Iavelberg, então filiados ao MR-8, foram para a Bahia. Iara ficou em Salvador. Foi presa e morta — embora a versão oficial falasse em "suicídio" — em agosto de 1971. Poucos dias depois, em 17 de setembro, esgotado depois de percorrer o sertão baiano, Lamarca foi surpreendido, junto com o metalúrgico José Barreto, dormindo sob arbustos. Foram ambos fuzilados (*na foto acima, o corpo de Lamarca*). Em 1972, o PC do B criou um novo foco guerrilheiro no Araguaia. Cerca de setenta homens resistiram por três anos ao cerco de 10 mil soldados. Em 1973, sem o apoio dos "camponeses", a guerrilha rural foi sufocada no país.

O Governo Geisel

omo chefe da Casa Militar de Castelo Branco, o general Ernesto Geisel (1908-1996) ajudara a manter a linha dura a distância. Membro permanente da Escola Superior de Guerra, Geisel tinha notórias ligações com o grupo castelista. Sua indicação para a Presidência representou uma derrota para Médici e seus seguidores mais radicais. Com a posse de Geisel, em 15 de março de 1974, o general Golbery do Couto e Silva voltou ao poder. Ambos, Golbery e Geisel, articularam um projeto de abertura "lenta, gradual e segura" rumo a uma indefinida "democracia relativa". A abertura de fato se concretizaria — e de fato seria lenta e gradual, embora fosse também tremendamente insegura. Não apenas uma economia em crise, mas também a reação ousada e petulante da linha dura colocariam permanentemente em xeque os planos de "distensão" imaginados por Golbery e implantados por Geisel.

Embora disposto a levar em frente seu projeto reformista, Geisel não hesitaria em "endurecer" sua relação com a oposição todas as vezes em que achasse necessário, usando amplamente os poderes que lhe eram concedidos pelo AI-5 — o ato institucional que mais tarde ele próprio extinguiria.

A atitude mais ríspida de Geisel contra a oposição foi o fechamento do Congresso, em abril de 1977. Em novembro de 1974, o MDB havia vencido as eleições, aumentando sua bancada na Câmara e no Senado. Dois anos depois, nas eleições municipais, nova vitória da oposição. Assim, em março de 1977, o MDB pôde impedir a aprovação de um projeto do governo para a reforma do Judiciário. Denunciando a existência no país de uma "ditadura da minoria", Geisel fechou o Congresso e, além de implantar a reforma do Judiciário, baixou uma série de medidas "casuísticas", freando o avanço do MDB e garantindo a supremacia da Arena (*leia no quadro da página seguinte*).

Com o apoio do ministro do Planejamento, Reis Velloso; do chefe do SNI, João Figueiredo; do chefe da Casa Militar, general Hugo Abreu; e do chefe da Casa Civil, gene-

Poder Nuclear

Disposto a manter as rédeas do poder em suas mãos, o presidente Geisel alterou bruscamente as regras do jogo político ao baixar, no "dia da mentira" (1º de abril) de 1977, o chamado "Pacote de Abril". Ao fazê-lo, Geisel não apenas decretou a reforma do Poder Judiciário — que o MDB bloqueara na Câmara — como baixou várias medidas favorecendo a Arena: as eleições para os governos estaduais voltaram a ser indiretas, a aprovação de medidas passou a ser feita por maioria absoluta (e não por dois terços do Congresso) e um terço dos senadores viraram "biônicos": ou seja, eram escolhidos diretamente pelo governo.

Dois anos antes do "Pacote de Abril", Geisel já deixara claro à nação que quem mandava no país era ele. Em julho de 1975, o presidente assinou um acordo de "cooperação nuclear" com a Alemanha. Pela astronômica soma de US$ 10 bilhões, a Alemanha instalaria no Brasil oito centrais termonucleares. Em troca, o governo brasileiro forneceria urânio para os alemães. Além de absurdamente caro, o acordo quase provocou o rompimento das relações entre Brasil e Estados Unidos. Duramente criticado pela comunidade científica brasileira, o acordo revelou-se um fracasso. A única usina construída, Angra-1 (acima), é um fiasco.

ral Golbery, Geisel ainda contava com o respaldo político de três governadores importantes: Paulo Egydio (SP), Aureliano Chaves (MG) e Sinval Guazelli (RS). Embora com essa sustentação e com a ajuda dos "casuísmos" Geisel pudesse dobrar a oposição, na hora de enfrentar os espasmos da linha dura ele seria forçado a empregar toda a força de sua personalidade (*leia quadro na página seguinte*).

Apesar dos pesares, Geisel colocaria em prática várias medidas para implementar a "distensão". A primeira delas foi a suspensão da censura prévia à imprensa escrita, no início de 1975 — embora o rádio e a TV continuassem sob vigilância. De qualquer forma, o centralismo do governo permanecia inalterado em muitos aspectos e, em julho de 1975, Geisel assinou um vultoso "programa de cooperação nuclear" entre Brasil e Alemanha, sem consultar a comunidade científica e a sociedade civil. Na área econômica, Geisel herdou de seu sucessor um país com inflação anual de 18,7% e uma dívida externa de US$ 12,5 bilhões. Apesar de, durante seu governo, o PIB ter crescido espantosos 41%, a inflação chegou a 40% anuais e a dívida externa disparou para US$ 43 bilhões.

Mesmo com todas as crises políticas e econômicas, Geisel não apenas seria o único general-presidente a fazer seu sucessor — depois de vencer a queda-de-braço com o general Sílvio Frota, da linha dura — como conseguiria cumprir a promessa de concretizar sua "abertura lenta e gradual". No dia 1º de janeiro de 1979, extinguiu o AI-5. Em 15 de março, João Figueiredo tomou posse como o quinto general-presidente.

A Morte de Herzog

A pesar de toda a crise política provocada pelo "Pacote de Abril", o momento de maior tensão vivido pelo governo Geisel — e, por extensão por toda a nação –, se deu em 26 de outubro de 1975. Um dia antes, o jornalista Vladimir Herzog, chefe do Departamento de Jornalismo da TV Cultura (SP), uma emissora estatal, e editor de cultura da revista *Visão*, fora preso e levado para o DOI-CODI paulista. Herzog era simpatizante do PCB, mas nunca se envolvera em ações armadas. Após o que se supõe ter sido uma brutal sessão de tortura, o jornalista morreu nas mãos de seus algozes. Então, montou-se uma farsa trágica e sórdida numa das celas do DOI-CODI: o corpo de Herzog foi colocado numa posição absurda e fontes do 2º Exército anunciaram que ele se enforcara com o cinto de seu macacão.

Herzog havia assumido cargo de chefia na TV Cultura por indicação do secretário de Tecnologia e Cultura do Estado de São Paulo, com a aprovação do governador Paulo Egydio. Sua morte causou profunda comoção em São Paulo e em todo o país. O velório foi proibido e o enterro realizado sob vigilância militar. No dia 31 de outubro, porém, cerca de oito mil pessoas se reuniram na catedral da Sé (SP), para assistir ao culto ecumênico cele-

brado pelo cardeal D. Paulo Evaristo Arns, os rabinos Henry Sobel e Marcelo Rittner e o reverendo Jaime Wright. Além de se tornar a primeira manifestação de peso contra a ditadura desde 1968, foi também um dos instantes mais tensos da história recente do Brasil — e um episódio que obviamente repercutiu em Brasília.

De acordo com o depoimento do general Hugo Abreu, logo após a morte de Herzog, Geisel foi a São Paulo e se encontrou com o general Ednardo D'Ávila Mello, chefe do 2º Exército. "O presidente então avisou-o, de forma clara, que não seria tolerada mais nenhuma morte naquelas circunstâncias", revelou Abreu. Já o general Golbery do Couto e Silva achou prudente avisar alguns jornalistas que o governo, de certa forma, perdera o controle sobre São Paulo.

O choque entre Geisel e a linha dura após a morte de Herzog e do operário Manoel Fiel Filho (*leia o quadro ao lado*) foi apenas o primeiro assalto no confronto entre o governo e a linha dura. O último e decisivo embate se deu quase dois anos após a morte de Vladimir Herzog. No início do segundo semestre de 1977, apesar de Geisel ter deixado claro que não abriria mão de chefiar o processo sucessório, o general Sílvio Frota não só estava articulando o lançamento de sua candidatura como já contava com o apoio de um bloco parlamentar (do qual faziam parte até membros do MDB).

Em agosto de 1977, Frota fora a favor da ocupação militar da Universidade de Brasília, contrariando Geisel. Em setembro, o ministro do Exército impedira a volta ao Brasil de Leonel Brizola — outra vez em desacordo com o presidente. Em outubro, Geisel soube

Outro "Suicidado"

Embora o aviso de Geisel tivesse sido taxativo, menos de três meses após a morte de Vladimir Herzog, um caso em tudo semelhante àquele se repetiu em São Paulo. No dia 17 de janeiro de 1976, o metalúrgico Manoel Fiel Filho morreu nos porões do DOI-CODI. A versão oficial novamente falava em enforcamento: dessa vez, o detento teria usado "as próprias meias". O laudo do Instituto Médico Legal, atestando suicídio, foi, outra vez, assinado pelo legista Henry Shibata (mais tarde punido pelo Conselho de Medicina de São Paulo). Dois dias após a morte de Fiel Filho ter sido anunciada, Geisel viajou para São Paulo e demitiu sumariamente o general Ednardo, sem nem sequer consultar o ministro do Exército, Sílvio Frota.

O confronto entre Geisel e Ednardo — naquele instante a face mais visível do choque entre o governo e a linha dura — já se manifestara em 31 de março de 1975, quando, na comemoração do 11º aniversário da "revolução", o comandante do 2º Exército afirmara ser "uma balela" a informação de que "o terrorismo fora dominado". Trinta dias antes, fora justamente isso que Geisel dissera. Ednardo passou para a reserva. Embora uma sentença, proferida em 1978, tenha responsabilizado a União pelas mortes de Herzog e Fiel Filho, o general Ednardo foi liberado de prestar depoimento. Em 1996, as viúvas dos dois mortos foram indenizadas: a de Herzog recebeu o equivalente a US$ 100 mil e a de Fiel Filho, US$ 290 mil.

que a candidatura de Frota lhe seria apresentada como fato consumado no dia 14 e que no dia 16 o ministro se reuniria com o marechal Odílio Denys e integrantes da linha dura que o apoiariam publicamente. Então, às sete horas da manhã de 12 de outubro de 1977, Geisel convocou Frota para uma reunião e, após dez minutos de áspero diálogo, demitiu-o. Frota tentou obter apoio do Alto Comando do Exército, mas Geisel chamara os principais chefes militares do país para Brasília e, naquele instante, eles estavam no aeroporto, sendo recebidos por oficiais de sua confiança. O general Hugo Abreu, embora amigo de Frota e entusiasta de sua candidatura, ficou do lado do presidente e ajudou a abortar qualquer revolta no nascedouro.

Em 31 de dezembro, Geisel comunicou formalmente ao general Figueiredo, então chefe do SNI, que o indicaria como seu sucessor. Em 4 de janeiro de 1978, Geisel era forçado a exonerar Hugo Abreu, que discordava da indicação. "Eu o servi lealmente e fui traído por ele", diria Abreu. Mas a linha dura e seu "governo paralelo" estavam vencidos e, em 15 de março de 1979, Figueiredo assumiu a Presidência do país.

Missão de casa: Ernesto Geisel (*na foto, à direita*) passa o cargo para Figueiredo, o quinto general-presidente, e o deixa encarregado de "fazer desse país uma democracia".

O Governo Figueiredo

Como Garrastazu Médici, o quinto general-presidente, João Baptista Figueiredo, também chegou ao poder, em 15 de março de 1979, após chefiar o SNI. Mas, ao contrário de seu predecessor, Figueiredo foi levado ao cargo com a missão de concretizar a abertura iniciada por Ernesto Geisel — o único dos generais-presidentes a fazer o próprio sucessor. De uma truculência quase caricatural, dono de frases que seriam hilárias se, antes, não soassem absurdas na boca de um presidente militar, Figueiredo foi um retrato fiel das incongruências do Brasil: a um homem da "comunidade de informações" acabaria sendo dada a missão de reconduzir o país à normalidade democrática.

Não seria uma missão simples: embora contasse com as maquinações eficientes do general Golbery do Couto e Silva e o apoio irrestrito do ministro da Justiça, Petrônio Portela, Figueiredo teria de enfrentar não só uma das maiores crises econômicas da história do Brasil — uma das heranças do "milagre" — como também os últimos (e por isso mesmo violentos) espasmos da linha dura e da direita radical.

Adeus às Armas

Chefe do gabinete militar no governo Médici e do SNI no governo Geisel, João Baptista Figueiredo entrou para a história não só por ser o último general-presidente do movimento de 64, mas pelas frases típicas de seu estilo "rude e franco". Eis algumas: "Não posso obrigar o povo a gostar de mim. Sou o que sou, não vou mudar para que o povo goste.", "Me envaideço de ser grosso.", "Prefiro cheiro de cavalo do que cheiro de povo.", "Se ganhasse salário mínimo, daria um tiro na cabeça.", "O que eu gosto mesmo é de clarim e de quartel". E, por fim, a frase pronunciada em 27 de junho de 1979, depois de assinar a 48ª anistia da história do Brasil: "Eu não disse que fazia? Eu não disse que fazia?".

Figueiredo fez o que disse que faria — mas a direita radical também cumpriu a promessa de tumultuar a abertura. De janeiro a agosto de 1980, terroristas explodiram bombas em todo o país. O atentado mais grave não se concretizou: no dia 1º de maio de 1981, uma bomba explodiu no colo de um sargento, dentro de um carro, no estacionamento do Riocentro (RJ), onde se desenrolava um show comemorativo ao Dia do Trabalho. O caso foi investigado por militares de forma parcial e os envolvidos, isentos de culpa. Como os torturadores dos anos 70, os terroristas de direita ficariam impunes.

Se, durante o governo Médici, a economia ia bem e o povo mal, durante os seis longos anos do governo Figueiredo tanto a economia quanto o povo foram tremendamente mal. A uma série de medidas "heterodoxas", drásticas e equivocadas — tomadas pela equipe econômica, ainda sob o comando de Delfim Netto, com a participação de Mário Henrique Simonsen —, se juntaria a segunda crise internacional do petróleo. A inflação e a dívida externa dispararam. No fim de 1983, o PIB caiu em 2,5%, e a dívida externa (que passara de US$ 81 bilhões para US$ 91 bilhões) era responsável por juros anuais de US$ 9,5 bilhões.

Ainda assim, graças ao modelo concentrador de renda e ao arrocho salarial, muitas empresas e empresários lucraram com a inflação e a manipulação das taxas de correção monetária. Por outro lado, a crise econômica reforçou os argumentos da oposição (que pôde se rearticular longe da ameaça do AI-5), fortaleceu os políticos contrários ao governo, fez espocar as greves no ABC paulista (berço do PT) e ajudou a deflagrar a campanha pelas *Diretas-Já.*

De qualquer forma, o general Figueiredo — que chegara a pedir que o povo o chamasse de "João" e, até se envolver numa briga quase corpo a corpo com estudantes em Florianópolis em 1979, desenvolvera um tipo particularíssimo de comportamento populista — não apenas fingiu ignorar as mazelas econômicas como, ao decretar a anistia, em agosto de 1979, arrancou da oposição sua maior bandeira (*leia ao lado*).

Mas, para cumprir a promessa de que faria "desse país uma democracia", ele precisou enfrentar as bombas da linha dura — que, no início da década de 1980, fez o país retornar à época da "guerra suja". Beneficiados pela anistia, os terroristas de direita nunca foram punidos. Apesar de contemporizar com a linha dura no caso Riocentro (*ao lado*), Figueiredo manteve o calendário eleitoral, que previa eleições estaduais para novembro de 1982, embora forçasse o Congresso a adotar medidas restritivas à oposição. Por isso, em abril de 1984, a emenda das "Diretas-já" não foi aprovada. Mas, em janeiro de 1985, Tancredo Neves foi eleito pelo Colégio Eleitoral e Figueiredo pôde deixar o poder com a promessa cumprida.

Uma bomba: o atentado no Riocentro revelou que a direita hidrófoba estava disposta a tudo para impedir a abertura do regime, por mais lenta, segura e gradual que ela porventura fosse.

A Cultura nos Anos 60 e 70

CAPÍTULO 35

omates e vaias, ovos e uivos. Dissonância no palco, discordância na platéia. A platéia está de costas para o palco. Os artistas no palco estão de costas para a platéia. Só o cantor, um poeta franzino, abre o peito e abre a voz: "Mas é isso a juventude que quer tomar o poder? Vocês têm coragem de aplaudir este ano uma música que não teriam coragem de aplaudir no ano passado. São a mesma juventude que vai sempre matar amanhã o velhote inimigo que morreu ontem. Vocês não estão entendendo nada, nada, nada, absolutamente nada...".

As vaias viram urros e os urros se tornam ofensas. O poeta segue berrando, sob os "riffs" lancinantes da guitarra: "Vocês estão por fora. Vocês não dão pra entender. Mas que juventude é essa? Vocês são iguais sabem a quem? Sabem a quem? Àqueles que foram na Roda Viva e espancaram os atores. Não diferem em nada deles".

Era 12 de setembro de 1968 e, acompanhado pelos Mutantes, Caetano Veloso estava tentando apresentar a canção É proibido proibir. A música, inscrita no 3º Festival Internacional da Canção, fora inspirada pelos grafites que cobriram os muros de Paris na rebelião estudantil de maio de 68. Ironicamente, a canção prenunciava o início da época em que, no Brasil, se tornaria permitido proibir.

Exatos três meses após aquela apresentação de Caetano e dos Mutantes no Teatro da Universidade Católica, em SP, o general Costa e Silva decretou o AI-5, o ato que permitiria à censura submeter a cultura nacional a uma espécie de lavagem cerebral. Embora atingisse a literatura, o cinema, o teatro e a imprensa, a censura seria

É PROIBIDO FUMAR

É PROIBIDO FUMAR ● UM LEÃO ESTÁ SOLTO NAS RUAS ● ROSINHA ● BROTO DO JACARÉ ● JURA-ME ● MEU GRANDE BEM ● O CALHAMBEQUE (Road Hog) ● MINHA HISTÓRIA DE AMOR ● NASCI PARA CHORAR (Born to cry) ● AMAPOLA ● LOUCO NÃO ESTOU MAIS ● DESAMARRE O MEU CORAÇÃO (Unchain my heart)

especialmente dura com a música. Por quê? Porque desde o sucesso mundial da bossa nova, no início dos anos 1960, a música se tornara a manifestação cultural mais vibrante no Brasil.

Com o advento da Jovem Guarda, por volta de 1965, a música entraria na era da cultura de massa e logo se associaria à televisão — tanto que não apenas a rebeldia "inocente" do iê-iê-iê de Roberto Carlos (preocupada em "denunciar" que era "proibido fumar" — maconha, presumivelmente) tinha seu próprio programa de TV como também eram as grandes redes de televisão que promoviam festivais como o FIC. Neles, explodiria o choque entre a "música de protesto", de veia nacionalista, e a música pop, americanizada e supostamente "alienada".

Embora em breve os militares e seus censores se revelassem bem menos suscetíveis a tais divergências estéticas — podando tanto as canções "nacionalistas" quanto os "exotismos estrangeiros" —, o que levou o público a vaiar Caetano naquela noite foi justamente o confronto entre a juventude "engajada" e de esquerda e a vanguarda artística que Caetano e Gilberto Gil (que logo subiria ao palco para se solidarizar com o amigo e conterrâneo) representavam.

Qualquer semelhança entre esse happening que saiu pela culatra e a primeira noite da Semana de Arte Moderna em 1922 deixa de ser mera coincidência quando se sabe que, pouco antes, os dois baianos tinham criado o movimento Tropicalista — releitura pop e hippie da Antropofagia de Marioswald de Andrade. Baseados — na verdade, muitíssimo baseados — em tudo que acontecia de novo e de jovem em um país ainda fervilhante — o Cinema Novo, os experimentalismos do Teatro de Arena e do Teatro Opinião, os ecos da bossa nova, a "rebeldia" pop da Jovem Guarda, a cultura televisiva, Chacrinha e as telenovelas, a poesia concretista, a pintura de Hélio Oiticica —, Caetano e Gil fermentaram a geléia geral brasileira, acima e além da caretice. "Eu e Gil tivemos coragem de entrar em todas as estruturas e sair de todas", continuava Caetano em seu discurso irado, enquanto a massa ululava e os Mutantes faziam gemer as guitarras. "E vocês? Se vocês forem em política como são em estética, estamos feitos. Me desclassifiquem junto com Gil (...). Chega!"

Duas semanas depois de Caetano se autodesclassificar (acima, à direita), os Mutantes, com roupas escandalosas e Rita Lee de noiva (na página anterior, ao alto) se apresentaram nas finais do mesmo FIC, no Rio. Mas, então, nem foram vaiados: o povo guardou todos os apupos para Sabiá, de Chico Buarque e Tom Jobim, que venceu Caminhando, de Geraldo Vandré, em novo desdobramento do choque entre engajamento e lirismo. A TV mostrou tudo, como continuaria fazendo ao longo das décadas que vieram a seguir. Menos de um ano de-

pois, Caetano e Gil (que tinham sido presos pelo governo militar) e Chico Buarque (o mais censurado dos compositores brasileiros) partiam para o exílio na Europa. A bossa nova e o Cinema Novo já tinham envelhecido, e o Tropicalismo daria os últimos suspiros. Depois deles, o dilúvio de censura.

Na roda viva: os Mutantes (*ao alto, na página anterior, e acima, com Caetano Veloso*) e a turma da Jovem Guarda (no calhambeque) deixaram o Brasil mais jovem, ousado e tropicalista.

Em 1968, mundialmente consagrado como um dos pais-fundadores da bossa nova, Tom Jobim pediu para o cantor e compositor Chico Buarque colocar a letra numa canção chamada Gávea. Chico a transformou em Sabiá e os dois a inscreveram no 3º FIC. Em 29 de setembro de 1968, anunciada como vencedora do Festival, Sabiá mal pôde ser ouvida: num Maracanãzinho lotado por 25 mil pessoas, a bela e "hermética" música de Tom e Chico — releitura profética da Canção do exílio, de Gonçalves Dias — foi implacavelmente vaiada. A massa exigia que o primeiro lugar ficasse com Caminhando (Pra não dizer que não falei de flores), de Geraldo Vandré (acima). A vaia foi tal que o próprio Vandré subiu ao palco e disse: "Gente, por favor, vocês não me ajudam desrespeitando Jobim e Chico. A vida não se resume a festivais".

Embora classificada em segundo lugar, Caminhando se tornou a canção-símbolo da luta contra a ditadura. Fazia referência às passeatas de protesto ("Caminhando e cantando/ e seguindo a canção/ somos todos iguais/ braços dados ou não") e aos soldados ("quase todos perdidos/ de armas na mão/ nos quartéis lhes ensinam uma antiga lição/ de morrer pela pátria/ e viver sem razão"). A música foi proibida, os militares se ergueram contra ela e Vandré partiu para o exílio. Fora do Brasil, envelheceu tanto quanto a própria canção, amargurou-se, ensimesmou-se e abandonou a carreira artística. Nos anos 80, a cantora Simone lançou uma versão de Caminhando, supostamente para celebrar o fim do regime militar. Em 1997, a história voltou a se repetir como farsa e a música foi cantada por policiais em greve por melhores salários.

A Bossa Nova

Chovia a cântaros em Nova York na noite de 21 de novembro de 1962. Ainda assim, mais de três mil pessoas lotavam o Carnegie Hall, em Manhattan. Embora boa parte da platéia fosse de brasileiros, nas primeiras filas sentavam-se gênios do jazz como Miles Davis, Dizzy Gillespie, Gerry Mulligan, Herbie Mann e até Tony Bennet. Estavam todos ali para ouvir um novo estilo musical — a bossa nova — e as estrelas que o tinham inventado. Embora viesse a se tornar quase um "braço paralelo" do jazz dos anos 60, a bossa nova devia muito ao estilo que iria influenciar.

Criada na zona sul da cidade do Rio de Janeiro, por jovens músicos de classe média, a bossa nova nada mais era do que uma nova maneira de tratar o samba. Mas que maneira: a nova batida, presente no violão de João Gilberto, no piano de João Donato e de Tom Jobim e na flexão vocal de Johnny Alf, consubstanciava a fusão entre técnicas típicas da música do Brasil (como síncopes e jogos de tempos entre o solista e o acompanhamento) com influências do jazz (em especial o estilo de cantar do *cool jazz*, tão adaptável à voz íntima e emotiva de João Gilberto, e o acompanhamento de piano, baixo e bateria, ao qual se juntavam as harmonias batidas em violão dissonante), propondo a integração entre melodia e ritmo, valorizada pelas letras depuradas e intrigantes.

Donato e Alf não foram aos EUA, mas Jobim e Gilberto estavam lá. Ainda assim, aquele *début* nova-iorquino da bossa nova por pouco não virou um trem da alegria para músicos mais ou menos obscuros. Acontece que o *show* se tornara uma iniciativa "oficial" do Itamaraty para promover a música brasileira nos EUA — e João Gilberto e Jobim acabaram precedidos por artistas que nada tinham a ver com a bossa nova. Entre os mitos que cercam o *show* do Carnegie Hall, um é o de que a bossa nova foi descoberta naquela noite. Não é verdade: *Desafinado*, sua canção-símbolo, havia vendido um milhão de cópias nos EUA naquele ano. Por isso, Sidney Frey, presidente da gravadora Audio-Fidelity, veio buscar artistas brasileiros para tocar em Nova York e o Itamaraty quis patrocinar a noitada.

Outro mito a respeito da noite da bossa nova no Carnegie Hall é o de que o *show* foi um fracasso. Embora o inglês de vários dos artistas brasileiros fosse macarrônico, figurantes fizessem malabarismos com pandeiros, Bola Sete tocasse violão nas costas e Roberto Menescal e até Tom Jobim esquecessem a letra das canções, João Gilberto, Agostinho dos Santos e o próprio Jobim arrasaram.

Por que, então, as notícias publicadas no Brasil falavam em vexame? A história foi elucidada pelo jornalista Ruy Castro no livro *Chega de saudade*, publicado em 1990. Tudo começou com a reportagem publicada por *O Cruzeiro*, em dezembro de 1962, com o título "Bossa nova desafinou nos EUA". O texto, tinhoso, assinado por José Ramos Tinhorão, foi chamado de "mediúnico", já que seu autor não fora a Nova York. Como pudera então descrever o que se passara no palco e no camarim? Fora informado por um *free-lancer* da revista, o cubano Orlando Suero. E o informante de Suero era o compositor Sérgio Ricardo, que literalmente se escalara para tocar naquela noite.

O episódio seria premonitório do racha que logo dividiria a bossa nova em "direita" e "esquerda", em "participantes" e "alienados". Após o golpe de 64, o compositor Geraldo Vandré dissera: "Temos de fazer música 'participante'. Os militares estão prendendo e torturando. A música tem de servir para alertar o povo" ("Quem alerta é corneta de regimento", responderia Roberto Menescal). Sérgio Ricardo seguiria a linha proposta por Vandré. Mas o disco que de fato rachou a bossa nova foi *Opinião de Nara*, de Nara Leão, base do *show Opinião*, de Oduvaldo Viana Filho e Paulo Pontes, dirigido por Augusto Boal, o qual, além de ser um dos pontos altos do Teatro Opinião, foi a primeira reação artística da esquerda ao golpe, inaugurando a "ideologia da pobreza" que, logo a seguir, tanto importunaria a cultura brasileira. Mas os gênios da bossa nova nem deram bola e seguiram seu caminho — não deixando de ser menos libertários e ousados por causa disso. Na verdade, sua música permanece eterna enquanto as "canções de protesto" daquela época soam enfadonhamente datadas.

A Jovem Guarda

Dois anos depois de a nata dos jazzistas americanos ter se reunido na platéia do Carnegie Hall para assistir aos mestres da bossa nova, os EUA foram tomados por uma invasão sonora muito mais avassaladora: a beatlemania. A beatlemania logo desembarcaria no Brasil, gerando, a partir de 1965, o fenômeno chamado de Jovem Guarda. Como o primeiro movimento genuinamente *pop* a chegar no país, o iê-iê-iê da Jovem Guarda (versão tupiniquim do "yeah, yeah, yeah" dos Beatles) foi uma manifestação típica da cultura de massas. Desde o início, sua eclosão esteve ligada à televisão e a um projeto publicitário de *marketing*.

Como a bossa nova, a Jovem Guarda também fora influenciada pela música anglo-americana. Ao contrário dela, porém, não ajudaria a transformar a matriz. Na verdade, diluiu-a. Ainda assim, além de conectar o Brasil com o mundo alucinado do *pop* e criar os primeiros ídolos "jovens" do país — tão diferentes dos ídolos das décadas anteriores, como Francisco Alves e Orlando Silva —, a Jovem Guarda era engraçada, descompromissada e moderna. Gostava de calhambeques, botinhas sem meia, cabelos na testa, anéis brucutu e queria que tudo o mais fosse para o inferno. Com sua alegria contagiante, arrombou a festa da bossa nova, do samba e da MPB.

A Jovem Guarda fabricou alguns ídolos efêmeros como o "príncipe" Ronnie Von, a "garota papo-firme" Wanderléia, o "bom" Eduardo Araújo, Martinha, a "garota barra-limpa", e uma gíria própria, que era uma brasa, mora? Mas os dois integrantes do movimento que realmente se projetaram foram Erasmo Carlos e seu parceiro, o "rei" Roberto Carlos. Talvez por ser considerada "infantil" demais para merecer críticas, a Jovem Guarda passou incólume pela "patrulha ideológica" dos "engajados".

A peça *Roda viva*, de Chico Buarque, no entanto, contava a história de um ídolo da juventude pré-fabricado pela TV, que acabava sendo destruído pelo sucesso. Embora permaneça na ativa, Roberto Carlos — que alguém já definiu como "uma mistura de Sinatra com Elvis" —

A vaia para Sabiá no FIC de 1968 não foi novidade alguma na turbulenta história dos festivais. No ano anterior, no 3º Festival de MPB da TV Record, houve caso mais rumoroso. No dia 21 de outubro de 1967, na finalíssima da competição, depois de Alegria, alegria, de Caetano, e Domingo no parque, de Gil (classificadas em 4º e 2º lugares, respectivamente), terem sido duramente vaiadas pela "linha dura" da platéia, o cantor Sérgio Ricardo subiu ao palco para tocar Beto bom de bola. Embora Sérgio Ricardo fosse um egresso da bossa nova que abandonara o intimismo para se tornar um compositor "engajado", autor das trilhas sonoras dos filmes Deus e o Diabo na terra do sol e Terra em transe, de Glauber Rocha, nem assim foi poupado.

Beto bom de bola era vista como um "retrocesso" em sua obra. Por vários minutos, Sérgio Ricardo tentou "dialogar" com a platéia. De repente, perdeu a calma e vociferou: "Vocês ganharam! Isso é o Brasil subdesenvolvido! Vocês são uns animais!". Estraçalhou o violão contra um pedestal de madeira e o arremessou contra a platéia (acima). Foi desclassificado no ato. Naquele ano, a música vencedora foi Ponteio, de Edu Lobo e Capinam. Chico Buarque ficou em terceiro com Roda viva. Ao final da competição, o compositor Carlos Imperial diria: "Este festival da esquerda festiva vai atrasar a música brasileira em uns bons dez anos". Foram palavras proféticas.

O Rei da Vela

Disposto a romper com o repertório político da época — atacando a direita, mas também desprezando o dogmatismo da esquerda — José Celso Martinez Correa e o seu Teatro Oficina montaram O rei da vela, *em 1967. A peça marca uma virada libertária no teatro do Brasil, afastando-o do ideário nacionalista-populista, cuja fixação na "mensagem" e no conteúdo tanto havia enfraquecido a forma. "Fomos encontrar no Oswald dos anos de 33, anterior a toda baboseira de ufanismo do Estado Novo, de todo desenvolvimentismo, das crenças da burguesia progressista (...) uma visão generosa, furiosa, anarquizante, revolucionária", diria Zé Celso. "O rei da vela não embarcava nessas canoas furadas."*

Muito mais do que Roda viva, *foi* O rei da vela *que aproximou o teatro brasileiro dos anos 60 de várias outras áreas da produção cultural.* O rei da vela *significou para o teatro o mesmo que* Terra em transe, *de Glauber Rocha, significou para o cinema. A montagem de Zé Celso também influenciou o artista plástico Hélio Oiticica e, de certa forma, ao flertar tão claramente com a Antropofagia, antecipou em alguns meses a eclosão do Tropicalismo, configurada com o lançamento, em 1968, do LP* Tropicália ou Panis et Circensis. *Tanto é que, ainda em 1967, Caetano Veloso declarara: "Eu sou o Rei da Vela de Oswald de Andrade montado pelo grupo Oficina".*

submeteu sua obra de tal forma às exigências do mercado que preferiu deixar de ser o Presley brasileiro para se tornar uma espécie de Julio Iglesias verde-amarelo. Como o maior vendedor de discos da história do país e o grande *chansonier* nacional, Roberto Carlos contenta-se em lançar todos os anos trabalhos repetitivos.

O Teatro em Transe

Indignado com as vaias da platéia, naquela memorável noite de 12 de setembro de 1968, Caetano Veloso desabafou: "Vocês são iguais sabe a quem? Àqueles que foram na *Roda viva* e espancaram os atores". Era um evidente exagero. Caetano se referia a um episódio recente e brutal no qual membros do grupo de direita hidrófoba CCC (Comando de Caça aos Comunistas) tinham invadido os camarins do teatro Galpão, em São Paulo, em julho de 1968, e espancado atores, músicos e contra-regras, depredando o teatro todo. Apesar da prisão de três dos agressores — gente ligada à Faculdade de Direito do Mackenzie —, ninguém foi julgado ou condenado. Tanto é que, meses mais tarde, quando a peça de Chico Buarque, que estreara no Rio em janeiro de 1968, foi montada em Porto Alegre, a agressão se repetiu.

De certa forma, tais conflitos eram reflexo do choque entre o CCC e os egressos do Centro Popular de Cultura (CPC), movimento cultural ligado à UNE que defendia a arte "engajada" e fora desbaratado após o golpe militar. Do CPC faziam parte os dramaturgos Oduvaldo Viana Filho, Gianfrancesco Guarnieri e Augusto Boal. Em 1962, esse grupo fundara a versão carioca do Teatro de Arena que, em São Paulo, existia desde 1955. Como a música e o cinema, o teatro brasileiro ingressava nos anos 60 com a certeza de que poderia mudar o mundo.

Embora tivesse apresentado peças de mérito, como *Eles não usam black-tie* (de Guarnieri) e *Chapetuba FC* (de Vianinha), o Arena, em sua tentativa de recontar a história do Brasil, produziu espetáculos "engajados" — como *Arena conta Zumbi* e *Arena conta Tiradentes* — aos quais, mesmo então, só se ia assistir se isso fosse tarefa ideológica ou partidária (e ainda assim das mais penosas). O musical *Opinião* — montado pelo pessoal ligado ao Arena, com Nara Leão cantando canções de protesto — e *Arena conta Zumbi* ajudaram a precipitar o racha que dividiu a bossa nova entre "participantes" e "alienados".

Baseado nas teorias de Bertold Brecht e Stanislawski, o Arena logo gerou novos frutos. Nascido sob influência direta do Arena, o Teatro Oficina, criado em 1961, em São Paulo, por José Celso Martinez Correa, também se baseava em Brecht e fazia um teatro "nitidamente comprometido na luta contra o imperialismo estrangeiro". Sua montagem de *Os pequenos burgueses*, de Górki, é ainda hoje considerada um dos espetáculos realistas mais perfeitos já montados no Brasil.

Em 1963, porém, ao montar *Um bonde chamado desejo*, de Tennessee Williams, o Oficina começaria a se afastar do Arena, buscando seus próprios caminhos. Em breve, o Oficina se aproximaria do teatro de vanguarda europeu, antiacadêmico, "sujo" e agressivo, disposto a seguir uma linha de "provocação cruel e total". O Oficina já estava nessa fase quando, em janeiro de 1968, montou *Roda viva*, de Chico Buarque. A reação da direita foi, no mínimo, previsível. No ano anterior, Zé Celso e o Oficina já haviam decretado uma grande ruptura no teatro brasileiro ao montarem *O rei da vela*, de Oswald de Andrade (*leia quadro à esquerda*).

Por trás das câmaras: embora não fosse uma peça tão "engajada" quanto a esquerda desejava, *Roda Viva*, de Chico Buarque, acabou despertando a ira de direitistas, que invadiram teatros e espancaram os artistas.

O Cinema Novo

Onde houver um cineasta disposto a filmar a verdade e a enfrentar os padrões hipócritas e policialescos da censura intelectual, aí haverá um germe vivo do Cinema Novo. Onde houver um cineasta disposto a enfrentar o comercialismo, a exploração, a pornografia, o tecnicismo, aí haverá um germe do Cinema Novo. Onde houver um cineasta (...) pronto a pôr seu cinema e sua profissão a serviço das causas de seu tempo, aí haverá um germe do Cinema Novo.

Glauber Rocha –
"Uma Estética da Fome"

Em outubro de 1967, quando Gilberto Gil e Caetano Veloso apresentaram *Domingo no parque* e *Alegria, alegria*, no 3º Festival da TV Record, logo houve quem percebesse que as duas canções eram influenciadas pela narrativa cinematográfica: repletas de *cut-ups*, justaposições e *flashbacks*. Tal suposição seria confirmada pelo próprio Caetano quando ele declarou que fora "mais influenciado por Godard e Glauber do que pelos Beatles ou Dylan". Na verdade, em 1967, no Brasil, o cinema era o que havia de mais intenso e "revolucionário", superando o próprio teatro, cuja inquietação e cujo experimentalismo tinham incentivado os cineastas a iniciar o movimento que ficou conhecido como Cinema Novo.

O Cinema Novo nasceu na virada da década de 1950 para a de 1960, sobre as cinzas dos estúdios Vera Cruz (empresa paulista que faliu em 1957 depois de produzir dezoito filmes), sob a tirania da "chanchada" (gênero humorístico chulo) e por inspiração do neo-realismo italiano e dos textos dos críticos e cineastas Paulo Emílio Sales Gomes, Gustavo Dahl, Jean-Claude Bernardet e, sobretudo, Glauber Rocha. Todos faziam parte de um grupo que tentava encontrar "um caminho" para o cinema brasileiro.

"Nossa geração sabe o que quer", dizia o baiano Glauber já em 1963. "Queremos fazer filmes antiindustriais; queremos fazer filmes de autor, quando o cineasta passa a ser um artista comprometido com os grandes problemas de seu tempo; queremos filmes de combate na hora do combate". Inspirado por *Rio 40 graus* e por *Vidas secas*, que Nelson Pereira dos Santos lançara em 1954 e 1963, Glauber Rocha — com "uma câmera na mão e uma idéia na cabeça" — transformaria a precariedade de meios em recurso estético mudando, com *Deus e o Diabo na terra do sol*, a história do cinema no Brasil.

Com seu "estranho surrealismo tropical" e a violência imagística inerente a cada plano, *Deus e o Diabo na terra do sol* não apenas causou sensação no Festival de Cannes de 1965 como, ao abordar de forma onírica dois fenômenos sociais típicos da caatinga — o messianismo (estilo Antônio Conselheiro) e o cangaço (à Lampião-Corisco) — pôs em xeque a tradicional narrativa dramática do cinema "ideológico". Dois anos depois, ainda mergulhado em sua sensibilidade estética alegórica e profética, Glauber lançou *Terra em transe*, filme que, ao discutir a "crise de consciência" das esquerdas e do populismo, talvez tenha marcado o auge do Cinema Novo, além de ter sido uma das fontes de inspiração do Tropicalismo.

A ponte entre Cinema Novo e Tropicalismo ficaria mais evidente com o lançamento, em 1969, de *Macunaíma*, de Joaquim Pedro de Andrade. Não só pela óbvia aproximação com a Antropofagia inerente à rapsódia de Mário de Andrade, mas também porque, ao fazer o filme, Joaquim Pedro esforçou-se por torná-lo um "produto" afinado com a "cultura de massa". "A proposição de consumo de massa no Brasil é uma proposição moderna, é algo novo. A grande audiência de TV entre nós é um fenômeno novo. É uma posição avançada para o cineasta tentar ocupar um lugar dentro desta situação", disse ele.

Incapaz de satisfazer plenamente as exigências do mercado, o Cinema Novo deu seus últimos suspiros em fins da década de 1970 — período que marcou o auge das potencialidades comerciais do cinema feito no Brasil. Em 1992, o então presidente Collor acabou com a Embrafilme e a indústria cinematográfica do país entrou numa fase negra, da qual só começou a se recuperar na segunda metade da década de 1990, com filmes como *Carlota Joaquina* e *O quatrilho*.

Rebeldes e Malditos

Depois de se autodesclassificarem do FIC, em julho de 1968, Caetano e Gil decidiram fazer uma temporada de *shows* na boate Sucata, no Rio, apresentando, junto com os Mutantes, as músicas que haviam tirado do festival. Na platéia, quase todas as noites, podiam ser vistos os cineastas Glauber Rocha, Leon Hirzman e Arnaldo Jabor, ligados ao Cinema Novo. No palco, ao lado de uma faixa com os dizeres "Yes nós temos bananas", havia uma espécie de bandeira com o lema "Seja marginal, seja herói" e, acima da frase, o corpo tombado de Cara de Cavalo, famoso bandido carioca recém-abatido pela polícia. A bandeira fora feita pelo artista plástico Hélio Oiticica.

Diz a lenda que, depois de ver o *show*, um juiz de direito denunciou Caetano e Gil por fazerem uma paródia do Hino Nacional Brasileiro. Embora o hino tocado fosse na verdade o da França, Gil e Caetano foram presos em 27 de dezembro, duas semanas depois da promulgação do AI-5. Após dois meses de prisão, ambos foram para o exílio, em Londres. Sua partida não apenas marcou o fim do Tropicalismo como, de certa forma, os transformaria em "velhos compositores baianos" já que, cerca de um ano mais tarde, irrompia na cena musical brasileira um grupo chamado Novos Baianos.

Cabeludos, anárquicos e doidões, vivendo em comunidade e dispostos a fazer amor e não a guerra, os Novos Baianos eram a ponta do *iceberg hippie*, que emergia do oceano de caretice e repressão no qual se afogava a cultura brasileira. O desregramento dos sentidos,

Bixos-grilos: Hélio Oiticica (*no alto*), Jorge Mautner (*acima*) e os Novos Baianos (*abaixo, à esquerda*) fundiram a cuca dos censores do regime militar, propondo uma revolução dos sentidos.

o hermetismo lisérgico, a visão marginal, o inconformismo radical — ingredientes já presentes no Tropicalismo — adquiriram dimensões ainda mais definitivas nesta cena *underground* (ou "udigrude", em versão nacional).

Em tese, aqueles eram anos de chumbo, mas os Novos Baianos e os poetas marginais ajudaram a transformá-los também em anos coloridos, repletos de ação e de culto às drogas. E, então, boa parte da produção cultural, além de ser divulgada por meios alternativos, mostrou estar além da "compreensão" dos censores. Mas não apenas da deles: os artistas "engajados" também não entendiam nada daquilo. A ruptura provocada pela cultura "udigrude" tivera seu pioneiro na figura do poeta, romancista e cantor Jorge Mautner que, em 1962, lançara o livro *Deus da chuva e da morte*, primeira parte da chamada *Trilogia do kaos*.

Misturando existencialismo e surrealismo, Mautner deslocou o eixo da crítica política da questão da "revolução" para a da "rebeldia sem causa aparente".

seja marginal
seja herói

Como o próprio Caetano Veloso mais tarde observaria, Mautner inaugurou o Tropicalismo e a antibossa nova, rompendo com o dilema "arte popular engajada *versus* esteticismo de vanguarda". Como Mautner, outros poetas "malditos" se uniram ao Tropicalismo: entre eles, o pai-de-todos Torquato Neto (cujo livro *Os últimos dias de Paupéria* foi publicado postumamente em 1972) e Capinam (autor das letras de *Soy loco por ti América* e *Miserere nobis*).

Torquato e Capinam eram apenas dois dos poetas cuja palavra tomou de assalto a década de 1970. Como a poesia dos *beats* americanos, a obra poética da chamada "geração-mimeógrafo" rompeu os limites acadêmicos e ganhou as ruas: seus poemas apareciam em folhetos, em fotocópias, em pôsteres, em postais e até em grafites pichados em muros e paredes. Os grandes nomes dessa geração foram Chacal, Charles, Cacaso, Geraldo Carneiro, Ana Cristina César, Roberto Piva, Cláudio Willer e Wally Salomão, autor do clássico "udigrude" *Me segura qu'eu vou dar um troço*, lançado em 1972.

Ao publicar revistas, jornais e "jornalivros" como *Navilouca*, *Flor do Mal*, *Bondinho* e *Almanaque Biotônico Vitalidade*, os poetas "marginais" também se colocaram na vanguarda do movimento que ficaria conhecido como "imprensa alternativa" ou "nanica", do qual o representante mais ilustre foi o semanário carioca *O Pasquim*, feito por humoristas e intelectuais como Jaguar, Ziraldo, Millôr Fernandes, Henfil e Paulo Francis. No *Pasquim*, o jornalista Luís Carlos Maciel mantinha uma coluna na qual pregava o advento de "uma nova consciência" e divulgava as notícias do delirante "udigrude" brasileiro.

O "braço pictórico" dessa rebelião conceitual se materializou na obra do pintor e escultor Hélio Oiticica, depois biografado por Wally Salomão. Os "*parangolés*" de Oiticica — "espetáculos" que profetizaram os eventos multimídia do pós-modernismo e que tinham um "caráter tanto construído quanto desconstrutor" — foram a mais perfeita tradução da geléia geral com a qual os rebeldes e malditos dos anos 70 tentaram azedar o humor e "azarar" as mentes dos censores, dos militares, dos caretas e de quem mais não estivesse na deles.

Foi o desembarque dos "bixos-grilos" depois do dilúvio universal.

TV: A Aldeia Global

O general Emílio Garrastazu Médici deu poucas declarações durante seu governo mas, todas as vezes em que o fez, disse coisas memoráveis. Em 22 de março de 1973, por exemplo, comentou: "Sinto-me feliz, todas as noites, quando ligo a televisão para assistir ao jornal. Enquanto as notícias dão conta de greves, agitações, atentados e conflitos em várias partes do mundo, o Brasil marcha em paz, rumo ao desenvolvimento. É como se eu tomasse um tranqüilizante após um dia de trabalho".

De certo modo, Médici tinha razão. Qualquer pessoa medianamente informada que assistisse ao "jornal" nos primeiros anos da década de 1970 teria a nítida impressão de que não só o presidente, mas a própria imprensa brasileira tinham sido submetidos a um tratamento à base de sedativos — a ponto de estar quase lobotomizados. A censura era total (leia na próxima página): só as "boas" notícias podiam ser divulgadas.

O "jornal" a que Médici se referia era, evidentemente, o *Jornal Nacional*, veiculado pela Rede Globo. O *JN* fora ao ar pela primeira vez no dia 1º de setembro de 1969. Depois de anunciar que, naquele momento, inaugurava-se "um serviço de notícias integrando um Brasil novo", o apresentador Hilton Gomes noticiou que o então presidente Costa e Silva, adoentado, acabara de ser substituído por uma junta militar. Era o início da escalada repressiva, que iria coincidir com o começo da supremacia absoluta do *JN*, já que, quatro meses mais tarde, no último dia de 1969, silenciariam-se os clarins e tambores que, durante anos, primeiro no rádio e depois na TV, marcavam o início do *Repórter Esso*.

Pouco tempo depois, já apresentado por Cid Moreira e por Sérgio Chapelin — que, de certa forma, se tornariam símbolos deste "novo Brasil" —, o *JN* se transformaria não só na mais completa tradução do projeto de "integração nacional", tão desejado pelos generais Médici e Geisel, mas também numa espécie de porta-voz eletrônico do regime militar. Mas não foi apenas o visual *clean* e colorido dos apresentadores do *JN* e seu jornalismo subserviente que ajudaram a TV Globo a definir o chamado "padrão Globo de qualidade", que a tornaria a quarta maior rede de TV do mundo. No núcleo de produção da emissora nasceram algumas das melhores telenovelas já rodadas no planeta. Elas não só transformaram o Brasil numa espécie de aldeia global como viraram sucesso mundial em latitudes tão distintas quanto Cuba e China, Portugal ou Rússia (leia quadro à direita).

Ainda assim, nada que a TV brasileira jamais produziu — nem os festivais de música, os programas da Jovem Guarda ou os comerciais "pós-modernos" premiados em Cannes — foi mais brilhante, mais tropicalista, mais antropofágico, mais macunaímico e mais brasileiro do que o animador de auditório conhecido como Chacrinha (na vinheta acima). José Abelardo Barbosa de Medeiros, o "velho guerreiro" e "velho palhaço", o homem que balançava a pança e buzinava a moça e, em vez de biscoito fino, oferecia bacalhau para a massa, foi também o profeta que descobriu que "quem não comunica se trumbica". Chacrinha — que veio "não para explicar, mas para confundir" — desvendou o papel da TV como o circo eletrônico no qual os palhaços eventualmente somos todos. Ao morrer em 1988, aos 80 anos, deixou o Brasil mais triste e mais tolo.

Oito anos depois, em outra espécie de sinal dos tempos, o apresentador Cid Moreira daria seu "boa-noite" final a uma multidão de telespectadores, despedindo-se de vez do *Jornal Nacional*. Ele e Sérgio Chapelin foram substituídos por outros apresentadores numa tentativa de deixar o *Jornal Nacional* mais próximo da cidade alerta.

"Ser tropicalista é ver O direito de nascer", disse Caetano Veloso no alvorecer do movimento. Além de antecipar o que se tornaria uma febre nacional, Caetano estava profetizando também o culto à TV trash, já que O direito de nascer, levada ao ar em 1964, pela TV Tupi, embora fosse a primeira telenovela de sucesso nacional, era também um rematado dramalhão no melhor/pior estilo mexicano. Inspiradas na fórmula descoberta pelos folhetins do século XIX, as telenovelas brasileiras se tornariam uma coqueluche nacional e, em pouco tempo, encontrariam novas receitas, mais picantes e dinâmicas. A renovação, inaugurada com Antônio Maria, em 1968, se solidificou no mesmo ano com Beto Rockfeller (acima), dirigida por Lima Duarte.

Nos anos 70, a TV Globo irrompe avassaladoramente em cena produzindo novelas que (literalmente) pararam a nação: Irmãos Coragem, Selva de pedra, O bem amado, Gabriela, Saramandaia, Estúpido Cupido, O astro (quem matou Salomão Ayala?), Dancin Days (que deflagrou a febre das discotecas), Roque Santeiro (proibida pela censura), consagrando atores como Tarcísio Meira e Glória Menezes, Francisco Cuoco e Regina Duarte e autores como Janete Clair, Dias Gomes, Benedito Ruy Barbosa e Gilberto Braga, que escreveu Vale tudo (quem matou Odete Roitman?), novela com música de Cazuza e trama na qual o crime compensa e o vilão se dá bem, fugindo cheio da grana do Brasil. Como numa premonição, Vale tudo foi ao ar em 1989, ano da eleição de Fernando Collor.

É Permitido Proibir

F oi uma época de obscurantismo tão medieval que, sendo parte do passado, hoje pode parecer cômica. E de fato seria se, antes, não tivesse sido trágica. Inaugurada oficialmente com o decreto-lei nº 1.077, de janeiro de 1970, proibindo obras que "obedeciam a um plano subversivo para pôr em risco a segurança nacional", a censura imposta pelo regime militar se iniciara de fato a partir da promulgação da Lei de Imprensa de 1967, do AI-5 em 1968 e da nova Lei de Segurança Nacional, de 1969. A partir delas, a presença dos censores nas redações dos principais jornais, revistas e TVs tornou-se fato corriqueiro, e a lista de assuntos "proibidos", progressivamente abrangente. Os "bilhetinhos" dos censores eram diários. Um deles dizia: "Fica proibida a divulgação em matéria de qualquer natureza, inclusive tradução e transcrição, referência ou comentários sobre publicação em jornais e revistas estrangeiras de matérias abordando temas ofensivos ao Brasil — ass. Agente Benigno".

Os malignos "lembretes" também eram enviados pelos agentes "Dario", "Hugo" e "Stenio" da vida. A imprensa publicava receitas culinárias e poemas no lugar dos textos censurados. Os jornais mais atingidos foram os da imprensa alternativa, chamada de "nanica", como *O Pasquim*, *Opinião* e *Coojornal*. Entre 1973 e 1978, só a TV Globo, por exemplo, embora sempre afinada com o regime, chegou a receber 270 ordens de censura — a maioria por telefone. Uma delas chegou a vetar a divulgação de uma reportagem sobre um surto de meningite, na qual o alerta à população era feito pelo próprio ministro da Saúde.

O delírio inquisitorial da censura de então, atualmente reunido na sede do Arquivo Nacional em Brasília, parecia não ter fim — nem critérios. Os 600 metros de documentos produzidos pela Divisão de Censura de Diversões Públicas revelam um anedotário funesto sobre o festival de besteiras que assolou o país. Entre os livros proibidos, por exemplo, figuravam *Minha luta*, de Adolf Hitler, *O machão*, de Harold Robbins e o *Relatório Hite*, além de ensaios do sociólogo Fernando Henrique Cardoso.

Na TV, a novela *Roque Santeiro*, de Dias Gomes, foi proibida dias antes de ir ao ar. *Selva de pedra* foi toda podada e *O casarão* (exibida em época de eleição) enquadrada na lei Falcão, que regulamentava a propaganda eleitoral — para a censura, a novela tinha mensagens subjetivas de apoio a candidatos da oposição. A lei recebera esse nome por ter sido promulgada por Armando Falcão, um dos ministros da Justiça que mais emitiu vetos. Falcão chegou a proibir que o balé russo Bolshoi se apresentasse no país, além de vetar a publicação de todos os livros que tivessem qualquer relação com a URSS, o que incluía clássicos como Dostoievski e Tolstoi.

Luís Antônio da Gama e Silva e Alfredo Buzaid — antecessores de Falcão no cargo — também têm lugar reservado na lista de ministros infames da história do Brasil. Diferentemente de Goebbels, o ministro da Propaganda de Hitler — que, quando ouvia falar em cultura, tinha ganas de "empunhar o revólver" —, Falcão e sua turma sacavam a tesoura. A eles deve se juntar Flávio Suplicy de Lacerda, ministro da Educação de Castelo Branco, que, quando reitor da Universidade do Paraná, mandara arrancar páginas que considerava "obscenas" das obras de Eça de Queirós e Émile Zola, além de proibir livros de Jorge Amado, Graciliano Ramos e Jean-Paul Sartre.

A censura não se restringiu à palavra escrita. No teatro, dezenas de peças foram vetadas, entre as quais *Roda viva*, de Chico Buarque, pela "aplicação dos mais comezinhos princípios do comunismo". Na música popular, Chico se tornou a "vítima" favorita dos censores: a simples presença de seu nome nos créditos de uma canção era uma espécie de senha para a tesoura entrar em ação (tanto que ele passou a compor sob o pseudônimo de Julinho da Adelaide). Mas foi no cinema que se deram os casos mais patéticos. Entre inúmeros filmes, foram proibidos *Roma de Fellini* e *O último tango em Paris*, hoje considerados clássicos. *O último tango* acabou sendo liberado depois que se soube que o filho de um ministro, menor de idade, assistira ao filme numa sessão privada, em Brasília.

Um comunicado do diretor da Polícia Federal, Waldemar dos Santos, assegurava que os filmes de kung-fu eram "portadores de mensagens subjetivas que podem predispor os jovens a identificar-se com a violência da ideologia proposta por Mao Tse-tung". Quando a censura arrefeceu, a direita radical recorreu a bombas (como a que explodiu na livraria Civilização Brasileira, no Rio, em 1968 — *acima, à direita*), jogadas também contra as bancas que vendiam jornais da imprensa "nanica". Após o fim do regime militar, o filme *Je vous salue Marie*, de Godard, foi proibido pelo governo de José Sarney, por pressão da CNBB. A censura acabou oficialmente com a promulgação da Constituição de 1988.

MAL FALA MAL OUVE MAL VÊ

A cultura sob suspeita: a editora e livraria Civilização Brasileira foi alvo de um atentado a bomba em 1968, num momento em que os militares passaram a pressionar todas as manifestações culturais no Brasil. Na página anterior, Cid Moreira e Sérgio Chapelin. Abaixo, o rei da Jovem Guarda, Roberto Carlos, canta atrás de uma muralha militar.

CAPÍTULO 36 # Das Diretas a Sarney

Depois de dez anos impedida de realizar passeatas ou participar de comícios, boa parte da população urbana do Brasil saiu às ruas para promover, em abril de 1984 e em abril do ano seguinte, enormes manifestações populares, comoventes e intensas, que trouxeram a história de volta às praças e avenidas do país. Ironicamente, os dois movimentos teriam a marca da frustração. No dia 10 de abril de 1984, cerca de um milhão de pessoas participaram de um comício-monstro na praça da Candelária, no centro do Rio, para clamar por eleições diretas para a presidência da República. No dia 16 seguinte, no vale do Anhangabaú, no centro de São Paulo, outro comício, em tudo similar ao do Rio de Janeiro, se revelou a ponta mais reluzente do iceberg da campanha pelas "Diretas-já", que agitou o país no verão-outono de 1984-85. Embora os anseios da campanha (e da absoluta maioria da população urbana do Brasil) fossem frustrados pela votação da Câmara dos Deputados (onde faltaram 22 votos para a aprovação da emenda que estabelecia a volta de eleições diretas para presidente), tais manifestações virtualmente marcaram o fim do regime militar.

Onze meses após a derrota da emenda, o Brasil teria seu primeiro presidente civil em mais de vinte anos. Eleito pelo Colégio Eleitoral, em 15 de janeiro de 1985, Tancredo Neves recebeu 480 votos contra 180 dados a Paulo Maluf. Desgraçadamente, um dia antes da posse, prevista para 15 de março, Tancredo foi internado por causa de um tumor no intestino. Durante 37 dias, o país viveria

horas inesgotáveis de aflição e suspense, refém de boletins médicos fantasiosos, até que, em 21 de abril — Dia de Tiradentes —, Tancredo foi declarado morto. Então, as ruas do Brasil, especialmente as de São Paulo, Belo Horizonte e São João del Rey, voltariam a ser tomadas por multidões, saudando, entre lágrimas e desmaios, o presidente que não foi e, mais ainda, o presidente que poderia ter sido.

Com a morte de Tancredo, tornou-se presidente o vice José Sarney, que já ocupava o cargo interinamente desde 15 de março. Sarney deu início à redemocratização do país, que se configurou com uma nova Constituição promulgada em 5 de outubro de 1988. Graças à nova Carta, Sarney acabou permanecendo cinco anos no poder, prolongando em um ano o que, para muitos, era só um período de transição entre a ditadura (à qual Sarney estivera vinculado) e a democracia plena. Durante algum tempo, Sarney quase se tornou um herói popular, graças ao seu Plano Cruzado, o pacote econômico que congelou os preços e elevou brutalmente o consumo de leite, carne, cerveja, produtos eletroeletrônicos, discos, livros e carros no país. Mas o plano acabou naufragando (até pelo

aumento desenfreado do consumo) e frustrando a atuação dos "fiscais do Sarney"— como eram chamados os cidadãos que pretendiam conferir se os preços estavam de fato congelados, num dos únicos exercícios de cidadania já levados a cabo no país. Sarney não se envolveu nas eleições para seu sucessor. De todo modo, o Brasil teria de esperar até o último mês do último ano da década de 1980 antes de, enfim, eleger por voto direto seu primeiro presidente em quase trinta anos (o último fora Jânio Quadros, eleito em 1961). Em dezembro de 1989, após uma campanha acirrada e votação equilibrada, o país saía de fato dos anos de chumbo (já muito desgastados) para mergulhar de cabeça nos anos de lama da era Collor.

O povo de volta às ruas: passeatas por Diretas-já marcaram a redemocratização do país, embora o primeiro presidente civil após cinco generais tenha sido José Sarney (abaixo), político que desde o início da carreira estivera ligado ao regime militar.

Sr. Diretas

Uma das figuras mais emblemáticas da campanha pelas Diretas-já foi o presidente do PMDB, Ulysses Guimarães, tanto que se tornou conhecido como o "Sr. Diretas". Como Tancredo Neves, de quem fora ministro da Indústria durante o breve regime parlamentarista, em 1961, Ulysses Guimarães (1916-1992) possuía qualidades raras no mundo político: era homem digno, honesto e equilibrado. Advogado formado pela USP, foi líder da UNE em 1940. Deputado federal em todas as legislaturas desde 1950, foi presidente da Câmara de 1956 a 1958, como membro da Ala Moça do PSD. Após o golpe de 64, se manteve na Câmara, iniciando sua permanente oposição ao regime militar.

Em 1966, Ulysses se filiou ao MDB, do qual se tornou vice-presidente. Em 1974, decidiu "concorrer" à presidência, lançando-se como "anticandidato" em contraposição ao candidato dos militares, general Ernesto Geisel. Foi uma corajosa denúncia do regime autoritário. Em 1987, Ulysses era o presidente do Congresso Nacional Constituinte, que votou a Constituição de 1988 (que proibia a reeleição). Em 1989, foi o candidato do PMDB à presidência, mas o partido já estava desgastado e o próprio Ulyssses, então com 73 anos, parecia um homem cansado. Em 1991, deixou a presidência do PMDB, sendo substituído por Orestes Quércia. Em outubro de 1992, sua morte, num acidente aéreo, comoveu o país.

A Campanha pelas Diretas-já

Foram as maiores manifestações públicas da história do Brasil. Nos dias 10 e 16 de abril de 1984, cerca de um milhão de pessoas se concentraram primeiro na Praça da Candelária, no Rio, e depois no vale do Anhangabaú, em São Paulo, dispostas a derrubar o legado mais claro da ditadura militar e exigir eleições diretas para a presidência da República. Esses comícios foram o apogeu de um movimento nacional que começara dois anos antes, por iniciativa de um novo partido, o dos Trabalhadores (PT). Fundado em 1980, após a reforma partidária que acabou com a Arena e o MDB, o PT estava acostumado a desafiar a ditadura: dirigentes sindicais da região do ABC paulista (onde surgira o embrião do partido) tinham, desde 1975, organizado greves progressivamente ruidosas e bem-sucedidas.

Mal o PT lançou a campanha pelas "Diretas-já", o PMDB não só se uniu a ela como faltou pouco para se apoderar de tal bandeira. Tanto é que o presidente do partido, Ulysses Guimarães, ficaria conhecido como o Sr. Diretas (*leia à esquerda*). O governador de São Paulo, Franco Montoro, também do PMDB, não só acolheu o movimento como, ao marcar um comício para o dia 25 de janeiro de 1984 (feriado em São Paulo), tornou-se um dos principais responsáveis pela primeira grande manifestação pelas Diretas-já, que reuniu 300 mil pessoas na Praça da Sé (onde, vinte anos antes, a Marcha da Família dera o aval civil para o golpe militar de 64). A partir de então, e especialmente após os comícios do Anhangabaú e da Candelária (apoiado pelo governador do Rio, Leonel Brizola, do PDT), todo o Brasil se engajou na campanha, com grandes manifestações no Rio Grande do Sul e em Minas Gerais (onde o governador Tancredo Neves também apoiava as Diretas).

Mas uma coisa eram os devaneios populares e anseios oposicionistas. Outra, bem diferente, eram as amarras constitucionais que impediam eleições diretas. Para que o presidente do Brasil fosse eleito por voto popular, era preciso modificar a Constituição. Para modificá-la, era necessário obter o voto de dois terços do Congresso. E o Congresso, desde as artimanhas do Pacote de Abril de 1977, era dominado pelo PDS, o partido ligado ao governo e herdeiro direto da Arena. O deputado Dante de Oliveira, do PMDB de Mato Grosso, propusera emenda constitucional que introduzia eleições diretas. No dia 25 de abril de 1984, sob grande comoção e com o Congresso cercado pela PM, a emenda foi votada. Obteve 298 votos dos 479 congressistas, contando com várias e inesperadas adesões do PDS — mas precisava de 320 para ser aprovada. Depois de promover intensas e comoventes manifestações de rua, o Brasil civil foi derrotado por 22 votos.

Mas o clamor cívico das diretas revelara um novo país: o Brasil da força sindical, das multidões participantes e da imprensa atuante. A posição independente do diário *Folha de S.Paulo*, que apoiou abertamente a campanha, ajudou a torná-lo o principal jornal brasileiro nos anos 80 e 90. Após a ressaca pela derrota das diretas, iniciaram-se as articulações para a escolha do sucessor de Figueiredo, que seria feita no Colégio Eleitoral. O PDS tinha dois candidatos: o vice-presidente Aureliano Chaves e o coronel Mário Andreazza. Andreazza era o favorito dos militares, mas ambos foram atropelados por Paulo Maluf. Aureliano retirou a candidatura e se uniu a um novo partido, o PFL, que lançou o ex-presidente do PDS, José Sarney, para vice de Tancredo Neves, candidato do PMDB. E, assim, Tancredo e Sarney foram para o Colégio Eleitoral enfrentar Paulo Maluf.

O Surgimento do PT

Dos confins de Pernambuco às páginas da revista Time *(abaixo), Lula adquiriu notoriedade ao comandar as greves de metalúrgicos do ABC paulista, no fim dos anos 1970, ainda sob a ditadura militar. Ajudou a construir o PT e tornou-se um símbolo do movimento operário no Brasil.*

A Nova Lei Orgânica dos Partidos, aprovada em dezembro de 1979, numa das últimas artimanhas do general Golbery do Couto e Silva, extinguiu o bipartidarismo no Brasil e, ao acabar com a Arena e o MDB, abriu caminho, entre os escombros desses dois partidos mastodônticos, para o surgimento de várias novas siglas, entre as quais a mais inovadora foi a do Partido dos Trabalhadores (PT). Ao patrocinar o ressurgimento do pluripartidarismo, o verdadeiro objetivo do governo era acabar com o gigantismo do MDB. Os estrategistas do Planalto imaginavam que, além da Arena (rebatizada de PDS), não haveria espaço, no cenário político do país, para mais do que três partidos: um de centro, comandado por Tancredo Neves; outro populista, à sombra de Leonel Brizola; e o terceiro, agrupando alas mais radicais da esquerda, em torno de Miguel Arraes.

Os cálculos falharam: o Partido Popular (PP) de Tancredo surgiu, mas jamais teve força. Brizola perdeu a sigla PTB para Ivete Vargas e teve de criar o PDT, enquanto o recém-criado PMDB manteve muito da estrutura do antigo MDB. Tida como "uma infâmia" por seu ex-presidente, Ulysses Guimarães, a extinção do MDB seria saudada pelo ministro da Justiça, Petrônio Portella, como "o arquivamento da camisa-de-força do bipartidarismo" e o início efetivo da redemocratização. De qualquer maneira, foi tal reforma que permitiu ao governo afastar o fantasma do desastre nas eleições diretas para governador, convocadas pelo presidente Figueiredo em 1980 e realizadas em 1982. De todo modo, após o fim do bipartidarismo, quase tudo permaneceria como dantes no quartel de Abrantes, não fosse o surgimento e o surpreendente crescimento do PT.

O PT nasceu fraco e menosprezado, numa mesa de um restaurante frango-com-polenta, em 1980, em São Bernardo do Campo (SP). Era a ponta-de-lança do movimento sindicalista na região do ABC, que desafiara o governo militar ao deflagrar, em 1978 e 1979, greves gerais nas quais mais de 300 mil metalúrgicos cruzaram os braços. Aos operários da indústria automobilística juntaram-se intelectuais de esquerda, as comunidades eclesiais de base, a Pastoral da Terra e a Confederação Nacional dos Trabalhadores na Agricultura (Contag).

Tendo como palavras de ordem autogestão e democracia social, o PT cresceria brutalmente sob a liderança de seu presidente, Luís Inácio Lula da Silva, líder dos sindicalistas do ABC. A consagração definitiva de Lula e do PT se daria em 1989, quando, pela primeira vez na história do Brasil, um operário — o próprio Lula — disputou a presidência da República. Lula não ganhou (assim como voltaria a perder em 1994 e 1998), mas seu desempenho eleitoral foi um dos fenômenos mais surpreendentes dos anais da política brasileira

Na verdade, o destino de Lula teima em contrariar sua biografia. Nascido em 27 de outubro de 1945, em Garanhuns, nos cafundós do sertão de Pernambuco, sétimo dos dezoito filhos dos lavradores Eurídice e Aristides Silva, Lula mudou-se com a família para São Paulo aos sete anos, em 1952. Aos quinze, empregou-se como metalúrgico. Em 1969, foi eleito diretor do Sindicato dos Metalúrgicos de São Bernardo do Campo e Diadema, no qual chegou à presidência em 1975. Foi várias vezes preso com base na Lei de Segurança Nacional e destituído do cargo de presidente de seu sindicato.

Em 1986, porém, elegeu-se deputado federal constituinte com 650 mil votos, a maior votação do país. Após as três derrotas consecutivas nas disputas presidenciais (para Fernando Collor em 1989, para Fernando Henrique Cardoso em 1994 e novamente para FHC em 1998), Lula não voltou ao trabalho, vive numa casa emprestada e ocupa o cargo de presidente de honra do PT. Aglutinando as principais tendências de esquerda do país, o PT se debate entre os delírios de sua ala radical e as alianças propostas pela ala moderada.

O Presidente Que Não Foi

Disposto a retroceder sobre os próprios passos, aliar-se com os inimigos, perdoá-los e esquecer suas ofensas, Tancredo de Almeida Neves era um político no sentido exato do termo. Mais do que isso: Tancredo era o típico político mineiro. Calado sempre que possível, reticente quando necessário, corajoso em momentos-chave, capaz de guinadas oportunas e, eventualmente, oportunistas, Tancredo tornou-se um especialista em caminhar no fio da navalha. Tais habilidades de malabarismo político não o impediram de ser, por vezes, forçado a descer do muro — ora à esquerda, ora à direita. Depois de ir às ruas pedindo eleições "Diretas-já", rendeu-se às evidências de que o período mais nebuloso da vida pública brasileira permanecia atrelado ao "entulho autoritário" e candidatou-se à presidência da República em pleito indireto.

Em 1985, aos 75 anos, foi eleito presidente — mas morreu antes da posse. Tragédia de tal proporção levou Tancredo ao patamar reservado aos mártires nacionais — e impediu que sua vida e obra fossem analisadas sob o ângulo frio dos fatos concretos. Mais do que se tornar o presidente que não foi, Tancredo Neves passou à história como o presidente que poderia ter sido — no sentido ideal da expressão.

Descendente de açorianos, Tancredo nasceu em 4 de março de 1910 em São João del Rey (MG), quinto dos doze filhos de Francisco Neves e Antonina de Almeida. O pai, vereador, morreu aos 48 anos, mas inoculou no filho o gosto pela política. Em 1932, Tancredo tornou-se advogado. Três anos depois, elegeu-se vereador pelo Partido Progressista.

Com o golpe do Estado Novo, em 1937, Tancredo perdeu o mandato. Em 1945, com a queda da ditadura, novos ventos o levaram ao Partido Social Democrata (PSD). Elegeu-se deputado em 1946 e apoiou a candidatura de Dutra à presidência. Em 1953, tornou-se ministro da Justiça de Vargas (que o cassara quinze anos antes). Foi ignorado pela "República do Galeão", que investigou por conta própria o atentado a Lacerda, e assistiu da ante-sala do poder ao dramático desfecho da madrugada de 24 de agosto de 1954, quando Getúlio deixou "a vida para entrar na história". Depois de atacar duramente o novo governo chefiado por Café Filho, Tancredo foi um dos maiores articuladores da campanha de JK, de quem se tornou conselheiro.

Em 1961, quando a turbulência de um golpe de Estado já se desenhava nos céus do país, Tancredo foi encarregado de negociar com João Goulart as condições para que os militares aceitassem a posse do vice-presidente após a renúncia de Jânio Quadros. Graças ao êxito da missão, assumiu como primeiro-ministro do governo parlamentarista. Quando o governo Goulart começou a pender para a esquerda, Tancredo se demitiu. Mas o golpe era página já escrita e, quando ele eclodiu, em 31 de março de 1964, Tancredo se manteve no posto de deputado federal. Da trincheira no MDB, equilibrou com rara eficiência papéis antagônicos, alternando-se entre a negociação e a oposição a um regime de ferocidade crescente. Tal posição o forçou a se manter calado inúmeras vezes, mas igualmente o impediu de ser cassado. Senador em 1978, aliou-se ao seu inimigo histórico, o também mineiro Magalhães Pinto, para formar o Partido Popular (PP), que se fundiu com o PMDB quando Tancredo se tornou, junto com Ulysses Guimarães, uma das principais figuras da Campanha das Diretas e o "candidato natural" à presidência da República, ainda que por caminhos indiretos.

Eleição e Agonia de Tancredo

Os brasileiros despertaram cedo naquele 15 de março de 1985, sobressaltados pela saudável expectativa de assistir à posse de um presidente eleito. Acabaram tendo uma desagradável surpresa ao ligar a TV e assistir à posse de José Sarney, um vice que parecia ter entrado na chapa como mero complemento. Àquela altura, Tancredo Neves embarcava numa viagem sem volta num leito do Hospital de Base, em Brasília.

Internado às pressas, estava destinado a jamais assumir a condição de ocupante do Palácio do Planalto. As dores se manifestavam havia vários meses, mas, apesar da insistência de sua mulher, Risoleta, e de amigos e assessores mais próximos, Tancredo estava decidido a levar até o fim o papel de candidato viável — o que naquele momento significava alguém de perfil liberal o suficiente para canalizar as esperanças da retomada da democracia, e conservador o bastante para não cutucar demais a moribunda ditadura militar.

Lento Calvário

Embora os médicos se referissem a um certo "divertículo de Meckel", o que Tancredo Neves de fato tinha era um tumor no abdômen. Para oferecer ao país um quadro otimista, médicos e assessores mentiram durante um mês para toda a nação. "O presidente andou pelo quarto, fez exercícios respiratórios. Está sem febre e acabou o risco de complicações respiratórias", bradava o primeiro comunicado oficial, dando o tom de falsa esperança que se reproduziria a partir daí. O coordenador da junta médica formada para acompanhar o caso, Henrique Walter Pinotti (que se autodenominava "professor doutor"), não revelou à família as reais condições de Tancredo. Além de Pinotti, outro personagem que adquiriu notoriedade nacional durante a agonia de Tancredo foi o jornalista Antônio Britto (que depois ingressaria na carreira política, tornando-se governador do Rio Grande do Sul em 1994). Britto, convidado para ocupar a Secretaria de Imprensa no novo governo, acabou se tornando o porta-voz do calvário. No dia 25 de março, Tancredo teve uma gravíssima hemorragia interna. No dia seguinte, foi levado para o Instituto do Coração, em São Paulo, onde lutaria contra a morte por quase um mês. Ao todo, o presidente foi submetido a sete cirurgias. Na noite de 21 de abril — dia do mártir Tiradentes —, as TVs de todo o país interromperam sua programação para mais um boletim de Britto. Seria o último. A frase "lamento informar" e a expressão grave do porta-voz prepararam o país para a tragédia: Tancredo estava morto. A comoção causada pela agonia, morte e funerais de Tancredo pode ser comparada à emoção suscitada pelo suicídio de Vargas, 31 anos antes. E, assim que morreu Neves, o país, liberto do transe, passou a perguntar em uníssono: E agora, José?

O presidente que não foi: da eleição indireta no Congresso (*à direita*) ao enterro em São João del Rey, Tancredo Neves simbolizou todas as esperanças de redemocratização do Brasil.

Em 15 de janeiro de 1985, o Congresso elegeu Tancredo Neves o 34º presidente do Brasil, conferindo-lhe 480 votos, contra os 180 dados a Paulo Salim Maluf. A herança do regime militar incluía a maior inflação da história, uma dívida de US$ 100 bilhões e uma lista de incontáveis escândalos financeiros. Tancredo carregava o sonho dos brasileiros de ver o país ingressar num período de liberdades políticas, transparência da administração pública e crescimento econômico sustentável.

O sonho de Tancredo de conduzir esse processo, no entanto, não chegou a se concretizar. Em 13 de março, a dois dias da posse, submetido a exames, foi informado pelos médicos da existência de um processo infeccioso agudo no abdômen. Precisava ser operado com urgência. "Os senhores precisam saber que até o dia 17, às 5 horas da tarde, eu não posso me submeter a essa cirurgia", disse taxativamente. Para o dia e horário citados, estava marcada a primeira reunião ministerial do novo governo. A partir dali, imaginava, sua internação já não provocaria turbulências graves e os militares não iriam intervir no processo de redemocratização.

Na noite do dia 14, o quadro clínico indicava possibilidade de parada cardíaca, parada respiratória e morte. Mesmo alertado dos riscos, Tancredo Neves só concordou em ir ao hospital para tomar soro. Foi o truque encontrado pelos médicos para interná-lo. Começava a longa agonia de Tancredo e de todos os brasileiros.

Enquanto se iniciava a cirurgia, numa sala reservada do Hospital de Base, alguns dos caciques da chamada "Nova República", entre os quais os novos ministros Marco Maciel, Aureliano Chaves, Leônidas Pires Gonçalves e Affonso Camargo e o senador Fernando Henrique Cardoso decidiam que era preciso preparar com rapidez a posse do vice-presidente eleito José Sarney. Havia temores de que a linha dura não aceitasse a posse de Sarney e aproveitasse o pretexto para criar uma nova crise institucional de conseqüências realmente imprevisíveis.

Todo o Poder a Sarney

A o assumir o poder, em 15 de março de 1985, como presidente em exercício, o maranhense José Sarney o fez em meio a uma tragédia nacional e numa situação politicamente instável. Escolhido para integrar a chapa de Tancredo Neves no Colégio Eleitoral como candidato a vice-presidente, Sarney era um oposicionista de ocasião cuja indicação fora, na melhor das hipóteses, engolida pelo PMDB (que, para compor com o recém-formado PFL a chamada Aliança Democrática, precisou dessa aproximação com o homem que já havia sido presidente da Arena e do PDS).

Sarney estava longe de ser o candidato dos sonhos dos brasileiros e poderia ter passado despercebido ao longo dos quatro anos de mandato, não tivesse Tancredo morrido sem chegar a assumir a Presidência. Ao deixar o governo, em 15 de março de 1990, porém, Sarney entrara para a história como o presidente da redemocratização, o homem que havia legado ao país uma nova Constituição e provocado imensa mobilização nacional em torno de um pacote econômico, o Plano Cruzado. Graças a astuciosas manobras na Constituinte, Sarney também prolongara seu mandato em um ano, permanecendo cinco na chefia da nação.

Era um sonho que poucos anos antes nem ele próprio seria capaz de imaginar, embora, desde cedo, estivesse ligado à política. José Ribamar Ferreira de Araújo Costa nasceu em Pinheiro, no Maranhão, em 1930. Entrou na vida pública pelas mãos do "coronel" Vitorino Freire, "dono" da política maranhense, e por influência do próprio pai, José Sarney Costa, de quem adotou legalmente o nome (já que, no início da carreira, só era chamado de "o Zé do Sarney"). Formado em Direito, foi eleito quarto suplente de deputado federal pelo PSD, em 1954. Quatro anos depois, rompeu com o "vitorinismo" e trocou o PSD pela UDN. Passou a fazer parte da chamada "bossa nova" da UDN e vinculou-se à candidatura vitoriosa de Jânio Quadros, eleito presidente em outubro de 1960.

Tidos como "filocomunistas" por seus adversários, os integrantes da "bossa nova" udenista eram favoráveis aos projetos reformistas de Jânio Quadros. Após a renúncia do presidente, o grupo — com Sarney à frente — apoiou a posse de João Goulart, revelou-se favorável ao Plano Trienal e às reformas agrária, urbana e bancária. Dias antes do golpe de 1964, Sarney ocupou a tribuna da Câmara para declarar corajosamente que "um regime de opressão e de opróbrio jamais satisfaz o povo". Foi sua primeira — e uma de suas últimas — críticas à ditadura.

Filho de libaneses, Paulo Salim Maluf nasceu em São Paulo em setembro de 1931. Amigo do presidente Costa e Silva, entrou na política pela porta dos fundos em 1969, ao ser nomeado prefeito de São Paulo. Dez anos depois, tornou-se governador, também por eleição indireta. Foi então que desafiou pela primeira vez o regime que o criara: os militares preferiam Laudo Natel para o cargo, mas Maluf conseguiu impor seu nome. Em 1982, elegeu-se deputado federal com 673 mil votos e sentiu-se pronto para concorrer à presidência pelo voto indireto do Colégio Eleitoral. Sua candidatura mudou os rumos da eleição e da história do Brasil. Sem Maluf, talvez Mário Andreazza, possível candidato do governo, fosse eleito. Mais: foi por causa dele que Aureliano Chaves, Marco Maciel e José Sarney, que haviam sido contra as "Diretas-já", romperam com o PDS, formaram o PFL e se aliaram ao PMDB, impondo o nome de Sarney como vice de Tancredo e, com tal base parlamentar, se tornando capazes de vencer as eleições no Colégio.

Sarney logo se transformou num dos principais articuladores políticos do regime militar. Tornou-se protegido do presidente Castelo Branco, que apoiou ostensivamente sua candidatura ao governo do Maranhão, enviando o então coronel João Figueiredo para esse estado a fim de persuadir aliados e alertar os inimigos. Sarney foi eleito em março de 1966, e no seu governo se deu o chamado "milagre maranhense", um *boom* econômico no típico estilo "Brasil Grande". Esse período marcou o início do "sarneísmo" no Maranhão.

Em 1971, Sarney foi eleito senador. Ao longo do governo Geisel, a partir de 1974, defendeu a "distensão" e a abertura. Quatro anos depois, foi acusado de ter-se apossado de milhares de hectares, aumentando a área da fazenda Maguari, que teria herdado do sogro. Em janeiro de 1979, foi feito presidente da Arena por indicação do general-presidente João Figueiredo.

Inicialmente favorável à manutenção do bipartidarismo, Sarney logo se adaptou às novas regras do jogo e foi um dos fundadores, o coordenador e primeiro presidente do PDS, do qual só sairia para formar com Tancredo a vitoriosa Aliança Democrática. Apesar de sua ligação fisiológica e da inegável intimidade com o regime militar, o governo Sarney proporcionou avanços para a democracia no Brasil. Em maio de 1985 foi aprovada a eleição direta para a presidência da República, e os partidos de esquerda foram legalizados. Na verdade, saíram da clandestinidade para a obscuridade ante a estrela do PT — e de Lula, elevado, no imaginário das esquerdas brasileiras, ao papel desempenhado por Luís Carlos Prestes, havia mais de 50 anos.

Filiado ao PMDB, Sarney e seu Plano Cruzado (lançado em fevereiro de 1986), foram os principais responsáveis pela monumental vitória do partido nas eleições de novembro de 1986, nas quais o PMDB elegeu os governadores de todos os Estados, exceto Sergipe. Mas a principal conquista de um governo que não venceu a inflação foi a promulgação da nova Constituição, em 5 de outubro de 1988 — o que marcou a retomada plena das liberdades civis. Assim sendo, Sarney acabou cumprindo a principal obrigação que se exigia dele: foi o último presidente a não ser eleito pelo voto direto e não influiu na própria sucessão. Seu sucessor, Fernando Collor de Mello, seria levado ao poder por 35 milhões de votos e pela soberana e incontestável vontade popular.

O Plano Cruzado

Apesar de suficientemente vacinados contra planos antiinflacionários milagrosos e fórmulas mágicas que lhes permitiriam dormir no Brasil e acordar na Suíça, os brasileiros tiveram motivos extras para acreditar que, daquela vez, seria diferente. Em 28 de fevereiro de 1986, o presidente José Sarney serviu-se de uma cadeia de rádio e televisão (*foto acima*) para anunciar ao país a mais radical mudança na economia nos últimos anos: o Plano Cruzado.

O combalido cruzeiro, privado dos três zeros inúteis que tinha à direita, foi substituído pelo cruzado, que nascia como a nova moeda "forte" nacional. Os preços e o câmbio foram congelados, o mesmo ocorrendo com os aluguéis; as prestações, que começaram a sofrer a chamada "deflação", eram calculadas por meio da "tablita". Os salários, é claro, foram igualmente congelados, mas só após terem sido reajustados pelo valor médio dos últimos seis meses, mais um abono de 8%. A livre negociação estava liberada, desde que os valores de eventuais aumentos não fossem repassados aos preços. Quando a inflação

ultrapassasse os 20%, seria automaticamente disparado o "gatilho salarial", que reajustaria os salários nesse mesmo porcentual.

Embora estivesse disposto a redemocratizar o país, Sarney lançou o plano na forma de um decreto-lei, impondo-o à sociedade de cima para baixo, sem discussões, como as medidas tomadas pelo regime militar. Ainda assim, o plano pareceu satisfazer os anseios da população por uma maior participação nos destinos do país. Tanto é que, servindo-se largamente do bordão "brasileiras e brasileiros", o presidente conseguiu convencer o povo a se engajar na cruzada econômica, a ponto de logo surgir a figura dos "fiscais do Sarney". Era comum se assistir, com ampla divulgação da mídia, a cidadãos comuns, travestidos de xerifes do congelamento, fechando supermercados, ou mesmo dando voz de prisão a comerciantes dispostos a burlar a cruzada da moralidade dos preços. Por mais burlesca que acabasse se revelando, essa foi a primeira manifestação coletiva de defesa dos direitos do consumidor e de exercício pleno da cidadania ocorrida no Brasil

Mas, capitaneado pelo ministro da Fazenda, Dílson Funaro, e pelos economistas ligados ao PMDB que o urdiram em segredo, o Plano Cruzado logo começou a revelar sua fragilidade, fruto de sua desvinculação com a realidade efetiva dos números do Brasil. O congelamento, com a conseqüente corrida ao consumo, acarretou dois problemas: a queda na produção, que levou ao aumento excessivo das importações, provocando um preocupante desequilíbrio da balança comercial, e o surgimento do ágio, quantia cobrada "por fora" para quem quisesse ter acesso aos produtos escondidos pelo comércio e pela indústria na expectativa de uma eventual liberação dos preços.

O aspecto mais grave do fracasso do plano reside no fato de que, caso tivesse sofrido reajustes a tempo, ele poderia ter sido mais eficaz. Mas, disposto a lucrar com os dividendos políticos que a ilusão monetária provocara nas classes baixa e média, o governo recusou-se a fazer qualquer mudança real (o "Cruzadinho", lançado em 24 de julho de 1984, revelou-se um paliativo inútil) antes das eleições marcadas para novembro. Ao irem às urnas naquele mês, os "brasileiros e brasileiras" conferiram uma esmagadora vitória ao PMDB, ludibriados pelo pretenso sucesso do Cruzado, cujo real fracasso o governo se encarregou de esconder até garantir o êxito eleitoral. Passado o pleito, o aumento de tarifas e impostos ressuscitou o pesadelo da inflação. O Cruzado fora apenas nuvem passageira.

A Cultura nos Anos 80 e 90

Se tantas vezes o Brasil parece uma piada sem graça, por que não fazer de sua arte um chiste mordaz? Foi com o espírito da irreverência macunaímica, típica do país tropical abençoado por Deus, que a cultura brasileira — em fase definitivamente *pop* — deu boas-vindas aos anos 80. Descendente virtual do grupo teatral mais dissonante do país — o Asdrúbal Trouxe o Trombone, que desde 1974 mixou música e zombaria nos palcos da vida —, o grupo musical Blitz serviu chope e batata frita na mesa de brasileiros e brasileiras a partir de setembro de 1982, com o lançamento do álbum *As Aventuras da Blitz*.

O humor da banda liderada por Evandro Mesquita, ex-integrante do Asdrúbal, foi responsável pela explosão do *rock* no Brasil. Quinze anos depois, o deboche da Blitz (que tinha nos vocais a futura diva da *dance music* nacional, Fernanda Abreu) seria o tempero utilizado pelo maior fenômeno da indústria fonográfica no país: os Mamonas Assassinas, que venderam dois milhões de cópias de seu disco de estréia, antes de morrerem em um trágico acidente aéreo. Também nos anos 1990, e com o mesmo bom humor, uma nova safra de bandas — Chico Science, Raimundos e Skank — redefiniria os caminhos do *rock* "brazuca", dando-lhe, enfim, um sotaque nacional.

Depois que a Jovem Guarda envelhecera e a MPB virara a principal voz musical da nação ao longo da década de 1970, o *rock* só tinha conseguido voltar às paradas em 1980, com o humor descompromissado e carioca da Gang 90, a precursora da *new wave* nacional, fundada por Júlio Barroso, poeta ligado ao movimento "udigrude" dos anos 70. A Blitz aproveitou a mesma onda e a propagou em escala muito maior com o sucesso *Você não soube me amar*.

Mas foi com sotaque anglo-saxão e letras politizadas que o *rock* se estabeleceu de vez entre a moçada tupiniquim e acabou se tornando o fato cultural mais significativo dos anos

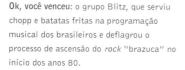

Ok, você venceu: o grupo Blitz, que serviu chopp e batatas fritas na programação musical dos brasileiros e deflagrou o processo de ascensão do *rock* "brazuca" no início dos anos 80.

80 no Brasil. Tudo começou com roqueiros que moravam em Brasília — a cidade na qual o poder está tão próximo e tão longe; o reino do tédio para rebeldes com causa. Foi nas proximidades do Planalto que o Aborto Elétrico, grupo do vocalista Renato Russo, fez seu primeiro *show*, em janeiro de 1980. Cinco anos depois, a Legião Urbana do mesmo Renato lançaria seu primeiro disco, batizaria sua geração — Coca-Cola — e começaria a percorrer uma estrada de sucessos que só acabou em 1996, com a morte de seu fundador.

Renato Manfredi Júnior, o Renato Russo, foi o mais carismático letrista e vocalista de seu tempo. Divide tal posto e tal glória com o carioca Agenor de Miranda Araújo Neto, o Cazuza, líder da banda Barão Vermelho. Ambos injetaram poesia no *rock*. Ambos percorreram a estrada dos excessos em busca do palácio da sabedoria. Ambos fizeram o Brasil mostrar a sua cara com questões simples e diretas, como o *rock* deve ser e fazer: afinal "Que país é este?". Ambos morreram no auge da fama, como convém a roqueiros rebeldes. Ambos vitimados pela Aids, o mal do fim do século que os dois cantaram.

Heróis e malditos: os cantores Renato Russo (*acima*) e Cazuza (*abaixo*) foram os principais letristas do *rock* brasileiro dos anos 80 — e morreram no auge da fama, como fazem roqueiros rebeldes.

Brincadeira no começo da década, o *rock* virou coisa séria quando passou a render milhões de cruzados: a adoção do Plano Cruzado, em 1986, deu o impulso definitivo à indústria do disco no Brasil. Embalado pelo sabor do sucesso de suas *Louras geladas*, o RPM se tornaria o maior fenômeno comercial da geração Coca-Cola. O *rock* nacional emplacava um produto atrás do outro: Titãs, Ultraje a Rigor, Camisa de Vênus, Lobão. Até a maior estrela infantil do país em todos os tempos, a "rainha dos baixinhos", Xuxa, que estreou na TV Globo em junho de 1986, vendeu LPs aos milhões e desbancou Roberto Carlos do posto de maior vendedor de discos do país.

Se nos anos 80 o Brasil da Blitz, do Barão e da Legião e de seus amigos de Brasília, os Paralamas do Sucesso (que nos anos 90, em alto e bom som, chamaram os congressistas nacionais de "300 picaretas"), foi mais roqueiro que qualquer outra coisa, isso se deu também pela deficiência de suas demais expressões artísticas, que ou não aproveitaram as benesses do cruzado ou mergulharam no mais puro comercialismo.

O cinema começou a década de 1980 com grande perda: Glauber Rocha morreu em agosto de 1982. O profeta que criara a estética da fome não viveria para ver sua definição adquirir um sentido mais perverso: em 1987 a Embrafilme, criada pelo governo para subsidiar produções nacionais, foi desativada e o cinema nacional ficou à míngua. A Era Collor deixaria as coisas ainda piores: as produtoras entraram no vermelho e os anos passaram em branco. O teatro, com exceções como as peças de Antunes Filho (que em 1978 dirigira *Macunaíma*), virou um desfile de estrelas globais. As artes plásticas se enclausuraram no circuito das galerias, leilões e vernissages.

A indústria editorial faturou muito com o cruzado, mas, embora a década das letras tenha começado com o *best seller Feliz ano velho*, de Marcelo Rubens Paiva, lançado em 1982, a literatura se manteve opaca. Em um país que costuma se entender melhor pela piada, os gozadores de plantão prosperaram. Em 1988, ano da morte de Chacrinha, estreou *TV Pirata*, programa de que faziam parte os atores Regina Casé e Luís Fernando Guimarães, também ex-integrantes do grupo Asdrúbal Trouxe o Trombone. Seu humor escrachado, sob a direção do brilhante Guel Arraes (filho do ex-governador de Pernambuco, Miguel Arraes) abriu caminho para o sucesso da turma do Casseta & Planeta, grupo de humoristas furiosos que em 1997 estarreceriam a nação ao fazer uma das mais alarmantes denúncias da história dos escândalos políticos do país: "Deputados comprados vieram com defeito!" — e o pior é que não havia posto de troca, nem para quem reclamar.

No Brasil, só dói quando respiramos. O resto todo é muito engraçado.

CAPÍTULO 37

De Collor a FHC

O presidente empertigou-se, fungou, franziu o cenho, fungou de novo e garantiu que iria punir todos os culpados. Para reforçar a disposição justiceira, fungou outra vez e assegurou que estava disposto a cumprir a lei "duela a quien duela". Na histórica noite de 25 de agosto de 1992, Fernando Collor precisou recorrer a um portunhol de corar secundarista porque estava concedendo para a TV argentina uma entrevista que, em tese, não seria exibida no Brasil. Mas, havia meses, Collor vivia uma espécie de inferno astral e a transmissão acabou sendo captada por acaso pelo jornal Zero Hora, de Porto Alegre.

A nação, então, se estarreceria ao ouvir o presidente assegurar aos vizinhos do sul que o que estava ocorrendo no Brasil "es normal, es normal". Mas, mesmo num país acostumado às vertigens políticas, o que se passava desde maio de 1992 definitivamente não era normal. De fato, mais parecia um roteiro da série de TV Dallas, repleto de cobiça e corrupção, intriga e morte. Ainda assim, se alguém apresentasse tal enredo para os chefões de Hollywood, provavelmente teria seu trabalho recusado pela inverossimilhança da trama e pelo fato de parecer um dramalhão mexicano.

Em linhas gerais, a story line era a seguinte: em certa república sul-americana, um jovem e promissor candidato, de tendência neoliberal, concorre à presidência competindo contra um ex-líder sindical ligado ao movimento operário. Obtém o apoio da elite nacional e, para administrar os polpudos donativos da campanha, convida um velho amigo, o ex-seminarista e vendedor de carros usados antes conhecido

como "Paulinho Gasolina". Depois de uma campanha acirrada — durante a qual afirma que, se o ex-operário vencer, vai "confiscar a poupança do povo" —, o jovem e bem-apessoado candidato acaba vencendo por estreita margem de votos. No dia seguinte à posse, o novo presidente e sua ministra da Fazenda anunciam um plano de combate à inflação, em nome do qual bloqueiam o dinheiro depositado em todas as poupanças e contas correntes de todos os bancos do país.

À sombra do palácio do governo se instalaria então uma vasta rede de corrupção e negociatas, na qual projetos só andam se movidos a propina. No instante em que a incredulidade parece dominar a nação, o irmão mais moço do presidente decide, por motivos insondáveis (inveja? vingança? revolta pelo suposto assédio que o irmão teria feito a sua bela esposa?), denunciar "Paulinho Gasolina" (que ele mesmo apresentara ao irmão) como chefe da quadrilha que se apoderara dos cofres públicos. A mãe defende o presidente e diz que o filho mais moço é desequilibrado mental e o afasta das empresas da família. Exames médicos provam que o caçula não está louco e as denúncias, depois de averiguadas, desvendam um gigantesco esquema de corrup-

ção que acaba por envolver o presidente, que é afastado do cargo.

Enquanto multidões saem às ruas com a cara pintada exigindo a renúncia, a mãe do presidente entra em coma, a cunhada se torna "musa do impeachment" e o irmão morre de câncer na cabeça. O ex-tesoureiro foge do país e é preso na Tailândia. O presidente sofre impeachment, mas se livra da prisão. Depois de alguns meses na cadeia, "Paulinho Gasolina" (cuja mulher morrera nesse meio tempo) é solto, mas logo aparece morto, supostamente assassinado por uma namorada (ou junto com ela?) que conhecera em visitas íntimas na cadeia. No dia do crime, o jovem ex-presidente (já não tão jovem) e a esposa (também envolvida em desvio de verbas públicas e com a qual ele se reconciliara depois de tê-la humilhado em público e deixado de usar a aliança) estavam numa ilha do Taiti, vestidos de havaianos e sorrindo para as câmeras.

Para piorar as chances de aprovação em Hollywood, o suposto roteiro é uma obra aberta, ou seja, ainda não tem fim. Quem matou o tesoureiro? Onde estão os (talvez) US$ 2 bilhões roubados? Com que recursos vive o ex-presidente? Quais as cenas do próximo capítulo? Independentemente do desfecho e de quais venham a ser as respostas (se é que algum dia haverá respostas), a era Collor se configura como um dos mais negros capítulos da história política do Brasil.

Uma época que seria cômica se não fosse trágica.

Duela a quien duela: Collor (*acima*), um tanto travado, em entrevista à TV argentina. Na página ao lado, manifestantes tomam as ruas exigindo a deposição do presidente.

"Paulinho Gasolina"

Quando ficou claro que Fernando Collor era o único obstáculo a se interpor entre Lula e a presidência (e o advento de uma suposta "república sindicalista"), a campanha do "caçador de marajás" adquiriu novo vulto e uma nova dimensão. Milhões de dólares foram canalizados para catapultar o jovem neoliberal alagoano para o Palácio do Planalto. Foi nesse contexto que Paulo César Farias, o PC, tesoureiro da campanha de Collor, passou a desempenhar papel-chave não só na campanha em si, mas no próprio projeto de poder de Collor. Collor fora apresentado a PC pelo irmão Pedro, que o conhecia quase desde os tempos em que PC era chamado de Paulinho Gasolina, época em que vendia carros usados em Maceió.

Ex-seminarista (foto abaixo), PC largara a batina ao descobrir que sua vocação estava mais nos números do que nas almas. E, nas contas, PC de fato era um prodígio. Aos 17 anos, passara em primeiro lugar no vestibular para Direito, em que se formou aos 22 — embora nunca viesse a exercer a profissão. Aos 21 anos, PC foi o representante dos estudantes no conselho que referendou o nome do primeiro governador "biônico" de Alagoas, Lamenha Filho, e se tornou seu secretário particular. Mais tarde, além de empresário, Paulo César Farias virou tesoureiro da campanha do senador João Lyra, que o apresentou ao marido de sua filha Teresa, Pedro Collor. Pedro, por sua vez, fez a ponte entre PC e Fernando — estabelecendo a parceria que levaria Collor ao governo de Alagoas e, em seguida, à presidência.

O Caçador de Marajás

É bem possível que Ulysses Guimarães e Mário Covas tenham achado graça quando um certo Fernando Collor de Mello os procurou, no final de 1988, oferecendo-se para concorrer como candidato a vice-presidente na chapa do PMDB ou do PSDB. Muita gente continuou rindo quando, no início de 1989, esse mesmo Collor criou o Partido da Renovação Nacional (PRN) e se lançou candidato à presidência. Os gracejos logo cessariam, dando lugar ao receio que, ainda mais rápido, foi substituído por surpresa e espanto. Partindo de apenas 1% nas pesquisas eleitorais, Collor iniciou uma ascensão meteórica que o levou ao primeiro lugar na preferência dos eleitores brasileiros. Como a história se encarregaria de provar, sua posse na presidência, em 15 de março de 1990, decididamente foi coisa muito séria.

Um olhar atento teria revelado motivos para, desde o início, dar mais atenção ao candidato e a seu plano aparentemente delirante de chegar ao poder. Descendente de uma família de políticos de projeção nacional — cujo nome mais importante era seu avô materno Lindolfo Collor, o mais ativo dos ministros do Trabalho da era Vargas —, aos 39 anos, Fernando Collor já havia sido prefeito (indicado) de Maceió, deputado federal bem votado e governador eleito de Alagoas. Fora em tal cargo que, ancorado em violentos ataques ao governo "conservador" de José Sarney, Collor começara a adquirir certa projeção nacional ao iniciar uma pretensa campanha contra os altos salários de determinados segmentos do funcionalismo alagoano — ações (de pouca eficácia mas de grande impacto na mídia) que lhe valeram o apelido de "caçador de marajás".

Jovem, bem-apessoado, dinâmico, Collor soube aproveitar o vácuo deixado pelo desgaste e pela perda de carisma de antigos líderes como o "doutor Ulysses Guimarães" e o "engenheiro" Leonel Brizola. Com um discurso "moderno", de teor neoliberal, Collor, que subia aos palanques para esbravejar, com o punho cerrado, contra "os privilégios das elites", acabou por conquistá-las de vez. Talvez porque não lhes restasse outra opção: após surpreendente votação no primeiro turno, Collor passou para o segundo tendo como adversário Luís Inácio Lula da Silva, o ex-sindicalista, o "amedrontador" candidato das esquerdas e dos trabalhadores.

O temor de boa parte das classes média e alta de uma eventual vitória de Lula no segundo turno forneceu ânimo redobrado a Collor nos momentos decisivos de uma campanha acirrada que polarizou a nação. Ainda no primeiro turno, o então líder da FIESP (Federação das Indústrias do Estado de São Paulo), Mário Amato, proferiu uma bravata que se tornaria célebre: se Lula fosse eleito, no dia seguinte todos os empresários iriam embora do Brasil. Collor aproveitou a deixa e, num debate com Lula na TV — além de dizer que o adversário tinha "um aparelho de som melhor" que o dele —, afirmou que, caso fosse eleito, Lula iria "confiscar a poupança" de todos os brasileiros.

Embora o PT de Lula não se saísse mal nos grandes centros, o furacão Collor varreu o interior do país. Com jeito de garotão impetuoso e prometendo matar a inflação "com um só tiro", Collor obteve 51,5% dos votos válidos contra 48,5% de Lula e, em 18 de dezembro de 1989, tornou-se o primeiro presidente eleito pelo voto direto desde Jânio Quadros (que assumira em 1961). O Brasil supostamente iria entrar nos anos 90 sob o signo do liberalismo e da "modernidade".

O *Impeachment* e os Caras Pintadas

No dia seguinte à posse, em 15 de março de 1990, o governo Collor apoderou-se de praticamente todo o dinheiro que estava depositado nos bancos e instituições financeiras do país. O pretexto para tal espoliação foi um novo plano de combate à inflação — batizado de "Plano Collor" — responsável pelo maior choque da história econômica do Brasil. Idealizado pela equipe da ministra da Economia, Zélia Cardoso de Mello, o plano acabou com o cruzado, que voltou a se chamar cruzeiro, e, por meio de um "pacote" com dezessete medidas provisórias, bloqueou por dezoito meses todo o dinheiro existente nas contas correntes e na poupança dos brasileiros — com exceção de Cr$ 50 mil (equivalentes a US$ 50), que podiam ser sacados de imediato. Foi uma das mais brutais intervenções nos direitos civis dos brasileiros, algo tão radical quanto as atitudes arbitrárias tomadas pelos militares.

Embora o dinheiro de fato tenha sido devolvido após 18 meses, bastante desvalorizado, apesar da correção monetária e de juros anuais de 6% (ao contrário do que ocorrera com os "empréstimos compulsórios" tomados durante o Plano Cruzado do governo Sarney, que foram pura e simplesmente surrupiados), tudo o que se passou nos meses seguintes do governo Collor permite supor que o objetivo primordial do plano estava ligado, mais que a um projeto de "saneamento" das finanças da nação, à fome de dinheiro que caracterizou o governo Collor. Embora a mão leve e onipresente de PC Farias não estivesse diretamente por trás do plano, o fato é que, além das acusações de que a ministra Zélia avisara determinadas empresas da iminência do confisco, ela e o próprio presidente Collor dispunham de pouco dinheiro em caixa naquele dia da expropriação.

Mais tarde, denúncias feitas por Pedro Collor, irmão do presidente, permitiriam à imprensa e a uma Comissão Parlamentar de Inquérito (CPI) desvendar, ao menos em parte, o gigantesco esquema de propinas e desvio de verbas comandado por PC de dentro ou das proximidades do Palácio do Planalto. O escândalo PC iria obscurecer, em todos os sentidos, qualquer outro acontecimento do governo Collor. De todo modo, nos dois anos e dois meses em que governou antes do início do processo que desembocaria no *impeachment*, Collor fez um governo marcado pela falsa polêmica, por declarações de mau gosto, pelo neoliberalismo de fachada, por suas "proezas" atléticas e seu ar de Indiana Jones, suas gravatas Hermès, canetas Montblanc e o esnobismo *nouveau riche*. Era a República das Alagoas no poder. Ela chegara lá nos braços do povo. De lá sairia pelo braço do povo.

Por intermédio de PC Farias (acima) foram arrecadados os milhões de dólares que contribuíram para a eleição de Collor. Não se sabe ao certo quanto PC amealhou. Sabe-se apenas que o dinheiro não apenas não parou de entrar depois da vitória de Collor como, ao contrário, passou a fluir em quantidade ainda maior após a eleição. Baseado em sua ligação com as empreiteiras, PC teria armado o maior esquema de propina já concebido no Brasil — uma rede de influências que envolveria "porcentagens" de até 22% para a aprovação de qualquer projeto.

O esquema começaria a ser desmontado depois de Pedro Collor, irmão do presidente e ex-amigo de PC, denunciar a "parceria" entre Fernando e o tesoureiro. Segundo Pedro, PC dizia abertamente que, do dinheiro arrecadado, "70% é do chefe, 30% é meu". Após as denúncias, que incluíam a acusação de que Fernando era "contumaz consumidor de cocaína", PC decidiu pagar US$ 1,4 milhão à Receita Federal, muito mais do que pagara até então. Ainda assim, o primeiro-amigo continuou voando em seu jatinho, o Morcego Negro, vendo e ouvindo óperas num circuito interno de TV.

O jovem presidente: no dia de sua posse, Collor de Mello simbolizava a "modernidade" e o liberalismo econômico. No dia seguinte, ele confiscou depósitos bancários dos brasileiros.

O *Impeachment*

Fernando Collor de Mello, o homem que, após sua eleição, posara para o Brasil e para o mundo como um grande estadista, o jovem e dinâmico político que conduziria o país em direção à "modernidade"; a opção única contra o "atraso estatizante" proposto por Lula e pelas alas radicais do PT; o profeta do neoliberalismo, a personificação tupiniquim do fenômeno que o filósofo Max Weber certa vez chamou de "escatologia messiânica"; o jovem e dinâmico *jogger* que pilotava *jet-skies* e aviões a jato; o Indiana Jones que se notabilizara como "caçador de marajás" acabaria se revelando uma das maiores fraudes políticas de todos os tempos no Brasil.

Uma incendiária entrevista concedida pelo caçula da família Collor, Pedro, à grande imprensa brasileira, e, a seguir, seu vigoroso depoimento a uma comissão parlamentar de inquérito (conduzida pelo então presidente da Câmara, Ibsen Pinheiro) acabariam desvendando o que talvez tenha sido apenas a ponta de um monumental *iceberg* de fraude, corrupção, tráfico de influência, propinas e extorsão sem igual na história nada impoluta da política e da malversação das finanças públicas do Brasil. Talvez jamais se venha a saber quanto de fato foi roubado.

O que se sabe já é amedrontador o bastante. Por meio de uma ampla teia de contas fantasmas em vários bancos do país, cerca de 40 mil cheques — totalizando pelo menos US$ 350 milhões — chegaram aos bolsos de gente de carne e osso, a maioria ligada direta ou indiretamente a Collor. As investigações revelaram figuras tão surpreendentes e díspares entre si como o motorista Eriberto França (que levava cheques distribuídos pela secretária de Collor, Ana Acyolli, para beneficiários do esquema e que, corajosamente, em entrevista à revista *IstoÉ*, em julho de 1992, denunciou o esquema) e o piloto Jorge Bandeira, que era um dos sócios de PC e teria desviado US$ 1 milhão.

Entre as pessoas que se locupletaram com o "esquema PC", foram acusadas, conforme apurado pela CPI e publicado na imprensa: Rosane Collor (mulher do presidente, que recebeu pelo menos US$ 510 mil), Leda Collor (mãe do presidente, US$ 35 mil), Lilibeth Monteiro de Carvalho (ex-mulher de Collor, US$ 41 mil), Cláudio Humberto (porta-voz do presidente, US$ 70 mil), Cláudio Vieira (secretário do presidente, US$ 89 mil), Maria Izabel Teixeira (secretária de Rosane Collor, US$ 802 mil), José Roberto César (dono da Brasil's Garden, empresa que fez os fabulosos "jardins da casa da Dinda", residência de Collor, US$ 866 mil), Sig Bergamin (arquiteto, US$ 15 mil), Uajara Cabral (vendedor de jóias, com livre acesso ao Palácio do Planalto, US$ 15 mil), Elizabeth Luporini (secretária de Marcos Coimbra, cunhado de Collor, US$ 48,8 mil).

No dia 1º de setembro de 1992, os então presidentes da Associação Brasileira de Imprensa, Barbosa Lima Sobrinho, e da Ordem dos Advogados do Brasil, Marcelo Lavenere, encaminharam à Câmara o pedido de *impeachment* do presidente. Um mês depois — após 84 dias de investigações feitas pela CPI —, a Câmara concluiu que a conduta de Collor fora "incompatível com a dignidade do cargo" e autorizou o Senado a julgar o presidente, o que o obrigou a deixar o cargo e aguardar a decisão. Enquanto o Senado examinava o processo, multidões de estudantes saíram às ruas com as caras pintadas exigindo a derrubada de Collor, num protesto ruidoso, colorido e irreverente — uma espécie de reedição descompromissada das marchas estudantis dos anos 60, sem os cassetetes da repressão.

Num julgamento de contornos muito mais políticos do que jurídicos, Collor acabou acusado de "crime de responsabilidade" e teve seus direitos políticos cassados por um

A República das Alagoas

A República das Alagoas, capital Canapi, que Fernando Collor alçou ao poder, reservaria surpresas alarmantes para o restante do Brasil. Canapi, reduto da família Malta, da então primeira-dama Rosane Collor, era uma espécie de faroeste no qual ecoavam os tiros de Joãozinho Malta, irmão de Rosane, e cidade para onde a própria primeira-dama enviava verbas desviadas da LBA, uma entidade beneficente da qual se tornara presidente. Rosane também bancou para uma amiga uma apoteótica festa de aniversário, digna de uma marani (mulher de marajá). Tudo bem, se para isso não tivesse usado dinheiro público. Numa viagem à Europa, gastou centenas de dólares em roupas íntimas. Essas e outras extravagâncias levaram o sempre zeloso tesoureiro PC a reclamar para o presidente: "Madame está gastando demais". Humilhada pelo marido, que passou a circular sem aliança, Rosane chorou em público. Mas, após o impeachment, o casal voltou a ficar junto — e em várias partes do globo, esquiando, mergulhando e gastando um dinheiro que ele diz receber das Organizações Arnon de Mello (a empresa familiar que supostamente sustenta o ex-presidente). Outra dama da era Collor, embora não de Alagoas, foi Zélia Cardoso de Mello, a ministra que idealizou o confisco do dinheiro dos brasileiros. Apesar de ter, de início, despertado paixões, a ponto de ser tema de uma biografia escrita por Fernando Sabino, e ter dançado um caliente bolero com o então ministro da Justiça Bernardo Cabral, Zélia (que se casou com o humorista Chico Anysio e se mudou para os EUA) deixou o poder sob suspeita de irregularidades em sua gestão, no governo Collor. Foi condenada pela Justiça brasileira, mas nunca cumpriu pena.

período de oito anos. Um dia antes, em 29 de dezembro de 1992, o presidente renunciara ao cargo tentando escapar do processo. Mas o tempo já havia se esgotado para ele e suas horas no poder estavam contadas. Mais de 700 dias antes do fim de seu mandato, Fernando Collor de Mello, a quem 35 milhões de votos haviam tornado o mais jovem cidadão a ocupar a presidência do Brasil, era forçado a deixá-la, saindo temporariamente da vida pública para entrar na história universal da infâmia.

Os 7 Anões

A suposta quadrilha comandada por PC Farias não foi a primeira e, durante a era Collor em Brasília, não seria a única a saquear os cofres da nação. Na época em que Collor estava no poder, José Carlos Alves dos Santos era diretor do Orçamento da União, órgão que define os caminhos do dinheiro público. Parecia ser um funcionário eficiente e discreto. Até que, em novembro de 1992, denunciou à polícia que sua mulher fora seqüestrada.

As investigações mostraram que o próprio José Carlos levara a esposa para os arredores de Brasília, onde assassinos de aluguel, contratados por ele, a golpearam na cabeça com uma picareta e a enterraram ainda com vida. Não era tudo: José Carlos promovia orgias, usava drogas e mantinha encontros freqüentes com prostitutas.

Abandonado pelos aliados políticos, que ajudara a enriquecer com dinheiro público, decidiu abrir a boca e denunciar um imenso esquema de desvio de verbas da União. Suas denúncias envolveram sete deputados que, em razão da baixa estatura física e moral, ficariam conhecidos como "Anões do Orçamento". O grupo era liderado por João Alves, especialista em lavar dinheiro sob o pretexto de ter — "graças a Deus" — ganhado 121 vezes na loteria. O escândalo do Orçamento acabaria provocando a cassação do deputado Ibsen Pinheiro, tido como uma espécie de baluarte da moralidade da nação, já que fora ele quem comandara, na frente e atrás das câmeras, o processo de impeachment de Collor.

A Misteriosa Morte de PC

Paulo César Farias galgou seu caminho de Maceió até o topo do mundo político brasileiro para então se tornar o inimigo público número um e empreender uma fuga cinematográfica do país (graças ao desleixo da Polícia Federal, a disfarces fajutos e a uma rota tortuosa, com direito a passagens por Buenos Aires e Londres). Depois de 152 dias foragido, foi preso na Tailândia, sob a acusação de estar com o visto de turista vencido. Extraditado, cumpriu 755 dias de detenção numa cela especial em Brasília e, apesar de indiciado em mais de cem inquéritos, saiu da cadeia pela porta da frente para responder por seus crimes em liberdade. Tudo isso apenas para terminar seus dias abatido por um tiro supostamente desferido por uma namorada enciumada (que, a seguir, se suicidaria), na cama de sua bela casa de praia, em Guaxuma, a oito quilômetros de Maceió. Pelo menos, esse é o desfecho prosaico defendido pelo laudo oficial divulgado pelos peritos que analisaram a causa da morte de Paulo César Farias e de sua namorada, Suzana Marcolino, encontrados mortos na manhã de 23 de junho de 1996. O mais ruidoso caso de corrupção do Brasil se encerraria assim, com um crime passional, desfecho de um romance no qual talvez jamais tenha havido paixão.

O laudo oficial da morte de PC Farias continua sendo contestado, e nada permite supor que o caso esteja de fato encerrado. Vivo, PC era um arquivo ambulante de um esquema de corrupção que talvez tenha movimentado mais de US$ 2 bilhões e envolvia pelo menos 52 empresas e quatrocentas autoridades públicas e empresários. Baleado, tornou-se, literalmente, um arquivo morto — circunstância que permite afirmar que, voluntariamente ou não, a namorada de aluguel Suzana Marcolino envolveu-se num crime que, tendo ou não sido passional, se tornou, acima de tudo, uma "queima de arquivo".

Muitos fatos continuam inexplicados: por que existe tanta discordância entre os peritos? Por que os irmãos de PC mandaram lavar o quarto e queimar o colchão no dia seguinte ao crime? Onde está a fortuna que PC com certeza arrecadou? PC esteve mesmo envolvido com o narcotráfico, como várias vezes se insinuou? As acusações de que PC também mantinha ligações com a máfia são procedentes? Quantas pessoas respiraram aliviadas depois que PC amanheceu morto? As respostas ainda não são conhecidas — e talvez nunca venham a ser. Como também permanece sem réplica a indagação que Elma Farias, a mulher de PC, fez quando da prisão do marido: "Por que só o Paulo César?".

O Governo Itamar

A posse de Floriano Peixoto em novembro de 1891, após a renúncia de Deodoro da Fonseca; a posse de Café Filho em agosto de 1954, após o suicídio de Vargas; a posse de João Goulart em setembro de 1961, após a renúncia de Jânio Quadros e, especialmente, a posse de José Sarney no lugar de Tancredo Neves, em março de 1985, deveriam ter ensinado aos brasileiros a lição de que, fosse quem fosse, o vice-presidente deveria ser levado em conta na hora de eleger um presidente. No entanto, durante as eleições que conduziram Fernando Collor ao Planalto, pouquíssimos eram os eleitores que sabiam quem eram os vices do vencedor Collor e do vencido Lula. Mas, quando Collor foi forçado a deixar o cargo pela porta dos fundos, o Brasil viu-se outra vez nas mãos de um "reserva" subitamente elevado à condição de titular.

Quem, então, de fato, conhecia a biografia de Itamar Augusto Cautieiro Franco? A exemplo do maranhense Sarney, o mineiro Itamar jamais habitara os anseios dos brasileiros. Ainda assim, a Constituição lhe destinou a árdua missão de comandar um país combalido pela inflação rediviva e assombrado pela ciranda da corrupção. E Itamar — turrão e teimoso, idiossincrático como solteirão ranzinza — acabaria se saindo bem na dura tarefa de administrar uma nação traumatizada. Ao fim e ao cabo, o governo Itamar Franco, que durou do final de 1992 a janeiro de 1995, lançou o mais bem-sucedido de todos os planos econômicos urdidos até então e ainda foi capaz de fazer seu sucessor. Foi sob a tutela do despenteado Itamar que o país viu nascer o Plano Real, que apresentou às jovens gerações de brasileiros a vida fora da hiperinflação e que acabou conduzindo à presidência seu principal mentor, o então ministro da Fazenda, Fernando Henrique Cardoso.

Embora não tenha se caracterizado pela energia e pelo vigor, nem pela firmeza das decisões do mandatário, o governo Itamar entrou para a história menos por seus feitos políticos e façanhas econômicas do que pelas atitudes polêmicas de seu protagonista. Foi assim, por exemplo, quando Itamar Franco, decidido a proporcionar a milhões de brasileiros a possibilidade de realizar o sonho de adquirir um carro, pediu — e conseguiu — que a Volkswagen voltasse a produzir o velho Fusca (sem levar em conta que os avanços da indústria o haviam tornado um veículo obsoleto e dispendioso). Apesar de ter fracassado, a iniciativa de Itamar lançou as bases de uma nova geração de carros "populares", a preços mais acessíveis. E essa talvez seja uma boa metáfora de um governo que, muitas vezes, acertou errando — ou que deu certo sem saber bem por quê.

De todo modo, os brasileiros também se viram envolvidos na busca de uma namorada para o solitário morador do Palácio da Alvorada. Candidatas sempre houve, entre elas Lisle Lucena — filha do senador Humberto Lucena — e a professora June Drummond. Mas nenhuma mulher que se aproximou publicamente do presidente causou tanta polêmica quanto Lilian Ramos, a modelo que dividiu o camarote com Itamar no Carnaval de 1993, naquela que poderia ter sido apenas uma noite divertida para o presidente, não estivesse ela sem calcinha. A intimidade de Lilian, revelada na capa de todos os jornais, virou um caso nacional. Pior: durante alguns dias, Itamar transmitiu à nação a nítida sensação de que estava apaixonado pela atriz, modelo e manequim.

Itamar Franco deixou o poder no primeiro dia útil de 1995. Em novembro de 1998, tornou-se governador de Minas Gerais. A partir de então, revelou-se um dos maiores inimigos de seu ex-aliado, o então presidente Fernando Henrique Cardoso. Em várias ocasiões, Itamar deu a impressão de que estava disposto a separar Minas do resto do país. No alvorecer do Terceiro Milênio, sua carreira política e trajetória histórica ainda não parecem encerradas.

Itamar Franco nasceu em junho de 1930, a bordo de um navio que ia do Rio de Janeiro para a Bahia. Apesar de registrado em Salvador, sempre foi mineiro, de coração e adoção. Seu pai morreu jovem e Itamar teve uma infância pobre. Formou-se em engenharia eletrotécnica em 1954. Perdeu a primeira eleição de que participou, em 1958 (para vereador em Juiz de Fora, pelo PTB). Perdeu a segunda, para vice-prefeito, em 1962. Foi secretário de Obras de Juiz de Fora em 1963 e se elegeu prefeito pelo MDB em 1966. Reelegeu-se em 1972. Aconselhado por seu motorista particular, largou a prefeitura e se elegeu senador em 1974: os relógios da prefeitura tiveram de ser atrasados em 45 minutos, pois o prazo para a desincompatibilização já estava vencido. Reelegeu-se senador, pelo PMDB, em 1982. Em 1986, já bandeado para o Partido Liberal (uma dissidência do PFL), perdeu a eleição para o governo de Minas. Em 1989, fez chapa com Fernando Collor e, em fins de 1992 — se não para seu próprio espanto, para o espanto da nação —, tornou-se o 37º presidente da história do Brasil. Com fama de temperamental e "difícil" — Tancredo Neves, certa vez, chegou a dizer que ele "guarda os rancores na geladeira" —, Itamar Franco teve, durante sua presidência, 55 ministros (alguns dos quais chamou de "pífios").

O Pai do Real

Durante os dois anos e três meses do governo Itamar, só a pasta da Fazenda chegou a ter seis ocupantes, sem contar o período em que o próprio presidente desempenhou a função. De todo modo, em maio de 1993, ao empossar seu quarto ministro da Fazenda, Itamar julgou ter acertado na mosca. Embora fosse um sociólogo respeitado internacionalmente, o então senador Fernando Henrique Cardoso assumiu a pasta da Fazenda sob o mesmo olhar de desconfiança dirigido pelos brasileiros aos demais ocupantes do cargo.

O desafio do novo ministro era o mesmo que havia derrotado todos seus antecessores: controlar a inflação e colocar o país no rumo do crescimento com estabilidade. Enquanto negociava no Congresso a aprovação de medidas destinadas a cortar gastos públicos e engordar a receita da União, FHC obteve dos bancos credores um acordo da dívida externa, empacado havia uma década. Ao mesmo tempo, assessorado por economistas afinados com seus projetos supostamente desestatizantes, preparou o terreno para lançar um novo plano econômico.

O primeiro passo, dado em maio de 1993, foi a criação da "Unidade Real de Valor", um indexador para preços e salários, cujo índice evoluiria de acordo com o mercado até que pudesse ser fixado, transformando-se, então, na nova moeda, o Real.

Quando o real, a décima moeda da história do país, começou a circular, no dia 1º de julho de 1994, com seu valor unitário artificialmente equiparado ao dólar, FHC já não era ministro da Fazenda — cargo então ocupado por Rubens Ricúpero —, e sim candidato à presidência. Com a inflação aparentemente controlada (e o frango e o pãozinho com preços quase irrisórios) e com o Brasil campeão da Copa do Mundo, o governo Itamar se viu preparado para assegurar uma das sucessões mais tranqüilas da história.

FHC: Eleição e Perfil

Graças ao sucesso do Plano Real e ao temor ancestral que o ex-sindicalista Luís Inácio Lula da Silva, do PT, continuava despertando nas elites brasileiras, Fernando Henrique Cardoso, então com 63 anos, elegeu-se com facilidade, em 2 de outubro de 1994, o 38º presidente do Brasil. Ao contrário do que acontecera em 1989, as eleições foram decididas no primeiro turno porque FHC obteve 55% dos votos válidos. Lula foi o segundo colocado. Mas, desta vez, o PT não soube perder; seu candidato chegou a declarar que FHC assumiria "com menos autoridade moral do que alguém eleito com base num processo totalmente limpo". Para Lula, FHC servira-se da máquina governamental para assegurar sua vitória. Mas, em 1º de janeiro de 1995, quando o novo presidente (*abaixo*) tomou posse — para cumprir um mandato de quatro anos — ele representava, para milhões de brasileiros letrados e participativos, esperanças efetivas de moralidade, competência e dignidade. Os motivos para tais expectativas encontravam uma base sólida no passado social e político do novo presidente — sociólogo que sempre se opusera ao governo militar (pelo qual fora punido, partindo para o exílio) e político de atuação destacada no PMDB, do qual fora um dos fundadores.

Mas, ao assumir o poder, recebendo a faixa das mãos de Itamar Franco, FHC não só já não pertencia ao PMDB como fazia questão de deixar claro que abriria mão de várias de suas antigas convicções (tanto que, certa ocasião, chegara a dizer: "Esqueçam tudo o que eu escrevi".). Desde 1988, FHC fazia parte do PSDB, partido que também ajudara a fundar e do qual fora o líder no Senado, e de onde havia saído para ser, primeiro, ministro das Relações Exteriores e, a seguir, ministro da Fazenda (e pai do Real) do governo Itamar.

Até então, FHC fora inteiramente coerente com sua biografia. Nascido no Rio de Janeiro, em 1931, filho de uma família de classe média, iniciou carreira universitária em 1952, formando-se em Sociologia e se vinculando à chamada "Escola Paulista", cujo mestre era Florestan Fernandes e da qual também faziam parte Octávio Ianni e Eunice Durham. Sob a liderança de Florestan, o grupo foi o pioneiro da "sociologia crítica", unindo materialismo dialético a métodos funcionalistas para tentar uma nova interpretação da sociedade brasileira. Após o golpe militar de 64, foram todos indiciados em um inquérito e aposentados compulsoriamente. FHC exilou-se então na Argentina, no Chile e na França.

Em 1967, com o arquivamento do inquérito, o futuro presidente retornou ao Brasil, mas em 1969 foi cassado pelo AI-5. Em 1978, FHC se candidatou ao Senado pelo MDB, ao qual estava ligado desde fins dos anos 70 (época na qual chegou a "panfletear" em companhia de Lula, seu futuro rival). Em 1980, depois de participar da fundação do PMDB, elegeu-se suplente de Franco Montoro no Senado, assumindo a vaga em 1983, quando Montoro se tornou governador de São Paulo.

O 38ª presidente: FHC assumiu o comando da nação no dia 1ª de janeiro de 1995, ancorado pelo sucesso do Plano Real e representando, para milhões de brasileiros, esperanças de competência e moralidade.

Em 1985, Tancredo Neves o escolheu para ser o líder do governo no Congresso, mas a Nova República se transformou no governo Sarney e, o que é pior, neste mesmo ano FHC perdeu as eleições para a prefeitura de São Paulo para Jânio Quadros, depois de ter-se deixado fotografar ocupando o gabinete do prefeito antes do pleito e de ter insinuado que era ateu e experimentara maconha. Em 1986, virou o líder do PMDB no Senado — a essa altura, o próprio Sarney já se filiara ao PMDB. Em 1988, FCH abandonou o PMDB — então à beira da esclerose — e ajudou a fundar o PSDB que, no ano seguinte, com a candidatura de Mário Covas, fracassaria nas eleições presidenciais. Disposto a não perder de novo em 1994, o PSDB e FHC fizeram uma coligação com o PFL — dando início a uma aliança política de todo incoerente com a biografia pregressa do futuro presidente.

FHC: do Primeiro ao Segundo Mandato

No dia 4 de junho de 1997, o então presidente do Congresso, senador Antônio Carlos Magalhães (PFL-BA), anunciou a promulgação de uma emenda constitucional que concedia ao presidente da República (bem como aos governadores e prefeitos) o direito de concorrer a um segundo mandato. Após dois anos e três meses de tramitação, a mais polêmica mudança na Constituição (que, convém recordar, fora promulgada menos de dez anos antes, em 1988) tinha sido aprovada por larga margem no Senado: 62 votos a favor, 14 contrários e duas abstenções. Naquele mesmo dia, o PSDB, partido do presidente, anunciou oficialmente o que toda a nação já sabia: Fernando Henrique Cardoso era candidato à reeleição.

Tão logo a emenda foi aprovada e a candidatura de FHC lançada, analistas políticos atentos apressaram-se em definir a manobra governamental como uma espécie de "golpe branco". O jornalista Elio Gaspari, por exemplo, um dos mais conceituados do país, chegou a comparar aquela alteração constitucional com o "golpe da Maioridade", que em 1840 levara D. Pedro II ao trono: tratava-se, afinal, de uma mudança nas regras do jogo sucessório proposta e articulada pelo governo em benefício do próprio governo; uma modificação nas normas constitucionais, uma espécie de "trama palaciana".

Mas os problemas não se encerravam aí: além dos aspectos polêmicos inerentes a mais uma alteração numa Constituição brasileira, o próprio processo que levara à aprovação da emenda da reeleição na Câmara dos Deputados (onde ela precisava de 308 dos 513 votos) havia sido colocado sob suspeita por uma série de reportagens do jornal *Folha de S.Paulo*, publicadas em maio de 1997. De acordo com gravações obtidas pelo jornal, pelo menos dois deputados — Ronivon Santiago e João Maia, ambos do Acre — teriam "vendido" seus votos por cerca de US$ 200 mil. Depois da denúncia, os dois deputados foram expulsos da Câmara, onde, em 28 de janeiro daquele ano, contra a maioria das previsões anteriores, a emenda da reeleição havia sido aprovada, recebendo 336 votos (apenas 28 a mais do que o necessário). Após a expulsão dos deputados, porém, o caso foi virtualmente esquecido e as investigações abandonadas.

Em outubro de 1998, confirmando todas as pesquisas, Fernando Henrique Cardoso foi reeleito para um segundo mandato de quatro anos.

Se reeleições fazem parte do jogo democrático, alterações na Constituição, não. Ao incentivar uma mudança nas regras constitucionais da qual o principal beneficiário seria seu próprio líder, o governo FHC agiu, no mínimo, de forma pouco ética (especialmente porque contava com a maioria na Câmara e no Senado).

Assim como reeleição, coligações também fazem parte — na verdade estão na base — da vivência democrática. A questão é que, desde fins de 1993, no momento em que optou por fazer uma aliança com o PFL, o partido do presidente (PSDB) começou a desenhar um perfil muito mais conservador para o governo FHC do que se poderia supor a partir da análise da vida pregressa do 38º presidente.

Quando concordou em formar uma chapa com o líder do PFL, Marco Maciel, FHC não rompeu apenas com a própria bibliografia: alterou também os rumos de sua biografia. Fundado em 1984, o PFL nada mais é do que uma dissidência do PDS, formada por políticos que foram intimamente ligados ao regime militar (como o próprio Marco Maciel; o ex-presidente José Sarney — que depois se transferiu para o PMDB; o vice de João Figueiredo, Aureliano Chaves; o senador Jorge Bornhausen e um dos mais polêmicos políticos do país, o ex-senador baiano Antônio Carlos Magalhães).

De qualquer forma, é provável que o primeiro mandato de FHC passe para a história sob a égide do sucesso do Plano Real, que (apesar dos altos índices de desemprego, da crise na saúde pública e do flagelo social que ainda assola cerca de 25 milhões miseráveis) não apenas conteve os índices inflacionários como de fato melhorou a vida dos brasileiros: 8 milhões deles teriam saído da "linha de pobreza".

As estrelas do Real foram o frango (cuja produção aumentou em 1 milhão de toneladas, entre 1993 e 1997), o iogurte (a produção dobrou em três anos), as TVs (8,5 milhões foram vendidas em 1996), as geladeiras (4 milhões vendidas em 1996) e, segundo o próprio FHC, as dentaduras ("O povo está botando dente", disse ele, em setembro de 1997, embora dados oficiais, fornecidos pelo próprio governo, informem que 1,4 milhão de brasileiros não têm um só dente na boca).

Apesar do relativo sucesso político e econômico de seu primeiro mandato, o governo FHC sofreria duros baques no segundo. Mesmo que as crises econômicas — em geral provocadas por problemas ocorridos fora do Brasil (como "a crise do Sudeste asiático", a "crise da Rússia" e a incessante "crise da Argentina") — tenham sido contornadas, a transparência do governo foi asperamente comprometida por escândalos políticos e financeiros que, embora jamais tenham envolvido pessoalmente o presidente, rivalizam, pelo menos nos números, com a roubalheira dos anos de lama da era Collor.

Dois destes escândalos —— a quebra do sigilo do painel eletrônico do Senado e os desvios de verbas na extinta Sudam (Superintendência para o Desenvolvimento da Amazônia) — provocaram a cassação, em seqüência, de dois presidentes do Senado: o já citado Antônio Carlos Magalhães (PFL-BA) e Jader Barbalho (PMDB-PA), ambos aliados muito próximos ao presidente (embora, à época da cassação, FHC e ACM já estivessem virtualmente rompidos).

Os episódios envolvendo os dois ex-presidentes do Senado, embora tenham sido os mais ruidosos, estiveram longe de ser os únicos escândalos políticos-financeiros a abalar a nação: o Banco Central, o Judiciário e o Legislativo também se viram às voltas com sérias (e sólidas) denúncias de corrupção. O envolvimento de alguns deputados e senadores com o crime organizado e o narcotráfico resultou em uma série de cassações; o favorecimento a determinados bancos e a falência fraudulenta de outros também foram comprovados (embora não punidos) e até mesmo no futebol descobriram-se fraudes e negociatas. Assim sendo, o Brasil, eterno país do futuro (do pretérito?), começou o terceiro milênio com a bola murcha — evidência que nem mesmo a conquista do pentacampeonato, obtida em junho de 2002, na Copa do Mundo da Coréia e do Japão, foi capaz de modificar.

Permanece nas mãos e nas mentes dos brasileiros a responsabilidade de construir uma nação mais justa e eqüânime.

O Professor Cardoso

Durante a campanha e após sua eleição, FHC sugeriu a seus críticos que "esquecessem" tudo o que ele escrevera. No entanto, o professor Cardoso é autor de uma ampla obra que, durante duas décadas, ajudou a formar o pensamento de jovens sociólogos. O primeiro livro de FHC se tornou clássico — pelo menos enquanto as idéias de esquerda pareciam ser a forma mais efetiva de se interpretar os fatos históricos. Capitalismo e escravidão no Brasil Meridional, *publicado em 1962, virou um dos textos-chave da análise que a "escola paulista" fez da escravidão. O livro é considerado ultrapassado pelos novos estudiosos da escravidão no Brasil.*

Logo depois de Capitalismo e escravidão, *FHC devotou-se ao estudo do desenvolvimento capitalista nas "sociedades dependentes". Escreveu, entre outros,* Desenvolvimento e dependência na América Latina *(com Enzo Falleto, 1970) e* Política e desenvolvimento em sociedades dependentes *(1971). Desses livros, porém, quem parece não ter se esquecido é o próprio presidente: o professor Cardoso — embora aparentemente convertido ao neoliberalismo — ainda não conseguiu integrar o país na globalização.*

Iconografia Comentada

Primeiras Visões da Terra do Brasil

A clausura na qual Portugal manteve o Brasil durante os três primeiros séculos de colonização teve profundos reflexos na produção das imagens referentes à nova terra. Por cerca de trezentos anos, os portugueses virtualmente não produziram um único quadro ou gravura retratando seu vasto império tropical. Mas isso não impediu que visões do Brasil se espalhassem pela Europa, estimulando o imaginário de príncipes e plebeus, já que vários viajantes estrangeiros se encarregaram de descrever o país. A primeira imagem do Brasil a surgir na Europa seria uma xilogravura que retratava os índios do litoral. Feita pelo gravador alemão Johann Froschauer, em 1505, a imagem (*ao lado*) ilustrou a carta *Mundus Novus*, escrita por Américo Vespúcio em 1504.

Meio século se passaria antes que novas imagens dos povos, animais e plantas do Brasil voltassem a fascinar os europeus. Outra vez, não seriam obra de portugueses, mas de seus rivais estrangeiros. O frade franciscano francês André Thevet veio ao Brasil com a expedição de Villegaignon, responsável pela fundação da França Antártica em 1555. Thevet deixou o Rio de Janeiro antes que o fracasso da colônia se configurasse. De volta a Paris, lançou, em 1557, *As singularidades da França Antártica* — um relato precioso, ricamente ilustrado, sobre sua estada de dez meses no Brasil. Os costumes indígenas, os animais exóticos, as frutas tropicais, tudo foi registrado pelo olhar "cosmográfico" de Thevet que, além de escrever bem, produziu várias xilogravuras.

A França Antártica foi destruída pela cisão interna entre católicos e protestantes (e entre os próprios protestantes). Após a partida de Thevet, chegou ao Rio de Janeiro o pastor calvinista Jean de Léry, que também descreveria sua estada no país. Como no caso de Thevet, o livro *Viagem à Terra do Brasil*, de Léry, é um relato precioso, fartamente ilustrado. A diferença é que as gravuras originais de Léry seriam, mais tarde, refeitas pelo gravador flamengo Théodore De Bry (*no alto*) na obra monumental *Grandes viagens*. De Bry se dispôs a ilustrar toda a história da descoberta e conquista da América. Foi o trabalho de uma vida — e teve continuidade na obra de seus filhos, Johann e Israel.

De Bry também refez aquelas que se tornaram as imagens de maior impacto do Brasil colonial. Lançadas para ilustrar o extraordinário relato do marinheiro Hans Staden, as xilogravuras que revelam minuciosamente o ritual antropofágico dos Tupinambá (*à esquerda*) viraram o ponto alto não apenas do livro de Staden, mas também do próprio trabalho de De Bry. Ao contrário de Léry e Thevet, Staden era um mercenário sem lustro, cujo relato é eventualmente fantasioso ou vulgar. Mas sua descrição do banquete antropofágico continua sendo a fonte fundamental para o estudo do canibalismo. Retrabalhadas por De Bry, as gravuras originais de Staden se transformariam na imagem mais tétrica — e fascinante — do Brasil colonial. E numa das mais duradouras também: por mais de dois séculos a Europa veria o Brasil como uma espécie de paraíso canibal. Uma imagem que Portugal — com o "silêncio" visual que impôs à sua colônia — não se preocupou em desfazer.

Do Brasil Holandês à Missão Francesa

Na terceira década do século XVII, os nativos, os animais e as paisagens do Brasil serviram de inspiração para a criação de meia centena de obras-primas realizadas pelos pintores holandeses que o príncipe Maurício de Nassau trouxe para Pernambuco. Durante os 24 anos da ocupação holandesa da zona açucareira do litoral nordestino, os sete anos do "reinado" de Nassau foram uma espécie de época de ouro. Como um príncipe renascentista, Nassau era um mecenas disposto a estimular as artes e proteger os artistas. Junto com ele, desembarcaram em Recife,

em 1637, os pintores Franz Post e Albert Eckhout, dois artistas brilhantes da terra de Rubens e Rembrandt. A eles caberia a missão de produzir os primeiros retratos absolutamente fiéis — e ao mesmo tempo irretocavelmente artísticos — dos homens e da natureza do Novo Mundo.

Embora tenha feito inúmeros registros da fauna e da flora brasileiras, Albert Eckhout se notabilizaria pela produção dos "quatro casais": oito telas monumentais registrando um casal de índios Tapuia, um casal de Tupinambá, um de africanos e um de mulatos, com uma dignidade que parece saltar da tela. Franz Post (*no alto da página*) era basicamente paisagista, mas a precisão e o fervor com os quais se dedicou a registrar suas cenas brasileiras o transformaram num dos maiores artistas a pisar nos trópicos. O legado dos pintores de Nassau nos permite ter, após mais de três séculos, uma visão grandiosa de um período notável da história do Brasil.

Dias depois de desembarcar na Bahia, em novembro de 1808, D. João VI abriu os portos do Brasil "às nações amigas". Ao mesmo tempo parecem ter-se aberto também as mentes da Corte para as potencialidades da colônia. Ao transformar o Brasil em Reino Unido a Portugal, D. João decidiu tornar o Rio de Janeiro a capital tropical do império lusitano. Para isso, fez desembarcar na cidade a Missão Artística Francesa. Embora a discórdia interna e a inveja externa tenham sido marcas primordiais da estada da missão no Brasil, seu legado artístico e cultural foi monumental — e duradouro.

Com a missão, desembarcou no Brasil o pintor Debret (*à esquerda*), cuja obra se tornaria a mais perfeita tradução do Brasil colonial e formaria a imagem que todos os brasileiros letrados de hoje fazem desse período. A obra de Debret se confunde com a de Rugendas, o pintor alemão que chegou ao país pouco tempo depois dele. Rugendas veio acompanhando a expedição de Langsdorff, uma das primeiras entre as inúmeras missões científicas que vieram ao Brasil após a abertura dos portos. Rugendas e Debret permanecem como fontes principais, mas as imagens produzidas pela expedição de Spix e Martius também se tornariam referências iconográficas definitivas, não só para a visualização de um tempo que se foi, mas para sua plena compreensão. Não fosse a obra dos artistas holandeses, franceses e alemães, a jornada visual aos tempos coloniais seria, hoje, uma tarefa virtualmente impraticável.

A Monumentalização do Brasil

A missão francesa, trazida ao Brasil por D. João VI em 1816, era formada por pintores, escultores e gravadores que haviam caído em desgraça na França após a derrocada de Napoleão. Esses homens, que tinham ajudado a criar os "símbolos" e a estética da "nova" França, seriam responsáveis, entre outras tantas obras, pela fundação, no Rio de Janeiro, da Academia e Escola Real de Artes, que mais tarde se transformaria na Academia Imperial de Belas-Artes (e, após a proclamação da República, viria a ser a Escola Nacional de Belas-Artes). Durante mais de um século, a academia ditou as normas da produção artística no país e, especialmente na segunda metade do reinado de D. Pedro II, entre 1855 e 1885, se envolveria no processo que já foi chamado de "monumentalização" da história do Brasil.

Sob os auspícios do imperador — ele próprio interessado em arqueologia e historiador diletante —, iniciou-se um período em que, pela visão de um nacionalismo conservador e exultante, toda a história pregressa do Brasil foi "redescoberta" e relida por uma visão "brasileira", embora ainda reverente à herança lusitana. Os frutos historiográficos mais notáveis produzidos nesse período são os estudos eruditos publicados na revista do Instituto Histórico e Geográfico Brasileiro e na minuciosa *História geral do Brasil*, de Varnhagen. Tal projeto encontraria seu "braço pictórico" na obra de Pedro Américo, Vítor Meireles, Almeida Júnior, Rodolfo Amoêdo, Henrique Bernardelli, José Zeferino da Costa e Antônio Parreiras — pintores neoclássicos

que, financiados por D. Pedro II, se encarregaram de produzir novas imagens do velho Brasil.

Polêmica desde o dia de sua fundação, a Academia Imperial de Belas-Artes já foi acusada de ter "destruído" o que de mais inventivo havia na arte brasileira: o "barroco", o estilo que o crítico Wilson Martins chamou de uma "espécie de espírito genético da nossa estética". Mas a gênese do barroco era basicamente medieval e, de certa forma, a vinda da missão francesa significaria uma modernização nos padrões artísticos brasileiros de então. Se, após a morte de seu principal defensor, o conde da Barca, e do falecimento de seu diretor, Joachim Lebreton, o comando da academia tivesse passado às mãos de Nicolas-Antoine Taunay (*abaixo, à esquerda*), talvez os destinos da arte no Brasil tivessem sido outros. Mas quem assumiu a direção da instituição foi o pintor lusitano Henrique José da Silva, que lhe imprimiu uma linha reacionária e burocratizante.

A academia se tornaria um baluarte irremovível do neoclassicismo e assim se manteria por mais de cinqüenta anos, especialmente durante o reinado de D. Pedro II. Embora boa parte dos pintores prediletos de D. Pedro II ganhassem bolsas para estudar na Itália, a condição para permanecer nas graças do mecenas parecia ser manter-se longe das revoluções artísticas cujos ventos já varriam a Europa. Junto com as gravuras de Debret, são as obras produzidas pela academia — principalmente os quadros de Pedro Américo e de Vítor Meireles — que ilustram os livros didáticos de história do Brasil. As imagens produzidas pelos "invasores" franceses e holandeses em geral são desprezadas.

A Fabricação das Imagens

"É próprio da imaginação histórica edificar mitos que, muitas vezes, ajudam a compreender antes o tempo que os forjou do que o universo remoto para o qual foram inventados." A frase do crítico Alfredo Bosi, construída a partir de uma revisão da literatura romântica de José de Alencar, serve perfeitamente para definir as pinturas históricas feitas por Pedro Américo, Vítor Meireles e congêneres. Como o romance *O guarani*, de Alencar, as pinturas da academia faziam parte do esforço do Império para definir a "identidade nacional", estabelecendo um novo conceito de povo, de "raça" e de cidadania.

Da mesma forma que *O guarani*, quadros como *A primeira missa no Brasil*, de Meireles, *Elevação da cruz*, de Pedro Peres, e *Descoberta do Brasil (Desembarque de Cabral em Porto Seguro)*, de Oscar Pereira da Silva, procuram mostrar a união simbólica de brancos e índios num ambiente de exuberância tropical. Tanto os livros como os quadros — a estes se somam a polêmica *A Batalha dos Guararapes*, de Meireles (acusado de tê-la copiado de *A Batalha do Avaí*, de Pedro Américo), *Tiradentes esquartejado* e *O grito do Ipiranga*, ambos de Pedro Américo (o segundo, descaradamente plagiado de *Napoleão em Friedland*, de Meissonier) — pretendiam lançar as bases de um conceito de nacionalidade e estabelecer seu "domínio" também no campo do imaginário. Assim, o classicismo da academia não era só um estilo artístico, mas, como bem notou o historiador José Murilo de Carvalho, representava e se punha a serviço de "um conjunto de valores sociais e políticos", no seu esforço de criar a nova imagem da nação.

Após a proclamação da República, a Academia Imperial de Belas-Artes não mudou apenas de nome: mudou de direção e baniu os artistas ligados ao antigo regime. Mas como a República foi incapaz de produzir uma estética própria, nem tentou redefinir politicamente o uso da estética anterior, a pintura histórica continuou sendo feita nos moldes anteriores — eventualmente até pelos mesmos pintores (Pedro Américo, por exemplo, pintou Tiradentes, logo elevado à categoria de "símbolo" do novo

regime, em 1894, cinco anos após a queda da monarquia, portanto). Não só a estética era a mesma: seus fins permaneceram inalterados. E o quadro *A proclamação da República*, de Henrique Bernardelli (não por acaso, irmão do novo diretor da academia), é exemplar nesse sentido, como revela José Murilo Carvalho no livro *A formação das almas*: "O estilo do quadro é a clássica exaltação do herói militar, elevado sobre os comuns mortais montando fogoso animal. É a exaltação do grande homem, fazedor da história".

Pouco importa que a realidade tenha sido bem distinta da imagem. Em 1895, fundado o Museu Paulista, dirigido por Hermann von Ihering, que em 1907 iria propor o extermínio dos índios Kaingang, iniciou-se o projeto de fabricação do mito do bandeirante impávido (justamente na mesma época em que São Paulo começava a usufruir da pujança trazida pelo café). O processo continuou sob a batuta do historiador Afonso Taunay (bisneto do pintor Taunay). A ele se juntaram os pintores-historiadores Benedito Calixto (*no alto*), Teodoro Braga e Oscar Pereira da Silva. Lutando para reproduzir o passado, acabaram revelando mais a sua própria época — apesar de, equivocadamente, seus quadros ainda serem considerados um retrato fiel da realidade.

O Legado dos Pintores Modernistas

"O senhor não teria algumas flores?", perguntou o Duque de Windsor a Cândido Portinari, ao visitar a mostra individual do pintor em Paris, em 1946. "Flores, não", respondeu o artista. "Só miséria". Pintor das vidas secas e das tristes sinas, dos "casebres de açafrão e de ocre nos verdes da favela", retratista dos retirantes e dos desvalidos, Portinari tinha ajudado a romper com o academicismo e a introduzir a "ideologia da pobreza" na arte brasileira, tornando-a "engajada" e de tendência esquerdista. Aquilo que, três décadas antes do diálogo entre Portinari e o Duque de Windsor, seria absolutamente impossível começara a se materializar no Brasil a partir da exposição de Anita Malfatti em São Paulo, em dezembro de 1917 (*leia em "A cultura: de Machado ao pau-brasil"*).

Influenciada por mestres franceses e alemães, Anita fazia uma combinação eclética de estilos, e sua exposição introduziu o Brasil na era da arte moderna. Na verdade, tal pioneirismo deve ser atribuído ao pintor lituano, naturalizado brasileiro, Lasar Segall, cuja exposição, feita em 1911, em São Paulo, foi o primeiro vislumbre do modernismo a relampejar no Brasil. Mas o estranhamento provocado pela intensidade fauvista, pela distorção expressionista e a geometrização cubista fundidas na pintura de Segall foi tal que sua mostra repercutiu pouco. A exposição de Anita, por sua vez, se tornaria um dos marcos iniciais da Semana de Arte Moderna, do Manifesto Pau-Brasil e da Antropofagia, que tanta importância teriam na fabricação de uma outra visão do Brasil. O que mostrava essa nova imagem?

Mostrava um Brasil mulato, mestiço e múltiplo. Um Brasil de segunda classe; crioulo, criança, crispado e que, apesar de todas as mazelas, conseguia ser tropicalista e carnavalesco. O Brasil que os pintores modernistas descobriram em Paris, onde eles todos estudaram, ajudaria a abrir caminho para os ensaios de Gilberto Freyre, Sérgio Buarque de Holanda e Caio Prado Jr., também dispostos a investigar a multiplicidade e os miasmas da brasilidade. Entre os pintores modernistas, talvez a mais importante tenha sido Tarsila do Amaral (*no alto*), cuja força fertilizadora e a síntese de brasilidade, emocional e vibrante, só pode ser comparada à obra musical de Villa-Lobos. A ela se juntaria Di Cavalcanti com suas mulatas ardentes, palmeiras balouçantes e camas desfeitas.

Os modernistas iriam desferir o golpe de misericórdia no academicismo, tão bem definido pelo diálogo travado entre Portinari e seu velho professor, Rodolfo Amoêdo. "No seu tempo", disse Portinari, "a gente passava horas e horas pintando uma laranja. Hoje eu faço um disco amarelo e pronto: *é uma laranja*". As laranjas, bananas e palmeiras, os cactos, as chaminés e os miseráveis de Tarsila, de Di, de Portinari e da precursora Anita Malfatti ajudariam o Brasil a se (re)descobrir. Ao desvendar o país por meio da distorção figurativa de suas obras, os modernistas se aproximaram muito mais do Brasil real do que jamais fez o realismo neoclássico dos pintores que os antecederam. Ainda assim, ou talvez por isso mesmo, seus quadros raramente são usados para ilustrar as obras didáticas sobre história do Brasil.

Os Caricaturistas

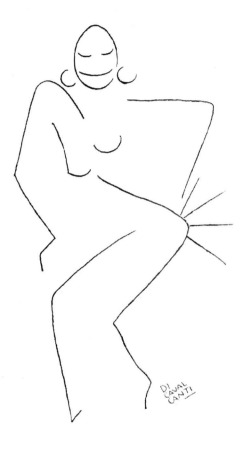

LA NO PALACIO DAS AGUIAS
— Para que arame farpado si é possivel arranjar tudo isso as habituaes caixas de bananas?

A o contrário de Portinari, que começara a carreira estudando na Escola
de Belas-Artes, graças ao prêmio obtido
em 1928, Di Cavalcanti dera início a sua
trajetória artística como ilustrador da
revista *Fon-Fon*. No alvorecer do novo século, a imprensa brasileira fora convulsionada pelo surgimento de dezenas de
novas revistas, entre as quais as mais famosas seriam *Fon-Fon* (fundada em 1907
e reduto dos simbolistas), *Careta* (surgida
em 1908 e agrupando parnasianos) e a
pioneira *O Malho*, fundada em 1902 e
uma das mais importantes revistas de
crítica de sua época.

Todas elas reuniam um time admirável
de ilustradores e caricaturistas. Artistas
como J. Carlos, Belmont, K. Lixto, Raul
Pederneiras, Seth e Voltolino não só de-
senvolveram um estilo incisivo e insidio-
so, original e ágil, inspirado no *art nouveau* e resplandescente em modernidade,
como acabaram desempenhando um papel
fundamental na formação do imaginário
da nação. Afinal, seria nessas revistas e por
meio do trabalho desses ilustradores brilhantes que o esforço estético e ideológico
da República de utilizar como símbolo
uma mulher altiva e pura acabaria sendo
francamente detonado.

Enquanto pintores positivistas milita-
tes, como Décio Vilares, se empenhavam
em representar a República como Palas
Atena, na pena debochada e cruel dos cartunistas ela se transformaria numa velha
senhora abatida, ou numa prostituta las-
civa, ou numa mulher de seios fartos, co-

mo a desenhada por Vasco Lima. "É a nu-
dez crua da verdade", diria esse ilustrador
ao saber que o marechal Hermes da Fonseca reclamara do desenho. "A República
dá de mamar a tanta gente!" Numa fina
ironia da história, o marechal Hermes acabaria se casando com Nair de Teffé, uma
caricaturista desse time e desse tempo.

Como nos cartuns feitos na época do
golpe militar de 1964, pode-se encontrar
uma imagem muito mais fiel da nação nas
ilustrações dos anos 1910 e 1920 do que
na arte subserviente da Escola de Belas-
Artes dirigida pelo chileno Henrique
Bernardelli.

O Olhar dos Fotógrafos

A o contrário do que ocorre nos Estados Unidos e na França — onde a fotografia desempenha, há anos, papel decisivo na pesquisa e no registro antropológico —, a reprodução fotográfica do fato histórico ainda não obteve, no Brasil, sua autonomia como fonte documental desvinculada ou independente do discurso escrito. Ainda assim, e também por isso mesmo, jogadas em arquivos ou empoeirando-se em museus, milhares de fotos aguardam o momento em que serão transformadas num painel elucidativo do país. Esse estado de coisas é especialmente paradoxal quando se sabe que a fotografia talvez tenha sido inventada no Brasil, em 1833, pelo artista francês Hercule Florence, que radicou-se no país e, em Campinas, teria descoberto o processo de fixação das imagens no papel. Por uma feliz coincidência, vários outros fotógrafos franceses realizariam um esplendoroso trabalho fotográfico no país. Marc Ferrez compôs um painel da vida cotidiana no Rio de Janeiro da virada do século XIX para o XX. Na mesma época, Augusto Malta, um pioneiro do fotojornalismo, também registrou o dia-a-dia do Rio de Janeiro, enquanto em São Paulo esse trabalho seria realizado, com brilho, por Militão de Azevedo.

Outros pioneiros, em geral franceses, se destacariam no ofício. Em torno de 1860, Victor Frond obteve belos registros fotográficos, publicando-os, na forma de litografias, no álbum *Brazil pittoresco*, de Charles Ribeyrolles. Ao realizar um suntuoso registro etnográfico da Amazônia em 1865, o suíço Frisch se tornaria um dos "descobridores" da fotografia antropológica. Seu trabalho teve continuidade na obra de Christiano Júnior, que, no fim do século XIX, compôs um apurado painel antropológico dos usos e costumes afro-brasileiros no Rio de Janeiro e na Bahia. Anos mais tarde, o antropólogo Lévi-Strauss também fez belas fotos para ilustrar seus trabalhos.

Fotógrafos alemães deram uma notável contribuição ao registro fotográfico no Brasil. Dentre os mais importantes estão Augusto Stahl, Franz-Keller-Leuzinger, Albert Frish, Johann Otto Louis Niemeyer, Augusto Riedel, Pedro e Otto Hees e Karl e George Paff.

Já no século XX, o etnólogo Pierre Verger (*abaixo, à esquerda*) além de se tornar o maior estudioso da cultura afro-brasileira da Bahia, conferiu rigor antropológico e virtuosismo artístico às fotos que fez do candomblé e dos costumes dos descendentes de escravos. Nos anos 1950, Jean Manzon realizou um admirável registro fotográfico do país.

Mesmo depois de a fotografia jornalística ter conquistado seu papel, o Brasil continuou devendo muito ao trabalho de fotógrafos de origem estrangeira. Destaca-se aí a obra do húngaro naturalizado Thomas Farkas — autor de um belo registro da construção de Brasília —, de Maureen Bisilliat e sua suntuosa visão dos índios do Xingu e a equipe da revista *Realidade*, da qual faziam parte George Love, David Drew Zing e Luigi Mamprin, cujo trabalho aprimorou o fotojornalismo no Brasil na década de 1960.

Mas brasileiros natos também realizaram um trabalho poderoso. Entre eles, deve-se citar a obra de José Medeiros, que realizou, entre 1946 e 1962, um esplêndido trabalho em *O Cruzeiro*. Mais tarde, os anos de chumbo da ditadura militar foram registrados pelas lentes de Walter Firmo, Evandro Teixeira e, especialmente, de Orlando Brito (autor do livro *Perfil do poder*); Sebastião Salgado, um dos maiores fotógrafos do mundo, produziu em 1997 um documentário sobre o Movimento dos Sem-Terra no Brasil.

O melhor apanhado da fotografia como documento histórico no país é aquele que ilustra as páginas da coleção *Nosso século*, da editora Abril. A Fundação Getúlio Vargas, que já lançou vários livros, entre os quais um documentário fotográfico da Revolução de 30 e um CD-ROM sobre a era Vargas, é a principal instituição a servir-se da fotografia como fonte histórica.

As Coleções Iconográficas

Em plena época do CD-ROM, da editoração eletrônica e do domínio da imagem sobre a palavra, os livros de história do Brasil — e grande parte das publicações didáticas utilizadas nas escolas do país — continuam tendo poucas imagens, e a maioria delas em preto-e-branco. Com o lançamento de fascículos colecionáveis, encartados em jornais ou revistas, e o surgimento de CD-ROMs dedicados à história do Brasil, as imagens tendem a desempenhar um papel progressivamente importante não só para uma "visualização" mais plena, como para uma compreensão mais efetiva do processo histórico que forjou o Brasil.

De todo modo, a história do país não apenas já foi contada com a ajuda de quadros e gravuras de época, como algumas das obras que se dedicaram a fazê-lo acabaram se tornando as maiores responsáveis pela ampla divulgação das imagens-padrão que — graças a tais livros — se estabeleceram em nosso imaginário nacional e se tornaram a "idéia" mais próxima que brasileiros letrados fazem dos quatro primeiros séculos do Brasil.

Provavelmente a obra primordial no desempenho desta função tenha sido a coleção *Grandes personagens da nossa história*, lançada pela editora Abril, em 1969. Embora produzida sob a coordenação do magistral Sérgio Buarque de Holanda e com vários dos perfis desses "grandes personagens" escritos por jornalistas de texto elegante, a coleção foi lançada nos tempos do regime militar, a época do "Brasil Grande" do general Médici e, de certo modo, reflete o tom desse período. Assim sendo, seu acervo iconográfico, embora admirável, está irremediavelmente comprometido com a trama ideológica que, desde os tempos da Academia Imperial de Belas-Artes, vem regendo o processo de "fabricação" das imagens, as quais, com o passar do tempo, acabaram se tornando mais reais do que a própria realidade. Apesar disso, *Grandes personagens* percorreu os melhores (e pou-

co visitados) museus do país, reproduzindo os principais quadros, gravuras, murais e pinturas históricas já produzidos no Brasil — e tornando-os muito mais familiares.

Poucos anos após o lançamento de *Grandes personagens*, a editora Bloch publicaria a coleção *História do Brasil* (relançada, com modificações, em agosto de 1997), na qual foi feito um apanhado ainda mais abrangente do acervo iconográfico que os museus e instituições públicas têm para oferecer. Apesar de suas imagens serem fabulosas, a coleção original da Bloch, publicada em 1972, padece do ranço das obras lançadas na época do "ame-o ou deixe-o".

Nos últimos anos do regime militar, foi lançada outra vez pela editora Abril, a mais fascinante e completa das coleções sobre a história moderna do Brasil. Baseada na série *Our Fabulous Century*, da Time-Life, a coleção *Nosso século* se constitui não apenas no melhor, mais preciso e mais bonito levantamento de imagens históricas do Brasil no século XX, como sua abordagem, seu texto e seus *insights* a tornam uma obra saborosa e indispensável — que, desde então, vem servindo de fonte de inspiração (muitas vezes não creditada) para inúmeros trabalhos.

Dois outros trabalhos suntuosos se serviram de imagens para analisar o país. O mais extraordinário deles é a série em três volumes *O Brasil dos viajantes*, que reúne o magnífico acervo que fez parte da exposição de mesmo nome, exibida pelo Masp (Museu de Arte de São Paulo) em 1994. O texto provocador da professora Ana Maria de Morais Beluzzo faz uma bela análise do registro visual legado por artistas e cientistas-viajantes que percorreram o Brasil, desde a descoberta até fins do século XIX.

As visões do Brasil começam a entrar na era digital. Ao clicar do *mouse*, pode-se acessar imagens nunca dantes navegadas, como a maioria das 232 fotografias do extraordinário CD-ROM *Era Vargas – 1º Tempo*, lançado pela Fundação Getúlio Vargas (*leia mais em Bibliografia Crítica*). Há boas imagens também (embora não inéditas) no CD-ROM *Viagem pela História do Brasil*, de Jorge Caldeira et al., lançado em junho de 1997.

Bibliografia Comentada

Índios, Descobridores e Pioneiros

Os livros de geologia em geral são escritos em "geologês", fato que afugenta o leitor leigo da fascinante trama geológica. Uma boa fonte confiável e completa é *Geologia do Brasil*, de Setembrino Petri e Vicente Fúlfaro (Edusp), embora se trate de um livro eminentemente técnico. Os estudos sobre Pré-História, que, com raras exceções eram quase sempre maçantes, enfim contam com títulos que aliam rigor metodológico com ritmo narrativo e texto fluente. Os dois trabalhos mais estimulantes sobre o tema são *Arqueologia do Brasil*, de André Prous (Unb) e *Pré-História da Terra Brasilis* (ed. UFRJ, vários autores, org. de Maria Cristina Tenório).

Muito já se escreveu sobre os índios brasileiros. O livro mais abrangente é *História dos índios do Brasil* (Companhia das Letras, org. Manuela C. da Cunha). A festa dos índios brasileiros na França e sua influência no mito do bom selvagem foi estudada por Afonso A. de Mello Franco, no delicioso *O índio brasileiro e a Revolução Francesa* (José Olympio, 1937, relançado em 1999 pela Topbooks). O massacre dos índios no período colonial foi retratado por John Hemming em *Red Gold* (MacMillan, 1978),

inédito em português. A comemoração, em abril de 2000, dos 500 anos do descobrimento oficial do Brasil pelos portugueses levou a uma enxurrada de publicações sobre o tema. *A viagem do descobrimento*, de Eduardo Bueno (Objetiva), tornou-se um *best-seller*, com mais de 200 mil exemplares vendidos. Lastimavelmente, os estudos mais completos foram lançados somente em Portugal. São eles: *O descobrimento do Brasil*, de Max Justo Guedes (ed. Correios de Portugal) e *Pedro Álvares Cabral: uma viagem*, de Luis Adão da Fonseca (Ed. Inapa). Já a *Carta de Caminha* tem várias edições e estudos. Os melhores são os de Capistrano de Abreu e Jaime Cortesão. Rubem Braga fez uma bela versão da *Carta* (Ed. Record) ilustrada por Carybé. O pau-brasil e a questão do nome do Brasil são analisados em três livros fundamentais: *O Brasil na lenda e na cartografia antiga*, de Gustavo Barroso, e *O pau-brasil na história nacional*, de Bernardino José de Sousa (ambos da col. Brasiliana, da Cia. Ed. Nacional), mais *Terra de Ibirapitanga*, de A. L. Pereira Ferraz (Imprensa Nacional, 1939).

As viagens e a biografia de Américo Vespúcio são tema controverso. As cartas de

Vespúcio foram editadas pela L&PM, e o livro *A navegação de 1501 ao Brasil e Américo Vespúcio*, de Moacyr S. Pereira (Editora Asa, 1984) continua sendo a análise mais instigante sobre as misteriosas jornadas de Vespúcio — que acabaram batizando a América. O jesuíta Herbert Wetzel traçou um bom perfil de *Mem de Sá, terceiro governador-geral* (Conselho Federal de Cultura, 1972). Duas ótimas fontes gerais sobre o período colonial são a monumental *História da colonização portuguesa do Brasil* (Litografia Nacional, Porto, 1921, org. de Malheiro Dias) e *Formação do Brasil colonial*, de Arno e Maria José Wehling (Nova Fronteira). O conjunto de ensaios sobre o Brasil reunidos por Leslie Bethell em *The Cambridge History of Latin America* forma um painel elucidativo. *O império luso-brasileiro*, org. de Harold Johnson e Maria B. Nizza da Silva (Estampa), e *Dicionário de história da colonização portuguesa do Brasil*, de Maria B. Nizza da Silva (Verbo), também são fontes importantes para o estudo dos primórdios do Brasil.

Jesuítas, Bandeirantes e Invasores

As cartas escritas pelos primeiros jesuítas do Brasil permanecem uma fonte profícua para o estudo do Brasil colonial. Nelas se incluem os relatos de Anchieta e Nóbrega. As melhores edições

são as organizadas pelo padre Serafim Leite, autor da notável *História da Companhia de Jesus no Brasil* (Portugália, 1938). Os *Sermões* do padre Antônio Vieira são um tesouro da língua portuguesa. O texto

sobre Vieira, deste livro, baseia-se no ensaio de José Honório Rodrigues publicado em *História e historiografia* (Vozes). Wilson Martins (em *História da inteligência brasileira*, Cultrix) e Alfredo Bosi (em

Dialética da colonização, Companhia das Letras) fizeram sólida análise literária sobre a obra de Vieira e Anchieta, utilizada neste trabalho. Existe vasta bibliografia sobre as Missões. As fontes mais usadas foram *Conquista espiritual*, de Ruiz de Montoya (Martins) e o ótimo *Os jesuítas*, de Jean Lacouture (L&PM).

A Inquisição no Brasil foi bem estudada por Ronaldo Vainfas em *Trópico dos pecados* (Campus) e Laura de M. e Souza em *O diabo e a Terra da Santa Cruz* (Companhia das Letras). Sobre as outras ordens, fonte fundamental é *História da Igreja no Brasil* (Vozes, vários autores). A melhor biografia do Marquês de Pombal é de Kenneth Maxwell (Paz e Terra).

Embora ótimos autores tenham escrito sobre os bandeirantes, a fonte primordial continua sendo *História geral das bandeiras paulistas*, obra em dez volumes de Afonso Taunay (Museu Paulista, 1924-1949). Alfredo Ellis Jr. foi o continuador natural da obra de Taunay, com menos brilho. Os textos de Capistrano de Abreu, Jaime Cortesão, Sérgio Buarque de Holanda e John Monteiro também foram utilizados. Outros dois textos fundamentais são o *Dicionário de bandeirantes e sertanistas do Brasil*, de F. Carvalho Franco (São Paulo, 1954) e o clássico *Vida e morte do bandeirante*, de Alcântara Machado (Itatiaia).

Para o estudo do "Brasil francês" existem duas fontes primárias do mais alto nível: *Singularidades da França Antártica*, de André Thevet (Itatiaia) e *Viagem à Terra do Brasil*, de Jean de Léry (Editora do Exército, 1961, na tradução de Sérgio Milliet), apesar de essas edições suprimirem as ilustrações originais. *Histoire du Brésil Français au Seizième Siècle*, escrito em 1878 por Paul Gaffarel, continua inédito em português. A bibliografia sobre o "Brasil espanhol" também é fraca. *Do Brasil filipino ao Brasil de 1640*, de José V. Serrão (Cia. Ed. Nacional), é uma boa fonte geral. O mesmo autor também escreveu o *Rio de Janeiro no século XVI* (Lisboa, 1965), relato preciso sobre a França Antártica. Sobre os piratas ingleses, a melhor fonte é *Geociências no Brasil: A contribuição britânica*, de Othon H. Leonardos (Forum, 1970).

Holandeses, Ouro e Escravos

A bibliografia sobre a ocupação holandesa do Brasil é vasta e repleta de textos clássicos escritos pelos próprios invasores, como *História dos feitos recentemente praticados (...) sob o governo do Conde de Nassau*, de Gaspar Barleus (Itatiaia), *Memorável viagem ao Brasil*, de Joan Nieuhof (Martins, 1942), e *Relatório sobre as capitanias conquistadas pelos holandeses*, de Adrien van der Dussen (Instituto do Açúcar e do Álcool, 1947). Vários estudos mais recentes são da melhor qualidade. Destacam-se *Os holandeses no Brasil* (Difel), de Charles R. Boxer, *Tempo de flamengos*, de J. A. Gonsalves de Melo Neto (José Olympio, 1947), *Civilização holandesa no Brasil*, de José Honório Rodrigues (Companhia Editora Nacional, 1940), e *Fórmulas políticas no Brasil holandês*, de Mário Neme (Difel), além dos extraordinários *Olinda restaurada* (Topbooks) e *Rubro veio: o imaginário da Restauração Pernambucana* (Topbooks), ambos de Evaldo Cabral de Melo. Porém, a inexistência de uma boa biografia de Nassau prejudica tal bibliografia.

O ciclo da mineração no Brasil também pode ser estudado em textos clássicos. A citada *História geral das bandeiras paulistas*, de Taunay, é a melhor fonte, mas *Viagem ao país dos paulistas*, de Ernane Bruno (José Olympio, 1966), *História antiga das Minas Gerais*, de Diogo Vasconcelos (Itatiaia), e vários livros de Alfredo Ellis Jr. também foram consultados. O relato dos viajantes John Mawe, *Viagem ao interior do Brasil*, e W. von Eschwege, *Pluto Brasiliensis* (ambos da Itatiaia), são indispensáveis. Uma boa visão geral pode ser encontrada em *História da mineração no Brasil*, editada pela Atlas Copco em 1986. O livro do padre Antonil *Cultura e opulência do Brasil por suas drogas e minas* (INL), e o clássico *História econômica do Brasil*, de Roberto Simonsen, foram utilizados (também nos textos sobre o açúcar e o pau-brasil). Das biografias de Aleijadinho, a mais consultada foi *O Aleijadinho de Vila Rica*, de Waldemar Barbosa (Itatiaia). Outra fonte primordial é *Memórias do Distrito Diamantino*, de Joaquim Felício dos Santos (Vozes).

Igualmente vasta é a bibliografia sobre a escravidão. Dois livros lançados em 1997 já se incluem entre os melhores escritos sobre o tema. São eles: *Em costas negras*, de Manolo Florentino (Companhia das Letras), e *Liberdade por um fio* (Companhia das Letras, org. de João J. Reis e Flávio S. Gomes). Em 2001, foi lançado *O trato dos viventes*, de Luis Felipe Alencastro (Companhia das Letras), já tido como antológico. Entre os textos clássicos estão *Casa-grande & senzala*, de Gilberto Freyre (José Olympio), *O escravismo colonial*, de Jacob Gorender (Ática), e *A escravidão no Brasil*, de Perdigão Malheiro (Vozes). *Fluxo e refluxo do tráfico de escravos entre o Golfo do Benin e a Bahia*, de Pierre Verger (Corrupio), é indispensável. Foram usados também os livros dos brasilianistas Robert Conrad, *Tumbeiros* (Brasiliense) e *Os últimos anos da escravatura no Brasil* (INL/Brasiliense), e A. Russel-Wood, *The black man in slavery and freedom in Brazil* (Universidade de Nova York), mais *Rebeliões da senzala*, de Clóvis Moura (Editora Conquista), *O Quilombo dos Palmares*, de Edison Carneiro (Nacional), e *Palmares: a guerra dos escravos*, de Décio Freitas (Mercado Aberto).

Os Conjurados e a Família Real

Existem inúmeros livros sobre a Conjuração Mineira. A fonte primordial, de leitura árdua, continua sendo *Autos da devassa*, publicada em dez volumes pela Câmara dos Deputados de Minas Gerais, em 1976. Mas o capítulo sobre a Conjuração deve muito ao livro mais inovador escrito sobre o assunto, *A devassa da devassa*, de Kenneth Maxwell (Paz e Terra), que elucida e desfaz muitos dos mitos perpetrados pela historiografia brasileira relativa ao tema. Uma bem-documentada biografia de Tiradentes foi escrita por Luis Wanderley Torres (Oren Editora, 1977). A obra completa de Cláudio Manuel da Costa, Tomás Antônio Gonzaga e Alvarenga Peixoto foi publicada em 1996, em requintada edição em papel-bíblia, pela editora Nova Aguilar, com organização de Domício Proença Filho. A tese sobre Tiradentes como herói cívico do Brasil e sua transformação em símbolo da República foi elaborada por José Murilo de Carvalho em *A formação das almas — o imaginário da República no Brasil* (Companhia das Letras).

As *Cartas chilenas*, de Tomás Antônio Gonzaga, receberam uma edição recente, organizada por Joaci P. Furtado (Companhia das Letras, 1997). A vinda da família real para o Brasil foi detalhadamente estudada na obra-prima de Oliveira Lima, *D. João VI no Brasil* (Topbooks), um texto apologético, em tudo distinto de outro estudo clássico, *A Corte de D. João no Rio de Janeiro*, que Luiz Edmundo da Costa lançou em 1940 (Imprensa Nacional), e no qual traça um perfil cruel da família real. *Dom João VI, príncipe e rei*, de Angelo Teixeira (Lisboa, 1953), apóia-se em documentos inéditos e apresenta uma visão mais equilibrada do monarca. Um retrato arrasador da rainha Carlota Joaquina foi escrito pelo inglês William Beckford em *The travel diaries* (Penguin). A abertura dos portos do Brasil foi estudada por Pinto de Aguiar em livro do mesmo título (Editora da Câmara Municipal de Salvador, 1960).

Wilson Coutinho publicou, em novembro de 1990, *Missão Artística Francesa e pintores viajantes*, catálogo da exposição patrocinada pela Fundação França-Brasil. O texto sobre o assunto, publicado aqui, se baseia nessa fonte. Além das pinturas de Debret e Rugendas, reproduzidas à exaustão (em geral com má qualidade), a obra desses dois artistas foi discutida por J. F. de Almeida Prado em *O artista Debret e o Brasil* (Companhia Editora Nacional), e por Newton Carneiro em *Rugendas no Brasil* (Kosmos, 1976). Outra boa análise da importância de Rugendas e Debret, além de reproduções de primeira qualidade da obra desses artistas, foi realizada pela professora Ana Maria de Moraes Beluzzo, no capítulo "A viagem pitoresca de Debret e Rugendas", do livro *A construção da paisagem*, volume III da refinada série *O Brasil dos viajantes* (Metalivros).

Os Viajantes / A Independência

A magistral coleção *Reconquista do Brasil*, lançada a partir dos anos 1970 pela editora mineira Itatiaia, republicou os relatos de praticamente todos os viajantes que estiveram no Brasil durante o século XIX, refazendo, assim, o trabalho pioneiro que a coleção Brasiliana, da Cia. Ed. Nacional, realizara entre 1931 e 1940. Mas as experiências de alguns viajantes também foram publicadas por outras editoras. Dentre os circunavegadores que estiveram no Brasil, o livro de Pigafetta, *Primeira viagem ao redor do mundo*, foi lançado pela L&PM. O diário de Darwin, *Viagem de um naturalista ao redor do mundo*, saiu pela Cia. Brasil Editora (1937). Os *Diários* do capitão Cook foram lançados pela Brasi-

liense (1948). *A expedição do acadêmico Langsdorff ao Brasil*, de G. G. Manizer (Cia. Ed. Nacional, 1947), é uma boa fonte sobre a mais trágica viagem científica realizada no Brasil. A bela *Viagem fluvial do Tietê ao Amazonas*, de Hercule Florence, saiu pela Cultrix, e a Melhoramentos editou os três volumes de *Viagem ao Brasil*, de Spix e Martius. *A viagem ao Brasil*, do príncipe Maximiliano, foi publicada pela Cia. Ed. Nacional, 1940. A jornada de Saint-Hilaire foi lançada em oito volumes pela Itatiaia.

O livro *O Brasil dos viajantes*, de Ana M. de Moraes Beluzzo, publicado pela Fundação Odebrecht, que patrocinou a exposição do mesmo nome, forma o mais admirável painel das imagens dei-

xadas por esses exploradores e pelos artistas que os acompanhavam. *A história das expedições científicas no Brasil*, de C. Mello Leitão (Cia. Ed. Nacional, 1941), faz um bom apanhado geral do ciclo de jornadas exploratórias. Sobre a Amazônia, os relatos primordiais, de Gaspar de Carvajal e Cristobal de Acuña, foram traduzidos e reunidos em um volume por Mello Leitão (Cia. Ed. Nacional, 1941). *A viagem filosófica*, de Alexandre Rodrigues Ferreira, recebeu bela edição do Conselho Federal de Cultura em 1972. Os relatos de Alfred Wallace e Henry Bates foram publicados pela Itatiaia, infelizmente sem as gravuras originais — fato comum na coleção *Reconquista do Brasil*.

O capítulo sobre a Independência deve muito à excelente biografia de Neill Macaulay, *D. Pedro I — A luta pela liberdade no Brasil e em Portugal* (Record). Outra fonte consultada foi *História da independência do Brasil*, de Francisco Adolfo de Varnhagen (Melhoramentos, 1957), embora este esteja longe de ser o melhor livro do grande historiador: como Joaquim Bonifácio e seus irmãos eram inimigos do pai de Varnhagen, na obra ele os trata com muito preconceito. Fonte fundamental são os dez volumes da *História dos fundadores do Império do Brasil*, de Octávio Tarquínio de Sousa (José Olympio, 1960), que além de ter uma excelente biografia de D. Pedro I traz também a melhor biografia de José Bonifácio, base do texto publicado neste trabalho. Fonte primária de leitura árida são as *Actas das sessões das cortes geraes*, publicadas em Lisboa em 1823. Em contrapartida, as *Cartas de D. Pedro I à Marquesa de Santos*, reunidas por Alberto Rangel e lançadas pela Nova Fronteira em 1986, são leitura estimulante e fogosa.

A Regência e as Revoluções

Dois autores cujo trabalho continua sendo importante para o estudo do Primeiro Reinado, do período regencial, da época das revoluções internas e do golpe da maioridade são Octávio Tarquínio de Sousa e Tobias Monteiro. O primeiro escreveu boas biografias do padre Diogo Feijó, de Evaristo da Veiga e de Bernardo Pereira de Vasconcelos, parte de sua *História dos fundadores do Império do Brasil*, já citada. Tobias Monteiro, por vezes demasiadamente prolixo, é autor de *História do Império: a elaboração da Independência* (José Olympio, 1933) e de sua seqüência, *O Primeiro Reinado*, livro no qual os episódios que desembocaram na abdicação de D. Pedro I e na conseqüente crise da Regência são minuciosamente relatados.

Outras fontes importantes para o estudo de um dos mais conturbados períodos da história do país estão reunidas no quarto volume da *Cambridge History of Latin America*, que inclui os textos "Brazil from Independence to the middle of the nineteenth century", de Leslie Bethell e José Murilo de Carvalho, e "Brazil from the middle of the nineteenth century to the Paraguayan War", de Richard Graham. Também foram consultados (como na análise de vários outros períodos da história do Brasil) os volumes 3 e 4 da *História geral da civilização brasileira* (Difel), organizada por Sérgio Buarque de Holanda (*leia sobre este livro na parte dedicada às histórias gerais do Brasil*).

Há uma vasta bibliografia sobre as revoluções provinciais que abalaram o período regencial. Os livros são muito desiguais em sua abordagem sobre essas revoltas. A melhor análise sobre a Sabinada permanece inédita em português: é *The conservative revolution of independence*, do historiador F. W. Morton (Oxford, 1974). Outro bom livro sobre o tema é *A Sabinada: revolta separatista na Bahia*, de Paulo César Souza (Brasiliense). Sobre a Cabanagem, a fonte principal foi *A Cabanagem*, de Dilke B. Rodrigues (Editora Brasil, 1934). Astolfo Serra é o que conta melhor a Balaiada em livro homônimo (Bedeschi, 1946). Sobre a Praieira, o melhor estudo é o de Edison Carneiro, *A Revolução Praieira* (Editora Conquista, 1959). Por fim, a Guerra dos Farrapos é aquela que possui a mais ampla bibliografia entre todos os conflitos regenciais. Uma fonte clássica, embora controversa e nem sempre confiável, é a *História da grande revolução*, de Alfredo Varela (Porto Alegre, 1925). *Mémoires de un Chemise-Rouge*, a "autobiografia" de Garibaldi feita por Alexandre Dumas, é um livro estimulante. *Raízes socioeconômicas da Guerra dos Farrapos*, de Spencer Leitman (Graal), e *A paz dos farrapos* (Copesul, org. Elmar Bones) também foram consultados, bem como *Garibaldi e a Guerra dos Farrapos*, que Lindolfo Collor dedicou à filha Leda, mãe do ex-presidente Fernando Collor de Melo (José Olympio, 1937).

A Guerra do Paraguai e o Segundo Reinado

A bibliografia sobre a Guerra do Paraguai enfim ganhou um livro desvinculado das interpretações tendenciosas que o conflito despertou durante um século: trata-se de *Guerra do Paraguai 130 anos depois*, coletânea que reúne as palestras feitas por vários especialistas durante um seminário sobre o assunto, realizado em novembro de 1994 (ed. Relume Dumará, org. de Maria Eduarda Marques). Duas outras fontes utilizadas para a redação do capítulo foram *O expansionismo brasileiro e a formação dos Estados na Bacia do Prata*, de L. A. Moniz Bandeira (UNB) e *Guerra do Paraguai:*

escravidão e cidadania na formação do exército, de Ricardo Salles (Paz e Terra). *A Guerra do Paraguai*, de Leon Pomer (Global, 1980), uma visão de "esquerda" do conflito, e a bem-documentada *História da guerra entre a Tríplice Aliança e o Paraguai*, obra em três volumes escrita pelo general Tasso Fragoso (Imprensa do Estado-Maior do Exército, 1934), também foram consultadas. Uma fonte primária redigida em estilo literário é o clássico *A Retirada da Laguna*, de Alfredo E. Taunay (Biblioteca do Exército, 1959), traduzido por Afonso Taunay.

Lilia Moritz Schwarz publicou, em 1998, a melhor biografia de D. Pedro II, *As barbas do Imperador*, enfim dando aos interessados, na vida e na obra do homem que governou o Brasil por cerca de meio século, uma outra opção além da obra que Pedro Calmon lançara em 1974, pela ed. José Olympio. Sobre o império, um livro fundamental é *Teatro de sombras: a política do Império*, de José Murilo de Carvalho (Vértice). A instigante biografia de Irineu Evangelista de Sousa, *Mauá, empresário do Império*, de Jorge Caldeira (Companhia das Letras), supera todas as demais e se tornou um texto-chave sobre o assunto, além de apresentar um bom panorama geral sobre o Segundo Reinado e sobre a personalidade de D. Pedro II.

Um retrato mundano do apogeu do Império foi traçado por Vanderlei Pinho em *Salões e damas do Segundo Reinado* (Martins, 1938). Sobre o café, dois trabalhos indispensáveis são a monumental *História do café no Brasil*, obra em doze volumes de Afonso Taunay (Typographia Ideal, 1936), publicada também pela Melhoramentos em 1954 numa edição resumida, e *Roteiro do café*, de Sergio Milliet (São Paulo, 1939). Sobre a obra de Pedro Américo e Vitor Meirelles e o papel desempenhado pela Academia Nacional de Belas-Artes, a fonte consultada foi *Artes plásticas no Brasil — mercados e leilões*, de Júlio Louzada (Inter Artes, 1992). Outra obra consultada, a mais completa sobre o assunto, foi *História geral da arte no Brasil* (Inst. Moreira Salles, org. de Walter Zanini). A análise da obra literária de Gonçalves Dias e de José de Alencar deve muito ao capítulo "Um mito sacrificial: o indianismo de Alencar", de Alfredo Bosi, no já citado *Dialética da colonização*. A *História concisa da literatura brasileira* (Cultrix), do mesmo autor, também foi uma fonte preciosa.

A Abolição e a República

A abolição é um dos assuntos mais estudados da história do Brasil e existem muitos livros bons sobre o tema. A fonte clássica para a compreensão da ideologia abolicionista é o libelo de Joaquim Nabuco, *O abolicionismo* (Vozes), uma das mais belas e densas obras de combate já escritas em português. Outros livros de Nabuco, como *Minha formação*, *Escravos* e *Um estadista do Império*, também foram consultados e constituem vigorosa denúncia contra a escravidão. O texto de Leslie Bethell, *A abolição do tráfico de escravos no Brasil* (Edusp) e *Os últimos anos da escravatura no Brasil*, de Robert Conrad (INL/Brasiliense), também são fontes confiáveis. O pequeno livro de Suely R. Reis de Queiróz, *Abolição da escravidão* (Brasiliense), faz um bom apanhado geral sobre o assunto. Outros textos consultados foram *A escravidão reabilitada*, de Jacob Gorender (Ática), e *Os republicanos paulistas e a Abolição*, de José Maria dos Santos (Martins, 1942). Uma inspiração decisiva veio do capítulo "A escravidão entre dois liberalismos", do livro *Dialética da colonização*, de Alfredo Bosi, já citado.

As fontes mais utilizadas na redação dos textos sobre a proclamação da República foram *Os militares e a República*, de Celso Castro (Zahar), e *Os bestializados: o Rio de Janeiro e a República que não foi*, de José Murilo de Carvalho (Companhia das Letras), as duas melhores análises sobre o movimento militar que derrubou a monarquia. Uma visão de "esquerda" da proclamação da República pode ser encontrada em *A República: uma revisão histórica*, de Nelson Werneck Sodré (UFRGS).

Existem poucas biografias de Deodoro da Fonseca e de Benjamin Constant e, em geral, a maioria dos autores recorre aos textos clássicos *Benjamin Constant: esboço de uma apreciação sintética da vida e da obra do fundador da República brasileira*, de Raimundo Teixeira Mendes (Apostolado Positivista do Brasil, 1913), e *Deodoro: a espada contra o Império*, de Roberto Magalhães Júnior (Cia. Ed. Nacional, 1957), embora nenhuma das duas obras se caracterize pelo distanciamento crítico. Na verdade, como apontou o historiador Celso Castro, ambas estabeleceram uma espécie de "ditadura" bibliográfica sobre o assunto. Duas fontes fundamentais para o estudo do papel dos militares na proclamação da República foram escritas por brasilianistas: *O Exército na política*, de John Schultz (Edusp), e *Relações entre civis e militares no Brasil (1889-1898)*, de June Hahner (Pioneira). Josué Montello escreveu um bom romance histórico sobre o tão significativo *Baile da Ilha Fiscal* (Nova Fronteira).

A República Velha

O texto de abertura de "A República de dez anos" foi inspirado pela leitura de *A invenção republicana*, de Renato Lessa (Vértice), e pelo já citado *Os militares e a República*, de Celso Castro. Outra boa fonte sobre a primeira década republicana é *Política do governo e crescimento da economia brasileira*, de Annibal V. Villela e Wilson Suzigan (Inpes). Nos textos sobre os governos de Prudente de Morais e Campos Sales, a fonte utilizada foi *Como se faziam presidentes,* de Dunshee de Abranches (José Olympio, 1973). Sobre o Encilhamento e a política econômica da primeira década da República (e demais planos econômicos que assolaram o Brasil até 1989), boa fonte, embora escrita em "economês", é *A ordem do progresso* (Campus, org. Marcelo de Abreu). Para o texto da guerra civil de 1893 no Rio Grande do Sul, foram usados basicamente dois livros, sintéticos mas muito bons: *Guerra civil de 1893*, de Sérgio da Costa Franco (Editora da UFRGS), e *Maragatos e pica-paus*, de Carlos Reverbel (L&PM). Sobre Canudos, a melhor fonte continua sendo, evidentemente, *Os sertões,* de Euclides da Cunha. Ainda assim, merecem ser vistos *Antônio conselheiro e Canudo*s (Cia. Ed. Nacional), no qual Ataliba Nogueira reuniu os discursos e prédicas do Conselheiro, e o pequeno *Guerra de Canudos*, de Antônio Carlos Olivieri, da série Guerras e Revoluções Brasileiras (Ática). *A Guerra do fim do mundo*, bela releitura que Mario Vargas Llosa fez do episódio de Canudos, já teve várias edições brasileiras (a mais recente delas foi publicada pela Companhia das Letras).

Existe vasta bibliografia sobre a imigração. Foram consultados basicamente *Imigrantes para o café*, de Thomas Holloway (Paz e Terra), e o tocante *Memória e sociedade,* de Ecléa Bosi (Companhia das Letras). Especificamente sobre italianos e alemães, a fonte consultada foi *RS: imigração & colonização* (Mercado Aberto, org. José H. Dacanal).

As informações sobre a reforma urbana do Rio de Janeiro e a construção da avenida Central saíram basicamente de *Belle époque tropical*, o belo livro de Jeffrey D. Needell. As informações sobre São Paulo e a inauguração da avenida Paulista foram extraídas da obra de um brasilianista: Richard M. Morse, autor de *Formação histórica de São Paulo* (Difel) e da enciclopédia *Nosso século*. O magnífico registro visual de Marc Ferrez sobre o Rio e a construção da avenida Central foi publicado pelo Museu Nacional de Belas-Artes, no suntuoso álbum *Construção da avenida Rio Branco* (1982). Uma boa análise da Revolta da Vacina é *A revolta da vacina*, de Nicolau Sevcenko (Brasiliense).

Da Primeira Guerra à Revolução de 1930

É parca a bibliografia sobre a participação do Brasil na Primeira Guerra Mundial. A principal fonte utilizada foi a enciclopédia *Nosso Século* (Abril). As informações sobre a viagem da delegação brasileira a Paris vêm de *O Tratado de Versalhe*s, de Ruth Hening (Ática). Sobre a Revolta da Chibata, a fonte utilizada foi *1910: A revolta dos marinheiros*, de Mário Maestri (Global). Sobre o episódio do Contestado, foram consultados *O Contestado*, livro de Eduardo José Afonso, da série Guerras e Revoluções Brasileiras (Ática), e *Guerra camponesa no Contestado*, de Jean-Claude Bernadet (Global, 1979). O perfil do senador Pinheiro Machado deve muito ao esplêndido *O regionalismo gaúcho*, de Joseph Love (Perspectiva, 1975), de onde foram extraídas as informações a respeito dos governos de Venceslau Brás e Arthur Bernardes, além de vários dados sobre a Revolução de 30, inclusive a descrição da triunfal entrada de Vargas no Rio e sua posse no Catete.

Outra fonte primordial sobre os anos 1920 no Brasil é a vasta obra de Edgard Carone, da qual foram consultados os volumes *A República Velha (evolução política)*, *A República Velha (instituições e classes sociais)* e *O tenentismo* (todos da Difel). Boa fonte de consulta acerca dos Dezoito do Forte é *Sangue na areia de Copacabana*, de Hélio Silva (Civilização Brasileira, 1971). Sobre a Coluna Prestes existem dezenas de livros. Foram consultados *A Coluna Prestes: revolução no brasil*, de Neil Macaully (Difel), *A Coluna Prestes (marchas e combates)*, de Lourenço Lima (Brasiliense, 1954), e *A Coluna da morte*, do tenente João Cabanas (s.ed., 1926). A apologética biografia de Jorge Amado sobre Prestes chama-se *O Cavaleiro da Esperança* (Martins, 1968). Os melhores estudos sobre Lampião, padre Cícero e o messianismo no Brasil são os de Maria Isaura Pereira de Queiroz, de quem foram consultados *História do cangaço* (Global), *Os cangaceiros* (Duas Cidades, 1977) e *O messianismo no Brasil e no mundo* (Alfa-Ômega).

A bibliografia a respeito da Semana de Arte Moderna é ampla. A fonte mais utilizada foi o estimulante *Orfeu Extático na Metrópole: SP — sociedade e cultura nos frementes anos 20*, de Nicolau Sevcenko (Companhia das Letras). O livro *A Semana de Arte Moderna*, de Neide Rezende (Ática), e as minibiografias de Oswald de Andrade, escrita por Maria

Augusta Fonseca, e de Tarsila do Amaral, por Nádia B. Gotlib (ambas da Brasiliense), também foram consultadas. Os textos sobre Machado de Assis, Olavo Bilac, Coelho Neto, Lima Barreto e João do Rio se baseiam na análise precisa de Jeffrey Needell feita no já citado *Belle époque tropical*. Sobre Machado de Assis foi utilizado o artigo de Ivo Barbieri, "Machado e a História", publicado pela *Revista Machadiana Espelho* (UFRGS). Sobre Mário e Oswald de Andrade foram usados fascículos de *Grandes personagens da nossa história* (Abril).

Da Revolução de 1930 ao Golpe de 1964

O texto clássico do período que vai da Revolução de 30 ao Golpe de 64 se tornou *Brasil: de Getúlio a Castelo,* do brasilianista Thomas Skidmore (Paz e Terra), utilizado nos capítulos sobre o governo Getúlio Vargas e o golpe militar. No entanto, a fonte mais consultada foi o excelente *Dicionário histórico-biográfico brasileiro: 1930-1983*, feito pela equipe da Fundação Getúlio Vargas (Forense-Finep). É muito vasta a bibliografia sobre a Revolução de 30. Um dos livros mais completos sobre o assunto é *Simpósio sobre a Revolução de 30* (Erus). Mas o belo álbum de fotografias *A Revolução de 30 e seus antecedentes* (Nova Fronteira) também é uma fonte preciosa. A melhor bibliografia sobre o tema foi reunida por Lúcia Oliveira em *Elite intelectual e debate político nos anos 30* (analisando 143 livros editados entre 1929 e 1936 sobre o tema).

Sobre a Revolução Paulista de 1932, foi consultado *A guerra civil brasileira*, de Stanley Hilton (Nova Fronteira), talvez o melhor livro sobre o assunto. Dois outros textos clássicos sobre o período pós-Revolução de 30 são *O Regime Vargas (1934-38): os anos críticos* (Nova Fronteira), de Robert Levine, e *Brasil: anos de crise, 1930-1945*, de Edgard Carone (Ática). Sobre a Intentona Comunista, a fonte principal foi *Camaradas*, de William Waack (Companhia das Letras), que modificou toda a bibliografia sobre esse evento. A bibliografia sobre o Estado Novo é ampla. Além dos livros de Stanley Hilton, Edgard Carone e Hélio Silva, foi consultada também a biografia de Vargas, escrita por John Foster Dulles (Renes, 1974). Sobre a Segunda Guerra Mundial, as fontes utilizadas foram a enciclopédia *Nosso Século* (Abril) além de *A FEB pelo seu comandante*, de J. B. Mascarenhas de Morais (Biblioteca do Exército, 1969).

Sobre Juscelino Kubitschek são indispensáveis os livros escritos por ele próprio, *Meu caminho para Brasília — cinqüenta anos em cinco* e *Por que construí Brasília* (ambos da Bloch Editores). Foram pesquisados ainda *JK: uma revisão da política brasileira*, de F. A. Barbosa (José Olympio) e *O governo JK*, de Maria Benevides (Paz e Terra). A mesma autora escreveu *O governo Jânio Quadros* (Brasiliense), boa síntese sobre a atuação desse presidente. Utilizou-se também *A renúncia de Jânio Quadros e a crise pré-64*, de L. M. Bandeira (Brasiliense). Sobre o governo Goulart a maior fonte foi *O colapso do populismo no Brasil*, de Octávio Ianni (Civilização Brasileira). A respeito do golpe de 64, a fonte primordial foi o verbete "Revolução de 1964", do citado *Dicionário histórico-biográfico brasileiro*, mais *1964: o papel dos EUA no golpe de Estado de 31 de março*, de Phyllis Parker (Civilização Brasileira, 1977), *1964 visto e comentado pela Casa Branca*, de Marcos Sá Corrêa (L&PM), *Memórias de um revolucionário*, de Olympio Mourão (L&PM), e *Os motivos da revolução*, de A. C. Murici (Imprensa Oficial, PE).

Dos Anos de Chumbo aos Anos de Lama

Apesar da censura, muito se escreveu sobre os "anos de chumbo" enquanto eles ainda estavam ocorrendo. Uma das melhores análises sobre o período está em *As Forças Armadas: política e ideologia no Brasil (1964-1969)*, de Eliézer de Oliveira (Vozes, 1976). Completo apanhado geral dessa época pode ser encontrado na trilogia *Visões do golpe, Anos de chumbo* e *A volta aos quartéis* (Relume-Dumará, org. Celso Castro). Outras referências são os livros de memórias *O que é isso, companheiro?*, de Fernando Gabeira (Companhia das Letras), *Os carbonários*, de Alfredo Sirkis (Global), e *Batismo de sangue: os dominicanos e a morte de Marighella*, de Frei Betto (Civilização Brasileira). Também foram consultados *O dossiê Herzog*, de Fernando Jordão (Global), *Tortura: a história da repressão política no Brasil*, de Antônio Carlos Fon (Global) e *O outro lado do poder*, de Hugo Abreu (Nova Fronteira).

Fonte fundamental para a redação do "Cultura nos anos 60 e 70" foi o livro *Cultura e participação nos anos 60*, de Heloísa Buarque de Holanda e Marcos A. Gonçalves (Brasiliense). Sobre a Bossa Nova, foram consultados *Balanço da bossa*, de Augusto de Campos (Perspectiva), e *Chega de saudade*, de Ruy Castro (Companhia das Letras). Sobre cinema:

A revolução do Cinema Novo, de Glauber Rocha (Alhambra, 1981). Sobre TV, a fonte foi *Anos 70/Televisão*, de Elisabeth Carvalho, Santuza Ribeiro e Maria Rita Kehl (Europa). Outra fonte foi *A divina comédia dos Mutantes*, de Carlos Calado (Editora 34).

A partir do capítulo "Das diretas a Sarney", jornais e revistas tornaram-se indispensáveis, além dos livros *Tancredo*, de Augusto Nunes (série Grandes Líderes, Abril), *Assim morreu Tancredo*, de Antônio Britto (L&PM), *Autoritaris-mo e democratização*, de Fernando Henrique Cardoso (Paz e Terra) e *Uma história da República*, de Lincoln de Abreu Penna (Nova Fronteira), que vai até o fim do governo Sarney e também foi consultado. O álbum *Folha de S.Paulo: Primeira Página: 1921-1995* (Folha da Manhã S/A) traça um bom panorama dos últimos 70 anos no Brasil e foi utilizado na redação de trechos sobre as diretas, a morte de Tancredo, a posse de Sarney e a era Collor. Os verbetes sobre Tancredo, Sarney, Ulysses Guimarães e Itamar Franco do citado *Dicionário histórico-biográfico brasileiro* foram úteis.

No ano de 1999, foram lançados dois livros sobre FHC: *A bibliografia de Fernando Henrique Cardoso: o Brasil do possível*, de Brigitte H. Leon (Editora Nova Fronteira) e o ensaio/entrevista *O presidente segundo o sociólogo*, de Roberto Pompeu de Toledo (Companhia das Letras).

As Histórias Gerais do Brasil

A melhor história geral do Brasil foi organizada por Sérgio Buarque de Holanda e publicada pela Difel em 1960 em três tomos (divididos em dez volumes), sob o título de *História geral da civilização Brasileira*. Mais de cinqüenta autores colaboraram com esse projeto que constitui um amplo painel da formação do Brasil e foi idealizado sob inspiração da série francesa *História geral das civilizações*, dirigida por Maurice Crouzet. Entre as obras atuais, disponíveis no mercado, a melhor, e a mais legível, história geral do Brasil escrita por um só autor num único volume é a *História do Brasil* de Boris Fausto (Edusp, 1994). O livro de Fausto é um dos frutos mais recentes de uma tradição que remonta a 1627, quando frei Vicente do Salvador (1564-1639) escreveu a primeira *História do Brasil*, só publicada na íntegra em 1888. Trata-se de livro saborosíssimo, de estilo simples, pragmático e ingênuo, que pode ser lido como uma coleção de contos históricos.

O sucessor de frei Vicente foi o senhor de engenho Sebastião da Rocha Pita (1660-1739), autor de *História da América portuguesa*, publicada em 1730, com texto refinado, mas repleta de incorreções e preconceitos. A seguir, surge a primeira história do Brasil de maior fôlego e que, ao mesmo tempo, uniu rigor factual com requinte literário: a belíssima *História do Brasil* escrita pelo historiador e poeta inglês Robert Southey (1774-1843). Livro repleto de alvura, luminoso e iluminista, foi publicado de 1810 a 1819. Em 1854 surgiu a monumental *História geral do Brasil*, de Varnhagen, a mais profunda investigação documental do período colonial do país.

Em 1860, o alemão Heinrich Handelmann (1825-1891) lançou uma ótima *História do Brasil* que, depois de quase meio século de injusto esquecimento, foi relançada em 1982, pela Itatiaia (a última edição anterior fora publicada em 1931). A primeira grande história do país publicada no século XX foi obra de José Francisco da Rocha Pombo (1857-1933), que em 1906 lançou o primeiro dos dez volumes de sua abrangente, além de esmerada e graciosa *História do Brasil*. Rocha Pombo morreu na penúria — e o mesmo destino foi reservado à sua obra (editada apenas em edição escolar, em um só volume). Há uma certa continuidade de propósito e de estilo entre Rocha Pombo e Pedro Calmon (1902-1985), que, embora publicando desde 1923, só lançou sua vetusta *História do Brasil* em sete volumes em 1959. Trata-se de uma obra fundamentada em pesquisa e extremamente útil para o estudo do Brasil colonial. Hélio Vianna (1908-1972), anotador da obra de Rocha Pombo, lançou em 1961 a sua *História do Brasil*, mas trata-se de um trabalho por demais genérico e eventualmente enfadonho. Em 1988, Maria Yedda Linhares lançou uma boa *História geral do Brasil*, pela Editora Campus.

A melhor história geral do Brasil lançada em fascículos é *Saga – A grande história do Brasil*, obra repleta de ilustrações, com texto sucinto e preciso, publicada pela editora Abril em 1981, sob a supervisão de Elizabeth di Cropani. Sob a mesma supervisão, uma equipe similar produzira a fascinante enciclopédia *Nosso Século*, que se constitui na melhor, mais completa e mais bonita história do Brasil no século XX.

Ainda em fascículos foi publicada uma *História do Brasil*, lançada por Bloch Editores em 1972. Coordenada por Herculano Mathias, a obra faz um bom apanhado geral da história do Brasil e, embora a abordagem seja bastante acadêmica e eventualmente conservadora, é muito rica como fonte iconográfica. Embora esteja longe de ser uma história geral, o *Dicionário histórico-biográfico brasileiro 1930-1983* (Forense), coordenado por Israel Beloch e Alzira A. de Abreu e preparado por um grupo de pesquisadores da Fundação Getúlio Vargas, é uma fonte indispensável de pesquisa, ainda mais que está sendo ampliado, revisto e lançado em CD-ROM. Também em CD-ROM foi lançada *Viagem pela história do Brasil*, projeto concebido por Jorge Caldeira, propondo uma abordagem estimulante e não-acadêmica de várias questões nacionais.

Cronologia

A seguir estão relacionados por data os principais acontecimentos políticos e econômicos do Brasil, de 1500 até final do século XX.

1500 • Pedro Álvares Cabral chega ao Brasil.

1501 • Américo Vespúcio vem à costa brasileira em missão exploratória.

1504 • Os franceses vêm pela primeira vez ao Brasil.

1515 • João Dias de Solís, a serviço de Castela, inicia o reconhecimento da costa brasileira, desde o cabo de São Agostinho até o Rio da Prata.

1519 • Fernão de Magalhães aporta no Rio de Janeiro, durante sua expedição de circunavegação.

1530 • Martim Afonso de Souza vem de Portugal com a missão de trazer a ordem e a lei para o Brasil.

1532 • Inicia-se a cultura da cana-de-açúcar no Brasil.
• Dom João III resolve adotar o sistema de capitanias hereditárias no Brasil.
• Martim Afonso de Souza funda a vila de São Vicente.

1534 • Início da doação de capitanias hereditárias a particulares.

1541 • Gonzalo Pizarro e Francisco Orellana penetram na floresta amazônica.

1542 • Francisco Orellana entra no rio Amazonas. A expedição espanhola registra a aparição das amazonas.

1549 • É fundada a cidade de Salvador.
• O português Tomé de Souza é nomeado governador-geral do Brasil. Um grupo de jesuítas comandados por Manoel da Nóbrega vem com ele.

1550 • Trezentos índios são expostos no primeiro show brasileiro na Europa, em Rouen, França.
• Chega a Salvador a primeira leva de escravos africanos.

1553 • Duarte da Costa torna-se governador-geral do Brasil.
• Chega o padre José de Anchieta.

1554 • O padre Manuel da Nóbrega funda o Colégio de São Paulo.

1555 • Fundação da França Antártica, no Rio de Janeiro.

1557 • Mem de Sá torna-se o terceiro governador-geral do Brasil.

1565 • Estácio de Sá funda a cidade de São Sebastião (Rio de Janeiro).

1559 • Carta régia facilita a importação de escravos africanos para os engenhos.

1567 • Mem de Sá ataca a França Antártica e reconquista o Rio de Janeiro.

1570 • Carta régia de D. Sebastião garante liberdade aos índios.

1580 • Portugal e suas colônias são anexados ao reino de Espanha.
• Carmelitas se estabelecem no Brasil. Um ano depois vêm os beneditinos.

1587 • Os piratas Robert Withrington e Christopher Lister assolam o recôncavo baiano, mas são expulsos pelos "índios flecheiros".

1591 • Francisco de Souza, sétimo governador-geral do país, cria o "bandeirismo defensivo" — incursões para "caçar" índios.
• Instala-se o Tribunal do Santo Ofício na Bahia. Mantido até 1593.
• O pirata Thomas Cavendish ataca Santos e domina a cidade durante dois meses.

1595 • O porto de Recife é tomado por James Lancaster, que realiza a pilhagem mais lucrativa ocorrida no Brasil.
• Filipe II proíbe a escravização dos índios.

1602 • Fundação do Quilombo dos Palmares, na Serra da Barriga (AL).

1609 • Jesuítas fundam as primeiras missões às margens do Paranapanema.

1610 • Novas missões são fundadas pela Companhia de Jesus nas margens dos rios Paraná, Uruguai e Iguaçu.

1612 • Os franceses criam a França Equinocial, no Maranhão.

1614 • O exército luso-brasileiro vence confronto com a França Equinocial.

1615 • Daniel de la Touche, colonizador da França Equinocial, rende-se em São Luís e é levado para Lisboa, onde fica preso na Torre de Belém.

1624 • Os holandeses dominam Salvador por um ano, até serem atacados pelos espanhóis e capitularem.

1628 • Já há cerca de 235 engenhos de cana no Nordeste brasileiro.

1630 • Armada holandesa ataca Olinda e Recife e domina as duas cidades.

1637 • Pernambuco, Itamaracá, Paraíba e Rio Grande do Norte produzem mais de um milhão de arrobas de açúcar.
• Maurício de Nassau torna-se governador-geral do Brasil holandês.

1640 • Portugal separa-se de Espanha.

1641 • No arroio de M'bororé, índios Guarani entram em conflito com bandeirantes e vencem o confronto, matando mais de 200 mamelucos.

1644 • Maurício de Nassau volta à Holanda.

1648 • Batalha dos Guararapes. Cerca de 2.500 luso-brasileiros derrotam 5.000 holandeses.

1649 • Segunda Batalha dos Guararapes. Os holandeses resistem a várias investidas.

1654 • Holandeses enfim capitulam em Recife; desistem de lutar pela posse do local por causa das guerras que travam na Europa e na Nova Zelândia.

1661 • A Holanda recebe quatro milhões de cruzados de indenização de Portugal e deixa definitivamente o Brasil.

1680 • Fundação da Colônia do Sacramento.

1684 • O senhor de engenho Manuel Beckman lidera a Insurreição de Beckman contra o governo do Maranhão.

1685 • A Coroa portuguesa proíbe o estabelecimento de manufaturas no Brasil.
• O governador Gomes Freire de Andrade ataca São Luís — Beckman é preso e enforcado.

1688 • No Rio Grande do Norte, Domingos Jorge Velho combate uma rebelião de índios (Confederação do Cariri). O confronto termina em 1713.

1693 • São descobertas jazidas de ouro nas Gerais.

1695 • O Quilombo dos Palmares é destruído.

1708 • Guerra dos Emboabas. Em Minas Gerais, paulistas e "forasteiros" lutam pela exploração do ouro. O conflito termina em 1709.

1710 • Franceses comandados por Jean-François Duclerc atacam o Rio de Janeiro, mas perdem o combate. Duclerc é preso.
• Ocorre a Guerra dos Mascates em Pernambuco. Os combates duram três meses.

1711 • Duclerc é assassinado. Para vingá-lo, Duguay-Trouin ataca o Rio. O governador paga o "resgate" para que a cidade não seja destruída.

1720 • Revolta de Vila Rica contra a criação das casas de fundição, proibição da circulação do ouro em pó etc.

1722 • O sertanista Miguel Sutil descobre ouro de aluvião em Cuiabá.

1727 • O português Francisco de Mello Palheta traz sementes de café para o Brasil.

1743 • Viagem de Charles-Marie de la Condamine ao longo do rio Amazonas. A viagem dura de meados de 1743 a meados de 1744.

1759 • Expulsão dos jesuítas do Brasil.
• Fim do regime de capitanias hereditárias.

1763 • Transferência da capital de Salvador para o Rio de Janeiro pelo Marquês de Pombal.

1783 • Alexandre Rodrigues Ferreira parte para a primeira expedição científica realizada por um brasileiro no país. A viagem durará dez anos.

1789 • Conjuração Mineira. Um grupo de revolucionários trama a independência de Minas Gerais. O plano é suspenso e os conjurados são presos.
• O conjurado Cláudio Manuel da Costa é encontrado morto em sua casa. A notícia oficial fala em suicídio.

1792 • Das onze condenações à morte dos conjurados de Minas Gerais, apenas uma é mantida: Joaquim José da Silva Xavier (Tiradentes) é enforcado; seu corpo esquartejado é exposto em várias localidades. Os outros conjurados são degredados.

1798 • Conjuração Baiana. Influenciados pelos ideais da Revolução Francesa, os baianos tentam a liberdade.

1800 • A coroa portuguesa proíbe a entrada do barão von Humboldt no Brasil.

1803 • O barão Langsdorff vem pela primeira vez ao Brasil.

1806 • Portugal sofre pressão da França de Napoleão Bonaparte para cortar relações com a Inglaterra.

1808 • A família real portuguesa instala-se no Brasil.
• Dom João VI assina um decreto abrindo os portos do Brasil a "todas as nações amigas" e funda o Banco do Brasil.

1815 • Elevação do Brasil à categoria de Reino Unido ao de Portugal e Algarves.
• Langsdorff volta ao Brasil em missão exploratória oficial.
• O príncipe Maximiliano inicia expedição científica pelo Brasil (até 1817).

1816 • Falecimento da rainha D. Maria I.
• A missão francesa chega ao Rio de Janeiro.
• Auguste de Saint-Hilaire junta-se à missão francesa. Após alguns meses no Rio, inicia viagem pelo Brasil (até 1820).

1817 • Revolução Pernambucana. Formam-se sociedades secretas em Pernambuco para lutar contra o domínio de Portugal.
• Spix e Martius iniciam expedição naturalista.

1820 • Chega ao Brasil a notícia da Revolução do Porto.

1821 • O café responde por 18% do total das exportações brasileiras.
• Incorporação da Banda Oriental, sob o nome de Província Cisplatina, ao Reino Unido de Portugal, Brasil e Algarves.
• D. João VI retorna a Portugal.

1822 • Dom Pedro I anuncia que ficará no país ("Dia do Fico"). Oito meses depois ele proclama a Independência do Brasil.
• O pintor Rugendas chega ao Brasil com Langsdorff.

1823 • D. Pedro I manda o Exército invadir o plenário e dissolver a Constituinte.

1824 • É promulgada a primeira Constituição do Brasil.
• Início da colonização alemã no Brasil.
• Confederação do Equador. Movimento republicano e separatista de Pernambuco contra a dissolução da Assembléia Constituinte e a Constituição de 1824. Várias províncias aderem ao movimento.

1825 • D. Pedro I paga 600 mil libras à Corte portuguesa e assume dívida de 1,4 milhão de libras com a Inglaterra para que Portugal reconheça o Império do Brasil.
• Guerra entre o Brasil e a Argentina pela Província Cisplatina.

1826 • A Inglaterra, para reconhecer a independência do Brasil, força o país a assinar um tratado extinguindo o tráfico negreiro a partir de 1830.

1828 • Fim da Guerra da Cisplatina. O Brasil concorda com a independência da Província Cisplatina, atual República do Uruguai.

1831 • O naturalista Charles Darwin passa por Fernando de Noronha e pela Bahia, durante sua expedição científica pelo globo terrestre.
• Após críticas sobre empréstimo feito à Inglaterra e a desestabilização da economia, Dom Pedro I abdica; nomeia seu filho como príncipe regente.
• O Brasil é comandado por uma regência Trina Provisória.
• Forma-se a Regência Trina Permanente.

1835 • Estoura a Cabanagem. Um levante popular de negros, mestiços e índios do Pará contra a ordem estabelecida pela elite de Belém.
• O padre Feijó torna-se regente uno. Permanece no poder até 1837.
• Ocorre a Guerra dos Farrapos. Rebeldes do Rio Grande do Sul, liderados por Bento Gonçalves e Bento Manuel Ribeiro, invadem Porto Alegre e pedem a destituição do presidente da província e a criação de um regime federalista. Termina em 1845.
• Revolta dos Malês na Bahia.

1836 • Durante a Guerra dos Farrapos, o general Antônio de Souza Netto proclama a República Rio-grandense. Bento Gonçalves é preso.

1837 • Começa a fase áurea da literatura romântica indianista brasileira. Destacam-se autores como Gonçalves Dias e José de Alencar.
• Feijó deixa a Regência do Brasil, nomeando interinamente para o cargo Pedro de Araújo Lima, depois Marquês de Olinda.
• Bento Gonçalves assume a presidência da República Rio-grandense.
• Explode a Sabinada, que termina em 1838. A revolta visa transformar a província baiana em república independente do Brasil.

1838 • Araújo Lima é eleito regente uno; ficará no cargo até 1840.
• Ocorre a Balaiada. Raimundo Gomes, Francisco Ferreira e Cosme (líder de 300 negros libertos) comandam uma série de saques. Termina em 1841.
• Fundação do Instituto Histórico Geográfico Brasileiro.

1840 • Dom Pedro II, então com 14 anos, assume o Império do Brasil.

1845 • A Inglaterra baixa ato que permite a seus navios interceptar e inspecionar embarcações brasileiras, para coibir o tráfico de escravos.

1847 • Dom Pedro II instala um tipo de parlamentarismo no país.

1848 • Os ingleses Henry W. Bates e Alfred R. Wallace vêm ao Brasil estudar tipos diversos de borboletas. As análises tornam-se a base da Teoria da Origem das Espécies pela Seleção Natural, de Charles Darwin.
• Estoura a Revolta Praieira. Liberais querem redigir uma nova Constituição e entram em choque com conservadores. Termina em 1849.

1850 • O ministro da Justiça, Euzébio Queirós, assina lei que proíbe definitivamente o tráfico de escravos para o Brasil.

1851 • Começa a campanha do Brasil e do Paraguai contra Rosas, ditador da Argentina, e seu aliado Oribe, ex-presidente do Uruguai.

1854 • É inaugurada a primeira estrada de ferro brasileira, entre a baía de Guanabara e a serra do Mar.

1864 • Início da Guerra do Paraguai. Solano López aprisiona o navio brasileiro Assunção e invade Mato Grosso.

1865 • Acordo da Tríplice Aliança, para enfrentar o Paraguai.
• Batalha do Riachuelo, o maior conflito naval da Guerra do Paraguai.

1866 • O Exército paraguaio é destroçado na Batalha do Tuiuti.

1867 • Retirada da Laguna. Brasileiros fracassam na tentativa de reconquistar o Mato Grosso, tomado pelos paraguaios.

1868 • Caxias organiza o ataque final aos paraguaios, conhecido por Dezembrada — série de batalhas, entre elas a do Itororó e a do Avaí.

1869 • Aliados da Guerra do Paraguai entram em Assunção.

1870 • Fim da Guerra do Paraguai, com a morte de Solano López.

1871 • O Brasil colhe cinco milhões de sacas de café por ano, produto responsável por 50% das exportações brasileiras.
• A lei do Ventre Livre liberta os filhos de escravos nascidos no Brasil.

1873 • É criado o Partido Republicano Paulista (PRP).

1874 • Começa o ciclo da imigração italiana ao Sul e Sudeste do país.

1879 • Pinheiro Machado funda o Partido Republicano Rio-grandense (PRR).

1880 • Joaquim Nabuco funda a Sociedade Brasileira contra a Escravidão e torna-se o maior porta-voz do abolicionismo.
• Manaus torna-se o centro mundial de exportação de borracha.

1884 • Questão Militar. Conflitos envolvendo punição de militares partidários de questões políticas nacionais. Os episódios prolongam-se até 1887.

1885 • A lei dos Sexagenários liberta os escravos com mais de 60 anos.

1886 • Fundação da Sociedade Promotora de Imigração.
• A partir desse ano, e até 1914, três milhões de imigrantes entram no Brasil.

1887 • Assinados convênios entre Brasil e Europa para a vinda de mão-de-obra.

1888 • A lei Áurea liberta os 723.719 escravos existentes no Brasil.
• Discurso de Benjamin Constant na Escola Militar lança a "senha pública" para o golpe que derrubaria a monarquia.

1889 • O marechal Deodoro proclama a república e torna-se o primeiro presidente do Brasil.

1890 • Rui Barbosa, então Ministro da Fazenda, ordena que todos os registros sobre a escravidão no Brasil sejam queimados. Em 13 de maio de 1891 os arquivos são destruídos.

1891 • O país mergulha no caos econômico e Rui Barbosa pede demissão.
• Aprovada a nova Constituição; Deodoro é eleito presidente da República.
• Congresso Nacional aprova lei que permite *impeachment* do presidente. O marechal Deodoro fecha o Congresso e o almirante Custódio de Melo, a bordo do encouraçado Riachuelo, ameaça bombardear o Rio de Janeiro (Primeira Revolta da Armada). Deodoro renuncia em favor do vice Floriano Peixoto, que governará até 1894.

1893 • Antônio Conselheiro estabelece o arraial de Canudos, na Bahia.
• Estoura a Revolução Federalista, no Rio Grande do Sul, entre liberais monarquistas e republicanos, que termina em setembro de 1895.
• Eclode a Segunda Revolta da Armada, movimento militar que pretende depor o marechal Floriano.

1894 • Prudente de Morais é eleito o primeiro presidente civil do Brasil.

1896 • Prudente de Morais se afasta da Presidência e o vice Manuel Vitorino Pereira assume o governo.
• Começa a Guerra de Canudos, na Bahia, que termina em 1897, com a morte do líder Antônio Conselheiro e de quase toda a população do arraial.

1897 • Prudente de Morais reassume a Presidência do Brasil.

1898 • Eleição presidencial. Campos Sales é eleito e instaura a política dos governadores.

1902 • Rodrigues Alves é eleito presidente da República.
• Início da revolta no Acre contra a Bolívia.

1903 • Plácido de Castro proclama a independência do Acre. Em novembro, o território é anexado ao Brasil pelo Tratado de Petrópolis.

1904 • Manaus exporta 80 mil toneladas de borracha por ano.
• Revolta da Vacina. No Rio de Janeiro a população pobre se revolta contra a campanha de higienização e vacinação obrigatória.

1906 • No Amazonas, cai a exportação de borracha diante da concorrência da Malásia.
• Afonso Pena toma posse na Presidência da República.

1907 • A Comissão de Linhas Telegráficas Estratégicas de Mato Grosso ao Amazonas, chefiada pelo militar Cândido Rondon, inicia a construção das linhas de comunicação. Até 1917 serão passados dois mil quilômetros de fios.

1908 • O navio Kasato Maru traz os primeiros imigrantes japoneses ao Brasil.

1909 • Afonso Pena morre e Nilo Peçanha assume a presidência.

1910 • É criado o Serviço de Proteção ao Índio (SPI), chefiado por Rondon.
• Marechal Hermes da Fonseca é eleito presidente.
• Revolta da Chibata. No Rio de Janeiro marinheiros se insurgem contra os castigos corporais a que são submetidos.

1912 • Guerra do Contestado. Na divisa do Paraná com Santa Catarina, tropas do Exército atacam o "quadro santo", fundado pelo pregador José Maria.

1914 • Venceslau Brás assume a Presidência da República.

1915 • Assassinado Pinheiro Machado.
• Os revoltosos do Contestado são derrotados por tropas do governo.

1917 • O Brasil envia tropas para a 1ª Guerra Mundial.

1918 • Rodrigues Alves é eleito presidente da República pela segunda vez.
• Delfim Moreira assume provisoriamente a presidência, em virtude da morte de Rodrigues Alves.

1919 • Nova eleição presidencial. Epitácio Pessoa é eleito.
• Brasil assina o Tratado de Versalhes, pelo qual a Alemanha se obriga a pagar indenização pelo afundamento de navios brasileiros e pelo café confiscado em Berlim; o Brasil deve pagar em valores antigos os navios alemães que encampou.

1922 • Em São Paulo, é realizada no Teatro Municipal a Semana de Arte Moderna.
• No Rio de Janeiro, fracassa o movimento dos 18 do Forte, que visa derrubar Epitácio Pessoa e impedir a posse de Artur Bernardes.
• Artur Bernardes toma posse na Presidência da República.

1923 • No Rio Grande do Sul, estancieiros, federalistas e democratas se revoltam contra a eleição fraudulenta de Borges de Medeiros (Revolução de 23). A paz se dará onze meses depois.

1924 • Em São Paulo, movimento militar tenta depor o presidente Artur Bernardes (Revolução Paulista). A cidade é bombardeada pelas tropas federais.

1925 • Forma-se a Coluna Prestes, integrada por insurretos da Revolução Paulista e militares revoltosos do Sul, liderada especialmente pelo capitão Luís Carlos Prestes.

1926 • Washington Luís toma posse como presidente. Recebeu 98% dos votos.

1927 • A Coluna Prestes se interna na Bolívia.

1930 • Em janeiro ocorre a eleição que levaria Júlio Prestes à Presidência. Ele vence Getúlio Vargas por 300 mil votos e assumiria o cargo em novembro.
• Começa a Revolução de 30. O presidente Washington Luís é deposto e uma junta governativa assume o comando do Brasil.
• Júlio Prestes não assume o poder. Vargas toma posse no palácio do Catete, suspende a Constituição e nomeia interventores em todos os Estados e territórios do país, exceto Minas Gerais.

1932 • Estoura a Revolução Constitucionalista. Articuladores paulistas, gaúchos e mato-grossenses se unem para depor Getúlio Vargas.

1934 · É aprovada a nova Constituição brasileira.
· Getúlio Vargas é eleito presidente da República pelo Congresso.

1935 · Sucessão de levantes militares (em Natal, Recife e Rio de Janeiro) orquestrada pela Aliança Nacional Libertadora e pelo Partido Comunista fracassa em depor o governo Vargas (Intentona Comunista).

1937 · A polícia militar fecha o Congresso; Vargas instaura o Estado Novo e promulga uma nova Constituição.

1938 · Tentativa de golpe dos integralistas.

1940 · O governo institui o salário mínimo.

1941 · O governo cria a Companhia Siderúrgica Nacional e inicia a construção da Usina de Volta Redonda.

1942 · O Brasil declara guerra à Alemanha depois do afundamento de 36 de seus navios pela aviação e por submarinos alemães.

1944 · Soldados brasileiros embarcam rumo à Europa para lutar na Segunda Guerra.

1945 · Dutra e o general Góis Monteiro articulam um golpe e depõem Vargas.

1946 · O presidente Dutra promulga a nova Constituição do Brasil.

1950 · Getúlio Vargas vence as eleições presidenciais.

1951 · Vargas toma posse como presidente da República eleito.

1953 · É fundada a Petrobrás.

1954 · Carlos Lacerda sofre atentado no Rio de Janeiro. Inquérito acusa Gregório Fortunato, ajudante do presidente Vargas, como mandante do crime.
· Getúlio Vargas se suicida com um tiro no peito. O vice-presidente Café Filho assume o governo.

1955 · São realizadas eleições presidenciais: Juscelino Kubitschek vence.

1956 · Juscelino Kubitschek assume a Presidência.

1957 · Começa a construção de Brasília, no Planalto Central.

1960 · Brasília é inaugurada.

1961 · Jânio Quadros toma posse como presidente; seis meses depois renuncia. O vice João Goulart assume a Presidência após resistência de conservadores e militares.

1962 · É realizada em Nova York a noite da bossa nova, que divulga no exterior a mais recente onda musical brasileira.

1964 · Golpe militar depõe João Goulart.
· Junta militar edita o Ato Institucional nº1 (AI-1), cassando os direitos políticos de centenas de brasileiros e marcando eleições presidenciais para outubro de 1965.
· O marechal Castelo Branco assume a Presidência provisória do país.
· É criado o Serviço Nacional de Informações (SNI).
· O mandato de Castelo Branco é prorrogado até março de 1967.

1965 · Editado o Ato Institucional nº 2, que extingue os partidos existentes. Instituído o bipartidarismo, criam-se os partidos Arena (Aliança Renovadora Nacional), de apoio ao governo, e MDB (Movimento Democrático Brasileiro), de oposição.
· A Jovem Guarda faz enorme sucesso, liderada por Roberto Carlos.

1967 · O general Artur da Costa e Silva assume a Presidência.
· O antigo comunista Carlos Marighella funda a Ação Libertadora Nacional (ALN) e inicia luta armada contra o governo militar.

1968 · Estão em atividade várias organizações revolucionárias de esquerda, além da ALN, como MR-8, VPR e VAR-Palmares.
· Passeata dos 100 mil sai às ruas no Rio de Janeiro.
· Costa e Silva assina o Ato Institucional nº 5 (AI-5), fecha o Congresso e suspende as garantias constitucionais da população.
· Os compositores Caetano Veloso e Gilberto Gil lançam novo movimento musical, a Tropicália; ambos são presos no mesmo ano.

1969 · O capitão Carlos Lamarca deserta do quartel de Quitaúna levando armas e munições.
· A ALN toma estação da rádio Nacional para ler manifesto revolucionário.
· A presença dos censores torna-se uma constante nas redações de jornais, revistas e emissoras de televisão e de rádio.
· Caetano Veloso e Gilberto Gil se exilam, em Londres.
· O diplomata americano Burke Elbrick é seqüestrado por um grupo de militantes políticos.
· O general Emílio Garrastazu Médici assume a Presidência.
· Marighella, líder da ALN, é morto pelas forças de segurança nacional em São Paulo.

1971 · O guerrilheiro Carlos Lamarca, líder da Vanguarda Popular Revolucionária (VPR), é morto no sertão baiano.

1974 · O general Ernesto Geisel toma posse como presidente.

1975 · O jornalista Vladimir Herzog, da TV Cultura, é morto no DOI-CODI em São Paulo.

1976 · O operário Fiel Filho é morto no DOI-CODI em São Paulo; o presidente Geisel demite o chefe do 2º Exército, Ednardo d'Ávila Melo.

1977 · Geisel demite o ministro do Exército, Sílvio Frota, por este lançar-se candidato à Presidência da República.

1978 · Geisel extingue o AI-5.

1979 · O general João Figueiredo assume a Presidência.
· Figueiredo assina a Lei de Anistia.
· Restabelecida a pluralidade partidária, com a extinção da Arena e do MDB.
· Nasce, em São Bernardo do Campo (SP), o Partido dos Trabalhadores (PT).

1981 · No Rio de Janeiro, explode uma bomba no Riocentro dentro de um carro ocupado por dois militares.

1982 · É concedido registro ao PT.

1984 · Manifestações no Rio e em São Paulo reivindicam eleições diretas.
· A emenda da eleição direta é derrotada em votação no Congresso.

1985 · Tancredo Neves é eleito pelo colégio eleitoral presidente do Brasil.
· Doença de Tancredo faz o vice José Sarney assumir a Presidência.
· Morre Tancredo Neves.

1986 · José Sarney anuncia o Plano Cruzado. Com ele, vem o congelamento de preços, dos salários e do câmbio.

1989 · Fernando Collor de Melo é eleito na primeira eleição presidencial por voto direto desde 1961.

1990 · Fernando Collor divulga seu plano econômico, o Plano Collor, que retém os depósitos bancários por dezoito meses.

1992 · Pedro Collor de Melo, irmão de Fernando Collor, denuncia esquema de corrupção e desvio de dinheiro no governo federal.
· Collor renuncia, mas sofre *impeachment* e tem seus direitos políticos cassados até o ano 2000.
· O vice-presidente Itamar Franco assume o governo.

1993 · É criada a Unidade Real de Valor (URV), artifício econômico para a mudança de moeda.

1994 · Entra em vigor a nova moeda brasileira: o real.
· Fernando Henrique Cardoso é eleito presidente, com 55% dos votos.

1995 · Fernando Henrique Cardoso assume a Presidência da República.

1996 · PC Farias, envolvido no escândalo que levou à queda de Collor, e sua namorada são encontrados mortos em Maceió (AL).

1997 · Emenda que permite a reeleição em cargos executivos é aprovada, com acusações de compra de votos de deputados.

1998 · Fernando Henrique Cardoso é reeleito para um segundo mandato como presidente.

Créditos das imagens

Legenda:
a – no alto
b – abaixo
c – no centro
d – à direita
e – à esquerda

Capítulo 1

8-9: Pedra Furada, São Raimundo Nonato, Serra da Capivara, Piauí, Gilvan Barreto/Abril Imagens; **12ae:** Peter Wilhelm Lund, Agência Estado; **12ad:** tanga de cerâmica, fase marajoara, Museu Nacional; **12cd:** Pinturas rupestres, Parque Nacional da Serra da Capivara, Piauí, Gilvan Barreto/Abril Imagens; **13ae:** Pinturas rupestres, Parque Nacional da Serra da Capivara, Piauí, Gilvan Barreto/Abril Imagens; **13ad:** Tortual de osso, Instituto de Pré-História da Universidade de São Paulo; **13b:** Petroglifos de Montenegro, encosta do Planalto do Rio Grande do Sul; **15a:** Reconstituição do crânio do fóssil Luzia, Agência Estado; **15b:** Crânio de Luzia, Abril Imagens.

Capítulo 2

16: Jean de Léry, *Índios Tupinambás guerreiros*, Biblioteca Municipal Mário de Andrade; **17a:** Rodolfo Amoedo, 1883, *O Último Tamoio*, Museu Nacional de Belas Artes; **17b:** Jean de Léry, *Dança de índios tupinambás*, Biblioteca Municipal Mário de Andrade; **19a:** Leonard Gaulthier, *Louis Henri*, Col. José Mindlin; **19b:** Anônimo, *Chefe Tupinambá com corpo adornado de plumas* [detalhe], Col. José Mindlin; **20a:** Théodore De Bry, *Mulheres e crianças da tribo tomam mingau feito com as tripas do prisioneiro sacrificado* [detalhe central], Biblioteca Municipal Mário de Andrade; **20b:** Anônimo, *America*, Frontispício do Livro de Arnold Montanus, Col. José Mindlin; **21:** Théodore De Bry, *Preparo da carne humana em episódio canibal*, Biblioteca Municipal Mário de Andrade; **22:** Pierre Firens e Joaquim du Viert, *Retrato de Tupinambás convertidos ao catolicismo tocando maracás*, Biblioteca Mazarine; **23:** Anônimo, *L'Entrée du Très Magnanime, Très Puissant et Très Victorieux Roy de France Henry Deuxième de Ce Nom*. Rouen [detalhe], Biblioteca Principal de Rouen; **24:** *Montaigne*, Bettmann/Corbis; Antoine Caron, *Voltaire escrevendo na Bastilha*, Corbis; Lacretele, *Retrato de Jean-Jacques Rousseau*, Archivo Iconográfico/Corbis; **25:** Potdjawa e Trumack, irmãos Avá-Canoeiros, banhando-se no Rio Tocantins, Folha Imagem.

Capítulo 3

26-7: Oscar Pereira da Silva, *Desembarque de Cabral em Porto Seguro*, Museu Paulista; **28b:** Sebastião Muenster, mapa de Lisboa c. 1541, Iconographia; **29a:** Nuño Gonçalves, *Retrato de D. Henrique, o Navegador*, Museu de Arte Antiga de Lisboa; **29b:** Fernão Telles de Menezes, *Retrato de Luiz de Camões*, Col. dos herdeiros do marquês de Rio Maior; **30b:** *Pedro Álvares Cabral*, extraído do *Livro das Armadas*, Biblioteca da Academia de Ciências de Lisboa; **31:** *Esquadra de Pedro Ál-vares Cabral*, extraído do *Livro das Armadas*, Biblioteca da Academia de Ciências de Lisboa; **32a:** Vítor Meireles de Lima, 1860, *Primeira Missa no Brasil*, Museu Nacional de Belas Artes; **32b:** Pedro Peres, 1879, *Elevação da Cruz em Porto Seguro*, B. A., 1879, Museu Nacional de Belas Artes; **33:** Carta de Pêro Vaz de Caminha, 1500, Torre do Tombo, Lisboa; **34a:** Lopo Homem, *Terra Brasilis*, mapa do Atlas Miller, 1515-19 [detalhe], Departamento de Cartas e Planos da Biblioteca Nacional; **34b:** Lopo Homem, *Derrubada de pau-brasil*, *Terra Brasilis*, mapa do Atlas Miller, 1515-19, Departamento de Cartas e Planos da Biblioteca Nacional; **35:** Heroe Sasaki, *Pau-brasil*, Biblioteca Municipal Mário de Andrade; **36:** Lopo Homem, *Terra dos papagaios*, *Terra Brasilis*, mapa do Atlas Miller, Departamento de Cartas e Planos da Biblioteca Nacional; **37:** Lopo Homem, *Terra Brasilis*, mapa do Atlas Miller, 1515-19, Departamento de Cartas e Planos da Biblioteca Nacional.

Capítulo 4

38ae: Jansson(ius) (Jansen), *América do Sul*, Mapoteca do Itamaraty; **38cd:** Theodore Galle e Jan van der Straet, *América*, Biblioteca Mazarine; **38bd:** Joham Froschauer (ed. Atribuída), *Índio caraíva*, [detalhe de *Imagem do Mundo Novo*], Biblioteca Pública; **39:** Mapa das Capitanias Hereditárias, *Carta do Brasil*, c.1595, Biblioteca da Ajuda; **40:** Johannes van Keulen, *Índios cerrando um tronco de pau-brasil*. Ornamentação do quadro de escalas de uma carta do Atlas *Zee-Fakkel*; **41a:** J. Washt Rodrigues, *Martim Afonso de Souza* [detalhe], Museu Paulista; **41cd:** Grignion, *Retrato de Sir Thomas Morus*, Corbis; **41b:** Benedito Calixto, *Fundação de São Vicente*, Museu Paulista; **42-3:** brasões dos donatários João de Barros, Lucas Giralde, Aires da Cunha, Vasco Fernandes Coutinho, Jorge Fifueiro Correia, Fernão de Andrade e alguns não identificados, Biblioteca Municipal Mário de Andrade; **44ae:** Tito Batista, *O Caramuru*, Instituto Geográfico e Histórico da Bahia; **44be:** J. Washt Rodrigues, *João Ramalho*, Museu Paulista; **44cd:** Jean Baptiste Debret, *Cana-de-açúcar*, Col. Castro Maya; **45a:** Jean Baptiste Debret, *Engenho manual que faz caldo de cana*, Col. Castro Maya; **45b:** *Chegada de Tomé de Souza à Bahia*, Biblioteca Municipal Mário de Andrade; **46a:** Théodore De Bry, *Hans Staden assiste à preparação do corpo para a devoração canibal* [detalhe], Biblioteca Municipal Mário de Andrade; **46b:** Manuel Victor Filho, *Mem de Sá*, Museu de Arte Antiga de Lisboa; **47:** Lemaitre de Varnhagen, *Matança do primeiro Bispo da Bahia e seus companheiros*, Biblioteca Municipal Mário de Andrade.

Capítulo 5

48ae: Símbolo dos jesuítas, Biblioteca Nacional; **48ad:** Oscar Pereira da Silva, *Fundação de São Paulo*, Museu Paulista; **49:** *Pe. Antonio Vieira convertendo os índios do Brasil*, Arquivo Ultramarino; **50a:** Anônimo, *D. Inácio de Loyola*, Museu de São Roque; **50b:** Ticiano, *Concílio de Trento*, Museu do Louvre; **51:** Benedito Calixto, *Anchieta e Nóbrega na cabana do Pindobuçu*, Museu Paulista; **52:** Maria Luisa, *Retrato de Anchieta*; **53a:** Anônimo, *Santo Inácio de Loyola*, Museu das Missões; **53cd:** Anônimo, *Anjo*, Museu de Arte Sacra; **53b:** Ruína das missões, Agência Estado; **56:** L.M. van Loo,

Marquês de Pombal, Câmara Municipal de Oeiras; **57**: La Galerie agreable du Monde, *Vestimentas dos que eram conduzidos ao auto-da-fé*, Biblioteca Nacional.

Capítulo 6

58b: João Teixeira Albernaz, *Capitania de Santo Amaro, com o brasão do donatário, Conde de Monsanto*, Mapoteca do Itamaraty; **59**: Jean Jacques Debret, *Bandeirantes de Mogi das Cruzes em combate*, Biblioteca Municipal Mário de Andrade; **60**: Jean Baptiste Debret, *Soldados índios de Curitiba escoltando selvagens*, Col. Castro Maya; **62**: M. J. Botelho Egas, *Carga de cavalaria guaicuru*, Museu Paulista; **63a**: Manuel Victor, *Raposo Tavares*; **63b**: Teodoro Braga, *Partida de Raposo Tavares*, Pinacoteca do Estado de São Paulo/Brasil; **64**: Manuel Victor, *Fernão Dias*, Museu Paulista; **65**: Rafael Falco, *Morte de Fernão Dias*, Museu Paulista; **66**: Debret, *Botocudos*, BMA; **67a**: Johann Georg Grimm, *Vista da Cidade de Sabará*, Col. Sérgio Fadel; **67b**: Monumento a Borba Gato na cidade de São Paulo, Marinês Maravalhas; **68**: Teodoro Braga, *O Anhangüera*, Museu Paulista; **69**: Benedito Calixto, *Domingos Jorge Velho*, Museu Paulista; **71**: José Ferraz de Almeida Júnior, *Partida da Monção*, Museu Paulista.

Capítulo 7

73: Théodore De Bry, *Ataque a corsários franceses* [detalhe], Biblioteca Municipal Mário de Andrade; **74**: Théodore De Bry, mapa do litoral oriental da América do Sul; **75a**: *Almirante Coligny*, Biblioteca Protestante; **75b**: Carlos Oswald, *Villegaignon assiste a primeira missa celebrada no Rio de Janeiro em 1555*, Palácio S. Joaquim; **76**: *A Baía do Rio de Janeiro*, mapa do final do séc. XVI, Biblioteca da Ajuda; **77**: André Thevet, Museu Histórico Nacional; **78**: Indígenas do Brasil segundo Jean Baptiste Debret, Museus Castro Maya; **78-79**: Carlos Oswaldo, *Aparição de São Sebastião*, Palácio São Joaquim; **80**: Ferdinand Perrot, *Esquadra de Duguay-Trouin*, Museu Histórico Nacional; **81**: Maragnon, do livro de Barleus, c.1641-44, Biblioteca Nacional.

Capítulo 8

82: Peter Paul Rubens, 1628, *Filipe II sobre cavalo*, Corbis, Museu do Prado; **83a**: Christóvão Morais, *Dom Sebastião*, Museu de Arte Antiga de Lisboa; **83b**: *Dom Antônio, prior do Crato*, Coleção Amaral de Figueiredo; **84**: Velazquez, *Filipe III*, Gianni Dagli/Corbis; **85**: *Filipe IV*; **86a**: J. C. de Sá e Faria, Mapa da Nova Colônia de Sacramento, 1757, Biblioteca Municipal Mário de Andrade, São Paulo; **86c**: Mural alusivo à Colônia de Sacramento, foto de Leonid Streiliaev; **86b**: Colônia de Sacramento, foto de Leonid Streiliaev; **87b**: N. C. Wieth, *Pirates*.

Capítulo 9

88ad: Anônimo, *Mauricio de Nassau*, Fundação Luisa e Oscar Americano; **88b**: Albert Eckhout, *Mameluca*, Museu Real da Dinamarca; **89**: Gillis Peters, *Vista do Recife* [detalhe], Col. Beatriz e Mario Pimenta Camargo; **90a**: Frans Post, *Classis Navium*, Biblioteca Nacional; **90b**: Pote de cerâmica de Delft, séc. XVII, Col. Beatriz e

Mario Pimenta Camargo; **91ce**: Frans Post, *Serinhaim*, Biblioteca Nacional; **91cd**: Mauricio de Nassau, extraída do livro de Gaspar Barléu, Biblioteca Nacional; **91ce**: Georg Marcgraf, *Mureci*, Biblioteca Nacional; **91bd**: Palácio das Torres, anônimo, Museu do Estado (PE); **92ad**: Frans Post, *Paisagem com nativos dançando e capela*, Col. Particular; **92ae**: Anônimo, *Frans Post*, Museu do Estado de Pernambuco; **92bd**: Albert Eckhout, *Negra com criança*, Museu Real da Dinamarca; **92b**: Marin d'Olinda de Pernambuco, extraída da obra de Ioannis de Laet; **93a**: W. Piso, G. Marcgraf e I. de Laet, *Historia Naturalis Brasiliae*, Col. Ruy Souza e Silva [detalhe]; **93ad**; W. Piso, G. Marcgraf e I. de Laet, *Historia Naturalis Brasiliae*, Col. Ruy Souza e Silva; **93bd**: Georg Marcgraf, *Caraguatá-guaçu*, Col. Ruy Souza e Silva; **94ae**: Albert Eckhout, *Mulato*, Museu Real da Dinamarca; **94ad**: Albert Eckhout, *Bode e cabra*, Biblioteca Jagiellonska, Cracóvia; **94be**: Albert Eckhout, *Guerreiro negro*, Museu Real da Dinamarca; **94bd**: Zacharias Wagener, *Tamanduá-Açu, Tamanduá-Bandeira*, Staatiche Kunstsammlungen Dreden Zentral Bibliotheke; **95a**: *Cabeça de guerreiro holandês*, Museu Histórico Nacional; **95bd**: Vítor Meirelles de Lima, Esboços preparatórios envolvendo o núcleo de destaque da "Batalha dos Guararapes", Museu Nacional de Belas Artes; **96a**: Anônimo, *Batalha de Guararapes*, peça votiva a Nossa Senhora dos Prazeres do Monte dos Guararapes; **96b**: Vítor Meirelles de Lima, Esboços preparatórios envolvendo o núcleo de destaque da "Batalha dos Guararapes", Museu Nacional de Belas Artes; **97**: Instituto Arqueológico, Histórico e Geográfico de Pernambuco; **98a**: *Carregadores javaneses em Batávia*, gravura séc. XIX; **98b**: Autoria, *Batavia*, Rijks-museum; **99a**: Jan de Bray, *Artistas burgueses*, Rijksmuseum; **99ba**: Cena de Chacina de Amboim, 1623, estampa holandesa da época; **99bd**: *Residentes ocidentais à mesa*.

Capítulo 10

100-01: Oscar Pereira da Silva, *Entrada para Minas*, Museu Paulista; **102a**: Carlos Julião, *Serro Frio*, Biblioteca Nacional; **102b**: Carlos Julião, *Extração de diamantes*, Biblioteca Nacional; **104a**: Belmonte, *Homem no cavalo e no jegue*, Col. Particular; **104be**: Rugendas, *Comboio dos diamantes passando por Caeté*, Mapoteca do Itamaraty; **104bd**: Charles Landseer, *Rancho dos tropeiros*, Col. Particular; **105ad**: Rendimento do ouro nas Reais Casas de Fundição em Minas Gerais, entre jul.-set. 1767, Vila Rica, Arquivo Nacional; **105b**: Rodolfo Amoedo, *Ciclo do Ouro*, Museu Paulista; **106**: Joaquim da Rocha Ferreira, *Provedor de Minas*, Museu Paulista; **107a**: Socador, Museu do Ouro; **107b**: Rugendas, *Lavagem de ouro de Itacolomi*, Biblioteca Municipal Mário de Andrade; **108ae**: Anônimo, *Retrato de Aleijadinho*, Arquivo Público Mineiro; **108ad**: Aleijadinho, anjo da porta da Igreja de São Francisco de Assis, século XVIII, Ouro Preto, foto de Alex Salim; **108b**: Santuário de Bom Jesus de Matosinhos, Congonhas do Campo, foto de Alex Salim; **109a**: Projeto de chafariz atribuído a mestre Manuel Francisco Lisboa, pai do Aleijadinho, Vila Rica, Arquivo Nacional; **109b**: Assinatura de Antônio Francisco Lisboa, o Aleijadinho, Vila Rica, Arquivo Nacional; **109bd**: Aleijadinho, *Profeta Habacuque*, séc. XVIII, Congonhas do Campo, foto de Alex Salim; **110-1**: Spix & Martius, *Lavagem de diamantes em Curralinho*, Biblioteca Municipal Mário de Andrade.

Capítulo 11

112-3: Rugendas, *Negros no porão do navio*, Museus Castro Maya; **114e:** Anônimo, secção de navio negreiro desenhada para demonstrar o sofrimento dos africanos durante a travessia do Atlântico; **114d:** Rugendas, *Mercado de negros*, Museus Castro Maya; **115:** Rugendas, *Retrato descritivo de escravo vindo de Benguela*, Museus Castro Maya; **115:** Rugendas, *Retrato descritivo de escravo vindo do Congo*, Museus Castro Maya; **115:** Rugendas, *Retrato descritivo de escravo vindo de Angola*, Museus Castro Maya; **116a:** Escultura de Benin, Museum of Mankind; **116b:** Jean Baptiste Debret, *Aplicação do castigo do açoite*, Museus Castro Maya; **117d:** Jean Baptiste Debret, *Sapataria*, Museus Castro Maya; **117ad:** Jean Baptiste Debret, *Negros no tronco*, Museus Castro Maya; **117cd:** Jean Baptiste Debret, *Negociante de tabaco em sua loja*, Museus Castro Maya; **117b:** Jean Baptiste Debret, *Escravo no tronco*, Biblioteca Municipal Mário de Andrade; **118be:** Jean Baptiste Debret, *Negros serradores de tábuas*, Museus Castro Maya; **118d:** Joaquim Cândido Guillobel, *Aquarela*; **119a:** Jean Baptiste Debret, *O regresso de um proprietário*, Museus Castro Maya; **119b:** Joaquim Cândido Guillobel, *Figuras populares*, Col. Paulo Fontainha Geyer; **119d:** John Mawa (esboço), Webster (del.) e Woolnoth (sculpt.), *Lavagem de negros por diamantes, ouro etc.*; **120e:** Rugendas, *Jogar Capoeira*, Museus Castro Maya; **120d:** Rugendas, *Dança Lundu*, Museus Castro Maya; **121:** Anônimo, Biblioteca Nacional; **122:** Rugendas, *Guerrilhas*, 1822, Museus Castro Maya IBPC/Rio de Janeiro; **123e:** Antônio Parreiras, *Zumbi*, Museu Antônio Parreiras; **123d:** Manuel Victor, *Zumbi*, Col. Particular.

Capítulo 12

124a: Autran, *Tiradentes* [detalhe], Vila Militar; **124-5:** Antônio Parreiras, *Jornada dos mártires*, Museu Mariano Procópio; **125a:** Sentença de condenação dos conjurados, in *Autos da devassa da Inconfidência Mineira*, Câmara dos Deputados; **126a:** Giuseppe Troni, *Retrato de D. Maria I*, Museu Nacional dos Coches; **126b:** Rugendas, *Villa Ricca*, Museus Castro Maya; **127:** *O Uraguai*, de Basílio da Gama (1ª edição, 1769), Biblioteca Nacional; **128c:** Gignard, *Marília de Dirceu*, Col. Particular; **128cd:** *Marília de Dirceu*, Tomás Antônio Gonzaga (1ª edição, Lisboa, 1792); Biblioteca Nacional; **128e:** Antonio Parreiras, *Prisão de Tiradentes*, Biblioteca de Porto Alegre; **129:** Washt Rodrigues, *Alferes Tiradentes*, Museu Histórico Nacional; **130e:** Aurélio de Figueiredo, *O martírio de Tiradentes*, Museu Histórico Nacional, Rio de Janeiro; **130d:** Sentença de condenação dos conjurados, in *Autos da devassa da Inconfidência Mineira*, Câmara dos Deputados; **131:** Pedro Américo, *Tiradentes*, Museu Mariano Procópio; **132a:** Antônio Parreiras, *Beckman no sertão do Alto Mearim*, Museu Antônio Parreiras; **132b:** Museu Histórico Nacional; **133a:** Pompeo Batoni, *Retrato de D. João V*, Museu Nacional da Ajuda; **133b:** Krauss (sculpt.) e Bauch (del.), *Rua da Cruz*, Col. Particular.

Capítulo 13

134ae: Jean Baptiste Debret, *D. João VI*, Museus Castro Maya; **134a:** Anônimo, *O príncipe-regente D. João e o beija-mão real no Palácio* São Cristóvão, Biblioteca Nacional; **134b:** Armando Viana, *Chegada do Príncipe Dom João à Igreja do Rosário*, Museu Histórico Nacional; **135:** *Partida do Príncipe regente para o Brasil*, Biblioteca Nacional; **136a:** Jacques-Louis David, *Napoleão a cavalo na passagem de São Bernardo*, Archivo Iconografico, S. A./Corbis; **136b:** *Partida do Príncipe regente para o Brasil*, Biblioteca Nacional; **137a:** Felix-Emile Taunay, *Rua Direita, Rio de Janeiro*; **137b:** Vieira de Campos, *Visconde de Cairu*, Associação Comercial; **138be:** Jean Baptiste Debret, *Conde da Barca e Marquês de Marialva*, Museus Castro Maya; **138d:** Auguste Henri Victor Grandjean de Montigny, *Projeto da Fachada da Praça do Comércio do Rio de Janeiro*, Biblioteca Nacional; **139:** Nicolas-Antoine Taunay, *auto-retrato*, Museu Imperial; **140a:** Manuel de Araújo Porto-Alegre, *Retrato de Debret*, Museu D. João VI; **140b:** Jean Baptiste Debret, *O Escravo naturalista*, Col. Geneviève e Jean Boghici; **141ae:** Jean Baptiste Debret, *Vendedor de flores à porta de uma igreja no domingo*, Museus Castro Maya; **141ad:** Jean Baptiste Debret, *Negras cozinheiras, vendedoras de angu*, Museus Castro Maya; **141b:** Jean Baptiste Debret, *Negros saindo do matadouro para levar aos açougues carne de porco*, Museus Castro Maya; **142:** Jean Baptiste Debret, *Um funcionário a passeio com sua família*, Museus Castro Maya; **143ad:** Domingos Antônio Siqueira, *Retrato eqüestre de Dona Carlota Joaquina*, Museu Imperial; **143c:** Anônimo, *Dona Carlota Joaquina*, Museu de Coches; **143be:** Jean Baptiste Debret, *Partida da Rainha para Portugal*, Museus Castro Maya; **143bd:** Jean Baptiste Debret, *Retrato da Rainha Carlota, mãe de D. Pedro*, Museus Castro Maya; **144:** Anônimo, *D. João VI*, Biblioteca Nacional; **145:** Jean Baptiste Debret, *Retrato de D. João VI*, Museus Castro Maya.

Capítulo 14

146a: Johann Baptiste von Spix, *Cebus gracilis*, Biblioteca do Instituto de Estudos Brasileiros; **146-7:** E. F. Schute, *Cachoeira de Paulo Afonso, Pernambuco*, Masp; **148e:** Sydney Parkinson, *Boungainvillea Spectabilis Wildenow*, The Natural History Museum; **148d:** Nathaniel Dance, *James Cook*, Museu Nacional da Marinha; Charles Richmond, *Charles Darwin*; Marco Pillar, *Pigafetta*, baseado em ilustração da National Geographic; *Fernão de Magalhães*, Corbis; **149a:** Anton Krüger (sculpt.) e Maximilian Wied-Neuwied (del.), *Desenho de cabeça mumificada*, Biblioteca do Instituto de Estudos Brasileiros; **149b:** H. Muller (sculpt.) e Maximilian Wied-Neuwied (del.), *Luta entre botocudos no Rio Grande de Belmonte*, Biblioteca Municipal Mário de Andrade; **150e:** Anton Krüger (sculpt.) e Maximiliam Wied-Neuwied (del.), *Desenho de quatro botocudos*, Biblioteca do Instituto de Estudos Brasileiros; **150d:** Erich Correns, *Johann Baptiste von Spix*, Museum Für Völkerkunde; **151a:** Carl Friedrich von Martius, *Lagoa das Aves, no Rio São Francisco*, Fundação Maria Luiza e Oscar Americano; **151d:** Leo Schöninger, *Von Martius*, Museum Für Völkerkunde; **151b:** Johann Baptiste von Spix, *Mycetes barbatus. Foem.*, Biblioteca do Instituto de Estudos Brasileiros; **152a:** Hercule Florence, *Retrato de Langsdorff*, Academia de Ciências da Rússia; **152b:** Hercule Florence, *Habitação dos Apiacás sobre o Arinos*, Academia de Ciências da Rússia; **153a:** Aimé-Adrien Taunay, *Agrupamento dos índios Bororos do acampamento chamado Pau-seco, entre os riachos Paraguay e Jaurú*, Academia de

Ciências da Rússia; **153b**: Rugendas, *Rua Direita no Rio de Janeiro*, Centro Cultural de São Paulo; **154ae**: Hercule Florence, *Cachoeira de Juruenna, chamada Salto Augusto*, Academia de Ciências da Rússia; **154ad**: Rugendas, *Índio flechando uma onça*, Col. Particular; **154b**: Rugendas, *Marinheiros*, Centro Cultural de São Paulo; **155ae**: Thomas Ender, *Palácio do Governo em São Paulo, 1817*, Kupferstichkabinett de Akademie der bildenden Künste; **155ad**: Henrique Mauro, *Auguste de Saint-Hilaire*, Museu Paulista.

Capítulo 15

156a: José Joaquim Freire, *Cuxiú*, Museu Bocage; **156b**: Carlos Wiener, *Viajantes na chuva*, reproduzido de "Viaje al Rio de las Amazonas"; **157**: François-Auguste Biard, *Índios da Amazônia adorando o Deus-Sol*, Col. Brasiliana; **158a**: frei Gaspar de Carvajal, página de rosto da obra *Descubrimiento del Rio de las Amazonas*, Mapoteca do Itamaraty; **158b**: Hulsius, *Cena imaginária das amazonas em combate*, Mapoteca do Itamaraty; **159**: Klaus Kinski em *Aguirre, a cólera dos deuses,* cena do filme de Werner Herzog, Divulgação/Eurobras; **160a**: Guido Zucchero, *Sir Walter Raleigh*, National Galery; **160b**: Theodore De Bry, *El Dorado*, British Museum; **161e**: Anônimo, *Pedro Teixeira*, Museu Paulista; **161d**: Marco Pillar, *La Condamine*, aquarela baseada em original francês do século XVIII do Musée Conde; **162ae**: George Friedrich Weitsch, *Humboldt*, National Galerie; **162ad**: José Joaquim Freire, espécie zoológica, Museu Bocage; **162b**: Joaquim José Codina, *Duas figuras com máscaras*, Museu Bocage; **163a**: Joaquim Codina e José Freire, *Desenho de indígena*, Museu Bocage; **163b**: Henry Walter Bates, *Borboletas*, Museu de História Natural; **164a**: Henry Walter Bates, *Ataque de Tucanos*, British Museum; **164b**: Henry Walter Bates, *Caçada ao jacaré*, British Museum; **165a**: Alfred Wallace, *Um retrato da floresta*, reproduzido de *Viagens pelos rios Amazonas e Negro*, Itatiaia; **165b**: Alfred Wallace, fotografia, Corbis; **166e**: *Hevea brasiliensis*, British Museum; **166d**: Abóbada do Teatro Amazonas, Manaus, Cláudio Laranjeira/Abril Imagens; **167a**: Coleta do látex, Luiz Teixeira/Abril Imagens; **167b**: Teatro Amazonas em Manaus, A.M., Antônio Ribeiro/Abril Imagens.

Capítulo 16

168-9: Pedro Américo, *O grito da independência*, Museu Paulista; **169**: Henrique José da Silva, *D. Pedro I*, Col. Brasiliana; **170ae**: Jean-François Badoureau, *Leopoldina, arquiduquesa de Áustria, Princesa Real do Reino Unido*, Museu Histórico e Diplomático do Itamaraty; **170ad**: Jean Baptiste Debret, *Retrato do Imperador D. Pedro I*, Museus Castro Maya; **170be**: Anônimo, *D. Amélia, Duquesa de Bragança*; **170bd**: Anônimo, *D. Pedro I, ainda criança*, Museu Mariano Procópio; **171**: Francisco Pedro do Amaral, *Retrato de D. Domitila de Castro Canto e Melo, Marquesa de Santos*, Museu Histórico Nacional; **172**: Oscar Pereira da Silva, *Sessão das Cortes de Lisboa (4 de maio de 1822)*, Museu Paulista; **173a**: Oscar Pereira da Silva, *O Príncipe Regente e Jorge de Alvilez na Fragata "União", a 8 de fevereiro de 1822*, Museu Paulista; **173b**: Georgina de Albuquerque, *Sessão do Conselho do Estado*, Museu Paulista;

174: Augusto Bracet, *Os primeiros sons do Hino da Independência*, Museu Histórico Nacional; **175**: Oscar Pereira da Silva, *José Bonifácio*, Museu Paulista; **176**: D. Failutti, *Maria Quitéria*, Museu Paulista; **177a**: Presciliano da Silva, *Entrada vitoriosa do exército baiano*, Prefeitura Municipal de Salvador; **177b**: Murillo la Greca, *Execução de Frei Caneca*, Col. Murillo la Greca; **178**: Simplício Rodrigues de Sá, *Retrato de Francisco Gomes da Silva, o "Chalaça"*, Museu Histórico Nacional; **179**: Anônimo, *Morte de D. Pedro I*, Palácio Grão-Pará.

Capítulo 17

180: Hendrickx, D. Pedro II, 1841, Arquivo Nacional; **181**: Manuel Araújo Porto-Alegre, *Juramento da Regência Trina Permanente*, Museu Imperial; **182ae**: Lemercier, *Pedro II e suas irmãs D. Januaria e D. Francisca no quarto de estudos em S. Cristóvão*, Museu Imperial; **182ad**: Oscar Pereira da Silva, *Regente Feijó*, Museu Paulista; **182be**: Exercício de caligrafia de D. Pedro II aos 7 anos de idade, coleção Pedro Corrêa do Lago; **183** (**de cima para baixo**): Anônimo, *Retrato de Araújo Lima, Marquês de Olinda*, Instituto Histórico e Geográfico de Pernambuco; A. Sisson, *Francisco de Lima e Silva*, Biblioteca Municipal Mário de Andrade; A. Sisson, *Marquês de Caravelas* (Carneiro de Campos), Biblioteca Municipal Mário de Andrade, A. Sisson, *Marquês de Monte Alegre*, Biblioteca Municipal Mário de Andrade; **184-5-6a**: Uniformes do Corpo da Cavalaria e do Batalhão de Caçadores da Guarda Nacional, R. J., Litografia imperial de Heatone Rensburg, Arquivo Nacional; **184-5**: Spix & Martius, *Santa Maria de Belém do Grão-Pará*; **186**: Anônimo, *Vista da cidade de Salvador*; **187b**: Joseph Léon Righini, *Vista de São Luis do Maranhão*; **188**: Bury, *Panorama de Pernambuco*, Col. Particular; **189e**: Litran, 1893, *Carga de Cavalaria*, Museu Júlio de Castilhos; **189d**: Azevedo Dutra, s/data, *Antônio de Souza Neto*, Museu Júlio de Castilhos; **190a**: Bento Gonçalves, autor desconhecido, Museu Júlio de Castilhos; Museu Histórico Nacional; **190b**: Malinski, *Giuseppe Garibaldi*, Museu de Arte de Montevidéu; **191a**: J. R. Ferreira, *Anita Garibaldi*, Museu Histórico Nacional; **191b**: Foto de cena do filme *Anahy de Las Missiones*, 1996/97 lei do Audiovisual – Ministério da Cultura, Realização M. Schmiedt Produções Ltda., Direção: Sérgio Silva; **192ae**: Bento Manuel Ribeiro, Arquivo Histórico do Rio Grande do Sul; **192-3**: Antônio Parreiras, *Batalha dos Farrapos*, Museu Antonio Parreiras; **193ad**: *Caxias*, Museu Histórico Nacional; **193cd**: Bernardo Grasselli, 1865, *David Canabarro*, Museu Júlio de Castilhos.

Capítulo 18

194ad: Rugendas, *D. Pedro II aos 14 anos*, Museu Histórico Nacional de Belas Artes; **195c**: Delfim da Câmara, *Retrato de D. Pedro II*, Museu Histórico Nacional; **196a**: Anônimo, *Pedro II*, Instituto Arqueológico e Geográfico de Pernambuco; **196ca**: Armando J. Paliere, *Pedro II*, Museu Imperial; **196cb**: Vítor Meirelles, *Retrato de D. Pedro II*, Masp; **196b**: Francesco Pesce, *Retrato de D. Pedro II*, Museu Histórico Nacional; **197ad**: Jean Baptiste Debret, *Café*, Museus Castro Maya; **197b**: Rugendas, *Colheita do café*, Museus Castro Maya; **198c**: Vienot, *Visconde de Mauá*, Col. Particular;

198be: A. Sisson, *Barão de Mauá*, Museu Histórico Nacional; **199a**: Emissão de nota do banco Mauá & Cia, Col. Particular; **199c**: Vienot, *Gonçalves Dias*; **199b**: Alberto Henschel & Co., *José de Alencar*, Museu Histórico Nacional; **200a**: Verlangieri et Meyer, *Retrato de Antônio Carlos Gomes*, Museu Histórico Nacional; **200b**: Vítor Meirelles, *Moema*, Masp; **201ae**: Belmiro Barbosa de Almeida Júnior, Arrufos, 1887, Museu Nacional de Belas Artes; **201ad**: José Ferraz de Almeida Júnior, 1893, *Caipira picando fumo*, (estudo), Acervo da Pinacoteca do Estado de São Paulo/Brasil; **201bd**: Vítor Meirelles, Estudo para retrato, Museu Nacional de Belas Artes; **202a**: Charge, *Revista Illustrada*, Col. Emanuel Araújo; **202b**: Rafael Bordalo Pinheiro, *Caricatura de D. Pedro II*, Col. Particular; **203**: H. Meyer, *Os funerais do Imperador do Brasil*, Col. Particular.

Capítulo 19

204-5: Cândido López, 1866, *Chegada do exército aliado à fortaleza de Itapiru*, Col. Museu Histórico Nacional; **206a**: *Manuel Oribe*, Museu Histórico Nacional; **206b**: Cândido López, Acampamento argentino em Uruguaiana, coleção do Museu Histórico Nacional; **207a**: Cândido López, *Soldados paraguaios feridos em um hospital de campanha*, Museu Histórico Nacional de Buenos Aires; **207b**: Sauvageot, *General Rosas*, Palácio do Itamaraty; **208a**: Miranda Jr., *Tamandaré*, Museu Naval; **208b**: Pastana, *Almirante Tamandaré*, Museu da Marinha; **209a**: Zeary Paes Brasil, *Antônio João Ribeiro*, Colônia Militar; **209b**: Anônimo, *Partida da primeira Brigada, ao mando do Coronel Galvão, de Ouro Preto para Mato Grosso*, desenho a partir de fotografia de José Maria da Silva Paranhos Júnior, Revista *A Semana Ilustrada*; **210a**: Retrato de *Francisco Solano Lopez*; **210b**: Pedro Américo de Figueiredo e Melo, *Passagem do Chaco*, Museu Histórico Nacional; **211a**: Autran, *General Osório*, Ministério do Exército; **211b**: Major Conrado da Silva Bittencourt, *A batalha do Tuiuti*, Instituto Histórico e Geográfico Brasileiro; **212a**: *Duque de Caxias*, Museu Nacional Histórico; **212bd**: *Autran*, Duque de Caxias, Ministério do Exército; **212-3**: Pedro Américo, *Batalha do Avaí*, 1872/1877, Museu Nacional de Belas Artes; **214**: A. Methfessel, *Retrato dos prisioneiros paraguaios em Lomas Valentinas*, Biblioteca Nacional; **215**: Louis-Auguste Moreau, *Retrato de Alfredo Maria Adriano d´Éscragnolle Taunay*, Museu Imperial; **216a**: Prisioneiros e feridos paraguaios posam observados por soldados brasileiros, Arquivo Nacional de Montevidéu; **216b**: Henrique Fleiuss, *Solano Lopez perseguido e ferido por Francisco Lacerda*, Revista *A Semana Ilustrada*; **217a**: *Retrato de Solano Lopez*; **217b**: Cândido López. *Soldados paraguaios feridos*, Museu Nacional de Belas Artes.

Capítulo 20

218ae: Rovello, *Retrato da Princesa Isabel*, Museu Histórico Nacional; **218ad**: Desenho encomendado por uma indústria têxtil, Arquivo Nacional; **218b**: Gaspar e Carneiro de Courtois, *Princesa Isabel em trajes de passeio*, Palácio Grão-Pará; **219**: Lei Áurea, 13 de maio de 1888, Arquivo Nacional, R. J.; **220**: Rugendas, *Desembarque de negros*, Museus Castro Maya; **221cd**: Robinson Crusoe, Corbis; **221b**: Rugendas, *Desembarque de escravos vindos da África*, Biblioteca Municipal Mário de Andrade; **222d**: Rugen-

das, *Rostos de negros de nações escravizadas*, Biblioteca Municipal Mário de Andrade; **223a**: Manuel Victor Filho, *José do Patrocínio*; **223b**: *José do Patrocínio, Revista Illustrada*; **224e**: Angelo Agostini, *Luiz Gama*, Instituto de Estudos Brasileiros; **224d**: Tulio Mugnani, *André Rebouças*, Museu Paulista; **225a**: *Antônio Bento*, Museu Histórico Nacional; **225b**: Anônimo, *Joaquim Nabuco*, Academia Brasileira de Letras; **226e**: Oscar Pereira da Silva, *Antônio da Silva Jardim*, Museu Republicano; **226d**: Pereira Neto, *28 de setembro de 1888/ Ao visconde do Rio-Branco, 17 anos depois da áurea lei que libertou os braços, homenagem da "Revista Illustrada"*, Rio de Janeiro, Instituto de Estudos Brasileiros; **227**: Henrique Fleiuss, *O Olympo Braziliero/ Marte (Barão de Cotegipe)*, Revista *A Semana Ilustrada*; **228a**: Desenho encomendado por uma indústria têxtil, Arquivo Nacional; **228b**: *Favela Morro do Pinto*, Rio de Janeiro, c. 1912, foto de Augusto Malta, Museu Histórico Nacional; **229a**: Victor Frond, *Antes da partida para a roça*; **229b**: Victor Frond, *trabalhador da roça*.

Capítulo 21

230ad: Marco Pillar, bas. H. Bernardelli, orig. Academia Militar de Agulhas Negras; **230cd**: Pedro Bruno, *A Pátria*, Museu da República; **231**: Benedito Calixto, *Proclamação da República*, Prefeitura Municipal de São Paulo; **232e**: Nadar, *Retrato Póstumo*, Col. Pedro Corrêa do Lago; **232d**: *Imperador e a imperatriz partem para a Europa*, Biblioteca Nacional; **232be**: Bilhete de ingresso ao Baile da Ilha Fiscal, Col. Pedro Corrêa do Lago; **233cd**: Angelo Agostini, *Os partidos procuram conquistar as graças da Igreja*. Ilustração da *Revista Illustrada*, Instituto de Estudos Brasileiros; **233b**: Rafael Bordalo Pinheiro, *D. Pedro II dá a mão à palmatória do Papa Pio IX*, in *O Mosquito*; **234-5**: Aurélio Figueiredo, *O último baile da Monarquia*, Museu Histórico Nacional; **236a**: Angelo Agostini, *O bispo de Olinda pune o Monsenhor Pinto de Campos, que celebra o casamento de um maçom*. Ilustração da *Revista Illustrada*, 1876, Instituto de Estudos Brasileiros; **236c**: S. Capparoni, *Dom Vital, bispo de Olinda*; **236b**: Angelo Agostini, *Caxias sendo varrido para fora da Igreja por sua ligação com a maçonaria*, charge da *Revista Illustrada*, 1976; **237a**: Angelo Agostini, *Sena Madureira*, Instituto de Estudos Brasileiros; **237b**: Escola Militar da Praia Vermelha, Rio de Janeiro, final do século XIX, Iconographia; **238e**: Távola, *Quintino Bocaiúva*, Museu Republicano; **238d**: J. Barros, *A Convenção de Itu*, Museu Republicano; **239a**: Anônimo, *Augusto Comte*, Bettmann/Corbis; **239b**: Décio Rodrigues Villares, *Benjamin Constant*, Museu da República; **240**: Anônimo, *Deodoro entrega a Bandeira da República à Nação Brasileira*, Fundação Maria Luisa e Oscar Americano; **241**: Décio Vilares, *Marechal Deodoro da Fonseca*, Museu da República.

Capítulo 22

242: Décio Vilares, *A República*, Museu da República; **243**: Manuel Lopes Rodrigues, *A República*, Museu do Estado, Salvador; **244ae**: Quadro do ministério composto por Deodoro da Fonseca, Museu da República; **244d**: Pereira Neto, *O Congresso e a Constituição*, caricatura da *Revista Illustrada*, 1891, Instituto de Estudos Brasileiros; **244dc**:

Capítulo 28

308d: Visita de Manuel Bandeira a São Paulo, meses após a realização da Semana de Arte Moderna. Na foto alguns participantes: Oswald de Andrade, Rubens Borba de Morais, Luís Aranha, Tácito de Almeida, Couto de Barros, Mário de Andrade, Cândido Mota Filho, Sampaio Vidal, Paulo Prado, Graça Aranha, Manuel Vilaboim, Gofredo da Silva Telles, Francesco Pettinati, Flamínio Ferreira, René Thiolier, Iconographia; **309**: Tarsila do Amaral, *E.F.C.B.*; **310a**: Henrique Bernadelli, *Machado de Assis e o Ramo de Tasso*, Academia Brasileira de Letras; **310b**: Caricatura de Olavo Bilac, Iconographia; **311a**: *Coelho Neto*, Iconographia; **311b**: *João do Rio*, Iconographia; **312e**: *Lima Barreto*, Iconographia; **312d**: Lasar Segall, *Retrato de Mário de Andrade*, Coleção de Artes Visuais do Instituto de Estudos Brasileiros-USP; **313a**: Tarsila do Amaral, *Retrato de Oswald de Andrade*, Col. Particular; **313b**: Otho Rudolph Quaas, inauguração do Teatro Municipal em São Paulo; **314a**: Anúncio da Semana de Arte Moderna publicado em *O Estado de São Paulo* em 16 de fevereiro de 1922, Iconographia; **314b**: Di Cavalcanti, *Capa do Catálogo da Semana de Arte Moderna*, Iconographia; **315a**: Anita Malfatti, *O Homem Amarelo*, Coleção de Artes Visuais do Instituto de Estudos Brasileiros-USP; **315c**: Tarsila do Amaral, *Auto-retrato*, Col. Particular; **316a**: Tarsila do Amaral, *Abaporu*, Col. Particular; **316b**: Tarsila do Amaral, *Manacá*, Col. Particular; **317a**: J. U. Campos, *Monteiro Lobato*; **317b**: Heitor Villa-Lobos, Iconographia.

Capítulo 29

318: Gaúchos amarram cavalo no obelisco, Iconographia; **319a**: Góis Monteiro (de pé) e Miguel Costa (sentado, à esquerda), Iconographia; **319b**: *O insucesso do cantador*, charge publicada na revista *O Malho*, 2 de novembro, 1929, Iconographia; **320e**: Cartaz de campanha de Júlio Prestes, Iconographia; **320d**: Campanha de Julio Prestes, São Paulo, 1930, Iconographia; **321**: Antônio Carlos, ao centro, Iconographia; **322**: João Pessoa (ao centro), Iconographia; **323**: Flores da Cunha e seus três filhos durante a Revolução de 30, Iconographia; **324**: Juarez Távora, Iconographia; **325**: Miguel Costa, Góes Monteiro e Getúlio Vargas, Iconographia; **326**: Golpe de 1930, Washington Luís deixa prisão e parte para o exílio, Iconographia; **327ae**: Getúlio Vargas, Iconographia; **327ad**: Oswaldo Texeira, *Retrato de Getúlio Vargas*, DIP, Iconographia.

Capítulo 30

328: Homenagem da Juventude Brasileira ao Presidente Getúlio Vargas, Arquivo Nacional; **329**: Cartaz da Revolução de 32, Iconographia; **330c**: Revolução Paulista de 32, extraído de *Lembranças de São Paulo – A capital paulista nos cartões-postais e álbuns de lembranças*, Solaris, 2000, J. E. Gerodelti, Carlos Conejo, Iconographia; **331**: Getúlio Vargas votando, Iconographia; **331bd**: José Américo de Almeida (à esquerda), Iconographia; **332**: Interrogatório de Prestes, Iconographia; **333**: Intentona Comunista, Iconographia; **334**: Getúlio Vargas anuncia pelo rádio a Constituição de 10 de novembro de 1937, Iconographia; **335a**: Osvaldo Aranha, Agência Estado;

335b: Iconographia; **336**: Página da Cartilha do DIP, *A juventude*; **337a**: Alvarus, *Caricatura de Plínio Salgado*, Reprodução/Colorização Ana Adams; **337b**: Integralistas, Iconographia.

Capítulo 31

338: Velório de Vargas, Iconographia; **339**: Primeira página do *Última Hora*, 24 de agosto de 1954, Iconographia; **340ae**: Carlos Drummond de Andrade, Iconographia; **340c**: Graciliano Ramos, Iconographia; **340ad**: Manuel Bandeira, Iconographia; **340b**: Guimarães Rosa, Iconographia; **341a**: Primeiro de Maio no Campo do Vasco, Rio de Janeiro, 1942, Iconographia **341c**: Campanha *O Petróleo é nosso*, Rio de Janeiro, Iconographia; **342e**: Cartaz do DIP da Marinha brasileira, Iconographia; **342c**: Raymond Neilson, Getúlio Vargas e Roosevelt, Museu da República; **342d**: Emblema do 1º grupo de caça da FAB, *Senta a Púa*, Iconographia; **343a**: Capa da revista *O Cruzeiro*, Reprodução; **343b**: Manuel Madruga, *A volta dos expedicionários*, Museu da República; **344**: Kronstrand, *Presidente Dutra*, Museu da República; **345ac**: Posse do General Eurico Gaspar Dutra, Iconographia; **346e**: Gregório Fortunato, Iconographia; **346d**: Carlos Lacerda ferido depois do atentado, Iconographia; **347a**: Populares durante enterro de Getúlio Vargas, Zero Hora/RBS; **347b**: Enterro de Getúlio Vargas, Zero Hora/RBS.

Capítulo 32

348: Posse de Juscelino Kubitschek, Acervo Última Hora/Folha Imagem; **349**: JK, Acervo Última Hora/Folha Imagem; **350a**: Posse de Café Filho, Iconographia; **350b**: Jango e Lott em campanha, Iconographia; **351a**: Iconographia; **351b**: Peter Scheier/Abril Imagens; **352**: Iconographia; **353**: Brasília, Iconographia; **354ae**: JK e Fidel Castro em maio de 1959, Iconographia; **354be**: Che Guevara e Jânio Quadros, Brasília, 1961, Iconographia; **354bd**: JK e Lúcio Costa na Avenida Monumental, Arquivo Nacional; **355a**: Reprodução da capa da revista *Times*; **355c**: Charges de Jânio; **355b**: Campanha Jânio Quadros, Iconographia; **356**: João Goulart, em 1963, Acervo Última Hora/Folha Imagem; **357ae**: Acervo Última Hora/Folha Imagem, Iconographia; **357ad**: Maria Teresa Goulart, Agência Estado; **357b**: Jango passando revista às tropas, *Zero Hora*; **358**: Jango com Brizola, *Zero Hora*; **359a**: Leonel Brizola em 1961, Iconographia; **359b**: Leonel Brizola voltando do exílio em 1979, Acervo Última Hora/Folha Imagem.

Capítulo 33

360: Desfile de 7 de setembro, R. J., Gen. Olímpio Mourão Filho, José Mario Alkimim, Carlos Lacerda, Presidente Castelo Branco e Gen. Arthur da Costa e Silva, 1964, *Zero Hora*; **361**: Castelo Branco, Costa e Silva e Ernesto Geisel, *Zero Hora*; **362e**: Assembléia dos Sargentos, Iconographia; **362d**: Jango e Maria Teresa, comício da Central do Brasil, 13 de março de 1964, Iconographia; **363**: A Marcha da família com Deus pela propriedade, Iconographia; **364**: Magalhães Pinto com Carlos Lacerda, Paulo Reis/*Zero Hora*; **366**: Iconographia; **367a**: Exército reprime manifestação, R. J., Iconographia; **367b**: Repressão em Porto Alegre, Iconographia; **368**: Iconographia; **369a**: Castelo Branco e Lincoln Gordon, Iconographia; **369b**: João Goulart e Kennedy na base aérea de Andrews, Maryland, abril de 1962, Iconographia; **370a**: General Castelo Branco, Iconographia; **370b**: General Castelo Branco, Iconographia; **371**: Iconographia.

Capítulo 34
372: Orlando Brito/AJB; **373a**: Iconographia; **373b**: Marcio Moreira Alves, 1968, Iconographia; **374**: Costa e Silva passando revista às tropas, 1969, *Zero Hora*; **375**: Garrastazu Medici e J. B. Figueiredo, Iconographia; **376a**: Presidente Garrastazu Medici comemora a conquista do tri, 22 de junho de 1970, J. Cardoso/AJB; **376b**: Iconographia; **377**: Charles Buerke Elbrick recebe a condecoração de Gran Cruz de Ordem de 5 estrelas, Agência Estado; **378a**: Agência Estado; **378b**: Folha Imagem; **379c**: *Zero Hora*; **379b**: Fernando Gabeira, 1979, Fernando Pimentel/Abril Imagens; **380**: Cícero de Oliveira/Folha Imagem; **381a**: Herzog morto no DOI CODI, S. P., 25 de outubro de 1975, Iconographia; **381b**: Folha Imagem; **382e**: Iconographia; **383a**: Iconographia; **383b**: Folha Imagem.

Capítulo 35
384a: Iconographia; **384b**: Capa do disco de Roberto Carlos, Divulgação; **385a**: Iconographia; **385b**: José Antônio/Abril Imagens; **386e**: A. Andrade/Abril Imagens; **386c**: Iconographia; **387**: Agência Estado; **388e**: Marina Sprogis/Abril Imagens; **388d**: Paulo Salomão/Abril Imagens; **389**: Iconographia; **390a**: Divulgação; **390b**: Iconographia; **391a**: David Zingg/Abril Imagens; **391c**: Leonardo Costa/Abril Imagens; **391b**: Divulgação; **392**: Abril Imagens; **393e**: Chacrinha, A. Veneziano/Abril Imagens; **393d**: Iconographia; **394a**: Lionel Falcon/Abril Imagens; **394b**: Rede Globo; **395a**: Iconographia; **395b**: *Zero Hora*.

Capítulo 36
396: Agência Estado; **397**: Comício pelas Diretas, R. J., 1984, Ricardo Chaves/Abril Imagens; **398**: Agência Estado; **399cd**: Reprodução imprensa internacional; **399b**: Lula discursando no ABC paulista, década de 1980, Agência Estado; **400ce**: Folheto de campanha, *Zero Hora*; **400cd**: Tancredo na posse de Jango em 1961, Iconographia; **402ae**: Reprodução; **402ad**: Orlando Brito/Abril Imagens; **402b**: Agência Estado; **403**: Jorge Araujo/Folha Imagem; **404**: Crachás de fiscais do Sarney, Jorge Rosenberg/Abril Imagens; **405a**: Populares assistem Sarney anunciando o plano Cruzado, Luiz Dantas/Abril Imagens; **405b**: Nota de 500 cruzados, gentilmente autorizada pelo Museu de Valores; **406**: Divulgação/Abril Imagens; **407a**: Cláudia Dantas/Abril Imagens; **407b**: Luizinho Coruja/Abril Imagens.

Capítulo 37
408: Valdir Friolin/Zero Hora; **409**: Protesto fora Collor, S. P., 1992, Jorge Aracejo/Folha Imagem; **410**: Agência Estado; **411a**: Agência Estado; **411b**: Marcos Rosa/Abril Imagens; **412**: Bia Parreiras/Abril Imagens; **413ad**: Nellie Solitrenick/Abril Imagens; **413ac**: José Nascimento/Folha Imagem; **413b**: Folha Imagem; **414**: Reprodução/Ana Araujo/Abril Imagens; **415e**: Folha Imagem; **415d**: Agência Estado; **416-7**: O candidato do PSDB à Presidência, senador Fernando Henrique Cardoso, acena ao chegar para a entrevista coletiva no Teatro Nacional, 6/10/94. José Paulo Lacerda/Agência Estado; **418**: Ilustração Ana Adams; **419**: Reprodução Agência Estado.

Capítulo 38
420ad: Auto-retrato de Théodore de Bry; **420cd**: Johann Froschauer, *Mundus Novus*, Biblioteca Pública de Nova York; **420cb**: Théodore de Bry, detalhe central de *Mulheres e crianças da tribo tomam mingau feito com as tripas do prisioneiro sacrificado*, Biblioteca Municipal Mário de Andrade; **421ae**: Albert Eckhout, *Homem Tapuia*, Museu Nacional da Dinamarca; **421ac**: Jean Baptiste Debret, *Auto-retrato*, Museus Castro Maya; **421ae**: Anônimo, *Retrato de Frans Post*, Museu do Estado de Pernambuco; **421b**: Atribuído a Carl Friedrich Phillip von Martius, *Lagoa das Aves no Rio São Francisco*, Fundação Maria Luiza e Oscar Americano; **422ad**: Retrato de Pedro Américo; **422ca**: Gerson Pompeu Pinheiro, *D. Pedro II com Almeida Jr.*, Museu Nacional de Belas Artes; **422cb**: Nicolas-Antoine Taunay, *auto-retrato*, Museu Imperial; **422b**: Oscar Pereira da Silva, *Descoberta do Brasil (Desembarque de Cabral em Porto Seguro)*, Museu Paulista; **423ad**: Benedito Calixto, *Auto-retrato*, Pinacoteca do Estado de São Paulo/Brasil; **423e**: Pedro Américo, *Tiradentes*, Museu Mariano Procópio; **423d**: Henrique Bernardelli, *Proclamação da República*, Prefeitura Municipal de São Paulo; **423b**: Pedro Américo, *O grito do Ipiranga*, Museu Paulista; **424ad**: Tarsila do Amaral, *Auto-retrato*, Palácio Boa Vista; **424e**: Cândido Portinari, 1934, *Mestiço*, Acervo da Pinacoteca do Estado de São Paulo/Brasil; **424d**: Cândido Portinari, 1944, *Criança Morta*, Masp; **425ac**: Di Cavalcanti; **425ad**: Revista *Careta*, Col. Edgar Luis de Barros; **426ac**: José Medeiros/Revista *O Cruzeiro*; **426be**: Pierre Verger, Abril Imagens; **426bd**: Victor Frond (fotografia) e Jacottet (litografia), *Fazenda de Quissaman près de Campos*.

Neste livro foram utilizadas as tipografias Minion e Bell Goythic,
impresso em São Paulo pela Marprint,
em papel Image Matte 90 g/m² da Ripasa.